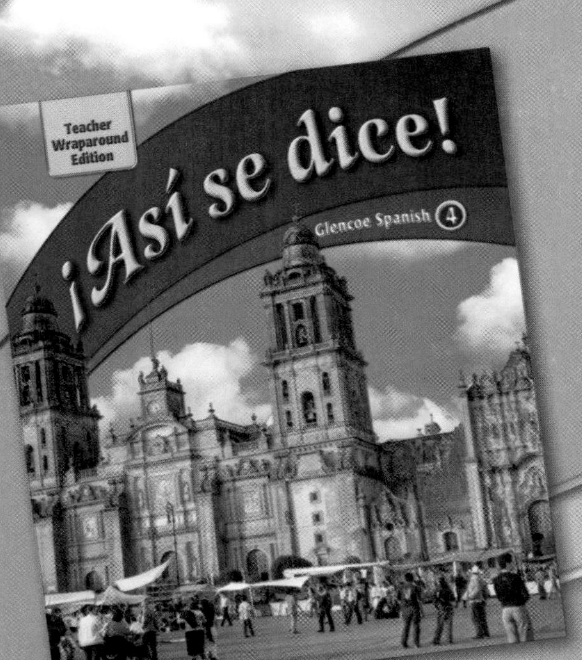

More than just a textbook!

QuickPass Use your chapter-specific Web code for quick and easy navigation. Access the Online Student Edition, extra practice, and self-check quizzes with QuickPass at glencoe.com.

Students can download the entire audio program to their MP3 players for convenient practice anywhere, anytime.

Glencoe offers you an array of classroom tools on CD-ROM. Plan your days with TeacherWorks™. Interact with student materials including Student Edition, Audio and Video Programs, and workbooks with StudentWorks™ Plus. Assess with *ExamView® Assessment Suite.*

The Glencoe *¡Así se dice!* Video Program allows you to tailor learning to your student's needs. Enrich your instruction with our Cultura en vivo DVDs.

Teacher
Wraparound
Edition
¡Así se dice!
Glencoe Spanish 4
Conrad J. Schmitt
Mc Graw Hill Glencoe

T1 Simon Vine/Alamy; **T4–T5** CORBIS; **T6** (l)Larry Hamill, (r)Andrew Payti; **T7** (l)The McGraw-Hill Companies, (r)Brand X Pictures/PunchStock; **T8** (t)Image Source/PunchStock, (c)Getty Images, (b)Andrew Payti; **T9** (t)C Squared Studios/Getty Images, (c)The McGraw-Hill Companies, (b)CORBIS; **T10** (t)David H. Brennan, (b)Andrew Payti; **T11** (t)Westend61/age fotostock, (b)StockDisc/PunchStock; **T12** (t)Getty Images, (c)Medioimages/age fotostock, (b)age fotostock; **T13** Pixtal/age fotostock; **T14** (t)age fotostock, (b)The McGraw-Hill Companies; **T15** (t)The McGraw-Hill Companies, (b)Cade Martin/age fotostock; **T16** (t)Value Stock Images/age fotostock, (b)Andrew Payti; **T17** (t)PunchStock, (b)Ariel Skelley/age fotostock; **T18** Emma Lee/Life File/Getty Images; **T19** (t)Brian Atkinson/Alamy, (b)Siepmann/Imagebroker/Alamy; **T20** Hola Images/Getty Images; **T21** (t)Getty Images, (b)mylife photos/Alamy; **1A** Pixtal/age fotostock; **52A** Thierry Lauzun/Iconotec.com; **104A** Photodisc/PunchStock; **168A** Melba Photo Agency/PunchStock; **214A** Dynamic Graphics Group/PunchStock; **266A** Larry Hamill; **318A** Passport Stock/age fotostock; **366A** Glowimages/age fotostock.

The McGraw·Hill Companies

Glencoe

Send all inquiries to:
Glencoe/McGraw-Hill
8787 Orion Place
Columbus, OH 43240-4027

ISBN: 978-0-07-880500-4 *(Teacher Wraparound Edition)*
MHID: 0-07-880500-7 *(Teacher Wraparound Edition)*
ISBN: 978-0-07-877785-1 *(Student Edition)*
MHID: 0-07-877785-2 *(Student Edition)*

Printed in the United States of America.

1 2 3 4 5 6 7 8 9 10 071/055 14 13 12 11 10 09 08

Dear Spanish Teacher,

We are most pleased that your students have decided to continue with their study of Spanish. As fourth-year students, they will continue to gain confidence in using the language that will hopefully become a most useful lifelong asset.

This year your students will be exposed, in a more in-depth way, to the geography, history, and rich cultures of the vast Spanish-speaking world. They will be introduced to higher level up-to-date vocabulary necessary to communicate and function in today's ever-changing world. They will read newspaper and magazine articles from Spain and Latin America and will be introduced to the works of some of the major writers of the Spanish-speaking world. At all times, the primary focus will be to increase your students' ability to communicate in Spanish with ease and confidence.

Remind your students to be diligent in completing assignments on a daily basis. Short, frequent periods of exposure will greatly enhance their language ability. Infrequent, longer periods of cramming are generally ineffective and will not give the desired result.

Let your students know that they should not be inhibited to speak for fear of making an error. It is most natural to make errors when acquiring a new language. One will never become proficient in a language by remaining silent.

Encourage your students to work a bit each day, to speak up and enjoy their journey in the acquisition of an exciting, valuable language.

Atentamente,
Conrad J. Schmitt

Contenido en breve

Teacher Edition

Student Edition

Scope and Sequence

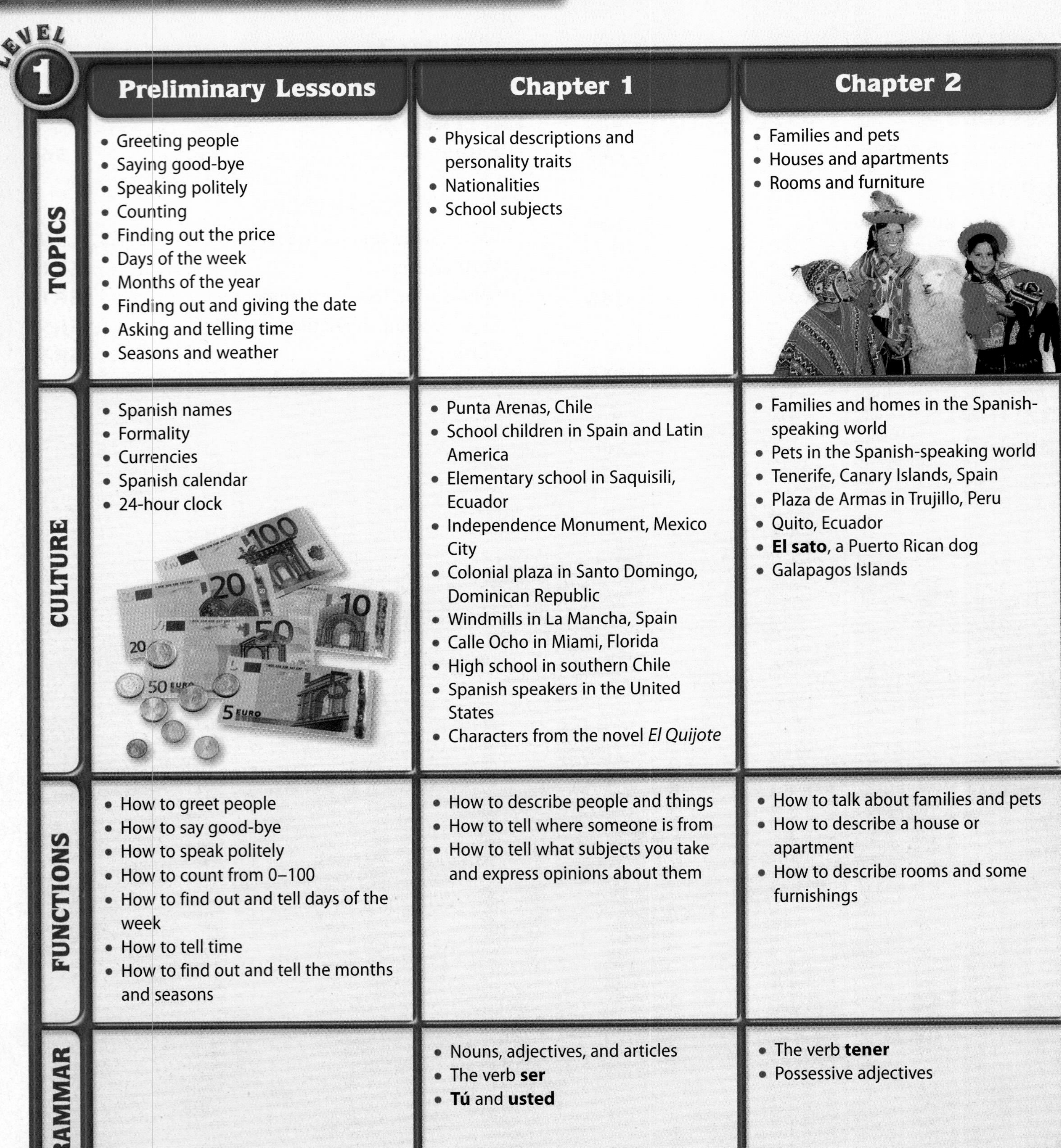

LEVEL 1

	Preliminary Lessons	Chapter 1	Chapter 2
TOPICS	• Greeting people • Saying good-bye • Speaking politely • Counting • Finding out the price • Days of the week • Months of the year • Finding out and giving the date • Asking and telling time • Seasons and weather	• Physical descriptions and personality traits • Nationalities • School subjects	• Families and pets • Houses and apartments • Rooms and furniture
CULTURE	• Spanish names • Formality • Currencies • Spanish calendar • 24-hour clock	• Punta Arenas, Chile • School children in Spain and Latin America • Elementary school in Saquisili, Ecuador • Independence Monument, Mexico City • Colonial plaza in Santo Domingo, Dominican Republic • Windmills in La Mancha, Spain • Calle Ocho in Miami, Florida • High school in southern Chile • Spanish speakers in the United States • Characters from the novel *El Quijote*	• Families and homes in the Spanish-speaking world • Pets in the Spanish-speaking world • Tenerife, Canary Islands, Spain • Plaza de Armas in Trujillo, Peru • Quito, Ecuador • **El sato**, a Puerto Rican dog • Galapagos Islands
FUNCTIONS	• How to greet people • How to say good-bye • How to speak politely • How to count from 0–100 • How to find out and tell days of the week • How to tell time • How to find out and tell the months and seasons	• How to describe people and things • How to tell where someone is from • How to tell what subjects you take and express opinions about them	• How to talk about families and pets • How to describe a house or apartment • How to describe rooms and some furnishings
GRAMMAR		• Nouns, adjectives, and articles • The verb **ser** • **Tú** and **usted**	• The verb **tener** • Possessive adjectives

LEVEL 1

	Chapter 3	Chapter 4	Chapter 5
TOPICS	• In the classroom • School clothes and school supplies • After-school activities	• Foods and beverages • Eating at a café	• Soccer • Baseball • Basketball • Tennis • Uniforms • Colors
CULTURE	• Library in Barranco, Peru • School uniforms in Spain and Latin America • Barcelona, Spain, and its languages • Plaza de Armas in Arequipa, Peru • Home in Antigua, Guatemala • School and after-school activities in Spanish-speaking countries and the United States • Working habits of young people in the Spanish-speaking world	• Eating habits in the Spanish-speaking world compared to the United States • Eating times in the Spanish-speaking world compared to the United States • Spanish tapas • Cacao plant • Typical dishes from the Spanish-speaking world • Argentine beef • Popular beverages, such as Inca Cola and mate • Simón Bolívar, a Latin American hero	• Various soccer stadiums in Spain and Latin America • Copan, Honduras • Jai alai • San Pedro de Macoris, Dominican Republic • Nicaragua and the earthquake of 1972 • Sports in Spanish-speaking countries compared to the United States • Baseball player Roberto Clemente
FUNCTIONS	• How to talk about what you do in school • How to identify some school clothes and school supplies • How to talk about what you and your friends do after school	• How to identify food • How to describe breakfast, lunch, and dinner • How to find a table at a café • How to order in a café • How to pay the bill in a café	• How to talk about sports • How to describe a soccer uniform • How to identify colors
GRAMMAR	• Present tense of **-ar** verbs • The verbs **ir, dar,** and **estar** • The contractions **al** and **del**	• Present tense of **-er** and **-ir** verbs • Expressions with the infinitive—**ir a**, **tener que**, **acabar de**	• Present tense of stem-changing verbs • **Interesar, aburrir,** and **gustar**

LEVEL 1

	Chapter 6	Chapter 7	Chapter 8
TOPICS	• Personality, conditions, and emotions • A visit to the doctor's office • Illnesses	• Summer weather and activities • Winter weather and activities	• Celebrating a birthday • Attending concerts, movies, and museums
CULTURE	• Pharmacies in the Spanish-speaking world • Homes of the Embera people of Panama • Canary Islands • Bogota, Colombia • The Plaza Central in Merida, Mexico • Literary genre, the picaresque novel	• Iguazu Falls • Skiing in the Pyrenees Mountains • Beaches in Spain • Vacationing in Argentina • Summer and winter resorts in Spanish-speaking countries	• Mexican artist, Frida Kahlo • Andean musical instrument, **la zampoña** • La Boca, an artistic neighborhood of Buenos Aires • Museums throughout the Spanish-speaking world • El Museo del Barrio and the Hispanic Institute in New York • Shakira, a Colombian singer • *Zapatistas*, by José Clemente Orozco • Hispanic art and music • Art and music in Mexico City
FUNCTIONS	• How to describe people's personality, conditions, and emotions • How to explain minor illnesses • How to talk about a doctor's appointment	• How to talk about summer and winter weather • How to talk about summer and winter activities	• How to talk about a birthday party • How to discuss concerts, movies, and museums
GRAMMAR	• **Ser** and **estar** • Indirect object pronouns	• Preterite tense of regular **-ar** verbs • Preterite of **ir** and **ser** • Direct object pronouns	• Preterite tense of **-er** and **-ir** verbs • The verbs **oír** and **leer** • Negative expressions

LEVEL 1

	Chapter 9	Chapter 10*	Chapter 11*
TOPICS	• Shopping for clothes • Shopping for food	• Packing for a trip • Getting to the airport • At the airport • On board an airplane	• Parts of the body • Daily routine • Backpacking and camping
CULTURE	• Shopping centers, markets, and food stands in Spain and Latin America • Shopping in Spanish-speaking countries compared to the United States • Musical groups throughout the Spanish-speaking world • Indigenous open-air markets • Moorish influence in Spanish architecture	• Airports in Spain and Latin America • Air travel in South America • Nazca lines in Peru • Aqueduct of Segovia, Spain • A beach in Palma de Mallorca • **Casa Rosada** in Buenos Aires	• Backpackers in the Spanish-speaking world • Camping in the Spanish-speaking world • Nerja Beach, Spain • Petrohue Falls, Chile • Aconcagua Mountain, Chile
FUNCTIONS	• How to talk about buying clothes • How to talk about buying foods	• How to talk about packing for a trip and getting to the airport • How to speak with a ticket agent • How to buy an airplane ticket • How to talk about being on an airplane	• How to talk about your daily routine • How to talk about camping • How to talk about the contents of your backpack
GRAMMAR	• Numbers over 100 • The present tense of **saber** and **conocer** • Comparatives and superlatives • Demonstrative adjectives and pronouns	• Verbs that have **g** in the **yo** form of the present tense • The present progressive tense	• Reflexive verbs • Commands with **favor de**

500 pesos

Nota * Chapters 10 and 11, Level 1, repeat as Chapters 1 and 2, Level 2.

	Repaso	Chapter 1*	Chapter 2*
TOPICS	• Friends, students, and relatives • At home and at school • Personality and health • Sports • Shopping for food and clothing • Summer and winter vacations and activities	• Packing for a trip • Getting to the airport • At the airport • On board an airplane 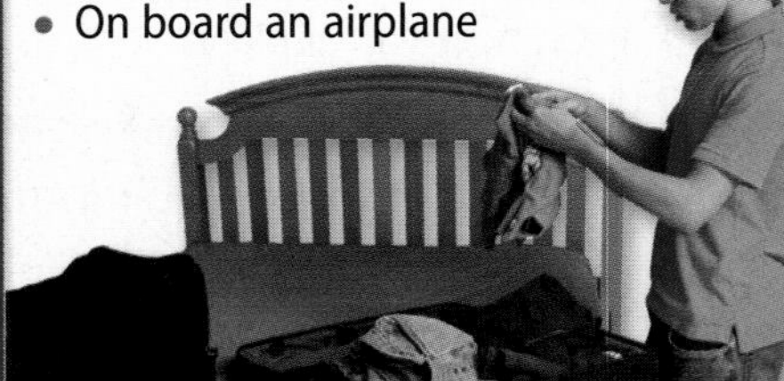	• Parts of the body • Daily routine • Backpacking and camping
CULTURE	• Plaza Mayor, Antigua, Guatemala • School in Cartegena, Colombia • San Miguel de Allende, Mexico • Shopping in Lima, Peru • Lake Villarrica in Chile	• Airports in Spain and Latin America • Air travel in South America • Nazca lines in Peru • Aqueduct of Segovia, Spain • A beach in Palma de Mallorca • **Casa Rosada** in Buenos Aires	• Backpackers in the Spanish-speaking world • Camping in the Spanish-speaking world • Nerja Beach, Spain • Petrohue Falls, Chile • Aconcagua Mountain, Chile
FUNCTIONS	• How to talk about friends, family, and home • How to talk about activities at home and at school • How to talk about personality, health, and general well-being • How to talk about sports • How to describe food and clothing • How to talk about vacations	• How to talk about packing for a trip and getting to the airport • How to speak with a ticket agent • How to buy an airplane ticket • How to talk about being on an airplane	• How to talk about your daily routine • How to talk about camping • How to talk about the contents of your backpack
GRAMMAR	• The verb **ser** • Nouns, articles, and adjectives • The verb **tener** • Possessive adjectives • The present tense of verbs • The present tense of **ir**, **dar**, **estar** • Contractions • Uses of **ser** and **estar** • The verbs **aburrir**, **interesar**, **gustar** • The verbs **saber** and **conocer** • Comparatives and superlatives • The preterite of regular verbs • The preterite of **ir** and **ser** • Direct and indirect object pronouns	• Verbs that have **g** in the **yo** form of the present tense • The present progressive tense	• Reflexive verbs • Commands with **favor de** 

Nota *Chapters 1 and 2, Level 2, repeat Chapters 10 and 11, Level 1.

LEVEL 2

	Chapter 3	Chapter 4	Chapter 5
TOPICS	• Train travel • Train trips to Spain, Peru, and Mexico	• Restaurants and types of food • Utensils	• Various festivals • Traditional carnival costumes
CULTURE	• El AVE • Train station in Atocha, Madrid • Plaza de la Independencia in Montevideo, Uruguay • Indigenous market in Peru • Cordoba and the Guadalquivir River • Plaza de Armas in Cuzco, Peru • Machu Picchu • The Barranca del Cobre • Panama Canal and the Panama Canal Railway • Atacama Desert	• Restaurants in Spain and Latin America • **Paella,** a typical Spanish dish • **El casado,** a typical Costa Rican dish • San Telmo and Recoleta, unique neighborhoods of Buenos Aires • Sidewalk cafés in the Spanish-speaking world • Fruit stand in Tepoztlan, Mexico • Famous Argentine beef • Spanish tapas	• Patron saints • **Papel picado** • The use of the piñata in Hispanic celebrations • **Sagrada Familia** in Barcelona, Spain • **El Día de Independencia** in Puebla, Mexico • **El Día de San Juan** • **Día de los Muertos** • **La Navidad** and **Hanuka** • New Year's Eve in Madrid • Parade in Mexico City
FUNCTIONS	• How to use vocabulary related to train travel • How to discuss interesting train trips in Spain, Peru, and Mexico	• How to order and pay for a meal at a restaurant • How to identify more foods • How to identify eating utensils and dishes • How to discuss restaurants in Spain and Latin America	• How to talk about several Hispanic holidays • How to compare holidays in the U.S. with those in some Spanish-speaking countries
GRAMMAR	• The preterite of irregular verbs • The verb **decir** • Prepositional pronouns	• Stem-changing verbs in the present and preterite • Adjectives of nationality • The passive voice with **se**	• Regular and irregular forms of the imperfect tense

LEVEL 2

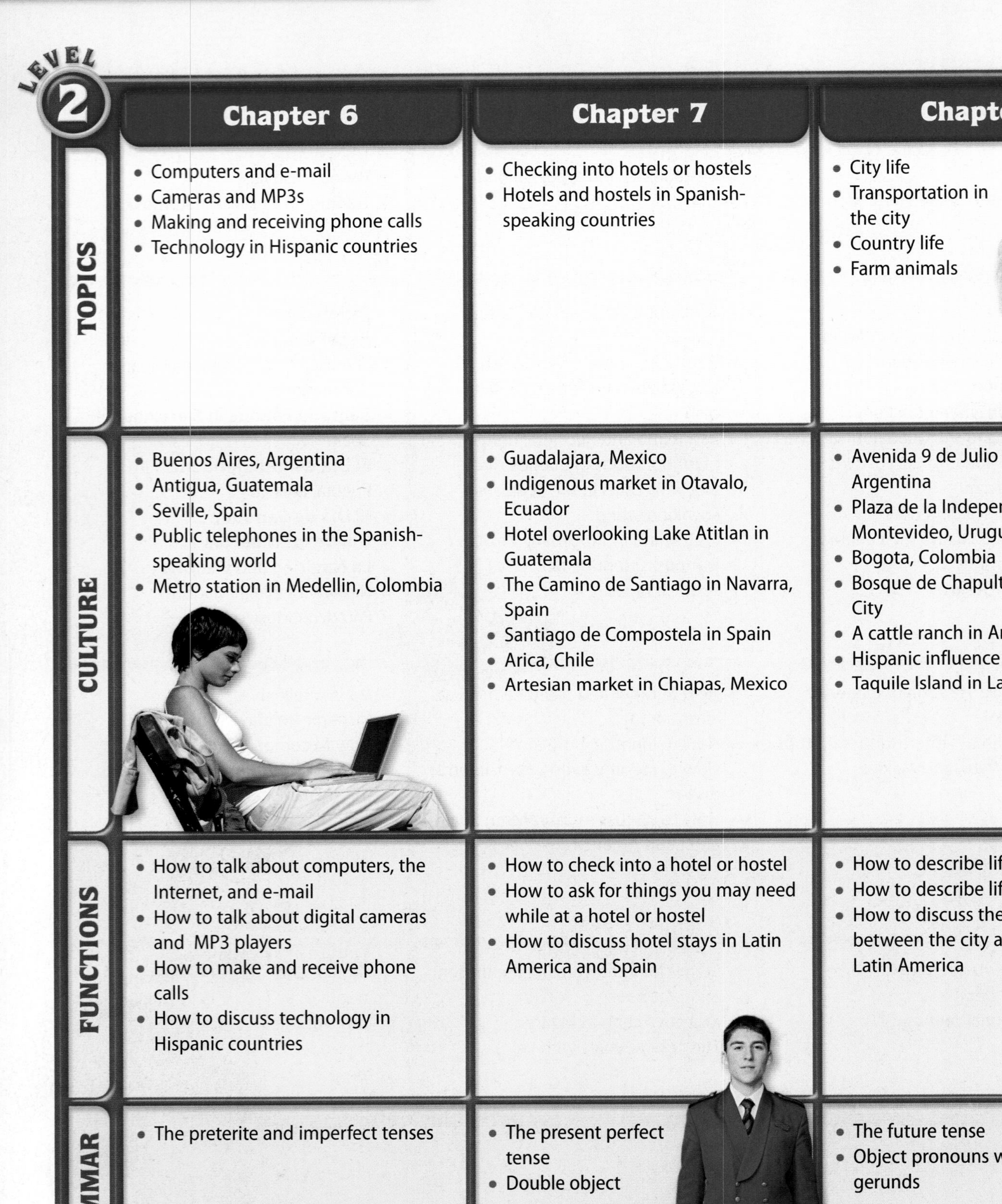

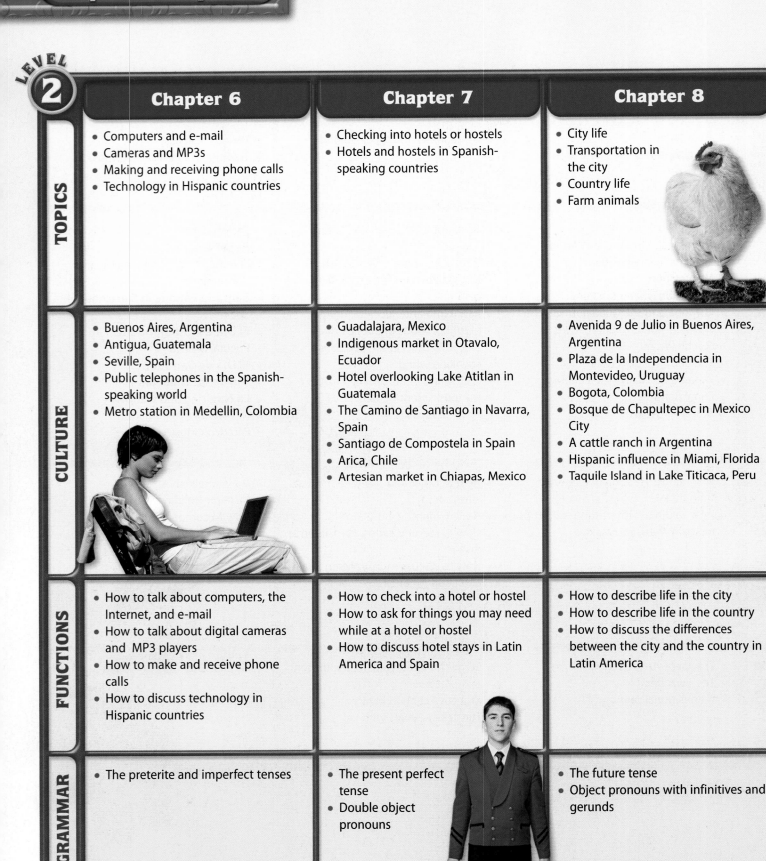

	Chapter 6	Chapter 7	Chapter 8
TOPICS	• Computers and e-mail • Cameras and MP3s • Making and receiving phone calls • Technology in Hispanic countries	• Checking into hotels or hostels • Hotels and hostels in Spanish-speaking countries	• City life • Transportation in the city • Country life • Farm animals
CULTURE	• Buenos Aires, Argentina • Antigua, Guatemala • Seville, Spain • Public telephones in the Spanish-speaking world • Metro station in Medellin, Colombia	• Guadalajara, Mexico • Indigenous market in Otavalo, Ecuador • Hotel overlooking Lake Atitlan in Guatemala • The Camino de Santiago in Navarra, Spain • Santiago de Compostela in Spain • Arica, Chile • Artesian market in Chiapas, Mexico	• Avenida 9 de Julio in Buenos Aires, Argentina • Plaza de la Independencia in Montevideo, Uruguay • Bogota, Colombia • Bosque de Chapultepec in Mexico City • A cattle ranch in Argentina • Hispanic influence in Miami, Florida • Taquile Island in Lake Titicaca, Peru
FUNCTIONS	• How to talk about computers, the Internet, and e-mail • How to talk about digital cameras and MP3 players • How to make and receive phone calls • How to discuss technology in Hispanic countries	• How to check into a hotel or hostel • How to ask for things you may need while at a hotel or hostel • How to discuss hotel stays in Latin America and Spain	• How to describe life in the city • How to describe life in the country • How to discuss the differences between the city and the country in Latin America
GRAMMAR	• The preterite and imperfect tenses	• The present perfect tense • Double object pronouns	• The future tense • Object pronouns with infinitives and gerunds

LEVEL 2

	Chapter 9	Chapter 10*	Chapter 11*
TOPICS	• Driving on the highway • Driving in the city • Cars • Gas stations	• The kitchen • Cooking • Types of food • Using a recipe	• Parts of the body • Exercise and physical activity • Minor medical problems • The emergency room
CULTURE	• The Bridge of the Americas in Panama • Avenida Bolívar • Traffic signs • Independence Monument in Mexico City • Pan American Highway • Traffic in Spanish-speaking countries	• Recipe for **paella** and paella utensils • Various foods from Spanish-speaking countries • Recipe for **sopa de pollo** • The metric system • Good nutrition • Recipe for **arroz con pollo** • Recipe for **la ropa vieja**	• Hospitals in the Spanish-speaking world • Physical activity and good health • Doctors Without Borders
FUNCTIONS	• How to talk about cars and driving • How to give directions • How to discuss the Pan American Highway VIA PANAMERICANA QUITO →	• How to talk about foods and food preparation • How to talk about a Spanish recipe	• How to identify more parts of the body • How to talk about exercise • How to talk about having a minor accident and a trip to the emergency room • How to discuss physical fitness
GRAMMAR	• **Tú** affirmative commands • The conditional	• The subjunctive • Formal commands • Negative informal commands	• The subjunctive with impersonal expressions • **Ojalá**, **quizás**, **tal vez** • The subjunctive of stem-changing verbs • The comparison of like things

Nota *Chapters 10 and 11, Level 2, repeat as Chapters 1 and 2, Level 3.

Scope and Sequence

LEVEL 3

	Repaso	Chapter 1*	Chapter 2*
TOPICS	• At home and at school • Sports and daily routine • Vacations • Shopping and celebrations • City and country • Hotels and restaurants	• The kitchen • Cooking • Types of food • Using a recipe	• Parts of the body • Exercise and physical activity • Minor medical problems • The emergency room
CULTURE	• School in Cienfuegos, Cuba • Davis Cup tennis match in Palma de Mallorca, Spain • A ski resort near Santiago, Chile • Christmas lights in Medellin, Colombia • Plaza del estudiante in La Paz, Bolivia • Restaurant Tabacon in Alajuela, Costa Rica	• Recipe for **paella** and paella utensils • Various foods from Spanish-speaking countries • Recipe for **sopa de pollo** • The metric system • Good nutrition • Recipe for **arroz con pollo** • Recipe for **la ropa vieja**	• Hospitals in the Spanish-speaking world • Physical activity and good health • Doctors Without Borders
FUNCTIONS	• How to discuss home and school • How to discuss sports and daily routine • How to discuss vacations and summer and winter activities • How to discuss shopping and celebrations • How to discuss city and country life • How to discuss hotels and restaurants	• How to talk about foods and food preparation • How to talk about a Spanish recipe	• How to identify more parts of the body • How to talk about exercise • How to talk about having a minor accident and a trip to the emergency room • How to discuss physical fitness
GRAMMAR	• Present tense of regular and irregular verbs • The verbs **ir, dar, estar** • Preterite and imperfect of regular and irregular verbs • The verbs **interesar, aburrir, gustar** • Indirect and direct object pronouns • Uses of the preterite and imperfect • The present perfect tense • Regular and irregular past participles • Double object pronouns	• The subjunctive • Formal commands • Negative informal commands	• The subjunctive with impersonal expressions • **Ojalá**, **quizás**, **tal vez** • The subjunctive of stem-changing verbs • The comparison of like things

Nota * Chapters 1 and 2, Level 3, repeat Chapters 10 and 11, Level 2.

LEVEL 3

	Chapter 3	Chapter 4	Chapter 5
TOPICS	• Weddings • Baptisms • Birthdays • Funerals	• The hair salon • Washing clothes • Mailing letters and packages • The bank	• Courtesies • Manners
CULTURE	• **Quinceañera** celebrations • Wedding ceremonies and customs throughout the Spanish-speaking world • Cemetery of Old San Juan • Cathedral in Jerez de la Frontera, Spain • Atacama Desert • Mariachis • Madrid, Spain • *El hermano ausente en la cena de Pascua* by Abraham Valdelomar	• Palacio de Telecomunicaciones in Madrid, Spain • European currency • ATMs in Spanish-speaking countries • Police officers in Málaga, Spain • Hair salons, laundromats, and banks in Spanish-speaking countries • Baños, Ecuador • Puerto Banús beach in Marbella, Spain • Architectural influence of the Moors in Spain • *El mensajero de San Martín* • General José de San Martín • Torres del Paine National Park in Chile • Santiago, Chile • Plaza de España, Seville, Spain	• Typical greetings throughout Spanish-speaking countries • Typical gestures used among many Spanish speakers • Traditional wedding in Ibiza, Spain • Gardens at the Royal Palace in Madrid, Spain • Zaragoza, Spain • Cadaqués, Spain • *El conde Lucanor* by Don Juan Manuel • El AVE at the train station in Seville
FUNCTIONS	• How to talk about passages of life: weddings, baptisms, birthdays, and funerals • How to read a poem by the Peruvian writer Abraham Valdelomar	• How to talk about errands • How to discuss preparing for a trip through Andalusia • How to read a short story from Argentina	• How to discuss manners • How to compare manners in Spanish-speaking countries to manners in the U.S.
GRAMMAR	• The subjunctive to express wishes • The subjunctive to express emotions • Possessive pronouns	• The subjunctive with expressions of doubt • The subjunctive with adverbial clauses • The pluperfect, conditional perfect, and future perfect tenses	• The imperfect subjunctive • The subjunctive vs. the infinitive • Suffixes

NO SE PEMITE
EL USO DEL
MOVIL

Scope and Sequence

LEVEL 3

	Chapter 6	Chapter 7	Chapter 8
TOPICS	• Air travel • Train travel • Car travel and rental	• Art • Literature	• History of Latinos in the United States • Spanish speakers in the United States • Spanish television and press in the United States
CULTURE	• Various airports throughout the Spanish-speaking world • The Panama Canal Railway • Atocha train station in Madrid • Lake Titicaca in Bolivia • Exotic bird in the Ecuadoran jungle • A trip to Bolivia • La Paz, Bolivia, and Plaza Murillo • *Temprano y con sol* by Emilia Pardo Bazán • La Coruña, Spain • Avila, Spain • Copacabana, Bolivia	• Frida Kahlo home and museum in Coyoacan, Mexico • Fernando Botero • Las Fallas in Valencia, Spain • Federico García Lorca • Mayan ruins in Copán, Honduras • Joan Miró Foundation in Barcelona • *Las meninas* by Diego Velázquez • *El oso y el madroño* in Madrid, Spain • Costa Brava, Spain • Guggenheim Museum in Bilbao, Spain • Don Quijote and Sancho Panza • La Boca, an artistic neighborhood in Buenos Aires • *La liberación del peón* by Diego Rivera • *No sé por qué piensas tú* by Nicolás Guillén • Havana, Cuba	• Street festivals in the U.S. honoring Latino heritage and culture • Jaime Escalante • Baseball player Alex Rodríguez • Univisión and Telemundo • Hernán Cortés, conqueror of Mexico • Francisco Pizarro, conqueror of Peru • Ibiza, Balearic island in the Mediterranean • Sandra Cisneros • *A Julia de Burgos* by Julia de Burgos • University of Puerto Rico • Capitolio Nacional in Havana, Cuba • A plaza in Guadalajara, Mexico • Arch of the Revolution, Mexico City
FUNCTIONS	• How to discuss several modes of travel • How to talk about a trip to Bolivia • How to read a short story by the Spanish author Emilia Pardo Bazán	• How to discuss fine art and literature • How to talk about a mural by the Mexican artist Diego Rivera • How to read a sonnet by the Spaniard Federico García Lorca • How to read a poem by the Cuban poet Nicolás Guillén	• How to talk about the history of Spanish speakers in the U.S. • How to discuss the experience of Latinos in the U.S. • How to read a poem by the Puerto Rican poet Julia de Burgos
GRAMMAR	• The subjunctive with conjunctions of time • The subjunctive to express commands and advice • Irregular nouns	• The present perfect and pluperfect subjunctive • **Si** clauses • Adverbs ending in **-mente**	• The subjunctive with **aunque** • The subjunctive with **-quiera** • Definite and indefinite articles (special uses) • Apocopated adjectives

LEVEL 3

	Chapter 9	Chapter 10
TOPICS	• Food and food preparation • History of food	• Careers • Job applications and interviews • Second languages and the job market
CULTURE	• Various foods popular throughout Spain and Latin America • Olive groves in Andalusia • History of the potato and the tomato • Taco de carne • History of spices • Arabic influence in Latin cuisine • *Oda a la alcachofa* by Pablo Neruda	• Antonio Villaraigosa • Calella de Palafrugell, Spain • Plaza de Armas in Quito, Ecuador • Shopping on Calle Florida in Buenos Aires • Mezquita de Córdoba and other Arabic influences throughout Spain • *Un día de éstos* by Gabriel García Márquez • Plaza Mayor in Cuenca, Ecuador • Cartagena, Colombia
FUNCTIONS	• How to identify more foods • How to describe food preparation • How to discuss the history of foods from Europe and the Americas • How to read a poem by the Chilean poet Pablo Neruda	• How to talk about professions and occupations • How to have a job interview • How to discuss the importance of learning a second language • How to read a short story by the Colombian novelist Gabriel García Márquez
GRAMMAR	• Passive voice • Relative pronouns • Expressions of time with **hace** and **hacía**	• **Por** and **para** • The subjunctive with relative clauses

LEVEL 4

	Chapter 1	Chapter 2
TOPICS	• The geography of Spain • The history of Spain • Spanish culture	• The geography of Ecuador, Peru, and Bolivia • The history of Ecuador, Peru, and Bolivia • The culture of Ecuador, Peru, and Bolivia
CULTURE	• The invasion of the Moors • Basque country • The Catholic Kings • Christopher Columbus • Roman influence and architecture • Spanish foods • Spanish Civil War, 1936–1939 • Extremadura, Spain • Valencia, Spain • Survivors of the Guernica bombing • *Guernica* by Pablo Picasso • Immigrants on the coast of Tarifa • *Canción del pirata* by José de Espronceda • *La primavera besaba* by Antonio Machado • *El niño al que se le murió el amigo* by Ana María Matute	• Quipu, an Incan accounting system • Geography of Peru and Ecuador • Land-locked Bolivia • The Andes Mountains • The Incas • Machu Picchu • Francisco Pizarro, conqueror of the Incan Empire • South American liberators Simón Bolívar and José de San Martín • Otavalo market in Ecuador • Food in Ecuador, Peru, and Bolivia • Tungurahua Volcano, Ecuador • *¡Quién sabe!* by José Santos Chocano • *Los comentarios reales* by the Inca Garcilaso de la Vega
FUNCTIONS	• How to express past actions • How to refer to specific things	• How to describe habitual past actions • How to talk about past events • How to describe actions in progress • How to make comparisons
GRAMMAR	• Preterite of regular verbs • Preterite of stem-changing verbs • Preterite of irregular verbs • Nouns and articles	• The imperfect of regular and irregular verbs • The imperfect and the preterite to describe the past and to indicate past actions • The progressive tenses • The comparative and superlative • Comparison of equality

LEVEL 4

	Chapter 3	Chapter 4
TOPICS	• The geography of Chile, Argentina, Paraguay, and Uruguay • The history of Chile, Argentina, Paraguay, and Uruguay • The culture of Chile, Argentina, Paraguay, and Uruguay	• The geography of Central American countries • The history of Central American countries • The culture of Central American countries
CULTURE	• Atacama Desert • Patagonia and Tierra del Fuego • Guarani • Argentine gauchos and the pampas • Evita and Juan Perón • Ushuaia, Argentina • Argentine beef, Chilean seafood • Avenida 9 de Julio, Buenos Aires • Weather in Buenos Aires • *Martín Fierro* by José Hernández • *Los niños lloraban* by Pablo Neruda • *Historia de dos cachorros de coatí y dos cachorros de hombre* by Horacio Quiroga • *Continuidad de los parques* by Julio Cortázar	• The Central American isthmus • The Mayans • Capital cities of Central America • Tikal, Guatemala, largest ancient ruined city of the Maya civilization • Copan, Honduras, and its famous stelae • Islas de San Blas in Panama • Central American cuisine • Rigoberta Menchú and **los quichés,** an indigenous group of Guatemala • *Lo fatal* by Rubén Darío • *Canción de otoño en primavera* by Rubén Darío • *me llamo Rigoberta Menchú y así me nació la conciencia* by Elizabeth Burgos
FUNCTIONS	• How to describe actions in the present • How to state location and origin • How to refer to people and things already mentioned • How to express surprise, interest, and annoyance • How to express affirmative and negative ideas	• How to form the present subjunctive • How to express necessity, possibility, and doubt using the subjunctive • How to express emotion using the subjunctive • How to give commands
GRAMMAR	• The present tense of regular and irregular verbs • **Ser** and **estar** • Object pronouns • **Gustar** and verbs like **gustar** • Affirmative and negative expressions	• The present subjunctive • Uses of the subjunctive • Direct and indirect commands

LEVEL 4

	Chapter 5	Chapter 6
TOPICS	• The geography of Mexico • The history of Mexico • The culture of Mexico	• The geography of Cuba, Puerto Rico, and the Dominican Republic • The history of Cuba, Puerto Rico, and the Dominican Republic • The culture of Cuba, Puerto Rico, and the Dominican Republic
CULTURE	• Indigenous civilizations • Hernán Cortés and the conquest of the Aztec Empire • September 16, Mexican Independence Day • **Cinco de Mayo** • Mexican Revolution of 1910 • El Zócalo • Tenochtitlán • Chichén Itzá • Mexican cuisine • Bosque de Chapultepec • Mexican film synopses • *En paz* by Amado Nervo • *Aquí* by Octavio Paz • *Malinche* by Laura Esquivel	• Mountain ranges in Cuba, Puerto Rico, and the Dominican Republic • The climate of the Greater Antilles • The exploration of Christopher Columbus • The Taino culture • Fidel Castro • José Martí • Santo Domingo • Havana, Cuba • Caribbean food • Caves of Camuy • *Búcate plata* by Nicolás Guillén • *Sensemayá* by Nicolás Guillén • *El ave y el nido* by Salomé Ureña • *Mi padre* by Manuel del Toro
FUNCTIONS	• How to express what people do for themselves • How to tell what was done or what is done in general • How to express what you have done recently • How to describe actions completed prior to other actions • How to express opinions and feelings about what has happened • How to place object pronouns in a sentence	• How to express future events • How to express what you will have done and what you would have done • How to refer to specific things • How to express ownership
GRAMMAR	• Reflexive verbs • Passive voice • Present perfect • Pluperfect • Present perfect subjunctive • Object pronouns	• The future and conditional • The future perfect and conditional perfect • Demonstrative pronouns • Possessive pronouns • Relative pronouns

LEVEL 4

	Chapter 7	Chapter 8
TOPICS	• The geography of Venezuela and Colombia • The history of Venezuela and Colombia • The culture of Venezuela and Colombia	• Latinos in the United States, past and present • Your own ethnicity 
CULTURE	• Angel Falls in Venezuela • Orinoco River • Petroleum industry • Four geographic regions of Colombia • Simón Bolívar and the fight for independence • Typical foods of Venezuela and Colombia • Cartagena, Colombia • *Cien años de soledad* by Gabriel García Márquez • *Los maderos de San Juan* by José Asunción Silva • *Vivir para contarla* by Gabriel García Márquez	• Various street festivals and parades celebrating Latinos in the U.S. • History of the term **hispano** • Hispanic celebrities in the U.S. • Hispanic cuisine in the U.S. • Latin and Spanish architectural influences • Mariachi music • **Cinco de Mayo** • *Desde la nieve* by Eugenio Florit • *El caballo mago* by Sabine Ulibarrí
FUNCTIONS	• How to form the imperfect subjunctive • How to use the subjunctive in adverbial clauses • How to express *although* and *perhaps* • How to use **por** and **para**	• How to form the pluperfect subjunctive • How to discuss contrary-to-fact situations • How to use definite and indefinite articles
GRAMMAR	• The imperfect subjunctive • The subjunctive with adverbs of time • The subjunctive with **aunque** • The subjunctive with **quizá(s)**, **tal vez, ojalá (que)** • **Por** and **para**	• Pluperfect subjunctive • Clauses with **si** • Subjunctive in adverbial clauses • Shortened forms of adjectives • Definite and indefinite articles

Plan for teaching the chapter.

Preview gives you a brief introduction to the content of the chapter.

Cultural Snapshot provides interesting information about the opening photograph.

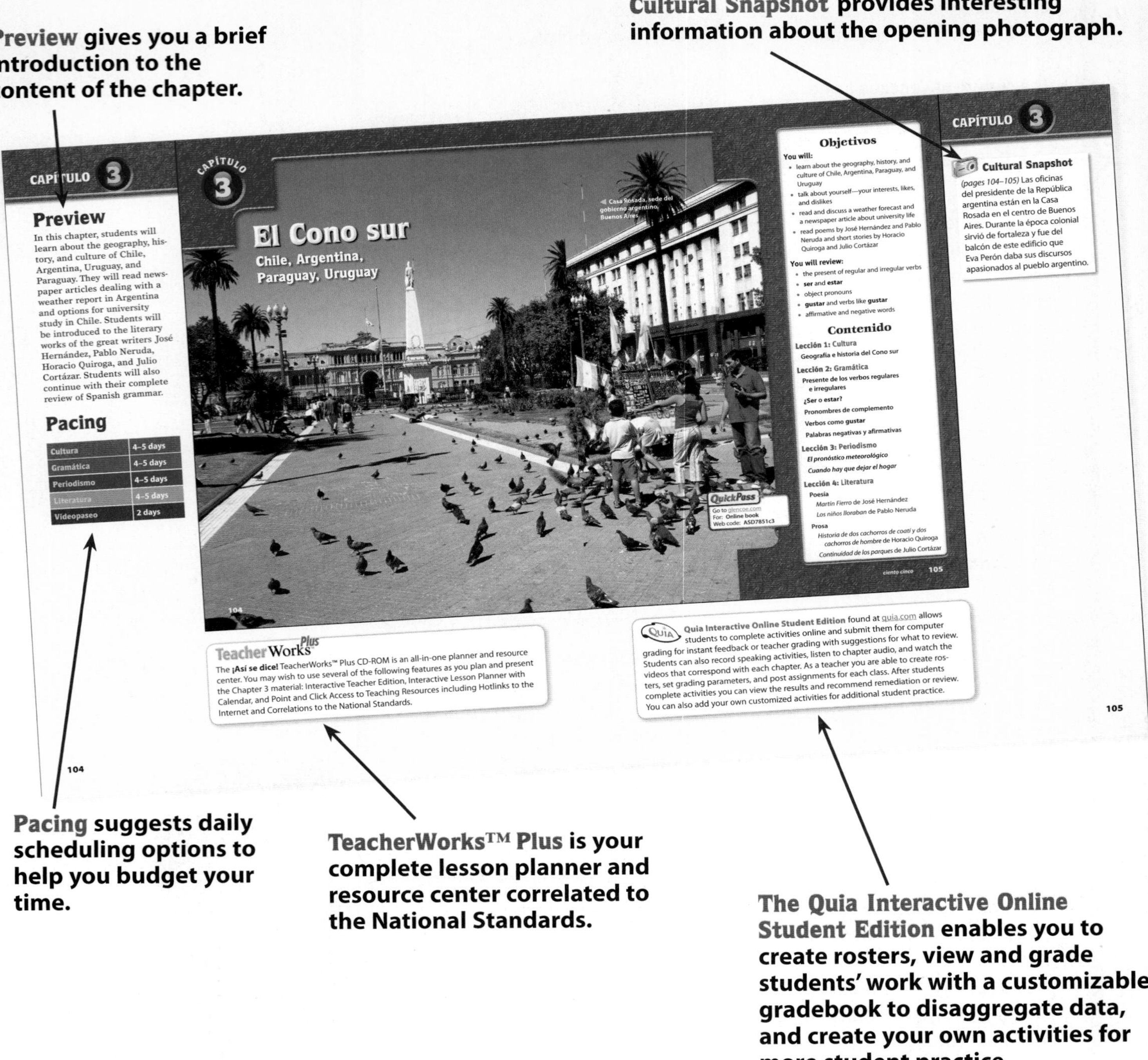
CAPÍTULO 3

Preview

In this chapter, students will learn about the geography, history, and culture of Chile, Argentina, Uruguay, and Paraguay. They will read newspaper articles dealing with a weather report in Argentina and options for university study in Chile. Students will be introduced to the literary works of the great writers José Hernández, Pablo Neruda, Horacio Quiroga, and Julio Cortázar. Students will also continue with their complete review of Spanish grammar.

Pacing

Cultura	4–5 days
Gramática	4–5 days
Periodismo	4–5 days
Literatura	4–5 days
Videopaseo	2 days

104

Objetivos

You will:

- learn about the geography, history, and culture of Chile, Argentina, Paraguay, and Uruguay
- talk about yourself—your interests, likes, and dislikes
- read and discuss a weather forecast and a newspaper article about university life
- read poems by José Hernández and Pablo Neruda and short stories by Horacio Quiroga and Julio Cortázar

You will review:

- the present of regular and irregular verbs
- **ser** and **estar**
- object pronouns
- **gustar** and verbs like **gustar**
- affirmative and negative words

Contenido

Lección 1: Cultura
Geografía e historia del Cono sur

Lección 2: Gramática
Presente de los verbos regulares e irregulares
¿Ser o estar?
Pronombres de complemento
Verbos como gustar
Palabras negativas y afirmativas

Lección 3: Periodismo
El pronóstico meteorológico
Cuando hay que dejar el hogar

Lección 4: Literatura
Poesía
Martín Fierro de José Hernández
Los niños lloraban de Pablo Neruda
Prosa
Historia de dos cachorros de coatí y dos cachorros de hombre de Horacio Quiroga
Continuidad de los parques de Julio Cortázar

ciento cinco 105

CAPÍTULO 3

Cultural Snapshot

(pages 104–105) Las oficinas del presidente de la República argentina están en la Casa Rosada en el centro de Buenos Aires. Durante la época colonial sirvió de fortaleza y fue del balcón de este edificio que Eva Perón daba sus discursos apasionados al pueblo argentino.

TeacherWorks Plus

The **¡Así se dice!** TeacherWorks™ Plus CD-ROM is an all-in-one planner and resource center. You may wish to use several of the following features as you plan and present the Chapter 3 material: Interactive Teacher Edition, Interactive Lesson Planner with Calendar, and Point and Click Access to Teaching Resources including Hotlinks to the Internet and Correlations to the National Standards.

Quia Interactive Online Student Edition found at quia.com allows students to complete activities online and submit them for computer grading for instant feedback or teacher grading with suggestions for what to review. Students can also record speaking activities, listen to chapter audio, and watch the videos that correspond with each chapter. As a teacher you are able to create rosters, set grading parameters, and post assignments for each class. After students complete activities you can view the results and recommend remediation or review. You can also add your own customized activities for additional student practice.

105

Pacing suggests daily scheduling options to help you budget your time.

TeacherWorks™ Plus is your complete lesson planner and resource center correlated to the National Standards.

The Quia Interactive Online Student Edition enables you to create rosters, view and grade students' work with a customizable gradebook to disaggregate data, and create your own activities for more student practice.

Use helpful suggestions to teach the cultural readings and prepare students for the lesson and chapter tests.

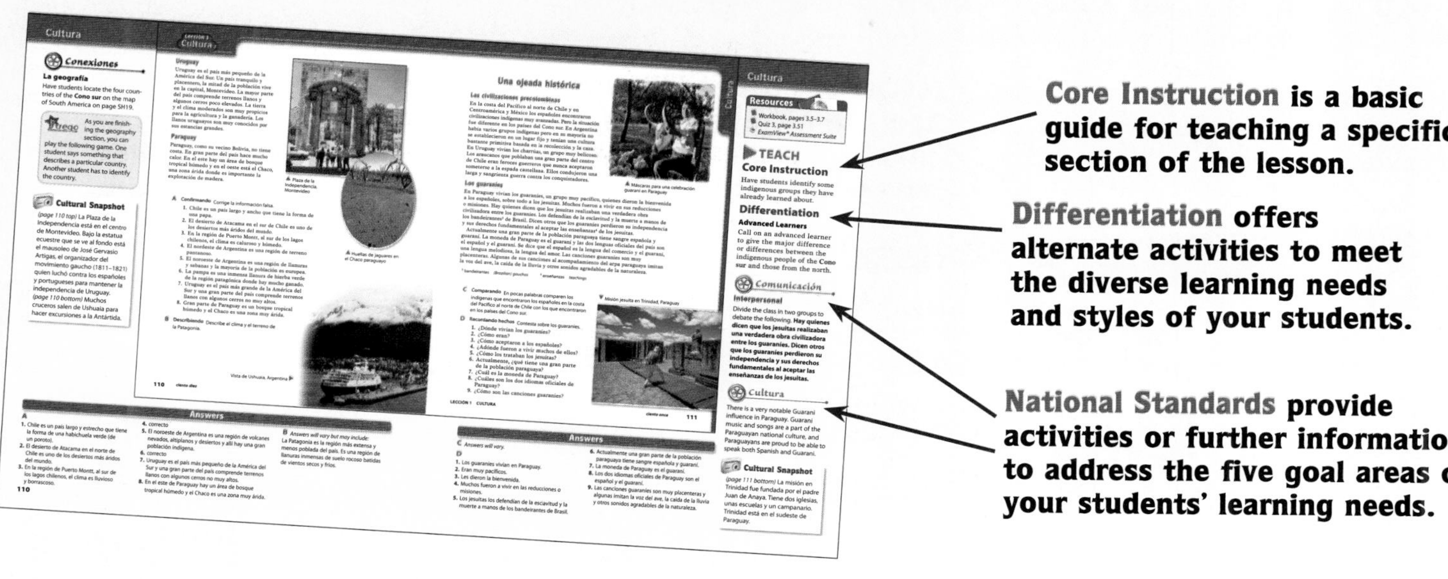

Core Instruction is a basic guide for teaching a specific section of the lesson.

Differentiation offers alternate activities to meet the diverse learning needs and styles of your students.

National Standards provide activities or further information to address the five goal areas of your students' learning needs.

Self-check for achievement offers suggestions for how to use the pre-test for Lessons 1, 2, and 3 of each chapter.

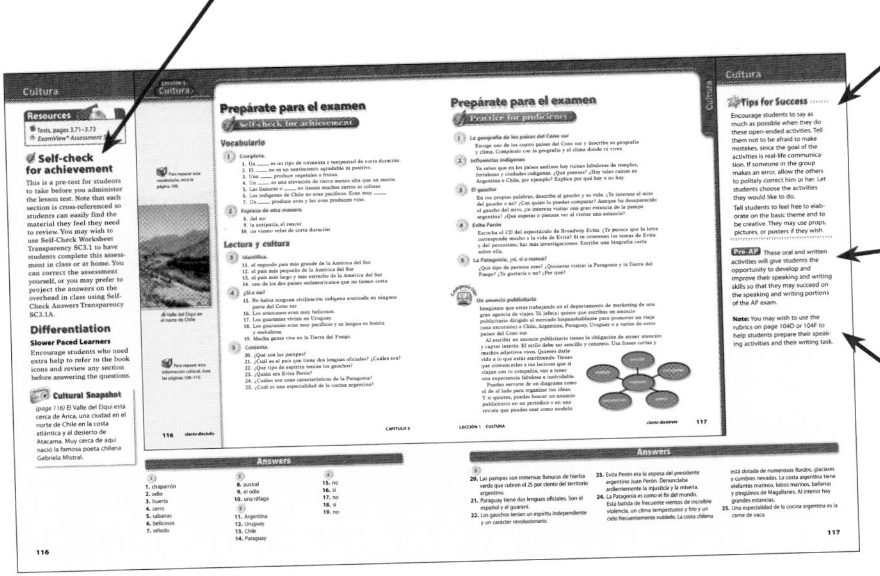

Tips for Success presents ideas to help students master the activities in the proficiency practice for Lessons 1, 2, and 3 of each chapter.

Pre-AP explains how activities offer students practice for different portions of the AP exam.

Note refers you to rubrics that will not only help you evaluate students' work, but will also guide students in preparing their activities.

Reach your students through clear presentation and practice of grammar.

Teaching Options suggests alternative ways to present the review grammar.

Resources lists additional tools to help you teach, practice, and assess each section of the lesson.

Leveling helps you individualize instruction by organizing activities according to difficulty.

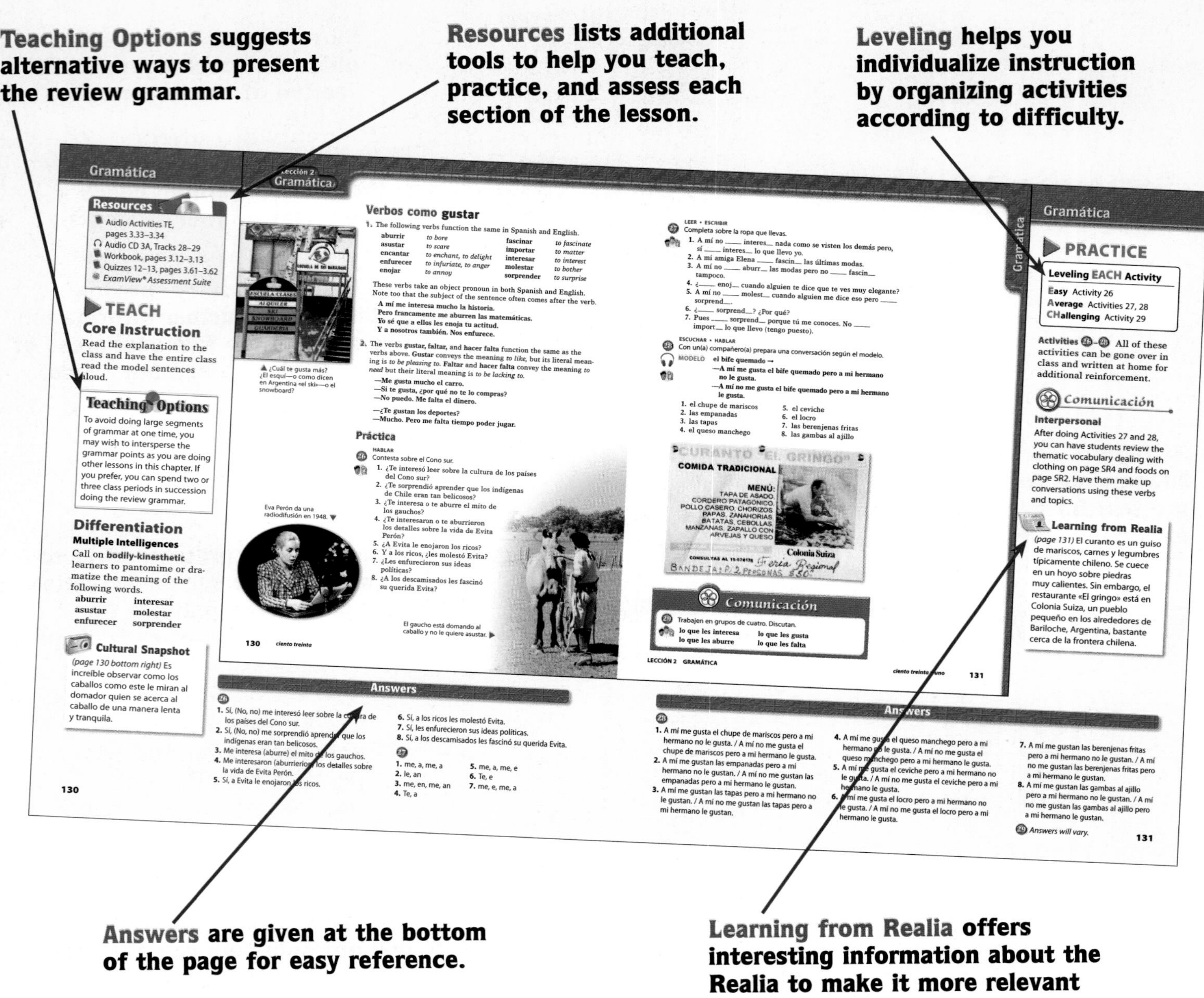

Gramática

Resources
- Audio Activities TE, pages 3.33–3.34
- Audio CD 3A, Tracks 28–29
- Workbook, pages 3.12–3.13
- Quizzes 12–13, pages 3.61–3.62
- *ExamView® Assessment Suite*

TEACH

Core Instruction
Read the explanation to the class and have the entire class read the model sentences aloud.

Teaching Options
To avoid doing large segments of grammar at one time, you may wish to intersperse the grammar points as you are doing other lessons in this chapter. If you prefer, you can spend two or three class periods in succession doing the review grammar.

Differentiation
Multiple Intelligences
Call on **bodily-kinesthetic** learners to pantomime or dramatize the meaning of the following words.

aburrir	**interesar**
asustar	**molestar**
enfurecer	**sorprender**

Cultural Snapshot
(page 130 bottom right) Es increíble observar como los caballos como este le miran al domador quien se acerca al caballo de una manera lenta y tranquila.

Lección 2 Gramática

¿Cuál te gusta más? ¿El esquí—o como dicen en Argentina «el ski»—o el snowboard?

Verbos como gustar

1. The following verbs function the same in Spanish and English.

aburrir	*to bore*	**fascinar**	*to fascinate*
asustar	*to scare*	**importar**	*to matter*
encantar	*to enchant, to delight*	**interesar**	*to interest*
enfurecer	*to infuriate, to anger*	**molestar**	*to bother*
enojar	*to annoy*	**sorprender**	*to surprise*

These verbs take an object pronoun in both Spanish and English. Note too that the subject of the sentence often comes after the verb.

A mí me interesa mucho la historia.
Pero francamente me aburren las matemáticas.
Yo sé que a ellos les enoja tu actitud.
Y a nosotros también. Nos enfurece.

2. The verbs **gustar, faltar,** and **hacer falta** function the same as the verbs above. **Gustar** conveys the meaning *to like,* but its literal meaning is *to be pleasing to.* **Faltar** and **hacer falta** convey the meaning *to need* but their literal meaning is *to be lacking to.*

—Me gusta mucho el carro.
—Si te gusta, ¿por qué no te lo compras?
—No puedo. Me falta el dinero.

—¿Te gustan los deportes?
—Mucho. Pero me falta tiempo poder jugar.

Práctica

HABLAR
26 Contesta sobre el Cono sur.
1. ¿Te interesó leer sobre la cultura de los países del Cono sur?
2. ¿Te sorprendió aprender que los indígenas de Chile eran tan belicosos?
3. ¿Te interesa o te aburre el mito de los gauchos?
4. ¿Te interesaron o te aburrieron los detalles sobre la vida de Evita Perón?
5. ¿A Evita le enojaron los ricos?
6. Y a los ricos, ¿les molestó Evita?
7. ¿Les enfurecieron sus ideas políticas?
8. ¿A los descamisados les fascinó su querida Evita?

Eva Perón da una radiodifusión en 1948.

El gaucho está domando al caballo y no le quiere asustar.

130 *ciento treinta*

LEER • ESCRIBIR
27 Completa sobre la ropa que llevas.
1. A mí no ____ interes__ nada como se visten los demás pero, sí ____ interes__ lo que llevo yo.
2. A mi amiga Elena ____ fascin__ las últimas modas.
3. A mí no ____ aburr__ las modas pero no ____ fascin__ tampoco.
4. ¿____ enoj__ cuando alguien te dice que te ves muy elegante?
5. A mí no ____ molest__ cuando alguien me dice eso pero ____ sorprend__.
6. ¿____ sorprend__? ¿Por qué?
7. Pues ____ sorprend__ porque tú me conoces. No ____ import__ lo que llevo (tengo puesto).

ESCUCHAR • HABLAR
28 Con un(a) compañero(a) prepara una conversación según el modelo.

MODELO **el bife quemado →**
—A mí me gusta el bife quemado pero a mi hermano no le gusta.
—A mí no me gusta el bife quemado pero a mi hermano le gusta.

1. el chupe de mariscos
2. las empanadas
3. las tapas
4. el queso manchego
5. el ceviche
6. el locro
7. las berenjenas fritas
8. las gambas al ajillo

Comunicación
29 Trabajen en grupos de cuatro. Discutan.

lo que les interesa	**lo que les gusta**
lo que les aburre	**lo que les falta**

LECCIÓN 2 GRAMÁTICA

ciento treinta y uno 131

Gramática

PRACTICE

Leveling EACH Activity
Easy Activity 26
Average Activities 27, 28
CHallenging Activity 29

Activities 26–28 All of these activities can be gone over in class and written at home for additional reinforcement.

Comunicación
Interpersonal
After doing Activities 27 and 28, you can have students review the thematic vocabulary dealing with clothing on page SR4 and foods on page SR2. Have them make up conversations using these verbs and topics.

Learning from Realia
(page 131) El curanto es un guiso de mariscos, carnes y legumbres típicamente chileno. Se cuece en un hoyo sobre piedras muy calientes. Sin embargo, el restaurante «El gringo» está en Colonia Suiza, un pueblo pequeño en los alrededores de Bariloche, Argentina, bastante cerca de la frontera chilena.

Answers

26
1. Sí, (No, no) me interesó leer sobre la cultura de los países del Cono sur.
2. Sí, (No, no) me sorprendió aprender que los indígenas eran tan belicosos.
3. Me interesa (aburre) el mito de los gauchos.
4. Me interesaron (aburrieron) los detalles sobre la vida de Evita Perón.
5. Sí, a Evita le enojaron los ricos.
6. Sí, a los ricos les molestó Evita.
7. Sí, les enfurecieron sus ideas políticas.
8. Sí, a los descamisados les fascinó su querida Evita.

27
1. me, a, me, a
2. le, an
3. me, en, me, an
4. Te, a
5. me, a, me, e
6. Te, e
7. me, e, me, a

130

Answers

28
1. A mí me gusta el chupe de mariscos pero a mi hermano no le gusta. / A mí no me gusta el chupe de mariscos pero a mi hermano le gusta.
2. A mí me gustan las empanadas pero a mi hermano no le gustan. / A mí no me gustan las empanadas pero a mi hermano le gustan.
3. A mí me gustan las tapas pero a mi hermano no le gustan. / A mí no me gustan las tapas pero a mi hermano le gustan.
4. A mí me gusta el queso manchego pero a mi hermano no le gusta. / A mí no me gusta el queso manchego pero a mi hermano le gusta.
5. A mí me gusta el ceviche pero a mi hermano no le gusta. / A mí no me gusta el ceviche pero a mi hermano le gusta.
6. A mí me gusta el locro pero a mi hermano no le gusta. / A mí no me gusta el locro pero a mi hermano le gusta.
7. A mí me gustan las berenjenas fritas pero a mi hermano no le gustan. / A mí no me gustan las berenjenas fritas pero a mi hermano le gustan.
8. A mí me gustan las gambas al ajillo pero a mi hermano no le gustan. / A mí no me gustan las gambas al ajillo pero a mi hermano le gustan.

29 *Answers will vary.*

131

Answers are given at the bottom of the page for easy reference.

Learning from Realia offers interesting information about the Realia to make it more relevant for your students.

Use helpful hints to present Spanish-language journalism to students.

Core Instruction offers a clear, step-by-step guide for presenting the vocabulary necessary to understand the reading and for presenting the reading itself.

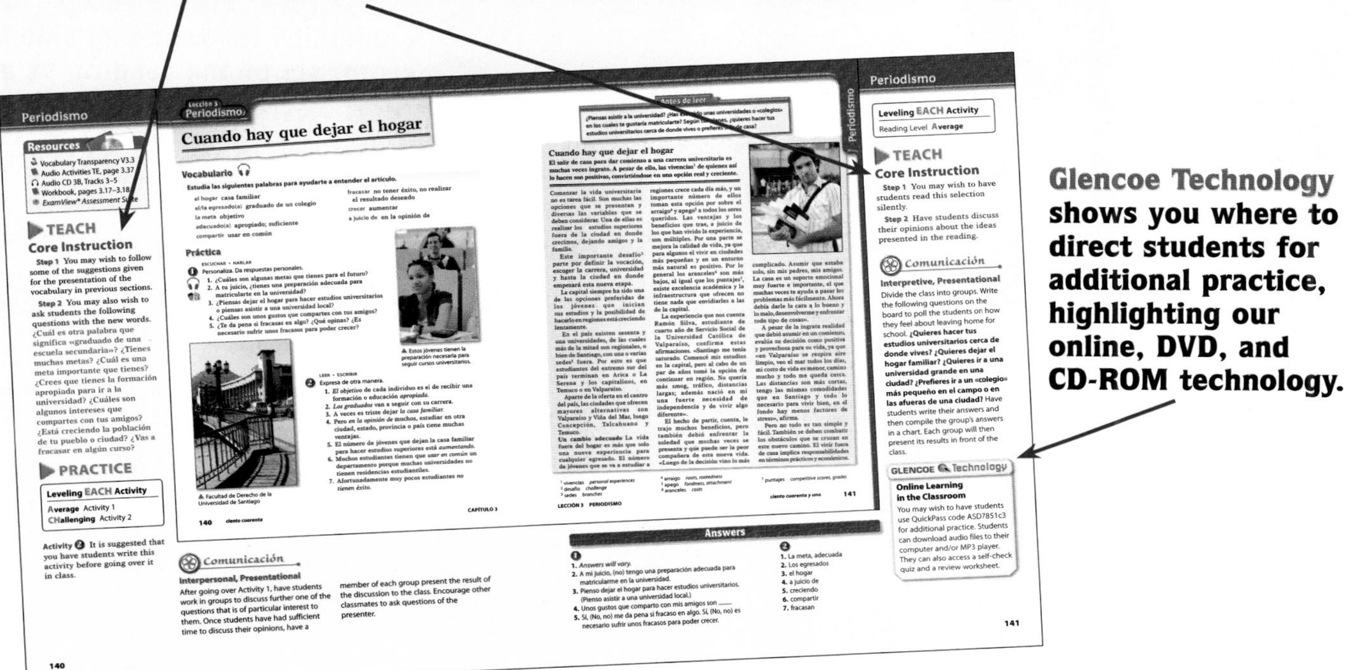

Glencoe Technology shows you where to direct students for additional practice, highlighting our online, DVD, and CD-ROM technology.

Después de leer offers additional suggestions for presenting the post-reading comprehension questions.

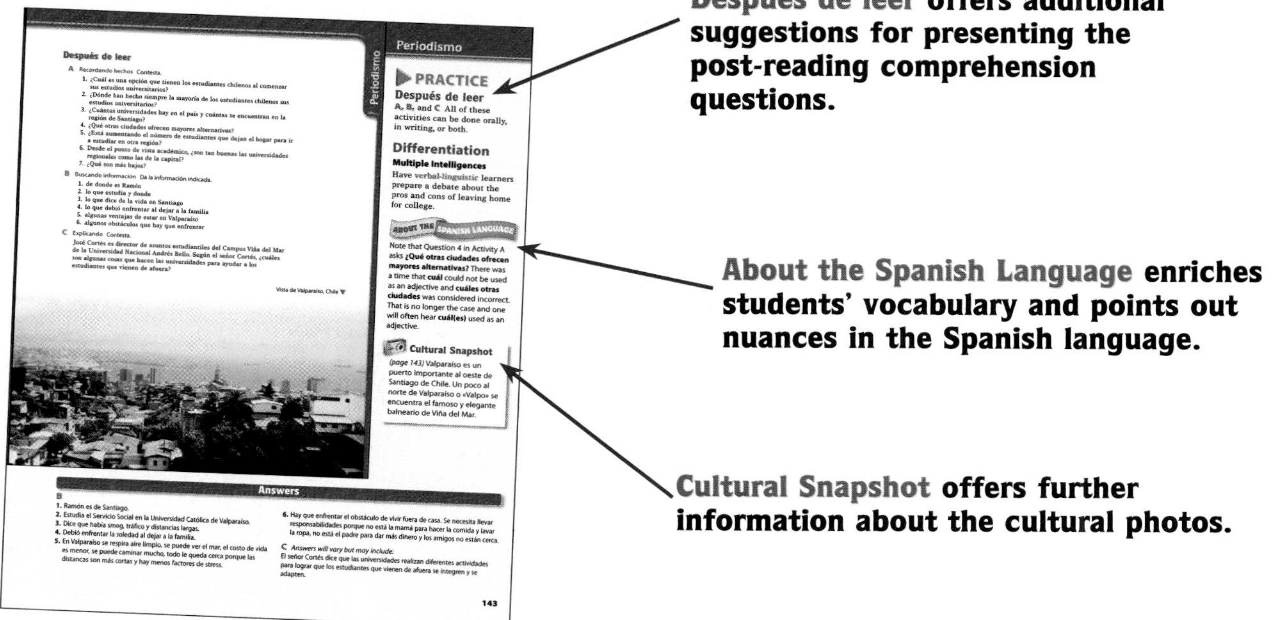

About the Spanish Language enriches students' vocabulary and points out nuances in the Spanish language.

Cultural Snapshot offers further information about the cultural photos.

Help your students feel confident about their reading skills through guided presentation of Spanish-language literature.

Introducción gives additional information about the writer or the work or suggests other activities to help prepare students for the reading.

Core Instruction in the Literatura lesson gives step-by-step guidelines for teaching small segments of the reading at a time.

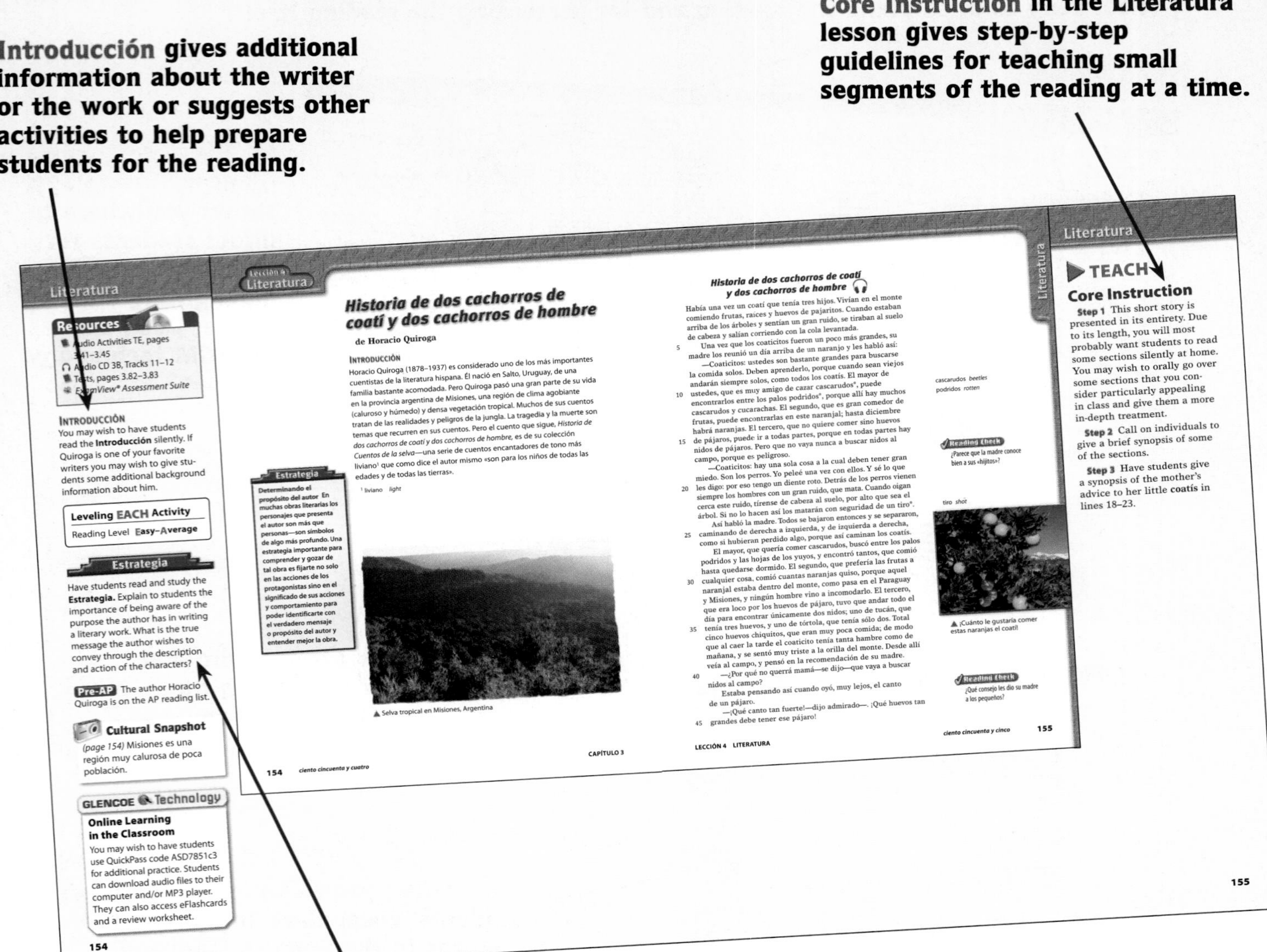

Literatura

Resources

- Audio Activities TE, pages 3.41–3.45
- Audio CD 3B, Tracks 11–12
- Tests, pages 3.82–3.83
- *ExamView® Assessment Suite*

INTRODUCCIÓN
You may wish to have students read the **Introducción** silently. If Quiroga is one of your favorite writers you may wish to give students some additional background information about him.

Leveling EACH Activity
Reading Level **Easy–Average**

Estrategia
Have students read and study the **Estrategia.** Explain to students the importance of being aware of the purpose the author has in writing a literary work. What is the true message the author wishes to convey through the description and action of the characters?

Pre-AP The author Horacio Quiroga is on the AP reading list.

Cultural Snapshot
(page 154) Misiones es una región muy calurosa de poca población.

GLENCOE Technology

Online Learning in the Classroom
You may wish to have students use QuickPass code ASD7851c3 for additional practice. Students can download audio files to their computer and/or MP3 player. They can also access eFlashcards and a review worksheet.

154

Lección 4 Literatura

Historia de dos cachorros de coatí y dos cachorros de hombre

de Horacio Quiroga

INTRODUCCIÓN
Horacio Quiroga (1878–1937) es considerado uno de los más importantes cuentistas de la literatura hispana. Él nació en Salto, Uruguay, de una familia bastante acomodada. Pero Quiroga pasó una gran parte de su vida en la provincia argentina de Misiones, una región de clima agobiante (caluroso y húmedo) y densa vegetación tropical. Muchos de sus cuentos tratan de las realidades y peligros de la jungla. La tragedia y la muerte son temas que recurren en sus cuentos. Pero el cuento que sigue, *Historia de dos cachorros de coatí y dos cachorros de hombre*, es de su colección *Cuentos de la selva*—una serie de cuentos encantadores de tono más liviano[1] que como dice el autor mismo «son para los niños de todas las edades y de todas las tierras».

[1] liviano *light*

Estrategia
Determinando el propósito del autor En muchas obras literarias los personajes que presenta el autor son más que personas—son símbolos de algo más profundo. Una estrategia importante para comprender y gozar de tal obra es fijarte no solo en las acciones de los protagonistas sino en el significado de sus acciones y comportamiento para poder identificarte con el verdadero mensaje o propósito del autor y entender mejor la obra.

▲ Selva tropical en Misiones, Argentina

154 *ciento cincuenta y cuatro* CAPÍTULO 3

Historia de dos cachorros de coatí y dos cachorros de hombre

Había una vez un coatí que tenía tres hijos. Vivían en el monte comiendo frutas, raíces y huevos de pajaritos. Cuando estaban arriba de los árboles y sentían un gran ruido, se tiraban al suelo de cabeza y salían corriendo con la cola levantada.

Una vez que los coaticitos fueron un poco más grandes, su madre los reunió un día arriba de un naranjo y les habló así:

—Coaticitos: ustedes son bastante grandes para buscarse la comida solos. Deben aprenderlo, porque cuando sean viejos andarán siempre solos, como todos los coatís. El mayor de ustedes, que es muy amigo de cazar cascarudos°, puede encontrarlos entre los palos podridos°, porque allí hay muchos cascarudos y cucarachas. El segundo, que es gran comedor de frutas, puede encontrarlas en este naranjal; hasta diciembre habrá naranjas. El tercero, que no quiere comer sino huevos de pájaros, puede ir a todas partes, porque en todas partes hay nidos de pájaros. Pero que no vaya nunca a buscar nidos al campo, porque es peligroso.

—Coaticitos: hay una sola cosa a la cual deben tener gran miedo. Son los perros. Yo peleé una vez con ellos. Y sé lo que les digo: por eso tengo un diente roto. Detrás de los perros vienen siempre los hombres con un gran ruido, que mata. Cuando oigan cerca este ruido, tírense de cabeza al suelo, por alto que sea el árbol. Si no lo hacen así los matarán con seguridad de un tiro°.

Así habló la madre. Todos se bajaron entonces y se separaron, caminando de derecha a izquierda, y de izquierda a derecha, como si hubieran perdido algo, porque así caminan los coatís.

El mayor, que quería comer cascarudos, buscó entre los palos podridos y las hojas de los yuyos, y encontró tantos, que comió hasta quedarse dormido. El segundo, que prefería las frutas a cualquier cosa, comió cuantas naranjas quiso, porque aquel naranjal estaba dentro del monte, como pasa en el Paraguay y Misiones, y ningún hombre vino a incomodarlo. El tercero, que era loco por los huevos de pájaro, tuvo que andar todo el día para encontrar únicamente dos nidos; uno de tucán, que tenía tres huevos, y uno de tórtola, que tenía sólo dos. Total cinco huevos chiquitos, que eran muy poca comida; de modo que al caer la tarde el coaticito tenía tanta hambre como de mañana, y se sentó muy triste a la orilla del monte. Desde allí veía al campo, y pensó en la recomendación de su madre.

—¿Por qué no querrá mamá—se dijo—que vaya a buscar nidos al campo?

Estaba pensando así cuando oyó, muy lejos, el canto de un pájaro.

—¡Qué canto tan fuerte!—dijo admirado—. ¡Qué huevos tan grandes debe tener ese pájaro!

cascarudos *beetles*
podridos *rotten*

Reading Check
¿Parece que la madre conoce bien a sus «hijitos»?

tiro *shot*

▲ ¡Cuánto le gustaría comer estas naranjas el coatí!

Reading Check
¿Qué consejo les dio su madre a los pequeños?

LECCIÓN 4 LITERATURA *ciento cincuenta y cinco* 155

Literatura

TEACH

Core Instruction

Step 1 This short story is presented in its entirety. Due to its length, you will most probably want students to read some sections silently at home. You may wish to orally go over some sections that you consider particularly appealing in class and give them a more in-depth treatment.

Step 2 Call on individuals to give a brief synopsis of some of the sections.

Step 3 Have students give a synopsis of the mother's advice to her little **coatís** in lines 18–23.

155

Estrategia expands upon the reading strategy. It often suggests a question to get students thinking.

Guide your students through Videopaseo.

Access the Antes de mirar and Después de mirar editable activities on CD in the ¡Así se dice! Video Program DVD package.

Help students review the chapter vocabulary.

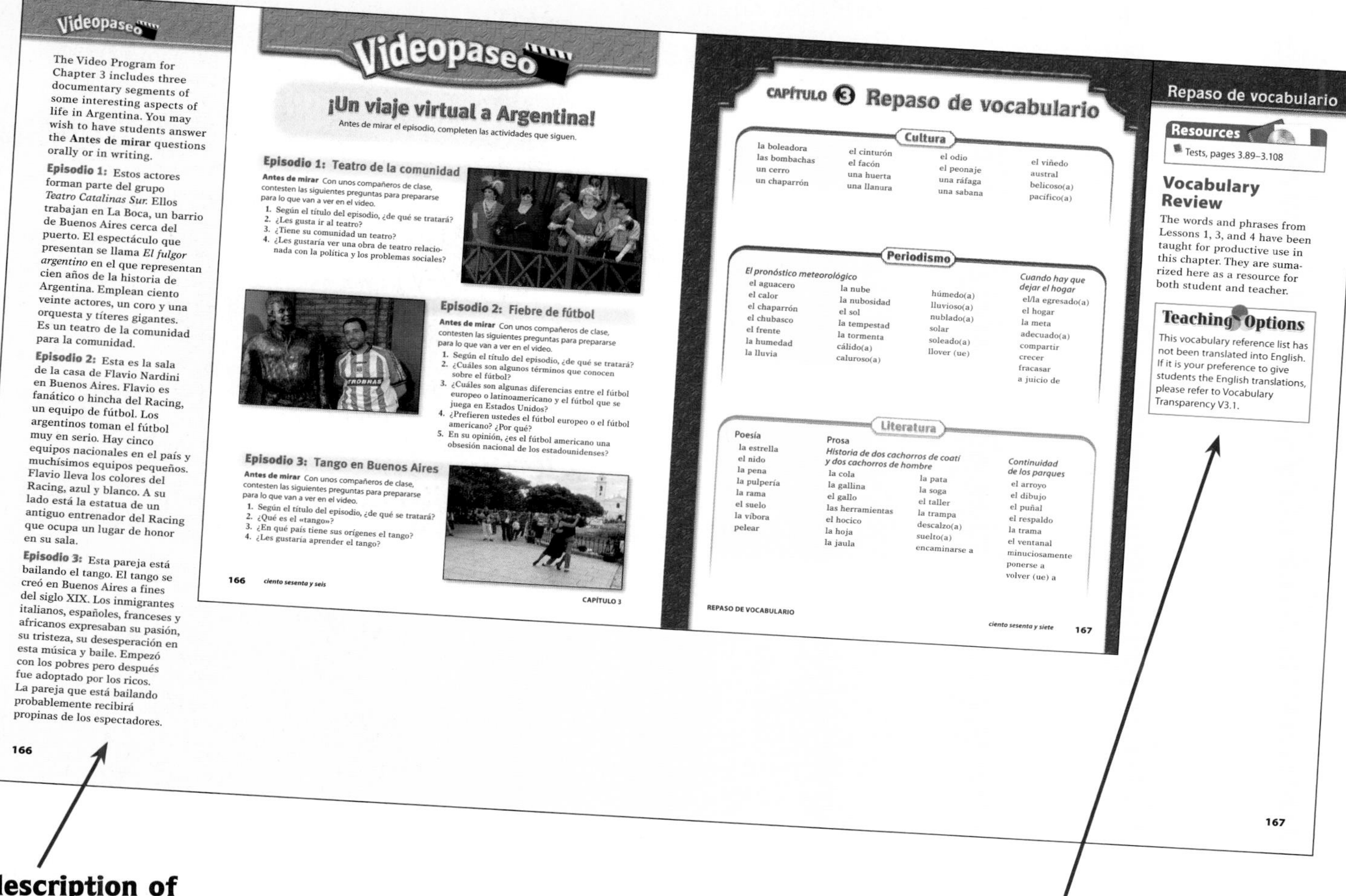

A description of each episode helps you preview the video for students.

Teaching Options refers you to the English definitions if you wish students to have them.

Reach All Students

Save planning time!

TeacherTools—FastFile booklets by chapter

Workbook Teacher Edition In your version of the student workbook, activities are leveled according to difficulty and answers are provided for all activities.

Audio Program Teacher Edition The Audio Program includes the scripts and answers for the audio activities. The activities found on these pages are recorded on the **¡Así se dice!** Audio Program CDs and are available online for download.

Quizzes Quizzes are provided to assess the content taught in each lesson. These quizzes give you immediate feedback about your students' progress.

Tests So you can be sure that you are assessing your students' achievement and proficiency in each of the skill areas, we include a variety of tests for each chapter: Reading and Writing for each **Lección** and a Comprehensive Chapter Test, Listening Comprehension, and Oral and Writing Proficiency Tests. The Reading and Writing Tests are leveled, meaning that there is a test for average students and another more challenging test for more able students as well as heritage speakers.

Scoring Guidelines Guidelines help you evaluate students' work on the two Speaking Tests, on the Writing Proficiency Test, and on the Performance Assessment Task.

Provide leveled practice!

Reading and Writing Practice

The Workbook includes numerous activities to reinforce all the vocabulary and grammar presented in the Student Edition. Varied activities provide several ways for students to practice and apply the material you have presented in class. **Integración** activities give students additional practice with reading comprehension, and the **Tarea** offers opportunities for students to practice guided writing.

Listening and Speaking Practice

The Audio Activities target both listening and speaking skills. They include the vocabulary presentations, some activities, the Cultural Readings from the Student Edition, and selected literary pieces. There are also additional activities to reinforce and expand upon what students have learned. The audio activities are available on CD and online for convenient download to MP3 players.

Enhance your lessons visually!

Transparencies—visual tools to enrich your chapter presentations

Vocabulary transparencies include the **Vocabulario** of the Student Edition along with overlays of the Spanish words and Spanish/English vocabulary lists for chapter vocabulary. There are also transparencies for the thematic vocabulary at the end of the Student Edition.

Maps help you illustrate and present the geography of the Hispanic world.

Assessment transparencies replicate the Self-Check for Achievement pages of the Student Edition. Assessment Answer transparencies allow you to easily review the answers with your students in class.

Museo de Arte fine art transparencies expose students to the rich artistic heritage of the Spanish-speaking world, providing an excellent cross-curricular opportunity.

Resources

PLAN with TeacherWorks!

TeacherWorks™ Plus is your all-in-one planner and resource center correlated to the National Standards. This convenient tool will help you reduce the time you spend planning for classes. Simply populate your school year calendar with customizable lesson plans. This program will also allow you to easily view your resources, such as Student and Teacher Editions and all print ancillaries, without carrying around a heavy bag of books.

INTERACT with StudentWorks!

StudentWorks™ Plus contains the Student Edition with links to the Internet, videos, and audio program and the Workbook and Audio Activities. This is a convenient alternative to the textbook.

ASSESS with ExamView!

ExamView® Assessment Suite helps you make a test in a matter of minutes by choosing from existing banks of questions, editing them, or creating your own test questions. You can also print several versions of the same test. The clip art bank allows you to create a test using visuals from the text.

Make Spanish come alive!

Glencoe Video Program on DVD is an entertaining and effective way to give students additional practice with vocabulary and grammar, while at the same time sharpening their listening skills and broadening their understanding of culture in the Spanish-speaking world.

- **Cultura en vivo** The three episodes per chapter take students on fascinating field trips throughout the Spanish-speaking world.
- **Gramática en vivo** These grammar videos allow students to practice and review grammar points in fun, interactive, animated presentations.

Access the ¡Así se dice! Level 4 OLC!

The Online Learning Center gives students many opportunities to review, practice, and explore. Students can access chapter-related activities, eFlashcards, self-check quizzes, eGames, WebQuest activities, and links to Web sites throughout the vast Hispanic world.

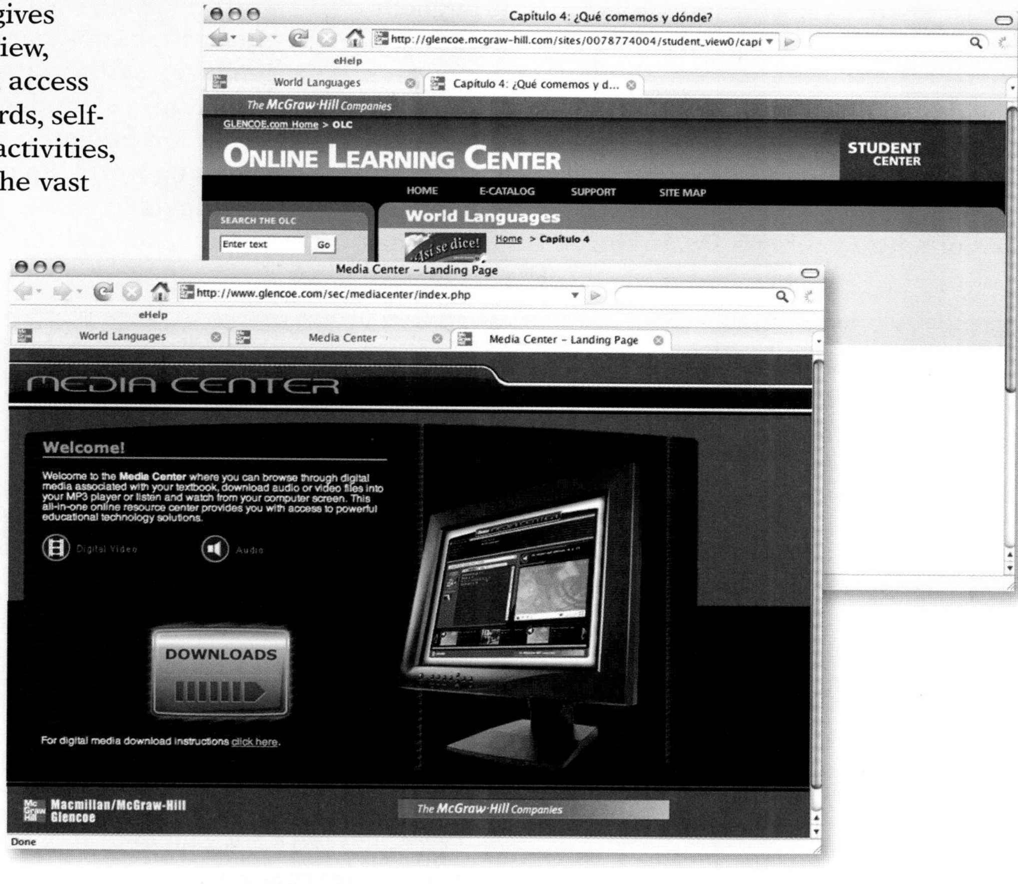

The Media Center, accessible from the OLC links, allows students to view and listen to, as well as download, audio and video files. Teachers can access all online student materials, answers for online activities, and Vocabulary PuzzleMaker.

QuickPass makes it easy!

Go to glencoe.com, click on **QuickPass**, and use your chapter-specific Web code to access all our exciting online activities!

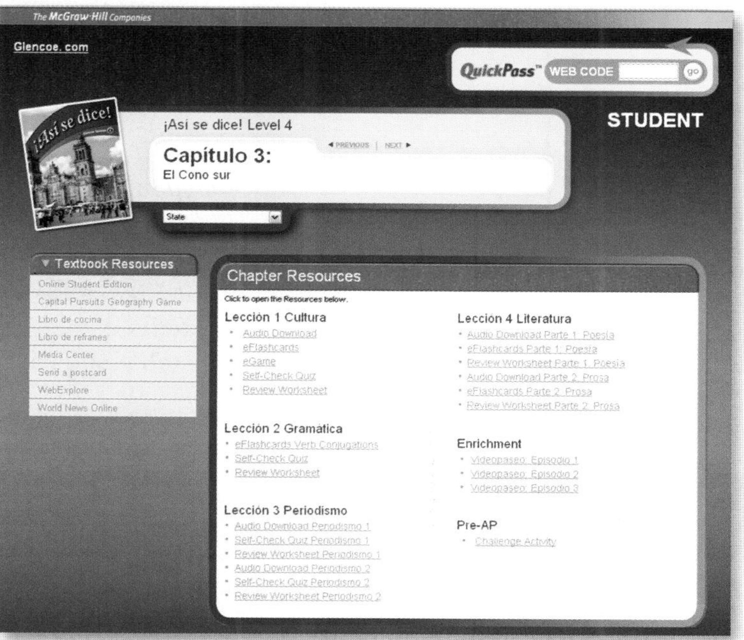

National Standards

¡Así se dice! has been written to help you meet the ACTFL Standards for Foreign Language Learning. Elements throughout the book, identified by the National Standards icon, address all the National Standards. The text also provides students with the interpersonal, interpretive, and presentational skills they need to create language for communication. Culture is integrated throughout the text, from the basic introduction of vocabulary, to the authentic photographs, to the cultural readings.

Connections to other disciplines are addressed in the readings and project suggestions. Linguistic and cultural comparisons are made throughout the text. Suggestions are made for ways students may use their language skills in the immediate and more distant communities. Students who complete the **¡Así se dice!** series are prepared to participate in the Spanish-speaking world. Specific correlations to each chapter are provided on the pages preceding each chapter in the Teacher Edition.

Communication		
Communicate in Languages Other than English	Standard 1.1	Students engage in conversations, provide and obtain information, express feeling and emotions, and exchange opinions.
	Standard 1.2	Students understand and interpret written and spoken language on a variety of topics.
	Standard 1.3	Students present information, concepts, and ideas to an audience of listeners or readers on a variety of topics.
Cultures		
Gain Knowledge and Understanding of Other Cultures	Standard 2.1	Students demonstrate an understanding of the relationship between the practices and perspectives of the culture studied.
	Standard 2.2	Students demonstrate an understanding of the relationship between the products and perspectives of the culture studied.
Connections		
Connect with Other Disciplines and Acquire Information	Standard 3.1	Students reinforce and further their knowledge of other disciplines through the foreign language.
	Standard 3.2	Students acquire information and recognize the distinctive viewpoints that are only available through the foreign language and its cultures.
Comparisons		
Develop Insight into the Nature of Language and Culture	Standard 4.1	Students demonstrate understanding of the nature of language through comparison of the language studied and their own.
	Standard 4.2	Students demonstrate understanding of the concept of culture through comparisons of the cultures studied and their own.
Communities		
Participate in Multilingual Communities at Home and Around the World	Standard 5.1	Students use the language both within and beyond the school setting.
	Standard 5.2	Students show evidence of becoming life-long learners by using the language for personal enjoyment and enrichment.

¡Así se dice!

Glencoe Spanish 4

Conrad J. Schmitt

Glencoe

Information on featured companies, organizations, and their products and services is included for educational purposes only and does not present or imply endorsement of the **¡Así se dice!** program. Permission to use all business logos has been granted by the businesses represented in this text.

The McGraw-Hill Companies

Glencoe

Send all inquiries to:
Glencoe/McGraw-Hill
8787 Orion Place
Columbus, OH 43240-4027

ISBN: 978-0-07-877785-1
MHID: 0-07-877785-2

Printed in the United States of America.

1 2 3 4 5 6 7 8 9 10 071/055 15 14 13 12 11 10 09 08

About the Author

Conrad J. Schmitt

Conrad J. Schmitt received his B.A. degree magna cum laude from Montclair State University, Upper Montclair, New Jersey. He received his M.A. from Middlebury College, Middlebury, Vermont, and did additional graduate work at New York University. He also studied at the Far Eastern Institute at Seton Hall University, Newark, New Jersey.

Mr. Schmitt has taught Spanish and French at all academic levels—from elementary school to graduate courses. He served as Coordinator of Foreign Languages for the Hackensack, New Jersey, public schools. He also taught courses in Foreign Language Education as a visiting professor at the Graduate School of Education at Rutgers University, New Brunswick, New Jersey.

Mr. Schmitt has authored or co-authored more than one hundred books, all published by The McGraw-Hill Companies. He was also editor-in-chief of foreign languages, ESL, and bilingual education for The McGraw-Hill Companies.

Mr. Schmitt has traveled extensively throughout Spain and all of Latin America. He has addressed teacher groups in all fifty states and has given seminars in many countries including Japan, the People's Republic of China, Taiwan, Egypt, Germany, Spain, Portugal, Mexico, Panama, Colombia, Brazil, Jamaica, and Haiti.

Contributing Writers

Louise M. Belnay

Teacher of World Languages
Adams County School District 50
Westminster, Colorado

Reina Martínez

Coordinator/Teacher of World Languages
North Rockland Central School District
Thiells, New York

Contenido

Student Handbook

Objetivos

You will:

- learn about the geography, history, and culture of Spain
- discuss taking a trip to Spain
- read and discuss newspaper articles about the Guernica bombing and immigrants arriving in Spain
- read poems by various Spanish authors and a short story by Ana María Matute

You will review:

- the preterite of regular, irregular, and stem-changing verbs
- nouns and articles

Capítulo 1 España

Contenido

Objetivos

You will:

- learn about the geography, history, and culture of the Andean region of South America—Ecuador, Peru, and Bolivia
- read and discuss newspaper articles about the Tungurahua volcano and about mentors and mentoring
- read a poem by José Santos Chocano and a short story by the Inca Garcilaso de la Vega

You will review:

- the imperfect of regular and irregular verbs
- the imperfect and the preterite to describe the past and to indicate past actions
- the progressive tenses
- the comparative and superlative
- the comparative of equality

Capítulo 2 Países andinos

Objetivos

You will:

- learn about the geography, history, and culture of Chile, Argentina, Paraguay, and Uruguay
- talk about yourself—your interests, likes, and dislikes
- read and discuss a weather forecast and a newspaper article about university life
- read poems by José Hernández and Pablo Neruda and short stories by Horacio Quiroga and Julio Cortázar

You will review:

- the present of regular and irregular verbs
- **ser** and **estar**
- object pronouns
- **gustar** and verbs like **gustar**
- affirmative and negative words

Capítulo 3 El Cono sur

Lección 1 Cultura

Lección 2 Gramática

Lección 3 Periodismo

Lección 4 Literatura

Contenido

Objetivos

You will:

- learn about the geography, history, and culture of Central America
- discuss the Mayan civilization
- read and discuss newspaper articles about exercise and identification microchips for pets
- read poems by Rubén Darío and a chapter of the biography of Rigoberta Menchú by Elizabeth Burgos

You will review:

- the present subjunctive
- direct and indirect commands

Capítulo 4 La América Central

Lección 1 Cultura

Lección 2 Gramática

Lección 3 Periodismo

Lección 4 Literatura

Objetivos

You will:
- learn about the geography, history, and culture of Mexico
- read and discuss a newspaper article about a concert, as well as several film reviews
- read poems by Amado Nervo and Octavio Paz and a chapter of a novel by Laura Esquivel

You will review:
- reflexive verbs
- passive voice
- present perfect and pluperfect
- present perfect subjunctive
- object pronouns

Capítulo 5 México

Contenido

Objetivos

You will:
- learn about the geography, history, and culture of Cuba, Puerto Rico, and the Dominican Republic
- discuss and compare the current political situation in Cuba, Puerto Rico, and the Dominican Republic
- read and discuss newspaper articles about the fight to preserve the colonial wall in San Juan and a vacation in Punta Cana
- read poems by the Cuban Nicolás Guillén and the Dominican Salomé Ureña and a short story by the Puerto Rican Manuel del Toro

You will review:
- the future and conditional
- the future perfect and conditional perfect
- demonstrative and possessive pronouns
- relative pronouns
- **y** to **e; o** to **u**

Capítulo 6 El Caribe

Objetivos

You will:

- learn about the geography, history, and culture of Venezuela and Colombia
- discuss the life of the great Latin American hero Simón Bolívar
- read and discuss newspaper articles about Gabriel García Márquez and the restoration of the railway between Santa Marta and Aracataca
- read a poem by José Asunción Silva and an excerpt of a novel by Gabriel García Márquez

You will review:

- the imperfect subjunctive
- the subjunctive with adverbial clauses of time
- the subjunctive with **aunque**
- the subjunctive with **quizá(s)**, **tal vez**, **ojalá (que)**
- **por** and **para**

Capítulo 7 Venezuela y Colombia

Contenido

Objetivos

You will:

- learn about Latinos (Hispanics) in the United States
- discuss your own ethnicity
- read and discuss a newspaper article about mariachis in the United States
- read a poem by Eugenio Florit and a short story by Sabine Ulibarrí

You will review:

- the pluperfect subjunctive
- clauses with **si**
- the subjunctive in adverbial clauses
- shortened forms of adjectives
- definite and indefinite articles

Capítulo 8 Estados Unidos

Student Resources and Guide to Symbols

Student Resources

Guide to Symbols

Throughout **¡Así se dice!** you will see these symbols, or icons. They will tell you how to best use the particular part of the chapter or activity they accompany. Following is a key to help you understand these symbols.

Audio link This icon indicates material in the chapter that is recorded on compact disk.

Paired activity This icon indicates activities that you can practice orally with a partner.

Group activity This icon indicates activities that you can practice together in groups.

Critical thinking This icon indicates activities that require critical thinking.

Composition This icon indicates activities that provide an opportunity for composition writing.

Your Spanish in Today's World

¡Viva el español!

Spanish is currently the fourth-most-spoken language in the world, and the United States is home to more than forty-four million Hispanics or Latinos. Whether on the radio or television, in your community or school, or maybe even in your own home, Hispanics are probably part of your life in some way. Your ability to understand and speak Spanish allows you to actively experience Hispanic culture. You can sing along with Latin music on the radio, enjoy Spanish-language programming on television, or chat with Spanish speakers in your school, community, or family. Your knowledge of Spanish allows you to participate more fully in a society that is becoming increasingly diverse.

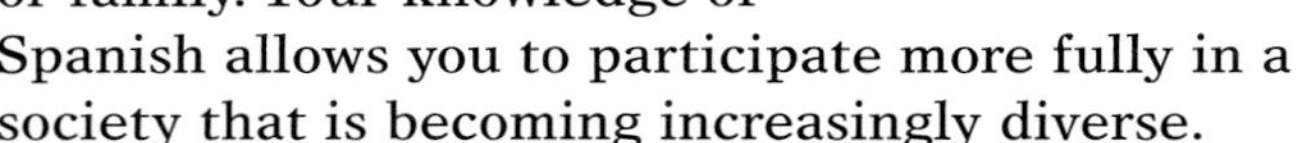

A Path to Discovery

As you've no doubt realized from your previous experience with studying Spanish, Hispanic culture is full of diverse expressions of music, art, and literature. From dancing the tango or salsa to admiring a modern painting by Salvador Dalí, your studies so far have introduced you to an array of what the culture has to offer. You've learned about the various customs, traditions, and values in Latin America and Spain. From food and family to school and sports, you've learned about life in the Hispanic world. Yet there's still so much to know! Your continued studies of Spanish will provide you with an even more in-depth look at the Hispanic world.

A Path to Growth

Of course, there is more to learning Spanish than simply learning the language and culture. When you study a language you not only learn about the language and its speakers, but also about yourself. When you know about the customs and values of another culture, you are better able to reflect upon your own. Your Spanish studies can give you a new perspective on the world and open the door to a unique source of enjoyment, self-discovery, and satisfaction that comes from challenging yourself to think critically about the world.

A Path to Your Future

As you approach the end of your high school studies, you may find that your knowledge of Spanish plays an important role in your future. You may have an opportunity to study in or travel to a Spanish-speaking country. Your ability to speak and understand Spanish has prepared you well for such an adventure. If you plan to attend college, your studies thus far have laid the groundwork for success in future studies of Spanish and the opportunity to reach an even higher level of proficiency. If you plan to begin a career immediately after high school, your knowledge of Spanish will almost certainly be an important consideration to your employer. Whatever your career path, you will be open to many more opportunities because you know Spanish. After all, it's spoken by 13 percent of the U. S. population. Businesses, government agencies, and educational institutions are always looking for people with the ability to speak and read more than one language. Your knowledge of Spanish will show future employers that you have what it takes to compete in the global economy. As you embark on your studies of Spanish this year, remember that the sky's the limit—the world awaits you!

The What, Why, and How of Reading

Reading is a learned process. You have been reading in your first language for a long time and now your challenge is to transfer what you know to enable yourself to read fluently in Spanish. Reading will help you improve your vocabulary, cultural knowledge, and productive skills in Spanish. You are probably familiar with the reading strategies in the chart. Review these strategies and apply them as you continue to improve your Spanish reading skills.

What Is It?	Why It's Important	How To Do It
Preview Previewing is looking over a selection before you read.	Previewing lets you begin to see what you already know and what you'll need to know. It helps you set a purpose for reading.	Look at the title, illustrations, headings, captions, and graphics. Look at how ideas are organized. Ask questions about the text.
Skim Skimming is looking over an entire selection quickly to get a general idea of what the piece is about.	Skimming will tell you what a selection is about. If the selection you skim isn't what you're looking for, you won't need to read the entire piece.	Read the title of the selection and quickly look over the entire piece. Read headings and captions and maybe part of the first paragraph to get a general idea of the selection's content.
Scan Scanning is glancing quickly over a selection in order to find specific information.	Scanning helps you pinpoint information quickly. It saves you time when you have a number of selections to look at.	As you move your eyes quickly over the lines of text, look for key words or phrases that will help you locate the information you're looking for.
Predict Predicting is taking an educated guess about what will happen in a selection.	Predicting gives you a reason to read. You want to find out if your prediction and the selection events match, don't you? As you read, adjust or change your prediction if it doesn't fit what you learn.	Combine what you already know about an author or subject with what you learned in your preview to guess what will be included in the text.
Summarize Summarizing is stating the main ideas of a selection in your own words and in a logical sequence.	Summarizing shows whether you've understood something. It teaches you to rethink what you've read and to separate main ideas from supporting information.	Ask yourself: What is this selection about? Answer who, what, where, when, why, and how? Put that information in a logical order.

What Is It?	Why It's Important	How To Do It
Clarify Clarifying is looking at difficult sections of text in order to clear up what is confusing.	Authors will often build ideas one on another. If you don't clear up a confusing passage, you may not understand main ideas or information that comes later.	Go back and reread a confusing section more slowly. Look up words you don't know. Ask questions about what you don't understand. Sometimes you may want to read on to see if further information helps you.
Question Questioning is asking yourself whether information in a selection is important. Questioning is also regularly asking yourself whether you've understood what you've read.	When you ask questions as you read, you're reading strategically. As you answer your questions, you're making sure that you'll get the gist of a text.	Have a running conversation with yourself as you read. Keep asking yourself: Is this idea important? Why? Do I understand what this is about?
Visualize Visualizing is picturing a writer's ideas or descriptions in your mind's eye.	Visualizing is one of the best ways to understand and remember information in fiction, nonfiction, and informational texts.	Carefully read how a writer describes a person, place, or thing. Then ask yourself: What would this look like? Can I see the events as they unfold?
Monitor Comprehension Monitoring your comprehension means thinking about whether you're understanding what you're reading.	The whole point of reading is to understand a piece of text. When you don't understand a selection, you're not really reading it.	Keep asking yourself questions about main ideas, characters, and events. When you can't answer a question, review, read more slowly, or ask someone to help you.
Identify Sequence Identifying sequence is finding the logical order of ideas or events.	In a work of fiction, events usually happen in chronological order. With nonfiction, understanding the logical sequence of ideas in a piece helps you follow a writer's train of thought. You'll remember ideas better when you know the logical order a writer uses.	Think about what the author is trying to do. Tell a story? Explain how something works? Present how something works? Present information? Look for clues or signal words that might point to time order, steps in a process, or order of importance .

What Is It?	Why It's Important	How To Do It
Determine the Main Idea Determining an author's main idea is finding the most important thought in a paragraph or selection.	Finding main ideas gets you ready to summarize. You also discover an author's purpose for writing when you find the main ideas in a selection.	Think about what you know about the author and the topic. Look for how the author organizes ideas. Then look for the one idea that all of the sentences in a paragraph or all the paragraphs in a selection are about.
Respond Responding is telling what you like, dislike, find surprising or interesting in a selection.	When you react in a personal way to what you read, you'll enjoy a selection more and remember it better.	As you read, think about how you feel about story elements or ideas in a selection. What's your reaction to the characters in a story? What grabs your attention as you read?
Connect Connecting means linking what you read to events in your own life or to other selections you've read.	You'll "get into" your reading and recall information and ideas better by connecting events, emotions, and characters to your own life.	Ask yourself: Do I know someone like this? Have I ever felt this way? What else have I read that is like this selection?
Review Reviewing is going back over what you've read to remember what's important and to organize ideas so you'll recall them later.	Reviewing is especially important when you have new ideas and a lot of information to remember.	Filling in a graphic organizer, such as a chart or diagram, as you read helps you organize information. These study aids will help you review later.
Interpret Interpreting is using your own understanding of the world to decide what the events or ideas in a selection mean.	Every reader constructs meaning on the basis of what he or she understands about the world. Finding meaning as you read is all about interacting with the text.	Think about what you already know about yourself and the world. Ask yourself: What is the author really trying to say here? What larger idea might these events be about?
Infer Inferring is using your reason and experience to guess what an author does not come right out and say.	Making inferences is a large part of finding meaning in a selection. Inferring helps you look more deeply at characters and points you toward the theme or message in a selection.	Look for clues the author provides. Notice descriptions, dialogue, events, and relationships that might tell you something the author wants you to know.

What Is It?	Why It's Important	How To Do It
Draw Conclusions Drawing conclusions is using a number of pieces of information to make a general statement about people, places, events, and ideas.	Drawing conclusions helps you find connections between ideas and events. It's another tool to help you see the larger picture.	Notice details about characters, ideas, and events. Then make a general statement on the basis of these details. For example, a character's actions might lead you to conclude that he is kind.
Analyze Analyzing is looking at separate parts of a selection in order to understand the entire selection.	Analyzing helps you look critically at a piece of writing. When you analyze a selection, you'll discover its theme or message, and you'll learn the author's purpose for writing.	To analyze a story, think about what the author is saying through the characters, setting, and plot. To analyze nonfiction, look at the organization and main ideas. What do they suggest?
Synthesize Synthesizing is combining ideas to create something new. You may synthesize to reach a new understanding or you may actually create a new ending to a story.	Synthesizing helps you move to a higher level of thinking. Creating something new of your own goes beyond remembering what you learned from someone else.	Think about the ideas or information you've learned in a selection. Ask yourself: Do I understand something more than the main ideas here? Can I create something else from what I now know?
Evaluate Evaluating is making a judgment or forming an opinion about something you read. You can evaluate a character, an author's craft, or the value of the information in a text.	Evaluating helps you become a wise reader. For example, when you judge whether an author is qualified to speak about a topic or whether the author's points make sense, you can avoid being misled by what you read.	As you read, ask yourself questions such as: Is this character realistic and believable? Is this author qualified to write on this subject? Is this author biased? Does this author present opinions as facts?

Expand your view of the Spanish-speaking world.

Glencoe's El mundo hispanohablante takes you around the world to all the places you can use your Spanish.

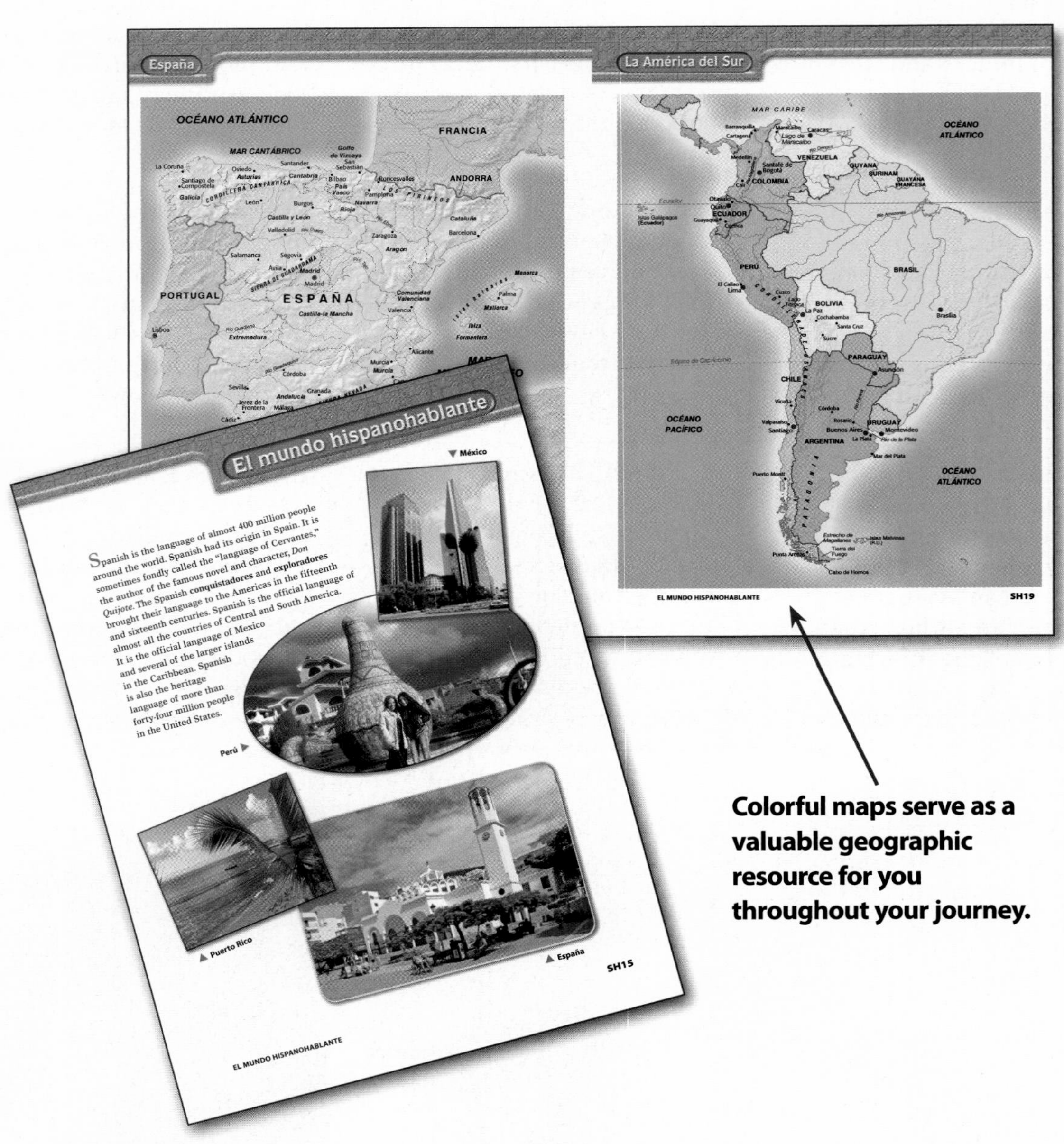

Colorful maps serve as a valuable geographic resource for you throughout your journey.

Begin with a scene of one of the many diverse regions of the Spanish-speaking world.

The opening photo provides a cultural backdrop for the country or region presented in the chapter.

Each chapter and lesson has a consistent structure to make learning easy.

Objectives give a preview of the culture, vocabulary, grammar, and readings of the chapter.

Use QuickPass to continue to explore Spanish language and culture online at glencoe.com.

The Table of Contents lets you know specifically what is covered in each of the four lessons within the chapter.

Use your new vocabulary to discuss and understand the cultural reading.

Recorded presentation by native speakers ensures proper pronunciation.

Paired activities allow you to communicate orally.

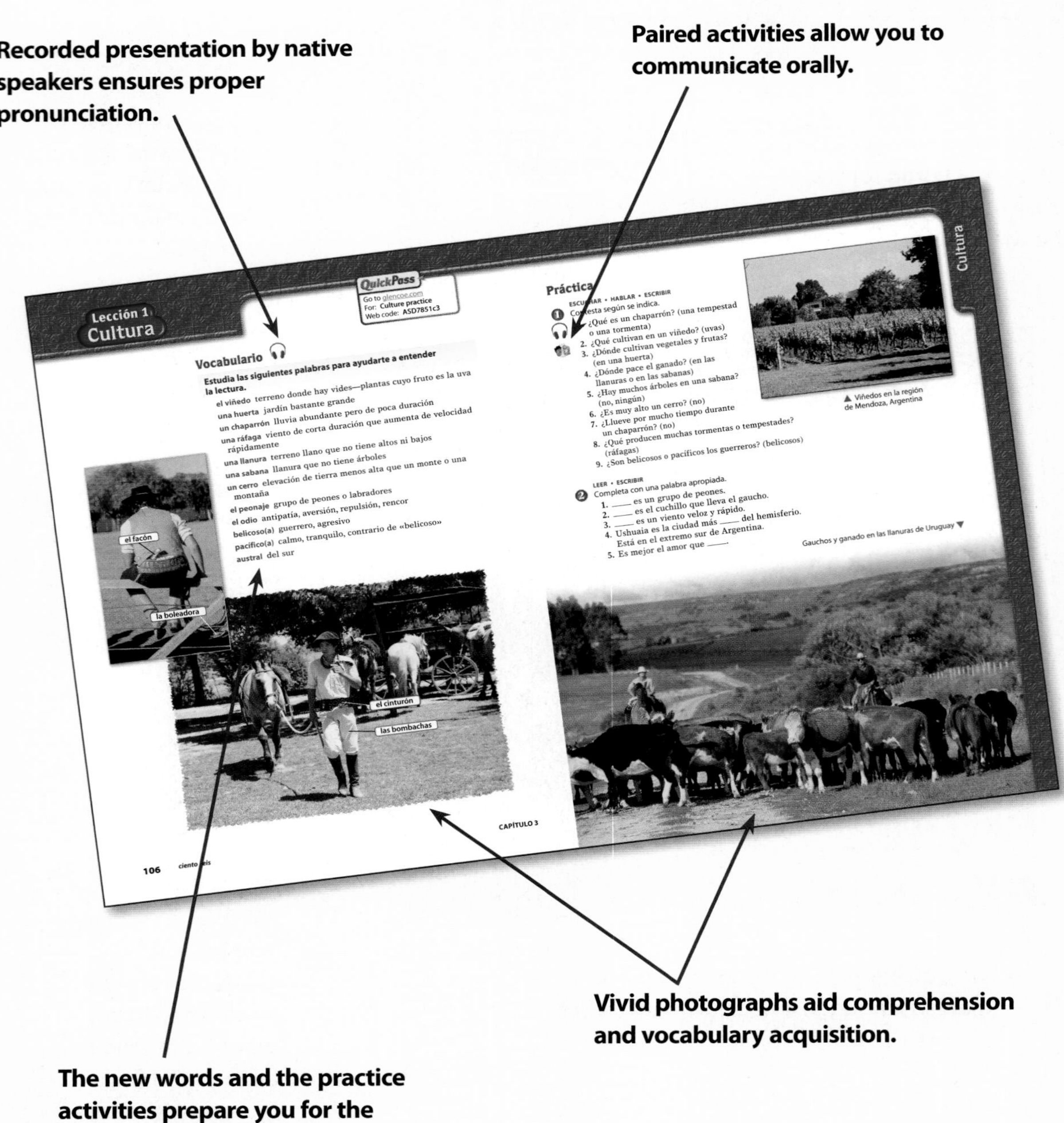

Lección 1
Cultura

QuickPass
Go to glencoe.com
For: Culture practice
Web code: ASD7851c3

Vocabulario

Estudia las siguientes palabras para ayudarte a entender la lectura.

el viñedo terreno donde hay vides—plantas cuyo fruto es la uva
una huerta jardín bastante grande
un chaparrón lluvia abundante pero de poca duración
una ráfaga viento de corta duración que aumenta de velocidad rápidamente
una llanura terreno llano que no tiene altos ni bajos
una sabana llanura que no tiene árboles
un cerro elevación de tierra menos alta que un monte o una montaña
el peonaje grupo de peones o labradores
el odio antipatía, aversión, repulsión, rencor
belicoso(a) guerrero, agresivo
pacífico(a) calmo, tranquilo, contrario de «belicoso»
austral del sur

el facón
la boleadora
el cinturón
las bombachas

Práctica

ESCUCHAR • HABLAR • ESCRIBIR
1 Contesta según se indica.
1. ¿Qué es un chaparrón? (una tempestad o una tormenta)
2. ¿Qué cultivan en un viñedo? (uvas)
3. ¿Dónde cultivan vegetales y frutas? (en una huerta)
4. ¿Dónde pace el ganado? (en las llanuras o en las sabanas)
5. ¿Hay muchos árboles en una sabana? (no, ningún)
6. ¿Es muy alto un cerro? (no)
7. ¿Llueve por mucho tiempo durante un chaparrón? (no)
8. ¿Qué producen muchas tormentas o tempestades? (ráfagas)
9. ¿Son belicosos o pacíficos los guerreros? (belicosos)

LEER • ESCRIBIR
2 Completa con una palabra apropiada.
1. _____ es un grupo de peones.
2. _____ es el cuchillo que lleva el gaucho.
3. _____ es un viento veloz y rápido.
4. Ushuaia es la ciudad más _____ del hemisferio. Está en el extremo sur de Argentina.
5. Es mejor el amor que _____.

▲ Viñedos en la región de Mendoza, Argentina

Gauchos y ganado en las llanuras de Uruguay ▼

Cultura

106 ciento seis

CAPÍTULO 3

Vivid photographs aid comprehension and vocabulary acquisition.

The new words and the practice activities prepare you for the material that follows.

Become immersed in the culture of the region.

In Lesson 1 of each chapter, you learn about many aspects of culture including geography and climate, history, politics, architecture, famous people, music, art, food, celebrations, and everyday life.

Photographs enhance the reading and provide images of the region.

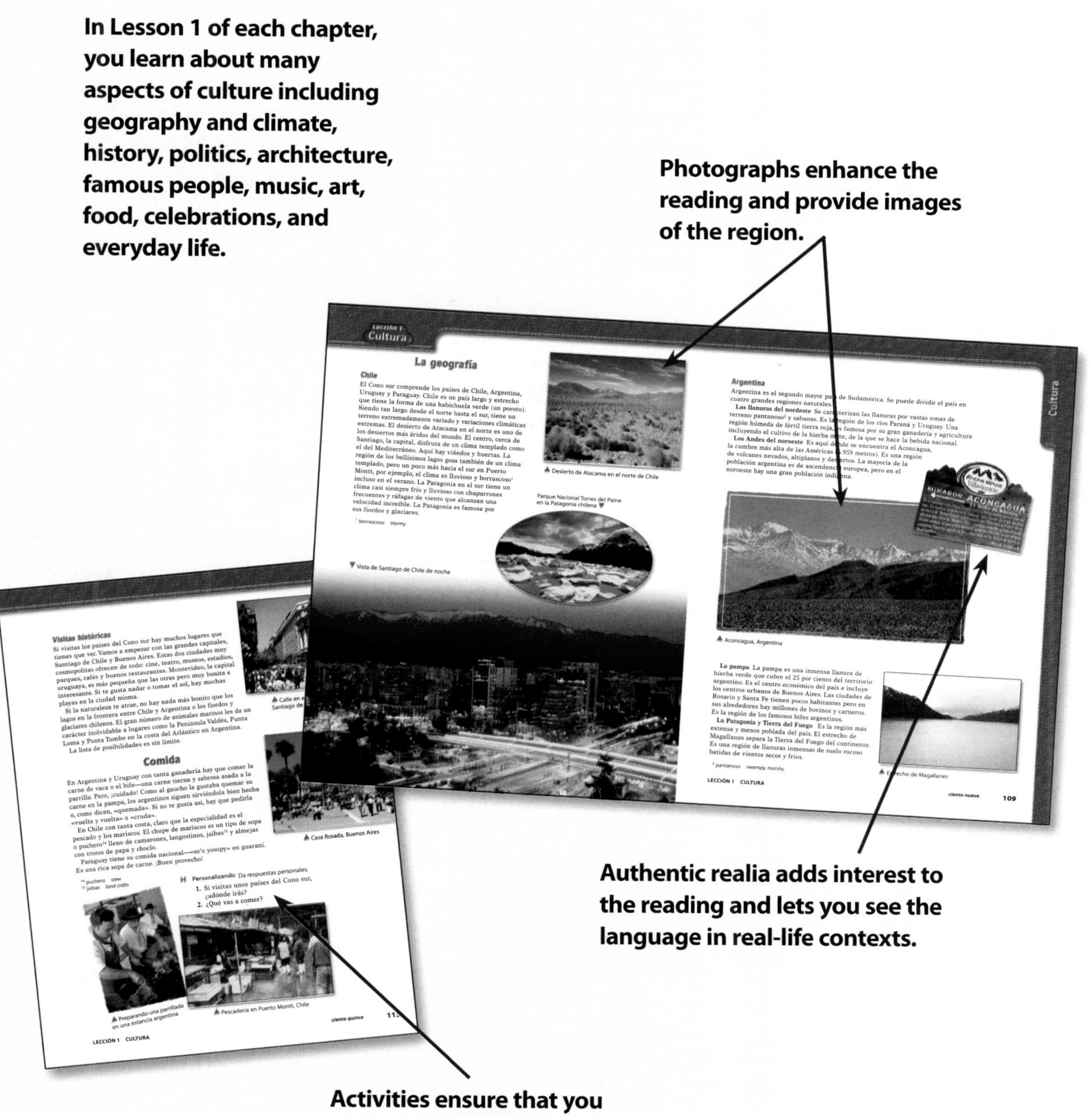

Authentic realia adds interest to the reading and lets you see the language in real-life contexts.

Activities ensure that you have understood each section of the reading.

Show what you know and apply your oral and written skills.

Reference notes direct you to the correct pages for review.

At the end of Lessons 1, 2, and 3 of each chapter, achievement and proficiency reviews prepare you for that lesson test.

Communicate orally in meaningful open-ended activities.

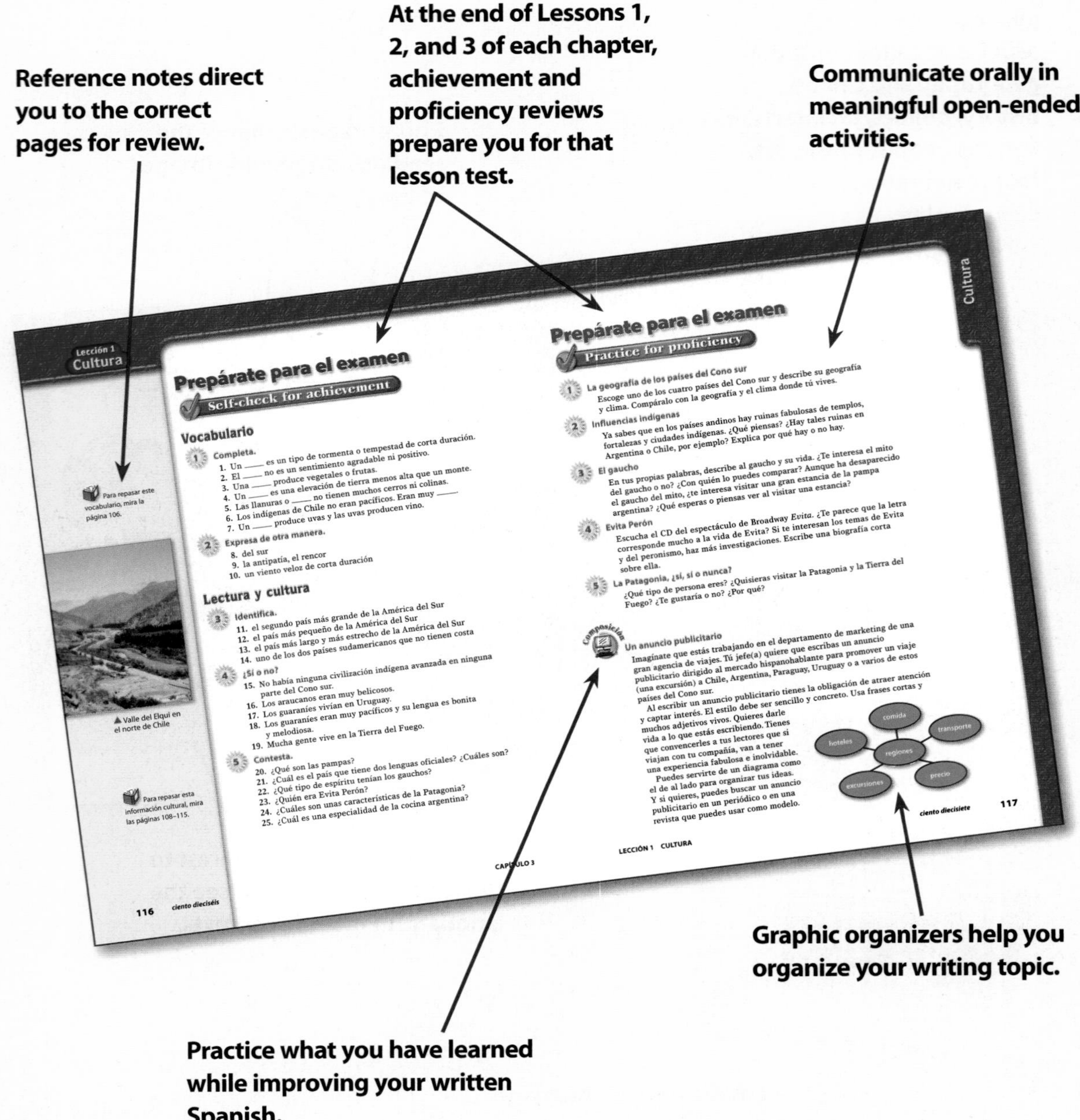

Lección 1
Cultura

Para repasar este vocabulario, mira la página 106.

▲ Valle del Elqui en el norte de Chile

Para repasar esta información cultural, mira las páginas 108–115.

Prepárate para el examen
Self-check for achievement

Vocabulario

1 Completa.
1. Un ____ es un tipo de tormenta o tempestad de corta duración.
2. El ____ no es un sentimiento agradable ni positivo.
3. Una ____ produce vegetales o frutas.
4. Un ____ es una elevación de tierra menos alta que un monte.
5. Las llanuras o ____ no tienen muchos cerros ni colinas.
6. Los indígenas de Chile no eran pacíficos. Eran muy ____.
7. Un ____ produce uvas y las uvas producen vino.

2 Expresa de otra manera.
8. del sur
9. la antipatía, el rencor
10. un viento veloz de corta duración

Lectura y cultura

3 Identifica.
11. el segundo país más grande de la América del Sur
12. el país más pequeño de la América del Sur
13. el país más largo y más estrecho de la América del Sur
14. uno de los dos países sudamericanos que no tienen costa

4 ¿Sí o no?
15. No había ninguna civilización indígena avanzada en ninguna parte del Cono sur.
16. Los araucanos eran muy belicosos.
17. Los guaraníes vivían en Uruguay.
18. Los guaraníes eran muy pacíficos y su lengua es bonita y melodiosa.
19. Mucha gente vive en la Tierra del Fuego.

5 Contesta.
20. ¿Qué son las pampas?
21. ¿Cuál es el país que tiene dos lenguas oficiales? ¿Cuáles son?
22. ¿Qué tipo de espíritu tenían los gauchos?
23. ¿Quién era Evita Perón?
24. ¿Cuáles son unas características de la Patagonia?
25. ¿Cuál es una especialidad de la cocina argentina?

116 ciento dieciséis CAPÍTULO 3

Cultura

Prepárate para el examen
Practice for proficiency

1 La geografía de los países del Cono sur
Escoge uno de los cuatro países del Cono sur y describe su geografía y clima. Compáralo con la geografía y el clima donde tú vives.

2 Influencias indígenas
Ya sabes que en los países andinos hay ruinas fabulosas de templos, fortalezas y ciudades indígenas. ¿Qué piensas? ¿Hay tales ruinas en Argentina o Chile, por ejemplo? Explica por qué hay o no hay.

3 El gaucho
En tus propias palabras, describe al gaucho y su vida. ¿Te interesa el mito del gaucho o no? ¿Con quién lo puedes comparar? Aunque ha desaparecido el gaucho del mito, ¿te interesa visitar una gran estancia de la pampa argentina? ¿Qué esperas o piensas ver al visitar una estancia?

4 Evita Perón
Escucha el CD del espectáculo de Broadway *Evita*. ¿Te parece que la letra corresponde mucho a la vida de Evita? Si te interesan los temas de Evita y del peronismo, haz más investigaciones. Escribe una biografía corta sobre ella.

5 La Patagonia, ¿sí, sí o nunca?
¿Qué tipo de persona eres? ¿Quisieras visitar la Patagonia y la Tierra del Fuego? ¿Te gustaría o no? ¿Por qué?

Composición

Un anuncio publicitario
Imagínate que estás trabajando en el departamento de marketing de una gran agencia de viajes. Tú jefe(a) quiere que escribas un anuncio publicitario dirigido al mercado hispanohablante para promover un viaje (una excursión) a Chile, Argentina, Paraguay, Uruguay o a varios de estos países del Cono sur.

Al escribir un anuncio publicitario tienes la obligación de atraer atención y captar interés. El estilo debe ser sencillo y concreto. Usa frases cortas y muchos adjetivos vivos. Quieres darle vida a lo que estás escribiendo. Tienes que convencerles a tus lectores que si viajan con tu compañía, van a tener una experiencia fabulosa e inolvidable.

Puedes servirte de un diagrama como el de al lado para organizar tus ideas. Y si quieres, puedes buscar un anuncio publicitario en un periódico o en una revista que puedes usar como modelo.

LECCIÓN 1 CULTURA ciento diecisiete 117

Graphic organizers help you organize your writing topic.

Practice what you have learned while improving your written Spanish.

Learn grammar within the context of the chapter.

Grammar is presented in a clear and logical order, with many examples to make learning and review easy.

Fun and effective videos provide additional grammar instruction and/or review.

Numerous and varied oral and written practice activities help you master the grammar in an interesting way.

Expansión enables you to tell and retell information in your own words.

Comunicación gives you real-life experience speaking in Spanish.

Learn about culture through journalism.

The **Vocabulario** and **Estudio de palabras** are recorded to help you learn the meaning and pronunciation of the new words in the article.

Antes de leer introduces the reading or provides a background to peak your interest.

Después de leer provides activities to check comprehension and to encourage you to speak on your own about the topic.

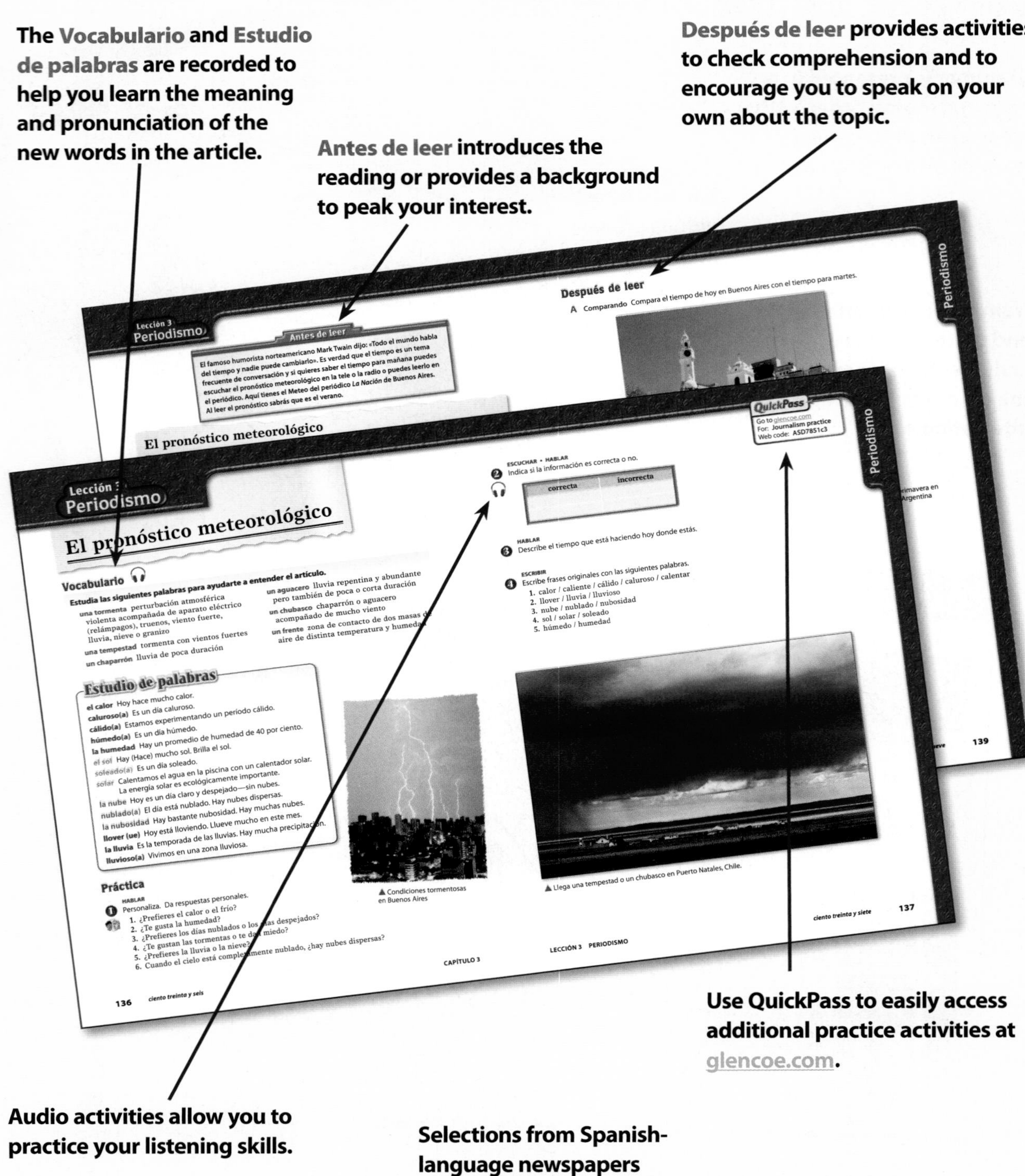

Use QuickPass to easily access additional practice activities at glencoe.com.

Audio activities allow you to practice your listening skills.

Selections from Spanish-language newspapers provide high-interest reading.

Enrich your appreciation of literature and culture.

Poetry and prose by writers from the region of the chapter give you another opportunity to use your reading skills in Spanish.

An Introducción precedes each selection to give you more information about the writer and his or her work.

Literary selections present many views of Hispanic culture.

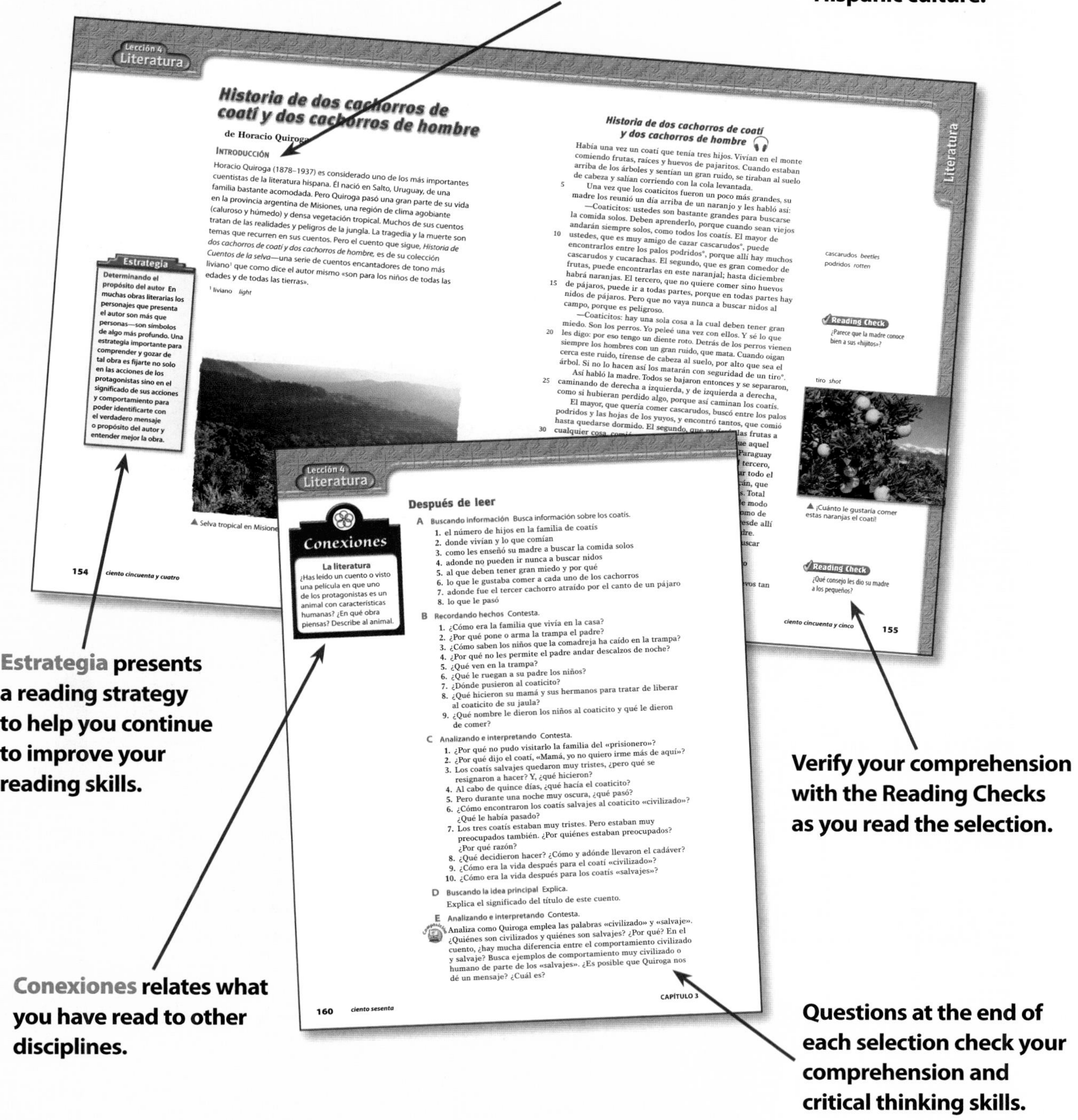

Estrategia presents a reading strategy to help you continue to improve your reading skills.

Verify your comprehension with the Reading Checks as you read the selection.

Conexiones relates what you have read to other disciplines.

Questions at the end of each selection check your comprehension and critical thinking skills.

Visit the Spanish-speaking world through video.

The **¡Así se dice!** Video Program, filmed in eight different countries, gives you the opportunity to hear the many accents and dialects of the Spanish-speaking world.

Review the chapter vocabulary at a glance.

Tour the region you are studying in the chapter.

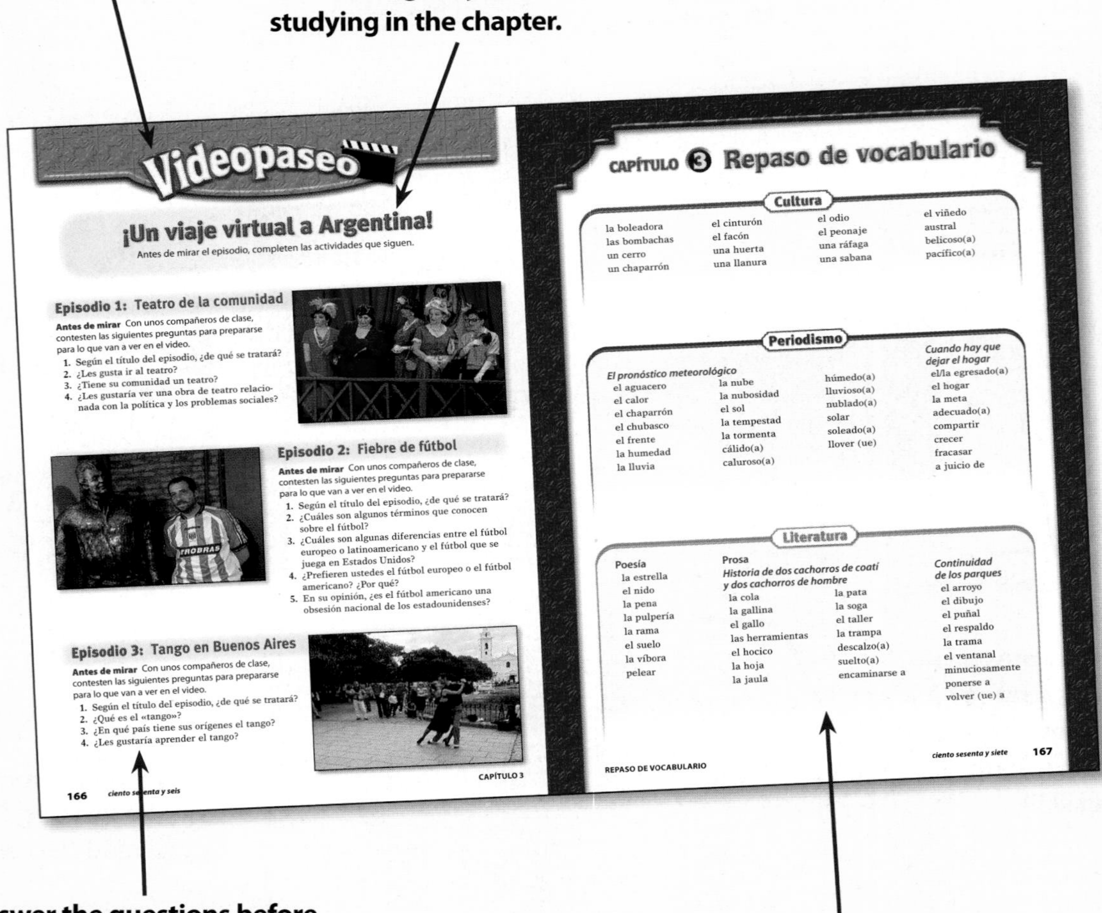

Videopaseo

¡Un viaje virtual a Argentina!

Antes de mirar el episodio, completen las actividades que siguen.

Episodio 1: Teatro de la comunidad

Antes de mirar Con unos compañeros de clase, contesten las siguientes preguntas para prepararse para lo que van a ver en el video.

1. Según el título del episodio, ¿de qué se tratará?
2. ¿Les gusta ir al teatro?
3. ¿Tiene su comunidad un teatro?
4. ¿Les gustaría ver una obra de teatro relacionada con la política y los problemas sociales?

Episodio 2: Fiebre de fútbol

Antes de mirar Con unos compañeros de clase, contesten las siguientes preguntas para prepararse para lo que van a ver en el video.

1. Según el título del episodio, ¿de qué se tratará?
2. ¿Cuáles son algunos términos que conocen sobre el fútbol?
3. ¿Cuáles son algunas diferencias entre el fútbol europeo o latinoamericano y el fútbol que se juega en Estados Unidos?
4. ¿Prefieren ustedes el fútbol europeo o el fútbol americano? ¿Por qué?
5. En su opinión, ¿es el fútbol americano una obsesión nacional de los estadounidenses?

Episodio 3: Tango en Buenos Aires

Antes de mirar Con unos compañeros de clase, contesten las siguientes preguntas para prepararse para lo que van a ver en el video.

1. Según el título del episodio, ¿de qué se tratará?
2. ¿Qué es el «tango»?
3. ¿En qué país tiene sus orígenes el tango?
4. ¿Les gustaría aprender el tango?

166 ciento sesenta y seis CAPÍTULO 3

CAPÍTULO 3 Repaso de vocabulario

Cultura

la boleadora, las bombachas, un cerro, un chaparrón, el cinturón, el facón, una huerta, una llanura, el odio, el peonaje, una ráfaga, una sabana, el viñedo, austral, belicoso(a), pacífico(a)

Periodismo

El pronóstico meteorológico: el aguacero, el calor, el chaparrón, el chubasco, el frente, la humedad, la lluvia, la nube, la nubosidad, el sol, la tempestad, la tormenta, cálido(a), caluroso(a), húmedo(a), lluvioso(a), nublado(a), solar, soleado(a), llover (ue)

Cuando hay que dejar el hogar: el/la egresado(a), el hogar, la meta, adecuado(a), compartir, crecer, fracasar, a juicio de

Literatura

Poesía: la estrella, el nido, la pena, la pulpería, la rama, el suelo, la víbora, pelear

Prosa — *Historia de dos cachorros de coatí y dos cachorros de hombre*: la cola, la gallina, el gallo, las herramientas, el hocico, la hoja, la jaula, la pata, la soga, el taller, la trampa, descalzo(a), suelto(a), encaminarse a

Continuidad de los parques: el arroyo, el dibujo, el puñal, el respaldo, la trama, el ventanal, minuciosamente, ponerse a, volver (ue) a

REPASO DE VOCABULARIO ciento sesenta y siete 167

Answer the questions before watching each episode to help you prepare for what you will see and hear.

The words are divided by lesson to make review easy.

El mundo hispanohablante

Spanish is the language of almost 400 million people around the world. Spanish had its origin in Spain. It is sometimes fondly called the "language of Cervantes," the author of the famous novel and character, *Don Quijote*. The Spanish **conquistadores** and **exploradores** brought their language to the Americas in the fifteenth and sixteenth centuries. Spanish is the official language of almost all the countries of Central and South America. It is the official language of Mexico and several of the larger islands in the Caribbean. Spanish is also the heritage language of more than forty-four million people in the United States.

México

Perú

Puerto Rico

España

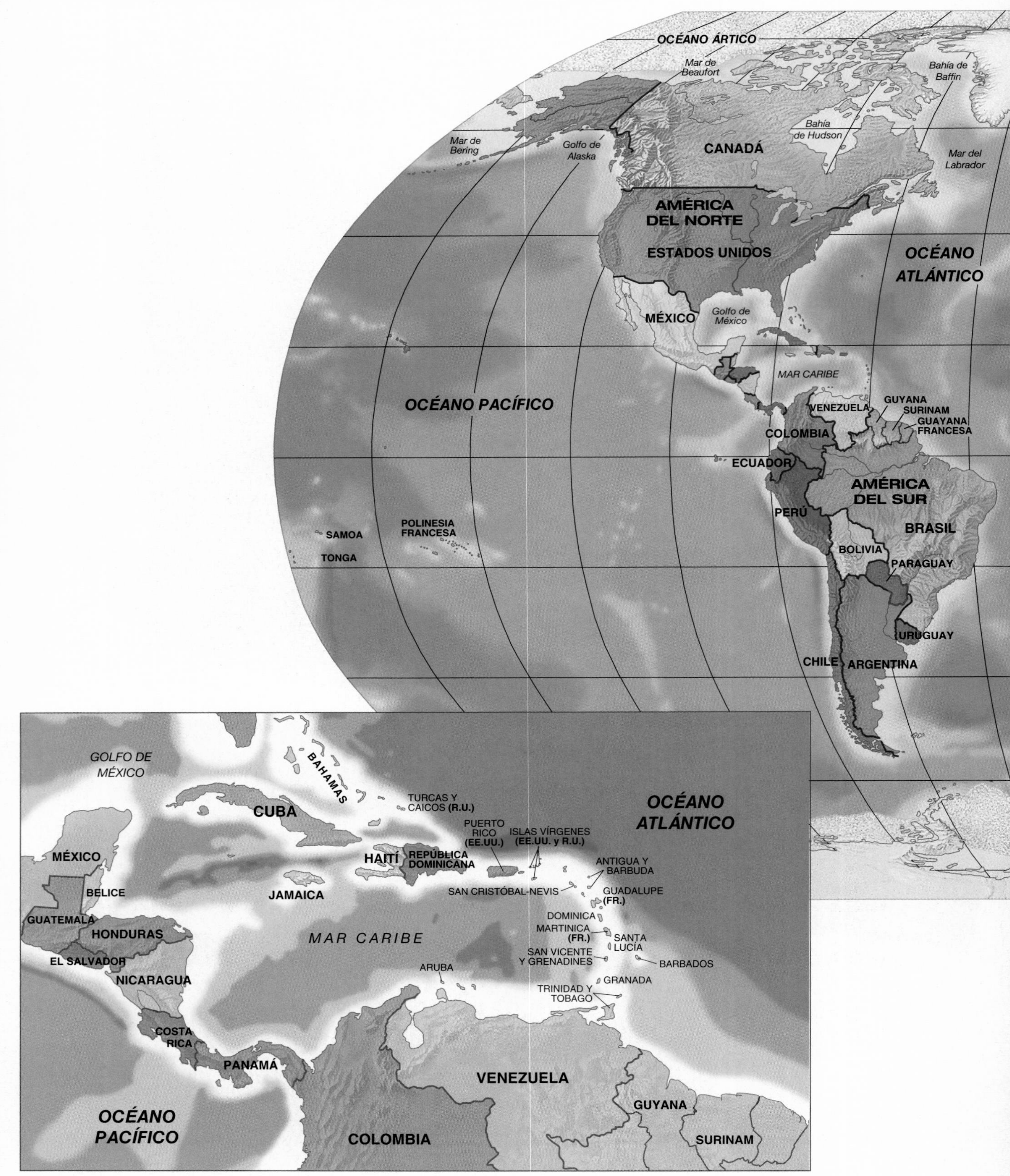
OCÉANO ÁRTICO
Mar de Beaufort
Bahía de Baffin
Bahía de Hudson
Mar de Bering
Golfo de Alaska
CANADÁ
Mar del Labrador
AMÉRICA DEL NORTE
ESTADOS UNIDOS
OCÉANO ATLÁNTICO
MÉXICO
Golfo de México
MAR CARIBE
OCÉANO PACÍFICO
VENEZUELA
GUYANA
SURINAM
GUAYANA FRANCESA
COLOMBIA
ECUADOR
AMÉRICA DEL SUR
PERÚ
BRASIL
SAMOA
POLINESIA FRANCESA
TONGA
BOLIVIA
PARAGUAY
URUGUAY
CHILE
ARGENTINA
GOLFO DE MÉXICO
BAHAMAS
TURCAS Y CAICOS (R.U.)
OCÉANO ATLÁNTICO
CUBA
PUERTO RICO (EE.UU.)
ISLAS VÍRGENES (EE.UU. y R.U.)
MÉXICO
HAITÍ
REPÚBLICA DOMINICANA
ANTIGUA Y BARBUDA
BELICE
JAMAICA
SAN CRISTÓBAL-NEVIS
GUADALUPE (FR.)
GUATEMALA
DOMINICA
HONDURAS
MARTINICA (FR.)
MAR CARIBE
SANTA LUCÍA
EL SALVADOR
SAN VICENTE Y GRENADINES
BARBADOS
ARUBA
NICARAGUA
GRANADA
TRINIDAD Y TOBAGO
COSTA RICA
PANAMÁ
VENEZUELA
OCÉANO PACÍFICO
GUYANA
COLOMBIA
SURINAM

OCÉANO ÁRTICO
Mar de Noruega
Mar de Barents
Mar de Kara
Mar de Láptiev
RUSIA
ASIA
Mar del Norte
Mar de Ojotsk
EUROPA
KAZAJSTÁN
MONGOLIA
Mar Negro
GEORGIA
ARMENIA
UZBEKISTÁN
KIRGUIZITÁN
TURKMENISTÁN
TAYIKISTÁN
MELILLA
TURQUÍA
CHINA
COREA DEL NORTE
Mar del Japón
JAPÓN
MAR MEDITERRÁNEO
TÚNEZ
LÍBANO
SIRIA
AZERBAIJÁN
IRAK
IRÁN
AFGANISTÁN
COREA DEL SUR
ISRAEL
JORDANIA
NEPAL
BHUTÁN
Mar de la China oriental
OCÉANO PACÍFICO
ARGELIA
LIBIA
EGIPTO
KUWAIT
BAHREIN
PAKISTÁN
QATAR
EMIRATOS ÁRABES UNIDOS
INDIA
TAIWÁN
ARABIA SAUDITA
BANGLADESH
MYANMAR
OMÁN
LAOS
MALÍ
NÍGER
CHAD
SUDÁN
Golfo de Bengala
Mar de la China meridional
ERITREA
YEMEN
TAILANDIA
FILIPINAS
MARSHALL
BURKINA FASO
NIGERIA
ÁFRICA
DJIBOUTI
GHANA
BENIN
ETIOPÍA
VIETNAM
REPÚBLICA CENTROAFRICANA
SRI LANKA
CAMBOYA
MICRONESIA
TOGO
CAMERÚN
SOMALIA
BRUNEI
PALAU
E PRÍNCIPE
UGANDA
KENYA
MALAYSIA
MALDIVAS
KIRIBATI
GABÓN
RUANDA
EA ECUATORIAL
REP. DEL CONGO
REP. DEM. DEL CONGO
SINGAPUR
NAURÚ
BURUNDI
PAPÚA-NUEVA GUINEA
SEYCHELLES
OCÉANO ÍNDICO
INDONESIA
SALOMÓN
TANZANIA
TUVALU
ANGOLA
MALAWI
ISLAS COMORES
WALLIS Y FUTUNA
ZAMBIA
MOZAMBIQUE
Mar del Coral
VANUATU
MADAGASCAR
ISLAS FIJI
MAURICIO
NAMIBIA
ZIMBABWE
BOTSWANA
REUNIÓN
AUSTRALIA
NUEVA CALEDONIA
SUDÁFRICA
SWAZILANDIA
LESOTHO
Mar de Tasmania
NUEVA ZELANDIA
TÁRTIDA
NORUEGA
FINLANDIA
SUECIA
ESTONIA
IRLANDA
REINO UNIDO
DINAMARCA
LETONIA
RUSIA
LITUANIA
RUSIA
PAÍSES BAJOS
BELARÚS
BÉLGICA
ALEMANIA
POLONIA
OCÉANO ATLÁNTICO
LUXEMBURGO
REPÚBLICA CHECA
ESLOVAQUIA
UCRANIA
FRANCIA
SUIZA
AUSTRIA
MOLDOVA
ESLOVENIA
HUNGRÍA
CROACIA
RUMANIA
ANDORRA
BOSNIA-HERZEGOVINA
PORTUGAL
MÓNACO
YUGOSLAVIA (Fed. Rep.)
Mar Negro
GEORGIA
ESPAÑA
ITALIA
BULGARIA
ALBANIA
MACEDONIA
MELILLA
Mar Mediterráneo
TURQUÍA
CEUTA
GRECIA
ÁFRICA
MALTA
CHIPRE
SIRIA
LÍBANO

OCÉANO ATLÁNTICO
MAR CANTÁBRICO
Golfo de Vizcaya
FRANCIA
ANDORRA
La Coruña
Santiago de Compostela
Galicia
Oviedo
Asturias
Santander
Cantabria
San Sebastián
Bilbao
País Vasco
Roncesvalles
Pamplona
Navarra
LOS PIRINEOS
CORDILLERA CANTÁBRICA
León
Burgos
Rioja
Castilla y León
Río Ebro
Cataluña
Valladolid
Río Duero
Zaragoza
Barcelona
Aragón
Salamanca
Segovia
Ávila
SIERRA DE GUADARRAMA
Madrid
Madrid
Río Tajo
Menorca
Islas baleares
Palma
Mallorca
Ibiza
Formentera
PORTUGAL
ESPAÑA
Comunidad Valenciana
Valencia
Castilla-la Mancha
Lisboa
Río Guadiana
Extremadura
Alicante
MAR MEDITERRÁNEO
Murcia
Murcia
Cartagena
Río Guadalquivir
Córdoba
Sevilla
Granada
Andalucía
SIERRA NEVADA
Jerez de la Frontera
Málaga
COSTA DEL SOL
Cádiz
Marbella
Estepona
Gibraltar (R.U.)
Estrecho de Gibraltar
Ceuta (Esp.)
Tánger
Melilla (Esp.)
OCÉANO ATLÁNTICO
ARGELIA
MARRUECOS

Islas Canarias
La Palma
Santa Cruz de Tenerife
Lanzarote
Fuerteventura
Las Palmas
Gomera
Tenerife
Hierro
Gran Canaria
MARRUECOS
ÁFRICA
OCÉANO ATLÁNTICO
SAHARA OCCIDENTAL

MAR CARIBE
OCÉANO ATLÁNTICO
Barranquilla
Cartagena
Maracaibo
Caracas
Lago de Maracaibo
Río Orinoco
VENEZUELA
Medellín
Río Magdalena
Santafé de Bogotá
COLOMBIA
Cali
GUYANA
SURINAM
GUAYANA FRANCESA
Ecuador
Otavalo
Quito
ECUADOR
Islas Galápagos (Ecuador)
Guayaquil
Cuenca
Río Amazonas
PERÚ
BRASIL
El Callao
Lima
CORDILLERA DE LOS ANDES
Cuzco
Lago Titicaca
BOLIVIA
La Paz
Cochabamba
Santa Cruz
Sucre
Brasília
PARAGUAY
Trópico de Capricornio
Asunción
CHILE
Río Paraná
Vicuña
Córdoba
OCÉANO PACÍFICO
Valparaíso
Santiago
Rosario
URUGUAY
Buenos Aires
Montevideo
La Plata
Río de la Plata
ARGENTINA
Mar del Plata
Puerto Montt
PATAGONIA
OCÉANO ATLÁNTICO
Estrecho de Magallanes
Islas Malvinas (R.U.)
Tierra del Fuego
Punta Arenas
Cabo de Hornos

México, la América Central y el Caribe

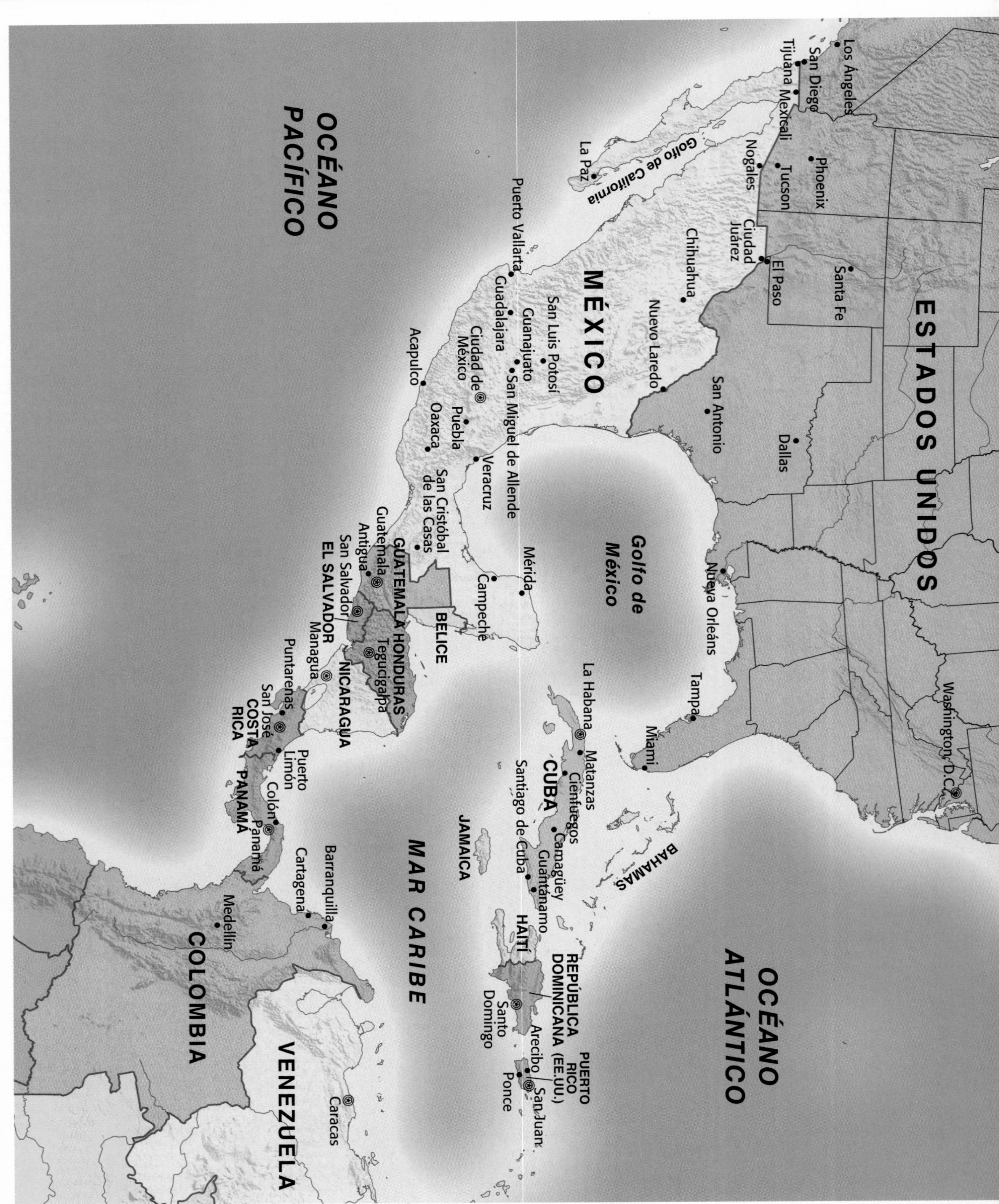

Estados Unidos

Chapter Overview

España

Scope and Sequence

Topics
- The geography of Spain
- The history of Spain
- Spanish culture

Culture
- The invasion of the Moors
- Basque country
- The Catholic Kings
- Christopher Columbus
- Roman influence and architecture
- Spanish foods
- Spanish Civil War, 1936–1939
- Extremadura, Spain
- Valencia, Spain
- Survivors of the Guernica bombing
- *Guernica* by Pablo Picasso
- Immigrants on the coast of Tarifa
- *Canción del pirata* by José de Espronceda
- *La primavera besaba* by Antonio Machado
- *El niño al que se le murió el amigo* by Ana María Matute

Functions
- How to express past actions
- How to refer to specific things

Structure
- Preterite of regular verbs
- Preterite of stem-changing verbs
- Nouns and articles
- Feminine nouns beginning in **a** and **ha**

Leveling

The activities within each chapter are marked in the Wraparound section of the Teacher Edition according to level of difficulty.

E indicates easy
A indicates average
CH indicates challenging

The readings in **Lección 3: Periodismo** and **Lección 4: Literatura** are also leveled to help you individualize instruction to best meet your students' needs. Please note that the material does not become progressively more difficult. Within each chapter there are easy and challenging sections.

Correlations to National Foreign Language Standards

Page numbers in light print refer to the Student Edition. Page numbers in bold print refer to the Teacher Edition.	
Communication Standard 1.1 Interpersonal	pp. **16, 18,** 19, 20, 25, **30,** 33, 35, **42, 45, 49,** 50
Communication Standard 1.2 Interpretive	pp. **2,** 3, **4,** 5, **5, 6,** 7, **8,** 9, 10, 11, 13, **14,** 15, 16, 18, 21, **21,** 28, **28, 29,** 30, 31, **31, 32,** 33, 34, 35, **36,** 37, 39, **39, 40, 41,** 42, 44, 45, 47, **47,** 48, **48,** 49, 50
Communication Standard 1.3 Presentational	pp. **4, 10, 11,** 13, **16, 18, 24,** 27, 33, 35, 42, **49**
Cultures Standard 2.1	pp. 6, 7, **18,** 20, **32,** 35, 50, **50**
Cultures Standard 2.2	pp. **4, 5,** 6, 7, **8,** 10, **10,** 11, **12, 15,** 16, **16,** 19, **22,** 30, **30, 50**
Connections Standard 3.1	pp. **1, 2, 3,** 4–5, 6–7, 8–9, **9,** 13, 15, 16, 19, 27, 30, **30,** 42, **44,** 50, **50**
Connections Standard 3.2	pp. **11, 16, 19, 21,** 22, **22,** 27, 29, 32, 39–41, 44, 47–48, 50, **50**
Comparisons Standard 4.1	pp. **4, 10, 11,** 24, **46**
Comparisons Standard 4.2	pp. **4,** 13, **32,** 50
Communities Standard 5.1	pp. 3, **13,** 15, 18, **19, 27,** 31, **33, 35**
Communities Standard 5.2	pp. **16, 19, 21,** 22, **22,** 50, **50**
To read the ACTFL Standards in their entirety, see the front of the Teacher Edition.	

Student Resources

Print

Workbook *(pp. 1.3–1.14)*
Audio Activities *(pp. 1.15–1.19)*

Technology

- StudentWorks™ Plus
- ¡Así se dice! Gramática en vivo
- ¡Así se dice! Cultura en vivo
- Vocabulary PuzzleMaker
- QuickPass glencoe.com

Teacher Resources

Print

TeacherTools, Chapter 1
- Workbook TE *(pp. 1.3–1.14)*
- Audio Activities TE *(pp. 1.17–1.34)*
- Quizzes 1–9 *(pp. 1.37–1.47)*
- Tests *(pp. 1.50–1.86)*

Technology

- Vocabulary Transparencies V1.1–V1.5
- Audio CDs 1A and 1B
- *ExamView® Assessment Suite*
- TeacherWorks™ Plus
- ¡Así se dice! Video Program
- Vocabulary PuzzleMaker
- QuickPass glencoe.com

50-Minute Lesson Plans

	Objective	Present	Practice	Assess/Homework
Day 1	Learn about the geography, history, and culture of Spain	Chapter Opener, p. 1 Core Instruction/Vocabulario, p. 2 Core Instruction/La geografía, pp. 4–5 Core Instruction/Una ojeada histórica, pp. 6–7	Activities 1–4, p. 3 Activity A, p. 5 Activity B, p. 7 Audio Activities A–C, pp. 1.17–1.18	Student Workbook Activities A–D, pp. 1.3–1.4 QuickPass Culture Practice
Day 2	Learn about the geography, history, and culture of Spain	Core Instruction/Una ojeada histórica, pp. 8–10 Core Instruction/Comida, p. 11	Activities C–E, pp. 7–11 Audio Activities D–E, pp. 1.18–1.20	Quizzes 1–2, pp. 1.37–1.38 Student Workbook Activities E–G, pp. 1.5–1.6 QuickPass Culture Practice
Day 3	Review Lección 1: Cultura	Videopaseo, p. 50 Episodio 1: Visita al Viejo Madrid	Prepárate para el examen, Self-check for achievement, p. 12 Prepárate para el examen, Practice for proficiency, p. 13	Quizzes 3–5, pp. 1.39–1.41 Review for lesson test
Day 4	Reading and Writing Test for Lección 1: Cultura, pp. 1.53–1.55			
Day 5	The preterite of regular and stem-changing verbs	Core Instruction/Pretérito de los verbos regulares, p. 14 Video, Gramática en vivo Core Instruction/ Pretérito de los verbos de cambio radical **e→i, o→u,** p. 17 Video, Gramática en vivo	Activities 1–5, pp. 15–16 Activities 6–9, pp. 18–19 Audio Activities A–F, pp. 1.21–1.24	Student Workbook Activities A–C, pp. 1.7–1.8 Student Workbook Activities A–B, pp. 1.8–1.9 QuickPass Grammar Practice
Day 6	The preterite of irregular verbs Nouns and articles	Core Instruction/Pretérito de los verbos irregulares, p. 20 Video, Gramática en vivo Core Instruction/ Sustantivos y artículos, pp. 22–23 Video, Gramática en vivo	Activities 10–13, pp. 20–21 Activity 14, p. 23 Audio Activity G, p. 1.24	Quizzes 6–7, pp. 1.42–1.43 Student Workbook Activities A–C, pp. 1.9–1.11 QuickPass Grammar Practice
Day 7	Nouns and articles	Core Instruction/Sustantivos femeninos en **a, ha** inicial, p. 24 Core Instruction/Sustantivos irregulares, p. 24	Activities 15–17, p. 25 Audio Activities H–I, p. 1.25	Quiz 8, p. 1.44 Student Workbook Activities A–C, p. 1.11 QuickPass Grammar Practice
Day 8	Review Lección 2: Gramática	Videopaseo, p. 50 Episodio 2: Invierno en verano	Prepárate para el examen, Self-check for achievement, p. 26 Prepárate para el examen, Practice for proficiency, p. 27	Quiz 9, p. 1.45 Review for lesson test
Day 9	Reading and Writing Test for Lección 2: Gramática, pp. 1.56–1.57			
Day 10	Read and discuss a newspaper article about the Guernica bombing	Core Instruction/Vocabulario, p. 28 Core Instruction/*Sobreviviente recuerda bombardeo a Guernica,* p. 29	Activities 1–2, p. 28 Activities A–E, p. 30 Audio Activities A–C, pp. 1.26–1.27	Student Workbook Activities A–E, pp. 1.12–1.13 QuickPass Journalism Practice
Day 11	Read and discuss a newspaper article about immigrants arriving in Spain	Core Instruction/Vocabulario, p. 31 Core Instruction/*Mueren cinco inmigrantes al naufragar en Tarifa,* p. 32	Activities 1–3, p. 31 Activities A–C, p. 33 Audio Activities D–E, p. 1.27	Student Workbook Activities A–B, p. 1.14 QuickPass Journalism Practice
Day 12	Review Lección 3: Periodismo	Videopaseo, p. 50 Episodio 3: La tradición del café	Prepárate para el examen, Self-check for achievement, p. 34 Prepárate para el examen, Practice for proficiency, p. 35	Review for lesson test

	Objective	Present	Practice	Assess/Homework
Day 13	Reading and Writing Test for Lección 3: Periodismo, pp. 1.58–1.60			
Day 14	Read a poem by José de Espronceda	Core Instruction/Vocabulario, pp. 36–37 Core Instruction/*Canción del pirata,* pp. 38–41	Activities 1–4, p. 37 Activities A–E, p. 42 Audio Activities A–E, pp. 1.28–1.32	QuickPass Literature Practice
Day 15	Read a poem by Antonio Machado	Core Instruction/*La primavera besaba,* pp. 43–44	Activities A–D, p. 45	QuickPass Literature Practice
Day 16	Read a short story by Ana María Matute	Core Instruction/Vocabulario, p. 46 Core Instruction/*El niño al que se le murió el amigo,* pp. 47–48	Activity 1, p. 46 Activities A–E, p. 49 Audio Activities F–H, pp. 1.33–1.34	Review for lesson test QuickPass Literature Practice
Day 17	Reading and Writing Test for Lección 4: Literatura, pp. 1.61–1.63			
Day 18	Chapter 1 Tests Chapter Reading and Writing Test, pp. 1.67–1.74 Listening Comprehension Test, pp. 1.75–1.80		Test for Oral Proficiency, pp. 1.81–1.82 Test for Writing Proficiency, pp. 1.83–1.86	

Note: You may want to use the rubrics below to help students prepare their speaking activities and their writing task.

Scoring Rubric for Speaking

	4	3	2	1
vocabulary	extensive use of vocabulary, including idiomatic expressions	adequate use of vocabulary and idiomatic expressions	limited vocabulary marked with some anglicisms	limited vocabulary marked by frequent anglicisms that force interpretation by the listener
grammar	few or no grammatical errors	minor grammatical errors	some serious grammatical errors	serious grammatical errors
pronunciation	good intonation and largely accurate pronunciation with slight accent	acceptable intonation and pronunciation with distinctive accent	errors in intonation and pronunciation with heavy accent	errors in intonation and pronunciation that interfere with listener's comprehension
content	thorough response with interesting and pertinent detail	thorough response with sufficient detail	some detail, but not sufficient	general, insufficient response

Scoring Rubric for Writing

	4	3	2	1
vocabulary	precise, varied	functional, fails to communicate complete meaning	limited to basic words, often inaccurate	inadequate
grammar	excellent, very few or no errors	some errors, but do not hinder communication	numerous errors interfere with communication	many errors, little sentence structure
content	thorough response to the topic	generally thorough response to the topic	partial response to the topic	insufficient response to the topic
organization	well organized, ideas presented clearly and logically	loosely organized, but main ideas present	some attempts at organization, but with confused sequencing	lack of organization

90-Minute Lesson Plans

	Objective	Present	Practice	Assess/Homework
Block 1	Learn about the geography, history, and culture of Spain	Chapter Opener, p. 1 Core Instruction/Vocabulario, p. 2 Core Instruction/La geografía, pp. 4–5 Core Instruction/Una ojeada histórica, pp. 6–10 Core Instruction/Comida, p. 11	Activities 1–4, p. 3 Activity A, p. 5 Activity B, p. 7 Activities C–E, pp.9–11 Audio Activities A–E, pp. 1.17–1.20	Student Workbook Activities A–G, pp. 1.3–1.6 QuickPass Culture Practice
Block 2	Review Lección 1: Cultura	Videopaseo, p. 50 Episodio 1: Visita al Viejo Madrid	Prepárate para el examen, Self-check for achievement, p. 12 Prepárate para el examen, Practice for proficiency, p. 13	Quizzes 1–5, pp. 1.37–1.41 Review for lesson test
Block 3	The preterite of regular verbs	Core Instruction/Pretérito de los verbos regulares, p. 14 Video, Gramática en vivo	Activities 1–5, pp. 15–16 Audio Activities A–C, pp. 1.21–1.22	Reading and Writing Test for Lección 1: Cultura, pp. 1.53–1.55 Student Workbook Activities A–C, pp. 1.7–1.8 QuickPass Grammar Practice
Block 4	The preterite of stem-changing verbs The preterite of irregular verbs	Core Instruction/ Pretérito de los verbos de cambio radical **e→i, o→u,** p.17 Video, Gramática en vivo Core Instruction/Pretérito de los verbos irregulares, p. 20 Video, Gramática en vivo	Activities 6–9, pp. 18–19 Activities 10–13, pp. 20–21 Audio Activities D–G, pp. 1.22–1.24	Quiz 6, p. 1.42 Student Workbook Activities A–B, pp. 1.8–1.9 Student Workbook Activities A–C, pp. 1.9–1.11 QuickPass Grammar Practice
Block 5	Nouns and articles	Core Instruction/ Sustantivos y artículos, pp. 22–23 Video, Gramática en vivo Core Instruction/Sustantivos femeninos en **a, ha** inicial, p. 24 Core Instruction/Sustantivos irregulares, p. 24	Activity 14, p. 23 Activities 15–17, p. 25 Audio Activities H–I, p. 1.25	Quizzes 7–8, pp. 1.43–1.44 Student Workbook Activities A–C, p. 1.11 QuickPass Grammar Practice
Block 6	Review Lección 2: Gramática	Videopaseo, p. 50 Episodio 2: Invierno en verano	Prepárate para el examen, Self-check for achievement, p. 26 Prepárate para el examen, Practice for proficiency, p. 27	Quiz 9, p. 1.45 Review for lesson test
Block 7	Read and discuss a newspaper article about the Guernica bombing	Core Instruction/Vocabulario, p. 28 Core Instruction/*Sobreviviente recuerda bombardeo a Guernica,* p. 29	Activities 1–2, p. 28 Activities A–E, p. 30 Audio Activities A–C, pp. 1.26–1.27	Reading and Writing Test for Lección 2: Gramática, pp. 1.56–1.57 Student Workbook Activities A–E, pp. 1.12–1.13 QuickPass Journalism Practice
Block 8	Read and discuss a newspaper article about immigrants arriving in Spain	Core Instruction/Vocabulario, p. 31 Core Instruction/*Mueren cinco inmigrantes al naufragar en Tarifa,* p. 32	Activities 1–3, p. 31 Activities A–C, p. 33 Audio Activities D–E, p. 1.27 Prepárate para el examen, Self-check for achievement, p. 34 Prepárate para el examen, Practice for proficiency, p. 35	Student Workbook Activities A–B, p. 1.14 Review for lesson test QuickPass Journalism Practice

	Objective	Present	Practice	Assess/Homework
Block 9	Read a poem by José de Espronceda	Core Instruction/Vocabulario, pp. 36–37 Core Instruction/*Canción del pirata,* pp. 38–41	Activities 1–4, p. 37 Activities A–E, p. 42 Audio Activities A–E, pp. 1.28–1.32	Reading and Writing Test for Lección 3: Periodismo, pp. 1.58–1.60 QuickPass Literature Practice
Block 10	Read a poem by Antonio Machado Read a short story by Ana María Matute	Core Instruction/*La primavera besaba,* pp. 43–44 Core Instruction/Vocabulario, p. 46 Core Instruction/*El niño al que se le murió el amigo,* pp. 47–48 Videopaseo, p. 50 Episodio 3: La tradición del café	Activities A–D, p. 45 Activity 1, p. 46 Activities A–E, p. 49 Audio Activities F–H, pp. 1.33–1.34	Review for lesson and chapter tests QuickPass Literature Practice
Block 11	Reading and Writing Test for Lección 4: Literatura, pp. 1.61–1.63 Chapter 1 Tests Chapter Reading and Writing Test, pp. 1.67–1.74 Listening Comprehension Test, pp. 1.75–1.80 Test for Oral Proficiency, pp. 1.81–1.82 Test for Writing Proficiency, pp. 1.83–1.86			

Note: You may want to use the rubrics below to help students prepare their speaking activities and their writing task.

Scoring Rubric for Speaking

	4	3	2	1
vocabulary	extensive use of vocabulary, including idiomatic expressions	adequate use of vocabulary and idiomatic expressions	limited vocabulary marked with some anglicisms	limited vocabulary marked by frequent anglicisms that force interpretation by the listener
grammar	few or no grammatical errors	minor grammatical errors	some serious grammatical errors	serious grammatical errors
pronunciation	good intonation and largely accurate pronunciation with slight accent	acceptable intonation and pronunciation with distinctive accent	errors in intonation and pronunciation with heavy accent	errors in intonation and pronunciation that interfere with listener's comprehension
content	thorough response with interesting and pertinent detail	thorough response with sufficient detail	some detail, but not sufficient	general, insufficient response

Scoring Rubric for Writing

	4	3	2	1
vocabulary	precise, varied	functional, fails to communicate complete meaning	limited to basic words, often inaccurate	inadequate
grammar	excellent, very few or no errors	some errors, but do not hinder communication	numerous errors interfere with communication	many errors, little sentence structure
content	thorough response to the topic	generally thorough response to the topic	partial response to the topic	insufficient response to the topic
organization	well organized, ideas presented clearly and logically	loosely organized, but main ideas present	some attempts at organization, but with confused sequencing	lack of organization

Preview

In this chapter, students will learn about the geography, history, and culture of Spain. They will review nouns, articles, and the preterite of regular, stem-changing, and irregular verbs. Students will also read and discuss newspaper articles, poems, and a short story from Spain.

Pacing

Cultura	4–5 days
Gramática	4–5 days
Periodismo	4–5 days
Literatura	4–5 days
Videopaseo	2 days

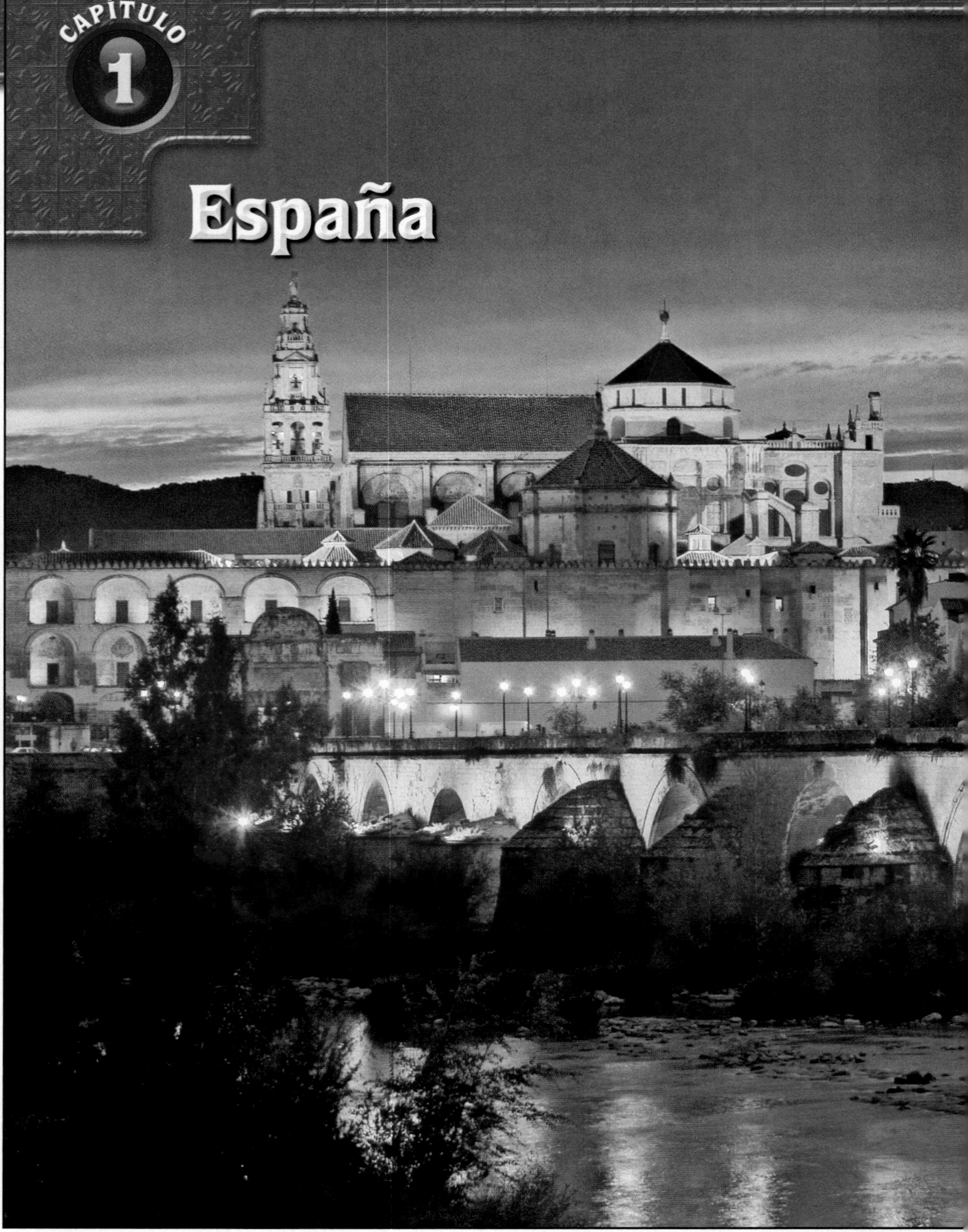

TeacherWorks Plus

The **¡Así se dice!** TeacherWorks™ Plus CD-ROM is an all-in-one planner and resource center. You may wish to use several of the following features as you plan and present the Chapter 1 material: Interactive Teacher Edition, Interactive Lesson Planner with Calendar, and Point and Click Access to Teaching Resources including Hotlinks to the Internet and Correlations to the National Standards.

CAPÍTULO 1

El río Guadalquivir en Córdoba con una vista del puente romano y la antigua mezquita de Córdoba que hoy es catedral

Objetivos

You will:

- learn about the geography, history, and culture of Spain
- discuss taking a trip to Spain
- read and discuss newspaper articles about the Guernica bombing and immigrants arriving in Spain
- read poems by various Spanish authors and a short story by Ana María Matute

You will review:

- the preterite of regular, irregular, and stem-changing verbs
- nouns and articles

Contenido

QuickPass
Go to glencoe.com
For: **Online book**
Web code: **ASD7851c1**

Cultural Snapshot

(page 1) Los romanos llegaron a Córdoba en 206 a.C. Fue capital de la España romana pero el emperador Diocleciano retiró el rango de capital a Córdoba en el siglo III y así empezó su decadencia que continuó hasta 711 cuando la conquistó Mughit el-Rumi quien la hizo árabe y la ciudad floreció una vez más.

Quia Interactive Online Student Edition found at quia.com allows students to complete activities online and submit them for computer grading for instant feedback or teacher grading with suggestions for what to review. Students can also record speaking activities, listen to chapter audio, and watch the videos that correspond with each chapter. As a teacher you are able to create rosters, set grading parameters, and post assignments for each class. After students complete activities, you can view the results and recommend remediation or review. You can also add your own customized activities for additional student practice.

Resources

- Vocabulary Transparency V1.2
- Audio Activities TE, page 1.17
- Audio CD 1A, Tracks 1–2
- Workbook, pages 1.3–1.4
- Quiz 1, page 1.37
- *ExamView® Assessment Suite*

TEACH

Core Instruction

Step 1 You may wish to present vocabulary by having students listen to Audio CD 1A with books closed or they can follow along as they read in the book.

Step 2 Call on students to read the new words and definitions aloud. If your class has good pronunciation, you can skip this step and have students study the new words and do the **Práctica** activities.

Conexiones

La historia

Don Juan Carlos is the grandson of the last king of Spain, Alfonso XIII. Alfonso abdicated in 1931 when elections were won by pro-Republican parties. The Republic lasted until 1939 when General Franco's forces won the Civil War that had raged since 1936. The legitimate heir to the throne was Juan Carlos' father, Don Juan. Don Juan renounced his right to the throne and Juan Carlos became king upon the death of Franco in 1975.

Cultural Snapshot

(page 2) Aquí vemos a la reina Sofía y al rey Juan Carlos de España.

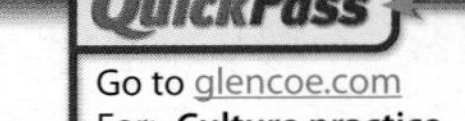

Go to glencoe.com
For: **Culture practice**
Web code: **ASD7851c1**

Vocabulario

Estudia las siguientes palabras para ayudarte a entender la lectura.

la carabela una embarcación a velas antigua
la neblina nube muy baja que está en contacto con la tierra
la colina monte pequeño y de formas suaves
la orilla parte de la tierra inmediata al agua, a un río, al mar, etc.
el siglo período de cien años
la guerra serie de batallas o luchas
la lucha la batalla
veraniego(a) del verano
extranjero(a) de otro país o nación
huir escapar
parecerse a ser muy parecido, similar, semejante

▲ una alfombra

▲ unas almendras

La reina lleva una corona. La corona tiene muchas joyas preciosas. ▶

GLENCOE Technology

Online Learning in the Classroom

You may wish to have students use QuickPass code ASD7851c1 for additional vocabulary and comprehension practice. Students will be able to download audio files to their computer and/or MP3 player and access eFlashcards, eGames, a self-check quiz, and a review worksheet.

Answers

1

1. Sí, el rey Fernando y la reina Isabel reinaron por mucho tiempo.
2. Sí, ellos establecieron una monarquía absoluta.
3. Sí, unas tropas extranjeras invadieron España.
4. Sí, los españoles fueron a la guerra.
5. Sí, lucharon por la corona.
6. Sí, tomaron parte en una batalla naval.
7. Perdieron muchas carabelas en la batalla.

Práctica

HABLAR • ESCRIBIR

1 Contesta sobre una época en la historia de España.

1. ¿Reinaron el rey Fernando y la reina Isabel por mucho tiempo?
2. ¿Establecieron ellos una monarquía absoluta?
3. ¿Invadieron España unas tropas extranjeras?
4. ¿Fueron a la guerra los españoles?
5. ¿Lucharon por la corona?
6. ¿Tomaron parte en una batalla naval?
7. ¿Salieron victoriosos o perdieron muchas carabelas en la batalla?

EXPANSIÓN

Ahora, sin mirar las preguntas, cuenta la información en tus propias palabras. Si no recuerdas algo, un(a) compañero(a) te puede ayudar.

ESCRIBIR • HABLAR

2 Personaliza. Da respuestas personales.

1. ¿Tienes una casa veraniega?
2. ¿Te gusta caminar o dar un paseo a lo largo de las orillas de un río?
3. Donde vives, ¿hay colinas o llanuras?
4. Si hay mucha neblina, ¿puedes ver lo que hay en la distancia?
5. ¿Hay mucha neblina donde vives? ¿Cuándo?
6. En este momento, ¿estamos en una época de paz o una época de guerra?

LEER • HABLAR • ESCRIBIR

3 Prepara un diccionario. Da la palabra cuya definición sigue.

1. una serie de batallas
2. un período de cien años
3. las esmeraldas, los rubíes, los diamantes
4. escapar
5. un barco antiguo
6. ser semejante o parecido

ESCRIBIR

4 Da una palabra relacionada.

1. el reinado
2. la joyería
3. el guerrero
4. parecido
5. la huida

Una casa veraniega en las orillas del Mediterráneo en la isla de Menorca ▼

Cultura

▶ PRACTICE

Leveling EACH Activity

Easy Activities 1, 2
Average Activities 3, 4
CHallenging Activity 1 **Expansión**

Activities 1 and 2 You can do these activities orally with books closed and call on students at random to respond.

Activities 3 and 4 You may wish to have students prepare these activities before going over them in class.

Differentiation

Advanced Learners

Call on an advanced learner to do the **Expansión** of Activity 1.

Cultural Snapshot

(page 3) La isla de Menorca es más pequeña que Palma de Mallorca pero más grande que Ibiza. Se dice que la mayonesa fue elaborada por primera vez en la ciudad de Mahón en Menorca.

Conexiones

La geografía

Have students locate Mallorca, Menorca and Ibiza on the map on page SH18.

Answers

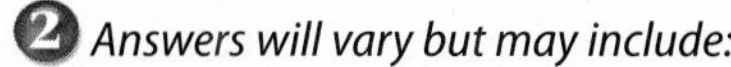

2 *Answers will vary but may include:*

1. Sí, (No, no) tengo una casa veraniega.
2. Sí, (No, no) me gusta caminar o dar un paseo a lo largo de las orillas de un río.
3. Donde vivo, (no) hay colinas y llanuras.
4. Si hay mucha neblina, no puedo ver lo que hay en la distancia.
5. Sí, (No, no) hay mucha neblina donde vivo. Hay mucha neblina ____.
6. En este momento, estamos en una época de guerra (paz).

3

1. una guerra
2. un siglo
3. las joyas
4. huir
5. una carabela
6. parecerse a

4

1. el rey (la reina)
2. las joyas
3. la guerra
4. parecerse a
5. huir

Resources

- Workbook, page 1.4
- Quiz 2, page 1.38
- *ExamView® Assessment Suite*

TEACH

Core Instruction

Step 1 Have students look at the photographs as they do the reading.

Step 2 You may wish to have the entire class do all of the reading or you may want to break it into sections, assigning one to each group. If you do this, each group should report what they learned to the class so every student can be familiar with all the material.

Teaching Options

- You may wish to have students read some paragraphs silently. You may also wish to go over some paragraphs orally in class, interspersing comprehension questions.
- You may wish to ask the questions in Activity A as you are going over the **Lectura.** It is suggested that you also have the students write the answers to the questions.

Cultural Snapshot

(page 4 top) El Parque Nacional de los Picos de Europa es el espacio protegido más extenso de Europa. El pico del Naranjo de Bulnes es uno de los picos más notables. Al oeste está la montaña de Covadonga. En la página 7, los alumnos aprenden que don Pelayo ganó la primera batalla contra los moros en Covadonga en 718.

La geografía

España, un país de grandes contrastes y mucha diversidad, se encuentra al sudoeste de Europa. Con su vecino Portugal, forma la península ibérica. Con la excepción de Suiza, España es el país más montañoso de Europa. En el norte los Pirineos forman una frontera natural con Francia.

▲ El pico del Naranjo de Bulnes en los Picos de Europa en Asturias

El norte

A lo largo de toda la costa norte las montañas suben hacia el cielo desde las orillas del Cantábrico. Los majestuosos Picos de Europa en Cantabria y Asturias alcanzan una altura de 8.600 pies. En Galicia, la pintoresca región del noroeste, hay mucha neblina y llueve con frecuencia. El verde paisaje[1] gallego se parece mucho al paisaje de Irlanda.

▲ Los colores oro, amarillo, pardo y naranja predominan en el paisaje de la parte central de España.

El centro

Las llanuras interminables de color pardo[2] naranja de Castilla y Extremadura en el centro del país contrastan mucho con las colinas verdes de Galicia. Aquí el clima es muy seco. En el invierno no cae mucha nieve pero hace un frío tremendo y los vientos fuertes son frecuentes. En el verano brilla un sol fuerte y hace mucho calor. En Madrid, la capital, hay un refrán que dice que allí hay «seis meses de invierno y seis meses de infierno[3]».

[1] paisaje *landscape*
[2] pardo *brown*
[3] infierno *hell*

Un olivar en Andalucía ▼

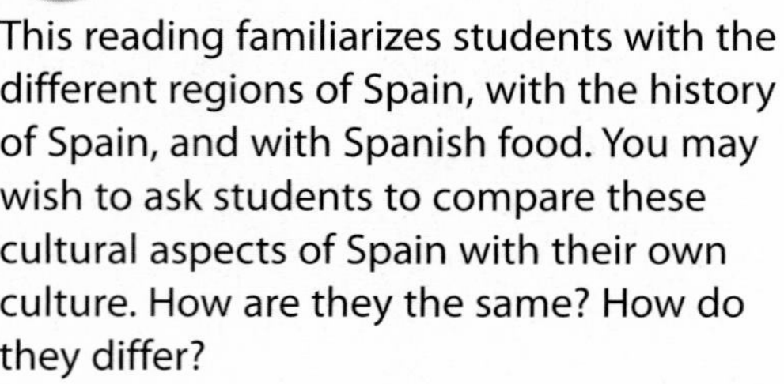

Cultura

This reading familiarizes students with the different regions of Spain, with the history of Spain, and with Spanish food. You may wish to ask students to compare these cultural aspects of Spain with their own culture. How are they the same? How do they differ?

Reading Strategy

Cognates Words that look alike and have similar meanings in Spanish and English (**diversidad,** *diversity*) are called *cognates.* Look for cognates whenever you read in Spanish. Recognizing cognates can help you figure out the meaning of many words in Spanish and will help you understand what you read.

El sur

En la pintoresca región de Andalucía el invierno y la primavera son benignos[4]. Pero en el verano, con la excepción de los pueblos de la Sierra Nevada y la Sierra Morena, hace un calor tremendo. Las ciudades andaluzas como Sevilla y Córdoba son verdaderos hornos[5] en el verano. Andalucía es conocida por sus olivares que le dan al paisaje un color verde olivo.

Por toda la costa de España abundan playas bañadas de las cristalinas aguas del Mediterráneo en el este y en el sur y del Cantábrico en el norte.

También pertenecen a España las islas Baleares en el Mediterráneo, las islas Canarias al oeste de África en el Atlántico y dos ciudades en el norte de África—Ceuta y Melilla.

Antes de 1979 España se dividía en regiones pero actualmente se les llama «comunidades autónomas». Hay diecisiete comunidades autónomas que se pueden comparar más o menos con los estados de Estados Unidos. Cada una tiene su propio gobernador, congreso de diputados y elecciones.

[4] benignos *mild*
[5] hornos *ovens*

▲ Una vista de la marina en el centro de Melilla, una ciudad española en el norte de África

A **Recordando hechos** Contesta sobre la geografía de España.

1. ¿Dónde está España?
2. ¿Cuáles son los dos países que forman la península ibérica?
3. ¿Qué tipo de país es España?
4. ¿Es montañosa la costa norte de España?
5. ¿Cómo es Galicia y qué tiempo hace allí?
6. ¿Qué color predomina en el centro del país?
7. ¿Cuáles son algunas características del tiempo en el centro del país?
8. ¿Qué tiempo hace en el sur de España?
9. ¿Por qué tiene el paisaje de Andalucía un color verde olivo?
10. ¿Dónde abundan las playas en España?
11. ¿Qué son Ceuta y Melilla?
12. ¿En cuántas comunidades autónomas está dividida España?

Casares—un típico pueblo blanco en las sierras de Andalucía ▼

5

PRACTICE

A You may wish to go over these questions as students are reading in class. Students may look up the answers or you may prefer them to do the activity as factual recall. Afterward, have students write the answers to the questions at home.

Tips for Success

After each section of the **Lectura,** you may wish to call on a student to give a brief summary. If you prefer, several students can collaborate on the summary.

Cultural Snapshot

(page 5 top) Melilla es una ciudad heterogénea con una población de cristianos, musulmanes y judíos.

(page 5 bottom) Casares está en la Sierra Bermeja al norte de Estepona. El pueblo se conoce por sus casas blancas y el castillo moro cuyas ruinas se ven en la foto.

Differentiation

Multiple Intelligences

Call on **visual-spatial** learners to give a brief synopsis of the geography of Spain by describing the photos that accompany this section.

Answers

A

1. España está en el sudoeste de Europa.
2. Los dos países que forman la península ibérica son España y Portugal.
3. España es un país montañoso.
4. Sí, la costa norte de España es montañosa.
5. Galicia es pintoresca. Hay mucha neblina allí y llueve con frecuencia.
6. En el centro del país el color pardo naranja predomina.
7. En el centro del país el clima es muy seco. En el invierno no nieva mucho pero hace mucho frío y hay frecuentes vientos fuertes. En el verano hay mucho sol y hace mucho calor.
8. En el sur de España el invierno y la primavera son benignos. En el verano hace un calor tremendo (excepto en la Sierra Nevada y la Sierra Morena).
9. El paisaje de Andalucía tiene un color verde olivo por sus olivares.
10. Las playas en España abundan por toda la costa en el este, el sur y el norte.
11. Ceuta y Melilla son dos ciudades en el norte de África que pertenecen a España.
12. España está dividida en diecisiete comunidades autónomas.

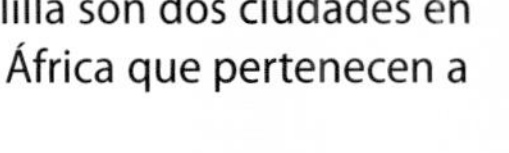

Resources

- Audio Activities TE, pages 1.18–1.20
- Audio CD 1A, Tracks 3–5
- Workbook, page 1.5
- Quiz 3, page 1.39
- *ExamView® Assessment Suite*

TEACH

Core Instruction

You may wish to call on students to read aloud. As you do you may wish to intersperse comprehension questions such as: ¿Quiénes invadieron España? ¿En qué año invadieron el país? ¿De dónde vinieron? ¿Cuánto tiempo se quedaron en la península?

GLENCOE SPANISH Why It Works!

In Lesson 2 of Chapter 1 students will review the preterite tense. **¡Así se dice!** incorporates the grammar that is presented in each chapter throughout the other lessons of the chapter. For example, in this section the preterite is reintroduced twelve times.

Cultural Snapshot

(page 6 top) Esta callecita se encuentra en el barrio de la ciudad de Córdoba conocido como la judería. En el laberinto de callejuelas con casas con tiestos de flores vivía la población judía antes de la Inquisición. *(page 6 bottom)* La puerta del Alcázar es la más espaciosa de las puertas en la gran muralla. Ávila es la ciudad natal de Santa Teresa de Ávila.

Una ojeada histórica

▲ Una callecita típica de Córdoba

Los moros

En el año 711 ocurrió algo muy importante en la historia de España. Los moros o musulmanes invadieron el país desde el norte de África y se quedaron en la península por ocho siglos. La enorme influencia de los moros hace que la civilización española sea muy diferente de la de los otros países europeos.

Córdoba, la capital de los moros, llegó a ser la ciudad más culta de Europa cuando el resto del continente vivía en la oscuridad de la Edad Media. A mediados del siglo X Córdoba tenía una población de más de trescientos mil habitantes. Se estableció una biblioteca que contaba con más de doscientos cincuenta mil tomos. Los moros trabajaban en armonía con los cristianos y los judíos e hicieron importantes descubrimientos en la medicina, las matemáticas y otras ciencias.

Más de cuatro mil palabras españolas son de origen árabe. Algunos ejemplos son los nombres de los productos introducidos por los moros, tales como el azúcar, la naranja y la berenjena. Casi todas las palabras que empiezan con **al-** son de origen árabe: el alcázar, la almohada y la alfombra. Muchas expresiones y costumbres de cortesía tienen sus raíces[6] en la cultura musulmana. Unos ejemplos son: **Esta casa es su casa**—lo que te dice un español cuando entras en su casa; **¡Buen provecho!**—lo que se dice al pasar por una persona que está comiendo; **¡Ojalá!**—una expresión que significa «si Dios quiere».

[6] raíces *roots*

La Puerta del Alcázar en la ciudad amurallada de Ávila ▼

Cuando los moros llegaron en 711 muchos cristianos huyeron a las montañas de Asturias en el norte. Nombraron rey a don Pelayo, el primer rey de la dinastía española. En 718 los españoles ganaron su primera batalla contra los moros en Covadonga. Así empezó la Reconquista—una guerra de batallas intermitentes que duró ocho siglos. Durante este período los reyes cristianos iban recuperando terreno a los árabes. Con el terreno recuperado formaban reinos independientes y desunidos resultando en una falta de unidad política que se manifiesta aun hoy en el afán independentista y separatista de varias comunidades autónomas, sobre todo el País Vasco (Euskadi) y Cataluña.

B **Describiendo y explicando** Lee el trozo de nuevo y busca la información necesaria para describir los siguientes temas.

1. la importancia del año 711
2. Córdoba durante la Edad Media
3. palabras españolas de origen árabe
4. costumbres de cortesía que tienen raíces árabes
5. la batalla de Covadonga
6. la falta de unidad política en España

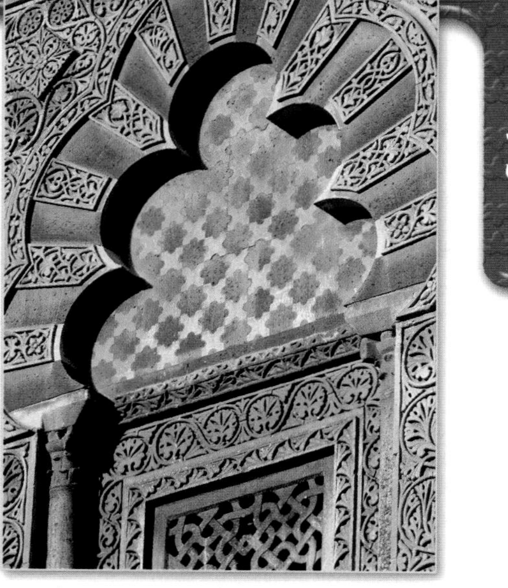

▲ Ejemplo de la arquitectura árabe en la Mezquita de Córdoba

Paisaje del País Vasco (Euskadi) en el norte de España ▼

PRACTICE

B Have students prepare this activity at home before going over it in class. Students should write the activity but it can be gone over orally in class.

Pre-AP As students read these **Lecturas**, they will develop the skills they need to be successful on the reading and writing sections of the AP exam.

ASSESS

Students are now ready to take Quiz 3 on page 1.39 of the TeacherTools booklet. If you prefer to create your own quiz, use the *ExamView® Assessment Suite.*

Answers

B *Answers will vary but may include:*

1. Los moros invadieron España en el año 711.
2. Córdoba llegó a ser la ciudad más culta de Europa durante la Edad Media.
3. Unas palabras españolas de origen árabe son: el alcázar, la almohada, la alfombra y casi todas las palabras que empiezan con **al-**.
4. Cuando entras en la casa de un español te dice «Esta casa es su casa». Cuando pasas por una persona que está comiendo dices «¡Buen provecho!»
5. La Reconquista empezó con la batalla de Covadonga cuando los españoles ganaron su primera batalla contra los moros.
6. Con el terreno recuperado formaban reinos independientes y desunidos.

Resources

- Quiz 4, page 1.40
- *ExamView® Assessment Suite*

TEACH

Core Instruction

You may wish to intersperse comprehension questions as students read such as: **¿En qué año se realizó la unidad de España? ¿Quiénes se casaron? ¿Qué establecieron? ¿Quién me puede decir lo que es una monarquía absoluta? ¿Qué tipo de unidad querían los Reyes Católicos? ¿Qué no existía bajo ellos? ¿Quiénes son los sefardíes? ¿Adónde fueron? ¿Qué siguen hablando algunos de ellos aún hoy?**

Cultural Snapshot

(page 8 bottom) La Alhambra de Granada es una de las joyas arquitectónicas musulmanas más renombradas del mundo.

Los Reyes Católicos

La «unidad» de España se realizó en 1469 con el casamiento[7] de Isabel de Castilla y Fernando de Aragón, los Reyes Católicos, quienes establecieron una monarquía absoluta. Los Reyes Católicos querían no solo la unidad territorial y política; querían también la unidad religiosa. Bajo ellos no existía la tolerancia religiosa que había existido en la España musulmana. En 1481 establecieron el Tribunal de la Inquisición y en 1492 expulsaron a los judíos no conversos. Su expulsión fue un desastre para España porque habían contribuido en muchos campos a la prosperidad del país. Los judíos expulsados, llamados sefardíes, fueron al norte de África, a Grecia y a Turquía. Algunos de ellos siguen hablando ladino, un idioma que se parece mucho al español del siglo XV.

En 1492 las tropas de Fernando e Isabel entraron en Granada, el último bastión de los moros en España. Tomaron la ciudad poniendo fin a la Reconquista. Se dice que Boabdil, el último rey moro, les dio las llaves de la ciudad y salió de Granada llorando la pérdida[8] de su querida Alhambra.

▲ Fernando de Aragón e Isabel de Castilla, los Reyes Católicos

[7] casamiento *marriage*
[8] pérdida *loss*

La Alhambra de Granada se refleja en una alberca. ▼

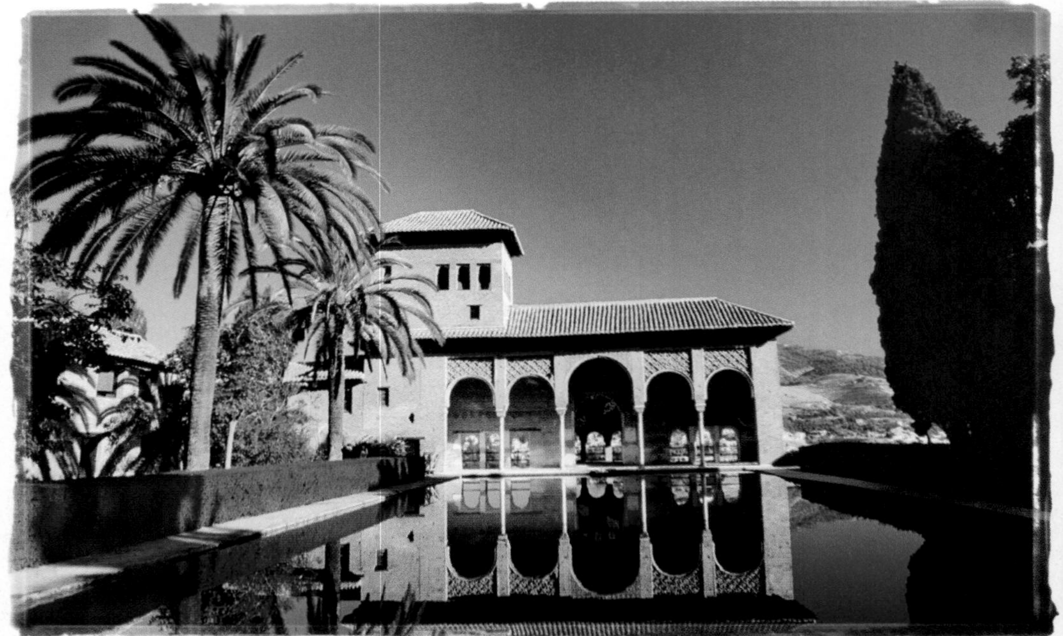

El año 1492 es una fecha importantísima en la historia de España. El mismo año en que fueron expulsados los moros, el navegador genovés, Cristóbal Colón, patrocinado[9] por la reina Isabel, salió del puerto de Palos en el sur de España con tres carabelas para descubrir una nueva ruta a las Indias. Pero cuando Colón puso pie en tierra el doce de octubre de 1492, no había llegado a la India sino a una isla de las que son hoy las Bahamas en las Américas. Ese día empezaron la conquista, la exploración y la colonización de las Américas en nombre de la corona española, convirtiendo España en el Imperio más rico y más poderoso del mundo.

[9] patrocinado *sponsored*

C Buscando información Completa cada frase.

1. La «unidad» de España se realizó en 1469 con ____.
2. Los Reyes Católicos querían la unidad territorial, política y ____.
3. Ellos establecieron el Tribunal de la Inquisición en ____.
4. Los sefardíes son ____.
5. El último rey moro fue ____.
6. En 1492 ____.
7. Colón no descubrió una nueva ruta a la India. Él llegó ____.
8. Con la llegada de Colón a estas islas, empezaron ____.

Cristóbal Colón se despide de la reina Isabel el día 3 de agosto de 1492. ▼

PRACTICE

C Have students write the answers to this activity at home. You can then go over it orally in class.

Conexiones

Las ciencias sociales

Ask students if they have learned information about Spain in their social studies courses. Have them share the information they have learned.

ASSESS

Students are now ready to take Quiz 4 on page 1.40 of the TeacherTools booklet. If you prefer to create your own quiz, use the *ExamView® Assessment Suite.*

Answers

C

1. el casamiento de Isabel de Castilla y Fernando de Aragón
2. religiosa
3. 1481
4. los judíos expulsados de España
5. Boabdil
6. las tropas de Fernando e Isabel tomaron la ciudad de Granada, poniendo fin a la Reconquista. (Cristóbal Colón salió del puerto de Palos en el sur de España para descubrir una nueva ruta a las Indias.)
7. a las Bahamas
8. la conquista, la exploración y la colonización de las Américas en nombre de la corona española

Resources

- Workbook, page 1.6
- Quiz 5, page 1.41
- *ExamView® Assessment Suite*

Differentiation

Multiple Intelligences

Have **visual-spatial** learners look at the photographs as they read about these places.

Tips for Success

Throughout their study of Spanish, students have learned quite a bit about interesting things and places in Spain. Have them tell about some of the things they remember.

In Mexico **la alberca** is a *swimming pool.* In Spain and other areas, *swimming pool* is **la piscina.** In this chapter, **alberca** refers to the pools created by fountains in Moorish palaces such as the Alhambra and the Generalife. You may also hear the word **pileta** for *swimming pool,* particularly in Argentina.

Presentational

If any students have taken a trip to Spain, have them tell something about it. Have them bring in any photos or memorabilia they may have.

PRACTICE

Differentiation

Advanced Learners

D Have advanced learners correct any of the erroneous information in these statements.

Visitas históricas

Si algún día vas a España, no puedes perder la oportunidad de visitar las dos grandes ciudades cosmopolitas de Madrid y Barcelona. Y tienes que visitar también algunos lugares de gran interés histórico. En Andalucía son imprescindibles[10] las joyas arquitectónicas de los moros—el Alcázar de Sevilla, la Mezquita de Córdoba, la Alhambra de Granada y la residencia veraniega de los reyes moros, el Generalife, con sus espléndidos jardines con numerosas fuentes y albercas.

▲ Una vista de Madrid

▲ El famoso teatro romano en Mérida

Si vas a Mérida en Extremadura, puedes ver las ruinas de muchos monumentos romanos. Los romanos invadieron España en 218 a.C. y tardaron dos siglos en someter a los celtíberos que habitaban la península en aquel entonces. Por fin los celtíberos se mezclaron con los romanos y adoptaron su lengua, sus leyes y sus costumbres. Todavía hoy siguen dando conciertos y representaciones en las ruinas del famoso teatro romano en Mérida. Si te interesa, puedes ir también a Segovia donde verás el famoso acueducto romano hecho de piedras gigantescas sin una sola gota de argamasa[11].

[10] imprescindibles *essential (a must)*
[11] argamasa *mortar*

D **Confirmando información** Determina si la información es correcta o no.

1. Los árabes fueron magníficos arquitectos.
2. Hay muchas joyas arquitectónicas de los moros en el norte de España, sobre todo en Galicia.
3. Hay muchas ruinas romanas en la ciudad de Mérida, en Extremadura.
4. Los romanos invadieron España cuando fueron expulsados los moros.
5. Los celtíberos se romanizaron. Adoptaron la lengua, las leyes y las costumbres de los romanos.
6. El famoso acueducto romano de Segovia está hecho de madera y argamasa.

El acueducto de Segovia ▼

Cultural Snapshot

(page 10 middle) La construcción del teatro romano en Mérida con capacidad para más de 5.000 espectadores se finalizó en 18 a.C. La reedificación del teatro le permite seguir en uso hasta hoy.
(page 10 bottom) El acueducto de Segovia fue construido, se cree, a finales del primer siglo d.C.

Answers

D

1. correcta
2. Hay muchas joyas arquitectónicas de los moros en el sur de España, sobre todo en Andalucía.
3. correcta
4. Los romanos invadieron España en 218 a.C.
5. correcta
6. El famoso acueducto romano de Segovia está hecho de piedras gigantescas sin una sola gota de argamasa.

Comida

Si vas a Segovia tienes que comer una de las especialidades de la región—el cochinillo asado. El cochinillo se asa durante horas en un horno de ladrillo[12] o de barro[13]. Es un plato suculento.

En Andalucía se ve la influencia de los árabes en la cocina también. Un ejemplo es el ajo blanco—una sopa que se parece al gazpacho andaluz, una sopa fría hecha de agua, pan, ajo, tomates y pimientos. Pero el ajo blanco no se hace con tomates. Se hace con almendras y se sirve con unas uvas peladas y unas rebanadas de melón.

A los españoles en todas partes del país les encanta picar o comer pequeñas raciones de comida—tapas. Las tapas incluyen trocitos de tortilla a la española, jamón serrano, aceitunas, sardinas, anchoas, o gambas[14] entre otros manjares. Pues, ¿qué te apetece? Y, ¡buen provecho!

[12] ladrillo *brick*
[13] barro *clay*
[14] gambas *shrimp*

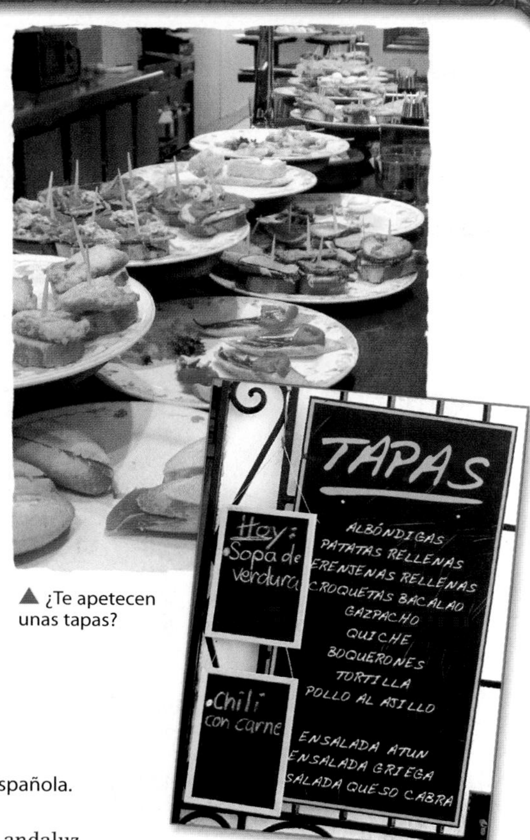

▲ ¿Te apetecen unas tapas?

E Recordando hechos Contesta sobre la cocina española.

1. ¿Cómo se prepara el cochinillo asado?
2. ¿Cuál es la diferencia entre el gazpacho andaluz y el ajo blanco?
3. ¿Qué son tapas? ¿Por qué les gustan tanto a los españoles?

▲ ¿Qué tal el ajo blanco? Se elabora con almendras y unas uvas peladas, ¿no?

Una fabada asturiana, uno de los guisados renombrados de la cocina casera española ▼

Cultura

Resources

- Workbook, page 1.7
- Quiz 5, page 1.41
- *ExamView® Assessment Suite*

Comunicación

Interpersonal

Have students recall and tell about all the Spanish foods they have learned. Ask them to describe the ones they have tried and whether or not they liked them. Ask them which ones they would like to try.

Differentiation

Multiple Intelligences

You may wish to have **bodily-kinesthetic** learners prepare some Spanish food. There are several recipes in the **¡Así se dice!** Level 1 Teacher Edition and in the **¡Así se dice!** Level 2 Student and Teacher Editions.

Learning from Realia

(page 11 top right) Have students read all the items on the tapas board. The only words they may not recognize are **boquerones,** *small sardines*, and **cabra,** *goat.*

ASSESS

Students are now ready to take Quiz 5 on page 1.41 of the TeacherTools booklet. If you prefer to create your own quiz, use the *ExamView® Assessment Suite.*

Answers

E *Answers will vary but may include:*

1. El cochinillo se asa durante horas en un horno de ladrillo o de barro.
2. El gazpacho andaluz se hace de agua, pan, ajo, tomates y pimientos; el ajo blanco no se hace con tomates sino con almendras y se sirve con uvas peladas y rebanadas de melón.
3. Tapas son pequeñas raciones de comida. Les gustan tanto a los españoles porque les encanta picar.

Resources 

- Tests, pages 1.53–1.55
- *ExamView® Assessment Suite*

Self-check for achievement

This is a pre-test for students to take before you administer the lesson test. Note that each section is cross-referenced so students can easily find the material they feel they need to review. You may wish to use Self-Check Worksheet Transparency SC1.1 to have students complete this assessment in class or at home. You can correct the assessment yourself, or you may prefer to project the answers on the overhead in class using Self-Check Answers Transparency SC1.1A.

Differentiation

Slower Paced Learners

Encourage students who need extra help to refer to the book icons and review any section before answering the questions.

Cultural Snapshot

(page 12) La plaza de España fue construida para la Feria de 1929. Los azulejos en cada uno de los arcos representan las cincuenta provincias de España y los cuatro puentes sobre el lago representan los reinos medievales de la península ibérica.

Prepárate para el examen

Self-check for achievement

Vocabulario

 Para repasar este vocabulario, mira la página 2.

1 Completa con una palabra apropiada.

1–3. El rey o la ____ lleva una ____ que tiene ____ preciosas como diamantes, rubíes y esmeraldas.
4–5. Durante una ____ hay muchas batallas y las tropas ____ valientemente.
6–7. Las montañas bajan a las ____ del mar pero hoy no se pueden ver porque hay mucha ____.
8. Un ____ es un período de cien años.

Lectura y cultura

 Para repasar esta información cultural, mira las páginas 4–11.

2 ¿Sí o no?

9. Hay grandes extensiones de llanuras por todo lo largo de la costa norte de España.
10. En el verano hace muchísimo calor en las ciudades de Andalucía.
11. El paisaje del centro de España se parece mucho al paisaje de Irlanda. Llueve mucho y es muy verde.
12. El Mediterráneo está al este y al sur de España, y el Cantábrico está al norte.

▲ La Plaza de España en Sevilla

3 Contesta.

13. ¿Por qué es la civilización española muy diferente de la de los otros países europeos?
14. ¿Cuál fue la ciudad más culta de Europa durante la Edad Media?
15. ¿Cuándo empezó y cuándo terminó la Reconquista?
16. Hay dos eventos históricos muy importantes que ocurrieron en el año 1492. ¿Cuáles son?

4 Completa.

17. ____ y ____ son dos ejemplos de las joyas arquitectónicas de los moros en España.
18. Hay muchas ruinas de monumentos ____ en Extremadura.
19. Si entras en la casa de un español, él te dice «____».
20. Pequeñas raciones de comida como trocitos de jamón y anchoas se llaman «____».

Answers

1

1. reina
2. corona
3. joyas
4. guerra
5. luchan
6. orillas
7. neblina
8. siglo

2

9. no
10. sí
11. no
12. sí

3

13. La civilización española es muy diferente de la de los otros países europeos porque hay una enorme influencia de los moros.
14. Córdoba fue la ciudad más culta de Europa durante la Edad Media.
15. La Reconquista empezó en 718 y terminó en 1492.
16. Las tropas de Fernando e Isabel tomaron la ciudad de Granada, poniendo fin a la Reconquista; Cristóbal Colón salió del puerto de Palos en el sur de España para descubrir una nueva ruta a las Indias.

Prepárate para el examen

Practice for proficiency

1 La geografía de España

En tus propias palabras describe la geografía y el clima de España. Luego describe la geografía de la región donde tú vives. ¿Se parece mucho a la geografía de una región de España o no? Y, ¿el clima?

2 La historia de España

Trabajen en grupos de cuatro. Hablen de todo lo que aprendieron sobre la historia de España.

3 Un personaje histórico de España

Escoge a uno de los personajes a la derecha y haz unas investigaciones para dar algunos informes sobre su vida.

4 Un personaje histórico en Estados Unidos

Escoge un personaje importante en la historia de Estados Unidos y descríbelo.

5 La comida española

Trabajen en grupos pequeños. Preparen una lista de todos los platos españoles que conocen. Luego preparen una conversación en un restaurante español y preséntenla a la clase. Pueden consultar la lista de vocabulario temático sobre las comidas y el restaurante al final de este libro.

La geografía de España

Ya has aprendido mucho sobre la geografía de España y las actividades en que puedes participar en las diferentes regiones del país. En tus propias palabras, describe unas áreas—su clima, su paisaje y sus actividades oportunas. Si quieres, puedes incluir unos acontecimientos históricos para rendir aún más interesante tu escrito.

Primero prepara un borrador. Revísalo y corrígelo antes de escribir tu composición final.

▲ Don Pelayo, el primer rey de la dinastía española

▲ Isabel la Católica

▲ Fernando VII, rey de España de 1808 a 1833

Answers

17. El Alcázar y la Mezquita
18. romanos
19. Mi casa es su casa
20. tapas

Tips for Success

Encourage students to say as much as possible when they do these open-ended activities. Tell them not to be afraid to make mistakes, since the goal of the activities is real-life communication. If someone in the group makes an error, allow the others to politely correct him or her. Let students choose the activities they would like to do.

Tell students to feel free to elaborate on the basic theme and to be creative. They may use props, pictures, or posters if they wish.

Pre-AP These oral and written activities will give students the opportunity to develop and improve their speaking and writing skills so that they may succeed on the speaking and writing portions of the AP exam.

Note: You may wish to use the rubrics on page 1D or 1F to help students prepare their speaking activities and their writing task.

Resources

- Audio Activities TE, page 1.21
- Audio CD 1A, Tracks 6–7
- Workbook, pages 1.7–1.8
- Quiz 6, page 1.42
- *ExamView® Assessment Suite*

TEACH

Core Instruction

Step 1 Have students open their books and read the verb forms aloud.

Step 2 You may wish to put the verb endings on the board and contrast the **-ar** endings with **-er** and **-ir** endings.

Step 3 Call on a student to read the time expressions in Item 4 aloud.

Tips for Success

Since all of the grammar is review, you may wish to determine how thoroughly you have to review a particular point. Have students quickly complete the preterite endings in the following sentences to determine how well they remember this grammar point.

1. **Yo no com__ mucho. Solo tom__ una merienda.**
2. **Yo v__ a varios amigos en el café y nosotros habl__.**
3. **Jose sal__ del café y volv__ a casa en bus. Y tú, ¿tom__ el bus?**

Lección 2

Gramática

Go to glencoe.com
For: **Grammar practice**
Web code: **ASD7851c1**

¿Te acuerdas?

Remember that the **vosotros** form of the verb is used in Spain as the plural of **tú**—when addressing two or more family members or friends.

Pretérito de los verbos regulares

1. The preterite is used to state actions that began and ended at a definite time in the past. To form the stem for the preterite, drop the infinitive ending of the verb and add the appropriate endings to this stem.

infinitive	hablar	comer	vivir
stem	habl-	com-	viv-
yo	hablé	comí	viví
tú	hablaste	comiste	viviste
Ud., él, ella	habló	comió	vivió
nosotros(as)	hablamos	comimos	vivimos
vosotros(as)	*hablasteis*	*comisteis*	*vivisteis*
Uds., ellos, ellas	hablaron	comieron	vivieron

2. Note the similarity in the preterite forms of the verbs **dar** and **ver.**

DAR	di	diste	dio	dimos	disteis	dieron
VER	vi	viste	vio	vimos	visteis	vieron

3. Remember the spelling changes in the **yo** form with verbs that end in **-car, -gar,** and **-zar.**

buscar → busqué **jugar → jugué** **empezar → empecé**

4. Note the following frequently used time expressions that accompany past actions in the preterite.

ayer	**el año (mes) pasado**
anoche	**la semana pasada**
ayer por la tarde	**hace una semana (un año)**
ayer por la mañana	**en el siglo VIII**

Un edificio comercial en Valencia ▶

GLENCOE Technology

Online Learning in the Classroom

Have students use QuickPass code ASD7851c1 for additional grammar practice. They can review verb conjugations with eFlashcards. They can also review all grammar points by doing a self-check quiz and a review worksheet.

Práctica

ESCUCHAR • HABLAR • ESCRIBIR

1 Contesta según se indica para aprender más sobre la historia de España.

1. ¿Quiénes fundaron la ciudad más antigua de España? (los fenicios)
2. ¿Cuánto tiempo tardaron los romanos en someter a los celtíberos? (dos siglos)
3. ¿Cuándo invadieron España los moros? (en 711)
4. ¿Cuándo y dónde empezó la Reconquista? (en 718 en Covadonga)
5. ¿Cuándo y dónde terminó la Reconquista? (en 1492 en Granada)
6. ¿Quiénes invadieron España en 1808? (las tropas francesas de Napoleón)
7. ¿A quién nombró Napoleón rey de España? (a su hermano José Bonaparte)
8. ¿Lucharon los españoles contra los invasores franceses? (Sí, valientemente)
9. ¿Cuándo salieron de España los franceses? (en 1814)

▲ Las tropas francesas cruzaron la Sierra de Guadarrama en diciembre de 1808.

EXPANSIÓN

Ahora, sin mirar las preguntas, cuenta la información en tus propias palabras. Si no recuerdas algo, un(a) compañero(a) te puede ayudar.

LEER • ESCRIBIR

2 Cambia al pretérito para aprender más sobre la Guerra Civil española.

El 17 de julio de 1936 se levanta el ejército bajo el general Francisco Franco. Con este levantamiento empieza una desastrosa guerra civil—un verdadero conflicto fratricida. El ejército, el clero y las clases altas en su mayoría le dan su apoyo *(support)* a Franco. Los obreros o trabajadores, los campesinos y los intelectuales apoyan la República—el gobierno. Y queda una gran masa neutral.

La desastrosa Guerra Civil española dura casi tres años y deja un millón de muertos y otro millón de españoles en el exilio. Los españoles quedan divididos entre vencedores—los que ganan—y vencidos—los que pierden.

Después de la guerra el general Franco establece un régimen totalitario. No trata de unir a los españoles. Emprende una campaña de castigo *(punishment)* y represión contra los vencidos. La pobre España se ve completamente aislada y el pueblo sufre hambre y frustración. La represión continúa hasta la muerte de Franco en 1975.

Monumento a los Caídos durante la Guerra Civil española sobre el río Ebro en Tarragona, Cataluña ▼

PRACTICE

Leveling EACH Activity

Easy Activity 1
CHallenging Activity 2

Activity 1 You may wish to do this activity orally with books closed and call on students at random to respond.

Activity 2 You may wish to have students prepare this activity before going over it in class.

GLENCOE SPANISH

Why It Works!

Note that Activities 1 and 2 review the preterite tense as they reinforce and give additional information about important aspects of Spain.

Cultural Snapshot

(page 15 bottom) Tarragona, ubicada en la costa del Mediterráneo en Cataluña, es hoy una ciudad industrial con un gran complejo petroquímico pero se conoce por sus importantes vestigios romanos.

Answers

1. Los fenicios fundaron la ciudad más antigua de España.
2. Los romanos tardaron dos siglos en someter a los celtíberos.
3. Los moros invadieron España en 711.
4. La Reconquista empezó en 718 en Covadonga.
5. La Reconquista terminó en 1492 en Granada.
6. Las tropas francesas de Napoleón invadieron España en 1808.
7. Napoleón nombró a su hermano José Bonaparte rey de España.
8. Sí, los españoles lucharon valientemente contra los invasores franceses.
9. Los franceses salieron de España en 1814.

se levantó, empezó, dieron, apoyaron, quedó, duró, dejó, quedaron, ganaron, perdieron, estableció, trató, Emprendió, vio, sufrió, continuó

PRACTICE *(continued)*

Leveling EACH Activity

Average Activities 3, 5
CHallenging Activity 4, Activity 4 **Expansión**

Activity 3 You may wish to do this activity orally with books closed and call on students at random to respond.

Activity 4 You may wish to have students prepare this activity before going over it in class.

Differentiation

Multiple Intelligences

Activity 5 Since this activity addresses a spelling problem that students may be encountering, you may wish to have a student write the paragraph on the board. This will be especially helpful to visual-spatial learners.

GLENCOE SPANISH

Why It Works!

Note that Activity 3 reviews the preterite and at the same time has students speak about a vacation.

Comunicación

Interpersonal, Presentational

You may wish to have students tell more about a vacation by having them write a story in the past tense on their own. They can refer to **Vocabulario temático** at the end of their textbook. When they are finished, have them present their story to the class. Encourage the class to ask questions of each presenter.

VIDEO Want help with the preterite of regular verbs? Watch **Gramática en vivo.**

▲ Una playa con un chiringuito en Estepona en la Costa del Sol

HABLAR • ESCRIBIR

3 Contesta sobre un fin de semana imaginario que pasaste en la Costa del Sol.

1. ¿Pasaste el fin de semana en una playa de la Costa del Sol?
2. ¿Nadaste?
3. ¿Esquiaste en el agua?
4. ¿Diste un paseo a lo largo de las orillas del mar?
5. ¿Almorzaste en un chiringuito?
6. ¿Comiste con unos amigos?
7. ¿Comieron ustedes mariscos o una paella?
8. ¿Quién pagó la cuenta?
9. ¿Dejaron ustedes una propina para el camarero (mesero)?
10. ¿A qué hora salieron del restaurante?
11. ¿Volvieron a la playa?

LEER • HABLAR • ESCRIBIR

4 Completa sobre un concierto que tuvo lugar en Madrid.

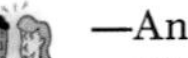

—Anita, ¿tú __1__ (salir) anoche?
—Sí, __2__ (oír) cantar a Enrique Iglesias.
—¿Él __3__ (dar) un concierto aquí en Madrid?
—Sí, en el Estadio Municipal.
—¿Qué tal te __4__ (gustar)?
—Mucho. Como siempre, él __5__ (cantar) muy bien.
—¿Quién más __6__ (asistir)? ¿Maripaz?
—Maripaz, no. Pilar me __7__ (acompañar).
—¿A qué hora __8__ (empezar) el concierto?
— __9__ (Empezar) a las ocho y media y nosotras no __10__ (salir) del concierto hasta las once menos cuarto.
—¿A qué hora __11__ (volver) ustedes a casa?
— __12__ (Volver) a eso de las once y cuarto.
—Dime, ¿cuánto les __13__ (costar) las entradas?
—Noventa y cinco euros cada una.
—Yo quería ir al concierto. ¿Por qué no me __14__ (invitar)?
—Yo te __15__ (llamar) la semana pasada antes de sacar (comprar) las entradas pero no __16__ (contestar) nadie.
—Entiendo. Si me __17__ (llamar) el viernes por la noche, (yo) no __18__ (contestar) porque todos nosotros __19__ (salir) para el fin de semana.

EXPANSIÓN

En tus propias palabras, cuenta la información en la conversación. Si no recuerdas algo, un(a) compañero(a) te puede ayudar.

Un concierto en vivo que dio Enrique Iglesias en el Coliseo Balear en Palma de Mallorca ▼

LEER • ESCRIBIR

5 Escribe el siguiente párrafo cambiando **nosotros** a **yo.** Fíjate en los cambios ortográficos.

Anoche nosotros llegamos al parque. Buscamos a unos amigos y empezamos a jugar fútbol. Jugamos bien. Lanzamos el balón y marcamos tres tantos en quince minutos.

Cultural Snapshot

(page 16 top) Los chiringuitos como este son muy populares en todas la playas de la Costa del Sol.
(page 16 bottom) Enrique Iglesias canta en inglés y español y tiene residencias en España y Miami.

GLENCOE Technology

Video in the Classroom

Gramática en vivo: *The preterite of regular verbs* Enliven learning with the animated world of Professor Cruz! **Gramática en vivo** is a fun and effective tool for additional instruction and/ or review.

Pretérito de los verbos de cambio radical e → i, o → u

1. The verbs **sentir, preferir,** and **sugerir** have a stem change in the preterite. In the third person singular and plural forms **(usted, él, ella, ustedes, ellos, ellas),** the **e** changes to **i.** The **o** of the verbs **dormir** and **morir** changes to **u** in the third person singular and plural forms. Review the following.

infinitive	preferir	dormir
yo	preferí	dormí
tú	preferiste	dormiste
Ud., él, ella	prefirió	durmió
nosotros(as)	preferimos	dormimos
vosotros(as)	*preferisteis*	*dormisteis*
Uds., ellos, ellas	prefirieron	durmieron

2. The stem of the verbs **pedir, servir, freír, medir, repetir, seguir,** and **sonreír** also changes from **e** to **i** in the third person singular and plural forms.

infinitive	pedir	servir	seguir
yo	pedí	serví	seguí
tú	pediste	serviste	seguiste
Ud., él, ella	pidió	sirvió	siguió
nosotros(as)	pedimos	servimos	seguimos
vosotros(as)	*pedisteis*	*servisteis*	*seguisteis*
Uds., ellos, ellas	pidieron	sirvieron	siguieron

Los clientes le pidieron algo al camarero en la terraza de un restaurante en Cádiz. ▼

Gramática

Resources

- Audio Activities TE, page 1.22
- Audio CD 1A, Tracks 8–9
- Workbook, pages 1.8–1.9
- Quiz 7, page 1.43
- *ExamView® Assessment Suite*

TEACH

Core Instruction

Step 1 Have students repeat the verbs in Items 1 and 2 after you.

Step 2 Write the forms of the verbs on the board.

Teaching Options

To avoid doing large segments of grammar at one time, you may wish to intersperse the grammar points as you are doing other lessons of the chapter. If you prefer, however, you can spend four or five class periods in succession doing the review grammar.

Answers

1. Sí, pasé el fin de semana en una playa de la Costa del Sol.
2. Sí, nadé.
3. Sí, esquié en el agua.
4. Sí, di un paseo a lo largo de la orillas del mar.
5. Sí, almorcé en un chiringuito.
6. Sí, comí con unos amigos.
7. Comimos mariscos (una paella).
8. Yo pagué la cuenta. (Mi amigo pagó la cuenta.)
9. Sí, dejamos una propina para el camarero (mesero).
10. Salimos del restaurante a ____.
11. Sí, volvimos a la playa.

1. saliste
2. oí
3. dio
4. gustó
5. cantó
6. asistió
7. acompañó
8. empezó
9. Empezó
10. salimos
11. volvieron
12. Volvimos
13. costaron
14. invitaste
15. llamé
16. contestó
17. llamaste
18. contesté
19. salimos

5 *yo llegué, Busqué, empecé, Jugué, Lancé, marqué*

PRACTICE

Leveling EACH Activity

Easy Activity 7
Average Activity 6, Activity 6 **Expansión**
CHallenging Activities 8, 9

Activity 6 This activity can be done with books open, closed, or once each way.

Activity 7 This activity can be done in pairs with books open. You may also wish to call on students to summarize the problem in the restaurant in narrative form.

Cultura

You may wish to ask students if they remember what they learned in **¡Así se dice!** Level 2 about the difference between how food is served in Spain and the United States. If they cannot recall, explain that in Spain people do not eat different foods on the same plate as is customary in the United States where meat, potatoes, and vegetables are served together on the same plate. In Spain, food is served in courses. If one orders string beans, for example, one will get **una ración de judías verdes** on a separate plate as a separate course.

The word **ración** is heard more frequently in Spain than **porción.**

Práctica

En otras partes

Camarero is used in Spain but **mesero** is used throughout Latin America. **Patatas** is used in Spain; **papas** is used in Latin America.

LEER • ESCRIBIR

6 Completa sobre un problema que tuvo lugar en un restaurante.

—¡Oiga, camarero!
—Sí, señor.
—Perdón, pero yo __1__ (pedir) una langosta y usted me __2__ (servir) camarones.
—Lo siento, señor. Pero la verdad es que yo le __3__ (sugerir) la langosta y usted __4__ (pedir) los camarones.
—De ninguna manera. Yo sé lo que __5__ (pedir).
—Y yo también sé lo que usted __6__ (pedir).
—Y además yo le __7__ (pedir) un puré de patatas (papas) y usted me __8__ (servir) arroz.
—Es imposible, señor. No tenemos puré de patatas. Yo sé exactamente lo que usted __9__ (pedir), señor. Además, yo le __10__ (repetir) la orden y usted no dijo nada.
—Lo siento, pero lo que usted __11__ (repetir) no es lo que me __12__ (servir).
—Señor, al fin y al cabo, no hay problema. Si usted quiere una langosta, se la puedo servir con mucho gusto. Pero el puré de patatas no se lo puedo servir, porque no lo tenemos. Lo siento.

EXPANSIÓN

En tus propias palabras, cuenta la información en la conversación. Si no recuerdas algo, un(a) compañero(a) te puede ayudar.

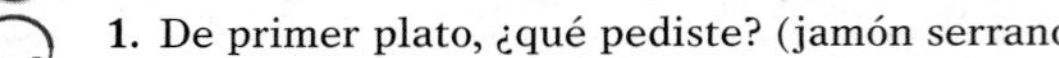

ESCUCHAR • HABLAR • ESCRIBIR

7 Contesta según se indica para aprender más sobre la cocina española.

1. De primer plato, ¿qué pediste? (jamón serrano)
2. ¿Cuántos trocitos te sirvió el camarero (el mesero)? (por lo menos seis)
3. Y ¿qué pidió tu amigo? (gambas al ajillo)
4. ¿Le gustaron? (tanto que las repitió)
5. ¿Qué sugirió el camarero como plato principal? (el cochinillo asado)
6. ¿Lo pediste? (sí)
7. Y tu amigo, ¿qué pidió? (el pollo asado)
8. ¿Qué más sugirió el camarero? (una ración de berenjenas)
9. ¿Las pidieron ustedes? (sí)
10. De todo lo que pidieron, ¿qué prefirieron? (yo, el cochinillo, y mi amigo, las gambas al ajillo)

◀ ¿Fuiste una vez a este restaurante en la Costa Brava cerca de Barcelona?

Answers

6

1. pedí
2. sirvió
3. sugerí
4. pidió
5. pedí
6. pidió
7. pedí
8. sirvió
9. pidió
10. repetí
11. repitió
12. sirvió

7

1. De primer plato, pedí el jamón serrano.
2. El camarero (El mesero) me sirvió por lo menos seis trocitos.
3. Mi amigo pidió las gambas al ajillo.
4. Sí, le gustaron tanto que las repitió.
5. El camarero sugirió el cochinillo asado como plato principal.
6. Sí, lo pedí.

(continued on page 19)

VIDEO Want help with the preterite of stem-changing verbs? Watch **Gramática en vivo.**

Comunicación

8  Trabajando en parejas preparen una conversación sobre una experiencia que tuvieron en un restaurante. Puede ser buena o mala.

LEER • ESCRIBIR

9 Completa con el pretérito para aprender más sobre la historia de España.

1. La hija de los Reyes Católicos, Juana la Loca, ____ con Felipe el Hermoso de la familia de los Hapsburgos de Austria. (casarse)
2. Su esposo ____ muy joven. (morir)
3. El hijo de Juana, Carlos I de España, ____ mucho territorio. (heredar)
4. Carlos V ____ contra los protestantes de Alemania, Francia e Inglaterra. (luchar)
5. Carlos V ____ la política imperialista y religiosa de sus abuelos, los Reyes Católicos. (seguir)
6. Bajo Felipe II, el hijo de Carlos V, las guerras religiosas ____ y el gran Imperio español ____ a decaer. (continuar, empezar)
7. España se ____ en un país de segundo orden. (convertir)
8. El rey Carlos II ____ sin sucesión y las familias reales ____ por ganar la corona de España. (morir, luchar)
9. Luis XIV de Francia ____ y él ____ a su nieto rey de España con el nombre de Felipe V. Así la corona española ____ de los Hapsburgos a los Borbones (de Francia). (ganar, nombrar, pasar)
10. Bajo el mando de los tres primeros Borbones la decadencia ____. En 1808 Napoleón ____ «prisionero» a Carlos IV y ____ a su hermano José Bonaparte rey de España. Hombres y mujeres ____ contra los invasores franceses con cuchillos y aceite hirviente. Fue la primera guerra de guerrilleros. (continuar, tomar, proclamar, luchar)

Conexiones

La historia

Carlos I de España, por razones de matrimonio, es también Carlos V de Austria.

◀ El Palacio Real, Madrid. Felipe V encargó la construcción del nuevo Palacio Real que se llama también el Palacio de Oriente.

Activity 8 When having students do an open-ended activity with no learning prompts, they are communicating as if they were in a real-life situation. In such a situation, it is normal for some learners to make mistakes. For this reason, you may decide not to interrupt and correct each error a student makes. This is up to your discretion.

Activity 9 Although the major objective of this activity is the review of stem-changing verbs in the preterite, students also learn historical information about the kings of Spain. You may therefore wish to have students prepare this activity even if they do not need the grammar review.

Cultural Snapshot

(page 19) Hoy en día el rey de España no vive en el Palacio Real. Los salones del palacio se usan solo para funciones oficiales.

GLENCOE Technology

Video in the Classroom

Gramática en vivo: *The preterite of stem-changing verbs* Enliven learning with the animated world of Professor Cruz! **Gramática en vivo** is a fun and effective tool for additional instruction and/or review.

Answers

7. Mi amigo pidió el pollo asado.
8. El camarero sugirió una ración de berenjenas.
9. Sí, las pedimos.
10. De todo lo que pedimos, yo preferí el cochinillo y mi amigo prefirió las gambas al ajillo.

8 *Answers will vary.*

1. se casó
2. murió
3. heredó
4. luchó
5. siguió
6. continuaron, empezó
7. convirtió
8. murió, lucharon
9. ganó, nombró, pasó
10. continuó, tomó, proclamó, lucharon

ASSESS

Students are now ready to take Quiz 7 on page 1.43 of the TeacherTools booklet. If you prefer to create your own quiz, use the *ExamView® Assessment Suite.*

Resources

- Audio Activities TE, pages 1.23–1.24
- Audio CD 1A, Tracks 10–12
- Workbook, pages 1.9–1.11
- Quiz 8, page 1.44
- *ExamView® Assessment Suite*

TEACH

Core Instruction

Step 1 Have students open their books and repeat the paradigms aloud in unison.

Step 2 Pay particular attention to pronunciation as well as spelling.

Step 3 Have students pay particular attention to the spelling of **dijeron, trajeron, condujeron,** and **fueron.**

PRACTICE

Leveling EACH Activity

Easy Activity 10
Average Activities 12, 13
CHallenging Activity 11

Activity 10 Have students retell the information from Activity 10 in their own words.

▲ ¿Vio la gente en esta calle de Barcelona a estos mimos?

¿Pasaron ustedes unos días en Estepona durante su estadía en España? ¡A propósito! ¿Cómo viajaron por el país? ¿Alquilaron un coche? ▼

Pretérito de los verbos irregulares

1. The following verbs have an irregular stem in the preterite.

andar → anduve	**poner → puse**	**querer → quise**
tener → tuve	**poder → pude**	**venir → vine**
estar → estuve	**saber → supe**	**hacer → hice**

All the preceding verbs take the same endings.

yo	tuve	nosotros(as)	tuvimos
tú	tuviste	*vosotros(as)*	*tuvisteis*
Ud., él, ella	tuvo	Uds., ellos, ellas	tuvieron

2. The following verbs also have an irregular stem.

decir → dije **traer → traje** **conducir → conduje**

yo	dije	nosotros(as)	dijimos
tú	dijiste	*vosotros(as)*	*dijisteis*
Ud., él, ella	dijo	Uds., ellos, ellas	dijeron

Note that the ending for **ustedes, ellos,** and **ellas** is **-eron,** not **-ieron.**

3. Verbs ending in **-uir** have a **y** in place of the **i** in the third person singular and plural.

construyó **construyeron**

The verbs **leer, caer,** and **oír** follow this same pattern.

4. Study the preterite forms of the irregular verbs **ser** and **ir.** Remember that they are the same.

fui **fuiste** **fue** **fuimos** **fuisteis** **fueron**

Práctica

HABLAR

10 Contesta sobre un viaje imaginario que hiciste a España.

1. ¿Hiciste un viaje el año pasado?
2. ¿Fuiste a España?
3. ¿Fuiste con algunos amigos?
4. ¿Alquilaron un coche en España?
5. ¿Condujiste tú o condujeron todos?
6. ¿Pusieron sus maletas en el baúl del coche?
7. ¿Trajeron mucho equipaje?
8. ¿Estuvieron en España por unos quince días?

Comunicación

11 Trabajando en grupos de tres, preparen una conversación sobre un viaje a España. Puede ser un viaje ficticio.

Answers

10

1. Sí, hice un viaje el año pasado.
2. Sí, fui a España.
3. Sí, fui con algunos amigos.
4. Sí, alquilamos un coche en España.
5. Yo conduje. (Todos condujeron.)
6. Sí, pusimos nuestras maletas en el baúl del coche.
7. Sí, trajimos mucho equipaje.
8. Sí, estuvimos en España por unos quince días.

VIDEO Want help with the preterite of irregular verbs? Watch **Gramática en vivo.**

ESCUCHAR • HABLAR

12 Cambia al pretérito para aprender algo sobre el Rastro, un mercado de pulgas *(flea)* en Madrid.

1. El domingo voy al Rastro, un mercado antiguo en el Viejo Madrid.
2. En el Rastro veo mucha chatarra *(junk)*.
3. No puedo comprar mucho.
4. En el mercado veo a algunos amigos.
5. Vamos de un puesto a otro.
6. Andamos por todo el mercado.
7. Como digo—no puedo comprar mucho.
8. Pero Antonio, él hace muchas compras.
9. Pone toda la chatarra que compra en el baúl de su coche y vuelve a casa.

LEER • ESCRIBIR

13 Completa con el pretérito para aprender más sobre Extremadura, una región de España con mucha influencia en las Américas.

Extremadura __1__ (ser) una región bastante pobre. Pero durante la época de la colonización de Latinoamérica __2__ (llegar) a ser más conocida. Se conoce como «la cuna *(cradle)* de los conquistadores». Francisco Pizarro, el conquistador de Perú, __3__ (nacer) en Trujillo en 1475. Su hermano __4__ (hacer) construir un palacio fabuloso en esta ciudad. Se dice que Cervantes, el autor del famoso *Quijote,* __5__ (pasar) tiempo en este palacio. Otro palacio de interés en Trujillo es la casa de los Toledo–Moctezuma, donde __6__ (hacer) su residencia los descendientes del conquistador Juan Cano y la hija de Moctezuma, el emperador de los aztecas.

En Guadalupe, el rey Alfonso XI __7__ (hacer) construir un monasterio en el lugar donde un pastor __8__ (descubrir) una estatua milagrosa de la Virgen. __9__ (Ser) en este monasterio donde se __10__ (firmar) los documentos que __11__ (dar) la autorización para el primer viaje de Colón.

Los primeros indígenas americanos que se __12__ (convertir) al cristianismo __13__ (venir) a este monasterio donde __14__ (ser) bautizados. Hasta dos sirvientes personales de Colón __15__ (ser) bautizados en la fuente en la plazuela delante del monasterio. Hoy la Virgen de Guadalupe es la patrona de muchos pueblos latinoamericanos.

Cuando Carlos V __16__ (abdicar) el trono en 1556, __17__ (ir) a vivir en el monasterio de Yuste en Extremadura donde __18__ (morir) dos años después de su abdicación.

▲ Es en esta pila delante del monasterio de Guadalupe que los españoles bautizaron a los primeros indígenas que llevaron a España.

Una plaza antigua en Trujillo, Extremadura ▶

Gramática

Activities 12 and 13 It is suggested you have students prepare these activities before going over them in class. In the case of Activity 13, you may wish to have one student read four or five sentences as if he or she were reading an article aloud. Then, call on the next student to proceed.

GLENCOE Technology

Video in the Classroom

Gramática en vivo: *The preterite of irregular verbs* Enliven learning with the animated world of Professor Cruz! **Gramática en vivo** is a fun and effective tool for additional instruction and/or review.

ASSESS

Students are now ready to take Quiz 8 on page 1.44 of the TeacherTools booklet. If you prefer to create your own quiz, use the *ExamView® Assessment Suite.*

Answers

11 *Answers will vary.*

12

1. El domingo fui al Rastro, un mercado antiguo en el viejo Madrid.
2. En el Rastro vi mucha chatarra.
3. No pude comprar mucho.
4. En el mercado vi a algunos amigos.
5. Fuimos de un puesto a otro.
6. Anduvimos por todo el mercado.
7. Como dije—no pude comprar mucho.
8. Pero Antonio, él hizo muchas compras.
9. Puso toda la chatarra que compró en el baúl de su coche y volvió a casa.

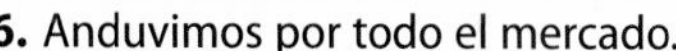

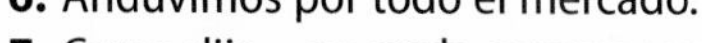

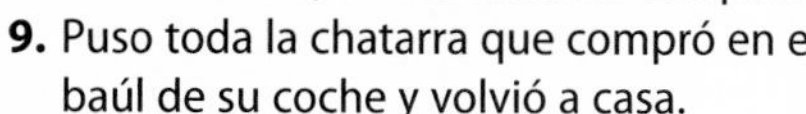

13

1. fue
2. llegó
3. nació
4. hizo
5. pasó
6. hicieron
7. hizo
8. descubrió
9. Fue
10. firmaron
11. dieron
12. convirtieron
13. vinieron
14. fueron
15. fueron
16. abdicó
17. fue
18. murió

Resources

- Audio Activities TE, page 1.25
- Audio CD 1A, Tracks 13–14
- Workbook, page 1.11
- Quiz 9, page 1.45
- *ExamView® Assessment Suite*

TEACH

Core Instruction

You may wish to have the class repeat the words with their articles in unison. The more they hear them, the less likely they are to continue to make agreement errors.

Note: Much of this grammar is quite easy and many students may not need a great deal of review.

Tips for Success

While you are reviewing some of these grammar points, you may want to interject material from other lessons in the chapter.

Cultural Snapshot

(page 22) El puente de Segovia es el puente más antiguo que cruza el río Manzanares en Madrid.

VIDEO Want help with nouns and adjectives? Watch **Gramática en vivo.**

Sustantivos y artículos

1. Almost all nouns that end in **-o** in Spanish are masculine. Almost all nouns that end in **-a** are feminine. The definite article **el** accompanies masculine nouns; **la** accompanies feminine nouns. The indefinite articles *(a, an)* are **un** and **una.** Study the following singular and plural forms.

el muchacho	**los muchachos**	**la muchacha**	**las muchachas**
el colegio	**los colegios**	**la escuela**	**las escuelas**

2. Nouns that end in **-dad, -tad, -tud, -umbre, -ción,** and **-sión** are feminine. Nouns that end in a consonant form the plural by adding **-es.**

la ciudad	**las ciudades**
la dificultad	**las dificultades**
la multitud	**las multitudes**
la costumbre	**las costumbres**
la nación	**las naciones**
la conclusión	**las conclusiones**

3. Most nouns that end in **-sis** are feminine.

la tesis **la dosis** **la sinopsis** **la diagnosis**

4. Nouns that end in **-ista** refer to professions or political persuasions. They are masculine or feminine depending upon the gender of the person.

el dentista	**la dentista**
el socialista	**la socialista**

5. Some nouns ending in **-e** are masculine and some are feminine. Here are some common nouns in **-e** that you have already learned.

el coche	**el bosque**	**el guisante**
el viaje	**el cacahuate**	**el café**
el postre	**el accidente**	**el pie**
el aceite	**el nombre**	**el puente**
la calle	**la leche**	**la fuente**
la llave	**la noche**	**la gente**
la clase	**la nube**	**la tarde**

El puente de Segovia sobre el río Manzanares en Madrid ▼

GLENCOE Technology

Video in the Classroom

Gramática en vivo: *Nouns and adjectives* Enliven learning with the animated world of Professor Cruz! **Gramática en vivo** is a fun and effective tool for additional instruction and/or review.

6. Nouns that end in **-nte** most commonly refer to people and can be used for both genders.

el/la presidente
el/la asistente
el/la dependiente

However, many Spanish speakers use **-nta** for the feminine form.

la presidenta
la asistenta
la dependienta

Práctica

LEER • ESCRIBIR

14 Completa con el artículo definido apropiado.

1. ____ alumnos en ____ escuela primaria son menores que ____ alumnos o ____ estudiantes en ____ colegio.
2. ____ estudiantes de ____ universidad son universitarios y son ____ profesores y ____ profesoras que les enseñan.
3. ____ maestros enseñan en ____ escuela primaria.
4. ____ socialistas son de ____ izquierda y ____ conservadores son de ____ derecha.
5. ____ puente de la reina Victoria en Madrid cruza ____ río Manzanares.
6. ____ doctora García es ____ dentista de mi madre y ____ doctor Álvarez es ____ dentista de mis abuelos.

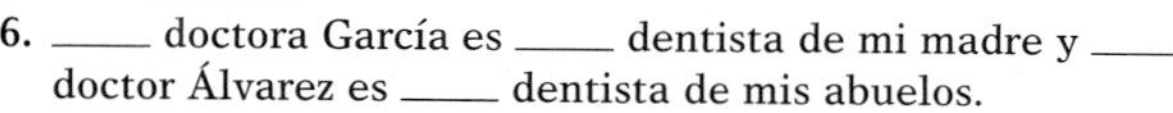

▲ Son alumnos en la Escuela Británica de la Gran Canaria.

▶ PRACTICE

Leveling EACH Activity

Easy Activity 14

Activity 14 You can go over this activity in class with or without previous preparation.

Tips for Success

Have students read the caption to the photo as it reinforces the grammatical concept.

Answers

1. Los, la, los, los, el
2. Los, la, los, las
3. Los, la
4. Los, la, los, la
5. El, el
6. La, la, el, el

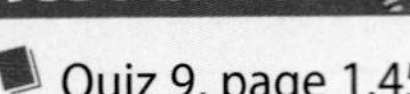

Resources

- Quiz 9, page 1.45
- *ExamView® Assessment Suite*

TEACH

Core Instruction

Have students repeat these nouns with their articles in unison.

Differentiation

Advanced Learners

Call on advanced learners to use the words in Items 1 and 2 in original sentences.

Sustantivos femeninos en a, ha inicial

Feminine nouns that begin with a stressed **a** or the silent **h** followed by a stressed **a** take the masculine definite article **el** or the indefinite article **un.** The reason such nouns take the articles **el** and **un** is that it would be difficult to pronounce the two vowels—**la a, una a**—together. Since the nouns are feminine, the plural articles **las** and **unas** are used and any adjective modifying the noun is in the feminine form.

el agua	**las aguas**	*water*
el (un) ave	**las aves**	*bird*
el (un) águila	**las águilas**	*eagle*
el (un) área	**las áreas**	*area*
el (un) arma	**las armas**	*weapon*
el (un) hacha	**las hachas**	*ax*
el (un) ala	**las alas**	*wing*
el hambre		*hunger*

El agua es potable.
Las aguas turbulentas del mar pueden ser peligrosas.

No hay duda que el hambre es un delito. Es un problema serio en muchas partes del mundo. ▼

Sustantivos irregulares

1. There are several nouns in Spanish that end in **-a** but are masculine. These are nouns derived from Greek roots. They take the definite article **el** and the indefinite article **un.**

el clima	**el mapa**	**el programa**
el día	**el planeta**	**el sistema**
el drama	**el poema**	**el tema**

2. Note that the noun **la mano** is irregular. Even though **la mano** ends in **-o,** it is feminine—**la mano. La foto** is also used as a shortened version of **la fotografía.** The noun **radio** can be either **la radio** or **el radio.** The gender varies according to the region.

Práctica

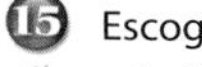

LEER • ESCRIBIR

15 Escoge.

1. Hay (un, una) área muy (rocoso, rocosa) en (el, la) costa cerca de Tarifa en (el, la) sur de España.
2. Por lo general (los, las) aguas del Mediterráneo no son muy (turbulentos, turbulentas) pero a veces no es el caso durante (un, una) tempestad.
3. (El, La) hambre es (un, una) problema grave en (muchos, muchas) partes del mundo.
4. (El, La) águila tiene (un, una) ala (roto, rota).
5. (Un, Una) hacha puede ser (un, una) arma (peligroso, peligrosa).

HABLAR

16 Contesta sobre unas actividades en la clase de español.

1. ¿Estudias el mapa de España en la clase de español?
2. ¿Hablan ustedes del clima del país?
3. ¿Explica el/la profesor(a) el sistema de gobierno español?
4. ¿Van ustedes a leer los poemas de Espronceda?
5. ¿Van a leer los dramas de Lope de Vega?
6. ¿Van a aprender algo sobre los idiomas autónomos como el gallego, el catalán y el euskera?
7. ¿Qué levantas cuando quieres hacerle una pregunta al/a la profesor(a)?

Estos alumnos están aprendiendo el español en el Instituto Ernest Hemingway en la ciudad industrial de Bilbao en el norte de España. ▼

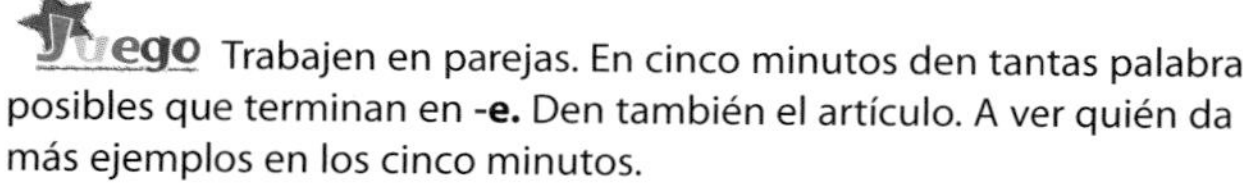

17 **Juego** Trabajen en parejas. En cinco minutos den tantas palabras posibles que terminan en **-e.** Den también el artículo. A ver quién da más ejemplos en los cinco minutos.

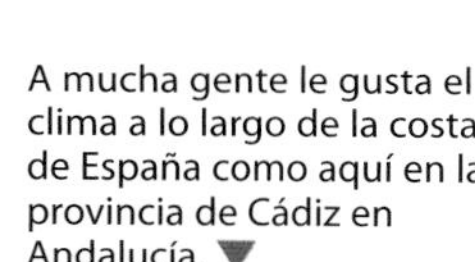

A mucha gente le gusta el clima a lo largo de la costa de España como aquí en la provincia de Cádiz en Andalucía. ▼

25

PRACTICE

Leveling EACH Activity

Easy Activities 15, 16
Average Activity 17

ASSESS

Students are now ready to take Quiz 9 on page 1.45 of the TeacherTools booklet. If you prefer to create your own quiz, use the *ExamView® Assessment Suite.*

Answers

15

1. un, rocosa, la, el
2. las, turbulentas, una
3. El, un, muchas
4. El, un, rota
5. Un, un, peligrosa

16

1. Sí, (No, no) estudio el mapa de España en la clase de español.
2. Sí, (No, no) hablamos del clima del país.
3. Sí (No), el/la profesor(a) (no) explica el sistema de gobierno español.
4. Sí, (No, no) vamos a leer los poemas de Espronceda.
5. Sí, (No, no) vamos a leer los dramas de Lope de Vega.
6. Sí, (No, no) vamos a aprender algo (nada) sobre los idiomas autónomos como el gallego, el catalán y el euskera.
7. Levanto la mano cuando quiero hacerle una pregunta al/a la profesor(a).

17 *Answers will vary.*

Resources

- Tests, pages 1.56–1.57
- *ExamView® Assessment Suite*

Self-check for achievement

This is a pre-test for students to take before you administer the lesson test. Note that each section is cross-referenced so students can easily find the material they feel they need to review. You may wish to use Self-Check Worksheet Transparency SC1.2 to have students complete this assessment in class or at home. You can correct the assessment yourself, or you may prefer to project the answers on the overhead in class using Self-Check Answers Transparency SC1.2A.

Differentiation

Slower Paced Learners

Encourage students who need extra help to refer to the book icons and review any section before answering the questions.

Prepárate para el examen

Self-check for achievement

Gramática

Este ajo blanco lleva uvas y melón.

1 Completa con el pretérito.

Para repasar **el pretérito,** mira las páginas 14, 17, 20.

1. Los moros ____ España en 711. (invadir)
2. Yo ____ en el mar Mediterráneo. (nadar)
3. Y yo ____ en un chiringuito. (comer)

4–5. En el restaurante yo ____ una tortilla a la española y mi amiga ____ una sopa de ajo. (pedir, pedir)

6. ¿Tú ____ el teatro romano o no? (ver)
7. El soldado ____ valientemente. (luchar)
8. Yo ____ la cuenta. (pagar)
9. ¿____ usted bien? (dormir)
10. Ella ____ un viaje. (hacer)
11. Tú ____ mucho equipaje, ¿no? (traer)
12. Nosotros ____ juntos. (ir)
13. Yo no ____ mover. (poder)
14. Ellos ____ que esperar el próximo vuelo. (tener)
15. Los romanos ____ el acueducto de Segovia. (construir)

2 Cambia al pretérito.

16. No lo sé.
17. Él me lo dice.
18. Yo voy en avión.
19. Ponemos el equipaje en el baúl del coche.
20. ¿Andas por todo el país?

3 Escoge el artículo apropiado.

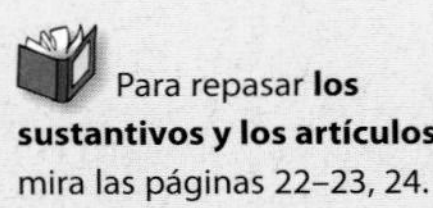

Para repasar **los sustantivos y los artículos,** mira las páginas 22–23, 24.

21–22. (Los, Las) alumnos tienen que llegar a (un, una) conclusión.

23–24. España es (un, una) nación en (el, la) sur de Europa.

25–26. (Los, Las) asistentas de vuelo tienen que trabajar con (los, las) turistas descontentos.

27–29. (El, La) problema es que hay demasiado tráfico en (el, la) ciudad y hay muchos peatones en las aceras de (los, las) calles.

4 Da el artículo definido apropiado.

30. ____ hacha
31. ____ mano
32. ____ tesis
33. ____ programa

Answers

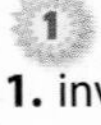

1

1. invadieron
2. nadé
3. comí
4. pedí
5. pidió
6. viste
7. luchó
8. pagué
9. Durmió
10. hizo
11. trajiste
12. fuimos
13. pude
14. tuvieron
15. construyeron

2

16. No lo supe.
17. Él me lo dijo.
18. Yo fui en avión.
19. Pusimos el equipaje en el baúl del coche.
20. ¿Anduviste por todo el país?

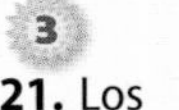

3

21. Los
22. una
23. una
24. el
25. Las
26. los
27. El
28. la
29. las

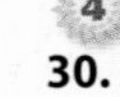

4

30. el
31. la
32. la
33. el

Prepárate para el examen

Practice for proficiency

▲ A muchos turistas les gusta ver la ciudad de un bus turístico como este en Valencia. Nota la palabra **turistic** en vez de **turístico** en valenciano, un dialecto del catalán.

1 Un fin de semana fabuloso

Tú y varios amigos pasaron un fin de semana fabuloso. Se divirtieron mucho. Di todo lo que hicieron.

2 ¡Qué experiencia más mala!

Fuiste a un restaurante y ¡qué experiencia más horrible! Todo salió muy mal. Describe todo lo que pasó. Explica también como reaccionaste ante esta situación. Puedes consultar la lista de vocabulario temático sobre el restaurante al final de este libro.

3 Un viaje por España

Imagínate que hiciste un viaje a España. Di adonde fuiste y todo lo que viste e hiciste en España.

4 Un área de España

Dibuja un mapa de un área de España que te gusta o que te interesa. Describe el área y su clima. ¿Quieres pasar algunos días allí? ¿Cuándo?

Un viaje inolvidable

Imagínate que hiciste un viaje a España con un(a) amigo(a). Vas a escribirle un e-mail a un miembro de tu familia (a tu primo[a], a tus abuelos, a tus tíos, etc.) contándole(s) todo lo que hiciste y viste durante tu estadía en España. Si quieres, puedes dar opiniones sobre lo que te gustó o no te gustó, lo que más te interesó, etc. Será necesario usar la imaginación si no has visitado España. Pero no va a ser difícil porque ya has aprendido mucho sobre este país en tus estudios del español. Puedes servirte del diagrama para ayudarte a organizar tus ideas.

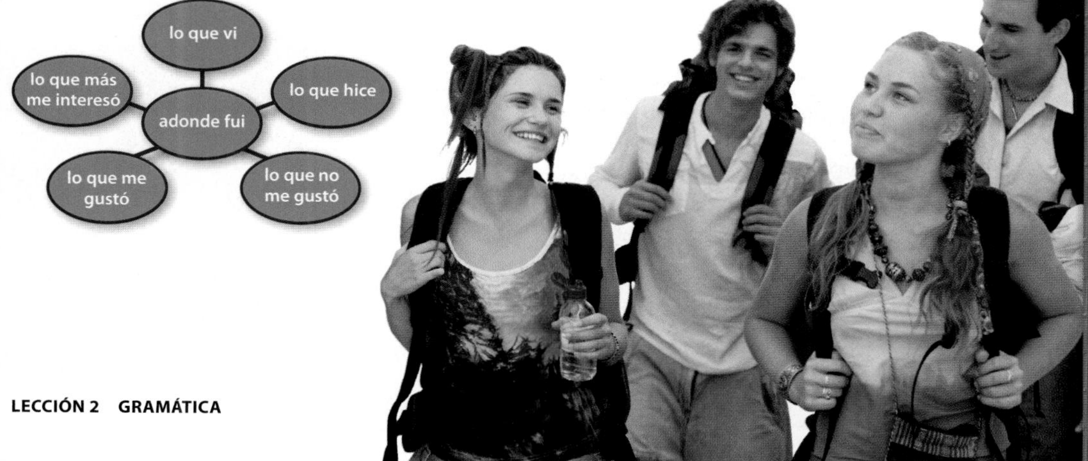

Tips for Success

Encourage students to say as much as possible when they do these open-ended activities. Tell them not to be afraid to make mistakes, since the goal of the activities is real-life communication. If someone in the group makes an error, allow the others to politely correct him or her. Let students choose the activities they would like to do.

Tell students to feel free to elaborate on the basic theme and to be creative. They may use props, pictures, or posters if they wish.

Pre-AP These oral and written activities will give students the opportunity to develop and improve their speaking and writing skills so that they may succeed on the speaking and writing portions of the AP exam.

Note: You may wish to use the rubrics on page 1D or 1F to help students prepare their speaking activities and their writing task.

Resources

- Vocabulary Transparency V1.3
- Audio Activities TE, pages 1.26–1.27
- Audio CD 1B, Tracks 1–3
- Workbook, pages 1.12–1.13
- *ExamView® Assessment Suite*

TEACH

Core Instruction

You may wish to have students listen to the definitions using Audio CD 1B.

Teaching Options

While students listen to the audio CD, you may wish them to keep their books closed or they can open their books and follow along as they listen.

PRACTICE

Leveling EACH Activity

Easy Activity 1
Average Activity 2

Activity 1 This activity must be done orally. You can choose to use Audio CD 1B, or simply read the sentences below aloud to your class.

Audio Script

1. Las llamas salieron del edificio durante el fuego.
2. Sabía lo que iba a pasar porque tenía información previa.
3. La gente rica o adinerada vive en caseríos.
4. Si tienes que llegar sobre las cuatro tienes que estar a las cuatro en punto.
5. Las quemaduras serias duelen mucho.
6. Lo que duele mucho causa mucho dolor.

QuickPass
Go to glencoe.com
For: **Journalism practice**
Web code: **ASD7851c1**

Sobreviviente recuerda bombardeo a Guernica

Vocabulario 

Estudia las siguientes palabras para ayudarte a entender el artículo.

el apoyo ayuda
los aparatos máquinas, equipo
el caserío casa humilde
previo(a) anterior
optar por escoger, seleccionar entre dos cosas
sobre las cuatro a eso de las cuatro
al cabo de después de

Estudio de palabras

doler (ue) Le dolieron mucho las quemaduras. Le hicieron sufrir.
el dolor El dolor fue horrible.
doloroso(a) Se encontró en una condición dolorosa.

Práctica

ESCUCHAR

1  Escucha las frases. Indica en una tabla como la de abajo si la información es correcta o no.

correcta	incorrecta

LEER • ESCRIBIR

2 Expresa de otra manera.

1. *Al cabo de* cuatro años recibió el premio.
2. Tienes que llegar *a eso de* las seis.
3. ¿No tenías ningún aviso *anterior*?
4. ¿*Eligió* él hacerlo enseguida o esperar un poco?
5. Es una situación *penosa*.
6. Viven en *una casa humilde*.

El edificio quemaba y durante el fuego (el incendio) salían llamas. ▶

Activity 2 You may wish to have students prepare this activity before going over it.

Tips for Success

Have students look at the photo and read the caption to learn the word **llamas.**

Answers

1
1. sí
2. sí
3. no
4. no
5. sí
6. sí

2
1. Después de
2. sobre
3. previo
4. Optó por
5. dolorosa
6. un caserío

Antes de leer

Durante todas las guerras ocurren atrocidades que no se pueden olvidar aun después de muchos años. Al leer un artículo periodístico como el que sigue debes tratar de ponerte a ti mismo(a) en la situación de la víctima. ¿Cómo te sentirías? ¿Cómo reaccionarías? Identificarte con la experiencia de la víctima te hará una impresión duradera y te ayudará a recordar lo que has leído.

Sobreviviente recuerda bombardeo a Guernica

El dolor sigue a 70 años del ataque

GUERNICA (ESPAÑA) • Josefina Odriozola tenía 14 años cuando la aviación alemana al servicio del general Franco bombardeó un lunes de mercado de hace 70 años Guernica y todavía hoy recuerda con claridad cómo los aviones bombardeaban y ametrallaban[1] la villa, en una tarde en la que «todo era fuego».

«Yo estaba con 'ama' (mamá) en el mercado cuando empezaron las bombas. Lo dejamos todo allí y volvimos a casa corriendo. Los aviones grandes bombardeaban y los pequeños ametrallaban por todo alrededor. Todo era fuego», relata a Efe esta mujer de 84 años al rememorar lo sucedido el lunes 26 de abril de 1937 en esta localidad vasca durante la Guerra Civil española.

Ese día, los aviones alemanes de la «Legión Cóndor», con el apoyo de algunos aparatos de las fuerzas aéreas italianas, bombardearon Guernica sin previo aviso[2], en un ensayo de lo que después se repetiría en otras ciudades europeas durante la Segunda Guerra Mundial que también sufrieron ataques aéreos sobre la población civil.

Guernica entraba así en los libros de historia y se convertía después en una obra de arte, en un recuerdo imperecedero[3], a través del *Guernica* de Picasso.

«Empezó sobre las cuatro de la tarde. Aquí en aquellos tiempos los lunes venía mucha gente al mercado, como si fuera una fiesta», explica Josefina, quien vendía junto a su madre «puerros[4], patatas, huevos… y lo que se cogía en el caserío» en el que vivían, muy cerca del casco urbano.

«Cuando empezaron las bombas lo dejamos todo allí. Volvimos a casa corriendo», recuerda la mujer que asegura que lo que más le llamó la atención fue el fuego.

«Todo estaba en llamas», dice.

Ella y toda su familia más cercana, sus cuatro hermanas y un hermano, así como su madre—su padre falleció cuando tenía ella cinco años—sobrevivieron al bombardeo, aunque, según afirma, hubo unas horas en las que temió por la vida de su hermano, que no apareció en la casa hasta el día después.

Josefina Odriozola explica que una hermana suya tuvo suerte ya que, en vez de permanecer en el refugio de la fábrica en la que trabajaba, optó por volver al caserío.

«Todos los que estuvieron con ella, allí quedaron, pero cientos ¡eh!, muchos», asegura, mientras insiste en que se trató de un ataque por «sorpresa. No avisaron nada».

A pesar de todo, no guarda rencor. «Lo pasado, pasado está, qué le vamos a hacer. No sé por qué pasó, qué venganza[5] hubo», se preguntó.

La mujer recuerda que cuando entraron en Guernica las tropas al servicio de Franco «ni podías decir que habían quemado esto», ya que «ellos negaban que hubieran sido ellos».

Sin embargo, según Josefina, su hermana, que cocinaba en el cuartel[6] que tuvo en la localidad el ejército franquista, se atrevió a decirles a los militares que fue Franco quien había bombardeado la localidad porque «los rojos no tenían aviones».

«¿Sabes lo que contestaban?—sonríe la mujer mientras recuerda—: «'a esta rojilla la vamos a llevar a Victoria (capital de País Vasco) y le vamos a cortar el pelo a cero'».

Según el museo de la Paz de Guernica, el primer avión apareció hacia las cuatro de la tarde y al cabo de unos quince minutos cayeron las primeras bombas.

Empezaba así el bombardeo sistemático de Guernica, que se prolongó durante más de tres horas y en el que intervinieron aviones Heinkel 111 y Junker 52, de bombardeo; y Heinkel 51 de caza y ametrallamiento.

Hoy en día aún se ignora el número de muertos que dejó el bombardeo, aunque, dependiendo de las fuentes, oscila entre 150 y 250.

Cientos de personas resultaron heridas y se calcula que el 70 por ciento de los edificios de la villa, que históricamente simboliza las libertades de los vascos, quedaron destruidos.

[1] ametrallaban *were machine-gunning*
[2] aviso *warning, notice*
[3] imperecedero *undying*
[4] puerros *leeks*
[5] venganza *revenge*
[6] cuartel *military quarters*

Periodismo

Leveling EACH Activity

Reading Level **Easy**

TEACH

Core Instruction

Step 1 Have students read the **Antes de leer** section to get an overall impression of the nature of this article.

Step 2 If you have students read this article in class, or parts of it, you can call on a student to give a synopsis after every three paragraphs.

Step 3 You may also wish to intersperse some of the **Después de leer** activities.

Teaching Options

You may wish to have students read this article silently as if they were reading one of today's newspaper articles. The article, however, does have information about a very important event with a great deal of human and emotional impact. For this reason you may wish to present it in a more in-depth manner.

GLENCOE Technology

Online Learning in the Classroom

You may wish to have students use QuickPass code ASD7851c1 for additional practice. Students can download audio files to their computer and/or MP3 player. They can also access a self-check quiz and a review worksheet.

▶ PRACTICE

Después de leer

A You may wish to have students correct any of the false information.

B You may wish to have students complete the table before going over the information in class.

C You may wish to have students give the meaning as they encounter the expressions in the article.

D This activity can be done as a group discussion.

Conexiones

El arte

El bombardeo de la antigua ciudad de Guernica por aviones alemanes durante la Guerra Civil española le inspiró a Picasso a producir su obra, *Guernica*. La total destrucción de la ciudad y casi todos sus habitantes no sirvió ningún propósito.

En la obra, Picasso no pinta el evento mismo. Usa una serie de imágenes trágicas para mostrar el horror, la agonía y la inutilidad de la guerra. Vemos a una mujer que cae por el piso de un edificio en llamas. Un caballo con una espada en su loma grita en terror. Una señora con su niño muerto en sus brazos levanta la cabeza hacia el cielo gritando en horror a los aviones que están sobrevolando la ciudad.

Después de leer

A Confirmando información Determina si la información es correcta o no.

1. La aviación alemana se puso al servicio del general Franco.
2. El mercado en Guernica estaba cerrado cuando empezó el bombardeo.
3. El bombardeo empezó durante la noche.
4. Un bombardeo como el que ocurrió en Guernica no se ha repetido nunca.
5. Cuando empezaron las bombas todos llevaron sus compras a casa enseguida.
6. Se sabe el número preciso de muertos que dejó el bombardeo.

▲ Una estampilla con el *Guernica* de Picasso conmemorando el centenario del bombardeo del pueblo

B Buscando información Completa la siguiente tabla.

el día y la fecha del bombardeo	
lo que había los lunes en Guernica	
donde trabajaba Josefina	
lo que vendían Josefina y su madre	
los miembros de la familia de Josefina	
donde estaban algunos cuando empezó el bombardeo	

C Comprendiendo el lenguaje familiar Explica lo que significa.

1. «Yo estaba con 'ama'»
2. «Lo pasado, pasado está, qué le vamos a hacer»
3. «a esta rojilla»
4. «le vamos a cortar el pelo a cero»

D Analizando Contesta.

1. ¿Cuál sería el motivo cruel de la hora escogida para empezar el bombardeo?
2. ¿Cómo se convirtió el bombardeo de Guernica en una obra de arte?

E Parafraseando Escoge la respuesta.

¿Cómo nos dice el artículo que el bombardeo de Guernica fue un ensayo para otras atrocidades?

a. Todo era fuego.
b. Los aviones grandes bombardeaban y los pequeños ametrallaban por todo el alrededor.
c. Guernica entraba así en los libros de historia.
d. Se repetirían tales bombardeos en otras ciudades durante la Segunda Guerra Mundial.

Conexiones

Las Bellas Artes

Mira la transparencia del famoso cuadro *Guernica* de Pablo Picasso.

El cuadro tiene una serie de imágenes trágicas. Mira hacia la derecha y verás a una mujer cayendo de un piso a otro en un edificio en llamas. Otra señora está corriendo en pánico. Una señora con su hijo muerto en los brazos levanta la cabeza hacia el cielo gritando en horror a los aviones que los están bombardeando.

El cuadro representa el horror, la agonía y la insensatez de la guerra.

Answers

A

1. sí
2. no
3. no
4. no
5. no
6. no

B

el lunes 26 de abril de 1937
un mercado
en el mercado (en un puesto)
puerros, patatas y huevos
su madre, cuatro hermanas, un hermano
ella y su madre estaban en el mercado, una hermana estaba en una fábrica

C *Answers will vary but may include:*

1. Yo estaba con mamá.
2. No podemos cambiar el pasado.
3. a esta niña pelirroja
4. Le vamos a cortar la cabeza.

D *Answers will vary but may include:*

1. Sabían que habría mucha gente en el mercado y en las calles.
2. Picasso pintó una interpretación del bombardeo en su *Guernica*.

E

d

Mueren cinco inmigrantes al naufragar en Tarifa la patera en la que viajaban

Vocabulario 

Estudia las siguientes palabras para ayudarte a entender el artículo.

el suceso evento

la patrulla grupo de barcos que vigilan las aguas manteniendo la seguridad en el mar

magrebí relativo a tres países del norte de África: Marruecos, Argelia y Túnez

naufragar perderse una embarcación (un barco) en el mar

rescatar liberar o salvar a alguien de un desastre tal como un accidente o un naufragio

chocar encontrarse violentamente una cosa contra otra

huir escapar

solicitar pedir

Práctica

HABLAR • ESCRIBIR

1 Contesta sobre un naufragio que tuvo lugar en la costa de España.

1. ¿Chocó un barco contra unas rocas en la costa en el área de Tarifa?
2. ¿Naufragó la embarcación?
3. ¿Llegó una patrulla para tratar de rescatar a las víctimas del naufragio?
4. ¿Rescataron a algunas?
5. ¿Se produjo ayer el suceso?

EXPANSIÓN

Cuenta la información en tus propias palabras. Si no recuerdas algo, un(a) compañero(a) te puede ayudar.

▲ Naufragio de una embarcación en la costa de la Gran Canaria

LEER • ESCRIBIR

2 Expresa de otra manera.

1. Llegó *un barco* al puerto de Tarifa en el sur de España.
2. *El evento* tuvo lugar ayer.
3. Nadie pudo *escapar.*
4. Los políticos locales le *pidieron* ayuda al gobierno central.

Una vista de Tarifa con su costa rocosa ▼

ESCRIBIR

3 Da una palabra relacionada.

1. el choque
2. la huida
3. el escape
4. suceder
5. el rescate
6. la solicitud
7. el naufragio

Answers

1

1. Sí, un barco chocó contra unas rocas en la costa en el área de Tarifa.
2. Sí, la embarcación naufragó.
3. Sí, una patrulla llegó para tratar de rescatar a las víctimas del naufragio.
4. Sí, rescataron a algunas.
5. Sí, el suceso se produjo ayer.

2

1. una embarcación
2. El suceso
3. huir
4. solicitaron

3

1. chocar
2. huir
3. escapar
4. el suceso
5. rescatar
6. solicitar
7. naufragar

Resources 

- Vocabulary Transparency V1.3
- Audio Activities TE, page 1.27
- Audio CD 1B, Tracks 4–5
- Workbook, page 1.14
- *ExamView® Assessment Suite*

TEACH

Core Instruction

Step 1 You may wish to have students listen to the definitions using Audio CD 1B.

Step 2 After going over the definitions, you may wish to ask questions such as: **¿Contra qué chocó la patera? ¿Naufragó la patera? ¿Rescató a las víctimas una patrulla? ¿Se produjo ayer el suceso? ¿Solicitaron ayuda las víctimas? ¿De qué países son los magrebíes? ¿Dónde están los países magrebíes?**

Tips for Success

Have students look at the photo on page 31 and read the caption to learn the word **embarcación.**

PRACTICE

Leveling EACH Activity

Easy Activity 1, Activity 1 **Expansión**

Average Activities 2, 3

Activity 1 This activity can be done orally with books closed, calling on students at random to respond.

Activities 2 and 3 You may wish to have students prepare these activities before going over them in class.

Leveling EACH Activity

Reading Level **Easy**

TEACH

Core Instruction

You may wish to have students read this selection silently and then go over the **Después de leer** activities.

Cultura

The problem of unsafe vessels crashing on their way to Spain is extremely common. Hardly a day goes by that one does not read such an article in the Spanish newspapers. Ask students if they can think of a similar problem that occurs in the United States.

GLENCOE Technology

Online Learning in the Classroom

You may wish to have students use QuickPass code ASD7851c1 for additional practice. Students can download audio files to their computer and/or MP3 player. They can also access a self-check quiz and a review worksheet.

Antes de leer

Si lees el periódico y estás al tanto de los eventos o sucesos actuales, sabes que en muchas partes del mundo hay gente que sufre de injusticias políticas, religiosas y económicas. Reflexiona sobre todo lo que hace esta gente para huir de su situación pésima para tratar de mejorar su vida y la de su familia.

Mueren cinco inmigrantes al naufragar en Tarifa la patera[1] en la que viajaban

Cinco inmigrantes murieron ayer al naufragar la patera en la que viajaban frente a las costas de Tarifa. En la embarcación iban otras treinta y cinco personas, cuatro de las cuales son mujeres.

OTR/PRESS-MADRID • El suceso se produjo a primera hora de la mañana, cuando la embarcación en la que viajaban se cree que en torno a cuarenta inmigrantes chocó contra una zona rocosa y varios de sus ocupantes cayeron al agua.

Los inmigrantes fueron rescatados porque las autoridades habían avistado[2] la patera una hora y media antes y se dio aviso al Servicio Marítimo y a las patrullas territoriales, que iniciaron las labores para interceptar la embarcación.

Las autoridades encontraron en el lugar del naufragio los cadáveres de cinco inmigrantes, y rescataron a otros treinta y cinco con vida; aunque ocho consiguieron huir cuando llegaron a tierra. Aunque no ha sido determinada la nacionalidad de los inmigrantes, se cree que en su mayoría son magrebíes, saharianos y también algunos asiáticos.

Implicación

Tras este suceso, el ministro de Administraciones Públicas, Javier Arenas, lamentó la muerte de los inmigrantes y solicitó a Marruecos una mayor implicación en la lucha contra las mafias de inmigración ilegal. Arenas explicó que aunque Marruecos está colaborando en esta materia, espera que «se acentúe más», afirmó.

[1] patera *type of flat-bottom boat*
[2] avistado *sighted*

Después de leer

A Recordando hechos Contesta.

1. ¿Cuándo se produjo el suceso?
2. ¿Contra qué chocó la patera? ¿Dónde?
3. ¿Cuántas personas murieron? ¿Cuántas fueron rescatadas?
4. ¿Eran inmigrantes ilegales los pasajeros de la patera?
5. ¿Cuántos huyeron cuando llegaron a tierra?
6. ¿Qué se cree sobre la nacionalidad de los inmigrantes?
7. ¿Qué solicitó al gobierno de Marruecos Javier Arenas, el ministro de Administraciones Públicas?

B Analizando

La llegada de miles de inmigrantes ilegales a España es un problema serio para el país. Casi a diario uno lee en los periódicos españoles de catástrofes como esta. En el artículo, ¿qué indica que este suceso no es un caso aislado?

Comunicación

C Vas a preparar una entrevista con las autoridades españolas sobre como sucedió el rescate de los inmigrantes.

- En parejas, preparen por lo menos cinco preguntas que van a hacer a las autoridades.
- En parejas escriban las respuestas que darían las autoridades a las preguntas.
- Ahora presenten su entrevista a la clase.

Una embarcación con ochenta y dos inmigrantes tratando de llegar a la costa de España. ▼

PRACTICE

Después de leer

A You can also have students write the answers to these questions.

B This activity can serve as a class discussion.

C When having students do an open-ended activity with no learning prompts, they are communicating as if they were in a real-life situation. In such a situation, it is normal for some learners to make mistakes. For this reason, you may decide not to interrupt and correct each error a student makes. This is up to your discretion.

Answers

A

1. El suceso se produjo ayer (a primera hora de la mañana).
2. La patera chocó contra una zona rocosa frente a las costas de Tarifa.
3. Cinco personas murieron. Treinta y cinco fueron rescatadas.
4. Sí, los pasajeros de la patera eran inmigrantes ilegales.
5. Cuando llegaron a tierra, ocho huyeron.
6. Se cree que en su mayoría son magrebíes, saharianos y también algunos asiáticios.
7. Javier Arenas solicitó a Marruecos una mayor implicación en la lucha contra las mafias de inmigración ilegal.

B *Answers will vary but may include:* Lo que indica que no es un caso aislado es que el ministro de Administraciones Públicas habla de la lucha contra las mafias de inmigración ilegal y espera que Marruecos se acentúe más en esta lucha.

C *Answers will vary.*

Resources

- Tests, pages 1.58–1.60
- *ExamView® Assessment Suite*

Self-check for achievement

This is a pre-test for students to take before you administer the lesson test. Note that each section is cross-referenced so students can easily find the material they feel they need to review. You may wish to use Self-Check Worksheet Transparency SC1.3 to have students complete this assessment in class or at home. You can correct the assessment yourself, or you may prefer to project the answers on the overhead in class using Self-Check Answers Transparency SC1.3A.

Differentiation

Slower Paced Learners

Encourage students who need extra help to refer to the book icons and review any section before answering the questions.

Prepárate para el examen

Self-check for achievement

Guernica

Para repasar este vocabulario, mira la página 28.

Vocabulario

Completa con una palabra apropiada.

1. Había un fuego y salían ____ del edificio que quemaba.
2. A veces cuando hacemos algo difícil necesitamos ____ de nuestros amigos.
3. Tienes que ____ por uno de los planes. Tienes que seleccionar.
4. No tienes que llegar a las cuatro en punto. Puedes llegar ____ las cuatro.
5. Ellos viven en ____. Es bastante humilde.
6. Las quemaduras causan mucho ____.

▲ Un perro solitario anda por las ruinas de Guernica. La foto data del 8 de mayo de 1937.

Para repasar este artículo, mira las páginas 29–30.

Lectura

Contesta.

7. ¿En qué ciudad de España tuvo lugar el horrible bombardeo?
8. ¿Cuándo ocurrió el suceso?
9. ¿Quiénes bombardearon la ciudad?
10. ¿Quién pintó un cuadro famoso para conmemorar el evento?
11. ¿Dónde había mucha gente cuando empezó el bombardeo?

Inmigrantes al naufragar

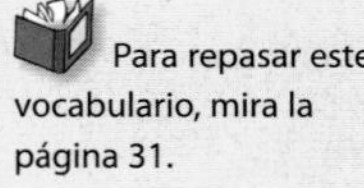

Para repasar este vocabulario, mira la página 31.

Vocabulario

Da la palabra cuya definición sigue.

12. perderse una embarcación en el mar
13. salvar a gente de un peligro
14. un evento
15. escapar
16. relativo a los tres países de habla francesa del norte de África

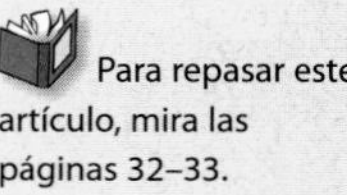

Para repasar este artículo, mira las páginas 32–33.

Lectura

¿Sí o no?

17. Murieron cinco inmigrantes cuando su patera naufragó en Tarifa.
18. No se sabe de qué nacionalidad eran los inmigrantes.
19. Hubo solo hombres en la embarcación.
20. El problema de la migración se resolverá pronto.

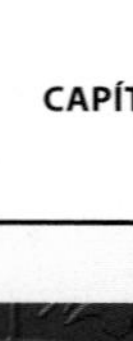

Answers

1. llamas
2. el apoyo
3. optar
4. sobre
5. un caserío
6. dolor

7. Tuvo lugar en Guernica.
8. Ocurrió el lunes 26 de abril de 1937.
9. Los aviones alemanes de la «Legión Cóndor» y las fuerzas aéreas italianas bombardearon la ciudad.
10. Picasso pintó un cuadro famoso para conmemorar el evento.
11. Había mucha gente en el mercado cuando empezó el bombardeo.

12. naufragar
13. rescatar
14. un suceso
15. huir
16. magrebí

17. sí
18. no
19. no
20. no

Prepárate para el examen

Practice for proficiency

1 **La migración**

Con algunos compañeros discute por qué en muchas áreas del planeta Tierra hay tanta hambre y miseria que la gente lo encuentra necesario emigrar hasta de una manera ilegal y peligrosa.

2 **Un drama**

Un suceso horrible tuvo lugar en las aguas turbulentas en el área de Tarifa. Describe todo lo que pasó.

3 **Un suceso horrible**

Con un(a) compañero(a) discute por qué el bombardeo de Guernica fue un suceso tan horrible.

La España de hoy

El objeto de muchos escritos expositivos es el de explicar algo. Ahora vas a preparar una explicación escrita de un problema que enfrenta la España actual, la España de hoy. Puedes escoger el afán independentista de algunos estados autónomos o la inmigración ilegal. En tu escrito tienes que:

- identificar el problema
- explicar lo que causa el problema
- dar algunas consecuencias del problema

Puedes servirte del siguiente diagrama para organizar tus ideas.

	lo que causa el problema
el problema	
	las consecuencias del problema

Después de revisar y corregir tu borrador, escribe de nuevo tu composición en forma final.

Una protesta en Madrid en contra de las demandas de ETA, un grupo vasco separatista ▼

Periodismo

Tips for Success

Encourage students to say as much as possible when they do these open-ended activities. Tell them not to be afraid to make mistakes, since the goal of the activities is real-life communication. If someone in the group makes an error, allow the others to politely correct him or her. Let students choose the activities they would like to do.

Tell students to feel free to elaborate on the basic theme and to be creative. They may use props, pictures, or posters if they wish.

Pre-AP These oral and written activities will give students the opportunity to develop and improve their speaking and writing skills so that they may succeed on the speaking and writing portions of the AP exam.

Note: You may wish to use the rubrics on page 1D or 1F to help students prepare their speaking activities and their writing task.

Resources

- Vocabulary Transparency V1.4
- Audio Activities TE, page 1.28
- Audio CD 1B, Tracks 6–7
- *ExamView® Assessment Suite*

Vocabulario

TEACH

Core Instruction

Step 1 You may wish to have students merely study these words on their own.

Step 2 Have students read the captions that accompany the photographs as they contain vocabulary students will need when reading the poems.

Tips for Success

Have students look at the poem on page 39 as you go over the explanation of these terms related to poetry.

GLENCOE Technology

Online Learning in the Classroom

You may wish to have students use QuickPass code ASD7851c1 for additional practice. Students can download audio files to their computer and/or MP3 player. They can also access eFlashcards and a review worksheet.

Parte 1: Poesía

Canción del pirata de José de Espronceda

La primavera besaba de Antonio Machado

Vocabulario

Estudia las siguientes palabras para ayudarte a entender los poemas.

el rumbo dirección

la popa parte posterior (trasera) de un barco

el pendón bandera, estandarte

abarcar rodear; contener, comprender

brotar nacer o salir de la tierra; nacer o salir una flor o una hoja de una planta

Una arboleda es un lugar donde hay muchos árboles. Cada árbol tiene un tronco, ramas y hojas verdes que en ciertas regiones cambian de color en otoño. ▼

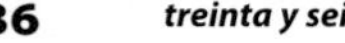

Una tempestad en alta mar ▼

QuickPass
Go to glencoe.com
For: **Literature practice**
Web code: **ASD7851c1**

Para leer, analizar y apreciar la poesía hay algunos términos importantes que debes conocer.

el verso cada una de las líneas de un poema

la estrofa conjunto de versos

la rima musicalidad de un poema

la poesía lírica poesía subjetiva que comunica los sentimientos del poeta

el símbolo relación entre un elemento concreto y otro abstracto; es el elemento concreto que explica el abstracto

el símil comparación de dos cosas esencialmente distintas usando «como» **Sus ojos eran como estrellas en el cielo.**

la metáfora comparación de dos cosas distintas sin usar la palabra «como» **Sus ojos son estrellas en el cielo.**

Práctica

ESCUCHAR • HABLAR

1 Vas a oír una pregunta y tres respuestas posibles. En una tabla como la de abajo, indica la respuesta correcta.

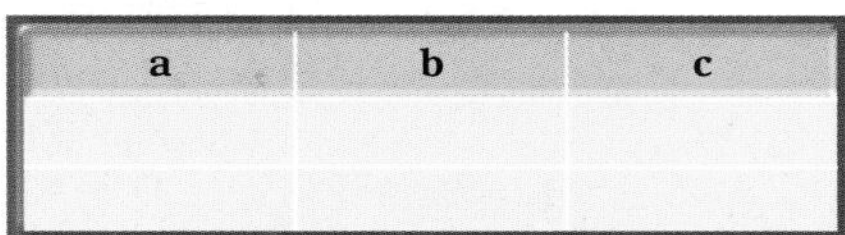

a	b	c

HABLAR • ESCRIBIR

2 Contesta.

1. ¿Qué tienen los árboles?
2. ¿En qué estación brotan las flores?
3. ¿Qué tiempo hace durante una tempestad?
4. ¿Abarca mucho territorio el estado de Texas?

LEER • ESCRIBIR

3 Completa con una palabra apropiada.

1. Una _____ es un grupo de árboles.
2. Un _____ es una bandera.
3. Un huracán es un tipo de _____ peligrosa.
4. En verano las _____ de muchos árboles son verdes y cambian de color en otoño.
5. La _____ de un barco está en la parte posterior.

▲ Una embarcación a velas en alta mar

LEER

4 Indica si es una metáfora o un símil.

1. el cabello como el oro
2. dientes como perlas
3. sus dientes son perlas
4. un corazón tan grande como el mundo
5. sus ojos son chispas de fuego

▶ PRACTICE

Leveling EACH Activity

Easy Activity 1
Average Activities 2, 4
Average–CHallenging Activity 3

Activity 1

Audio script

1. ¿Qué hay durante una tempestad?
   - **a.** Hay mucho tiempo.
   - **b.** Hay mucha lluvia y viento.
   - **c.** Hay mal temperamento.
2. ¿Por qué está desorientado el señor?
   - **a.** No sabe en qué rumbo va.
   - **b.** Está buscando el oriente.
   - **c.** No abarca nada.
3. ¿Qué es la popa?
   - **a.** Es un pendón.
   - **b.** Es la parte trasera de un barco.
   - **c.** Es la parte delantera de un barco.

Activities 2, 3, and 4 Have students prepare these activities and then go over them in class.

Differentiation

Multiple Intelligences

Have **verbal-linguistic** learners make up similes and metaphors in addition to those presented in Activity 4. You may wish to have a contest to determine whose similes and metaphors are the most original.

Answers

1

1. b
2. a
3. b

2

1. Los árboles tienen hojas, ramas y un tronco.
2. Las flores brotan en la primavera.
3. Durante una tempestad hace mal tiempo.
4. Sí, el estado de Texas abarca mucho territorio.

3

1. arboleda
2. pendón
3. tempestad
4. hojas
5. popa

4

1. símil
2. símil
3. metáfora
4. metáfora
5. metáfora

Resources

- Audio Activities TE, pages 1.29–1.32
- Audio CD 1B, Tracks 8–10
- Tests, page 1.61
- *ExamView® Assessment Suite*

Introducción

Tell students to read the **Introducción** silently and relate the information to what the poet says in the poem.

Leveling EACH Activity

Reading level
Average–CHallenging

Teaching Options

Because this poem is on the AP reading list, we have included it in its entirety. Depending on your group, however, you may wish to present only a part of the poem. Suggestions include lines 17–30 and lines 41–52.

TEACH

Core Instruction

Step 1 Have students listen to the recording of the poem on Audio CD 1B. You may wish to have them listen to the entire poem or break it into parts.

Step 2 Call on an individual to read a strophe aloud with as much animation and expression as possible.

Step 3 As students read, emphasize the fact that they should think about the philosophy of life the poet is expressing.

▲ Un barco a toda vela

Canción del pirata

de José de Espronceda

Introducción

José de Espronceda (1808–1842) nació durante un viaje que hacían sus padres de Madrid a Badajoz en Extremadura poco antes de empezar la Guerra de la Independencia contra las tropas de Napoleón. Espronceda fue un espíritu libre y su vida siguió siendo un viaje. Durante toda su vida viajó mucho y a los dieciocho años fue a Lisboa donde se dice que arrojó al río Tajo las dos pesetas que tenía en el bolsillo para no «entrar en tan gran ciudad con tan poco dinero».

Es poeta romántico y los temas esenciales de su poesía son el amor y la libertad. Al tema de la libertad se unen los de la aventura y la rebeldía como veremos en su poema famoso *Canción del pirata.*

Lo moderno y lo antiguo en Badajoz, capital de la provincia natal de Espronceda ▼

Cultural Snapshot

(page 38 bottom) Badajoz es la ciudad más grande de la provincia de Badajoz. Está muy cerca de la frontera portuguesa.

Canción del pirata

Con diez cañones por banda[1],
viento en popa, a toda vela[2],
no corta el mar, sino vuela
un velero bergantín.
Bajel[3] pirata que llaman
por su bravura el *Temido*[4],
en todo mar conocido
del uno al otro confín.

La luna en el mar rïela[5],
en la lona[6] gime[7] el viento,
y alza en blando movimiento
olas de plata y azul;
y ve el capitán pirata,
cantando alegre en la popa,
Asia a un lado, al otro Europa,
y allá a su frente Stambul.

Navega, velero[8] mío,
sin temor,
que ni enemigo navío
ni tormenta, ni bonanza[9]
tu rumbo a torcer[10] alcanza,
ni a sujetar tu valor.

Veinte presas[11]
hemos hecho
a despecho
del[12] inglés,
y han rendido
sus pendones
cien naciones
a mis pies.

[1] por banda *on each side*
[2] a toda vela *full sail*
[3] Bajel *vessel*
[4] Temido *Dreaded*
[5] rïela *sparkles*
[6] lona *canvas*
[7] gime *groans*
[8] velero *sailing ship*
[9] bonanza *calm*
[10] torcer *turn back*
[11] presas *captured ships*
[12] a despecho del *in spite of*

Antes de leer

Lee solamente el título. ¿Qué te viene a la mente al leerlo? ¿De qué te hablará el poeta? ¿Cuáles son algunas características de un pirata? ¿Dónde solían vivir los piratas? ¿Cómo se puede relacionar la vida de un pirata en alta mar con un deseo fuerte de estar libre?

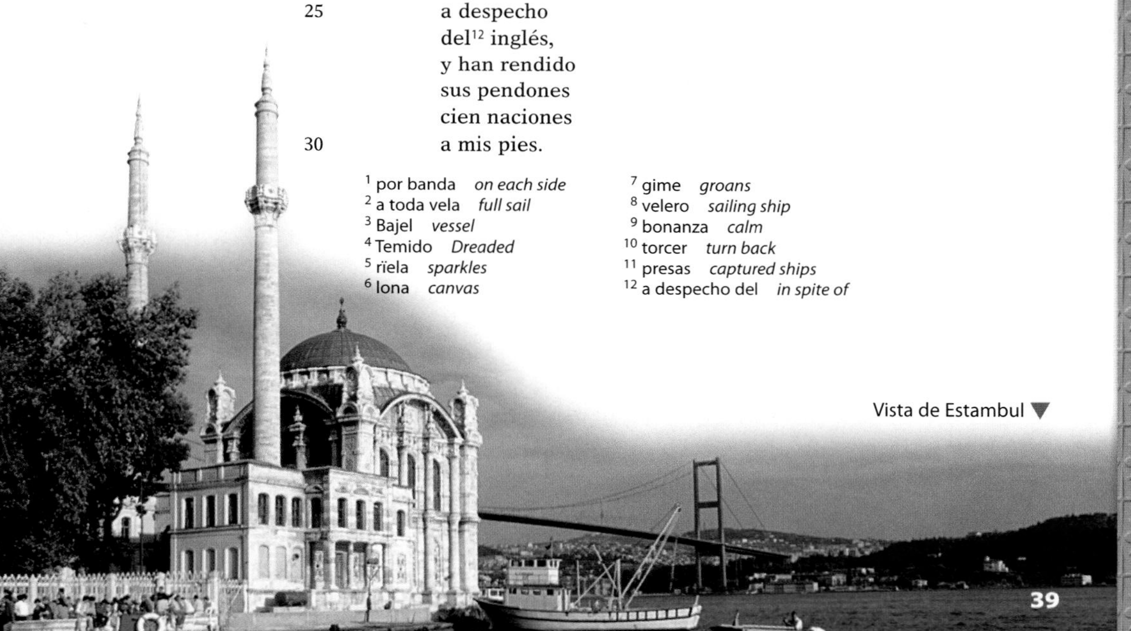

Vista de Estambul ▼

Differentiation

Slower Paced Learners

Slower paced learners may have some problems reading and comprehending poetry. You may wish to assist them by paraphrasing. Ask students: **¿Cómo lo expresa el poeta?**

- **A cada lado del barco hay diez cañones.**
- **El barco va muy rápido.**
- **En todas partes del mundo este barco se conoce.**
- **Nada ni nadie le puede hacer daño.**
- **Ha capturado veinte barcos.**
- **Cien naciones se han sometido a él.**

Teaching Options

You may wish to call on a student to explain the meaning of the following stanza without translating it word for word.

La luna en el mar rïela,
en la lona gime el viento,
y alza en blando movimiento
olas de plata y azul;

Pre-AP This selection is on the AP reading list.

Differentiation

Slower Paced Learners

Slower paced learners may have some problems reading and comprehending poetry. You may wish to assist them by paraphrasing. Ask students: **¿Cómo lo expresa el poeta?**

Hay reyes que luchan por nada.
Yo no vivo bajo leyes.
Soy conocido en todas partes.
Todo el mundo me hace caso.
Yo divido lo que recibo.
Para mí hay solo una riqueza.

Teaching Options

You may wish to have the class read in unison.

Que es mi barco mi tesoro,
que es mi dios la libertad,
mi ley, la fuerza y el viento,
mi única patria, la mar.

Que es mi barco mi tesoro,
que es mi dios la libertad,
mi ley, la fuerza y el viento,
mi única patria, la mar.

Allá mueven feroz guerra
ciegos reyes
por un palmo más de tierra;
que yo tengo aquí por mío
cuanto abarca el mar bravío,
a quien nadie impuso leyes.

Y no hay playa,
sea cualquiera,
ni bandera
de esplendor,
que no sienta
mi derecho
y dé pecho[13]
a mi valor.

Que es mi barco mi tesoro,
que es mi dios la libertad,
mi ley, la fuerza y el viento,
mi única patria, la mar.

A la voz de «¡barco viene!»,
es de ver
cómo vira y se previene[14]
a todo trapo[15] a escapar;
que yo soy el rey del mar,
y mi furia es de temer.

En las presas
yo divido
lo cogido[16]
por igual;
sólo quiero
por riqueza
la belleza
sin rival.

Que es mi barco mi tesoro,
que es mi dios la libertad,
mi ley, la fuerza y el viento,
mi única patria, la mar.

▲ Una embarcación antigua

[13] dé pecho *pay tribute*
[14] vira y se previene *veers and gets ready*
[15] a todo trapo *all sails set*
[16] lo cogido *booty*

¡Sentenciado estoy a muerte!
Yo me río;
no me abandone la suerte,
y al mismo que me condena,
colgaré de alguna entena,
quizá en su propio navío.

Y si caigo,
¿qué es la vida?
Por perdida
ya la di,
cuando el yugo[17]
del esclavo,
como un bravo,
sacudí[18].

Que es mi barco mi tesoro,
que es mi dios la libertad,
mi ley, la fuerza y el viento,
mi única patria, la mar.

Son mi música mejor
aquilones[19],
el estrépito y temblor
de los cables sacudidos,
del negro mar los bramidos[20]
y el rugir de mis cañones.

Y del trueno[21]
al son violento,
y del viento
al rebramar[22],
yo me duermo
sosegado,
arrullado[23]
por el mar.

Que es mi barco mi tesoro,
que es mi dios la libertad,
mi ley, la fuerza y el viento,
mi única patria, la mar.

▲ Un pirata en la popa de su navío

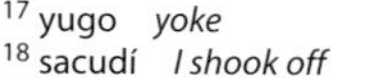

[17] yugo *yoke*
[18] sacudí *I shook off*
[19] aquilones *north winds*
[20] bramidos *roars*
[21] trueno *thunder*
[22] rebramar *roar*
[23] arrullado *lulled*

TEACH

Core Instruction

Step 1 Call on a student to explain in English the meaning of lines 77–84.

Step 2 In Spanish, have a student give all the references to nature.

▶ PRACTICE

Después de leer

A You may wish to have **visual-spatial** learners draw the vessel and then write a description of it.

C and **D** These activities can serve as group discussions.

Answers

A *Answers will vary but may include:*
El barco del pirata tiene diez cañones. Tiene viento en popa y está a toda vela así que parece «volar» en el mar.

B
1. Navega, velero mío, sin temor
2. ni enemigo navío
   ni tormenta, ni bonanza
   tu rumbo a torcer alcanza,
   ni a sujetar tu valor
3. Veinte presas hemos hecho a despecho del inglés
4. han rendido sus pendones cien naciones a mis pies

C *Answers will vary but may include:*
alusiones que hace por su afán de estar libre: «que es mi dios la libertad, mi ley, la

Después de leer

A Describiendo
Describe el barco del pirata.

B Parafraseando ¿Cómo lo expresa Espronceda?
1. Anda, capitán, y no tengas miedo.
2. El barco de un enemigo
   Una tempestad o una mar calma
   nada te puede hacer cambiar de dirección
   y nada puede disminuir tu valor.
3. Hemos capturado (tomado posesión de) mucho a pesar de los ingleses.
4. Muchas naciones nos han tenido que entregar sus banderas.

Conexiones

La literatura
Hay piratas que han aparecido en unas obras literarias. ¿Has oído de Blackbeard o Captain Kidd? Si has leído una obra que trata de un pirata o si conoces una leyenda sobre un pirata, cuéntala. ¿Tiene unos elementos en común con *Canción del pirata* o no?

C Interpretando y analizando Completa el diagrama.

D Analizando Contesta.
¿Cuál es la filosofía de vida de Espronceda?

E Visualizando y describiendo Si tienes talento artístico, dibuja lo que ves al leer *Canción del pirata*. Luego, en forma oral o escrita, da una descripción de tu dibujo.

Answers

fuerza y el viento, mi única patria, la mar»; «el yugo del esclavo, como un bravo, sacudí»
como describe el tiempo y su efecto en alta mar: el viento hace volar el barco; los aquilones son como música para él; el trueno y el viento cuando rebramam lo arrullan a dormir
como se considera el pirata a si mismo: se considera alegre, libre, bravo y temido; se considera «rey del mar»; se considera justo y generoso
alusiones que hace a su bravura: «han rendido sus pendones cien naciones a mis pies», «en todo mar conocido del uno al otro confín»
por qué todos deben temerlo: piensa que todos sienten su derecho y dan pecho a su valor; su «furia es de temer»

D *Answers will vary but may include:*
Su filosofía de vida es que, para ser alegre, necesita tener libertad y belleza.

E *Answers will vary.*

La primavera besaba

de Antonio Machado

Introducción

Antonio Machado (1875–1939) nació en Sevilla y murió en un pueblecito francés poco después de haber cruzado los Pirineos al final de la Guerra Civil española. Fue profesor de francés en varios institutos en España. Se casó en 1909 y enviudó en solo tres años.

Las poesías de Antonio Machado son sobrias y profundas. Sus temas principales son la muerte y el amor, la busca de Dios, y la fugacidad y la emoción del tiempo. Su poesía es íntima; viene de su alma y experiencia vivida. Recrea los momentos en que gozó y sufrió como ser humano.

El tono de su poesía es melancólico y meditativo pero algunas veces es irónico o humorístico.

Antonio Machado cruzó los Pirineos para huir de la desastrosa Guerra Civil española. ▼

Resources

- Tests, page 1.62
- *ExamView® Assessment Suite*

Introducción

You may wish to have students read the **Introducción** silently or you may wish to read it aloud. Have students tell how the following words or phrases are expressed: **falleció, haber atravesado, a fines de, escuelas secundarias, contrajo matrimonio, se le murió la esposa, el vuelo del tiempo, disfrutó.**

Leveling EACH Activity

Reading Level **Easy–Average**

TEACH

Core Instruction

Step 1 Have students read the poem silently.

Step 2 Have the class read the poem aloud in unison.

Step 3 As students read, have them look at the photograph and think about the meaning of spring.

Step 4 You may wish to intersperse the questions from Activity B in the **Después de leer** section.

Conexiones

La literatura

Ask students if they have ever heard the Latin expression *Carpe diem!* or the English expression *Gather ye rosebuds while ye may.* Have them explain what each expression means and relate these ideas to the message conveyed by this poem.

Pre-AP This selection is on the AP reading list.

Antes de leer

El título de la poesía es *La primavera besaba*. Piensa en la primavera y reflexiona sobre lo que simboliza. ¿Qué pasa durante esta estación del año? ¿Qué simboliza el verbo «besaba»?

La primavera besaba

La primavera besaba
suavemente la arboleda,
y el verde nuevo brotaba
como una verde humareda[1].

Las nubes iban pasando
sobre el campo juvenil...
Yo vi en las hojas temblando[2]
las frescas lluvias de abril.

Bajo ese almendro florido,
todo cargado de flor
—recordé—, yo he maldecido
mi juventud sin amor.

Hoy, en mitad de la vida,
me he parado a meditar...
¡Juventud nunca vivida,
quién te volviera a soñar!

[1] humareda *cloud of smoke*
[2] temblando *shivering*

▲ Gotitas de lluvia en una flor de almendra

Los almendros están brotando en la provincia de Guadalajara. ▼

Después de leer

A **Analizando** Escoge.

¿Cual es el tono de esta poesía? Hay más de una respuesta.

a. humorístico
b. meditativo
c. amoroso
d. melancólico
e. feliz
f. sarcástico

B **Interpretando** Contesta.

1. ¿Qué simboliza la primavera?
2. ¿Qué significado tendrá el verbo «besaba» en el título?
3. ¿Por qué es juvenil el campo?
4. ¿Qué simboliza el almendro florido?
5. ¿Qué dice el poeta de su juventud? ¿Por qué lo maldice?
6. ¿Qué edad tendrá ahora?

C **Analizando** Explica.

Explica el significado de

«¡Juventud nunca vivida,
quién te volviera a soñar!»

D **Interpretando** Antonio Machado tiene fama de poder decir mucho de una manera sencilla y en pocas palabras. En los tres versos de un proverbio que él escribió hay mucha filosofía. Comenta.

El ojo que ves no es
ojo porque tú lo ves;
es ojo porque te ve.

◀ Esta niña andaluza tiene ojos bonitos. ¿Son los ojos que tú ves o los ojos que te ven?

▶ PRACTICE

Después de leer

A and **B** These activities can be interspersed as you are going over the poem in class.

C and **D** These activities can serve as a group or class discussion.

Answers

A
b, d

B *Answers will vary but may include:*

1. Simboliza la juventud.
2. Querrá decir «pasaba silenciosamente», o «pasaba rápidamente», o «pasaba delicadamente».
3. El campo es juvenil porque representa los recuerdos de su niñez.
4. Simboliza su juventud (que a los otros parecería ser bonita y contenta).
5. Dice que fue una juventud sin amor. Lo maldice porque no era feliz.
6. Será mayor.

C *Answers will vary but may include:*
Significa que no le gusta recordar su juventud porque, en esa época de su vida, realmente no «vivía».

D *Answers will vary but may include:*
Lo que ve o cree una persona no es lo que vea o crea los otros. (Nuestra perspectiva es diferente de la de los otros.)

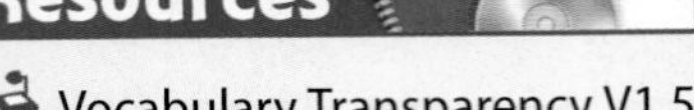

Resources

- Vocabulary Transparency V1.5
- Audio Activities TE, page 1.33
- Audio CD 1B, Track 11
- Tests, pages 1.62–1.63
- *ExamView® Assessment Suite*

Vocabulario

TEACH

Core Instruction

Step 1 You may wish to follow some suggestions outlined in previous sections.

Step 2 You can intersperse questions from Activity 1 as you present the vocabulary.

ABOUT THE SPANISH LANGUAGE

- The title of this short story is an example of what used to be called the *dative of interest*. The indirect object pronoun **le** in the title refers to the **niño** of the title. Roughly translated, the title might be "The little boy whose friend died on him."

PRACTICE

Leveling EACH Activity

Easy Activity 1

Parte 2: Prosa

El niño al que se le murió el amigo de Ana María Matute

Vocabulario

Estudia las siguientes palabras para ayudarte a entender la lectura.

la valla, la cerca tipo de muro hecho de madera u otro material que delimita un lugar

el pozo excavación en la tierra de la cual se saca agua

el polvo partículas minúsculas que están en el aire o en las superficies de los objetos

el juguete objeto con que juegan los niños

las canicas

Para hablar de una novela o un cuento, que son formas literarias narrativas, hay algunos términos que son de suma importancia.

el argumento lo que transcurre o tiene lugar, la acción del cuento o de la novela

el/la protagonista personaje más importante de la obra

Práctica

HABLAR • ESCRIBIR

1 Contesta.

1. ¿Qué hay alrededor de muchas casas en España y Latinoamérica?
2. En unas áreas rurales donde no hay agua del municipio, ¿qué tiene la gente para conseguir agua?
3. ¿Tiene mucha gente alergia al polvo?
4. ¿Son juguetes las canicas?

Answers

1

1. Hay vallas (cercas) alrededor de muchas casas en España y Latinoamérica.
2. La gente tiene un pozo.
3. Sí, mucha gente tiene alergia al polvo.
4. Sí, las canicas son juguetes.

El niño al que se le murió el amigo

de Ana María Matute

Introducción

Ana María Matute nació en Barcelona en 1926 pero pasó una gran parte de su vida en Madrid. Hizo sus estudios en estas dos ciudades principales de su país. Su primera novela, *Los Abel,* se publicó en 1948. Unos años más tarde se publicó *Los niños tontos,* donde aparece *El niño al que se le murió el amigo.* En 1998 ella ingresó en la Real Academia Española.

A veces algo ocurre en la vida de un niño y de repente el niño pasa a ser algo más, casi una persona mayor. A ver lo que le pasó al niño en este cuento de Ana María Matute.

Antes de leer

El título de este cuento te da una idea fuerte del argumento del cuento. ¿A quién se le murió un amigo? ¿Cuál sería la reacción de una persona de esta edad cuando se le muriera un amigo? ¿Lo comprendería o no? ¿Podría aceptar su muerte o no? ¿Le confundiría tal suceso?

El niño al que se le murió el amigo

Una mañana se levantó y fue a buscar al amigo, al otro lado de la valla. Pero el amigo no estaba, y, cuando volvió, le dijo la madre: «El amigo se murió. Niño, no pienses más en él y busca otros para jugar». El niño se sentó en el quicio de la puerta, con la cara entre las manos y los codos en las rodillas.

El niño está sentado en el quicio de una puerta de su casa. ▶

Resources

- Audio Activities TE, pages 1.33–1.34
- Audio CD 1B, Tracks 12–13
- Tests, page 1.63
- *ExamView® Assessment Suite*

Introducción

You may wish to call on a student to read the **Introducción** aloud as the others follow.

Leveling EACH Activity

Reading Level **Easy–Average**

Teaching Options

Before reading the selection you may wish to have students discuss the questions embedded in the **Antes de leer** section.

GLENCOE Technology

Online Learning in the Classroom

You may wish to have students use QuickPass code ASD7851c1 for additional practice. Students can download audio files to their computer and/or MP3 player. They can also access eFlashcards and a review worksheet.

TEACH

Core Instruction

Step 1 Give students a brief oral summary of the selection in Spanish.

Step 2 Ask students some comprehension questions about your summary.

Step 3 Call on individuals to read aloud four or five sentences each. Ask comprehension questions of other students.

Step 4 Upon completion of the reading, ask approximately ten questions, the answers to which provide a unified review of the story. Direct each question to a different student.

Step 5 Call on a student to give a summary of the story in his or her own words.

Tips for Success

The author describes emotions, feelings, and mental states in few words. Look through the story and describe the main character's following states of mind:

Confusion: **«Él volverá», pensó. Porque no podía ser que allí estuviesen...**

Understanding: «**Qué tontos y pequeños son esos jugetes...** »

Resignation: **Lo tiró al pozo, y volvió a la casa, con mucha hambre.**

Maturity: «**Cuánto ha crecido este niño...** »

Reading Check

¿Entendió el niño lo que le decía su madre?

Reading Check

¿Cómo pasó la noche entera el niño?

Reading Check

¿Cómo cambió de opinión sobre los juguetes el niño?

«Él volverá», pensó. Porque no podía ser que allí estuviesen las canicas, el camión y la pistola de hojalata, y el reloj aquel que ya no andaba, y el amigo no viniese a buscarlos. Vino la noche, con una estrella muy grande, y el niño no quería entrar a cenar. «Entra niño, que llega el frío», dijo la madre. Pero, en lugar de entrar, el niño se levantó del quicio y se fue en busca del amigo, con las canicas, el camión, la pistola de hojalata y el reloj que no andaba. Al llegar a la cerca, la voz del amigo no le llamó, ni le oyó en el árbol, ni en el pozo. Pasó buscándole toda la noche. Y fue una larga noche casi blanca, que le llenó de polvo el traje y los zapatos.

Cuando llegó el sol, el niño, que tenía sueño y sed, estiró los brazos y pensó: «Qué tontos y pequeños son esos juguetes. Y ese reloj que no anda, no sirve para nada». Lo tiró al pozo, y volvió a la casa, con mucha hambre. La madre le abrió la puerta, y dijo: «Cuánto ha crecido este niño, Dios mío, cuánto ha crecido». Y le compró un traje de hombre, porque el que llevaba le venía muy corto.

Un pozo en el patio de una casa en Córdoba ▶

Después de leer

A Recordando hechos Contesta.

1. Cuando se levantó el niño, ¿a quién fue a buscar?
2. ¿Adónde fue a buscarlo?
3. ¿Estaba el amigo?
4. ¿Qué le aconsejó su madre?
5. ¿Dónde se sentó el niño?

B Buscando información Completa.

1. El niño creía que volvería su ____.
2. Creía que vendría a buscar sus ____.
3. El niño se quedó afuera y no entró a ____.
4. La madre le dijo que entrara porque hacía ____.
5. En lugar de entrar, el niño se fue ____ del amigo.

C Interpretando Comenta.

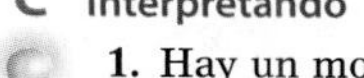

1. Hay un momento en que el fin de la inocencia parece ocurrir. ¿Cuál es?
2. Hay una frase casi poética, que no tiene sentido literal. ¿Qué querrá decir: «Y fue una larga noche casi blanca, que le llenó de polvo el traje y los zapatos»? ¿Cómo se relaciona con el tiempo?
3. Interpreta la frase de la madre al final del cuento.
4. ¿Crees que el traje que llevaba el niño realmente le quedaba corto? Explica.

D Identificando causa y efecto No es solamente la muerte de un(a) amigo(a) lo que puede doler. La separación duele mucho también. Lo más común es que nos mudamos de un pueblo y perdemos a los amigos o que un buen amigo tiene que mudarse con la familia. ¿Esto te ha pasado a ti? Describe como te sentiste.

E Reflexionando Para muchos de nosotros ha habido un evento que nos ha marcado el final de la niñez. Piensa en el momento en que dejaste de ser niño(a) y descríbelo en español.

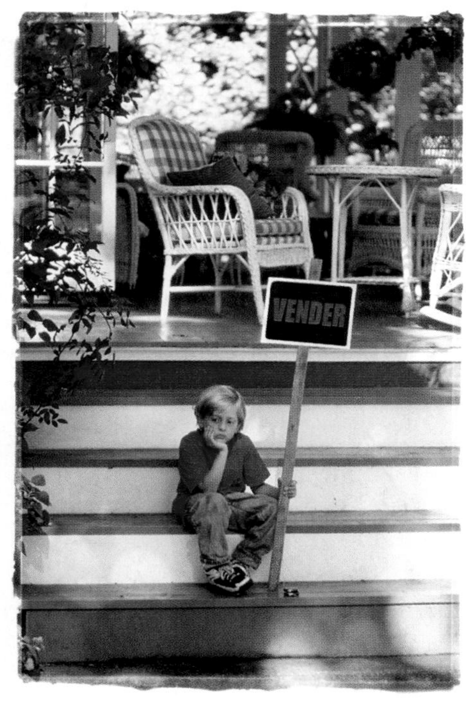

Comunicación

Interpersonal, Presentational

Have students work in pairs. Ask them to look at the expression on this young boy's face in the picture on page 49 and discuss what he might be thinking. Have each pair present their answer in front of the class.

PRACTICE

Después de leer

C This activity can serve as a group or class discussion.

D and E Have students select the activity they would like to do. These can be done individually or in small groups. You may wish to have one student or group report to the class concerning each topic.

Answers

A

1. Fue a buscar a su amigo.
2. Fue al otro lado de la valla.
3. No, el amigo no estaba.
4. Su madre le aconsejó que no pensara más en este amigo y que buscara otros para jugar.
5. El niño se sentó en el quicio de la puerta.

B

1. amigo
2. juguetes
3. cenar
4. frío
5. en busca

C *Answers will vary but may include:*

1. Es cuando el niño se da cuenta de que su amigo no volverá y regresa a la casa.
2. Querrá decir que el joven crece, que casi no recuerda las cosas de su niñez. Indica que el tiempo pasa rápidamente.
3. La madre ve que su hijo ha aceptado la muerte de su amigo y que crece.
4. *Answers will vary.*

D *Answers will vary.*

E *Answers will vary.*

The Video Program for Chapter 1 includes three documentary segments of some interesting aspects of life in Spain. You may wish to have students answer the **Antes de mirar** questions orally or in writing.

Episodio 1: La Puerta del Sol está en pleno centro del Viejo Madrid. Es el corazón de la ciudad. Aquí hay una placa que indica el centro preciso de España que también está en la Puerta del Sol. Muchos eventos históricos ocurrieron aquí. En 1808 los madrileños lucharon contra los soldados de Napoleón en la Guerra de la Independencia. Es un lugar muy vivo e impresionante.

Episodio 2: Este lugar se llama Madrid Xanadú. Es un lugar para esquiar, pero no está en una montaña, está en la ciudad. No solamente está en la ciudad, está en un edificio. Aquí se puede esquiar día y noche, en invierno o en verano. Hay pistas para principiantes y para expertos. Es uno de los sitios más populares de Madrid para la gente joven.

Episodio 3: El café es una institución en España. Es un centro social. Allí la gente no solamente toma café, allí se habla, se lee el periódico, se encuentra con los amigos. En este café de Madrid el camarero les sirve a los señores que, sin duda, son clientes habituales, clientes que van al mismo café todos los días a la misma hora.

Videopaseo

¡Un viaje virtual a España!

Antes de mirar el episodio, completen las actividades que siguen.

Episodio 1: Visita al Viejo Madrid

Antes de mirar Con unos compañeros de clase, contesten las siguientes preguntas para prepararse para lo que van a ver en el video.

1. Según el título del episodio, ¿de qué se tratará?
2. ¿Qué es Madrid? ¿En qué parte de España está Madrid?
3. Miren el mapa de España en la página SH18. ¿Por qué será importante la ubicación estratégica de España?
4. ¿Tiene la ciudad de ustedes un casco o barrio antiguo? ¿Hay edificios históricos en su ciudad?

Episodio 2: Invierno en verano

Antes de mirar Con unos compañeros de clase, contesten las siguientes preguntas para prepararse para lo que van a ver en el video.

1. Según el título del episodio, ¿de qué se tratará?
2. ¿Qué tiempo hace en Madrid en el verano? ¿En el invierno?
3. ¿Cuáles serán algunas actividades en que podrían participar si fueran a Madrid en el verano?
4. ¿Cuáles son algunos términos que conocen que tienen que ver con el esquí?

Episodio 3: La tradición del café

Antes de mirar Con unos compañeros de clase, contesten las siguientes preguntas para prepararse para lo que van a ver en el video.

1. Según el título del episodio, ¿de qué se tratará?
2. ¿Cuáles son unas cosas que asocian ustedes con los cafés?
3. ¿Hay cafés en su ciudad?
4. ¿Les gusta ir a los cafés?¿Por qué razones van los jóvenes a un café?

Resources

- Tests, pages 1.67–1.86

The words and phrases from Lessons 1, 3, and 4 have been taught for productive use in this chapter. They are sumarized here as a resource for both student and teacher.

Teaching Options

This vocabulary reference list has not been translated into English. If it is your preference to give students the English translations, please refer to Vocabulary Transparency V1.1.

CAPÍTULO 1 Repaso de vocabulario

Cultura

la alfombra
la almendra
la carabela
la colina
la corona
la guerra
la joya
la lucha
la neblina
la orilla
la reina
el rey
el siglo
extranjero(a)
veraniego(a)
huir
parecerse a

Periodismo

Sobreviviente recuerda bombardeo a Guernica

los aparatos
el apoyo
el caserío
el dolor
el fuego
el incendio
las llamas
doloroso(a)
previo(a)
doler (ue)
optar por
quemar
al cabo de
sobre las cuatro

Mueren cinco inmigrantes

la embarcación
el naufragio
la patrulla
el suceso
magrebí
chocar
huir
naufragar
rescatar
solicitar

Literatura

Poesía

la arboleda
la estrofa
la hoja
la metáfora
el pendón
la poesía lírica
la popa
la rama
la rima
el rumbo
el símbolo
el símil
la tempestad
el tronco
el verso
abarcar
brotar

Prosa

el argumento
las canicas
la cerca
el juguete
el polvo
el pozo
el/la protagonista
la valla

Chapter Overview

Países andinos

Scope and Sequence

Topics

- The geography of Ecuador, Peru, and Bolivia
- The history of Ecuador, Peru, and Bolivia
- The culture of Ecuador, Peru, and Bolivia

Culture

- Quipu, an Incan accounting system
- Geography of Peru and Ecuador
- Land-locked Bolivia
- The Andes Mountains
- The Incas
- Machu Picchu
- Francisco Pizarro, conqueror of the Inca Empire
- South American liberators Simón Bolívar and José de San Martín
- Otavalo market in Ecuador
- Food in Ecuador, Peru, and Bolivia
- Tungurahua Volcano, Ecuador
- *¡Quién sabe!* by José Santos Chocano
- *Los comentarios reales* by el Inca Garcilaso de la Vega

Functions

- How to describe habitual past actions
- How to talk about past actions
- How to describe actions in progress
- How to make comparisons

Structure

- The imperfect of regular and irregular verbs
- The imperfect and the preterite to describe the past and to indicate past actions
- The progressive tense
- The comparative and superlative
- Comparison of equality

Leveling

The activities within each chapter are marked in the Wraparound section of the Teacher Edition according to level of difficulty.

E indicates easy
A indicates average
CH indicates challenging

The readings in **Lección 3: Periodismo** and **Lección 4: Literatura** are also leveled to help you individualize instruction to best meet your students' needs. Please note that the material does not become progressively more difficult. Within each chapter there are easy and challenging sections.

Correlations to National Foreign Language Standards

Page numbers in light print refer to the Student Edition. Page numbers in bold print refer to the Teacher Edition.	
Communication Standard 1.1 Interpersonal	pp. **56, 57, 58, 63, 65,** 67, 69, 75, 79, 81, **82,** 89, 95, **96,** 101, 102
Communication Standard 1.2 Interpretive	pp. **54,** 55, **55,** 57, 59, **60,** 61, **61,** 62, 63, 65, 66, 67, **68,** 69, **69, 70,** 71, 73, **73,** 75, 78, 82, **82, 83,** 84, **84, 85,** 86, 87, **87,** 88, 89, **90,** 91, **92,** 94, 95, 97, **97,** 98, 99, 100, **100,** 102
Communication Standard 1.3 Presentational	pp. **54, 61, 65,** 67, 71, **73,** 89
Cultures Standard 2.1	pp. **59, 67,** 71, **74,** 95, **102**
Cultures Standard 2.2	pp. 54, **54, 55, 57,** 58, **58, 60,** 62, **62,** 64, **64,** 65, 67, **70,** 72, **74, 78, 93,** 96, **99,** 101, **102**
Connections Standard 3.1	pp. **53,** 56, **56,** 57, **58,** 58–59, **59,** 60–61, 62, 63, **63, 64,** 67, 76, 89, 95, **102**
Connections Standard 3.2	pp. 70, **70,** 72, **72,** 83, 86, 93, 98–99, 101, 102, **102**
Comparisons Standard 4.1	pp. 70, **74,** 76, 78, **92, 96, 98**
Comparisons Standard 4.2	pp. 83
Communities Standard 5.1	pp. **67,** 69, **81,** 82, 87, **89,** 97, 100
Communities Standard 5.2	pp. **65,** 70, **70,** 72, **72,** 87, 101, 102, **102**
To read the ACTFL Standards in their entirety, see the front of the Teacher Edition.	

Student Resources

Print

Workbook *(pp. 2.3–2.16)*
Audio Activities *(pp. 2.17–2.22)*

Technology

StudentWorks™ Plus
¡Así se dice! Gramática en vivo
¡Así se dice! Cultura en vivo
Vocabulary PuzzleMaker
QuickPass glencoe.com

Teacher Resources

Print

TeacherTools, Chapter 2
Workbook TE *(pp. 2.3–2.16)*
Audio Activities TE *(pp. 2.19–2.40)*
Quizzes 1–12 *(pp. 2.43–2.57)*
Tests *(pp. 2.60–2.94)*

Technology

Vocabulary Transparencies V2.1–V2.5
Audio CDs 2A and 2B
ExamView® Assessment Suite
TeacherWorks™ Plus
¡Así se dice! Video Program
Vocabulary PuzzleMaker
QuickPass glencoe.com

50-Minute Lesson Plans

	Objective	Present	Practice	Assess/Homework
Day 1	Learn about the geography, history, and culture of Ecuador, Peru, and Bolivia	Chapter Opener, pp. 52–53 Core Instruction/Vocabulario, p. 54 Core Instruction/La geografía, p. 56	Activities 1–4, p. 55 Activity A, p. 57 Audio Activities A–E, pp. 2.19–2.21	Student Workbook Activities A–D, pp. 2.3–2.4 QuickPass Culture Practice
Day 2	Learn about the geography, history, and culture of Ecuador, Peru, and Bolivia	Core Instruction/Una ojeada histórica, pp. 58–62	Activity B, p. 59 Activities C–E, pp. 61–62 Audio Activities F–H, pp. 2.22–2.23	Quizzes 1–2, pp. 2.43–2.44 Student Workbook Activities E–G, pp. 2.4–2.5 QuickPass Culture Practice
Day 3	Learn about the geography, history, and culture of Ecuador, Peru, and Bolivia	Core Instruction/Una ojeada histórica, pp. 63–64 Core Instruction/Comida, p. 65	Activity F, p. 63 Activity G, p. 65 Audio Activity I, p. 2.24	Quizzes 3–4, pp. 2.45–2.46 Student Workbook Activities H–J, pp. 2.6–2.7 QuickPass Culture Practice
Day 4	Review Lección 1: Cultura	Videopaseo, p. 102 Episodio 1: Los fardos funerales	Prepárate para el examen, Self-check for achievement, p. 66 Prepárate para el examen, Practice for proficiency, p. 67	Quizzes 5–6, pp. 2.47–2.48 Review for lesson test
Day 5	Reading and Writing Test for Lección 1: Cultura, pp. 2.63–2.65			
Day 6	The imperfect of regular and irregular verbs	Core Instruction/El imperfecto, pp. 68–69 Video, Gramática en vivo	Activities 1–3, pp. 69–70 Audio Activities A–D, pp. 2.25–2.27	Student Workbook Activities A–C, pp. 2.8–2.9 QuickPass Grammar Practice
Day 7	The imperfect and the preterite to describe the past	Core Instruction/Imperfecto y pretérito, p. 70	Activities 4–6, p. 71 Audio Activities E–G, pp. 2.27–2.28	Quiz 7, p. 2.49 Student Workbook Activities A–C, pp. 2.9–2.10 QuickPass Grammar Practice
Day 8	The imperfect and the preterite to indicate past actions	Core Instruction/Dos acciones en la misma frase, p. 72 Video, Gramática en vivo	Activities 7–10, p. 73 Audio Activities H–J, pp. 2.28–2.30	Quiz 8, p. 2.50 Student Workbook Activity A, p. 2.11 QuickPass Grammar Practice
Day 9	The progressive tenses The comparative and superlative	Core Instruction/Tiempos progresivos, p. 74 Core Instruction/Comparativo y superlativo, p. 76	Activities 11–14, p. 75 Activities 15–16, p. 77 Audio Activities K–N, pp. 2.30–2.32	Quiz 9, p. 2.51 Student Workbook Activities A–B, pp. 2.11–2.12 Student Workbook Activity A, p. 2.12 QuickPass Grammar Practice
Day 10	The comparative of equality	Core Instruction/Comparativo de igualdad, p. 78	Activities 17–20, pp. 78–79 Audio Activities O–R, pp. 2.32–2.33	Quizzes 10–11, pp. 2.52–2.53 Student Workbook Activity A, p. 2.13 QuickPass Grammar Practice
Day 11	Review Lección 2: Gramática	Videopaseo, p. 102 Episodio 2: Un viaje por tren	Prepárate para el examen, Self-check for achievement, p. 80 Prepárate para el examen, Practice for proficiency, p. 81	Quiz 12, p. 2.54 Review for lesson test
Day 12	Reading and Writing Test for Lección 2: Gramática, pp. 2.66–2.68			
Day 13	Read and discuss a newspaper article about the Tungurahua volcano	Core Instruction/Vocabulario, p. 82 Core Instruction/*Nuevas explosiones en volcán Tungurahua,* p. 83	Activities 1–2, p. 82 Activities A–B, p. 84 Audio Activities A–C, pp. 2.33–2.34	Student Workbook Activities A–C, pp. 2.14–2.15 QuickPass Journalism Practice

	Objective	Present	Practice	Assess/Homework
Day 14	Read and discuss a newspaper article about mentors and mentoring	Core Instruction/Vocabulario, p. 85 Core Instruction/*Mentores y mentados,* p. 86	Activity 1, p. 85 Activities A–E, p. 87 Audio Activities D–E, pp. 2.34–2.35	Student Workbook Activities A–D, pp. 2.15–2.16 QuickPass Journalism Practice
Day 15	Review Lección 3: Periodismo	Videopaseo, p. 102 Episodio 3: Alfarería andina	Prepárate para el examen, Self-check for achievement, p. 88 Prepárate para el examen, Practice for proficiency, p. 89	Review for lesson test
Day 16	Reading and Writing Test for Lección 3: Periodismo, pp. 2.69–2.70			
Day 17	Read a poem by José Santos Chocano	Core Instruction/Vocabulario, p. 90 Core Instruction/*¡Quién sabe!,* pp. 92–93	Activities 1–3, p. 91 Activities A–E, pp. 94–95 Audio Activities A–E, pp. 2.35–2.38	QuickPass Literature Practice
Day 18	Read a short story by the Inca Garcilaso de la Vega	Core Instruction/Vocabulario, p. 96 Core Instruction/*Los comentarios reales,* pp. 98–99	Activities 1–2, p. 97 Activities A–E, pp. 100–101 Audio Activities F–I, pp. 2.38–2.40	Review for lesson test QuickPass Literature Practice
Day 19	Reading and Writing Test for Lección 4: Literatura, pp. 2.71–2.73			
Day 20	Chapter 2 Tests Chapter Reading and Writing Test, pp. 2.79–2.86 Listening Comprehension Test, pp. 2.87–2.90		Test for Oral Proficiency, p. 2.91 Test for Writing Proficiency, pp. 2.93–2.94	

Note: You may want to use the rubrics below to help students prepare their speaking activities and their writing task.

Scoring Rubric for Speaking

	4	3	2	1
vocabulary	extensive use of vocabulary, including idiomatic expressions	adequate use of vocabulary and idiomatic expressions	limited vocabulary marked with some anglicisms	limited vocabulary marked by frequent anglicisms that force interpretation by the listener
grammar	few or no grammatical errors	minor grammatical errors	some serious grammatical errors	serious grammatical errors
pronunciation	good intonation and largely accurate pronunciation with slight accent	acceptable intonation and pronunciation with distinctive accent	errors in intonation and pronunciation with heavy accent	errors in intonation and pronunciation that interfere with listener's comprehension
content	thorough response with interesting and pertinent detail	thorough response with sufficient detail	some detail, but not sufficient	general, insufficient response

Scoring Rubric for Writing

	4	3	2	1
vocabulary	precise, varied	functional, fails to communicate complete meaning	limited to basic words, often inaccurate	inadequate
grammar	excellent, very few or no errors	some errors, but do not hinder communication	numerous errors interfere with communication	many errors, little sentence structure
content	thorough response to the topic	generally thorough response to the topic	partial response to the topic	insufficient response to the topic
organization	well organized, ideas presented clearly and logically	loosely organized, but main ideas present	some attempts at organization, but with confused sequencing	lack of organization

90-Minute Lesson Plans

	Objective	Present	Practice	Assess/Homework
Block 1	Learn about the geography, history, and culture of Ecuador, Peru, and Bolivia	Chapter Opener, pp. 52–53 Core Instruction/Vocabulario, p. 54 Core Instruction/La geografía, p. 56 Core Instruction/Una ojeada histórica, pp. 58–62	Activities 1–4, p. 55 Activity A, p. 57 Activity B, p. 59 Activities C–E, pp. 61–62 Audio Activities A–E, pp. 2.19–2.21	Student Workbook Activities A–E, pp. 2.3–2.5 QuickPass Culture Practice
Block 2	Learn about the geography, history, and culture of Ecuador, Peru, and Bolivia	Core Instruction/Una ojeada histórica, pp. 63–64 Core Instruction/Comida, p. 65	Activity F, p. 63 Activity G, p. 65 Audio Activities F–I, pp. 2.22–2.24	Quizzes 1–2, pp. 2.43–2.44 Student Workbook Activities F–J, pp. 2.5–2.7 QuickPass Culture Practice
Block 3	Review Lección 1: Cultura	Videopaseo, p. 102 Episodio 1: Los fardos funerales	Prepárate para el examen, Self-check for achievement, p. 66 Prepárate para el examen, Practice for proficiency, p. 67	Quizzes 3–6, pp. 2.45–2.48 Review for lesson test
Block 4	The imperfect of regular and irregular verbs The imperfect and the preterite to describe the past	Core Instruction/El imperfecto, pp. 68–69 Video, Gramática en vivo Core Instruction/Imperfecto y pretérito, p.70	Activities 1–3, pp. 69–70 Activities 4–6, p. 71 Audio Activities A–H, pp. 2.25–2.29	Reading and Writing Test for Lección 1: Cultura, pp. 2.63–2.65 Student Workbook Activities A–C, pp. 2.8–2.9 Student Workbook Activities A–C, pp. 2.9–2.10 QuickPass Grammar Practice
Block 5	The imperfect and the preterite to indicate past actions The progressive tenses	Core Instruction/Dos acciones en la misma frase, p. 72 Video, Gramática en vivo Core Instruction/Tiempos progresivos, p. 74	Activities 7–10, p. 73 Activities 11–14, p. 75 Audio Activities I–N, pp. 2.29–2.32	Quizzes 7–8, pp. 2.49–2.50 Student Workbook Activity A, p. 2.11 Student Workbook Activities A–B, pp. 2.11–2.12 QuickPass Grammar Practice
Block 6	The comparative and superlative The comparative of equality	Core Instruction/Comparativo y superlativo, p. 76 Core Instruction/Comparativo de igualdad, p. 78	Activities 15–16, p. 77 Activities 17–20, pp. 78–79 Audio Activities O–R, pp. 2.32–2.33	Quizzes 9–10, pp. 2.51–2.52 Student Workbook Activity A, p. 2.12 Student Workbook Activity A, p. 2.13 QuickPass Grammar Practice
Block 7	Review Lección 2: Gramática	Videopaseo, p. 102 Episodio 2: Un viaje por tren	Prepárate para el examen, Self-check for achievement, p. 80 Prepárate para el examen, Practice for proficiency, p. 81	Quizzes 11–12, pp. 2.53–2.54 Review for lesson test QuickPass Grammar Practice
Block 8	Read and discuss a newspaper article about the Tungurahua volcano	Core Instruction/Vocabulario, p. 82 Core Instruction/*Nuevas explosiones en volcán Tungurahua*, p. 83	Activities 1–2, p. 82 Activities A–B, p. 84 Audio Activities A–C, pp. 2.33–2.34	Reading and Writing Test for Lección 2: Gramática, pp. 2.66–2.68 Student Workbook Activities A–C, pp. 2.14–2.15 QuickPass Journalism Practice
Block 9	Read and discuss a newspaper article about mentors and mentoring	Core Instruction/Vocabulario, p. 85 Core Instruction/*Mentores y mentados*, p. 86	Activity 1, p. 85 Activities A–E, p. 87 Audio Activities D–E, pp. 2.34–2.35 Prepárate para el examen, Self-check for achievement, p. 88 Prepárate para el examen, Practice for proficiency, p. 89	Student Workbook Activities A–D, pp. 2.15–2.16 Review for lesson test QuickPass Journalism Practice

	Objective	Present	Practice	Assess/Homework
Block 10	Read a poem by José Santos Chocano	Core Instruction/Vocabulario, p. 90 Core Instruction/*¡Quién sabe!,* pp. 92–93	Activities 1–3, p. 91 Activities A–E, pp. 94–95 Audio Activities A–E, pp. 2.35–2.38	Reading and Writing Test for Lección 3: Periodismo, pp. 2.69–2.70 QuickPass Literature Practice
Block 11	Read a short story by the Inca Garcilaso de la Vega	Core Instruction/Vocabulario, p. 96 Core Instruction/*Los comentarios reales,* pp. 98–99 Videopaseo, p. 102 Episodio 3: Alfarería andina	Activities 1–2, p. 97 Activities A–E, pp. 100–101 Audio Activities F–I, pp. 2.38–2.40	Review for lesson and chapter tests QuickPass Literature Practice
Block 12	Reading and Writing Test for Lección 4: Literatura, pp. 2.71–2.73 Chapter 2 Tests Chapter Reading and Writing Test, pp. 2.79–2.86 Listening Comprehension Test, pp. 2.87–2.90 Test for Oral Proficiency, p. 2.91 Test for Writing Proficiency, pp. 2.93–2.94			

Note: You may want to use the rubrics below to help students prepare their speaking activities and their writing task.

Scoring Rubric for Speaking

	4	3	2	1
vocabulary	extensive use of vocabulary, including idiomatic expressions	adequate use of vocabulary and idiomatic expressions	limited vocabulary marked with some anglicisms	limited vocabulary marked by frequent anglicisms that force interpretation by the listener
grammar	few or no grammatical errors	minor grammatical errors	some serious grammatical errors	serious grammatical errors
pronunciation	good intonation and largely accurate pronunciation with slight accent	acceptable intonation and pronunciation with distinctive accent	errors in intonation and pronunciation with heavy accent	errors in intonation and pronunciation that interfere with listener's comprehension
content	thorough response with interesting and pertinent detail	thorough response with sufficient detail	some detail, but not sufficient	general, insufficient response

Scoring Rubric for Writing

	4	3	2	1
vocabulary	precise, varied	functional, fails to communicate complete meaning	limited to basic words, often inaccurate	inadequate
grammar	excellent, very few or no errors	some errors, but do not hinder communication	numerous errors interfere with communication	many errors, little sentence structure
content	thorough response to the topic	generally thorough response to the topic	partial response to the topic	insufficient response to the topic
organization	well organized, ideas presented clearly and logically	loosely organized, but main ideas present	some attempts at organization, but with confused sequencing	lack of organization

Preview

In this chapter, students will learn about the geography, history, culture, and literature of Ecuador, Peru, and Bolivia. They will also read about a typical volcanic eruption and the important trend of mentors and those mentored. They will read works by José Santos Chocano and the Inca Garcilaso de la Vega. Students will also continue with their review of Spanish grammar.

Pacing

Cultura	4–5 days
Gramática	4–5 days
Periodismo	4–5 days
Literatura	4–5 days
Videopaseo	2 days

TeacherWorks Plus

The **¡Así se dice!** TeacherWorks™ Plus CD-ROM is an all-in-one planner and resource center. You may wish to use several of the following features as you plan and present the Chapter 2 material: Interactive Teacher Edition, Interactive Lesson Planner with Calendar, and Point and Click Access to Teaching Resources including Hotlinks to the Internet and Correlations to the National Standards.

◀ Vista de Quito y Rucu Pichincha en el fondo

Objetivos

You will:

- learn about the geography, history, and culture of the Andean region of South America—Ecuador, Peru, and Bolivia
- read and discuss newspaper articles about the Tungurahua volcano and about mentors and mentoring
- read a poem by José Santos Chocano and a short story by the Inca Garcilaso de la Vega

You will review:

- the imperfect of regular and irregular verbs
- the imperfect and the preterite to describe the past and to indicate past actions
- the progressive tenses
- the comparative and superlative
- the comparative of equality

Contenido

Lección 1: Cultura

Geografía e historia de la región andina

Lección 2: Gramática

El imperfecto

Imperfecto y pretérito

Tiempos progresivos

Comparativo y superlativo

Comparativo de igualdad

Lección 3: Periodismo

Nuevas explosiones en volcán Tungurahua

Mentores y mentados

Lección 4: Literatura

Poesía

¡Quién sabe! de José Santos Chocano

Prosa

Los comentarios reales del Inca Garcilaso de la Vega

QuickPass

Go to glencoe.com
For: **Online book**
Web code: **ASD7851c2**

CAPÍTULO 2

Cultural Snapshot

(pages 52–53) Quito, la capital de Ecuador, es una ciudad atractiva en un valle rodeado de montañas y volcanes a una elevación de 2.850 metros sobre el nivel del mar.

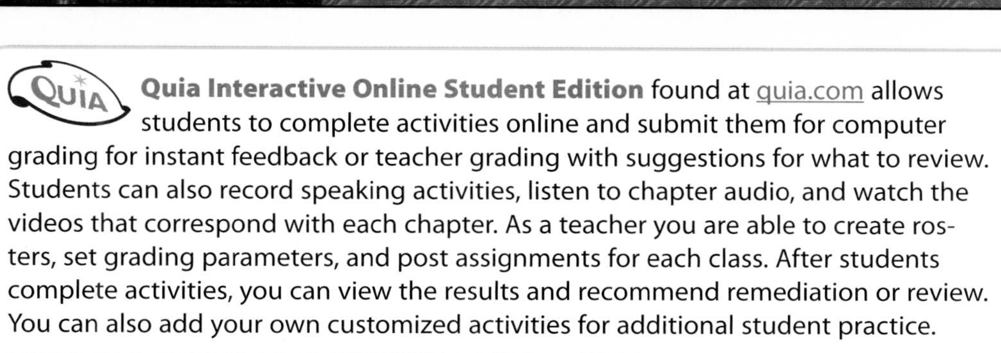

Quia Interactive Online Student Edition found at quia.com allows students to complete activities online and submit them for computer grading for instant feedback or teacher grading with suggestions for what to review. Students can also record speaking activities, listen to chapter audio, and watch the videos that correspond with each chapter. As a teacher you are able to create rosters, set grading parameters, and post assignments for each class. After students complete activities, you can view the results and recommend remediation or review. You can also add your own customized activities for additional student practice.

Resources

- Vocabulary Transparency V2.2
- Audio Activities TE, pages 2.19–2.20
- Audio CD 2A, Tracks 1–4
- Workbook, page 2.3
- Quiz 1, page 2.43
- *ExamView® Assessment Suite*

TEACH

Core Instruction

Step 1 You may wish to have all students repeat the new words after Audio CD 2A.

Step 2 Have students do the practice activities on page 55.

Teaching Options

Call on different students to read the definitions aloud or have them study and learn them on their own.

Tips for Success

Students retain new material by hearing and using it. You may wish to ask questions to assist students in acquiring these words as an active part of their vocabulary. **¿Son el oro y la plata dos metales preciosos? Donde vives, ¿son la mayoría de las casas de madera u otro material? ¿Dónde nació el criollo? ¿De dónde eran los padres del criollo? ¿Vives en una zona de mucha precipitación?**

Differentiation

Multiple Intelligences

Call on **bodily-kinesthetic** learners to dramatize the following. **Haz un nudo en la cuerda. Soy muy acomodado. Mis fondos son muy escasos. ¡Qué agrio! ¡Qué bello! ¡Qué día más caluroso! Estoy tejiendo algo.**

QuickPass
Go to glencoe.com
For: **Culture practice**
Web code: **ASD7851c2**

Vocabulario 

Estudia las siguientes palabras para ayudarte a entender la lectura.

el oro metal precioso de color amarillo brillante
la plata metal precioso de color blanco/gris brillante
la madera parte sólida de los árboles que sirve para muchas obras de carpintería
un(a) criollo(a) persona de origen español nacida en las Américas
la precipitación la lluvia
acomodado(a) bastante rico, adinerado; no pobre
agrio(a) lo contrario de dulce; amargo
bello(a) bonito, hermoso, lindo
caluroso(a) donde hace mucho calor
escaso(a) poco; insuficiente
lluvioso(a) donde llueve mucho, donde hay mucha lluvia
nevado(a) cubierto de nieve
apoyar ayudar, favorecer; sostener
subyugar someter a alguien de manera violenta
soler (ue) acostumbrar; ocurrir con frecuencia

Un quipu es una cuerda con nudos que usaban los incas para contar.

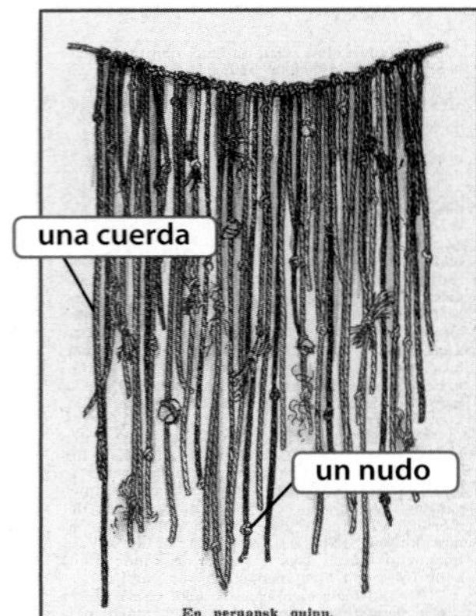

Estudio de palabras

tejer hacer (formar) mantas, prendas de vestir, etc., de telas
el/la tejedor(a) el/la que teje algo
un tejido cosa hecha o formada por el tejedor

La tejedora teje una manta delante de su casa en Llapallapani, Bolivia.

Cultural Snapshot

(page 54) Llapallapani es un pueblo pequeño a orillas del lago Poopó en el altiplano boliviano. Los habitantes de Llapallapani son los muratos, un grupo indígena en peligro de extinción debido a la contaminación del lago y la desertificación de la tierra.

GLENCOE Technology

Online Learning in the Classroom

You may wish to have students use QuickPass code ASD7851c2 for additional vocabulary and comprehension practice. Students will be able to download audio files to their computer and/or MP3 player and access eFlashcards, eGames, a self-check quiz, and a review worksheet.

Práctica

HABLAR • ESCRIBIR

1 Contesta.

1. ¿Usaban los incas el quipu para contar?
2. ¿Tenía el quipu nudos?
3. En la época colonial, ¿solían ser de solo uno o dos pisos las casas?
4. ¿Solían tener balcones de madera?
5. ¿Tejían las señoras indígenas tejidos bonitos?

▲ Tejidos bonitos en venta en una tienda en Baños, Ecuador

ESCUCHAR • HABLAR

2 Indica si la información es correcta o no.

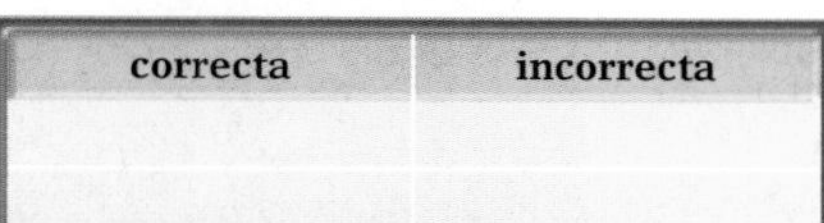

correcta	incorrecta

LEER • ESCRIBIR

3 Expresa de otra manera.

1. Estos tejidos son muy *bellos.*
2. La materia prima es *insuficiente.*
3. Donde viven ellos no hay mucha *lluvia.*
4. Él *sometió* a su hermano.
5. Ellos *favorecieron y ayudaron* a su hermano en la batalla.
6. Él era bastante *rico.*

LEER • ESCRIBIR

4 Da una palabra relacionada.

1. el calor
2. la escasez
3. la subyugación
4. el tejido
5. la lluvia
6. la belleza
7. la nieve
8. el apoyo

Típica casa colonial con balcones de caoba en Lima ▶

Cultura

PRACTICE

Leveling EACH Activity

Easy Activities 1, 2
Average Activity 4
CHallenging Activity 3

Activity 1 This activity can be gone over orally in class with books closed, calling on individuals to respond.

Activity 2

Audio Script

1. El oro y la plata son metales preciosos.
2. La madera, como la esmeralda o el diamante, es una joya.
3. Se puede hacer nudos con una cuerda.
4. Nieva mucho en una región lluviosa.
5. Casi siempre hace calor en una zona calurosa.
6. El limón es una fruta bastante agria.
7. Un indígena inca es un criollo.

Activities 3 and 4 These activities can be prepared and then gone over in class.

Differentiation

Advanced Learners

Call on advanced learners to correct any false information in Activity 2 and to use the words from Activity 4 in original sentences.

Cultural Snapshot

(page 55 bottom) El casco antiguo de Lima es renombrado por el estilo colonial de arquitectura que se ve en esta fotografía.

Answers

1
1. Sí, los incas usaban el quipu para contar.
2. Sí, el quipu tenía nudos.
3. Sí, en la época colonial, las casas solían ser de solo uno o dos pisos.
4. Sí, solían tener balcones de madera.
5. Sí, las señoras indígenas tejían tejidos bonitos.

2
1. correcta
2. incorrecta
3. correcta
4. incorrecta
5. correcta
6. correcta
7. incorrecta

3
1. bonitos (hermosos, lindos)
2. escasa
3. precipitación
4. subyugó
5. apoyaron
6. acomodado

4
1. caluroso
2. escaso
3. subyugar
4. tejer (el/la tejedor[a])
5. lluvioso
6. bello
7. nevado
8. apoyar

Resources

- Workbook, page 2.4
- Quiz 2, page 2.44
- *ExamView® Assessment Suite*

TEACH

Core Instruction

Step 1 Have students locate Ecuador, Peru, and Bolivia on the map on page SH19.

Step 2 Tell students to look at the photographs that accompany this **Lectura** as they read it.

Step 3 Before students read this section, you may wish to have them look at Activity A to make them aware of the information they have to look for as they read the **Lectura.**

Comunicación

Interpersonal

Have a student say as much as he or she can about the photographs on page 56.

GLENCOE SPANISH

Why It Works!

Students will now learn a great deal of cultural information about the Andean area. As always, in **¡Así se dice!** students can also draw on previously learned material. In **¡Así se dice!** Levels 1–3, students learned the following about the Andean region: **la importancia del transporte áereo; las líneas de Nazca; los alrededores de La Paz y el lago Titicaca; el viaje ferroviario entre Cuzco y Machu Picchu; la importancia de la papa; los mercados indígenas de Ecuador.**

La geografía

Pensar en Ecuador o Perú es pensar en bellos paisajes andinos. Pero la verdad es que Ecuador y Perú se dividen en tres zonas geográficas muy diferentes: en el oeste la costa, llamada el litoral en Perú; en el centro la sierra o la cordillera; y en el este la zona amazónica, llamada el Oriente en Ecuador y la selva en Perú. Estas inmensas selvas tropicales de la cuenca[1] amazónica cubren la mayor parte del territorio de los dos países. Pero debido al calor, a la vegetación densa y a la inaccesibilidad, es aquí donde vive el menor número de habitantes. Más del 50 por ciento de la población de cada país vive en la sierra.

A pesar de la proximidad de la línea ecuatorial, el clima de la costa de Ecuador y Perú no es ni muy caluroso ni muy lluvioso. ¿Por qué? Pues, una corriente fría llamada la corriente del Pacífico o la corriente Humboldt baña la costa y baja la temperatura y la precipitación. Muchas partes del litoral peruano son tan áridas que son zonas desérticas.

Bolivia no tiene costa. Perdió su acceso al mar en la guerra con Chile llamada también la Guerra del Pacífico (1878–1884). En Bolivia los Andes se dividen en dos cordilleras—la oriental y la occidental—separadas por un altiplano de vientos fuertes y una vegetación muy escasa. En el este, Bolivia, como sus vecinos, tiene una inmensa área de selvas tropicales.

▲ Vista del Parque Nacional de Paracas en el sur de Perú

[1] cuenca *basin*

▲ Cascada Azul y Laguna Azul en la selva tropical en el este de Ecuador

Cultural Snapshot

(page 56 top) La península Paracas es una península desolada en el sur de Perú. Tiene playas muy bonitas y en las cercanas islas Ballestas viven muchas aves marinas, focas, lobos marinos y pingüinos peruanos.

A Buscando información Identifica.

1. tres países andinos
2. el número de zonas geográficas que tienen Ecuador y Perú
3. el nombre que se le da a la costa de Perú
4. el nombre que se le da a la selva de Ecuador
5. donde vive la mayoría de las poblaciones ecuatoriana y peruana
6. la corriente que baja la temperatura y la precipitación a lo largo de la costa del Pacífico en Perú y Ecuador
7. cuando Bolivia perdió su acceso a la costa
8. lo que cubre la parte oriental de Bolivia

▲ Laguna Canapa cerca de Potosí, Bolivia

Conexiones

Las ciencias

El Ecuador, o la línea equinoccial que pasa por Ecuador, el país que lleva su nombre, es un círculo imaginario de la esfera terrestre. Su plano es perpendicular a la línea de los polos norte y sur. En las regiones a lo largo del Ecuador hay durante todo el año doce horas de día y doce de noche. Además el amanecer y la puesta del sol son las más rápidas de cualquier otra parte del mundo. Dos veces al año, el equinoccio del veinte o veintiuno de marzo y del veintidós o veintitrés de septiembre, el sol pasa directamente sobre el Ecuador y durante los equinoccios los rayos del sol están perpendiculares a la superficie de la Tierra. Las temperaturas cerca del Ecuador son altas durante todo el año pero pueden variar debido a una serie de factores como la altitud y la proximidad a un océano.

Cultura

PRACTICE

A You may wish to allow students to look up the answers to this activity and read them in class. If, however, you prefer this to be a factual recall activity, go over the activity with books closed and have students give the answers without looking them up.

Comunicación

Interpersonal

You may wish to have students talk about the photograph at the bottom of page 57. Encourage them to use the camping vocabulary they learned in **¡Así se dice!** Levels 1 and 2.

Cultural Snapshot

(page 57) La ciudad de Potosí en Bolivia fue fundada por los españoles en 1545. Fue una región rica en plata y el paisaje en los alrededores de Potosí es espectacular.

ASSESS

Students are now ready to take Quiz 2 on page 2.44 of the TeacherTools booklet. If you prefer to create your own quiz, use the *ExamView® Assessment Suite.*

Answers

A

1. Ecuador, Perú, Bolivia
2. tres
3. el litoral
4. el Oriente
5. en la sierra
6. la corriente del Pacífico (la corriente Humboldt)
7. en la guerra con Chile (la guerra del Pacífico)
8. selvas tropicales

Resources

- Audio Activities TE, pages 2.21–2.24
- Audio CD 2A, Tracks 5–9
- Workbook, pages 2.4–2.7
- Quiz 3, page 2.45
- *ExamView® Assessment Suite*

TEACH

Core Instruction

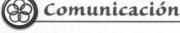

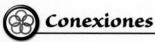

Step 1 You may wish to call on individuals to read sections of the reading selections aloud or you may wish to read the selection (or parts of it) to the class as the students follow along in their books. Students can also read the selection silently and then proceed to the activities.

Step 2 Intersperse the questions from Activity B as you go over this section of the **Lectura.**

Step 3 After going over two or three paragraphs, call on a student to give a summary of the information.

Comunicación

Interpersonal

Call on students to share what they remember about Machu Picchu from their previous study of Spanish.

Conexiones

La geografía

You may wish to share the following information about the Andean region with students. Encourage them to share any other information about the region that they learned in other classes.

Una ojeada histórica

La época precolombina

▲ Un dios agricultor de los incas llevando un traje decorado con maíz y calabazas

Desde los tiempos más remotos han poblado estas regiones andinas muchos grupos indígenas. Durante unos siglos los incas los iban subyugando, llegando a formar en el siglo XV un Imperio que iba desde el sur de Colombia hasta el norte de Chile y desde los nevados picos andinos hasta las orillas del Pacífico. El Imperio cubría un área de 900.000 kilómetros cuadrados.

El jefe supremo de los incas fue el Inca, un hombre-dios que llevaba el título «Hijo del Sol». La base de la sociedad la constituía la familia o el ayllu, una comunidad formada por un conjunto de familias.

Los incas creían en un dios creador, Viracocha. Viracocha creó el mundo y los seres que lo habitaban. Luego desapareció en el mar. Otros dioses tenían más importancia que Viracocha en los ritos y en los asuntos diarios. Entre los más importantes fueron Inti, el Sol, y Pachamama, la Tierra. Los incas creían en un cielo y un infierno, un lugar asociado al frío y al hambre. El destino que esperaba a los muertos dependía de sus actos en vida y de su condición social.

Los incas hablaban quechua, un idioma que sus descendientes siguen hablando hoy. No conocían la escritura pero para contar tenían un sistema ingenioso. Usaban los quipus—series de cuerdas con nudos de varios tipos. Según el color de los cordeles[2] y la posición de los nudos, los quipus servían de registro numérico siguiendo un sistema decimal.

Los incas eran excelentes arquitectos. Construían casas, templos, fortalezas y ciudades. De estas la más famosa y la más intacta es Machu Picchu.

También era excelente el sistema de caminos que tenían. El trazado de las carreteras era sencillo. Una vía corría a lo largo de los Andes y la otra a lo largo de la zona costera. Había numerosos tambos o posadas[3] a distancias variables. En los tambos se encontraban chasquis u hombres correos que corrían a gran velocidad de un tambo a otro llevando mensajes.

[2] cordeles *cord, twine* [3] posadas *inns*

Machu Picchu ▶

- **Machu Picchu está a 112 kilómetros de Cuzco. La única manera de llegar allí (a menos que uno vaya a pie) es por el ferrocarril. El tren sale de Cuzco por la mañana y regresa por la tarde. La salida del sol en Machu Picchu es una experiencia única. La estación lluviosa en esta región es de diciembre a marzo.**
- **La enfermedad que afecta a las personas en las alturas extremas de los Andes se llama «el soroche». Algunos síntomas del soroche son dolores de cabeza, falta de aliento (dificultad en respirar) y fatiga. En el aeropuerto de El Alto en La Paz, Bolivia, hay enfermeros con tanques de oxígeno para los pasajeros afectados por la altura.**

La base del sustento de los incas era la agricultura. En las regiones más altas el único cultivo practicable era la papa. Exponiendo la papa sucesivamente a las heladas nocturnas del altiplano y al radiante sol del día, deshidrataban la papa convirtiéndola en chuño. Se podía transportar el chuño fácilmente y se conservaba por mucho tiempo. Cultivaban también el choclo (el maíz) y la quinua[4] que se empleaba como cereal. El ganado domesticado, llamas y alpacas, les daba lana, pieles[5] y carne. Cortaban la carne de estos animales en tiras[6] finas que secaban al sol para hacer charqui que se podía conservar por mucho tiempo.

[4] quinua *type of seed*
[5] pieles *skins*
[6] tiras *strips*

▲ Un señor vendiendo llamas en el mercado de Saquisilí, Ecuador

B **Recordando hechos** Contesta.

1. ¿Qué grupo indígena iba formando un imperio grande desde el sur de Colombia hasta el norte de Chile?
2. ¿Qué constituía la base de la sociedad inca?
3. ¿Quién era el dios creador de los incas?
4. ¿Quiénes eran dos dioses que tenían mucha importancia en su vida diaria?
5. ¿De qué dependía el destino final de los incas?
6. ¿Qué lengua hablaban?
7. ¿Conocían la escritura?
8. ¿Qué usaban para contar?
9. ¿Qué construían los incas?
10. ¿Quiénes eran los chasquis y qué hacían?
11. ¿Qué comían los incas?
12. ¿Para qué usaban las llamas y las alpacas?

Los chasquis corrían por caminos como este en Yunques, Bolivia. ▼

Answers

B

1. Los incas iban formando un imperio grande desde el sur de Colombia hasta el norte de Chile.
2. La agricultura constituía la base de la sociedad inca.
3. El dios creador de los incas era Viracocha.
4. Dos dioses que tenían mucha importancia en su vida diaria eran Inti y Pachamama.
5. El destino final de los incas dependía de sus actos en vida y de su condición social.
6. Hablaban quechua.
7. No, no conocían la escritura.
8. Usaban quipus para contar.
9. Los incas construían casas, templos, fortalezas y ciudades.
10. Los chasquis eran hombres correos que corrían a gran velocidad de un tambo a otro llevando mensajes.
11. Comían papas, choclo (maíz), quinua y charqui.
12. Las usaban para lana, pieles y carne.

▶ PRACTICE

B You may wish to do this as a factual recall activity or you may wish to allow students to look up the answers.

Cultura

- For centuries, the indigenous peoples of the Andean region have chewed the leaves of the coca plant. Today, even in the international hotels of major cities, a tea is brewed from the coca leaf **(té de coca)** and is available all day to guests. It is supposed to alleviate the effects of the high altitude. You may wish to have students who are interested in physiology do some research on the affects and remedies of altitude sickness and report back to the class.
- **Llamas, vicuñas, alpacas,** and **guanacos** are all similar, varying primarily in size, color, and texture of wool. They are ruminants (cud chewers) and are related to the camel. They are indigenous to Andean South America, but **llamas** and **alpacas** are now farmed in the United States for their wool. Ask students if they have ever seen any of these animals. If so, have them tell about it.

Cultural Snapshot

(page 59 top) Saquisilí es un pueblo pequeño donde se reúnen numerosos grupos indígenas los jueves, el día del mercado. Es un mercado donde se compran y venden llamas y otros animales además de productos básicos. No es un mercado orientado al turismo. *(page 59 bottom)* Hay muchos caminos como este en todas partes de Bolivia. Es por eso que el avión es un medio de transporte tan importante.

Resources

- Quiz 4, page 2.46
- *ExamView® Assessment Suite*

TEACH

Core Instruction

Step 1 As you go over this section you may want to ask some **qué, quién, cuándo,** and **dónde** questions.

Step 2 Have a student explain the meaning of: **Los conquistadores querían servir a Dios y a su Rey.**

Step 3 Have a student explain the meaning of **«Señores de vasallos».**

Step 4 Call on an advanced learner to explain the meaning of **«la encomienda».** This is a very important concept, since it had much negative impact for generations throughout Latin America.

Cultural Snapshot

(page 60 top and bottom) Fue Pizarro mismo quien hizo los planes para la construcción de la Plaza de Armas en 1535.

La conquista

El Inca Huayna Capac murió en 1525. Con su muerte el gran Imperio fue dividido entre sus dos hijos—Huáscar, el legítimo, y Atahualpa, el ilegítimo. Atahualpa recibió el norte (Quito) y Huáscar recibió el sur (Cuzco). Enseguida Atahualpa se sublevó contra su hermano. Lo venció y lo tomó prisionero. En este momento entró Francisco Pizarro con entre ciento treinta y doscientos cincuenta hombres y de veinticinco a ochenta caballos. Pizarro y sus hombres encontraron muy poca resistencia ya que los habitantes de la región habían apoyado al hermano muerto de Atahualpa. La conquista fue rápida y en noviembre de 1532 los españoles hicieron prisionero a Atahualpa en Cajamarca (hoy parte de Ecuador). Poco después lo ejecutaron. En noviembre de 1533 Pizarro entró en Cuzco y dos años después fundó la magnífica Ciudad de los Reyes, Lima.

▲ El encuentro infame entre Pizarro y Atahualpa

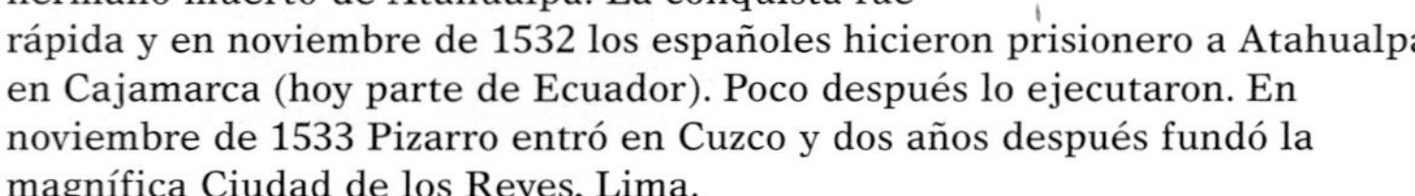

Los conquistadores tenían afán de hacerse famosos realizando hazañas[7] y obteniendo riquezas de oro y plata para la Corona española. Además se consideraban los portadores de la verdadera fe y querían convertir a los indígenas. Los conquistadores querían servir a Dios y a su Rey.

Como en la Edad Media europea el señor tenía vasallos, los conquistadores y los primeros pobladores de las Américas también tenían la ambición de convertirse en «señores de vasallos». Esa ambición resultó en la institución de la encomienda. Consistía en encomendar a cierto grupo de indígenas a un español, al encomendero. El encomendero tenía el derecho de cobrar tributos[8] a los indígenas. En los primeros tiempos de la colonización no hubo control sobre las exigencias de los encomenderos quienes cometieron todo tipo de abusos contra los indígenas, sobre todo en el trabajo en las minas.

[7] hazañas *deeds*

[8] tributos *taxes*

◀ Plaza de Armas en Lima, la Ciudad de los Reyes

Es difícil imaginar el trauma que sufrieron los incas tras la llegada de los españoles. La población indígena empezó a bajar dramáticamente debido a las epidemias de enfermedades que trajeron los españoles, los maltratos sufridos a causa de las exigencias laborales de los encomenderos y el colapso de su forma de vivir, de sus costumbres y de su religión. El rápido descenso en la población indígena resultó en otro gran horror, el tráfico[9] de africanos, de gente esclavizada.

[9] tráfico *trade*

◀ Un bajorrelieve de los conquistadores españoles, Plaza Murillo, La Paz

C Buscando información Completa.

El Inca Huayna Capac murió en 1525. Después de su muerte el Imperio de los incas fue dividido en dos partes entre sus dos __1__. __2__ recibió el sur y __3__ recibió el norte. Enseguida __4__ se sublevó contra su hermano, __5__. Lo venció y lo tomó __6__. Muy poco después llegó Francisco Pizarro, el conquistador español. Sus hombres no encontraban mucha __7__ de los incas porque ya habían apoyado al hermano muerto de Atahualpa. La conquista fue rápida y los españoles capturaron a __8__ en Cajamarca y poco después lo __9__.

D Confirmando Indica si la información es correcta o no.

1. Los conquistadores y los colonizadores le encomendaban a un grupo de indígenas a un español. Los indígenas tenían que trabajar por el español a quien fueron encomendados.
2. El español fue el encomendado y el indígena el encomendero.
3. Los españoles nunca abusaban de los indígenas.
4. Los españoles les exigían mucho trabajo duro a los indígenas.
5. La población de los indígenas empezó a bajar dramáticamente.
6. Los indígenas fueron reemplazados por la gente esclavizada importada de África.

PRACTICE

C Have students prepare this activity and read it to the class.

Differentiation

Advanced Learners

D Call on advanced learners to correct the false statements in this activity.

ASSESS

Students are now ready to take Quiz 4 on page 2.46 of the TeacherTools booklet. If you prefer to create your own quiz, use the *ExamView® Assessment Suite.*

Answers

C

1. hijos
2. Huáscar
3. Atahualpa
4. Atahualpa
5. Huáscar
6. prisionero
7. resistencia
8. Atahualpa
9. ejecutaron

D

1. sí
2. no
3. no
4. sí
5. sí
6. sí

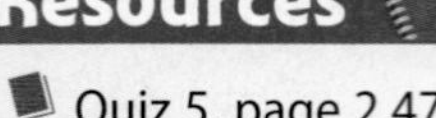

Resources

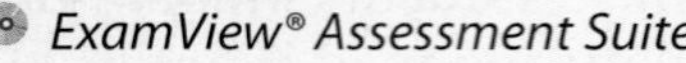

- Quiz 5, page 2.47
- *ExamView® Assessment Suite*

TEACH

Core Instruction

As you go over this section, you can intersperse the questions from Actividad E.

Differentiation

Advanced Learners

As you read these selections, it is suggested that you call on advanced learners to provide a summary in their own words. You may also wish to have them make up questions about the content and ask other students.

Cultural Snapshot

(page 62 bottom) Fue Francisco Pizarro el que dio a la ciudad peruana el nombre de Trujillo, el mismo nombre de su ciudad natal en Extremadura. Trujillo está en el norte de Perú en el valle del Moche. Es una región rica en agricultura y durante la época colonial los españoles construyeron casonas magníficas. La Plaza de Armas de Trujillo es la más grande de todo Perú.

ASSESS

Students are now ready to take Quiz 5 on page 2.47 of the TeacherTools booklet. If you prefer to create your own quiz, use the *ExamView® Assessment Suite.*

La colonización

Durante la primera parte del período colonial (siglos XVI y XVII) el Virreinato de Perú se extendía desde el estrecho de Magallanes hasta Ecuador. Lima fue la capital.

Durante la época colonial los españoles establecieron muchas ciudades. Las ciudades se parecían a las de España. Las calles se cruzaban formando una red[10] octagonal. En el centro había un espacio abierto—la plaza—generalmente llamada la Plaza de Armas. La plaza servía de eje[11] a la vida urbana. Aquí se situaban los principales edificios administrativos y religiosos. El que más cerca de la plaza vivía más importancia social tenía. Sus casas solían contar con dos pisos y tenían balcones de madera. Por su parte las clases más humildes vivían en casas de un solo piso que en algunas zonas se pintaban de colores alegres. En las afueras del centro urbano se situaban los barrios o pueblos indígenas. La sociedad colonial se dividía en estratos bien diferenciados. En primer lugar venían los hidalgos[12] y los descendientes de los conquistadores que en siguientes generaciones constituían la nobleza criolla, hijos de españoles nacidos en América.

▲ Plaza de Armas, Arequipa, Perú

[10] red *network*
[11] eje *axis*
[12] hidalgos *nobles*

▲ Típica casa rural en la provincia de Chimborazo, Ecuador

E Recordando hechos Contesta.

1. ¿Se parecían a las ciudades de España las ciudades que establecían los españoles en las colonias?
2. ¿Qué había en el centro de la ciudad?
3. ¿Qué nombre le daban los españoles a este espacio?
4. ¿Qué edificios se situaban en la plaza?
5. ¿Dónde vivía la gente que más importancia social tenía?
6. ¿Cómo solían ser sus casas?
7. ¿Cómo eran las casas en las que vivían las clases humildes?
8. ¿Qué había en las afueras del centro urbano?

Casas suntuosas de estilo colonial en la Plaza de Armas, Trujillo, Perú ▶

Answers

E

1. Sí, las ciudades que establecían los españoles en las colonias se parecían a las ciudades de España.
2. En el centro de la ciudad había un espacio abierto.
3. Los españoles le daban el nombre «la plaza» a este espacio.
4. En la plaza se situaban los principales edificios administrativos y religiosos.
5. La gente que tenía más importancia social vivía cerca de la plaza.
6. Sus casas solían contar con dos pisos y tenían balcones de madera.
7. Las clases más humildes vivían en casas de un solo piso (a veces pintadas de colores alegres).
8. En las afueras del centro urbano había los barrios o pueblos indígenas.

Desde la independencia hasta hoy

▲ La Batalla de Ayacucho durante la Guerra de la Independencia

Después de tres siglos de dominación española, los colonos querían su independencia. La minoría culta, la mayoría de ellos criollos, pedían reformas. Una de sus quejas[13] fue contra la política intervencionista y de control económico que practicaba la monarquía española. La Corona no permitía el comercio con ningún otro país, solo con España. Les compraba la materia prima a los colonos a precios muy bajos y les vendía los productos manufacturados a precios muy altos. Otro problema fue la debilidad de la monarquía española que culminó en la invasión francesa de España en 1808 cuando Napoleón nombró a su hermano José Bonaparte rey de España.

Las rebeliones independentistas empezaron a principios del siglo XIX. Simón Bolívar luchó en el norte, en Venezuela y Colombia. El general José de San Martín luchó en Argentina y Chile y siguió la costa hasta Lima. Los dos se reunieron en Guayaquil en 1822 pero no pudieron ponerse de acuerdo sobre una política de posguerra. San Martín se retiró a Francia y Bolívar continuó la lucha. Bajo Bolívar y el mariscal Sucre el dominio español en la América del Sur terminó con las victorias de Junín y Ayacucho en 1824.

Aun antes de la independencia empezaron a surgir intereses regionalistas y separatistas. En vez de formar una gran entidad política, el sueño de Bolívar, los virreinatos se dividieron en muchas naciones diferentes. Desde la independencia las naciones andinas de Ecuador, Perú y Bolivia han tenido una historia política bastante turbulenta con enfrentamientos[14] entre conservadores y liberales, militaristas y civilistas. Cada país ha tenido gobiernos democráticos y dictaduras. Y cada uno ha gozado de períodos estables y ha sufrido de períodos inestables.

Son Ecuador, Perú y Bolivia los países que han conservado la mayor población indígena de todos los países sudamericanos. Las poblaciones indígena y mestiza alcanzan aproximadamente el 70 por ciento de la población total de cada nación. Hoy hay un fuerte renacimiento de interés en todo lo «indígena» y esta población está pidiendo una voz más fuerte en el gobierno y en el liderazgo[15] de cada país donde por lo general la élite criolla seguía ejerciendo mayor poder.

▲ Muchachas indígenas del valle del Colca; una tiene un cóndor en la cabeza, un ave autóctona de la región.

[13] quejas *complaints*
[14] enfrentamientos *confrontations*
[15] liderazgo *leadership*

F Explicando Da la información correcta.

1. dos razones económicas por las cuales los colonos querían su independencia de España
2. una razón política por la cual querían su independencia
3. donde luchó Simón Bolívar
4. donde luchó San Martín
5. el gran sueño de Simón Bolívar
6. la situación política y económica de Ecuador, Perú y Bolivia desde la independencia

Cultura

Resources

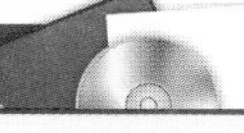

- Quiz 6, page 2.48
- *ExamView® Assessment Suite*

Heritage Speakers

If you have any students from Ecuador, Peru, or Bolivia, have them give some information and reactions about their country now or in the recent past.

Conexiones

La música

You may wish to have students listen to some Andean music on CD. It is becoming quite popular around the world.

ASSESS

Students are now ready to take Quiz 6 on page 2.48 of the TeacherTools booklet. If you prefer to create your own quiz, use the *ExamView® Assessment Suite.*

Answers

F *Answers will vary but may include:*

1. Los colonos querían su independenica porque la monarquía practicaba control económico por no permitir el comercio con ningún otro país, solo con España y compraba la materia prima a los colonos a precios muy bajos y les vendía los productos manufacturados a precios muy altos.
2. Querían su independencia por la política intervencionalista que practicaba la monarquía española.
3. Simón Bolívar luchó en Venezuela y Colombia.
4. San Martín luchó en Argentina y Chile.
5. El gran sueño de Simón Bolívar fue que los virreinatos formaran una gran entidad política.
6. La situación ha sido bastante turbulenta desde la independencia.

Resources

- Workbook, page 2.7
- *ExamView® Assessment Suite*

TEACH

Core Instruction

You may wish to share with students the information about the Convento de Santa Catalina. There are still several nuns living there today.

Cultural Snapshot

(page 64 top) Los Moche or Mochica vivían en el valle del Moche cerca de Trujillo. Unos trescientos años después de la desaparición de su civilización nació la de los chimú. Su Imperio se llamaba «Chimos» y fue el segundo más grande de la historia sudamericana precolombina. Su capital, Chan Chan, fue una ciudad grande de edificios de adobe. Chan Chan tenía bulevares, jardines, acueductos, palacios y más de 10.000 viviendas. Los incas conquistaron a los chimú en 1470, poco antes de la llegada de los españoles.

(page 64 middle) El Convento de Santa Catalina es un pueblecito amurallado a solo unas cuadras de la Plaza de Armas. Fue fundada en 1579. Una vez había cuatrocientas religiosas que vivían en el convento. Las novicias tenían que pagar para entrar en el convento y fueron separadas según su «contribución»—más alta la contribución, más lujosa la celda. Muchas religiosas llegaban con sus sirvientas y cocineras.

Visitas históricas

Al visitar no importa cual de estos tres países, vas a ver unos paisajes inolvidables. Y por todas partes vas a sentir o experimentar las ricas herencias indígena y española.

La ciudad más intacta de los incas es Machu Picchu. Se discute si servía de fortaleza, de santuario religioso o de escuela para la nobleza incaica.

En 1300 la ciudad de Chan Chan de los Mochica en la costa norte de Perú fue más grande en tamaño y población que cualquier ciudad europea de la época. Sus magníficas ruinas dan testimonio de su grandeza.

Una visita al mercado de Otavalo al norte de Quito en Ecuador es una experiencia inolvidable. Aquí se puede comprar de todo. A muchos les interesan los tejidos porque los tejedores otavaleños gozan de fama mundial y sus tejidos son muy apreciados.

Ejemplos de la herencia española son las bellas plazas de Lima, Quito y Sucre, todas de estilo colonial. El Convento de Santa Catalina en Arequipa es una joya arquitectónica. Es todo un pueblo cerca de la Plaza de Armas que hasta recientemente les sirvió de residencia a las señoritas acomodadas que decidieron dedicarse a la vida religiosa.

▲ El Palacio Tschudi en las famosas ruinas de Chan Chan, Perú

▲ Interior del Convento de Santa Catalina Arequipa, Perú

Plaza de Armas, Cuzco, Perú ▼

64

Cultural Snapshot

(page 64 bottom) La catedral de Cuzco fue construida sobre el sitio donde estaba ubicado el palacio de Viracocha. La construcción de la catedral duró más de cien años y muchas de las piedras vinieron de Sacsahuamán.

Comida

Si tienes hambre durante tu visita tienes que probar una de las muchas especialidades regionales. Hay muchas opciones pero aquí tienes una posibilidad para cada país. Vas a notar la influencia indígena en la cocina con el uso de la papa y del choclo.

Bolivia — **empanadas salteñas:** empanadas con carne picada, huevos, aceitunas, papas, cebollas y pimientos

Perú — **ceviche:** corvina u otro pescado, adobado[16] durante tres o cuatro horas en una salsa de limón y naranja agria

Ecuador — **locro:** una sopa de papa o choclo con queso a veces acompañada de palta (aguacate)

¡Buen provecho y buen viaje!

[16] adobado *marinated*

G **Personalizando** Da respuestas personales.
Si puedes ir a uno o más de estos tres países andinos, ¿adónde quieres ir? ¿Qué quieres ver? ¿Qué vas a comer?

▲ Un café y una empanada —un desayuno en San Ignacio de Velasco, Bolivia

Answers

G *Answers will vary.*

Cultura

Resources

ExamView® Assessment Suite

Heritage Speakers

Have heritage speakers from Bolivia, Peru, or Ecuador tell about some foods from their cultures.

Comunicación

Presentational

You may wish to have students find a recipe for empanadas and prepare it. Ask them to share the food with the class and expain how they prepared the dish.

Resources

- Tests, pages 2.63–2.65
- *ExamView® Assessment Suite*

Self-check for achievement

This is a pre-test for students to take before you administer the lesson test. Note that each section is cross-referenced so students can easily find the material they feel they need to review. You may wish to use Self-Check Worksheet Transparency SC2.1 to have students complete this assessment in class or at home. You can correct the assessment yourself, or you may prefer to project the answers on the overhead in class using Self-Check Answers Transparency SC2.1A.

Differentiation

Slower Paced Learners

Encourage students who need extra help to refer to the book icons and review any section before answering the questions.

Prepárate para el examen

Self-check for achievement

Vocabulario

Para repasar este vocabulario, mira la página 54.

1 Da la palabra cuya definición sigue.

1. favorecer y ayudar a alguien
2. un metal precioso
3. insuficiente
4. lo que suelen usar los carpinteros
5. lo que se puede hacer con una cuerda

▲ Dos jóvenes de Cuzco, Perú

Lectura y cultura

Para repasar esta información cultural, mira las páginas 56–65.

2 Identifica el país.

6. su costa occidental se llama el litoral
7. el Oriente se refiere a las selvas tropicales del este
8. muchas partes de su costa son tan áridas que son zonas desérticas
9. no tiene costa
10. los Andes se dividen en dos cordilleras separadas por un altiplano

3 Parea.

11. el Inca	a. el Hijo del Sol
12. el ayllu	b. cuerdas con nudos que usaban los incas para contar
13. quechua	c. comunidad formada de familias
14. los quipus	d. mensajeros de los incas
15. los chasquis	e. el idioma de los incas

4 Indica si la información es correcta o no.

16. La conquista de los incas fue muy larga y dura porque el Inca Huayna Capac era un líder muy fuerte.
17. Los encomenderos españoles trataban muy bien a los indígenas.
18. En los siglos XVI y XVII el Virreinato de Perú se extendía de México a Chile.
19. Las clases más humildes siempre vivían en las plazas del centro de una ciudad colonial.
20. Son Ecuador, Perú y Bolivia los países que hoy tienen la mayor población indígena de todos los países sudamericanos.

Answers

1. apoyar
2. el oro (la plata)
3. escaso
4. la madera
5. los nudos

6. Perú
7. Ecuador
8. Perú
9. Bolivia
10. Bolivia

11. a
12. c
13. e
14. b
15. d

16. no
17. no
18. no
19. no
20. sí

Prepárate para el examen

Practice for proficiency

1 La geografía de los países andinos

Muchos norteamericanos, al pensar en la América del Sur, piensan en un clima y paisaje tropicales. Pero es una idea errónea que tienen. Explícale a un(a) amigo(a) como es el clima en Ecuador, Perú y Bolivia. Descríbele también el paisaje.

2 La vida en la época de los incas

Has aprendido mucho sobre la vida de los incas. En tus propias palabras, describe algunos aspectos de su vida diaria. Puedes incluir sus creencias religiosas, como escribían, contaban o enviaban mensajes y lo que comían.

▲ Vista del centro de Riobamba, Ecuador

3 Un rebelde

Explícale a un(a) compañero(a) los eventos que siguieron la muerte del Inca Huayna Capac. Explica como y por qué fue tan rápida la conquista.

4 Una ciudad de la época colonial

Descríbele a un(a) amigo(a) como era una típica ciudad colonial latinoamericana. Incluye el eje central, quienes vivían donde y como eran sus casas.

Composición

Transporte—ayer y hoy

No hay nada más importante que el transporte para mover información, productos, mercancías y gente. Aun los incas construían puentes para enlazar los Andes mientras inauguraban un sistema de transporte eficaz.

En tus estudios del español has aprendido sobre casi todos los medios de transporte en Latinoamérica. Escribe una composición en la cual describes y resumes la importancia de cada medio. Este diagrama te da unas sugerencias. A ver si recuerdas unos elementos particulares para darle más interés a tu escrito.

el transporte: calles y carreteras; en zonas urbanas; a pie; en zonas aisladas; en bus; en carro; en avión; en tren

la panamericana **el avión y la geografía**

excursiones ferroviarias en México, Perú y Panamá

Puedes consultar la lista de vocabulario temático sobre el carro, los viajes en avión y los viajes en tren al final de este libro.

Después de revisar y corregir tu borrador, escribe de nuevo tu composición en forma final.

Tips for Success

Encourage students to say as much as possible when they do these open-ended activities. Tell them not to be afraid to make mistakes, since the goal of the activities is real-life communication. If someone in the group makes an error, allow the others to politely correct him or her. Let students choose the activities they would like to do.

Tell students to feel free to elaborate on the basic theme and to be creative. They may use props, pictures, or posters if they wish.

Pre-AP These oral and written activities will give students the opportunity to develop and improve their speaking and writing skills so that they may succeed on the speaking and writing portions of the AP exam.

Cultural Snapshot

(page 67) Riobamba es una ciudad a unas cuatro horas en carro al sur de Quito. Tiene once plazas, cada una dedicada a la venta de un producto específico el día de mercado—el sábado.

Note: You may wish to use the rubrics on page 52D or 52F to help students prepare their speaking activities and their writing task.

Resources

- Audio Activities TE, pages 2.25–2.27
- Audio CD 2A, Tracks 10–13
- Workbook, pages 2.8–2.9
- Quiz 7, page 2.49
- *ExamView® Assessment Suite*

TEACH

Core Instruction

Step 1 Have students repeat the verb forms aloud in Items 1, 2, and 3. Permit them to read the explanatory material silently or omit it. Most students learn the forms by hearing, seeing, and using them.

Step 2 It is recommended that you not give students English equivalents for the imperfect. *Used to* implies *it is not anymore.*

Step 3 Have students read Item 4. Explain that the important thing to keep in mind is continuity. The beginning and end times of the action are not important.

Step 4 Have students read the explanation in Item 5. Then have them read the time expressions and the model sentences aloud. You may wish to have students read all the sentences together to form a descriptive narrative.

QuickPass
Go to glencoe.com
For: **Grammar practice**
Web code: **ASD7851c2**

El imperfecto

1. The imperfect tense is, after the preterite, the most frequently used tense to express past events. Review the forms of the imperfect. Note that the same endings are used for both **-er** and **-ir** verbs.

infinitive	hablar	leer	escribir
stem	habl-	le-	escrib-
yo	hablaba	leía	escribía
tú	hablabas	leías	escribías
Ud., él, ella	hablaba	leía	escribía
nosotros(as)	hablábamos	leíamos	escribíamos
vosotros(as)	*hablabais*	*leíais*	*escribíais*
Uds., ellos, ellas	hablaban	leían	escribían

2. Note that verbs that have a stem change in either the present or the preterite do not have a stem change in the imperfect.

CERRAR	QUERER	PEDIR
cerraba	quería	pedía
cerrabas	querías	pedías
cerraba	quería	pedía
cerrábamos	queríamos	pedíamos
cerrabais	*queríais*	*pedíais*
cerraban	querían	pedían

▲ Estos jóvenes tenían que atravesar el parque cuando iban a la escuela en Baños, Ecuador.

3. The following verbs are the only irregular verbs in the imperfect tense.

IR	SER	VER
iba	era	veía
ibas	eras	veías
iba	era	veía
íbamos	éramos	veíamos
ibais	*erais*	*veíais*
iban	eran	veían

4. The imperfect tense is used to express habitual or repeated actions in the past. When the event actually began or ended is not important. Some time expressions that accompany the imperfect are:

siempre	cada día
a menudo	cada viernes
con frecuencia	cada semana
muchas veces	cada año

La profesora de español siempre nos hablaba en español en clase.
De vez en cuando ella nos leía una poesía o un refrán.
A veces nos enseñaba un baile.
Y los lunes, siempre nos daba un examen.

GLENCOE Technology

Online Learning in the Classroom

Have students use QuickPass code ASD7851c2 for additional grammar practice. They can review verb conjugations with eFlashcards. They can also review all grammar points by doing a self-check quiz and a review worksheet.

5. The imperfect is used to describe persons, places, and things in the past.

APARIENCIA	**El general era alto, fuerte y valiente.**
EDAD	**Tenía solamente veinticinco años.**
ACTITUD Y DESEO	**Él siempre quería salir victorioso.**
ESTADO EMOCIONAL	**Él estaba contento cuando ganaba.**
TIEMPO	**Era invierno y hacía frío.**
COLOCACIÓN	**Era en la sierra donde luchaba el general.**
HORA	**Eran las cuatro de la mañana.**
CONDICIÓN	**Él tenía mucho frío y estaba cansado.**

¿Lo sabes?

The imperfect of **hay** is **había.** Note that **había** is also followed by a plural expression.

Había mucha gente.
Había miles de personas.

Práctica

ESCUCHAR • HABLAR

Personaliza. Da respuestas personales.

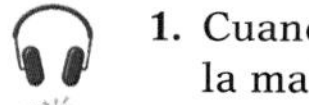

1. Cuando eras pequeño(a), ¿a qué hora te levantabas por la mañana?
2. ¿A qué escuela asistías?
3. ¿Te gustaba ir a la escuela?
4. ¿Te acuerdas? ¿Quién era tu maestro(a) en el quinto grado?
5. ¿Cómo se llamaba? ¿Qué edad tenía, más o menos? ¿Cómo era?
6. ¿Daba muchos exámenes?
7. ¿Recibías buenas notas en su clase?
8. ¿Tomabas el almuerzo en la escuela o volvías a casa para almorzar?
9. ¿A qué hora terminaban las clases?
10. ¿A qué hora salías de la escuela?

EXPANSIÓN

Ahora, sin mirar las preguntas, cuenta la información en tus propias palabras. Si no recuerdas algo, un(a) compañero(a) te puede ayudar.

LEER • ESCRIBIR

Completa sobre los incas usando el imperfecto.

Durante siglos los incas __1__ (ir) subyugando a muchos grupos indígenas incluyendo a los chimú que __2__ (vivir) en la maravillosa ciudad de adobe, Chan Chan. Los incas __3__ (llamar) a su imperio Tahuantinsuyo que __4__ (significar) las cuatro regiones de la tierra. Su lengua oficial __5__ (tener) el nombre de runasimi o quechua. La base de su estructura social __6__ (ser) el ayllu o sea un grupo de familias que __7__ (cultivar) la tierra, __8__ (dividir) el trabajo y __9__ (hacer) labores en común. La base de su sustento __10__ (ser) la agricultura. Parte de la cosecha __11__ (ser) para el Inca y otra parte se __12__ (repartir) entre las familias del ayllu.

Estas alumnas tenían la oportunidad de visitar y apreciar las ruinas de la cultura chimú en Chan Chan. ▼

▶ PRACTICE

Leveling EACH Activity

Easy Activity 1
Average Activity 2, Activity 1 **Expansión**

Activity 1 You can go over this Activity orally without previous preparation. Then have students give the information for the **Expansión** in their own words.

Activity 2 Have students prepare this activity and then go over it in class.

GLENCOE SPANISH

Why It Works!

Note that many activities whose basic purpose is to review grammar do not contain random sentences but rather develop a coherent topic to give students additional information to talk about.

Differentiation

Advanced Learners

Call on advanced learners to give a summary in their own words of each one of the activities on this page.

Answers

1. Cuando era pequeño(a), me levantaba a las ____.
2. Asistía a la escuela ____.
3. Sí, (No, no) me gustaba ir a la escuela.
4. Sí, me acuerdo de mi maestro(a) en el quinto grado.
5. Se llamaba ____. Tenía más o menos ____ años. Era ____.
6. Sí, (No, no) daba muchos exámenes.
7. Sí, (No, no) recibía buenas notas en su clase.
8. Tomaba el almuerzo en la escuela. (Volvía a casa para almorzar.)
9. La clases terminaban a las ____.
10. Salía de la escuela a las ____.

1. iban
2. vivían
3. llamaban
4. significaba
5. tenía
6. era
7. cultivaba
8. dividía
9. hacía
10. era
11. era
12. repartía

 PRACTICE *(continued)*

Leveling EACH Activity

CHallenging Activity 3

Activity 3 Have students write this activity. Call on an individual to read the paragraph as students correct their own papers.

ASSESS

Students are now ready to take Quiz 7 on page 2.49 of the TeacherTools booklet. If you prefer to create your own quiz, use the *ExamView®* *Assessment Suite.*

Resources

- Audio Activities TE, pages 2.27–2.28
- Audio CD 2A, Tracks 14–16
- Workbook, pages 2.9–2.10
- Quiz 8, page 2.50
- *ExamView® Assessment Suite*

 TEACH

Core Instruction

Have students read the explanations and the model sentences aloud.

 **Tips for Success**

Have students read the photo captions since they also reinforce the grammatical point being reviewed.

GLENCOE Technology

Video in the Classroom

Gramática en vivo: *The imperfect* Enliven learning with the animated world of Professor Cruz! **Gramática en vivo** is a fun and effective tool for additional instruction and/or review.

VIDEO Want help with the imperfect tense? Watch **Gramática en vivo.**

LEER • ESCRIBIR

3 Cambia al imperfecto el párrafo sobre el papel de la mujer en la época precolombina.

En la familia indígena de la época precolombina, la mujer es considerada inferior al hombre. Ella tiene un montón de ocupaciones. Ella recoge el combustible, prepara la comida, cuida de los niños y de los animales, cultiva la huerta y teje la ropa. Cuando tiene que ir de un lugar a otro y si tiene un hijo que todavía no puede caminar, lo lleva en la espalda en un repliegue *(pleat, fold)* de su capa. Si el viaje dura más de medio día, carga también el alimento de la familia y la leña para el fuego.

▲ Esta señora aymara vendía dulces en su puesto en La Paz cada día del año.

Imperfecto y pretérito

1. You use the preterite to express actions or events that began and ended at a specific time in the past.

   Anoche fuimos a un restaurante peruano.
   Yo pedí ceviche.
   El mesero lo sirvió en un plato bonito.
   Me gustó.

2. You use the imperfect to talk about a continuous, habitual, or repeated past action. The exact moment when the action began or ended is not important. Compare the following sentences.

COMPLETED ACTIONS	REPEATED, HABITUAL ACTIONS
Él fue al cine el viernes.	**Ella iba al cine todos los viernes.**
Vio un filme policíaco.	**Siempre veía filmes policíacos.**
Le gustó el filme.	**Le gustaban todos los filmes.**

3. You most often use the imperfect with verbs such as **querer, saber, pensar, preferir, desear, sentir, poder,** and **creer,** that describe a state of mind or a feeling.

   Él sabía donde estaba la iglesia.
   La quería visitar.
   Sentía mucho no poder verla.

Mi amigo siempre quería visitar el pequeño pueblo de Baños en Ecuador. ▼

 **Cultural Snapshot**

(page 70) Baños es un pueblo de solo unos 17.000 habitantes pero es uno de los enclaves más visitados por los turistas en Ecuador. Su popularidad se debe principalmente a sus balnearios de aguas termales surtidos directamente por el volcán Tungurahua.

Answers

era, tenía, recogía, preparaba, cuidaba, cultivaba, tejía, tenía, tenía, podía, llevaba, duraba, cargaba

Práctica

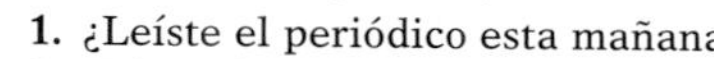

ESCUCHAR • HABLAR

4 Personaliza. Da respuestas personales.

1. ¿Leíste el periódico esta mañana?
2. ¿Viste el artículo sobre el robo en el metro?
3. ¿Lo leíste?
4. ¿Te interesó el artículo?
5. ¿Leías el periódico cada día?
6. ¿Veías artículos sobre robos en la ciudad?
7. ¿Siempre los leías?
8. ¿Te interesaban estos artículos o no?

▲ Se vendían periódicos en este quiosco de Quito.

ESCUCHAR • HABLAR

5 Personaliza. Da respuestas personales y fíjate en las expresiones de tiempo.

1. ¿A qué hora te levantaste esta mañana?
2. ¿A qué hora te levantabas cuando tenías seis años?
3. ¿Cómo viniste a la escuela esta mañana?
4. ¿Cómo ibas a la escuela cuando estabas en el primer grado?
5. ¿Dónde tomaste el almuerzo hoy?
6. ¿Dónde tomabas el almuerzo cuando estabas en la escuela elemental?
7. ¿Qué comiste hoy para el desayuno?
8. ¿Qué comías para el desayuno cuando eras niño(a)?

LEER • ESCRIBIR

6 Cambia **cada sábado** a **el sábado pasado** y haz los cambios necesarios.

Cada sábado yo me levantaba temprano. Me lavaba y me vestía rápido. Tomaba un chocolate caliente y corría a tomar el bus al centro. Cada sábado nuestra tienda de departamentos ofrecía gangas tremendas. Yo compraba mucho y pagaba poco. Volvía a casa por la tarde con un montón de paquetes. Yo recibía buen valor por el dinero que gastaba.

El sábado pasado…

◀ Mucha gente fue de compras el sábado pasado en este centro comercial en Guayaquil, Ecuador.

Gramática

PRACTICE

Leveling EACH Activity

Easy Activity 4
Average Activities 5, 6

Activities 4 and 5 These activities can be done orally with books closed calling on students to respond at random.

Activity 6 This activity can be prepared and then gone over in class.

Cultural Snapshot

(page 71 bottom) Guayaquil es el puerto más importante de Ecuador. Es uno de los principales de todo el continente sudamericano. La ciudad es hoy el principal centro comercial y financiero de Ecuador.

ASSESS

Students are now ready to take Quiz 8 on page 2.50 of the TeacherTools booklet. If you prefer to create your own quiz, use the *ExamView® Assessment Suite.*

Answers

1. Sí, (No, no) leí el periódico esta mañana.
2. Sí, (No, no) vi el artículo sobre el robo en el metro.
3. Sí, (No, no) lo leí.
4. Sí, (No, no) me interesó el artículo.
5. Sí, (No, no) leía el periódico cada día.
6. Sí, (No, no) veía artículos sobre robos en la ciudad.
7. Sí, siempre las leía. (No, nunca las leía.)
8. Sí, (No, no) me interesaban estos artículos.

1. Me levanté a las ____ esta mañana.
2. Me levantaba a las ____ cuando tenía seis años.
3. Vine a la escuela en bus (en coche, a pie).
4. Iba a la escuela en bus (en coche, a pie) cuando estaba en el primer grado.
5. Hoy tomé el almuerzo en ____.
6. Tomaba el almuerzo en ____ cuando estaba en la escuela elemental.
7. Comí ____ hoy para el desayuno.
8. Comía ____ para el desayuno cuando era niño(a).

me levanté, Me lavé, me vestí, Tomé, corrí, ofreció, compré, pagué, Volví, recibí, gasté

Resources

- Audio Activities TE, pages 2.28–2.30
- Audio CD 2A, Tracks 17–19
- Workbook, page 2.11
- Quiz 9, page 2.51
- *ExamView® Assessment Suite*

TEACH

Core Instruction

Step 1 Read the explanation to the class. As you do, put a time line on the board. Each time you talk about the imperfect, emphasize the wavy line. Every time you talk about a completed action, strike the vertical line.

Step 2 As you read each of the model sentences, refer to the time line.

Step 3 You may wish to give other examples and have students tell where to put each verb on the time line. **Durante la fiesta él tocaba el piano y yo cantaba cuando entraron con la comida. Sirvieron la comida y todos comieron.**

GLENCOE Technology

Video in the Classroom

Gramática en vivo: *The preterite vs. the imperfect* Enliven learning with the animated world of Professor Cruz! **Gramática en vivo** is a fun and effective tool for additional instruction and/or review.

VIDEO Want help with the preterite vs. the imperfect? Watch **Gramática en vivo.**

Dos acciones en la misma frase

A sentence in the past will frequently have two verbs. Both may be in the same tense or each may be in a different tense. Look at the following time line. Any verbs that you can place in the wavy area describe what was going on. They describe the background or scenery and are in the imperfect. Any verbs that you can place on the slash indicate what happened, what took place. They tell the action and are in the preterite.

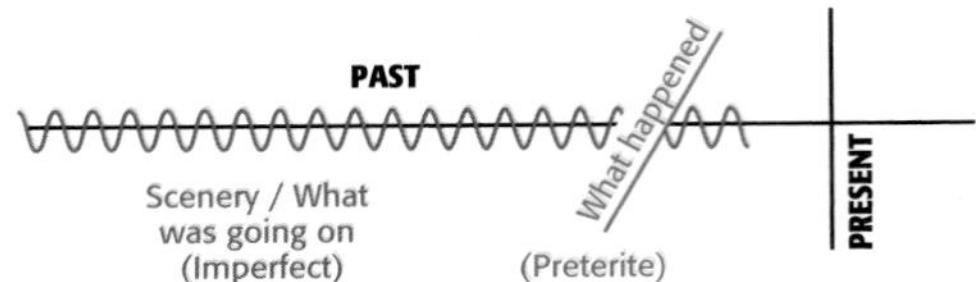

Note where on the time line each of the following verbs belongs.

Fuimos al mercado en Otavalo donde yo compré un suéter y mi amigo compró un tejido.
Both verbs in the preterite go on the slash because they indicate two completed actions or events.

Mientras yo compraba el suéter en un puesto él compraba una cerámica en otro.
Both of these imperfect verbs go in the wavy area because they describe what was going on. They set the scene.

Yo hablaba con la vendedora y mi amigo me interrumpió.
The verb in the imperfect, **hablaba,** goes in the wavy area because it describes what was going on, the scenery or background. The verb in the preterite, **interrumpió,** expresses an action or event that intervened and interrupted what was going on.

Fui a un puesto en el mercado de Otavalo donde se vendían cerámicas bonitas. ▶

Answers

7

1. Sí. Juan miraba la televisión cuando sonó su móvil. Sí, lo contestó.
2. Sí, su madre leía el periódico cuando Juan la llamó. Sí, contestó.
3. Sí, su madre hablaba cuando Juan salió. Sí, fue a un restaurante.
4. Sí, Juan caminaba al restaurante cuando vio a su amiga Lola. Sí, fueron juntos al restaurante.
5. Sí, en el restaurante Juan y Lola hablaban cuando llegaron dos amigos más.
6. Sí, los amigos hablaban cuando el mesero vino a la mesa.
7. Sí, ellos seguían hablando mientras el mesero les servía.

Práctica

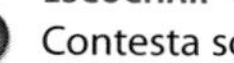

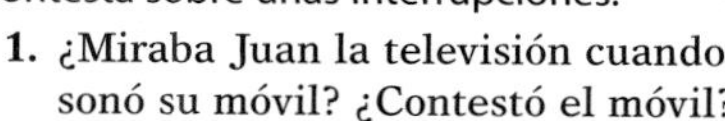

ESCUCHAR • HABLAR

7 Contesta sobre unas interrupciones.

1. ¿Miraba Juan la televisión cuando sonó su móvil? ¿Contestó el móvil?
2. ¿Leía su madre el periódico cuando Juan la llamó? ¿Contestó ella?
3. ¿Hablaba su madre cuando Juan salió? ¿Fue Juan a un restaurante?
4. ¿Caminaba Juan al restaurante cuando vio a su amiga Lola? ¿Fueron juntos al restaurante?
5. En el restaurante, ¿hablaban Juan y Lola cuando llegaron dos amigos más?
6. ¿Hablaban los amigos cuando el mesero vino a la mesa?
7. ¿Seguían ellos hablando mientras el mesero les servía?

▲ El cliente pidió un refresco y el mesero se lo sirvió en este restaurante en Manta, Ecuador.

LEER • ESCRIBIR

8 Completa con el imperfecto o pretérito.

Anoche yo __1__ (navegar) el Internet cuando __2__ (sonar) mi móvil. Yo lo __3__ (contestar). Yo __4__ (hablar) con un amigo cuando mi madre me __5__ (interrumpir). Yo __6__ (saber) que ella __7__ (estar) enfadada. Yo le __8__ (decir) a mi amigo que lo vería mañana en la escuela. Cuando yo __9__ (terminar) de hablar __10__ (ir) a la cocina donde __11__ (estar) sentada toda la familia. Mi padre __12__ (servir) la comida y mi madre me __13__ (dar) una mirada.

LEER • ESCRIBIR

9 Completa con la forma apropiada del pasado del verbo indicado.

1. Unos amigos ____ mientras los otros ____ el sol. (nadar, tomar)
2. Ellos ____ algo cuando nosotros los ____. (discutir, interrumpir)
3. Repite, por favor. Yo no ____ lo que (tú) ____. (oír, decir)
4. Tú no ____ lo que (yo) ____ porque tú ____ en otra cosa mientras yo te ____. (oír, decir, pensar, hablar)
5. Yo ____ cuando ____ mi móvil. (comer, sonar)
6. Cuando yo ____ seis años ____ a la escuela en bus pero mis primos ____ a pie. (tener, ir, ir)

ESCRIBIR

10 Escribe por lo menos cuatro frases en las que indicas lo que pasaba cuando algo intervino y lo interrumpió.

lo que pasaba	lo que intervino

▶ PRACTICE

Leveling EACH Activity

Easy Activity 7
Average Activity 8
CHallenging Activities 9, 10

Activity 7 This activity can be done orally with books closed calling on students to respond at random.

Activities 8, 9, and 10 These activities can be prepared and then gone over in class.

Activity 10 You can have several students read their sentences to the class.

Differentiation

Multiple Intelligences

As you do these activities with the imperfect and preterite, you may wish to have **bodily-kinesthetic** learners wave their hand in a circular motion each time they are speaking about a continuous, descriptive event.

ASSESS

Students are now ready to take Quiz 9 on page 2.51 of the TeacherTools booklet. If you prefer to create your own quiz, use the *ExamView® Assessment Suite.*

Answers

8

1. navegaba
2. sonó
3. contesté
4. hablaba
5. interrumpió
6. sabía
7. estaba
8. dije
9. terminé
10. fui
11. estaba
12. sirvió (servía)
13. dio

9

1. nadaban, tomaban
2. discutían, interrumpimos
3. oí, dijiste (decías)
4. oíste, dije (decía), pensabas, hablaba
5. comía, sonó
6. tenía, iba, iban

10 *Answers will vary.*

Resources

- Audio Activities TE, pages 2.30–2.32
- Audio CD 2A, Tracks 20–23
- Workbook, pages 2.11–2.12
- Quiz 10, page 2.52
- *ExamView® Assessment Suite*

TEACH

Core Instruction

Have students read the explanatory material and the model sentences in Items 1 and 2.

Note: You may wish to remind students that while the gerund is used as a verb functioning as a noun in English—*Skiing is my favorite sport; I don't like playing the piano*—the infinitive is used in Spanish—**El esquiar es mi deporte favorito.**

Cultural Snapshot

(page 74) El mercado de Otavalo, los sábados por la mañana, tiene bastante fama. Los otavaleños se consideran los mejores tejedores del mundo. Muchos otavaleños viajan por todas partes del mundo vendiendo sus tejidos. Una parte del mercado se dedica a la venta de los textiles pero también hay puestos de comida y animales—sobre todo los muy conocidos cuyes *(guinea pigs)*. El mercado se abre cuando se levanta el sol y se cierra a la una de la tarde.

Tiempos progresivos

1. The progressive tenses are used to express actions going on, actions viewed as in progress in the past, present, or future. The progressive tenses are all formed with the appropriate tense of the verb **estar, ir,** or **seguir** and the present participle—*speaking, writing,* etc. To form the present participle of **-ar** verbs, drop the infinitive **-ar** ending and add **-ando.** For **-er** and **-ir** verbs, drop the infinitive ending and add **-iendo.**

INFINITIVE	hablar	llegar	comer	hacer	salir
STEM	habl-	lleg-	com-	hac-	sal-
PARTICIPLE	hablando	llegando	comiendo	haciendo	saliendo

Note that verbs such as **preferir, pedir,** and **dormir** retain the stem change **e** to **i** and **o** to **u** in the present participle. **Decir** also has a stem change.

prefiriendo **pidiendo** **diciendo** **durmiendo**

Note that the verbs **leer, traer, construir, oír,** and **caer** have a **y** in the present participle.

leyendo **trayendo** **construyendo** **oyendo** **cayendo**

2. Look at these examples of the progressive tenses.

Estoy mirando el mapa.
Luisa estaba conduciendo.
Seguiré haciendo el mismo trabajo por mucho tiempo.

Mucha gente estaba esperando el bus en esta terminal de autobuses en Otavalo. ▼

Answers

1. Sí, (No, no) estoy haciendo la tarea ahora.
2. Sí, (No, no) estoy escribiendo las respuestas.
3. Sí, (No, no) sigo estudiando mucho.
4. Sí, (No, no) sigo practicando el español.
5. Sí, (No, no) estoy escuchando al/a la profesora(a).
6. Sí, (No, no) estoy tomando apuntes.

1. Yo estoy conduciendo.
2. Todos nosotros estamos llevando un cinturón de seguridad.
3. Estamos viajando a Huanchaco en Perú.
4. Sí, el policía está controlando el tráfico.
5. Robert está leyendo el mapa.
6. Nosotros estamos escuchando la radio.

Práctica

ESCUCHAR • HABLAR

11 Personaliza. Da respuestas personales.

1. ¿Estás haciendo la tarea ahora?
2. ¿Estás escribiendo las respuestas?
3. ¿Sigues estudiando mucho?
4. ¿Sigues practicando el español?
5. ¿Estás escuchando al/a la profesor(a)?
6. ¿Estás tomando apuntes?

ESCUCHAR • HABLAR

12 Contesta según se indica sobre un viaje en carro a Huanchaco.

1. ¿Quién está conduciendo? (yo)
2. ¿Quiénes están llevando un cinturón de seguridad? (todos nosotros)
3. ¿Adónde están viajando ustedes? (a Huanchaco en Perú)
4. ¿Está controlando el tráfico el policía? (sí)
5. ¿Quién está leyendo el mapa? (Roberto)
6. ¿Quiénes están escuchando la radio? (nosotros)

El turista estaba viajando por Perú y tenía que hacerle una pregunta a la agente de policía. ▼

LEER • ESCRIBIR

13 Completa con el imperfecto del progresivo para describir un vuelo.

1. El avión ____ y yo ____ por la ventana. (aterrizar, mirar)
2. La asistenta de vuelo ____ por la cabina. (pasar)
3. Ella ____ que todos los pasajeros teníamos los cinturones abrochados. (verificar)
4. Yo ____ por inmigración después de desembarcar cuando vi a mis parientes que me ____ en el hall del aeropuerto. (pasar, esperar)
5. Yo recuperé mi equipaje y dentro de poco nosotros ____ hacia la casa de mi primo. O mejor dicho mi primo ____, yo no. (conducir, conducir)

Un avión en el aeropuerto de Arequipa, Perú ▼

Comunicación

14 Trabajando en parejas, describan una experiencia abordo de un avión o en un aeropuerto. Puedes consultar la lista de vocabulario temático sobre los viajes en avión al final de este libro.

Gramática

PRACTICE

Leveling EACH Activity

Easy Activities 11, 12
Average Activities 13, 14

Activities 11 and 12 These activities can be done orally with books closed calling on students to respond at random.

Activity 13 This activity can be prepared and then gone over in class.

Activity 14 This type of activity gives students the opportunity to review important conversational vocabulary they have learned in previous levels.

ASSESS

Students are now ready to take Quiz 10 on page 2.52 of the TeacherTools booklet. If you prefer to create your own quiz, use the *ExamView® Assessment Suite.*

Answers

13

1. estaba aterrizando, estaba mirando
2. estaba pasando
3. estaba verificando
4. estaba pasando, estaban esperando
5. estábamos conduciendo, estaba conduciendo

14 *Answers will vary.*

Resources

- Audio Activities TE, pages 2.32–2.33
- Audio CD 2A, Tracks 24–26
- Workbook, page 2.12
- Quiz 11, page 2.53
- *ExamView® Assessment Suite*

TEACH

Core Instruction

Step 1 Guide students through the explanatory material in Items 1, 2, and 3.

Step 2 Have students repeat the model sentences in unison from Items 1, 2, and 3.

Step 3 After going over the explanation for Item 4, have students repeat the forms and the model sentences.

Differentiation

Multiple Intelligences

To help **visual-spatial** learners, you may wish to draw three stick figures on the board in ascending order. Give each one a name. Have students give adjectives. Then have them use the adjectives to describe the stick figures with the comparative and superlative.

Comparaciones

El inglés

To form the comparative in English, you add *-er* to short adjectives or adverbs. You put *more* before longer adjectives or adverbs.

This class is bigger than the other one.
It is also more interesting.

To form the superlative in English, you add *-est* to short adjectives or adverbs and you put *most* before longer ones.

She is the tallest student.
She is also the most intelligent.

Comparativo y superlativo

1. The comparative construction is used to compare one item or person with another. In Spanish, you place the word **más** before the word you are comparing and the word **que** after.

Elena es más lista que Antonio.
Ella conoce más restaurantes que nadie.
Ella come fuera más que yo.

2. When a pronoun follows the comparative construction, either the subject pronoun (**yo, tú, usted, él, ella, nosotros[as], ustedes, ellos, ellas**) or a negative word (**nadie**) is used.

Él dice que come más que yo.
La verdad es que come más que nadie.

3. To form the superlative in Spanish, you use the definite article (**el, la, los, las**) plus **más** before the adjective. The adjective is usually followed by **de.**

La piña es la (fruta) más rica de todas.
El helado de coco es el más sabroso de todos.

The opposite of **más** is **menos** *(less)*, **el menos** *(least)*.

El pescado tiene menos grasa que la carne.
Para mí, el helado de vainilla es el menos interesante de todos.

4. The following adjectives have irregular comparative and superlative forms.

bueno	**mejor**	**el / la mejor**	**malo**	**peor**	**el / la peor**
grande	**mayor**	**el / la mayor**	**pequeño**	**menor**	**el / la menor**

Menor and **mayor** refer to age and quantity. For size, use **más grande** or **más pequeño.**

Ella es mayor que su hermano. (Tiene más años.)
Ella es más grande que su hermano. (Es más alta.)

5. **Mejor** and **peor** are also used as adverbs.

bien	**mejor**	**el mejor**	**mal**	**peor**	**el peor**

José cocina mejor que yo.
De todos es él que cocina el mejor.

¿Quién será el mejor músico de este grupo cerca de Otavalo? ▼

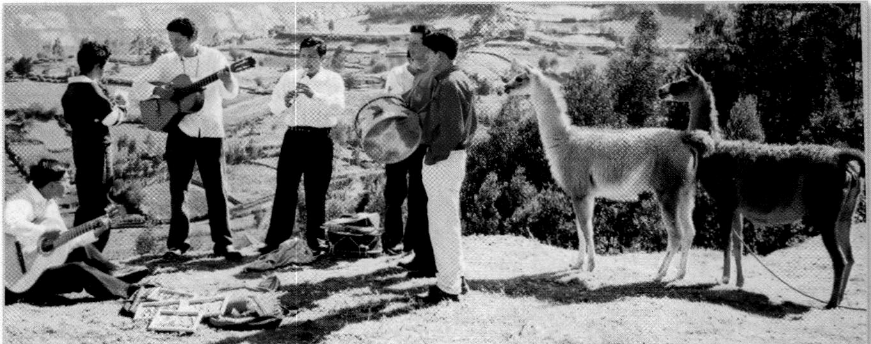

Práctica

LEER • HABLAR

15 Lee la información sobre tres jóvenes y luego contesta las preguntas.

José mide 135 centímetros y tiene ocho años. Tomás mide 172 centímetros y tiene dieciséis años y Carlos mide 180 centímetros y tiene dieciocho años. José recibe muy buenas notas en la escuela. Pero Tomás recibe notas malas y Carlos recibe notas mediocres.

1. ¿Quién es más alto que Tomás?
2. ¿Quién es el menos alto de los tres?
3. ¿Quién es el más alto de los tres?
4. ¿Quién saca notas más altas que Carlos?
5. ¿Quien recibe las notas más altas de los tres?
6. ¿Quién es el mejor alumno de los tres?
7. ¿Quién es el peor?
8. ¿Quién es mayor que Tomás?
9. ¿Quiénes son menores que Carlos?
10. ¿Quién es el mayor de los tres?
11. ¿Quién es el menor de los tres?

HABLAR • ESCRIBIR

16 Personaliza. Da respuestas personales.

1. En tu familia, ¿quién es más alto(a) que tú?
2. ¿Quién es menor que tú?
3. Y, ¿quién es el/la menor de la familia?
4. ¿Quién es el/la mayor?
5. ¿Quién es el/la mejor alumno(a) de todos en tu clase de español?

Una señora en la isla del Sol, Lago Titicaca, Bolivia ▼

PRACTICE

Leveling EACH Activity

Easy Activity 16
Average Activity 15

ASSESS

Students are now ready to take Quiz 11 on page 2.53 of the TeacherTools booklet. If you prefer to create your own quiz, use the *ExamView® Assessment Suite.*

Answers

15

1. Carlos es más alto que Tomás.
2. José es el menos alto de los tres.
3. Carlos es el más alto de los tres.
4. José saca notas más altas que Carlos.
5. José recibe las notas más altas de los tres.
6. José es el mejor alumno de los tres.
7. Tomás es el peor.
8. Carlos es mayor que Tomás.
9. José y Tomás son menores que Carlos.
10. Carlos es el mayor de los tres.
11. José es el menor de los tres.

16

1. En mi familia, ___ es más alto(a) que yo.
2. ___ es menor que yo.
3. ___ es el/la menor de la familia. (Yo soy el/la menor de la familia.)
4. ___ es el/la mayor. (Yo soy el/la mayor.)
5. ___ el el/la mejor alumno(a) de todos en mi clase de español. (Yo soy el/la mejor alumno[a] en mi clase de español.)

Resources

- Audio Activities TE, page 2.33
- Audio CD 2A, Track 27
- Workbook, page 2.13
- Quiz 12, page 2.54
- *ExamView® Assessment Suite*

TEACH

Core Instruction

Step 1 Read the explanatory information to the class.

Step 2 Have students read the model sentences.

Differentiation

Multiple Intelligences

To help **visual-spatial** learners, you may wish to draw two figures that are the same height on the board. Have students give adjectives. Then have them use the adjectives to describe the stick figures using the comparative of equality. Encourage students to also make up sentences using the comparative of equality to compare the number of things that the stick figures have.

Cultural Snapshot

(page 78) Arequipa tiene fama de ser la más española de las ciudades peruanas. Se llama también la «ciudad de los volcanes» y los arequipeños la llaman la «ciudad blanca».

Comparativo de igualdad

1. Very often we compare two items that have the same characteristics. Such a comparison is called a comparison of equality. In English we use the expression *as . . . as.* In Spanish **tan... como** is used with either an adjective or an adverb.

José es tan deportista como su hermana.
Él juega tan bien como ella.

2. The comparison of equality can also be used with nouns. In English we use *as much as, as many as.* In Spanish the expression **tanto... como** is used with nouns. **Tanto** must agree with the noun it modifies.

Ella tiene tanta fuerza como él.
Ella ha ganado tantos campeonatos como él.

Los dos equipos van a jugar en un campo en Arequipa con el volcán Misti al fondo. ▼

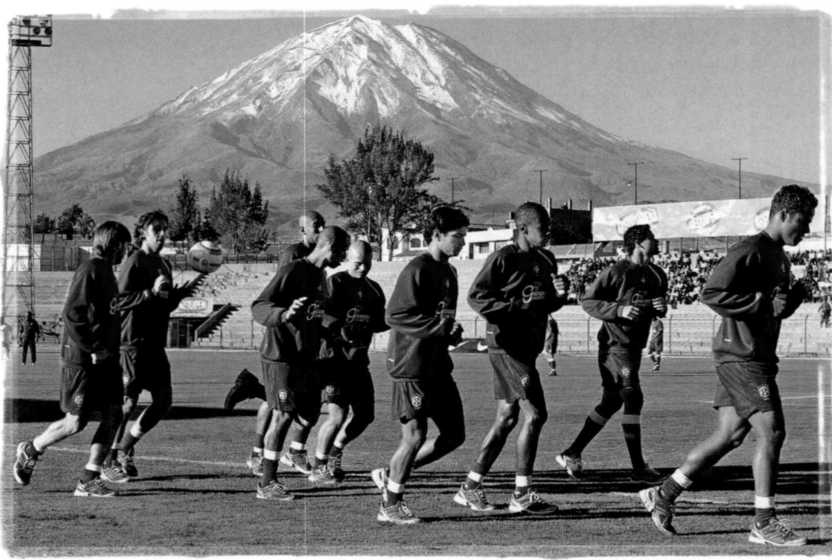

Práctica

ESCUCHAR • HABLAR

17 Personaliza. Da respuestas personales.

1. ¿Eres ambicioso(a)? ¿Quiénes en tu clase son tan ambiciosos(as) como tú?
2. ¿Cuántos cursos tomas? ¿Quién toma tantos cursos como tú?
3. ¿Eres aficionado(a) a los deportes? ¿Quién es tan aficionado(a) a los deportes como tú?
4. ¿Estás presente casi todos los días en clase? ¿Quién está presente con tanta frecuencia como tú?
5. ¿Tienes muchos planes para el futuro? ¿Quién tiene tantos planes como tú?

Answers

17

1. Sí, (No, no) soy ambicioso(a). ___ y ___ son tan ambiciosos(as) como yo.
2. Tomo ___ cursos. ___ toma tantos cursos como yo.
3. Sí, (No, no) soy aficionado(a) a los deportes. ___ es tan aficionado(a) a los deportes como yo.
4. Sí, (No, no) estoy presente en clase casi todos los días. ___ está presente con tanta frecuencia como yo.
5. Sí, (No, no) tengo muchos planes para el futuro. ___ tiene tantos planes como yo.

LEER • ESCRIBIR

18 Completa sobre la geografía de Perú y Ecuador.

1. Perú es un país ____ montañoso ____ Ecuador.
2. Perú tiene ____ picos ____ Ecuador.
3. Ecuador tiene más volcanes que Perú. Perú no tiene ____ volcanes ____ Ecuador.
4. La Paz está a una altura más alta que Quito. Quito no es ____ alto ____ La Paz.
5. No hace ____ calor en Quito ____ en Guayaquil. En Guayaquil hace mucho calor.
6. Los peruanos comen ____ ceviche ____ los ecuatorianos.

LEER • HABLAR • ESCRIBIR

19 Mira la tabla y haz tantas comparaciones posibles según los datos.

	Bolivia	Ecuador	Perú
área	1.098.580 km^2	283.560 km^2	1.285.220 km^2
población del país	10.031.000	14.192.000	30.063.000
población de la capital	1.692.000	1.680.000	7.590.000
altitud de la capital	3.600 m	2.850 m	861 m

Comunicación

20 Trabaja con cuatro compañeros. Compárense. Hablen de como son similares y como son diferentes.

PRACTICE

Leveling EACH Activity

Easy Activities 17, 18
Average Activity 19
CHallenging Activity 20

ASSESS

Students are now ready to take Quiz 12 on page 2.54 of the TeacherTools booklet. If you prefer to create your own quiz, use the *ExamView®* *Assessment Suite.*

Answers

18

1. tan, como
2. tantos, como
3. tantos, como
4. tan, como
5. tanto, como
6. tanto, como

19 *Answers will vary.*

20 *Answers will vary.*

Resources

- Tests, pages 2.66–2.68
- *ExamView® Assessment Suite*

Self-check for achievement

This is a pre-test for students to take before you administer the lesson test. Note that each section is cross-referenced so students can easily find the material they feel they need to review. You may wish to use Self-Check Worksheet Transparency SC2.2 to have students complete this assessment in class or at home. You can correct the assessment yourself, or you may prefer to project the answers on the overhead in class using Self-Check Answers Transparency SC2.2A.

Differentiation

Slower Paced Learners

Encourage students who need extra help to refer to the book icons and review any section before answering the questions.

Prepárate para el examen

Self-check for achievement

Gramática

Para repasar **el imperfecto,** mira las páginas 68–69, 70.

1 Completa con el imperfecto.

1–2. Yo ____ ceviche cuando ____ en Perú. (comer, estar)
3. En Bolivia, (ellos) ____ empanadas salteñas con carne picada, huevos, papas y otros ingredientes. (preparar)
4–5. Las señoras que ____ en el Convento de Santa Catalina en Arequipa se ____ a la vida religiosa. (vivir, dedicar)
6–7. Yo te ____ algo pero no entendiste porque (tú) no me ____ caso. (decir, hacer)
8–10. Nosotros no ____ que no ____ mucho calor en la costa y que una gran parte de la región ____ desértica. (saber, hacer, ser)

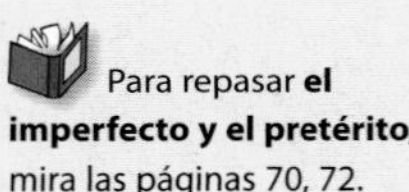

Para repasar **el imperfecto y el pretérito,** mira las páginas 70, 72.

2 Completa con el imperfecto o pretérito del verbo indicado.

11–13. Yo siempre lo ____ cuando ____ unos cinco años pero te aseguro que no lo ____ ayer. (hacer, tener, hacer)
14–15. Nosotros ____ cada viernes pero no ____ el viernes pasado. (salir, salir)
16–17. Yo ____ por teléfono cuando tú ____ a la puerta. (hablar, llegar)
18. Mi familia siempre ____ a la playa en el verano. (ir)

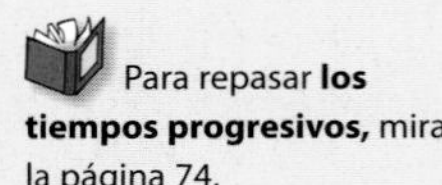

Para repasar **los tiempos progresivos,** mira la página 74.

3 Cambia al imperfecto progresivo.

19. Yo visitaba la agencia de alquiler de coches.
20. Mis padres alquilaban un todoterreno.
21. El agente explicaba las condiciones.

4 Completa con el presente progresivo.

22. Nosotros ____ un todoterreno. (alquilar)
23. Yo no ____ un todoterreno. (conducir)
24. ¿Tú lo ____? (pedir)

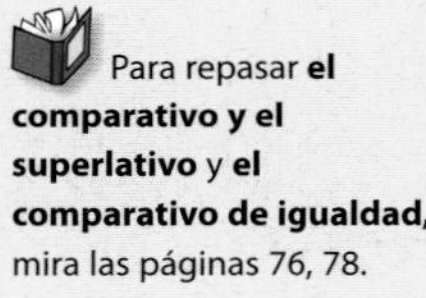

Para repasar **el comparativo y el superlativo** y **el comparativo de igualdad,** mira las páginas 76, 78.

5 Completa con el comparativo o superlativo.

25. Este restaurante es ____ caro ____ el otro. El otro es económico.
26. Hay más meseros aquí porque el restaurante es ____ grande ____ el otro.
27. El postre ____ delicioso ____ todos es el flan.

6 Completa con el comparativo de igualdad.

28–29. Perú es ____ montañoso ____ Ecuador.
30–31. El oriente de Ecuador tiene ____ vegetación tropical ____ el oriente de Perú.
32–33. Cuenca no tiene ____ habitantes ____ Quito.

Answers

1

1. comía
2. estaba
3. preparaban
4. vivían
5. dedicaban
6. decía
7. hacías
8. sabíamos
9. hacía
10. era

2

11. hacía
12. tenía
13. hice
14. salíamos
15. salimos
16. hablaba
17. llegaste
18. iba

3

19. Yo estaba visitando la agencia de alquiler de coches.
20. Mis padres estaban alquilando un todoterreno.
21. El agente estaba explicando las condiciones.

4

22. estamos alquilando
23. estoy conduciendo
24. estás pidiendo

Prepárate para el examen

Practice for proficiency

1 **Cuando yo era niño(a)**

En tus propias palabras describe todo lo que tú recuerdas de tu niñez. Dile a tu compañero(a) donde vivías, lo que hacías y con quienes jugabas.

2 **Como vivían mis abuelos o bisabuelos**

Trabajen en grupos de cuatro. Hablen de como vivían sus abuelos o bisabuelos cuando ellos eran muy jóvenes. ¿Tenían televisores a color? ¿Computadoras? ¿E-mail o correo electrónico? ¿Había jets? ¿Cómo existían sin estas comodidades? ¿Qué hacían? Pueden consultar la lista de vocabulario temático sobre la tecnología al final de este libro.

3 **En aquel entonces y recientemente**

Habla con un(a) amigo(a). Dile todo lo que tú hacías cuando tenías unos seis o siete años. Luego compara lo que hacías a los seis o siete años con lo que hiciste ayer. ¿Ha cambiado mucho la vida?

4 **En este momento**

Trabajen en grupos de tres. Miren alrededor de la sala de clase y describan lo que todos están haciendo ahora mismo. ¿Se están divirtiendo todos?

5 **Mi ciudad y otra**

Compara la ciudad donde tú vives con otra ciudad que has visitado. Si no vives en una ciudad, compara la otra ciudad con la ciudad más cercana de tu casa.

▲ Estos escolares en Cuenca, Ecuador, saben exactamente lo que hacían cuando tenían seis años porque tienen seis años ahora.

Fiestas

Vas a escribir un artículo ficticio. Tienes que imaginar que pasabas tu niñez en un país latino donde disfrutabas de fiestas municipales, nacionales, religiosas y familiares. Ahora vas a rememorar sobre esos días. En tu escrito ficticio puedes incluir algunas de estas fiestas o festivales. No olvides que para rememorar puedes usar el imperfecto.

Carnaval **el Día de los Muertos** **el Día de la Independencia** **la Navidad** **un bautizo** **Hanuka** **una boda** **el Día de los Reyes** **el día de un santo patrón**

Después de revisar y corregir tu borrador, escribe de nuevo tu artículo en forma final.

Tips for Success

Encourage students to say as much as possible when they do these open-ended activities. Tell them not to be afraid to make mistakes, since the goal of the activities is real-life communication. If someone in the group makes an error, allow the others to politely correct him or her. Let students choose the activities they would like to do.

Tell students to feel free to elaborate on the basic theme and to be creative. They may use props, pictures, or posters if they wish.

Pre-AP These oral and written activities will give students the opportunity to develop and improve their speaking and writing skills so that they may succeed on the speaking and writing portions of the AP exam.

Note: You may wish to use the rubrics on page 52D or 52F to help students prepare their speaking activities and their writing task.

Answers

5

25. más, que
26. más, que
27. más, de

6

28. tan
29. como
30. tanta
31. como
32. tantos
33. como

Resources

- Vocabulary Transparency V2.3
- Audio Activities TE, pages 2.33–2.34
- Audio CD 2B, Tracks 1–3
- Workbook, pages 2.14–2.15
- *ExamView® Assessment Suite*

TEACH

Core Instruction

Step 1 You may wish to have students repeat the new words after Audio CD 2B.

Step 2 You may ask the following questions as you present the new vocabulary. **¿Está nublado o despejado el cielo? ¿Está en erupción el volcán? ¿Hay un hongo de ceniza encima del volcán? ¿Alcanza una altura de más de 7.000 metros el volcán? ¿Va a desvanecer pronto el hongo de ceniza? ¿Será necesario reubicar a la gente que vive en los alrededores del volcán?**

PRACTICE

Leveling EACH Activity

Easy Activity 1
Average Activity 1
Expansión, Activity 2

Activity 1 You can go over this activity orally without previous preparation.

Activity 2 Have students prepare this activity and then go over it in class.

Interpersonal

Have students describe the photograph of Tungurahua on page 82 in their own words.

Lección 3
Periodismo

Nuevas explosiones en volcán Tungurahua

Vocabulario 

Estudia las siguientes palabras para ayudarte a entender el artículo.

el cielo despejado cielo sin nubes, cielo claro
la ceniza lo que queda después de un fuego (un incendio)
la tregua cesación de hostilidad, el cese, la pausa
alcanzar llegar a un punto determinado
desvanecer disipar o evaporarse hasta desaparecer completamente
reubicar mover, trasladar
ubicarse encontrarse o situarse en un lugar determinado

Práctica

ESCUCHAR • HABLAR

1 Contesta.

1. Durante una erupción volcánica, ¿salen cenizas del volcán?
2. A veces, ¿tiene la ceniza la forma de un hongo?
3. ¿Puede el hongo alcanzar unos kilómetros de altura?
4. ¿Desvanece la ceniza después de la erupción?
5. A veces, ¿tienen que reubicarse los habitantes que viven cerca de un volcán?

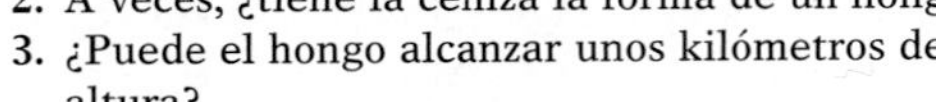

EXPANSIÓN

Ahora, sin mirar las preguntas, cuenta la información en tus propias palabras. Si no recuerdas algo, un(a) compañero(a) te puede ayudar.

LEER • ESCRIBIR

2 Expresa de otra manera.

1. *La cesación de hostilidad* va a durar seis meses.
2. ¡Qué bonito es el cielo *sin nubes*!
3. Ellos van a tener que *mover* el ganado *a otro lugar.*
4. Yo sé que el hongo va a *disipar* antes de causar mucha destrucción.
5. Me parece que el hongo *llega hasta* el cielo.

▲ El volcán Tungurahua en erupción

Answers

1. Sí, durante una erupción volcánica, cenizas salen del volcán.
2. Sí, a veces la ceniza tiene la forma de un hongo.
3. Sí, el hongo puede alcanzar unos kilómetros de altura.
4. Sí, la ceniza desvanece después de la erupción.
5. Sí, a veces los habitantes que viven cerca de un volcán tienen que reubicarse.

1. La tregua
2. despejado
3. reubicar
4. desvanecer
5. alcanza

Antes de leer

En muchas partes de Latinoamérica hay muchos volcanes y Ecuador no es ninguna excepción. Los volcanes con sus picos frecuentemente cubiertos de nieve pueden ser muy bonitos pero también pueden ser peligrosos cuando se ponen en erupción. Vas a leer sobre una erupción del volcán Tungurahua cerca de la ciudad de Riobamba en Ecuador. Este volcán sigue estando activo.

¿Vives en una región que de vez en cuando sufre de desastres naturales? ¿Cuáles? ¿Qué influencia tienen estos sobre los habitantes de la región? Trata de pensar como reaccionarías si vivieras en la región de un volcán activo.

Nuevas explosiones en volcán Tungurahua provocan temor entre los pobladores

RIOBAMBA, ECUADOR • La mañana del pasado martes el volcán Mama Tungurahua rompió la tregua que mantenía con las poblaciones de Tungurahua y Chimborazo, al registrar una fuerte explosión cuyo hongo alcanzó los cinco kilómetros de altura.

Residentes y turistas que por fin de año visitan Riobamba, conocida como la Sultana de los Andes, observaron un hermoso espectáculo natural que ofreció el volcán Tungurahua en un día despejado y caluroso. Luego de la erupción y de la desaparición del hongo, la Mama Tungurahua se mantenía tranquila.

Geovanny Heredia Fuenmayor, de la Facultad de Geología de la Escuela Politécnica Nacional, dijo que se trató de una erupción freática[1] con columnas de vapor y ceniza.

Aseguró que el volcán Tungurahua está en permanente control a través de varias estaciones ubicadas alrededor de este y que incluso se ha instalado un Observatorio Vulcanológico del Tungurahua (OVT); como no ha variado la actividad volcánica, se mantiene la alerta naranja.

Una vez que se desvaneció el hongo la nube de ceniza afectó a las poblaciones de Penipe, El Manzano, Yuyibug, Chontapamba, que debieron reubicar al ganado.

Los lahares[2] y las lluvias mantienen interrumpida la vía Penipe-Baños. Los habitantes de la zona esperan que el gobierno de Lucio Gutiérrez que se posesiona[3] en los próximos días inicie su reconstrucción.

[1] freática *subsurface*

[2] lahares *volcanic ashslides*

[3] se posesiona *will be installed*

Leveling EACH Activity

Reading Level **Easy**

TEACH
Core Instruction

As you go over this **Lectura,** you can intersperse the comprehension questions from Activity A on page 84.

GLENCOE Technology

Online Learning in the Classroom

You may wish to have students use QuickPass code ASD7851c2 for additional practice. Students can download audio files to their computer and/or MP3 player. They can also access a self-check quiz and a review worksheet.

QuickPass
Go to glencoe.com
For: **Journalism practice**
Web code: **ASD7851c2**

PRACTICE

Después de leer

A You may wish to have students prepare the answers to this activity and then go over them orally in class.

Differentiation

Advanced Learners

You may call on some advanced learners to retell the information in the newspaper article as if they were reporting the event in a newscast.

Cultural Snapshot

(page 84) El pueblo de Baños está situado en el borde de la cordillera oriental de los Andes. De Baños hay una vía, no muy buena, que baja a la zona amazónica. Baños es un pueblo bonito con baños termales. No muy lejos de Baños está el volcán Tungurahua, el volcán mencionado en el artículo en la página 83.

Después de leer

A **Recordando hechos** Contesta.

1. ¿Es la primera erupción del volcán Tungurahua?
2. ¿Rompió el volcán la tregua que tenía con las poblaciones cercanas? ¿Qué significa esto?
3. ¿Era fuerte la explosión?
4. ¿Cuántos kilómetros alcanzó el hongo que salió del volcán?
5. ¿Qué ciudad visitaban los turistas?
6. ¿Qué observaron los turistas y residentes?
7. ¿Qué tipo de día era?
8. ¿Duró mucho tiempo la erupción?
9. ¿Por qué no tienen que estar nerviosos los residentes cercanos?
10. ¿Qué quieren los residentes que el gobierno haga con la carretera entre Penipe y Baños?

B **Personalizando** Contesta.

¿Te gustaría vivir en una región donde hay volcanes o te daría miedo? ¿Por qué?

Una vista de Tungurahua desde Riobamba ▼

Answers

A

1. No, no es la primera erupción del volcán Tungurahua.
2. Sí, el volcán rompió la tregua que tenía con las poblaciones cercanas. Esto significa que hacía tiempo que no había explosión del volcán.
3. Sí, la explosión era fuerte.
4. El hongo que salió del volcán alcanzó los cinco kilómetros de altura.
5. Los turistas visitaban Riobamba.
6. Los turistas y residentes observaron un hermoso espectáculo natural.
7. Era un día despejado y caluroso.
8. No, la erupción no duró mucho tiempo.
9. Los residentes cercanos no tienen que estar nerviosos porque el volcán está en permanente control a través de varias estaciones, y la actividad volcánica no ha variado.
10. Los residentes quieren que el gobierno inicie la reconstrucción de la carretera entre Penipe y Baños.

B *Answers will vary.*

Mentores y mentados

Vocabulario 

Estudia las siguientes palabras para ayudarte a entender el artículo.

un jalón de orejas expresión informal que significa «castigar». Es del verbo **jalar**—un verbo que se usa en todo Latinoamérica menos el Cono sur—Chile, Argentina y Uruguay. Jalar significa «tirar». Un jalón de orejas es el acto de jalarle la oreja a alguien que hizo algo que no debió hacer.

acudir ir; presentarse; llegar

poner al día informar, poner al corriente, poner al tanto

Nota

En muchos países el verbo **jalar** se escribe **halar.**

Estudio de palabras

aconsejar decirle a alguien lo que debe hacer por su propio bien; inspirarle a alguien

el consejo lo que se dice a alguien sobre lo que debe hacer y como

el/la consejero(a) persona que da consejos, que ayuda a otros a orientarse

Práctica

LEER • ESCRIBIR

1 Completa con una palabra apropiada.

1. «_____» es el verbo que se usa en muchas partes de Latinoamérica que significa «tirar». A veces este verbo se escribe con **h** en vez de **j.**
2. Cuando era niño(a) mi madre o mi padre me daba a veces _____ cuando hacía algo que no hubiera debido hacer.
3. Cuando no sabía qué hacer les pedía _____ a mis padres. Ellos siempre me _____ bien.
4. Los _____ que trabajan en el departamento de orientación en nuestra escuela nos ayudan con problemas académicos y a veces personales.
5. Él siempre me _____ de lo que está pasando en su vida.

▲ Una sicólogo-consejera aconseja a los residentes de Humay, Perú, después de un terremoto.

Resources

- Vocabulary Transparency V2.3
- Audio Activities TE, pages 2.34–2.35
- Audio CD 2B, Tracks 4–5
- Workbook, pages 2.15–2.16
- *ExamView® Assessment Suite*

TEACH

Core Instruction

You may wish to follow some suggestions given for the presentation of previous vocabulary sections.

Differentiation

Advanced Learners

Call on advanced learners to use **aconsejar, consejo,** and **consejero** in original sentences.

PRACTICE

Leveling EACH Activity

Average Activity 1

Answers

1

1. Jalar
2. un jalón de orejas
3. consejo(s), aconsejaban
4. consejeros
5. pone al día

Leveling EACH Activity

Reading Level **A**verage

TEACH

Core Instruction

Depending upon student interest, you may wish to present this article thoroughly or you may wish to have students merely read it on their own and do the activities on page 87.

Antes de leer

El mentor es una persona que le da a alguien consejos voluntariamente. Le sirve de guía a la persona a quien aconseja. A veces el mentor no sabe que es mentor —porque su mentado no se lo dice. Su mentado lo respeta tanto que lo considera un modelo.

Al leer este artículo escrito por una señora peruana profesional, piensa en el papel importante que puede jugar un mentor. ¿Es posible que tú tengas uno? Y, ¿es posible que tú sirvas de mentor(a) a un(a) amigo(a) o colega?

Mentores y mentados

LIMA, PERU • Tengo once mentores, pero creo que ninguno de ellos sabe que lo es. Son hombres y mujeres que, en el transcurso de mi carrera, me han apoyado, han creído en mí y, en más de una ocasión, me han dado un buen jalón de orejas. Ante dudas o problemas, siempre he acudido a ellos por un consejo, una visión diferente o para reforzar alguna idea o iniciativa.

Son personas a las cuales soy y seré absolutamente leal. Ellos han moldeado mis conductas y actitudes y sin su presencia, de seguro, hubiera cometido muchos errores y demoras.

Algunos han sido mis jefes, o los jefes de mis jefes. Otros han sido clientes y amigos. Alguno fue un ejecutivo que conocí al ayudarlo a recolocarse. De otro tuve el privilegio de ser su coach: él me iba dando lecciones de vida mientras yo lo ayudaba a ser mejor líder. Otros son amigos o compañeros de trabajo a quienes respeto y con los cuales siempre estaré agradecida por su apoyo y sinceridad.

Aprendí de Herminia Ibarra, profesora de la Universidad de Harvard a quien tuve la suerte de conocer, que mantener esas relaciones ES mi responsabilidad. Por ello, he tratado de perder pocas oportunidades de aprender de ellos y, sobre todo, de entender sus perspectivas frente a problemas, retos, o sencillas realidades de la vida diaria.

¿Cómo llegué a «nombrarlos» mis mentores? Creo que el factor común entre todos es que alguna vez mostraron interés en mi desarrollo[1] y crecimiento o levantaron su pulgar a mi favor. Alguno me ha criticado duramente y lo sigue haciendo de vez en cuando. Si bien no siempre es un trago fácil de pasar[2], su consejo es transparente y desinteresado.

He devuelto el favor, creo, apoyando a jóvenes a los que he dado orientación o consejo. He seguido de cerca la carrera de varios de ellos y sus triunfos son para mí un motivo de silencioso orgullo. Creo que ninguno de ellos ha asumido su condición de mi mentado, pero cada cierto tiempo me dan una llamada y me ponen al día en sus avances o en sus ocasionales derrotas.

Creo que este sistema es muy positivo, y por eso me preocupo cuando escucho a algunos decir que no necesitan mentores. Me preocupan también esos programas de mentoría forzada que a veces imponen las empresas. Creo que la relación entre mentores y mentados se debe de forjar naturalmente; entre simpatías, respetos y valores en

común. Como bien dice la profesora Ibarra, es tarea del mentado encontrar y preservar la relación con sus mentores, dándole la enorme importancia que tiene para desarrollar una carrera competitiva. Ella propone diez responsabilidades del buen mentado.

1. Es leal y confiable.
2. Hace que su mentor quede bien.
3. Siempre hace más que lo que se le pide.
4. Hace que sea fácil ser honesto con él.
5. Reconoce los riesgos[3] que toman los mentores por él.
6. Tiene una agenda de aprendizaje clara.
7. Da tanto como recibe—sigue la «Ley de la reciprocidad».
8. Usa el tiempo y recursos de su mentor selectivamente.
9. Se responsabiliza por el manejo de la relación.
10. Añade valor al mentor porque tiene su propia red de contactos.

¿Cuántos mentores tiene usted?

[1] desarrollo *development*

[2] trago fácil de pasar *easy to swallow*

[3] riesgos *risks*

Answers

A

1. Sí, la señora tiene muchos mentores.
2. Ellos la han apoyado, han creído en ella y le han dado un buen jalón de orejas.
3. Le han moldeado sus conductas y actitudes.
4. Sus mentores han sido sus jefes, o los jefes de sus jefes, sus clientes, sus amigos y sus compañeros de trabajo.
5. El/La mentado(a) tiene la responsabilidad de mantener relaciones con el/la mentor(a).

B

1. no
2. sí
3. sí

C

1. forjar naturalmente, entre simpatías, respetos y valores en común
2. encontrar y preservar la relación con sus mentores

Después de leer

A **Recordando hechos** Contesta.

1. ¿Tiene la señora muchos o pocos mentores?
2. ¿Qué han hecho ellos para ella?
3. ¿Qué le han moldeado?
4. ¿Quiénes han sido sus mentores?
5. ¿Quién tiene la responsabilidad de mantener relaciones con el/la mentor(a)?

B **Confirmando** Indica si la información es correcta o no.

1. La señora siempre tiene buenos mentores y por consiguiente ninguno la critica.
2. Todos sus mentores han mostrado interés en ella.
3. Esa misma señora les ha dado orientación o consejo a varios jóvenes.

C **Buscando información** Completa.

1. La señora cree que la relación entre mentores y mentados se debe _____.
2. Es tarea del mentado _____.

D **Completa la siguiente tabla según los consejos de la señora.**

lo que hace un(a) buen(a) mentor(a)	lo que hace un(a) buen(a) mentado(a)

Comunidades

E Muchas comunidades tienen programas de mentores. En tu comunidad, ¿hay tales programas? Descríbelos. ¿Cómo son? ¿Cuáles son sus objetivos? ¿Para quiénes son?

Carreras

Si piensas especializarte en los campos de psicología o servicios sociales, es posible que te interese una carrera como consejero(a). Hay consejeros que aconsejan o dan orientación a toda una gama de gente con necesidades especiales. Unos campos especializados se dedican a los niños, a los adolescentes, a los matrimonios con problemas familiares, a la violencia doméstica o a las adicciones, etc. Es una de las muchas carreras en que tu conocimiento del español te puede beneficiar.

Periodismo

PRACTICE

Después de leer

A and B These activities can be done orally with books closed calling on students to respond at random.

C and D This activity can be prepared and then gone over in class.

E If your community has mentoring programs, you may wish to use this activity as a class discussion.

GLENCOE Technology

Online Learning in the Classroom

You may wish to have students use QuickPass code ASD7851c2 for additional practice. Students can download audio files to their computer and/or MP3 player. They can also access a self-check quiz and a review worksheet.

Answers

D *Answers will vary but may include:*

un(a) buen(a) mentor(a): moldea las conductas y actitudes de sus mentados, muestra interés en el desarrollo y crecimiento de sus mentados, da consejo transparente y desinteresado

un(a) buen(a) mentado(a): es leal y confiable, hace que su mentor quede bien, siempre hace más que lo que se le pide, hace que sea fácil ser honesto con él/ella, reconoce los riesgos que toman los mentores por él/ella, tiene una agenda de aprendizaje clara, sigue la «Ley de la reciprocidad», usa el tiempo y recursos de su mentor selectivamente, se responsabiliza por el manejo de la relación, añade valor al mentor por su propia red de contactos

E *Answers will vary.*

Resources

- Tests, pages 2.69–2.70
- *ExamView® Assessment Suite*

Self-check for achievement

This is a pre-test for students to take before you administer the lesson test. Note that each section is cross-referenced so students can easily find the material they feel they need to review. You may wish to use Self-Check Worksheet Transparency SC2.3 to have students complete this assessment in class or at home. You can correct the assessment yourself, or you may prefer to project the answers on the overhead in class using Self-Check Answers Transparency SC2.3A.

Differentiation

Slower Paced Learners

Encourage students who need extra help to refer to the book icons and review any section before answering the questions.

Prepárate para el examen

Self-check for achievement

Nuevas explosiones

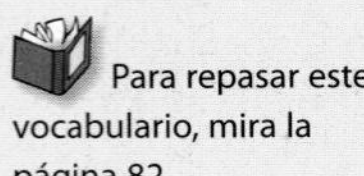

Para repasar este vocabulario, mira la página 82.

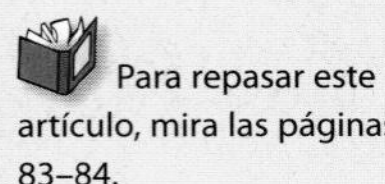

Para repasar este artículo, mira las páginas 83–84.

Vocabulario

1 Completa con una palabra apropiada.

1–3. Cuando un volcán hace erupción, se le sale ____ que puede tener la forma de un ____ que a veces ____ una altura de unos kilómetros.
4. El cielo está ____ y brilla un sol fuerte.
5. La erupción del volcán ha causado tanta destrucción que muchos no pueden quedarse donde están. Tienen que ____.

Lectura

2 ¿Sí o no?

6. Nadie pudo ver la explosión porque hacía mal tiempo y el cielo estaba nublado.
7. El volcán Tungurahua está en una región de Ecuador que visitan muchos turistas.
8. Poco después de la erupción el hongo de ceniza desapareció.
9. La ceniza se cayó sobre unas poblaciones.
10. Las lluvias causan lahares que bloquean la carretera.

Mentores y mentados

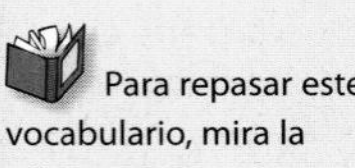

Para repasar este vocabulario, mira la página 85.

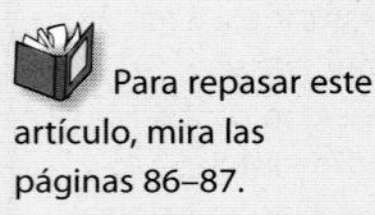

Para repasar este artículo, mira las páginas 86–87.

Vocabulario

3 Expresa de otra manera.

11. Su madre le dio al niño *un castigo ligero* por su mala conducta.
12. *Fue* mucha gente al estadio a oír el concierto.
13. Siempre me *informa* de lo que está pasando.
14. Él me *dice lo que debo hacer.*
15. Siempre sigo *lo que él me dice.*

Lectura

4 Contesta.

16. Según la señora, ¿qué han hecho para ella sus mentores?
17. ¿Quiénes han sido sus mentores?
18. ¿La critican a veces sus mentores o siempre están de acuerdo con todo lo que hace?
19. ¿Quién tiene la responsabilidad de mantenerse en contacto? ¿El mentor o el mentado?
20. Según la señora, ¿necesitamos todos mentores?

Answers

1

1. ceniza
2. hongo
3. alcanza
4. despejado
5. reubicarse

2

6. no
7. sí
8. sí
9. sí
10. sí

3

11. un jalón de orejas
12. Acudió
13. pone al día
14. aconseja
15. su consejo

4

16. Sus mentores la han apoyado, han creído en ella, le han dado un buen jalón de orejas de vez en cuando y le han moldeado sus conductas y actitudes.
17. Sus mentores han sido sus jefes, o los jefes de sus jefes, sus clientes, sus amigos y sus compañeros de trabajo.
18. La critican a veces.
19. El mentado tiene la responsabilidad de mantenerse en contacto.
20. Según la señora, todos necesitamos mentores.

Prepárate para el examen

Practice for proficiency

1 Comunidades

Cada día leemos en el periódico noticias de desastres naturales tales como una erupción volcánica, un terremoto, un huracán o un tornado. En los países de la región andina hay muchas erupciones volcánicas. En Estados Unidos no hay muchos volcanes pero hay otros tipos de desastres naturales. ¿Qué posibilidades existen donde tú vives? Describe lo que pasa y lo que hace la gente para prepararse o protegerse.

2 Un(a) mentor(a)

¿Qué opinas? ¿Es importante tener un(a) mentor(a)? ¿Tienes o has tenido un(a) mentor(a)? ¿Quién? ¿Qué hace un(a) buen(a) mentor(a)? ¿Has servido de mentor(a) a alguien? ¿Has ayudado a un(a) amigo(a) dándole consejos?

3 Un(a) consejero(a)

Todas las escuelas tienen un departamento de orientación para ayudar a los alumnos sobre todo en su vida escolar y a veces en su vida personal. ¿Cuáles son unos servicios y responsabilidades de los consejeros en el departamento de orientación de tu escuela?

▲ En Estados Unidos hay más huracanes que terremotos como este en el Golfo de México.

Composición

Un artículo para el periódico

Ahora vas a escribir un artículo para un periódico. Puedes escoger cualquier sujeto que te interese. Algunas posibilidades son: la delincuencia, un robo, un incendio, un desastre natural, un accidente, una crisis internacional, un evento deportivo, un proyecto escolar. En cuanto hayas escogido tu sujeto o tema, empieza a explorarlo. Escribe todo lo que te viene a la mente en cuanto a tu tema. Entonces lee todo lo que has escrito y agrupa todas las ideas y hechos que van juntos.

Comienza a escribir tu artículo. La primera frase de cada párrafo debe anunciar la idea principal. Continúa con las frases que sostienen o apoyan la idea principal. Puedes sacar muchas de ellas de la lista que ya has hecho.

Como estás escribiendo un artículo para un periódico, utiliza frases cortas: sujeto, verbo, complemento. Contesta las preguntas quién, qué, dónde, cómo. Trata de contestar sin dar opiniones personales. Los que leen el artículo pueden llegar a sus propias opiniones y conclusiones.

Puedes servirte de un diagrama como el de al lado derecho para organizar tus ideas. Después de revisar y corregir tu borrador, escribe de nuevo tu artículo en forma final.

Tips for Success

Encourage students to say as much as possible when they do these open-ended activities. Tell them not to be afraid to make mistakes, since the goal of the activities is real-life communication. If someone in the group makes an error, allow the others to politely correct him or her. Let students choose the activities they would like to do.

Tell students to feel free to elaborate on the basic theme and to be creative. They may use props, pictures, or posters if they wish.

Pre-AP These oral and written activities will give students the opportunity to develop and improve their speaking and writing skills so that they may succeed on the speaking and writing portions of the AP exam.

Note: You may wish to use the rubrics on page 52D or 52F to help students prepare their speaking activities and their writing task.

Resources

- Vocabulary Transparency V2.4
- Audio Activities TE, pages 2.35–2.36
- Audio CD 2B, Tracks 6–8
- *ExamView® Assessment Suite*

TEACH

Core Instruction

Step 1 You may wish to have students repeat the new words after Audio CD 2B and then read the definitions.

Step 2 You may wish to ask questions to have students use the new words. **¿Labra la tierra el amo? ¿Está sudando el trabajador que labra la tierra? Se ve el sudor en su frente? ¿Tiene una mirada taciturna el labrador?**

GLENCOE Technology

Online Learning in the Classroom

You may wish to have students use QuickPass code ASD7851c2 for additional practice. Students can download audio files to their computer and/or MP3 player. They can also access eFlashcards and a review worksheet.

Parte 1: Poesía

¡Quién sabe! de José Santos Chocano

▲ El Valle Sagrado cerca de Cuzco, Perú

Vocabulario

Estudia las siguientes palabras para ayudarte a entender los poemas.

el amo(a) jefe, patrón; dueño
la mirada expresión en la cara
la frente parte superior de la cara
taciturno(a) melancólico
labrar la tierra trabajar la tierra
sudar transpirar, salir vapor de agua de los poros del cuerpo

QuickPass
Go to glencoe.com
For: **Literature practice**
Web code: **ASD7851c2**

Práctica

ESCUCHAR

1 Escucha las frases. Usa una tabla como la de abajo para indicar si la información es correcta o no.

correcta	incorrecta

HABLAR • ESCRIBIR

2 Contesta según se indica.

1. ¿Qué está haciendo el joven? (labrando la tierra)
2. ¿Qué expresión tiene en su cara triste? (taciturna y melancólica)
3. ¿Quién le hace trabajar tan duro al peón? (el amo o patrón)
4. ¿Por qué está sudando el joven? (está trabajando mucho y tiene calor)
5. ¿De dónde se le sale el sudor? (la frente)

LEER • ESCRIBIR

3 Expresa de otra manera.

1. Es muy *taciturno.*
2. Está *sudando.*
3. Está *trabajando* la tierra.
4. Tiene *una expresión* triste.
5. *El patrón* no lo trata bien.

Indígenas labrando la tierra en Puno, Perú ▼

PRACTICE

Leveling EACH Activity

Easy Activities 1, 2
Average Activity 3

Activity 1

Audio Script

1. Sudamos mucho cuando hace frío.
2. Sudamos cuando tenemos calor.
3. Una persona triste puede tener una mirada melancólica en la cara.
4. Una persona taciturna está muy agitada.
5. Estás sudando mucho. Tienes la frente mojada.
6. Los campesinos labran la tierra.
7. Los amos ayudan a los campesinos a trabajar la tierra.

Activity 2 You can intersperse these questions as you are presenting the new vocabulary.

Activity 3 Have students prepare Activity 3 and then go over it in class.

Cultural Snapshot

(page 91) Puno, en el sur de Perú, está a una altura de 12.500 pies sobre el nivel del mar. La ciudad fue fundada en el año 1668. Puno es el pueblo peruano más importante en las orillas del lago Titicaca.

Answers

1. incorrecta
2. correcta
3. correcta
4. incorrecta
5. correcta
6. correcta
7. incorrecta

1. El joven está labrando la tierra.
2. Tiene una expresión taciturna y melancólica en su cara triste.
3. El amo o patrón le hace trabajar tan duro al peón.
4. El joven está sudando porque está trabajando mucho y tiene calor.
5. El sudor se le sale de la frente.

1. melancólico
2. transpirando
3. labrando
4. una mirada
5. El amo

Resources

- Audio Activities TE, pages 2.37–2.38
- Audio CD 2B, Tracks 9–10
- Tests, pages 2.71–2.72
- *ExamView® Assessment Suite*

Introducción

You may wish to ask the following questions as you go over the **Introducción. ¿Cuándo y dónde nació José Santos Chocano? ¿Cómo fue su vida? ¿Por qué se sentía inca Santos Chocano? ¿Qué se declaró él a sí mismo? ¿Cuál es una contestación típica del indio de hoy? ¿Por qué? ¿Qué indica esta contestación?**

Leveling EACH Activity

Reading Level **Easy–Average**

ABOUT THE SPANISH LANGUAGE

La palabra **sudar** equivale al inglés *to sweat.* **Transpirar** es un poco más fino, es como *to perspire.* El sustantivo *sweat* es **el sudor** y *perspiration* es **la transpiración.**

¡Quién sabe!

de José Santos Chocano

Introducción

José Santos Chocano (1875–1934) nació en Perú. Su vida tumultuosa fue en realidad una novela dramática. Él viajó mucho por Latinoamérica y España. En sus poesías Chocano cantó las hazañas de su gente y describió la naturaleza americana: los volcanes, la cordillera andina y las selvas misteriosas.

Chocano se sentía inca. Él quería ser indio y español a la vez. Esa fusión de lo indígena y lo español la sentía en sus venas porque una de sus abuelas descendía de un capitán español y la otra era de una familia inca. La voz del poeta era la de un mestizo que conocía a su gente y su tierra. Se declaró a sí mismo cantor «autóctono[1] y salvaje» de la América hispanohablante. —Walt Whitman tiene el Norte, pero yo tengo el Sur— dijo Chocano.

[1] autóctono *indigenous*

Plantas y vegetación autóctonas del altiplano peruano ▼

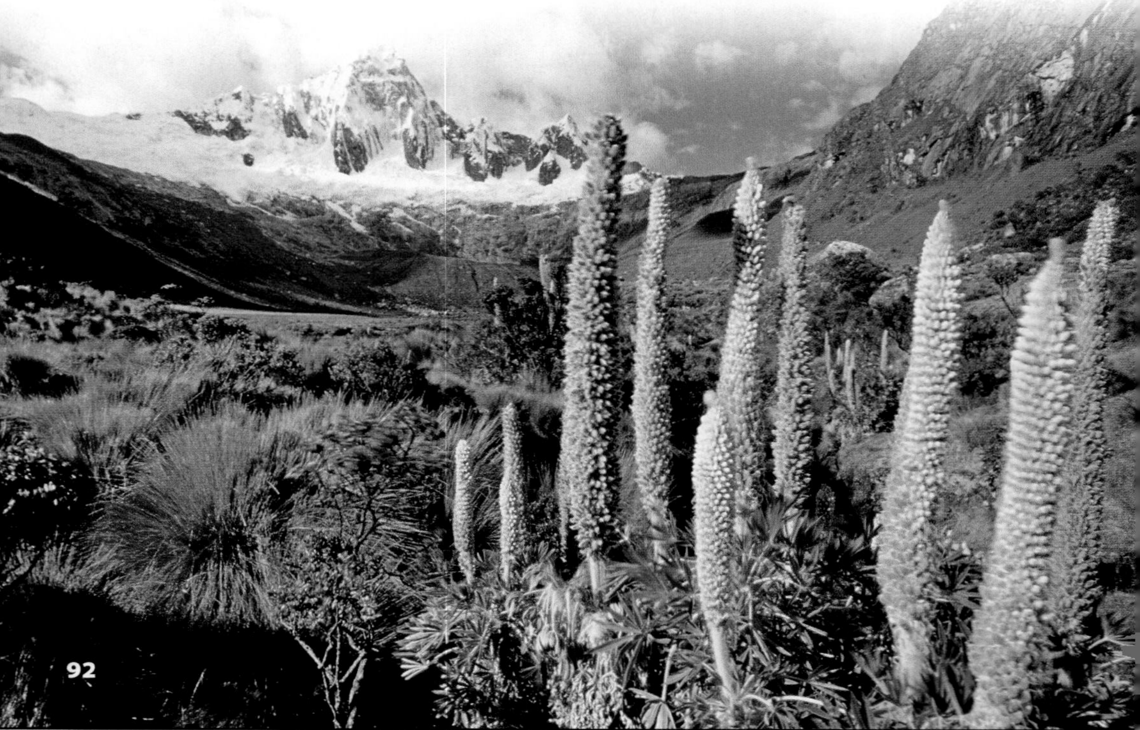

Antes de leer

En *¡Quién sabe!* Santos Chocano le habla al indio de hoy. Le pregunta si ha olvidado algo muy importante. Determina lo que es y analiza la personalidad del indio mientras leas. El poema tiene un mensaje importante. Identifícalo. Una buena estrategia es fijarte en el tono de voz de los que hablan.

¡Quién sabe! 

—Indio que labras con fatiga
tierras que de otros dueños son:
¿Ignoras tú que deben tuyas
ser, por tu sangre y tu sudor?
¿Ignoras tú que audaz codicia[1],
siglos atrás te las quitó?
¿Ignoras tú que eres el Amo?
—¡Quién sabe, señor!

—Indio de frente taciturna
y de pupilas sin fulgor[2].
¿Qué pensamiento es el que escondes[3]
en tu enigmática[4] expresión?
¿Qué es lo que buscas en tu vida?
¿Qué es lo que imploras a tu Dios?
¿Qué es lo que sueña tu silencio?
—¡Quién sabe, señor!

[1] audaz codicia *bold greed*
[2] sin fulgor *without a spark*
[3] escondes *hide*
[4] enigmática *puzzling*

Indios que labran con fatiga tierras que de otros dueños son ▶

 TEACH

Core Instruction

Step 1 It is suggested that you read the poem aloud to the class with as much expression as possible. Expression and intonation can help students understand the poem.

Step 2 Intersperse the questions from Activity A on page 94 as you go over this poem.

Cultura

Students experience, discuss, and analyze a well-known literary work, the poem *¡Quién sabe!,* by the Peruvian poet José Santos Chocano.

PRACTICE

Después de leer

A You may wish to intersperse the questions from this activity as you are going over the **Lectura.**

B This activity can be done as a complete class discussion.

A, B, and **C** These activities can be done orally and in writing.

Después de leer

A Recordando hechos Contesta.

1. ¿Qué hace el indio hasta estar rendido (muy cansado)?
2. ¿Cuáles son tres cosas que es posible que el indio no sepa?
3. ¿Cómo contesta el indio?
4. ¿Sabemos si el indio tiene las respuestas a las preguntas?

B Interpretando Contesta.

1. ¿Por qué le dice el autor al indio que las tierras deben ser suyas por su sangre y su sudor?
2. El autor le pregunta al indio si sabe que ya hace siglos una audaz codicia le quitó sus tierras. ¿A qué o a quiénes se refiere el autor?
3. ¿Por qué habrá escrito el autor «el Amo» con letra mayúscula?

C Parafraseando Contesta.

1. ¿Cómo describe José Santos Chocano a los indios?
2. ¿Cómo lo expresa Chocano?
   El indio parece melancólico.
   Parece que no tiene alegría ni esperanza.
   Tiene una mirada vaga.
   Parece que está pensando en algo pero no se lo revela a nadie.

Pisac, Perú ▼

Answers

A

1. El indio labra las tierras de otros dueños hasta estar rendido (muy cansado).
2. Es posible que el indio no sepa que las tierras deben ser suyas, que siglos atrás, los españoles les quitaron las tierras a los indígenas y que es el amo de la tierra que labra.
3. El indio contesta—¡Quién sabe, señor!
4. No, no sabemos si el indio las tiene.

B *Answers will vary but may include:*

1. El autor creerá que el indio es el que labró las tierras y por eso son suyas.
2. Se refiere a los españoles.
3. El autor querrá demostrar el sentido de importancia que los amos se dieron a ellos mismos.

C *Answers will vary but may include:*

1. Chocano describe a los indios como trabajadores, tristes y sin esperanza.
2. —Indio de frente taciturno
   y de pupilas sin fulgor
   tu enigmática expresión
   pensamiento que escondes

Conexiones

D Haciendo conexiones Contesta.

H. Ernest Lewald dice en su libro *Latinoamérica: sus culturas y sociedades:* «Según los investigadores antropológicos, el indio latinoamericano añadió a su estoicismo y rutina de tiempos precolombinos el silencio y la introversión tan propia de pueblos subyugados. Ha sido muy fácil observar que el indio en la actualidad se muestra inaccesible y pasivo frente al hombre moderno, aunque es locuaz y cooperativo dentro de su grupo comunal». ¿Cómo coinciden las palabras del poeta José Santos Chocano en su poema *¡Quién sabe!* con las observaciones de los investigadores antropológicos?

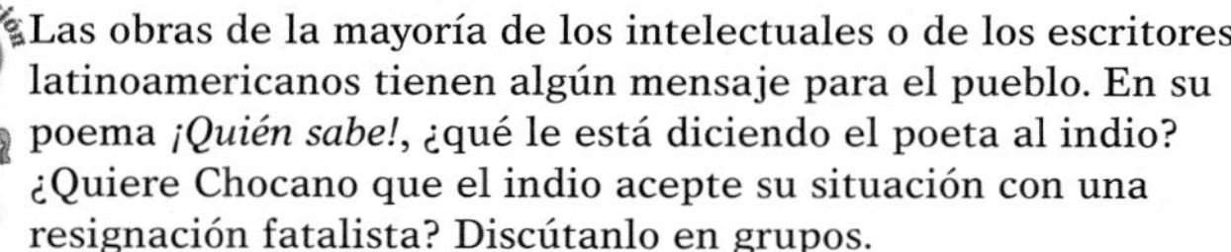

E Buscando mensajes Discute.

Las obras de la mayoría de los intelectuales o de los escritores latinoamericanos tienen algún mensaje para el pueblo. En su poema *¡Quién sabe!*, ¿qué le está diciendo el poeta al indio? ¿Quiere Chocano que el indio acepte su situación con una resignación fatalista? Discútanlo en grupos.

▲ Los indios no solo labraban la tierra. Construían magníficas ciudades tales como Machu Picchu.

Answers

D *Answers will vary.*

E *Answers will vary.*

Resources

- Vocabulary Transparency V2.5
- Audio Activities TE, page 2.38
- Audio CD 2B, Tracks 11–12
- *ExamView® Assessment Suite*

Vocabulario

Core Instruction

You may wish to have students repeat the new words after Audio CD 2B.

Note that the word **cuesta,** not **colina,** is used for a *hill* or *incline* in a city. In English we say *San Francisco has a lot of hills.* In Spanish, **San Francisco tiene muchas cuestas.**

Comunicación

Interpersonal

Have students say as much about the photo at the bottom of page 96 as they can.

Parte 2: Prosa

Los comentarios reales del Inca Garcilaso de la Vega

▲ Machu Picchu

Vocabulario 

Estudia las siguientes palabras para ayudarte a entender la lectura.

los avisos noticias o consejos que uno le comunica a otro
el buey un tipo de ganado
la cantera sitio de donde se sacan piedras
las nuevas noticias
la peña roca o piedra enorme
el pósito lugar comunal donde todos depositaban y almacenaban sus cereales y granos
el recaudo palabra antigua por recado, mensaje
ligero(a) que no pesa mucho; ágil; rápido
arrastrar llevar a alguien o algo por el suelo tirando de él o ella
de palabra oral(mente)

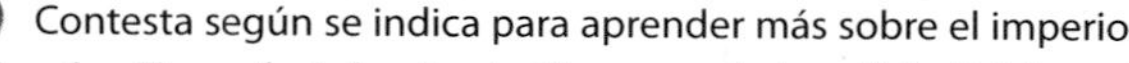

Práctica

ESCUCHAR • HABLAR • ESCRIBIR

1 Contesta según se indica para aprender más sobre el imperio incaico.

1. ¿En qué vivían los indígenas más humildes? (chozas)
2. ¿Dónde guardaban sus cereales? (en un pósito)
3. ¿A quién pertenecía el pósito? (al ayllu, a la comunidad)
4. ¿Para qué necesitaban piedras del tamaño de una peña? (construir fortalezas)
5. ¿De dónde sacaban las piedras? (de una cantera)
6. ¿Subían y bajaban las cuestas los hombres? (sí)
7. ¿Qué arrastraban? (grandes piedras)
8. ¿Por qué no tiraban los bueyes de un carro? (en aquel entonces no había ni bueyes ni carros)

EXPANSIÓN

Ahora, sin mirar las preguntas, cuenta la información en tus propias palabras. Si no recuerdas algo, un(a) compañero(a) te puede ayudar.

LEER • ESCRIBIR

2 Da la palabra cuya definición sigue.

1. una casa bastante humilde
2. una roca de gran tamaño
3. terreno en pendiente
4. un mensaje
5. noticias o consejos que se comunican a otro
6. tirar de una cosa para moverla
7. que no pesa mucho, que se mueve con rapidez

Peñas y rocas a lo largo de las orillas de las islas Galápagos ▼

▶ PRACTICE

Leveling EACH Activity

Easy Activity 1
Average Activity 1 **Expansión**, Activity 2

GLENCOE Technology

Online Learning in the Classroom

You may wish to have students use QuickPass code ASD7851c2 for additional practice. Students can download audio files to their computer and/or MP3 player. They can also access eFlashcards and a review worksheet.

Answers

1. Los indígenas más humildes vivían en chozas.
2. Guardaban sus cereales en un pósito.
3. El pósito pertenecía al ayllu (a la comunidad).
4. Necesitaban piedres del tamaño de una peña para construir fortalezas.
5. Sacaban las piedras de una cantera.
6. Sí, los hombres subían y bajaban las cuestas.
7. Arrastraban grandes piedras.
8. Los bueyes no tiraban de un carro porque en aquel entonces no había ni bueyes ni carros.

1. una choza
2. una peña
3. la cuesta
4. un recaudo
5. los avisos
6. arrastrar
7. ligero

Resources

- Audio Activities TE, pages 2.39–2.40
- Audio CD 2B, Tracks 13–14
- Tests, pages 2.72–2.73
- *ExamView® Assessment Suite*

Introducción

You can have students read the **Introducción** silently.

Leveling EACH Activity

Reading Level
Average–CHallenging

Estrategia

Go over the **Estrategia** with students and use the first sentence of the **Lectura** as an example.

TEACH

Core Instruction

Since this selection uses old Spanish, you may wish to just have students read it silently.

The meanings conveyed by the verb **trocar** in this selection can be confusing. Its first use in line 11 conveys the meaning *to exchange or trade something.* In line 19, **porque** would be **para que** and **no se trocasen** conveys the meaning *to not get mixed up or confused.*

Los comentarios reales

del Inca Garcilaso de la Vega

Estrategia

Monitoreando comprensión Algunas lecturas como la que sigue contienen mucha información detallada. Es necesario leer tal lectura detenidamente, pausando de vez en cuando para concentrarse en los detalles. Además muchos autores antiguos como el Inca Garcilaso de la Vega usaban frases largas cuando escribían. Una sola frase incluía varias ideas. Al leer tales obras una estrategia importante es la de dividir las frases en partes para facilitar la comprensión.

Introducción

El primer escritor de importancia mundial nacido en las Américas fue el Inca Garcilaso de la Vega (1539–1616). Su padre era un capitán español y su madre una princesa incaica. Él escribió *Los comentarios reales* que apareció en 1609. Una segunda parte con el título *Historia general del Perú* salió después de su muerte en 1617. *Los comentarios reales* se consideran una fuente importantísima en el estudio de la civilización de los incas. Describe el Imperio de los incas, sus leyendas, costumbres y monumentos.

Aquí tenemos dos fragmentos de *Los comentarios reales.*

Templo del Sol, Cuzco, Perú, 1500 ▶

Los comentarios reales

Chasqui llamaban a los correos que había puestos por los caminos para llevar con brevedad los mandatos del rey y traer las nuevas y avisos que por sus reinos y provincias, lejos o cerca, hubiese de importancia. Para lo cual tenían a cada cuarto de legua° cuatro o seis indios mozos y ligeros, los cuales estaban en dos chozas para repararse° de las inclemencias del cielo. Llevaban los recaudos por su vez, ya los de una choza, ya los de la otra, los unos miraban a la una parte del camino, y los otros a la otra, para descubrir los mensajeros antes que llegasen a ellos, a apercibirse° para tomar el recaudo, porque no se perdiese tiempo alguno.

Llamáronlos chasqui, que quiere decir trocar°, o dar y tomar, que es lo mismo, porque trocaban, daban y tomaban de uno en otro, y de otro en otro, los recaudos que llevaban. No les llamaron «cacha», que quiere decir mensajeros, porque este nombre lo daban al embajador o mensajero propio que personalmente iba de un príncipe al otro, o del señor al súbdito°. El recaudo o mensaje que los chasquis llevaban era de palabra, porque los indios del Perú no supieron escribir. Las palabras eran pocas, y muy concertadas, porque no se trocasen°, y por ser muchas no se olvidasen.

legua *three and a half miles*

repararse *protegerse*

apercibirse *to become aware of*
trocar *to trade, exchange*

Reading Check

¿Quiénes eran los chasquis y qué llevaban?

súbdito *subject*
se trocasen *confuse*

Reading Check

¿Cuál fue la diferencia entre un chasqui y un cacha?

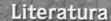

Maravillosos edificios hicieron los Incas, reyes del Perú, en fortalezas, en templos, en casas reales, en pósitos y en caminos como se muestran hoy por las ruinas que de ellas han quedado; aunque mal se puede ver por los cimientos lo que fue todo el edificio.

La obra mayor y más soberbia, que mandaron hacer para mostrar su poder y majestad, fue la fortaleza del Cuzco, cuyas grandezas son increíbles a quien no las ha visto, y al que las ha visto y mirado con atención, le hacen imaginar, y aun creer, que son hechas por vía de encantamiento°, y que las hicieron demonios° y no hombres, porque la multitud de las piedras, tantas y tan grandes, (que son más peñas que piedras) causa admiración imaginar, como las pudieron cortar de las canteras de donde se sacaron, porque los indios no tuvieron hierro ni acero° para cortar ni labrarlas; pues pensar como las trajeron al edificio, es dar en otra dificultad, porque no tuvieron bueyes, ni supieron hacer carros, ni hay carros que las puedan sufrir, ni bueyes que basten a tirarlas. Llevábanlas arrastrando a fuerza de brazos con gruesas maromas°; ni los caminos por donde las llevaban eran llanas, sino sierras muy ásperas, con grandes cuestas por do° las subían y bajaban a pura fuerza de hombres.

¿Qué construyeron los incas?

encantamiento *enchantment*
demonios *devils*

acero *steel*

maromas *thick ropes*
do *donde*

¿Qué le causó mucha admiración a Garcilaso de la Vega?

Edificios incaicos en Sacsayhuamán, Perú ▼

Tips for Success

As per the information in the **Estrategia,** it is important for students to do the Reading Checks.

Cultural Snapshot

(page 99) El fuerte de Sacsayhuamán es uno de los fuertes más impresionantes de las civilizaciones precolombinas. Se estima que hubo unos 20.000 trabajadores que lo construyeron a mediados del siglo XV. No se sabe precisamente cómo podrían arrastrar los grandísimos bloques de piedra al sitio.

PRACTICE

Después de leer

A and **B** You may wish to have students write these activities. You can call on a student to do the **Expansión** orally.

Differentiation

Advanced Learners

C You can call on advanced learners to correct the false information in this activity.

Después de leer

A Recordando hechos Contesta sobre los chasquis.

1. ¿Quiénes eran los chasquis?
2. ¿Qué llevaban?
3. ¿Cómo eran los chasquis?
4. ¿En qué se quedaban para protegerse de las inclemencias del tiempo?
5. ¿Por qué miraban siempre una parte del camino?
6. ¿Querían recibir el recado rápido para no perder tiempo?
7. ¿Qué era un cacha?
8. ¿Por qué eran orales los mensajes de los chasquis?
9. ¿Eran largos o cortos los mensajes?

EXPANSIÓN

Ahora, sin mirar las preguntas, cuenta la información en tus propias palabras. Si no recuerdas algo, un(a) compañero(a) te puede ayudar.

B Haciendo comparaciones Explica en tus propias palabras la diferencia entre un chasqui y un cacha.

C Confirmando información Indica si la información es correcta o no.

1. Los incas hicieron maravillosos edificios.
2. Aún las ruinas de los edificios muestran su grandeza.
3. Mirando las ruinas se puede ver lo que fue todo el edificio.
4. La obra mayor de los incas es la fortaleza del Cuzco.
5. Las grandezas de la fortaleza del Cuzco son increíbles solo a los que no las han visto.
6. La fortaleza fue construida de piedras pequeñas.
7. Algunas de las piedras son tan grandes que se parecen más a peñas que piedras.
8. Sabemos como los incas pudieron sacar estas piedras gigantescas de la cantera.
9. Trajeron las piedras al edificio que construían en carros tirados por bueyes.
10. Los caminos en las sierras por donde tenían que llevar las piedras tenían grandes cuestas.

Comparaciones

Has visto muchos ejemplos de estilos arquitectónicos de las poblaciones indígenas de Latinoamérica. ¿Puedes comparar la arquitectura indígena latinoamericana con la de los indígenas del sudoeste de Estados Unidos?

Answers

A

1. Los chasquis eran los correos.
2. Llevaban los mandatos del rey y nuevas y avisos importantes.
3. Los chasquis eran mozos y ligeros.
4. Se quedaban en chozas para protegerse de las inclemencias del tiempo.
5. Siempre miraban una parte del camino para ver si llegaban unos mensajeros.
6. Sí, querían recibir el recado rápido para no perder tiempo.
7. Un cacha era un embajador o mensajero propio de un príncipe o de un señor.
8. Los mensajes de los chasquis eran orales porque los indígenas de Perú no sabían escribir.
9. Los mensajes eran cortos.

B *Answers will vary but may include:*
Un chasqui era un correo que trocaba, daba y tomaba recados de otro en otro. Un cacha era la persona que era mensajero que iba personalmente de un príncipe al otro.

D **Visualizando e imaginando** Describe.

Imagínate que estabas en Ecuador o Perú durante la época de los incas. Descríbele a un(a) amigo(a) diciéndole todo lo que viste, todo lo que te fascinó, y todo lo que encontraste increíble.

E **Investigando**

Si a ti te interesa el tema indígena y si te es posible, lee una o solo una parte de las siguientes novelas: *Huasipungo,* del ecuatoriano Jorge Icaza y *Aves sin nido* de la peruana Clorinda Matto de Turner. Son novelas fenomenales pero te advertimos que no son muy fáciles.

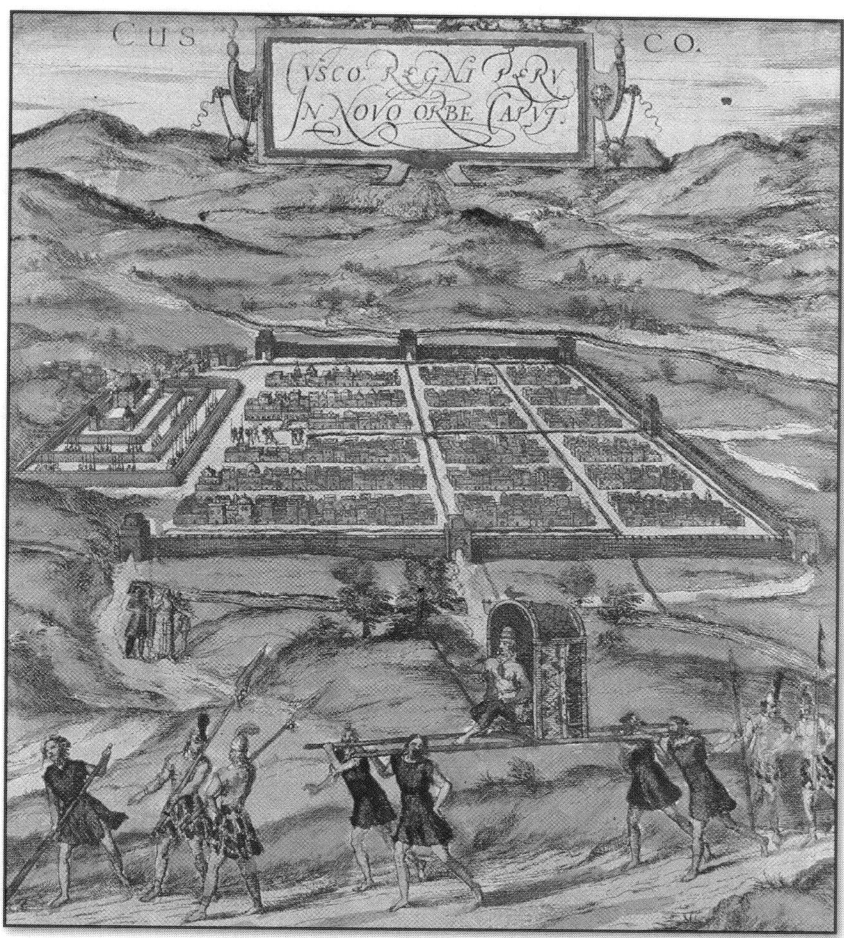

▲ Vista de Cuzco de *Voyage Pittoresque* de Carl Nebel

D and **E** These activities are optional.

Answers

C

1. sí
2. sí
3. no
4. sí
5. no
6. no
7. sí
8. no
9. no
10. sí

D *Answers will vary.*

The Video Program for Chapter 2 includes three documentary segments of some interesting aspects of life in Peru. You may wish to have students answer the **Antes de mirar** questions orally or in writing.

Episodio 1: José Luis es profesor en una pequeña escuela del pueblo de Puruchuco, cerca de Lima. Está enseñándole una momia a uno de sus alumnos. Debajo del patio de esta escuela está un antiguo cementerio inca donde enterraban a sus muertos entre 1465 y 1540. Las momias se encuentran en grupos que se llaman «fardos funerales». Los arqueólogos que estudian las momias dicen que están aprendiendo mucho sobre como vivían, lo que ellos apreciaban y como murieron.

Episodio 2: Este tren cubre el trayecto Cuzco-Machu Picchu. Machu Picchu, antigua ciudad de los incas, estuvo escondida durante siglos. Ni los conquistadores españoles sabían donde estaba. En 1911 un campesino se lo enseñó a un explorador norteamericano, Hiram Bingham. Por mucho tiempo la única manera de llegar a Machu Picchu era a pie o en tren. Las vistas y el paisaje que se ven desde el tren son maravillosos.

Episodio 3: Pablo Seminario es ceramista. Ha estudiado la alfarería precolombina por mucho tiempo. Él quiere conservar la cultura y las artes del pasado. Su esposa, Marilú, trabaja con él. Los dos crean preciosas tazas y vasijas y diferentes obras de arte. Sus obras son tan populares que ahora tienen todo un equipo de artesanos que les ayudan con su cerámica.

Videopaseo

¡Un viaje virtual a Perú!

Antes de mirar el episodio, completen las actividades que siguen.

Episodio 1: Los fardos funerales

Antes de mirar Con unos compañeros de clase, contesten las siguientes preguntas para prepararse para lo que van a ver en el video.

1. Según el título del episodio, ¿de qué se tratará?
2. ¿Saben ustedes qué es «un fardo»? Compartan sus ideas. (Tal vez la foto les ayude.)
3. Van a oír en el video algunos hechos sobre Perú. Piensen en lo que han aprendido en la lección de Cultura de este capítulo. ¿Qué saben de Perú? ¿Dónde está? ¿Cuál es la capital?
4. Van a ver una escuela peruana. ¿Cuáles son unas cosas que normalmente se encuentran en una escuela?

Episodio 2: Un viaje por tren

Antes de mirar Con unos compañeros de clase, contesten las siguientes preguntas para prepararse para lo que van a ver en el video.

1. Según el título del episodio, ¿de qué se tratará?
2. Ya han aprendido vocabulario relacionado con el tren en sus estudios del español. ¿Cuáles son algunos términos que conocen que tienen que ver con el viajar en tren?
3. ¿Han viajado alguna vez por tren? ¿Les gustó? ¿Adónde fueron ustedes?
4. ¿Cuáles son algunos lugares que podrían visitar si viajaran en tren en Perú?

Episodio 3: Alfarería andina

Antes de mirar Con unos compañeros de clase, contesten las siguientes preguntas para prepararse para lo que van a ver en el video.

1. Según el título del episodio, ¿de qué se tratará?
2. ¿Saben ustedes qué es una «alfarería»? Compartan sus ideas. (Tal vez la foto les ayude.)
3. ¿Cuáles son unas cosas que ustedes asocian con las artesanías?
4. ¿Les gustaría trabajar como artesanos(as)?

CAPÍTULO 2 Repaso de vocabulario

Cultura

un(a) criollo(a)
una cuerda
la madera
un nudo
el oro
la plata
la precipitación
un quipu
el/la tejedor(a)
un tejido
acomodado(a)
agrio(a)
bello(a)
caluroso(a)
escaso(a)
lluvioso(a)
nevado(a)
apoyar
soler (ue)
subyugar
tejer

Periodismo

Nuevas explosiones en volcán Tungurahua

la ceniza
el cielo despejado
el hongo
la tregua
alcanzar
desvanecer
reubicar
ubicar(se)

Mentores y mentados

el/la consejero(a)
el consejo
un jalón de orejas
aconsejar
acudir
poner al día

Literatura

Poesía

el amo(a)
la frente
la mirada
taciturno(a)
labrar la tierra
sudar

Prosa

el aviso
el buey
la cantera
una choza
una cuesta
las nuevas
la peña
el pósito
el recaudo
ligero(a)
arrastrar
de palabra

Resources

Tests, pages 2.79–2.94

Vocabulary Review

The words and phrases from Lessons 1, 3, and 4 have been taught for productive use in this chapter. They are sumarized here as a resource for both student and teacher.

Teaching Options

This vocabulary reference list has not been translated into English. If it is your preference to give students the English translations, please refer to Vocabulary Transparency V2.1.

Chapter Overview

El Cono sur

Scope and Sequence

Topics

- The geography of Chile, Argentina, Paraguay, and Uruguay
- The history of Chile, Argentina, Paraguay, and Uruguay
- The culture of Chile, Argentina, Paraguay, and Uruguay

Culture

- Atacama Desert
- Patagonia and Tierra del Fuego
- Guarani
- Argentine gauchos and the pampas
- Evita and Juan Perón
- Ushuaia, Argentina
- Argentine beef, Chilean seafood
- Avenida 9 de julio, Buenos Aires
- Weather in Buenos Aires, Argentina
- *Martín Fierro* by José Hernández
- *Los niños lloraban* by Pablo Neruda
- *Historia de dos cachorros de coatí y dos cachorros de hombre* by Horacio Quiroga
- *Continuidad de los parques* by Julio Cortázar

Functions

- How to describe actions in the present
- How to state location and origin
- How to refer to people and things already mentioned
- How to express surprise, interest, and annoyance
- How to express affirmative and negative ideas

Structure

- The present tense of regular and irregular verbs
- **Ser** and **estar**
- Object pronouns
- **Gustar** and verbs like **gustar**
- Affirmative and negative expressions

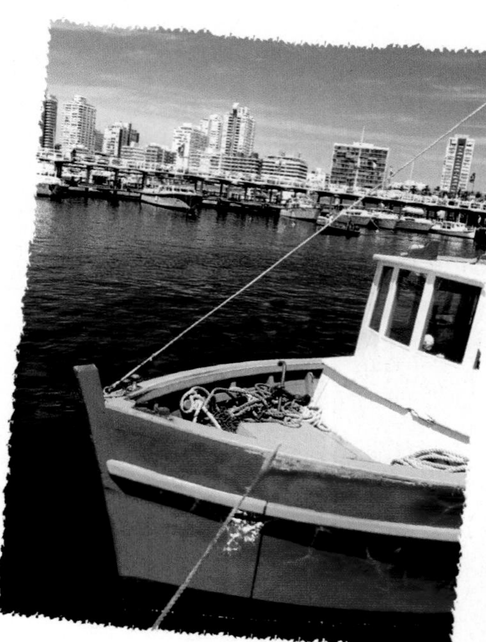

Leveling

The activities within each chapter are marked in the Wraparound section of the Teacher Edition according to level of difficulty.

E indicates easy
A indicates average
CH indicates challenging

The readings in **Lección 3: Periodismo** and **Lección 4: Literatura** are also leveled to help you individualize instruction to best meet your students' needs. Please note that the material does not become progressively more difficult. Within each chapter there are easy and challenging sections.

Correlations to National Foreign Language Standards

Page numbers in light print refer to the Student Edition. Page numbers in bold print refer to the Teacher Edition.	
Communication Standard 1.1 Interpersonal	pp. **107, 111,** 122, 125, 126, **126, 129,** 131, **131,** 135, **136, 140, 141, 142, 143,** 145, **151, 156, 160, 165,** 166
Communication Standard 1.2 Interpretive	pp. **106,** 107, **107, 108, 109,** 110, **110,** 111, **111,** 112, 113, 114, **114,** 115, 116, 117, **119,** 120, **120,** 121, 122, 124, **124,** 125, 127, 128, 129, 131, 133, **133,** 136, **136,** 137, **137, 138,** 139, 140, **140,** 141, **141,** 143, **143,** 144, 145, **146, 147, 148,** 149, **150,** 151, **152,** 153, **153, 154,** 155, **155,** 156, **156,** 157, **157,** 158, **158,** 159, 160, **160, 161,** 163, **163,** 164, **164,** 165
Communication Standard 1.3 Presentational	pp. **108, 113,** 117, **122, 125,** 135, 139, **139, 140, 141,** 145, 149, 151, 165, **165**
Cultures Standard 2.1	pp. **106, 112,** 117, 123, **125, 130, 133,** 141–142, **142, 166**
Cultures Standard 2.2	pp. **105, 106,** 107, **108, 110,** 111, **111,** 112, **112,** 113, **113, 114,** 115, **115, 116,** 117, 121, **121, 123, 125,** 126, **126, 129, 139,** 141–142, **143, 146,** 148, **148, 163,** 166, **166**
Connections Standard 3.1	pp. **105, 108,** 108–110, **110,** 111, **112,** 113, **113,** 114, **114,** 115, **115,** 117, 138, **139,** 139, 141–142, 145, **154,** 160, 162, **162,** 166, **166**
Connections Standard 3.2	pp. 120, **121,** 123, **123,** 124, 128, **128, 131,** 138, 141–142, 148, 150, **155,** 155–159, **156, 157, 158, 159, 160, 163,** 163–164, **164, 165,** 166
Comparisons Standard 4.1	pp. **106, 109, 112,** 123, 124, 130, **151**
Comparisons Standard 4.2	pp. 112, 117, 166
Communities Standard 5.1	pp. **117,** 122, 125, 128, **135, 145**
Communities Standard 5.2	pp. 120, **121,** 123, **123,** 128, **128, 148,** 166
To read the ACTFL Standards in their entirety, see the front of the Teacher Edition.	

Student Resources

Print

Workbook *(pp. 3.3–3.18)*
Audio Activities *(pp. 3.19–3.22)*

Technology

StudentWorks™ Plus
¡Así se dice! Gramática en vivo
¡Así se dice! Cultura en vivo
Vocabulary PuzzleMaker
QuickPass glencoe.com

Teacher Resources

Print

TeacherTools, Chapter 3

Workbook TE *(pp. 3.3–3.18)*
Audio Activities TE *(pp. 3.21–3.45)*
Quizzes 1–14 *(pp. 3.49–3.66)*
Tests *(pp. 3.68–3.108)*

Technology

Vocabulary Transparencies V3.1–V3.5
Audio CDs 3A and 3B
ExamView® Assessment Suite
TeacherWorks™ Plus
¡Así se dice! Video Program
Vocabulary PuzzleMaker
QuickPass glencoe.com

50-Minute Lesson Plans

	Objective	Present	Practice	Assess/Homework
Day 1	Learn about the geography, history, and culture of Chile, Argentina, Paraguay, and Uruguay	Chapter Opener, pp. 104–105 Core Instruction/Vocabulario, p. 106 Core Instruction/La geografía, pp. 108–110	Activities 1–2, p. 107 Activities A–B, p. 110 Audio Activities A–C, pp. 3.21–3.22	Student Workbook Activities A–G, pp. 3.3–3.5 QuickPass Culture Practice
Day 2	Learn about the geography, history, and culture of Chile, Argentina, Paraguay, and Uruguay	Core Instruction/Una ojeada histórica, pp. 111–115 Core Instruction/Comida, p. 115	Activities C–H, pp. 111–115 Audio Activities D–E, pp. 3.22–3.23	Quizzes 1–2, pp. 3.49–3.50 Student Workbook Activities H–L, pp. 3.5–3.7 QuickPass Culture Practice
Day 3	Review Lección 1: Cultura	Videopaseo, p. 166 Episodio 1: Teatro de la comunidad	Prepárate para el examen, Self-check for achievement, p. 116 Prepárate para el examen, Practice for proficiency, p. 117	Quizzes 3–6, pp. 3.51–3.54 Review for lesson test
Day 4	Reading and Writing Test for Lección 1: Cultura, pp. 3.71–3.73			
Day 5	The present tense of regular and irregular verbs	Core Instruction/Presente de los verbos regulares e irregulares, pp. 118–119 Video, Gramática en vivo	Activities 1–10, pp. 120–122 Audio Activities A–E, pp. 3.24–3.25	Student Workbook Activities A–F, pp. 3.8–3.10 QuickPass Grammar Practice
Day 6	**Ser** and **estar**	Core Instruction/**¿Ser** o **estar?**, pp. 123–124 Video, Gramática en vivo	Activities 11–14, pp. 124–125 Audio Activities F–J, pp. 3.26–3.28	Quiz 7, pp. 3.55–3.56 QuickPass Grammar Practice
Day 7	**Ser** and **estar**	Review **¿Ser** o **estar?**, pp. 123–124	Activities 15–19, pp. 125–126 Audio Activities K–O, pp. 3.28–3.29	Student Workbook Activities A–C, pp. 3.10–3.11 QuickPass Grammar Practice
Day 8	Object pronouns	Core Instruction/Pronombres de complemento, p. 127 Video, Gramática en vivo	Activities 20–25, pp. 128–129 Audio Activities P–V, pp. 3.30–3.33	Quizzes 8–9, pp. 3.57–3.58 Student Workbook Activities A–B, pp. 3.11–3.12 QuickPass Grammar Practice
Day 9	**Gustar** and verbs like **gustar** Affirmative and negative words	Core Instruction/Verbos como **gustar,** p. 130 Core Insturction/Palabras negativas y afirmativas, p. 132	Activities 26–29, pp. 130–131 Activities 30–32, p. 133 Audio Activities W–Z, pp. 3.33–3.35	Quizzes 10–11, pp. 3.59–3.60 Student Workbook Activities A–E, pp. 3.12–3.13 Student Workbook Activity A, pp. 3.14–3.15 QuickPass Grammar Practice
Day 10	Review Lección 2: Gramática	Videopaseo, p. 166 Episodio 2: Fiebre de fútbol	Prepárate para el examen, Self-check for achievement, p. 134 Prepárate para el examen, Practice for proficiency, p. 135	Quizzes 12–14, pp. 3.61–3.63 Review for lesson test
Day 11	Reading and Writing Test for Lección 2: Gramática, pp. 3.75–3.78			
Day 12	Read and discuss a weather forecast	Core Instruction/Vocabulario, p. 136 Core Instruction/*El pronóstico meteorológico,* p. 138	Activities 1–4, pp. 136–137 Activities A–D, p. 139 Audio Activities A–C, pp. 3.36–3.37	Student Workbook Activities A–E, pp. 3.16–3.17 QuickPass Journalism Practice
Day 13	Read and discuss a newspaper article about university life	Core Instruction/Vocabulario, p. 140 Core Instruction/*Cuando hay que dejar el hogar,* pp. 141–142	Activities 1–2, p. 140 Activities A–C, p. 143 Audio Activities D–E, p. 3.37	Student Workbook Activities A–C, pp. 3.17–3.18 QuickPass Journalism Practice
Day 14	Review Lección 3: Periodismo	Videopaseo, p. 166 Episodio 3: Tango en Buenos Aires	Prepárate para el examen, Self-check for achievement, p. 144 Prepárate para el examen, Practice for proficiency, p. 145	Review for lesson test

	Objective	Present	Practice	Assess/Homework
Day 15	Reading and Writing Test for Lección 3: Periodismo, pp. 3.79–3.80			
Day 16	Read a poem by José Hernández	Core Instruction/Vocabulario, p. 146 Core Instruction/*Martín Fierro,* pp. 147–148	Activity 1, p. 147 Activities A–E, p. 149 Audio Activities A–C, pp. 3.38–3.39	QuickPass Literature Practice
Day 17	Read a poem by Pablo Neruda and a short story by Julio Cortázar	Core Instruction/*Los niños lloraban,* p. 150 Core Instruction/Vocabulario, p. 161 Core Instruction/*Continuidad de los parques,* pp. 162–164	Activities A–D, p. 151 Activities 1–2, p. 161 Activities A–F, p. 165 Audio Activity H, p. 3.45	QuickPass Literature Practice
Day 18	Read a short story by Horacio Quiroga	Core Instruction/Vocabulario, pp. 152–153 Core Instruction/*Historia de dos cachorros de coatí y dos cachorros de hombre,* pp. 154–156	Activities 1–2, p. 153 Audio Activities D–E, p. 3.40	QuickPass Literature Practice
Day 19	Read a short story by Horacio Quiroga	Core Instruction/*Historia de dos cachorros de coatí y dos cachorros de hombre,* pp. 157–159	Activities A–E, p. 160 Audio Activities F–G, pp. 3.41–3.45	Review for lesson test QuickPass Literature Practice
Day 20	Reading and Writing Test for Lección 4: Literatura, pp. 3.81–3.84			
Day 21	Chapter 3 Tests Chapter Reading and Writing Test, pp. 3.89–3.97 Listening Comprehension Test, pp. 3.99–3.104		Test for Oral Proficiency, p. 3.105 Test for Writing Proficiency, pp. 3.106–3.108	

Note: You may want to use the rubrics below to help students prepare their speaking activities and their writing task.

Scoring Rubric for Speaking

	4	3	2	1
vocabulary	extensive use of vocabulary, including idiomatic expressions	adequate use of vocabulary and idiomatic expressions	limited vocabulary marked with some anglicisms	limited vocabulary marked by frequent anglicisms that force interpretation by the listener
grammar	few or no grammatical errors	minor grammatical errors	some serious grammatical errors	serious grammatical errors
pronunciation	good intonation and largely accurate pronunciation with slight accent	acceptable intonation and pronunciation with distinctive accent	errors in intonation and pronunciation with heavy accent	errors in intonation and pronunciation that interfere with listener's comprehension
content	thorough response with interesting and pertinent detail	thorough response with sufficient detail	some detail, but not sufficient	general, insufficient response

Scoring Rubric for Writing

	4	3	2	1
vocabulary	precise, varied	functional, fails to communicate complete meaning	limited to basic words, often inaccurate	inadequate
grammar	excellent, very few or no errors	some errors, but do not hinder communication	numerous errors interfere with communication	many errors, little sentence structure
content	thorough response to the topic	generally thorough response to the topic	partial response to the topic	insufficient response to the topic
organization	well organized, ideas presented clearly and logically	loosely organized, but main ideas present	some attempts at organization, but with confused sequencing	lack of organization

90-Minute Lesson Plans

	Objective	Present	Practice	Assess/Homework
Block 1	Learn about the geography, history, and culture of Chile, Argentina, Paraguay, and Uruguay	Chapter Opener, pp. 104–105 Core Instruction/Vocabulario, p. 106 Core Instruction/La geografía, pp. 108–115 Core Instruction/Comida, p. 115	Activities 1–2, p. 107 Activities A–H, pp. 110–115 Audio Activities A–E, pp. 3.21–3.23	Student Workbook Activities A–L, pp. 3.3–3.7 QuickPass Culture Practice
Block 2	Review Lección 1: Cultura	Videopaseo, p. 166 Episodio 1: Teatro de la comunidad	Prepárate para el examen, Self-check for achievement, p. 116 Prepárate para el examen, Practice for proficiency, p. 117	Quizzes 1–6, pp. 3.49–3.54 Review for lesson test
Block 3	The present tense of regular and irregular verbs	Core Instruction/Presente de los verbos regulares e irregulares, pp. 118–119 Video, Gramática en vivo	Activities 1–10, pp. 120–122 Audio Activities A–I, pp. 3.24–3.27	Reading and Writing Test for Lección 1: Cultura, pp. 3.71–3.73 Student Workbook Activities A–F, pp. 3.8–3.10 QuickPass Grammar Practice
Block 4	**Ser** and **estar**	Core Instruction/**¿Ser** o **estar?,** pp.123–124 Video, Gramática en vivo	Activities 11–19, pp. 124–126 Audio Activities J–Q, pp. 3.27–3.30	Quiz 7, pp. 3.55–3.56 Student Workbook Activities A–C, pp. 3.10–3.11 QuickPass Grammar Practice
Block 5	Object pronouns **Gustar** and verbs like **gustar** Affirmative and negative words	Core Instruction/Pronombres de complemento, p. 127 Video, Gramática en vivo Core Instruction/ Verbos como **gustar,** p. 130 Core Instruction/Palabras negativas y afirmativas, p. 132	Activities 20–25, pp. 128–129 Activities 26–29, pp. 130–131 Activities 30–32, p. 133 Audio Activities R–Z, pp. 3.31–3.35	Quizzes 8–9, pp. 3.57–3.58 Student Workbook Activities A–B, pp. 3.11–3.12 Student Workbook Activities A–E, pp. 3.12–3.13 Student Workbook Activity A, pp. 3.14–3.15 QuickPass Grammar Practice
Block 6	Review Lección 2: Gramática	Videopaseo, p. 166 Episodio 2: Fiebre de fútbol	Prepárate para el examen, Self-check for achievement, p. 134 Prepárate para el examen, Practice for proficiency, p. 135	Quizzes 10–14, pp. 3.59–3.63 Review for lesson test
Block 7	Read and discuss a weather forecast	Core Instruction/Vocabulario, p. 136 Core Instruction/*El pronóstico meteorológico,* p. 138	Activities 1–4, pp. 136–137 Activities A–D, p. 139 Audio Activities A–B, p. 3.36	Reading and Writing Test for Lección 2: Gramática, pp. 3.75–3.78 Student Workbook Activities A–E, pp. 3.16–3.17 QuickPass Journalism Practice
Block 8	Read and discuss a newspaper article about university life	Core Instruction/Vocabulario, p. 140 Core Instruction/*Cuando hay que dejar el hogar,* pp. 141–142	Activities 1–2, p. 140 Activities A–C, p. 143 Audio Activities C–E, p. 3.37 Prepárate para el examen, Self-check for achievement, p. 144 Prepárate para el examen, Practice for proficiency, p. 145	Student Workbook Activities A–C, pp. 3.17–3.18 Review for lesson test QuickPass Journalism Practice
Block 9	Read poems by José Hernández and Pablo Neruda	Core Instruction/Vocabulario, p. 146 Core Instruction/*Martín Fierro,* pp. 147–148 Core Instruction/*Los niños lloraban,* p. 150	Activity 1, p. 147 Activities A–E, p. 149 Activities A–D, p. 151 Audio Activities A–C, pp. 3.38–3.39	Reading and Writing Test for Lección 3: Periodismo, pp. 3.79–3.80 QuickPass Literature Practice

	Objective	Present	Practice	Assess/Homework
Block 10	Read a short story by Horacio Quiroga	Core Instruction/Vocabulario, pp. 152–153 Core Instruction/*Historia de dos cachorros de coatí y dos cachorros de hombre,* pp. 154–159	Activities 1–2, p. 153 Activities A–E, p. 160 Audio Activities D–G, pp. 3.40–3.45	QuickPass Literature Practice
Block 11	Read a short story by Julio Cortázar	Core Instruction/Vocabulario, p. 161 Core Instruction/*Continuidad de los parques,* pp. 162–164 Videopaseo, p. 166 Episodio 3: Tango en Buenos Aires	Activities 1–2, p. 161 Activities A–F, p. 165 Audio Activity H, p. 3.45	Review for lesson and chapter tests QuickPass Literature Practice
Block 12	Reading and Writing Test for Lección 4: Literatura, pp. 3.81–3.84 Chapter 3 Tests Chapter Reading and Writing Test, pp. 3.89–3.97 Listening Comprehension Test, pp. 3.99–3.104 Test for Oral Proficiency, p. 3.105 Test for Writing Proficiency, pp. 3.106–3.108			

Note: You may want to use the rubrics below to help students prepare their speaking activities and their writing task.

Scoring Rubric for Speaking

	4	3	2	1
vocabulary	extensive use of vocabulary, including idiomatic expressions	adequate use of vocabulary and idiomatic expressions	limited vocabulary marked with some anglicisms	limited vocabulary marked by frequent anglicisms that force interpretation by the listener
grammar	few or no grammatical errors	minor grammatical errors	some serious grammatical errors	serious grammatical errors
pronunciation	good intonation and largely accurate pronunciation with slight accent	acceptable intonation and pronunciation with distinctive accent	errors in intonation and pronunciation with heavy accent	errors in intonation and pronunciation that interfere with listener's comprehension
content	thorough response with interesting and pertinent detail	thorough response with sufficient detail	some detail, but not sufficient	general, insufficient response

Scoring Rubric for Writing

	4	3	2	1
vocabulary	precise, varied	functional, fails to communicate complete meaning	limited to basic words, often inaccurate	inadequate
grammar	excellent, very few or no errors	some errors, but do not hinder communication	numerous errors interfere with communication	many errors, little sentence structure
content	thorough response to the topic	generally thorough response to the topic	partial response to the topic	insufficient response to the topic
organization	well organized, ideas presented clearly and logically	loosely organized, but main ideas present	some attempts at organization, but with confused sequencing	lack of organization

Preview

In this chapter, students will learn about the geography, history, and culture of Chile, Argentina, Uruguay, and Paraguay. They will read newspaper articles dealing with a weather report in Argentina and options for university study in Chile. Students will be introduced to the literary works of the great writers José Hernández, Pablo Neruda, Horacio Quiroga, and Julio Cortázar. Students will also continue with their complete review of Spanish grammar.

Pacing

Cultura	4–5 days
Gramática	4–5 days
Periodismo	4–5 days
Literatura	4–5 days
Videopaseo	2 days

CAPÍTULO 3

El Cono sur

Chile, Argentina, Paraguay, Uruguay

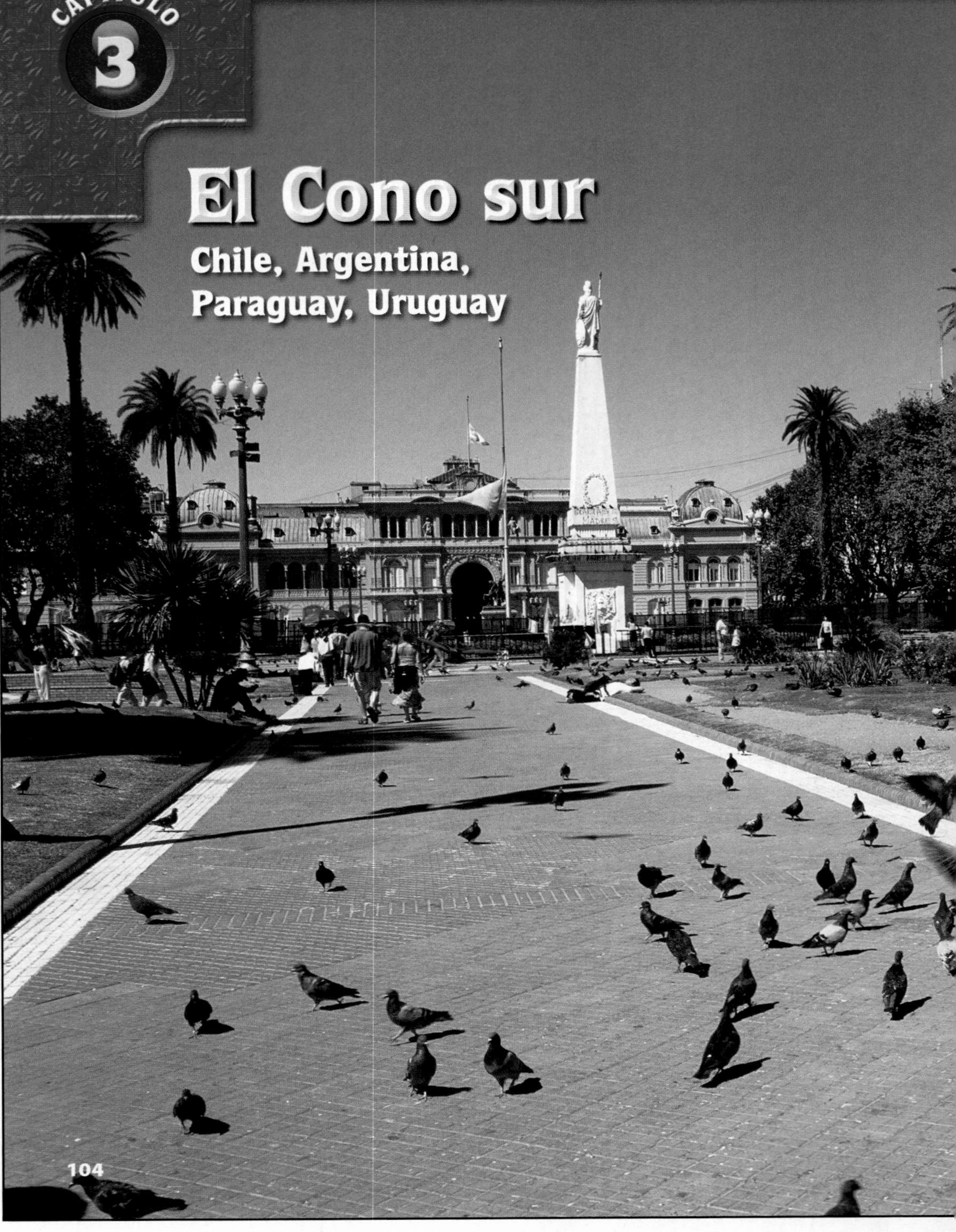

104

TeacherWorks Plus

The **¡Así se dice!** TeacherWorks™ Plus CD-ROM is an all-in-one planner and resource center. You may wish to use several of the following features as you plan and present the Chapter 3 material: Interactive Teacher Edition, Interactive Lesson Planner with Calendar, and Point and Click Access to Teaching Resources including Hotlinks to the Internet and Correlations to the National Standards.

◀ Casa Rosada, sede del gobierno argentino, Buenos Aires

Objetivos

You will:

- learn about the geography, history, and culture of Chile, Argentina, Paraguay, and Uruguay
- talk about yourself—your interests, likes, and dislikes
- read and discuss a weather forecast and a newspaper article about university life
- read poems by José Hernández and Pablo Neruda and short stories by Horacio Quiroga and Julio Cortázar

You will review:

- the present of regular and irregular verbs
- **ser** and **estar**
- object pronouns
- **gustar** and verbs like **gustar**
- affirmative and negative words

Contenido

QuickPass

Go to glencoe.com
For: **Online book**
Web code: **ASD7851c3**

Cultural Snapshot

(pages 104–105) Las oficinas del presidente de la República argentina están en la Casa Rosada en el centro de Buenos Aires. Durante la época colonial sirvió de fortaleza y fue del balcón de este edificio que Eva Perón daba sus discursos apasionados al pueblo argentino.

Quia Interactive Online Student Edition found at quia.com allows students to complete activities online and submit them for computer grading for instant feedback or teacher grading with suggestions for what to review. Students can also record speaking activities, listen to chapter audio, and watch the videos that correspond with each chapter. As a teacher you are able to create rosters, set grading parameters, and post assignments for each class. After students complete activities you can view the results and recommend remediation or review. You can also add your own customized activities for additional student practice.

Resources

- Vocabulary Transparency V3.2
- Audio Activities TE, pages 3.21–3.22
- Audio CD 3A, Tracks 1–3
- Workbook, pages 3.3–3.4
- Quiz 1, page 3.49
- *ExamView® Assessment Suite*

TEACH

Core Instruction

Step 1 You may wish to call on one student to read the new word. Call on another to read the definition.

Step 2 For some classes, you may feel it is sufficient for students to study the definitions silently and then proceed to the **Práctica** activities.

Note: Be sure to have students look at the callout words in the photographs since they too will be used in the **Lectura.**

Differentiation

Advanced Learners

Have advanced learners make up original sentences using the new words.

Slower Paced Learners

For slower paced learners, allow them to hear the vocabulary words in sentences you make up. **Hay muchos viñedos en el norte de California donde se produce mucho vino.**

Go to glencoe.com
For: **Culture practice**
Web code: **ASD7851c3**

Vocabulario

Estudia las siguientes palabras para ayudarte a entender la lectura.

- **el viñedo** terreno donde hay vides—plantas cuyo fruto es la uva
- **una huerta** jardín bastante grande
- **un chaparrón** lluvia abundante pero de poca duración
- **una ráfaga** viento de corta duración que aumenta de velocidad rápidamente
- **una llanura** terreno llano que no tiene altos ni bajos
- **una sabana** llanura que no tiene árboles
- **un cerro** elevación de tierra menos alta que un monte o una montaña
- **el peonaje** grupo de peones o labradores
- **el odio** antipatía, aversión, repulsión, rencor
- **belicoso(a)** guerrero, agresivo
- **pacífico(a)** calmo, tranquilo, contrario de «belicoso»
- **austral** del sur

About the Spanish Language

- **Una huerta** can also be **un huerto.**
- Students often confuse **sabana,** *flatland,* and **sábana,** *bedsheet.*

Cultural Snapshot

(page 106) Los gauchos que vemos aquí trabajan en una estancia a unas dos horas de Buenos Aires.

GLENCOE Technology

Online Learning in the Classroom

You may wish to have students use QuickPass code ASD7851c3 for additional vocabulary and comprehension practice. Students will be able to download audio files to their computer and/or MP3 player and access eFlashcards, eGames, a self-check quiz, and a review worksheet.

Práctica

ESCUCHAR • HABLAR • ESCRIBIR

1 Contesta según se indica.

1. ¿Qué es un chaparrón? (una tempestad o una tormenta)
2. ¿Qué cultivan en un viñedo? (uvas)
3. ¿Dónde cultivan vegetales y frutas? (en una huerta)
4. ¿Dónde pace el ganado? (en las llanuras o en las sabanas)
5. ¿Hay muchos árboles en una sabana? (no, ningún)
6. ¿Es muy alto un cerro? (no)
7. ¿Llueve por mucho tiempo durante un chaparrón? (no)
8. ¿Qué producen muchas tormentas o tempestades? (ráfagas)
9. ¿Son belicosos o pacíficos los guerreros? (belicosos)

▲ Viñedos en la región de Mendoza, Argentina

LEER • ESCRIBIR

2 Completa con una palabra apropiada.

1. ____ es un grupo de peones.
2. ____ es el cuchillo que lleva el gaucho.
3. ____ es un viento veloz y rápido.
4. Ushuaia es la ciudad más ____ del hemisferio. Está en el extremo sur de Argentina.
5. Es mejor el amor que ____.

Gauchos y ganado en las llanuras de Uruguay ▼

Answers

1

1. Un chaparrón es una tempestad o una tormenta.
2. Cultivan uvas en un viñedo.
3. Cultivan vegetales y frutas en una huerta.
4. El ganado pace en las llanuras o en las sabanas.
5. No, no hay ningún árbol en una sabana.
6. No, un cerro no es muy alto.
7. No, no llueve por mucho tiempo durante un chaparrón.
8. Muchas tormentas o tempestades producen ráfagas.
9. Los guerreros son belicosos.

2

1. Un peonaje
2. El facón
3. Una ráfaga
4. austral
5. el odio

Cultura

PRACTICE

Leveling EACH Activity

Easy Activity 1
Average Activity 2

Activity 1 This activity can be done orally with books closed. Call on students at random to respond or have them work in pairs.

Activity 2 This activity can be prepared and then gone over in class.

Heritage Speakers

Have heritage speakers tell in their own words what they learned from this short vocabulary selection about **la geografía, la agricultura,** and **la indumentaria del gaucho.**

Cultural Snapshot

(page 107 top) En este viñedo en las afueras de Mendoza todo se cultiva orgánicamente.

ASSESS

Students are now ready to take Quiz 1 on page 3.49 of the TeacherTools booklet. If you prefer to create your own quiz, use the *ExamView® Assessment Suite.*

Resources

- Workbook, pages 3.4–3.5
- Quiz 2, page 3.50
- *ExamView® Assessment Suite*

TEACH

Core Instruction

You may choose any of the following procedures for this reading.

Independent reading Have students read the selections and do the activities as homework, which you collect. This option is least intrusive on class time and requires a minimum of teacher involvement.

Homework with in-class follow-up Assign the reading and the activities as homework. Review and discuss the material in class.

Intensive in-class activity This option includes a pre-reading vocabulary presentation, in-class reading and discussion, assignment of the activities for homework, and a discussion of the assignment in class.

Teaching Options

You may wish to assign different sections of the reading to different groups. If you do this, each group should report what they learned to the class so every student can be familiar with all the material.

La geografía

Chile

El Cono sur comprende los países de Chile, Argentina, Uruguay y Paraguay. Chile es un país largo y estrecho que tiene la forma de una habichuela verde (un poroto). Siendo tan largo desde el norte hasta el sur, tiene un terreno extremadamente variado y variaciones climáticas extremas. El desierto de Atacama en el norte es uno de los desiertos más áridos del mundo. El centro, cerca de Santiago, la capital, disfruta de un clima templado como el del Mediterráneo. Aquí hay viñedos y huertas. La región de los bellísimos lagos goza también de un clima templado, pero un poco más hacia el sur en Puerto Montt, por ejemplo, el clima es lluvioso y borrascoso[1] incluso en el verano. La Patagonia en el sur tiene un clima casi siempre frío y lluvioso con chaparrones frecuentes y ráfagas de viento que alcanzan una velocidad increíble. La Patagonia es famosa por sus fiordos y glaciares.

[1] borrascoso *stormy*

▲ Desierto de Atacama en el norte de Chile

Parque Nacional Torres del Paine en la Patagonia chilena ▼

▼ Vista de Santiago de Chile de noche

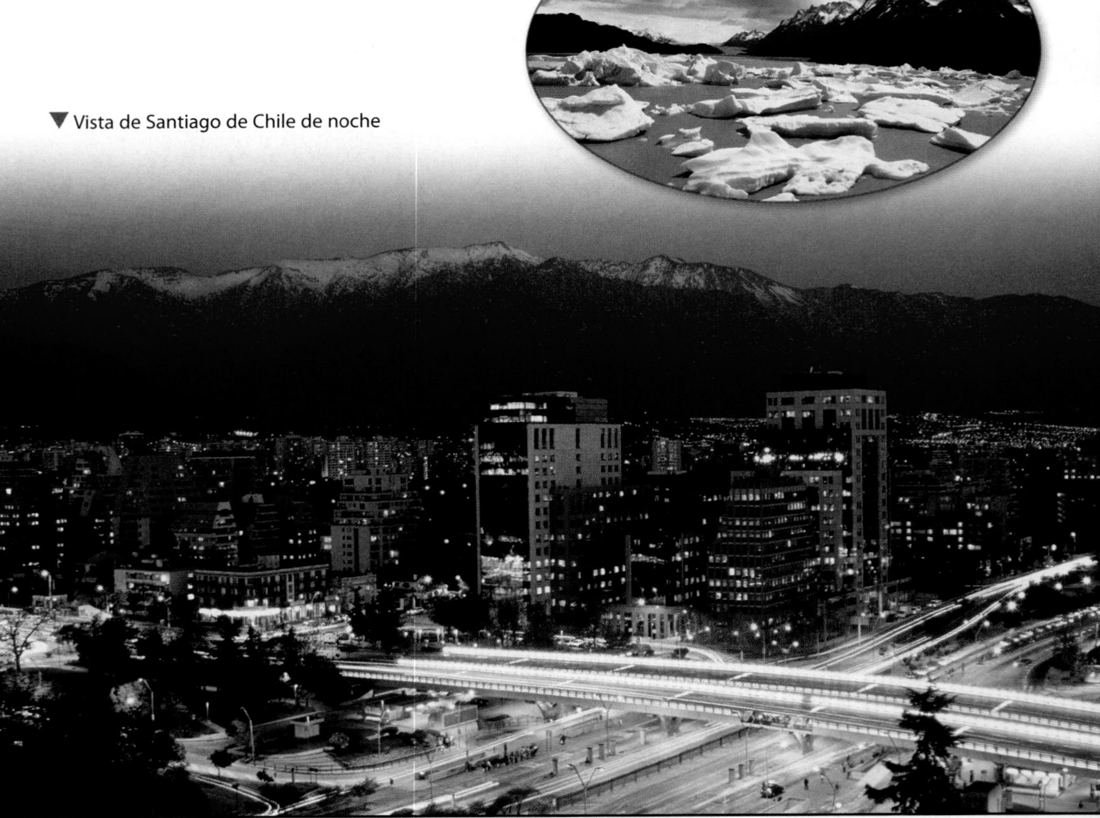

Cultural Snapshot

(page 108 top) El desierto de Atacama se considera uno de los desiertos más secos del mundo. El desierto se extiende por toda la costa norte de Chile.
(page 108 middle) El Parque Nacional Torres del Paine en la Patagonia chilena tiene una gran diversidad de paisajes—bosques, montañas, lagos, cascadas y glaciares igual que una gran riqueza de fauna y flora.
(page 108 bottom) Santiago de Chile es una ciudad moderna flanqueada al este por los Andes con sus nieves eternas y al oeste por la cordillera de la costa.

Argentina

Argentina es el segundo mayor país de Sudamérica. Se puede dividir el país en cuatro grandes regiones naturales.

Las llanuras del nordeste Se caracterizan las llanuras por vastas zonas de terreno pantanoso[2] y sabanas. Es la región de los ríos Paraná y Uruguay. Una región húmeda de fértil tierra roja, es famosa por su gran ganadería y agricultura incluyendo el cultivo de la hierba mate, de la que se hace la bebida nacional.

Los Andes del noroeste Es aquí donde se encuentra el Aconcagua, la cumbre más alta de las Américas (6.959 metros). Es una región de volcanes nevados, altiplanos y desiertos. La mayoría de la población argentina es de ascendencia europea, pero en el noroeste hay una gran población indígena.

Reserva Natural
Villavicencio
MIRADOR
ACONCAGUA
"El Techo de América"
Es la montaña más alta de la cordillerra, a 6962 metros sobre el nivel del mar. Su nombre evidentemente indígena, para algunos de origen quechua, derivaría de "Ackon-Cahuak" y se traduciría por "Centinela de Piedra". Otros afirman que viene de "Aconca - Hue", expresión mapuche aplicada al río del mismo nombre, al que se dice en Chile "viene del otro lado" ya que antiguas creencias Suponían que el río Aconcagua nacía en los faldeos del monte de iqual nombre.
Altitud: 3.100 mts.

▲ Aconcagua, Argentina

La pampa La pampa es una inmensa llanura de hierba verde que cubre el 25 por ciento del territorio argentino. Es el centro económico del país e incluye los centros urbanos de Buenos Aires. Las ciudades de Rosario y Santa Fe tienen pocos habitantes pero en sus alrededores hay millones de bovinos y carneros. Es la región de los famosos bifes argentinos.

La Patagonia y Tierra del Fuego Es la región más extensa y menos poblada del país. El estrecho de Magallanes separa la Tierra del Fuego del continente. Es una región de llanuras inmensas de suelo rocoso batidas de vientos secos y fríos.

▲ Estrecho de Magallanes

[2] pantanoso *swampy, marshy*

Differentiation

Slower Paced Learners
Advanced Learners

If you have students read orally, you may wish to stop and ask an individual question of slower paced learners. You can call on advanced learners to give a synopsis of each paragraph or two.

Tips for Success

Have students quickly scan the page to find the many cognates.

Cultural Snapshot

(page 109 top) El Aconcagua en la lengua de los incas significa «centinela de piedra». Alcanza unos 6.959 metros. Se ha encontrado hace unos años una momia inca a unos 5.300 metros de altitud.

About the Spanish Language

- Point out to students the name of each country and the nationality.

Argentina	**argentino**
Chile	**chileno**
Uruguay	**uruguayo**
Paraguay	**paraguayo**

- Note that in present-day Spanish it is common to drop the article with countries that originally used the article, such as **la Argentina** and **el Perú.**

Conexiones

La geografía

Have students locate the four countries of the **Cono sur** on the map of South America on page SH19.

Juego As you are finishing the geography section, you can play the following game. One student says something that describes a particular country. Another student has to identify the country.

Cultural Snapshot

(page 110 top) La Plaza de la Independencia está en el centro de Montevideo. Bajo la estatua ecuestre que se ve al fondo está el mausoleo de José Gervasio Artigas, el organizador del movimiento gaucho (1811–1821) quien luchó contra los españoles y portugueses para mantener la independencia de Uruguay. *(page 110 bottom)* Muchos cruceros salen de Ushuaia para hacer excursiones a la Antártida.

Uruguay

Uruguay es el país más pequeño de la América del Sur. Un país tranquilo y placentero, la mitad de la población vive en la capital, Montevideo. La mayor parte del país comprende terrenos llanos y algunos cerros poco elevados. La tierra y el clima moderados son muy propicios para la agricultura y la ganadería. Los llanos uruguayos son muy conocidos por sus estancias grandes.

Paraguay

Paraguay, como su vecino Bolivia, no tiene costa. En gran parte del país hace mucho calor. En el este hay un área de bosque tropical húmedo y en el oeste está el Chaco, una zona árida donde es importante la explotación de madera.

▲ Plaza de la Independencia, Montevideo

▲ Huellas de jaguares en el Chaco paraguayo

A Confirmando Corrige la información falsa.

1. Chile es un país largo y ancho que tiene la forma de una papa.
2. El desierto de Atacama en el sur de Chile es uno de los desiertos más áridos del mundo.
3. En la región de Puerto Montt, al sur de los lagos chilenos, el clima es caluroso y húmedo.
4. El nordeste de Argentina es una región de terreno pantanoso.
5. El noroeste de Argentina es una región de llanuras y sabanas y la mayoría de la población es europea.
6. La pampa es una inmensa llanura de hierba verde de la región patagónica donde hay mucho ganado.
7. Uruguay es el país más grande de la América del Sur y una gran parte del país comprende terrenos llanos con algunos cerros no muy altos.
8. Gran parte de Paraguay es un bosque tropical húmedo y el Chaco es una zona muy árida.

B Describiendo Describe el clima y el terreno de la Patagonia.

Vista de Ushuaia, Argentina ▶

Answers

A

1. Chile es un país largo y estrecho que tiene la forma de una habichuela verde (de un poroto).
2. El desierto de Atacama en el norte de Chile es uno de los desiertos más áridos del mundo.
3. En la región de Puerto Montt, al sur de los lagos chilenos, el clima es lluvioso y borrascoso.
4. correcto
5. El noroeste de Argentina es una región de volcanes nevados, altiplanos y desiertos y allí hay una gran población indígena.
6. correcto
7. Uruguay es el país más pequeño de la América del Sur y una gran parte del país comprende terrenos llanos con algunos cerros no muy altos.
8. En el este de Paraguay hay un área de bosque tropical húmedo y el Chaco es una zona muy árida.

B *Answers will vary but may include:* La Patagonia es la región más extensa y menos poblada del país. Es una región de llanuras inmensas de suelo rocoso batidas de vientos secos y fríos.

Una ojeada histórica

▲ Máscaras para una celebración guaraní en Paraguay

Las civilizaciones precolombinas

En la costa del Pacífico al norte de Chile y en Centroamérica y México los españoles encontraron civilizaciones indígenas muy avanzadas. Pero la situación fue diferente en los países del Cono sur. En Argentina había varios grupos indígenas pero en su mayoría no se establecieron en un lugar fijo y tenían una cultura bastante primitiva basada en la recolección y la caza. En Uruguay vivían los charrúas, un grupo muy belicoso. Los araucanos que poblaban una gran parte del centro de Chile eran feroces guerreros que nunca aceptaron someterse a la espada castellana. Ellos condujeron una larga y sangrienta guerra contra los conquistadores.

Los guaraníes

En Paraguay vivían los guaraníes, un grupo muy pacífico, quienes dieron la bienvenida a los españoles, sobre todo a los jesuitas. Muchos fueron a vivir en sus reducciones o misiones. Hay quienes dicen que los jesuitas realizaban una verdadera obra civilizadora entre los guaraníes. Los defendían de la esclavitud y la muerte a manos de los bandeirantes[3] de Brasil. Dicen otros que los guaraníes perdieron su independencia y sus derechos fundamentales al aceptar las enseñanzas[4] de los jesuitas.

Actualmente una gran parte de la población paraguaya tiene sangre española y guaraní. La moneda de Paraguay es el guaraní y las dos lenguas oficiales del país son el español y el guaraní. Se dice que el español es la lengua del comercio y el guaraní, una lengua melodiosa, la lengua del amor. Las canciones guaraníes son muy placenteras. Algunas de sus canciones al acompañamiento del arpa paraguaya imitan la voz del ave, la caída de la lluvia y otros sonidos agradables de la naturaleza.

[3] bandeirantes *(Brazilian) gauchos*   [4] enseñanzas *teachings*

C **Comparando** En pocas palabras comparen los indígenas que encontraron los españoles en la costa del Pacífico al norte de Chile con los que encontraron en los países del Cono sur.

D **Recordando hechos** Contesta sobre los guaraníes.

1. ¿Dónde vivían los guaraníes?
2. ¿Cómo eran?
3. ¿Cómo aceptaron a los españoles?
4. ¿Adónde fueron a vivir muchos de ellos?
5. ¿Cómo los trataban los jesuitas?
6. Actualmente, ¿qué tiene una gran parte de la población paraguaya?
7. ¿Cuál es la moneda de Paraguay?
8. ¿Cuáles son los dos idiomas oficiales de Paraguay?
9. ¿Cómo son las canciones guaraníes?

▼ Misión jesuita en Trinidad, Paraguay

Answers

C *Answers will vary.*

D

1. Los guaraníes vivían en Paraguay.
2. Eran muy pacíficos.
3. Les dieron la bienvenida.
4. Muchos fueron a vivir en las reducciones o misiones.
5. Los jesuitas los defendían de la esclavitud y la muerte a manos de los bandeirantes de Brasil.
6. Actualmente una gran parte de la población paraguaya tiene sangre española y guaraní.
7. La moneda de Paraguay es el guaraní.
8. Los dos idiomas oficiales de Paraguay son el español y el guaraní.
9. Las canciones guaraníes son muy placenteras y algunas imitan la voz del ave, la caída de la lluvia y otros sonidos agradables de la naturaleza.

Cultura

Resources

- Workbook, pages 3.5–3.7
- Quiz 3, page 3.51
- *ExamView® Assessment Suite*

TEACH

Core Instruction

Have students identify some indigenous groups they have already learned about.

Differentiation

Advanced Learners

Call on an advanced learner to give the major difference or differences between the indigenous people of the **Cono sur** and those from the north.

Comunicación

Interpersonal

Divide the class in two groups to debate the following. **Hay quienes dicen que los jesuitas realizaban una verdadera obra civilizadora entre los guaraníes. Dicen otros que los guaraníes perdieron su independencia y sus derechos fundamentales al aceptar las enseñanzas de los jesuitas.**

Cultura

There is a very notable Guarani influence in Paraguay. Guarani music and songs are a part of the Paraguayan national culture, and Paraguayans are proud to be able to speak both Spanish and Guarani.

Cultural Snapshot

(page 111 bottom) La misión en Trinidad fue fundada por el padre Juan de Anaya. Tiene dos iglesias, unas escuelas y un campanario. Trinidad está en el sudeste de Paraguay.

Resources

- Quiz 4, page 3.52
- *ExamView® Assessment Suite*

Tips for Success

You may wish to give students some additional practice with the vocabulary footnoted on this page. **Los gauchos son expertos en el manejo de los caballos salvajes. En las estancias de las pampas hay rebaños de ganado. En las estancias de la Patagonia hay rebaños de ovejas.**

About the Spanish Language

- The word **hacienda** is probably the most common one used today to express *country estate.* However, in Argentina one will often hear **la estancia.** Once upon a time **la estancia** was a *cattle station,* but today it more commonly means *country estate.* Other terms that can mean *country estate* or *farm* are: **la finca, la granja, el rancho** (Mexico), **el cortijo** (cattle farm in Spain). A country house is often called **la quinta.**
- The word **rancho** usually does not convey *ranch* except in Mexico. The original meaning is *hut,* and the shantytowns around Caracas are called **ranchos.**
- The word for *cowboy* also varies from region to region. **El vaquero** is a rather generic term. Others are **el gaucho** (Argentina and Uruguay), **el charro** (Mexico), **el llanero** (Venezuela), and **el huaso** (Chile).

PRACTICE

E This activity can be done both orally and in writing.

El gaucho y las pampas

El mito del gaucho de la pampa argentina o uruguaya continúa todavía hoy. El gaucho es el símbolo del hombre libre, de el que se burla de[5] las normas o convenciones sociales. El gaucho apareció en el siglo XVIII por las necesidades de la explotación de la ganadería. Hacía falta un peonaje diestro en el manejo[6] del lazo y las boleadoras.

En su origen los gauchos eran hijos de indias y españoles. Con su poncho, sus bombachas, su ancho cinturón adornado de monedas de plata, su facón (cuchillo) y su lazo y boleadoras, ellos eran los guardianes del ganado. Y eran ellos los que reinaban sobre las vastas extensiones de las pampas. Trabajaban a sueldo en las estancias. No conocían ni leyes ni frontera. Tenían un espíritu independiente y un carácter revolucionario. El dictador argentino, Manuel de Rosas, era gaucho.

Como ocurrió en Estados Unidos con los cowboys o vaqueros del oeste, los auténticos gauchos han desaparecido. Ya solo quedan unos peones que guardan rebaños[7] sueltos. Pero el mito del verdadero gaucho no ha desaparecido.

▲ Gaucho joven en la pampa argentina

[5] se burla de *mocks*
[6] manejo *handling*
[7] rebaños *herds*

E Explicando Explica.

1. la razón por la aparición del gaucho
2. la indumentaria del gaucho
3. el trabajo de los gauchos
4. el espíritu y el carácter de los gauchos

Casa de una estancia argentina ▼

Conexiones

La literatura

The section **El gaucho y las pampas** serves as a good introduction to *Martín Fierro* which appears on page 148 of Chapter 3, Lesson 4.

Answers

E *Answers will vary by may include:*

1. El gaucho apareció por las necesidades de la explotación de la ganadería. Hacía falta un peonaje diestro en el manejo del lazo y las boleadoras.
2. La indumentaria del gaucho consistía en poncho, bombachas, cinturón, facón, lazo y boleadoras.
3. Eran los guardianes del ganado.
4. Tenían un espíritu independiente y un carácter revolucionario.

Evita Duarte de Perón y su marido

Evita, la persona tan querida de tantas almas argentinas, nació María Eva Duarte en 1919. Era la hija de una costurera[8] y de un obrero. De sus raíces humildes le venía su odio a los ricos. De joven ella trabajó de actriz de cine de segunda fila. También trabajó en la radio y se hizo conocer por sus emisiones en las que denunciaba ardientemente la injusticia y la miseria.

Eva conoció a Juan Perón, un joven oficial ambicioso. Se casaron en 1945 y un poco más tarde Perón fue elegido presidente de la República argentina. Los aristócratas de Buenos Aires nunca le perdonaron a Evita sus raíces pobres pero ella se hizo la defensora de los descamisados—los que no tenían camisa—los pobres y los trabajadores de pocos recursos. Perón le dio a Evita el cargo de directora de la Fundación Social, lo que le dio la oportunidad de visitar fábricas, hospitales y barrios populares donde pronunciaba discursos a la gloria de su marido, el presidente Perón. Ella se presentó como candidata a la vicepresidencia en las elecciones de 1951 pero el ejército intervino y le puso el veto. Eva anunció en la radio que quería someterse a la voluntad del pueblo. Pero Evita sabía algo que no sabía el pueblo. Le quedaban muy pocos meses de vida porque padecía de un cáncer mortal. Murió el 27 de julio de 1952 a los treinta y tres años.

▲ El presidente Juan Perón y su mujer, Eva, en 1952

Tal fue su don[9] de hacerse amar que millones lloraron su muerte. Su figura inspiró una comedia, o mejor dicho tragedia, musical—Evita—la cual se ha presentado en muchos países del mundo. Además se produjo un filme del mismo título que ha sido estrenado mundialmente.

A pesar de que Perón dejó el país en una situación económica desastrosa, todavía hoy el peronismo sigue marcando de manera profunda la vida política argentina y sigue viviendo en el corazón de muchos argentinos el mito de su querida Evita.

[8] costurera *seamstress*
[9] don *gift*

▲ Mausoleo de la familia Duarte, cementerio de la Recoleta, Buenos Aires

F **Recordando hechos** Contesta.

1. ¿Cuándo nació Eva Perón?
2. ¿Qué eran sus padres?
3. ¿Por qué odiaba Evita a los ricos?
4. ¿Cómo trabajó ella?
5. ¿A quién conoció? ¿Qué fue elegido él?
6. ¿Quiénes eran los descamisados?
7. ¿Qué tipo de discursos pronunciaba Evita?
8. ¿A qué edad murió Evita? ¿De qué?

Answers

F

1. Eva Perón nació en 1919.
2. Su madre era costurera y su padre era obrero.
3. Evita odiaba a los ricos a causa de las raíces humildes que tenía ella.
4. De joven ella trabajó de actriz de cine y también trabajó en la radio.
5. Conoció a Juan Perón. Él fue elegido presidente de la República argentina.
6. Los descamisados eran los que no tenían camisa (los pobres).
7. Evita pronunciaba discursos a la gloria de su marido, el presidente Perón.
8. Evita murió a los treinta y tres años de un cáncer mortal.

Resources

- Audio Activities TE, pages 3.22–3.23
- Audio CD 3A, Tracks 4–5
- Quiz 5, page 3.53
- *ExamView® Assessment Suite*

Cultura

- Have students listen to a few songs from the musical "Evita."
- You may wish to have students return to pages 104–105 to look at the picture of the Casa Rosada. It was from a balcony of this building that Eva Perón gave her impassioned speeches to the people of Argentina.

Differentiation

Advanced Learners

You may wish to have advanced learners do some additional research about the work that was important to Eva Perón. Then have them make up a speech that Evita might have given to her people and have them present it to the class.

PRACTICE

F You can intersperse these questions as you are presenting the reading on this page.

Tips for Success

Have one student answer several questions in a row from Activity F. These answers will lead to a summary of Evita's biography.

Cultural Snapshot

(page 113) El cementerio de la Recoleta tiene los mausoleos de muchas familias ilustres de Buenos Aires.

Resources 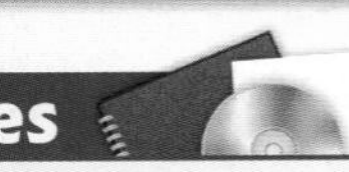

- Quiz 6, page 3.54
- *ExamView® Assessment Suite*

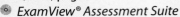

Conexiones

El medio ambiente

Patagonia is one of the world's favorite destinations for **naturalistas**. Ask students to identify some reasons why this might be based on the information provided in the reading.

Differentiation

Multiple Intelligences

The reading explains the history behind how the southern regions of Argentina were named. Have **verbal-linguistic** learners come up with alternate names for these regions based on what they have learned about the land and climate.

The names of many foods are different in the **Cono sur. Palta** is used for **aguacate, choclo** is used for **maíz,** and **porotos** is used for **judías verdes.**

Cultural Snapshot

(page 114 top) Los pingüinos se mueven con libertad total en Punta Tumbo en la costa del Atlántico. Cuando se reúnen todos entre los meses de septiembre y marzo se estima que hay un millón de estos pájaros. Los pingüinos tienen fama de ser monógamos. *(page 114 bottom)* La mayoría de las casas en Ushuaia son de madera, muchas de ellas de colores bastante vivos.

La Patagonia y Tierra del Fuego

La Patagonia y Tierra del Fuego cubren el área más austral del continente sudamericano y se encuentran en Argentina y Chile. Muchos llaman este territorio «el fin del mundo». Es una región batida por frecuentes vientos de increíble violencia, un clima tempestuoso y frío y un cielo frecuentemente nublado. La costa patagónica chilena (del Pacífico) está dotada de numerosos fiordos, glaciares y cumbres nevadas. En las aguas de la costa patagónica argentina (del Atlántico) viven elefantes marinos, lobos marinos[10], ballenas[11] y pingüinos de Magallanes.

▲ Pingüinos en Punta Tumbo en la Patagonia argentina

En el interior del sur de la Patagonia hay grandes estancias donde los descendientes de inmigrantes ingleses y galeses[12] guardan rebaños de ovejas que pacen en la tierra rocosa. Es interesante notar que son los galeses quienes les dieron su nombre a los pingüinos. «Pengywn» en galés significa «cabeza blanca».

▲ Snowboarder en el Cerro Castor en Tierra del Fuego, Argentina

Se le atribuye el origen de los nombres de Patagonia y Tierra del Fuego al explorador Fernando de Magallanes. Se dice que al llegar a lo que es hoy Patagonia gritó, «Ah, Patagón» al ver la medida de los mocasines y el tamaño de los pies de los fuertes indígenas tehuelches. En el año 1520 cuando franqueaba[13] el estrecho que hoy lleva su nombre, el estrecho de Magallanes, vio los fuegos de los campamentos indígenas y llamó a este lugar Tierra del Humo. Pero al oír una descripción de las hazañas de Magallanes el rey Carlos V pensó que no puede haber humo sin fuego y rebautizó la isla «Tierra del Fuego». La Tierra del Fuego es un verdadero archipiélago prácticamente deshabitado separado del resto de Sudamérica por el estrecho de Magallanes.

Ushuaia, la ciudad más austral del mundo, es la capital de la provincia argentina de Tierra del Fuego. A pesar del clima duro la vida en Ushuaia es muy apacible. Sus casas de colores pastel son muy pintorescas.

[10] lobos marinos *sea lions*
[11] ballenas *whales*
[12] galeses *Welsh*
[13] franqueaba *he was passing through*

G **Explicando** Explica.

1. la diferencia entre la costa patagónica chilena y la argentina
2. como recibió la Patagonia su nombre
3. como recibió su nombre la Tierra del Fuego
4. lo que separa la Tierra del Fuego del resto del continente

Casa de madera en Ushuaia, Argentina ▶

Answers

G

1. La costa patagónica chilena (del Pacífico) está dotada de numerosos fiordos, glaciares y cumbres nevados. En las aguas de la costa patagónica argentina (del Atlántico) viven elefantes marinos, lobos marinos, ballenas y pingüinos de Magallanes.
2. Patagonia recibió su nombre cuando Fernando de Magallanes al llegar allí gritó «Ah, Patagón» al ver la medida de los mocasines y el tamaño de los pies de los fuertes indígenas tehuelches.
3. La Tierra del Fuego recibió su nombre cuando Magallanes vio los fuegos de los campamentos indígenas y llamó a este lugar Tierra del Humo. Al oír la descripción del lugar, el rey Carlos V pensó que no puede haber humo sin fuego y rebautizó la isla Tierra del Fuego.
4. El estrecho de Magallanes separa la Tierra del Fuego del resto del continente.

Visitas históricas

Si visitas los países del Cono sur hay muchos lugares que tienes que ver. Vamos a empezar con las grandes capitales, Santiago de Chile y Buenos Aires. Estas dos ciudades muy cosmopolitas ofrecen de todo: cine, teatro, museos, estadios, parques, cafés y buenos restaurantes. Montevideo, la capital uruguaya, es más pequeña que las otras pero muy bonita e interesante. Si te gusta nadar o tomar el sol, hay muchas playas en la ciudad misma.

Si la naturaleza te atrae, no hay nada más bonito que los lagos en la frontera entre Chile y Argentina o los fiordos y glaciares chilenos. El gran número de animales marinos les da un carácter inolvidable a lugares como la Península Valdés, Punta Loma y Punta Tumbo en la costa del Atlántico en Argentina.

La lista de posibilidades es sin límite.

▲ Calle en el centro de Santiago de Chile

Comida

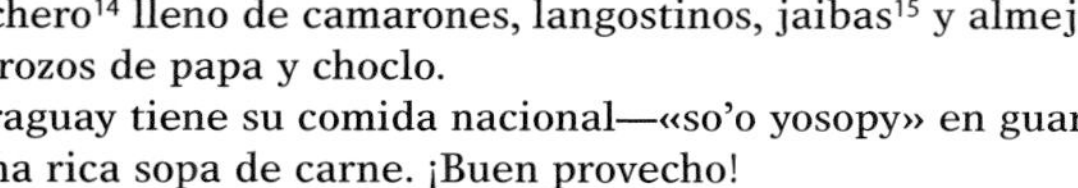

En Argentina y Uruguay con tanta ganadería hay que comer la carne de vaca o el bife—una carne tierna y sabrosa asada a la parrilla. Pero, ¡cuidado! Como al gaucho le gustaba quemar su carne en la pampa, los argentinos siguen sirviéndola bien hecha o, como dicen, «quemada». Si no te gusta así, hay que pedirla «vuelta y vuelta» o «cruda».

En Chile con tanta costa, claro que la especialidad es el pescado y los mariscos. El chupe de mariscos es un tipo de sopa o puchero[14] lleno de camarones, langostinos, jaibas[15] y almejas con trozos de papa y choclo.

Paraguay tiene su comida nacional—«so'o yosopy» en guaraní. Es una rica sopa de carne. ¡Buen provecho!

▲ Casa Rosada, Buenos Aires

[14] puchero *stew*
[15] jaibas *land crabs*

H **Personalizando** Da respuestas personales.

1. Si visitas unos países del Cono sur, ¿adónde irás?
2. ¿Qué vas a comer?

▲ Preparando una parrillada en una estancia argentina

▲ Pescadería en Puerto Montt, Chile

Resources

- Workbook, page 3.7
- Quiz 6, page 3.54
- *ExamView® Assessment Suite*

Cultural Snapshot

(page 115 bottom right) Puerto Montt es una ciudad pequeña al sur de la cual nace la Patagonia chilena. No está muy lejos de los famosos lagos chilenos. Puerto Montt fue fundado por unos colonos alemanes a mediados del siglo XIX. Todavía hoy se ve la influencia alemana. En la pastelería, por ejemplo, se verán *Pasteles* y *Küchen.* Puerto Montt tiene un puerto pesquero pintoresco. El mercado Angelmó que vemos en esta foto está en el puerto. Aquí hay muchos cafés donde sirven una variedad de pescados.

ASSESS

Students are now ready to take Quiz 6 on page 3.54 of the TeacherTools booklet. If you prefer to create your own quiz, use the *ExamView® Assessment Suite.*

Answers

H *Answers will vary.*

Resources

- Tests, pages 3.71–3.73
- *ExamView® Assessment Suite*

Self-check for achievement

This is a pre-test for students to take before you administer the lesson test. Note that each section is cross-referenced so students can easily find the material they feel they need to review. You may wish to use Self-Check Worksheet Transparency SC3.1 to have students complete this assessment in class or at home. You can correct the assessment yourself, or you may prefer to project the answers on the overhead in class using Self-Check Answers Transparency SC3.1A.

Differentiation

Slower Paced Learners

Encourage students who need extra help to refer to the book icons and review any section before answering the questions.

Cultural Snapshot

(page 116) El Valle del Elqui está cerca de Arica, una ciudad en el norte de Chile en la costa atlántica y el desierto de Atacama. Muy cerca de aquí nació la famosa poeta chilena Gabriela Mistral.

Prepárate para el examen

Self-check for achievement

Vocabulario

Para repasar este vocabulario, mira la página 106.

1 Completa.

1. Un ____ es un tipo de tormenta o tempestad de corta duración.
2. El ____ no es un sentimiento agradable ni positivo.
3. Una ____ produce vegetales o frutas.
4. Un ____ es una elevación de tierra menos alta que un monte.
5. Las llanuras o ____ no tienen muchos cerros ni colinas.
6. Los indígenas de Chile no eran pacíficos. Eran muy ____.
7. Un ____ produce uvas y las uvas producen vino.

2 Expresa de otra manera.

8. del sur
9. la antipatía, el rencor
10. un viento veloz de corta duración

▲ Valle del Elqui en el norte de Chile

Lectura y cultura

Para repasar esta información cultural, mira las páginas 108–115.

3 Identifica.

11. el segundo país más grande de la América del Sur
12. el país más pequeño de la América del Sur
13. el país más largo y más estrecho de la América del Sur
14. uno de los dos países sudamericanos que no tienen costa

4 ¿Sí o no?

15. No había ninguna civilización indígena avanzada en ninguna parte del Cono sur.
16. Los araucanos eran muy belicosos.
17. Los guaraníes vivían en Uruguay.
18. Los guaraníes eran muy pacíficos y su lengua es bonita y melodiosa.
19. Mucha gente vive en la Tierra del Fuego.

5 Contesta.

20. ¿Qué son las pampas?
21. ¿Cuál es el país que tiene dos lenguas oficiales? ¿Cuáles son?
22. ¿Qué tipo de espíritu tenían los gauchos?
23. ¿Quién era Evita Perón?
24. ¿Cuáles son unas características de la Patagonia?
25. ¿Cuál es una especialidad de la cocina argentina?

Answers

1

1. chaparrón
2. odio
3. huerta
4. cerro
5. sabanas
6. belicosos
7. viñedo

2

8. austral
9. el odio
10. una ráfaga

3

11. Argentina
12. Uruguay
13. Chile
14. Paraguay

4

15. no
16. sí
17. no
18. sí
19. no

Prepárate para el examen

Practice for proficiency

1 La geografía de los países del Cono sur

Escoge uno de los cuatro países del Cono sur y describe su geografía y clima. Compáralo con la geografía y el clima donde tú vives.

2 Influencias indígenas

Ya sabes que en los países andinos hay ruinas fabulosas de templos, fortalezas y ciudades indígenas. ¿Qué piensas? ¿Hay tales ruinas en Argentina o Chile, por ejemplo? Explica por qué hay o no hay.

3 El gaucho

En tus propias palabras, describe al gaucho y su vida. ¿Te interesa el mito del gaucho o no? ¿Con quién lo puedes comparar? Aunque ha desaparecido el gaucho del mito, ¿te interesa visitar una gran estancia de la pampa argentina? ¿Qué esperas o piensas ver al visitar una estancia?

4 Evita Perón

Escucha el CD del espectáculo de Broadway *Evita.* ¿Te parece que la letra corresponde mucho a la vida de Evita? Si te interesan los temas de Evita y del peronismo, haz más investigaciones. Escribe una biografía corta sobre ella.

5 La Patagonia, ¿sí, sí o nunca?

¿Qué tipo de persona eres? ¿Quisieras visitar la Patagonia y la Tierra del Fuego? ¿Te gustaría o no? ¿Por qué?

Composición

Un anuncio publicitario

Imagínate que estás trabajando en el departamento de marketing de una gran agencia de viajes. Tú jefe(a) quiere que escribas un anuncio publicitario dirigido al mercado hispanohablante para promover un viaje (una excursión) a Chile, Argentina, Paraguay, Uruguay o a varios de estos países del Cono sur.

Al escribir un anuncio publicitario tienes la obligación de atraer atención y captar interés. El estilo debe ser sencillo y concreto. Usa frases cortas y muchos adjetivos vivos. Quieres darle vida a lo que estás escribiendo. Tienes que convencerles a tus lectores que si viajan con tu compañía, van a tener una experiencia fabulosa e inolvidable.

Puedes servirte de un diagrama como el de al lado para organizar tus ideas. Y si quieres, puedes buscar un anuncio publicitario en un periódico o en una revista que puedes usar como modelo.

Tips for Success

Encourage students to say as much as possible when they do these open-ended activities. Tell them not to be afraid to make mistakes, since the goal of the activities is real-life communication. If someone in the group makes an error, allow the others to politely correct him or her. Let students choose the activities they would like to do.

Tell students to feel free to elaborate on the basic theme and to be creative. They may use props, pictures, or posters if they wish.

Pre-AP These oral and written activities will give students the opportunity to develop and improve their speaking and writing skills so that they may succeed on the speaking and writing portions of the AP exam.

Note: You may wish to use the rubrics on page 104D or 104F to help students prepare their speaking activities and their writing task.

Answers

5

20. Las pampas son inmensas llanuras de hierba verde que cubren el 25 por ciento del territorio argentino.

21. Paraguay tiene dos lenguas oficiales. Son el español y el guaraní.

22. Los gauchos tenían un espíritu independiente y un carácter revolucionario.

23. Evita Perón era la esposa del presidente argentino Juan Perón. Denunciaba ardientemente la injusticia y la miseria.

24. La Patagonia es como el fin del mundo. Está batida de frecuente vientos de increíble violencia, un clima tempestuoso y frío y un cielo frecuentemente nublado. La costa chilena está dotada de numerosos fiordos, glaciares y cumbres nevadas. La costa argentina tiene elefantes marinos, lobos marinos, ballenas y pingüinos de Magallanes. Al interior hay grandes estancias.

25. Una especialidad de la cocina argentina es la carne de vaca.

Resources

- Audio Activities TE, pages 3.24–3.27
- Audio CD 3A, Tracks 6–14
- Workbook, pages 3.8–3.10
- Quiz 7, pages 3.55–3.56
- *ExamView® Assessment Suite*

TEACH

Core Instruction

Step 1 Call on students to give you the forms of the regular verbs. How readily they do so will determine the amount of time you have to spend on this grammar point.

Step 2 Remind students that if they pronounce these forms correctly, they will have no trouble spelling them.

Step 3 Have students read the **yo** forms in Item 4 aloud. This form is very important since it is the base for the formation of the present subjunctive.

Step 4 Have students read the forms of **ser.**

Step 5 Have students pronounce carefully **huye, huís, oye, oís.**

GLENCOE SPANISH

Why It Works!

Although many students at this level may not need a review of the present indicative, it is reviewed here since the present subjunctive, whose forms are based on the **yo** form of this tense, is presented for review in the following chapter.

QuickPass
Go to glencoe.com
For: **Grammar practice**
Web code: **ASD7851c3**

Nota

This review of the forms of the present tense will help you with your review of the subjunctive in the next chapter.

Presente de los verbos regulares e irregulares

1. Review the following forms of the present tense of regular **-ar, -er,** and **-ir** verbs.

infinitive	hablar	comer	vivir
stem	habl-	com-	viv-
yo	hablo	como	vivo
tú	hablas	comes	vives
Ud., él, ella	habla	come	vive
nosotros(as)	hablamos	comemos	vivimos
vosotros(as)	*habláis*	*coméis*	*vivís*
Uds., ellos, ellas	hablan	comen	viven

2. Many verbs in Spanish are stem-changing verbs. In the present tense some verbs change the **e** stem of the infinitive to **ie** and others change the **o** of the infinitive to **ue** in all forms except **nosotros** (and **vosotros**). Note that the endings of stem-changing verbs are the same as the endings for the conjugation to which they belong.

e → ie		o → ue	
cerrar	preferir	poder	dormir
cierro	prefiero	puedo	duermo
cierras	prefieres	puedes	duermes
cierra	prefiere	puede	duerme
cerramos	preferimos	podemos	dormimos
cerráis	*preferís*	*podéis*	*dormís*
cierran	prefieren	pueden	duermen

Aquí puedes comprar o alquilar la ropa que necesitas para esquiar. ▼

Other verbs with the **e** to **ie** stem change in the present are **pensar, comenzar, empezar, despertar, negar, querer, perder, entender, defender, sentir,** and **sugerir.**

Other verbs with the **o** to **ue** stem change in the present are **acordar, almorzar, contar, costar, encontrar, mostrar, probar, recordar, volver, devolver, mover,** and **morir.**

3. Another group of stem-changing verbs changes the **e** of the infinitive to **i** in all forms except **nosotros** (and **vosotros**). Unlike verbs that change from **e** to **ie** and **o** to **ue,** all the verbs that change to **i** are **-ir** or third conjugation verbs.

pedir	
pido	pedimos
pides	*pedís*
pide	piden

repetir	
repito	repetimos
repites	*repetís*
repite	repiten

Other verbs with the **e** to **i** stem change in the present are **despedir, freír, medir, reír, servir,** and **sonreír.**

4. Many irregular verbs in the present have only one irregular form—**yo.** All other forms are the same as those of a regular or stem-changing verb.

INFINITIVE	IRREGULAR YO
ir	**voy**
dar	**doy**
estar	**estoy**
hacer	**hago**
poner	**pongo**
traer	**traigo**
salir	**salgo**
tener	**tengo**
venir	**vengo**
seguir	**sigo**
decir	**digo**
oír	**oigo**
saber	**sé**
conocer	**conozco**
conducir	**conduzco**
traducir	**traduzco**
producir	**produzco**

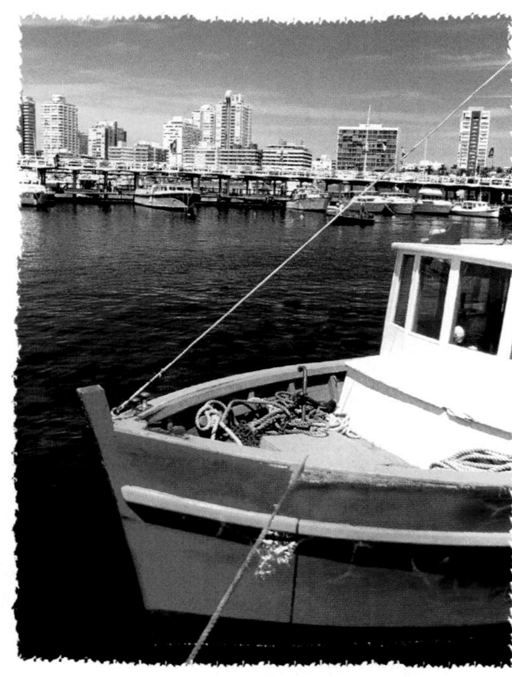
▲ Un barco de pescadores en el puerto de Punta del Este, Uruguay

5. The verb **ser** is irregular in all forms.

ser	
soy	somos
eres	*sois*
es	son

6. Verbs that end in **-uir** are spelled with **y** in all forms except **nosotros** (and **vosotros**). Notice that the same is true for **oír** with the exception of **oigo.**

CONTRIBUIR	**contribuyo**	**contribuyes**	**contribuye**	**contribuimos**	***contribuís***	**contribuyen**
HUIR	**huyo**	**huyes**	**huye**	**huimos**	***huís***	**huyen**
OÍR	**oigo**	**oyes**	**oye**	**oímos**	***oís***	**oyen**

GLENCOE Technology

Online Learning in the Classroom

Have students use QuickPass code ASD7851c3 for additional grammar practice. They can review verb conjugations with eFlashcards. They can also review all grammar points by doing a self-check quiz and a review worksheet.

Cultural Snapshot

(page 119) Punta del Este es un balneario que atrae a mucha gente acomodada de Brasil y Argentina.

PRACTICE

Leveling EACH Activity

Easy Activities 1, 3, 4
Average Activities 2, 5, 6, 7

Note: Since students have been using the present for three years, none of these activities is difficult enough to be labeled challenging.

Activities 1, 3, 4, 5, 6 These activities can be done first orally in class calling on students at random to respond. If necessary, they can also be written.

Activities 2 and 7 These activities can be prepared before being gone over in class.

Cultural Snapshot

(page 120 top) Viña del Mar está a solo una hora y media de Santiago de Chile y a unos diez minutos al norte del puerto de Valparaíso. En el verano es un balneario popular.

Answers

1 *Answers will vary but may include:*

1. Estudio en la escuela ___.
2. Tomo ___ cursos este semestre.
3. ___ enseña el curso de español.
4. Sí, (No, no) aprendo mucho en este curso.
5. Sí (No), los alumnos (no) comprenden cuando el/la profesor(a) habla.
6. Sí (No), nosotros (no) aprendemos mucho.
7. Sí (No), nosotros (no) escuchamos, hablamos, leemos y (ni) escribimos en clase.
8. Sí, (No, no) recibimos una nota buena en español.

1. asiste
2. vive
3. alquilan
4. habla
5. gusta
6. descansamos
7. Tomamos
8. corro
9. pasa

VIDEO Want help with the present tense of regular and irregular verbs? Watch **Gramática en vivo.**

Práctica

▲ Playa llamada «Playa de los Artistas» en Viña del Mar, Chile

ESCUCHAR • HABLAR • ESCRIBIR

Personaliza. Da respuestas personales.

1. ¿En qué escuela estudias?
2. ¿Cuántos cursos tomas este semestre?
3. ¿Quién enseña el curso de español?
4. ¿Aprendes mucho en este curso?
5. ¿Comprenden los alumnos cuando el/la profesor(a) habla?
6. ¿Aprenden ustedes mucho?
7. En clase, ¿escuchan, hablan, leen y escriben ustedes?
8. ¿Reciben una nota buena en español?

LEER • ESCRIBIR

Completa con el presente sobre un estudiante en la Universidad Católica de Valparaíso.

Gregorio __1__ (asistir) a la Universidad Católica en Valparaíso, Chile. Gregorio __2__ (vivir) en un departamento que él y varios amigos de la universidad __3__ (alquilar) juntos.

Nos __4__ (hablar) Gregorio.

—Cuando no hay clases me __5__ (gustar) ir a Viña del Mar. En Viña mis amigos y yo __6__ (descansar) un poco. __7__ (Tomar) un refresco o una merienda en uno de los muchos cafés que hay en Viña. A veces yo __8__ (correr) a lo largo de las orillas del Pacífico. En verano, mucha gente __9__ (pasar) sus vacaciones en Viña.

LEER • ESCRIBIR

3 Cambia al plural.

1. Compro el periódico y lo leo.
2. Recibo correos electrónicos y los envío también.
3. El joven asiste a la universidad y estudia mucho.
4. Tú viajas mucho y ves el mundo.

Este joven argentino usa su portátil en un restaurante de Buenos Aires. ▼

LEER • ESCRIBIR

Cambia al singular.

1. Cantamos, bailamos y comemos durante la fiesta.
2. Ustedes trabajan mucho pero la verdad es que aprenden mucho también.
3. Vemos a unos amigos en el café y tomamos un refresco.
4. Ellos prometen escribir pero no escriben nunca.

Answers

1. Compramos el periódico y lo leemos.
2. Recibimos correos electrónicos y los enviamos también.
3. Los jóvenes asisten a la universidad y estudian mucho.
4. Ustedes viajan mucho y ven el mundo.

1. Canto, bailo y como durante la fiesta.
2. Usted (Tú) trabaja(s) mucho pero la verdad es que aprende(s) mucho también.
3. Veo a unos amigos en el café y tomo un refresco.
4. Él/Ella promete escribir pero no escribe nunca.

ESCUCHAR • HABLAR • ESCRIBIR

5 Forma frases según el modelo.

MODELO **entender →**
Nosotros entendemos y tú entiendes también.

1. jugar
2. volver
3. empezar
4. poder hacerlo
5. querer salir
6. pedir la cuenta
7. repetir la pregunta
8. dormir ocho horas

ESCUCHAR • HABLAR • ESCRIBIR

6 Personaliza. Da respuestas personales.

1. ¿Haces mucho trabajo?
2. ¿A qué hora sales para la escuela?
3. ¿Cuántos años tienes?
4. ¿Sigues un plan de estudios?
5. ¿Conoces a mucha gente?
6. ¿Conduces un carro?
7. ¿Dices que sí?
8. ¿Oyes la música?
9. ¿Adónde vas después de las clases?
10. ¿Dónde estás ahora?

LEER • ESCRIBIR

7 Completa con el presente del verbo indicado.

1. Él ____ de todo y nosotros no ____ de nada. (huir)
2. Yo ____ mucho y ellos no ____ nada. (contribuir)

▲ Toca una orquesta tanguista en una calle de San Telmo en Buenos Aires.

GLENCOE Technology

Video in the Classroom

Gramática en vivo: *The present tense of regular and irregular verbs* Enliven learning with the animated world of Professor Cruz! **Gramática en vivo** is a fun and effective tool for additional instruction and/or review.

GLENCOE SPANISH

You can customize your review to your students' needs in preparation for the subjunctive with the activities on pages 120–121. Note that Activities 1, 2, 3, and 4 review regular verbs. Activity 5 reviews stem-changing verbs, and Activity 6 reviews irregular verbs in the **yo** form. Activity 7 reviews the **y** spelling.

Cultural Snapshot

(page 121) Los tanguistas se reúnen en San Telmo con frecuencia pero sobre todo los domingos cuando bailan en las calles. San Telmo es un barrio de Buenos Aires conocido por sus anticuarios.

Answers

1. Nosotros jugamos y tú juegas también.
2. Nosotros volvemos y tú vuelves también.
3. Nosotros empezamos y tú empiezas también.
4. Nosotros podemos hacerlo y tú puedes hacerlo también.
5. Nosotros queremos salir y tú quieres salir también.
6. Nosotros pedimos la cuenta y tú pides la cuenta también.
7. Nosotros repetimos la pregunta y tú repites la pregunta también.
8. Nosotros dormimos ocho horas y tú duermes ocho horas también.

1. Sí, (No, no) hago mucho trabajo.
2. Salgo para la escuela a las ____.
3. Tengo ____ años.
4. Sí, sigo un plan de estudios.
5. Sí, (No, no) conozco a mucha gente.
6. Sí, (No, no) conduzco un carro.
7. Sí, (No, no) digo que sí.
8. Sí, (No, no) oigo la música.
9. Después de las clases voy ____.
10. Ahora estoy ____.

1. huye, huimos
2. contribuyo, contribuyen

PRACTICE *(continued)*

Leveling EACH Activity

Easy Activity 8
Average Activity 9
CHallenging Activity 10

Teaching Options

You may want to start with Activity 9 to determine how easily (or not) students can deal with the present tense endings. If they seem quite adept at using them, you may wish to skip some of the other activities.

Activity 10 You may wish to have several groups do this activity in front of the class.

ASSESS

Students are now ready to take Quiz 7 on pages 3.55–3.56 of the TeacherTools booklet. If you prefer to create your own quiz, use the *ExamView® Assessment Suite.*

Carreras

Ya has aprendido que en el mundo moderno de globalización hay muchas carreras en que el español te puede beneficiar. ¿Piensas de vez en cuando en tu futuro? ¿Sabes lo que quieres hacer de adulto?

HABLAR • ESCRIBIR

8 Sigue el modelo.

MODELO **yo / estudiante →**
Yo soy estudiante.

1. tú / estudiante también
2. él / filósofo
3. nosotros / abogados
4. ella / dentista
5. ustedes / profesores

ESCRIBIR

9 Completa la tabla.

	yo	nosotros	tú	ellos
hablar		hablamos		
leer				leen
escribir	escribo			
poder			puedes	
querer	quiero			
pedir			pides	
seguir	sigo			
tener		tenemos		
oír				oyen
venir			vienes	
salir		salimos		
hacer				hacen
traducir			traduces	
conocer				conocen
saber		sabemos		

▲ ¿Qué dices? ¿Quieren comprar estas jóvenes anteojos para el sol?

Comunicación

10 Trabajen en grupos y hablen de todo lo que hacen durante una semana típica.

Answers

8

1. Tú eres estudiante también.
2. Él es filósofo.
3. Nosotros somos abogados.
4. Ella es dentista.
5. Ustedes son profesores.

9

hablar: hablo, hablas, hablan
leer: leo, leemos, lees
escribir: escribimos, escribes, escriben
poder: puedo, podemos, pueden
querer: queremos, quieres, quieren
pedir: pido, pedimos, piden
seguir: seguimos, sigues, siguen
tener: tengo, tienes, tienen
oír: oigo, oímos, oyes
venir: vengo, venimos, vienen
salir: salgo, sales, salen
hacer: hago, hacemos, haces
traducir: traduzco, traducimos, traducen
conocer: conozco, conocemos, conoces
saber: sé, sabes, saben

10 *Answers will vary.*

VIDEO Want help with **ser** and **estar**? Watch **Gramática en vivo.**

¿Ser o estar?

1. There are two verbs to express *to be* in Spanish. They are **ser** and **estar.** Each of these verbs has specific uses. They are not interchangeable. The verb **estar** is always used to express location, both temporary and permanent.

PERMANENT	TEMPORARY
Buenos Aires está en Argentina.	**Mis primos uruguayos no están en casa ahora.**
Martínez está en los suburbios de Buenos Aires.	**Están aquí en Martínez.**
Nuestra casa está en Martínez.	**Están con nosotros.**

El Puente de la Mujer está en un barrio moderno de Buenos Aires.

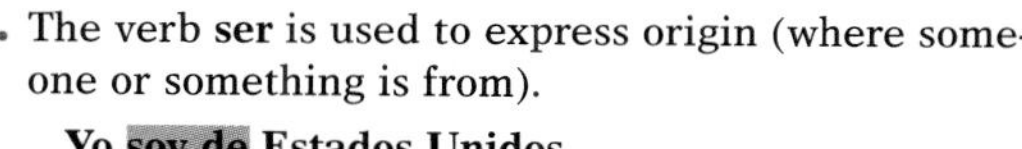

2. The verb **ser** is used to express origin (where someone or something is from).

Yo soy de Estados Unidos.
Pero mi abuelo es de Uruguay.
El pescado es de Chile y el bife es de Argentina.

3. **Ser de** is also used to express ownership and what something is made from.

Esta casa es de los Amaral. Es de piedra.

4. The verb **estar** is used to express a temporary state or condition.

El agua está muy fría.
Y el té está muy caliente.
No sé por qué estoy tan cansado.

5. The verb **ser,** however, is used to express an inherent quality or characteristic.

El hermano de Juan es muy simpático.
Y él es guapo.
Y además es muy sincero.

6. The speaker often chooses to use **ser** or **estar** depending upon the message he or she wishes to convey. Observe the following examples.

El tiempo en la Patagonia es borrascoso.
The weather is characteristically nasty in Patagonia.

El tiempo hoy está muy borrascoso.
It's nasty today (but it's not characteristically so).

La sopa es buena.
Soup is good for your health.

La sopa está buena.
The soup tastes good.

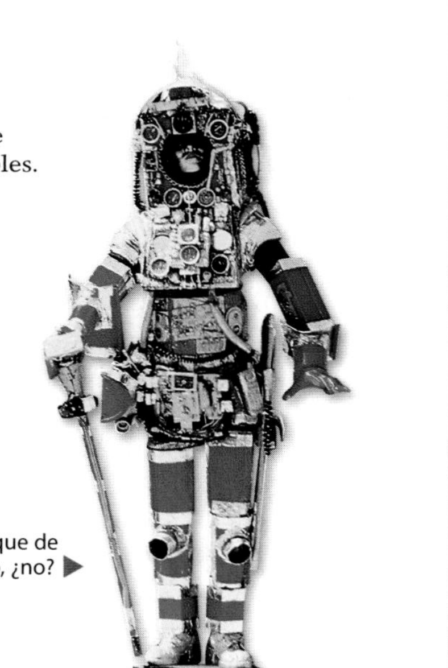

Este mimo en el Parque de la Recoleta es bueno, ¿no?

GLENCOE Technology

Video in the Classroom

Gramática en vivo: *Ser* and *estar* Enliven learning with the animated world of Professor Cruz! **Gramática en vivo** is a fun and effective tool for additional instruction and/or review.

Resources

- Audio Activities TE, pages 3.27–3.30
- Audio CD 3A, Tracks 15–22
- Workbook, pages 3.10–3.11
- Quizzes 8–9, pages 3.57–3.58
- *ExamView® Assessment Suite*

TEACH

Core Instruction

Read the explanations to the class and call on students to read the example sentences. Emphasize the following to students.

inherent characteristic → **ser**
condition (temporary) → **estar**
location (temporary or permanent) → **estar**
origin → **ser**

Teaching Options

To avoid doing large segments of grammar at one time, you may wish to intersperse the grammar points as you are doing other lessons in this chapter. If you prefer, however, you can spend two or three class periods in succession doing the review grammar.

Cultural Snapshot

(page 123 top) El Puente de la Mujer está en Puerto Madero, una zona nueva en Buenos Aires. Aquí hay muchos restaurantes y condominios lujosos. Una gran parte de Puerto Madero está construida sobre tierra reclamada.

PRACTICE

Leveling EACH Activity

Easy Activities 11, 12, 13
Average Activity 14
CHallenging Activities 15, 16, Activity 16 **Expansión**

Activities 11 and 13 These activities can be gone over orally in class with books closed. Call on students at random to respond.

▲ ¿Cuándo son las visitas guiadas en el museo San Telmo?

7. Many words actually change meaning when used with **ser** or with **estar.** Study the following.

	WITH SER	WITH ESTAR
aburrido	*boring*	*bored*
cansado	*tiresome*	*tired*
divertido	*amusing, funny*	*amused*
enfermo	*sickly*	*sick, ill*
listo	*bright, clever, smart, shrewd*	*ready*
triste	*dull*	*sad*
vivo	*lively, alert*	*alive*

Note that the verb **estar** with **vivo** means *to be alive.* The verb **estar** is also used with **muerto** to mean *to be dead,* even though death is permanent.

Su abuelo está muerto.

8. The verb **ser** is used whenever the verb *to be* has the meaning of *to take place.*

El concierto tendrá lugar mañana.	**El concierto será mañana.**
Tendrá lugar en el teatro.	**Será en el teatro.**

Práctica

ESCUCHAR • HABLAR

11 Personaliza. Da respuestas personales.

1. ¿Dónde estás ahora?
2. ¿Dónde está tu casa?
3. Y tu escuela, ¿dónde está?
4. ¿Dónde están tus padres?
5. Y tus amigos, ¿dónde están?
6. ¿Dónde está tu profesor(a) de español?

LEER • ESCRIBIR

12 Completa sobre una casa en un suburbio de Montevideo.

Aquí tenemos una foto de una casa. La casa __1__ muy bonita. La casa __2__ de la familia Amaral. La casa no __3__ de madera. __4__ de piedra. __5__ en un barrio residencial.

ESCUCHAR • HABLAR

13 Personaliza. Da respuestas personales.

1. ¿Eres alto(a) o bajo(a)?
2. ¿Eres fuerte o débil?
3. ¿De qué nacionalidad eres?
4. ¿Eres simpático(a) o antipático(a)?

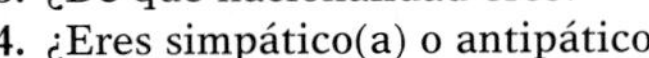

5. ¿Cómo estás hoy?
6. ¿Estás de buen humor o estás de mal humor?
7. ¿Estás bien o estás enfermo(a)?
8. ¿Estás contento(a) o triste?
9. ¿Estás cansado(a)?

▲ Casas antiguas en el barrio del puerto de Montevideo, Uruguay

Answers

11
1. Ahora estoy ___.
2. Mi casa está ___.
3. Mi escuela está ___.
4. Mis padres están ___.
5. Mis amigos están ___.
6. Mi profesor(a) de español está ___.

12
1. es
2. es
3. es
4. Es
5. Está

13 *Answers will vary but may include:*
1. Soy alto(a). (Soy bajo[a].)
2. Soy fuerte. (Soy débil.)
3. Soy ___.
4. Soy simpático(a). (Soy antipático[a].)
5. Estoy ___.
6. Estoy de buen (mal) humor.
7. Estoy bien. (Estoy enfermo[a].)
8. Estoy contento(a). (Estoy triste.)
9. Estoy cansado(a). (No, no estoy cansado[a].)

◀ El barrio de la Recoleta en Buenos Aires, Argentina

LEER • ESCRIBIR

14 Completa con **ser** o **estar** sobre la Recoleta.

1. Francisco y Julia ____ de Buenos Aires.
2. Su departamento ____ en la avenida Callao.
3. La avenida Callao ____ en el barrio de la Recoleta.
4. La avenida Callao no ____ muy lejos del cementerio de la Recoleta.
5. La tumba de Evita Perón ____ en este cementerio.
6. Los turistas que vienen a visitar su tumba ____ de todas partes del mundo.

EXPANSIÓN

Ahora, sin mirar las frases, cuenta la información en tus propias palabras. Si no recuerdas algo, un(a) compañero(a) te puede ayudar.

Comunicación

15 Trabajando en parejas cada uno describirá a su mejor amigo(a). Luego comparen a los amigos. ¿Son parecidos o no?

LEER • ESCRIBIR

16 Completa sobre la capital de Uruguay.

1. La ciudad de Montevideo ____ en Uruguay.
2. Montevideo ____ la capital de Uruguay.
3. La capital ____ muy bonita.
4. La ciudad de Montevideo no ____ muy grande.
5. Algunas calles en el centro de la ciudad ____ bastante anchas.
6. En el casco antiguo las calles suelen ____ estrechas.
7. El casco antiguo ____ cerca del puerto.
8. Algunas calles del casco antiguo ____ en malas condiciones porque ____ muy viejas.
9. Los barrios residenciales que ____ dentro de la ciudad ____ muy bonitos.
10. Los barrios residenciales ____ muy cerca de la playa y en el verano cuando hace mucho calor las playas ____ llenas de gente.

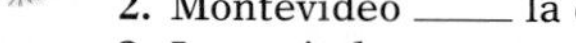

EXPANSIÓN

Ahora, sin mirar las frases, cuenta la información en tus propias palabras. Si no recuerdas algo, un(a) compañero(a) te puede ayudar.

▲ La catedral de Montevideo, Uruguay

Gramática

Activities 12, 14, and 16
These activities can be prepared before going over them in class or they can be read first in class and then written as homework.

Differentiation

Advanced Learners

Slower Paced Learners

Call on advanced learners to do an **Expansión** activity first. You may wish to have it done a second time by a slower paced learner.

Multiple Intelligences

Call on a student to come to the front of the room. Then call on a **visual-spatial** learner to describe his or her classmate. Remind the student that the description should include both temporary and inherent characteristics.

Cultural Snapshot

(page 125 top) El Parque de la Recoleta es muy popular sobre todo los fines de semana cuando hay exposiciones de arte, artesanía y también mimos. A mucha gente le gusta venir al parque para sentarse y descansar en uno de los muchos cafés al aire libre.

Answers

14

1. son
2. está
3. está
4. está
5. está
6. son

15 *Answers will vary.*

16

1. está
2. es
3. es
4. es
5. son
6. ser
7. está
8. están, son
9. están, son
10. están, están

PRACTICE *(continued)*

Leveling EACH Activity

Easy Activity 19
Average Activity 17
CHallenging Activity 18

Activity 18 This activity should be prepared before going over it in class.

Activity 19 This activity can also be done as a paired activity. For example:

—**¿Dónde será el concierto? ¿En el parque central?**
—**Sí, el concierto será en el parque central.**

Differentiation

Multiple Intelligences

You may wish to have **verbal-linguistic** learners make up a conversation between the two people pictured at the market in Puerto Montt on page 126.

Cultural Snapshot

(page 126 bottom) El Teatro Colón fue construido en 1908 y se considera entre las mayores óperas del mundo. La sala de conciertos es inmensa con unos cuatro mil asientos en seis pisos. El teatro está ubicado en la famosa Avenida 9 de Julio, la avenida más ancha del mundo.

ASSESS

Students are now ready to take Quizzes 8 and 9 on pages 3.57–3.58 of the TeacherTools booklet. If you prefer to create your own quiz, use the *ExamView® Assessment Suite.*

Comunicación

17 Trabajando en parejas describan su ciudad o ciudades favoritas. Den tanta información posible.

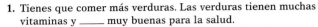

▲ Estas frutas en el mercado de Puerto Montt tienen muy buena pinta, ¿no?

18 Completa con **ser** o **estar** según el contexto.

1. Tienes que comer más verduras. Las verduras tienen muchas vitaminas y _____ muy buenas para la salud.
2. ¡Qué deliciosas! ¿Dónde compraste estas verduras? _____ muy buenas.
3. No sé lo que le pasa a la pobre Marta. Tiene que estar enferma porque _____ muy pálida.
4. No, no está enferma. Es su color. Ella _____ muy pálida.
5. Él _____ tan aburrido que cada vez que empieza a hablar, todo el mundo se duerme.
6. ¡Elena! Me encanta el vestido que llevas hoy. ¡Qué bonita _____!
7. El pobre Juanito _____ tan cansado que solo quiere volver a casa para dormir un poco.
8. ¿_____ listos todos? Vamos a salir en cinco minutos.
9. Ella _____ muy lista. Sabe exactamente lo que está haciendo.
10. Él _____ muy vivo y divertido. Me gusta mucho estar con él.
11. No, no se murió el padre de Josefina. Él _____ vivo.

HABLAR

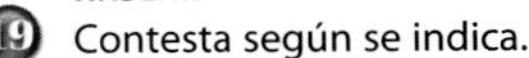

19 Contesta según se indica.

1. ¿Dónde será el concierto? (en el parque central)
2. ¿Cuándo es la fiesta? (el domingo por la tarde)
3. ¿Cuándo será la exposición? (del 5 al 12 de este mes)
4. ¿A qué hora es la película? (a las ocho de la tarde)

¿A qué hora será la ópera en el Teatro Colón en Buenos Aires? ▶

Answers

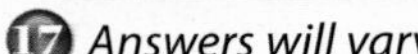

17 *Answers will vary.*

18

1. son
2. Están
3. está
4. es
5. es
6. estás
7. está
8. Están
9. es
10. es
11. está

19

1. El concierto será en el parque central.
2. La fiesta es el domingo por la tarde.
3. La exposición será del 5 al 12 de este mes.
4. La película es a las ocho de la tarde.

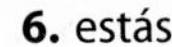

Pronombres de complemento

1. A direct object is the direct receiver of the action of a verb and an indirect object is the indirect receiver. The object pronouns **me, te, nos,** (and **os**) can function as either direct or indirect objects.

DIRECT		INDIRECT
Él me vio	**y**	**me devolvió el dinero.**
Te miré	**y**	**no te dije nada.**
Nos llamaron	**pero**	**no nos mandaron un e-mail.**

2. The object pronouns **le** and **les** are indirect objects. They can replace either a masculine or a feminine noun.

Hablé a Juan. Le hablé.
Hablé a María y Alicia. Les hablé.

Since **le** and **les** can refer to several persons they are often clarified with a prepositional phrase.

Le hablé { **a usted. / a él. / a ella.**

Les hablé { **a ustedes. / a ellos. / a ellas.**

▲ ¿Qué le dice el dueño del puesto a su cliente?

3. The object pronouns **lo, la, los,** and **las** are direct object pronouns. They can replace either a person or a thing and they must agree in number and gender with the noun they replace.

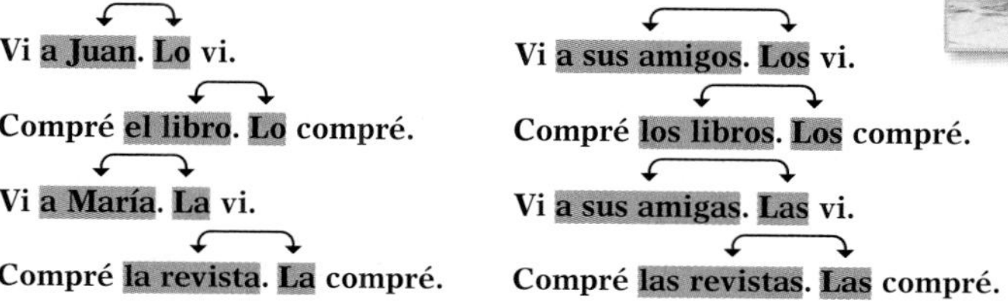

Vi a Juan. Lo vi. | **Vi a sus amigos. Los vi.**
Compré el libro. Lo compré. | **Compré los libros. Los compré.**
Vi a María. La vi. | **Vi a sus amigas. Las vi.**
Compré la revista. La compré. | **Compré las revistas. Las compré.**

4. When both a direct and an indirect object pronoun are used in the same sentence, the indirect object pronoun always precedes the direct object pronoun.

Me lo vendió. | **No me lo dio.**
¿No te la envió? | **¿Te la trajo?**

5. **Le** and **les** cannot be used with **lo, la, los** and **las. Le** and **les** change to **se** when used with a direct object pronoun.

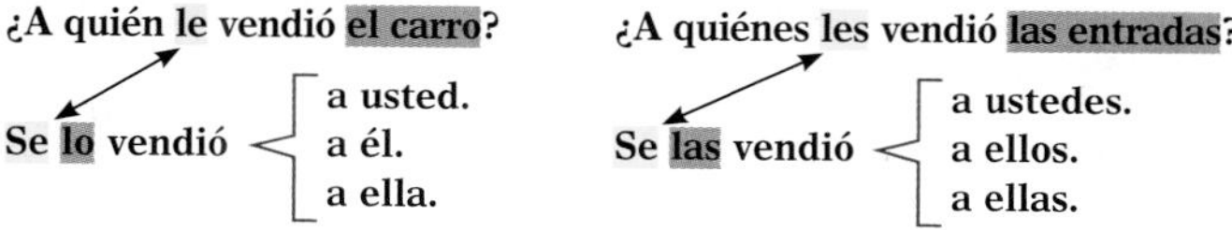

¿A quién le vendió el carro?
Se lo vendió { **a usted. / a él. / a ella.**

¿A quiénes les vendió las entradas?
Se las vendió { **a ustedes. / a ellos. / a ellas.**

Resources

- Audio Activities TE, pages 3.31–3.33
- Audio CD 3A, Tracks 23–27
- Workbook, pages 3.11–3.12
- Quizzes 10–11, pages 3.59–3.60
- *ExamView® Assessment Suite*

TEACH

Core Instruction

Step 1 Have students read the model sentences aloud in Item 1.

Step 2 As you go over Item 2, write the sentences on the board. Draw a box around the noun that is the direct object and a circle around the object pronoun. Draw a line from the box to the circle to show that the pronoun replaces the noun.

Step 3 When going over Item 2, emphasize the fact that **le** and **les** replace both masculine and feminine nouns.

Step 4 You may wish to give students sentences with nouns and have them replace the nouns with pronouns.

Me vendió el carro. → Me lo vendió.

No me dio el dinero. → No me lo dio.

¿No te envió la carta? → ¿No te la envió?

Step 5 Have students concentrate on the color coding and the arrows changing **le** and **les** to **se** in Item 5.

Note: Most students will probably need at least a quick review of this grammar point.

Tips for Success

This is one of those grammatical points that students learn better through examples than through explanation. In your presentation, it is recommended that you concentrate on the model sentences and use the actual answers to the activities as examples rather than belabor the explanation of which pronoun goes where. The more students hear the correct order, the less frequently they will make errors.

With slower paced learners, you may wish to practice replacing only one object pronoun in each sentence and come back to this topic at another time.

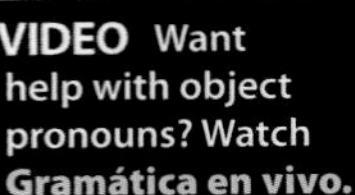
VIDEO Want help with object pronouns? Watch **Gramática en vivo.**

▶ PRACTICE

Leveling EACH Activity

Easy Activities 20, 21
Average Activities 22, 23
CHallenging Activities 24, 25

Activities 20–25 You can go over all these activities first with books closed. For reinforcement they can be written for homework.

GLENCOE SPANISH

Why It Works!

Note that because of the rather difficult nature of this grammar point, we have given students six activities. In addition, there are two more activities in the Student Workbook and five in the Audio Activities.

GLENCOE Technology

Video in the Classroom

Gramática en vivo: *Object pronouns* Enliven learning with the animated world of Professor Cruz! **Gramática en vivo** is a fun and effective tool for additional instruction and/or review.

Práctica

LEER • HABLAR • ESCRIBIR

20 Completa la conversación con los pronombres apropiados.

—¿__1__ llamó Hugo?
—Sí, él __2__ llamó.
—¿Qué __3__ dijo?
— __4__ dijo todo lo que había pasado.
—Y, ¿no __5__ vas a decir lo que __6__ dijo?
—Lo siento pero no __7__ voy a decir nada.

EXPANSIÓN

Ahora haz la conversación de nuevo. En la primera frase cambia **te** a **les** y haz todos los cambios necesarios.

HABLAR

21 Contesta sobre el uso de un cajero automático. Usa pronombres.

1. ¿Quién necesita el dinero? ¿Sandra?
2. ¿Tiene ella su tarjeta bancaria?
3. ¿Introduce la tarjeta en el cajero automático?
4. ¿Ella lee las instrucciones en la pantalla?
5. ¿Ella comprende las instrucciones?
6. ¿Ella pulsa los botones?
7. ¿Entra su código?
8. ¿Cuenta el dinero que sale?

EXPANSIÓN

Ahora, sin mirar las preguntas, cuenta la información en tus propias palabras. Si no recuerdas algo, un(a) compañero(a) te puede ayudar.

LEER • ESCRIBIR

22 Completa sobre un viaje a Santiago de Chile.

Sandra llegó al mostrador de la línea aérea en el aeropuerto. Ella __1__ habló al agente. Ella __2__ habló en español. Sandra __3__ dio las maletas al agente y el agente __4__ puso en la báscula (*scale*) y __5__ pesó. El agente __6__ dijo a Sandra cuanto pesaban. Ella __7__ mostró su boleto electrónico al agente. El agente __8__ miró. Facturó el equipaje y __9__ dio los talones a Sandra. El agente __10__ dio las gracias y __11__ deseó un feliz viaje.

¿El avión? ¿Lo viste aterrizar en San Carlos de Bariloche? ▼

Answers

20
1. Te
2. me
3. te
4. Me
5. me
6. te
7. te

21
1. Sí, Sandra lo necesita.
2. Sí, ella la tiene.
3. Sí, la introduce en el cajero automático.
4. Sí, ella las lee en la pantalla.
5. Sí, ella las comprende.
6. Sí, ella los pulsa.
7. Sí, lo entra.
8. Sí, lo cuenta.

22
1. le
2. le
3. le
4. las
5. las
6. le
7. le
8. lo
9. le
10. le
11. le

HABLAR

23 Con un(a) compañero(a) prepara una conversación según el modelo.

MODELO **—¿Te gusta el traje?**
—Sí, mucho. ¿Quién te lo dio?
—Nadie me lo dio. Me lo compré.

1. ¿Te gustan las botas?
2. ¿Te gusta el saco?
3. ¿Te gusta la camisa?
4. ¿Te gusta el pantalón?
5. ¿Te gustan los mocasines?
6. ¿Te gustan las corbatas?

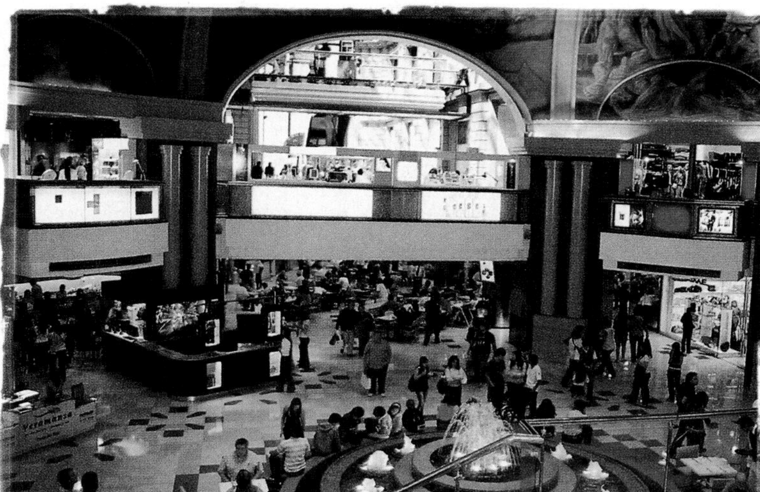

◀ Galerías Pacífico en Buenos Aires

ESCUCHAR • HABLAR

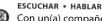

24 Con un(a) compañero(a) prepara una conversación según el modelo.

MODELO **—¿Le diste el número de tu móvil a Carlos?**
—No, se lo di a Terri.
—Ah, ¿se lo diste a ella?

1. ¿Le diste la dirección a Carlos?
2. ¿Le diste la zona postal a Carlos?
3. ¿Le diste la información a Carlos?
4. ¿Le diste los boletos a Carlos?
5. ¿Le diste las fotos a Carlos?

ESCUCHAR • HABLAR • ESCRIBIR

25 Personaliza. Da respuestas personales.

1. ¿Le escribiste una carta a Abuelita?
2. ¿Le mandaste un cheque?
3. ¿Les enviaste tus saludos a sus hermanos?
4. ¿Le mandaste las fotos de la familia?
5. ¿Crees que Abuelita contestará la carta enseguida?

Comunicación

Interpersonal

After going over Activity 22, you can have students refer to the list of thematic vocabulary dealing with plane travel on page SR5. Students can make up original conversations using the vocabulary as a guide. After doing Activity 23, students can do the same by referring to the list of thematic vocabulary dealing with clothing shopping on page SR3.

Cultural Snapshot

(page 129) Galerías Pacífico es un centro comercial en la Calle Florida, una calle peatonal en el centro de Buenos Aires.

ASSESS

Students are now ready to take Quizzes 10–11 on pages 3.59–3.60 of the TeacherTools booklet. If you prefer to create your own quiz, use the *ExamView® Assessment Suite.*

Answers

23

1. —Sí, mucho. ¿Quién te las dio? —Nadie me las dio. Me las compré.
2. —Sí, mucho. ¿Quién te lo dio? —Nadie me lo dio. Me lo compré.
3. —Sí, mucho. ¿Quién te la dio? —Nadie me la dio. Me la compré.
4. —Sí, mucho. ¿Quién te lo dio? —Nadie me lo dio. Me lo compré.
5. —Sí, mucho. ¿Quién te los dio? —Nadie me los dio. Me los compré.
6. —Sí, mucho. ¿Quién te las dio? —Nadie me las dio. Me las compré.

24

1. —No, se la di a Terri. —Ah, ¿se la diste a ella?
2. —No, se la di a Terri. —Ah, ¿se la diste a ella?
3. —No, se la di a Terri. —Ah, ¿se la diste a ella?
4. —No, se los di a Terri. —Ah, ¿se los diste a ella?
5. —No, se las di a Terri. —Ah, ¿se las diste a ella?

25

1. Sí, (No, no) se la escribí.
2. Sí, (No, no) se lo mandé.
3. Sí, (No, no) se los envié.
4. Sí, (No, no) se las mandé.
5. Sí, creo que Abuelita la contestará enseguida. (No, no creo que Abuelita la conteste enseguida.)

Resources

- Audio Activities TE, pages 3.33–3.34
- Audio CD 3A, Tracks 28–29
- Workbook, pages 3.12–3.13
- Quizzes 12–13, pages 3.61–3.62
- *ExamView® Assessment Suite*

TEACH

Core Instruction

Read the explanation to the class and have the entire class read the model sentences aloud.

Teaching Options

To avoid doing large segments of grammar at one time, you may wish to intersperse the grammar points as you are doing other lessons in this chapter. If you prefer, you can spend four or five class periods in succession doing the review grammar.

Differentiation

Multiple Intelligences

Call on **bodily-kinesthetic** learners to pantomime or dramatize the meaning of the following words.

aburrir	**interesar**
asustar	**molestar**
enfurecer	**sorprender**

Cultural Snapshot

(page 130 bottom right) Es increíble observar como los caballos como este le miran al domador quien se acerca al caballo de una manera lenta y tranquila.

Verbos como gustar

1. The following verbs function the same in Spanish and English.

aburrir	*to bore*	**fascinar**	*to fascinate*
asustar	*to scare*	**importar**	*to matter*
encantar	*to enchant, to delight*	**interesar**	*to interest*
enfurecer	*to infuriate, to anger*	**molestar**	*to bother*
enojar	*to annoy*	**sorprender**	*to surprise*

These verbs take an object pronoun in both Spanish and English. Note too that the subject of the sentence often comes after the verb.

A mí me interesa mucho la historia.
Pero francamente me aburren las matemáticas.
Yo sé que a ellos les enoja tu actitud.
Y a nosotros también. Nos enfurece.

▲ ¿Cuál te gusta más? ¿El esquí—o como dicen en Argentina «el ski»—o el snowboard?

2. The verbs **gustar, faltar,** and **hacer falta** function the same as the verbs above. **Gustar** conveys the meaning *to like,* but its literal meaning is *to be pleasing to.* **Faltar** and **hacer falta** convey the meaning *to need* but their literal meaning is *to be lacking to.*

—Me gusta mucho el carro.
—Si te gusta, ¿por qué no te lo compras?
—No puedo. Me falta el dinero.

—¿Te gustan los deportes?
—Mucho. Pero me falta tiempo poder jugar.

Eva Perón da una radiodifusión en 1948. ▼

Práctica

HABLAR

26 Contesta sobre el Cono sur.

1. ¿Te interesó leer sobre la cultura de los países del Cono sur?
2. ¿Te sorprendió aprender que los indígenas de Chile eran tan belicosos?
3. ¿Te interesa o te aburre el mito de los gauchos?
4. ¿Te interesaron o te aburrieron los detalles sobre la vida de Evita Perón?
5. ¿A Evita le enojaron los ricos?
6. Y a los ricos, ¿les molestó Evita?
7. ¿Les enfurecieron sus ideas políticas?
8. ¿A los descamisados les fascinó su querida Evita?

El gaucho está domando al caballo y no le quiere asustar. ▶

Answers

26

1. Sí, (No, no) me interesó leer sobre la cultura de los países del Cono sur.
2. Sí, (No, no) me sorprendió aprender que los indígenas eran tan belicosos.
3. Me interesa (aburre) el mito de los gauchos.
4. Me interesaron (aburrierion) los detalles sobre la vida de Evita Perón.
5. Sí, a Evita le enojaron los ricos.
6. Sí, a los ricos les molestó Evita.
7. Sí, les enfurecieron sus ideas políticas.
8. Sí, a los descamisados les fascinó su querida Evita.

27

1. me, a, me, a
2. le, an
3. me, en, me, an
4. Te, a
5. me, a, me, e
6. Te, e
7. me, e, me, a

LEER • ESCRIBIR

27 Completa sobre la ropa que llevas.

1. A mí no _____ interes__ nada como se visten los demás pero, sí _____ interes__ lo que llevo yo.
2. A mi amiga Elena _____ fascin__ las últimas modas.
3. A mí no _____ aburr__ las modas pero no _____ fascin__ tampoco.
4. ¿_____ enoj__ cuando alguien te dice que te ves muy elegante?
5. A mí no _____ molest__ cuando alguien me dice eso pero _____ sorprend__.
6. ¿_____ sorprend__? ¿Por qué?
7. Pues _____ sorprend__ porque tú me conoces. No _____ import__ lo que llevo (tengo puesto).

ESCUCHAR • HABLAR

28 Con un(a) compañero(a) prepara una conversación según el modelo.

MODELO **el bife quemado →**
—A mí me gusta el bife quemado pero a mi hermano no le gusta.
—A mí no me gusta el bife quemado pero a mi hermano le gusta.

1. el chupe de mariscos
2. las empanadas
3. las tapas
4. el queso manchego
5. el ceviche
6. el locro
7. las berenjenas fritas
8. las gambas al ajillo

CURANTO "EL GRINGO"
COMIDA TRADICIONAL
MENÚ:
TAPA DE ASADO, CORDERO PATAGÓNICO, POLLO CASERO, CHORIZOS, PAPAS, ZANAHORIAS, BATATAS, CEBOLLAS, MANZANAS, ZAPALLO CON ARVEJAS Y QUESO
MIERCOLES Y DOMINGOS 13:30 HS.
Colonia Suiza
CONSULTAS AL 15-578178 Feria Regional
BANDEJA: P/2 PERSONAS $50=

Comunicación

29 Trabajen en grupos de cuatro. Discutan.

lo que les interesa **lo que les gusta**
lo que les aburre **lo que les falta**

PRACTICE

Leveling EACH Activity

Easy Activity 26
Average Activities 27, 28
CHallenging Activity 29

Activities 26–28 All of these activities can be gone over in class and written at home for additional reinforcement.

Comunicación

Interpersonal

After doing Activities 27 and 28, you can have students review the thematic vocabulary dealing with clothing on page SR4 and foods on page SR2. Have them make up conversations using these verbs and topics.

Learning from Realia

(page 131) El curanto es un guiso de mariscos, carnes y legumbres típicamente chileno. Se cuece en un hoyo sobre piedras muy calientes. Sin embargo, el restaurante «El gringo» está en Colonia Suiza, un pueblo pequeño en los alrededores de Bariloche, Argentina, bastante cerca de la frontera chilena.

Answers

1. A mí me gusta el chupe de mariscos pero a mi hermano no le gusta. / A mí no me gusta el chupe de mariscos pero a mi hermano le gusta.
2. A mí me gustan las empanadas pero a mi hermano no le gustan. / A mí no me gustan las empanadas pero a mi hermano le gustan.
3. A mí me gustan las tapas pero a mi hermano no le gustan. / A mí no me gustan las tapas pero a mi hermano le gustan.
4. A mí me gusta el queso manchego pero a mi hermano no le gusta. / A mí no me gusta el queso manchego pero a mi hermano le gusta.
5. A mí me gusta el ceviche pero a mi hermano no le gusta. / A mí no me gusta el ceviche pero a mi hermano le gusta.
6. A mí me gusta el locro pero a mi hermano no le gusta. / A mí no me gusta el locro pero a mi hermano le gusta.
7. A mí me gustan las berenjenas fritas pero a mi hermano no le gustan. / A mí no me gustan las berenjenas fritas pero a mi hermano le gustan.
8. A mí me gustan las gambas al ajillo pero a mi hermano no le gustan. / A mí no me gustan las gambas al ajillo pero a mi hermano le gustan.

29 *Answers will vary.*

Resources

- Audio Activities TE, page 3.35
- Audio CD 3A, Tracks 30–31
- Workbook, pages 3.14–3.15
- Quiz 14, page 3.63
- *ExamView® Assessment Suite*

TEACH

Core Instruction

Step 1 Guide students through the explanatory material in Items 1–6.

Step 2 Have students read the model sentences aloud in Items 2–6.

Note: It may be possible to omit the review of this relatively easy grammar point with some groups.

¿Te acuerdas?

Remember that, unlike in English, in Spanish more than one negative word can be used in the same sentence.

Palabras negativas y afirmativas

1. Following are the most frequently used negative words in Spanish.

nada **nadie** **nunca** **ni... ni** **ninguno**(a) (**ningún**)

2. Review and contrast the following affirmative and negative sentences.

AFFIRMATIVE	NEGATIVE
Yo sé que él tiene algo.	**Yo sé que él no tiene nada.**
Yo sé que alguien está allí.	**Yo sé que nadie está allí.**
Yo sé que él ve a alguien.	**Yo sé que él no ve a nadie.**
Yo sé que él siempre está.	**Yo sé que él nunca está.**
Yo sé que él tiene un perro o un gato.	**Yo sé que él no tiene ni (un) perro ni (un) gato.**
Yo sé que él tiene algún dinero.	**Yo sé que él no tiene ningún dinero.**

Note that **alguno** and **ninguno** shorten to **algún** and **ningún** before a masculine singular noun and carry a written accent.

3. Note that **alguno** can also convey a negative meaning. When it does, **alguno** always follows the noun.

Él no tiene ninguna suerte.
Él no tiene ningún dinero.

Él no tiene suerte alguna.
Él no tiene dinero alguno.

4. In Spanish the placement of the negative words can vary and, unlike English, more than one negative word can be used in the same sentence.

Él nunca va allá.
Nadie está.
Él nunca dice nada a nadie.
Él no va allá nunca.
No está nadie.

5. Note that the personal **a** must be used with **alguien** or **nadie** when either of these words is the direct object of the sentence.

Él vio a alguien.
Él no vio a nadie.

6. **Tampoco** is the negative word that replaces **también.**

Él lo sabe también.
Él no lo sabe. (Ni) yo tampoco.

A mí no me gusta.
Ni a mí tampoco.

▲ Nunca he visto rosas tan bonitas como estas en una estancia en Argentina.

Práctica

HABLAR • ESCRIBIR

30 Personaliza. Da respuestas negativas.

1. ¿Vas siempre a aquella tienda?
2. ¿Quieres hablar con un dependiente?
3. ¿Quieres comprar algo?
4. ¿Quieres comprar un par de zapatos o botas?
5. ¿Vas a comprar un regalo?
6. ¿Viste a alguien en la tienda?
7. ¿Y alguien te vio a ti?

▲ ¿Vas a comprar algo en esta tienda de calzados en Buenos Aires?

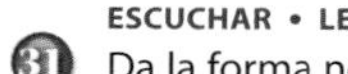
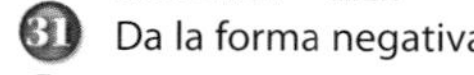
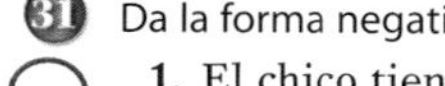

ESCUCHAR • LEER

31 Da la forma negativa.

1. El chico tiene algo en la mano.
2. El chico está con alguien.
3. El chico está jugando con el gato o con el perro.
4. El chico tiene miedo de salir.
5. El chico ve a alguien.
6. El chico siempre quiere algo de alguien.
7. Alguien está con el chico.

LEER • ESCRIBIR

32 Da la forma negativa.

1. Él lo sabe y yo lo sé también.
2. Ella quiere ir a Chile y yo quiero ir también.
3. A él le gusta y a mí me gusta también.
4. Yo voy a ir y ellos van también.
5. Ustedes lo van a hacer y nosotros también.
6. A mí me gusta y a él también.

Vista del puerto de Arica, Chile ▼

Gramática

PRACTICE

Leveling EACH Activity

Easy Activity 30
Average Activities 31, 32

Activities 30, 31, and 32 You can go over these activities orally in class. For reinforcement, have students write them at home.

Cultural Snapshot

(page 133 bottom) Arica, en el norte de Chile, es una ciudad bastante placentera. Es popular con los bolivianos a quienes les sirve de puerto y balneario. Hasta recientemente había un servicio ferroviario entre Arica y La Paz pero actualmente es solo para carga. En Arica nace el Atacama, el desierto más seco del mundo.

ASSESS

Students are now ready to take Quiz 14 on page 3.63 of the TeacherTools booklet. If you prefer to create your own quiz, use the *ExamView® Assessment Suite.*

Answers

30

1. No, nunca voy a aquella tienda. (No, no voy nunca a aquella tienda.)
2. No, no quiero hablar con ningún dependiente.
3. No, no quiero comprar nada.
4. No, no quiero comprar ni un par de zapatas ni botas.
5. No, no voy a comprar ningún regalo.
6. No, no vi a nadie en la tienda.
7. No, nadie me vio (a mí).

31

1. El chico no tiene nada en la mano.
2. El chico no está con nadie.
3. El chico no está jugando ni con el gato ni con el perro.
4. El chico no tiene miedo de nada.
5. El chico no ve a nadie.
6. El chico nunca quiere nada de nadie.
7. Nadie está con el chico.

32

1. Él no lo sabe y yo no lo sé tampoco.
2. Ella no quiere ir a Chile y yo no quiero ir tampoco.
3. A él no le gusta y a mí no me gusta tampoco.
4. Yo no voy a ir y ellos no van tampoco.
5. Ustedes no lo van a hacer ni nosotros tampoco.
6. A mí no me gusta ni a él tampoco.

Resources

- Tests, pages 3.75–3.78
- *ExamView® Assessment Suite*

Self-check for achievement

This is a pre-test for students to take before you administer the lesson test. Note that each section is cross-referenced so students can easily find the material they feel they need to review. You may wish to use Self-Check Worksheet Transparency SC3.2 to have students complete this assessment in class or at home. You can correct the assessment yourself, or you may prefer to project the answers on the overhead in class using Self-Check Answers Transparency SC3.2A.

Differentiation

Slower Paced Learners

Encourage students who need extra help to refer to the book icons and review any section before answering the questions.

Prepárate para el examen

Self-check for achievement

Gramática

Para repasar **el presente,** mira las páginas 118–119.

1 Completa con el presente.

1. Ellos ____ una comida buena en aquel restaurante argentino. (servir)
2. Nosotros ____ en Santiago, la capital de Chile. (vivir)
3. Yo ____ cada mañana a las ocho. (salir)

4–5. Él ____ hacerlo ahora pero nosotros no ____ hacerlo hasta mañana. (poder)
6–7. Nosotros ____ que él no ____ bien. (saber, jugar)
8–9. Yo no ____ lo que tú ____. Perdóname. (saber, decir)
10. Yo lo ____. (conocer)
11–12. Yo no ____ nada y ellos ____ todo. (oír)

Para repasar **ser** y **estar,** mira las páginas 123–124.

2 Completa con ser o estar.

13–14. Montevideo ____ muy bonita. ____ en Uruguay.
15. Yo ____ triste porque no puedo hacer el viaje.
16. El clima de la Patagonia ____ muy borrascoso.
17–18. Las frutas del norte de Argentina ____ muy dulces. No sé por qué pero esta que estoy comiendo ahora no ____ dulce.
19. La carne ____ quemada pero me gusta casi cruda.
20. En Chile muchas casas ____ de madera.

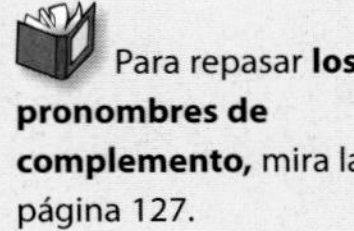

Para repasar **los pronombres de complemento,** mira la página 127.

3 Completa con el pronombre apropiado.

21–24. —Roberto, ¿quién ____ regaló los anteojos para el sol?
—Pues, mi hermana ____ ____ regaló. ¿____ gustan?
25–27. —Antonia, ¿____ diste la tarjeta a Enrique?
—Sí, ____ ____ di ayer.

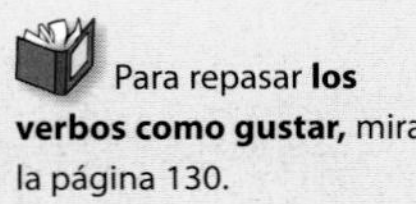

Para repasar **los verbos como gustar,** mira la página 130.

4 Completa.

28–31. A mí ____ gust____ vestirme muy de moda pero a mi hermano ____ enfurec____ tener que llevar chaqueta y corbata.
32–33. ¿A ti ____ gust____ más los zapatos con cordones o los zapatos sin cordones—de estilo mocasines?
34–35. ¿A ellos ____ interes____ más dar o recibir regalos?

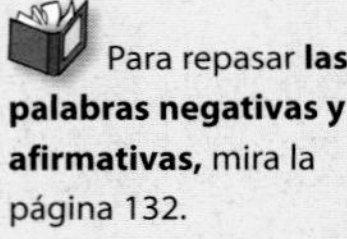

Para repasar **las palabras negativas y afirmativas,** mira la página 132.

5 Escribe en la forma negativa.

36. A mí me gusta y a él también.
37. Yo voy siempre de compras.
38. Siempre necesito algo.
39. Alguien me ayuda a buscar lo que necesito.
40. ¿Tienes algún dinero?

Answers

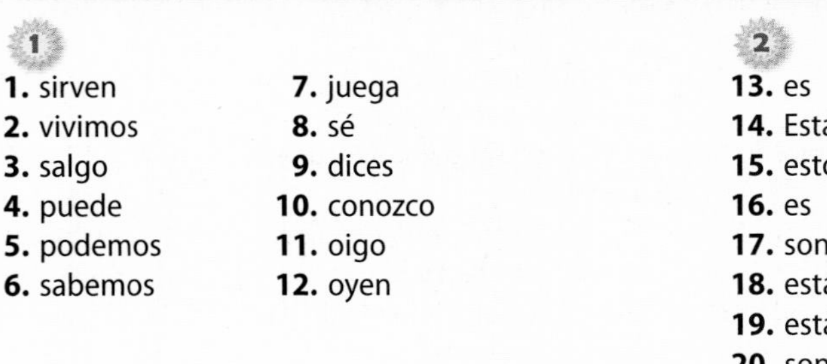

1

1. sirven
2. vivimos
3. salgo
4. puede
5. podemos
6. sabemos
7. juega
8. sé
9. dices
10. conozco
11. oigo
12. oyen

2

13. es
14. Está
15. estoy
16. es
17. son
18. está
19. está
20. son

Prepárate para el examen

Practice for proficiency

1 Un día típico

Trabajen en grupos de tres o cuatro. Discutan todo lo que hacen durante un día típico. Pueden consultar la lista de vocabulario temático sobre la rutina diaria al final de este libro.

2 Unas vacaciones

Con un(a) amigo(a), habla de lo que consideras unas vacaciones estupendas. Describe tus actividades favoritas—todo lo que haces—y tu amigo(a) va a hacer lo mismo. Decidan si comparten las mismas ideas sobre unas vacaciones ideales. Pueden consultar la lista de vocabulario temático sobre las vacaciones al final de este libro.

▲ Vista de Bariloche

3 Yo

No eres egoísta pero ahora tienes la oportunidad de hablar de ti mismo(a). Toma el micrófono. Queremos saber quién eres, de dónde eres, el tipo de persona que eres, el tipo de gente que te interesa, con quién o quiénes quieres estar. Anda—te toca a ti o como dicen en el Cono sur—queremos saber de vos—hablá, andá.

4 Compañeros de cuarto

Divídanse en grupos de tres. Imagínense que ustedes no se conocen bien. Sin embargo, el año próximo tienen que compartir un apartamento en la universidad. Para evitar problemas, han decidido abrir un diálogo entre sí. Descríbanse a sí mismos(as) y comenten sobre sus gustos, intereses, antipatías, enojos, etc.

Gramática

Tips for Success

Encourage students to say as much as possible when they do these open-ended activities. Tell them not to be afraid to make mistakes, since the goal of the activities is real-life communication. If someone in the group makes an error, allow the others to politely correct him or her. Let students choose the activities they would like to do.

Tell students to feel free to elaborate on the basic theme and to be creative. They may use props, pictures, or posters if they wish.

Pre-AP These oral and written activities will give students the opportunity to develop and improve their speaking and writing skills so that they may succeed on the speaking and writing portions of the AP exam.

Cultural Snapshot

(page 135) San Carlos de Bariloche está en el distrito patagónico de los lagos en la frontera entre Argentina y Chile.

Note: You may wish to use the rubrics on page 104D or 104F to help students prepare their speaking activities and their writing task.

Answers

3

21. te
22. me
23. los
24. Te
25. le
26. se
27. la

4

28. me
29. a
30. le
31. e
32. te
33. an
34. les
35. a

5

36. A mí no me gusta ni a él tampoco.
37. Yo no voy nunca de compras.
38. Nunca necesito nada.
39. Nadie me ayuda a buscar lo que necesito.
40. ¿No tienes ningún dinero?

Resources

- Vocabulary Transparency V3.3
- Audio Activities TE, page 3.36
- Audio CD 3B, Tracks 1–2
- Workbook, pages 3.16–3.17
- *ExamView® Assessment Suite*

TEACH

Core Instruction

Step 1 Call on a student to read the new word and its definition.

Step 2 After going over all of the definitions have students discuss the difference between **una tormenta, un chaparrón, un aguacero,** and **un chubasco.**

Estudio de palabras

Call on students to read aloud each sentence that illustrates the way a particular form of the word is used.

Comunicación

Interpersonal

Have students look at the pictures on pages 136–137 and describe what they see in each photo, especially the weather conditions.

PRACTICE

Leveling EACH Activity

Easy Activity 1
Average Activities 2, 3
CHallenging Activity 4

Lección 3

Periodismo

El pronóstico meteorológico

Vocabulario

Estudia las siguientes palabras para ayudarte a entender el artículo.

una tormenta perturbación atmosférica violenta acompañada de aparato eléctrico (relámpagos), truenos, viento fuerte, lluvia, nieve o granizo

una tempestad tormenta con vientos fuertes

un chaparrón lluvia de poca duración

un aguacero lluvia repentina y abundante pero también de poca o corta duración

un chubasco chaparrón o aguacero acompañado de mucho viento

un frente zona de contacto de dos masas de aire de distinta temperatura y humedad

Estudio de palabras

el calor Hoy hace mucho calor.
caluroso(a) Es un día caluroso.
cálido(a) Estamos experimentando un período cálido.
húmedo(a) Es un día húmedo.
la humedad Hay un promedio de humedad de 40 por ciento.
el sol Hay (Hace) mucho sol. Brilla el sol.
soleado(a) Es un día soleado.
solar Calentamos el agua en la piscina con un calentador solar. La energía solar es ecológicamente importante.
la nube Hoy es un día claro y despejado—sin nubes.
nublado(a) El día está nublado. Hay nubes dispersas.
la nubosidad Hay bastante nubosidad. Hay muchas nubes.
llover (ue) Hoy está lloviendo. Llueve mucho en este mes.
la lluvia Es la temporada de las lluvias. Hay mucha precipitación.
lluvioso(a) Vivimos en una zona lluviosa.

▲ Condiciones tormentosas en Buenos Aires

Práctica

HABLAR

1 Personaliza. Da respuestas personales.

1. ¿Prefieres el calor o el frío?
2. ¿Te gusta la humedad?
3. ¿Prefieres los días nublados o los días despejados?
4. ¿Te gustan las tormentas o te dan miedo?
5. ¿Prefieres la lluvia o la nieve?
6. Cuando el cielo está completamente nublado, ¿hay nubes dispersas?

Answers

1. Prefiero el calor (el frío).
2. Sí, (No, no) me gusta la humedad.
3. Prefiero los días nublados (despejados).
4. Me gustan las tormentas. (Las tormentas me dan miedo.)
5. Prefiero la lluvia (la nieve).
6. Cuando el cielo está completamente nublado, hay muchas nubes.

QuickPass
Go to glencoe.com
For: **Journalism practice**
Web code: **ASD7851c3**

ESCUCHAR • HABLAR

2 Indica si la información es correcta o no.

correcta	incorrecta

HABLAR

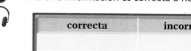

3 Describe el tiempo que está haciendo hoy donde estás.

ESCRIBIR

4 Escribe frases originales con las siguientes palabras.

1. calor / caliente / cálido / caluroso / calentar
2. llover / lluvia / lluvioso
3. nube / nublado / nubosidad
4. sol / solar / soleado
5. húmedo / humedad

▲ Llega una tempestad o un chubasco en Puerto Natales, Chile.

Periodismo

Periodismo

Activities 1, 2, and 3 These activities can be gone over orally in class and written for additional reinforcement.

Activity 2

Audio Script

1. Hay mucha precipitación cuando llueve mucho.
2. Un chaparrón es más violento que una tormenta.
3. Hay estaciones lluviosas en las zonas calientes.
4. Hay mucha nubosidad cuando el cielo está despejado.
5. Los relámpagos hacen mucho ruido.
6. El trueno es ruidoso.
7. Cuando llega un frente cambia el tiempo.

Activity 4 This activity should be prepared before going over it in class.

Differentiation

Advanced Learners

You may wish to have advanced learners do Activity 4 as an oral activity as soon as they go over the **Estudio de palabras** section.

GLENCOE SPANISH

Why It Works!

Many students learn the basic weather expressions but these do not allow advanced learners to function in the real world by being able to understand a weather forecast on TV or read one in the newspaper. Throughout **¡Así se dice!** we introduce vocabulary at various levels of sophistication in order to give students what they need when speaking Spanish in the real world.

Answers

2

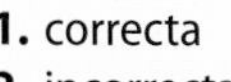

1. correcta
2. incorrecta
3. correcta
4. incorrecta
5. incorrecta
6. correcta
7. correcta

3 *Answers will vary.*

4 *Answers will vary.*

GLENCOE Technology

Online Learning in the Classroom

You may wish to have students use QuickPass code ASD7851c3 for additional practice. Students can download audio files to their computer and/or MP3 player. They can also access a self-check quiz and a review worksheet.

Leveling EACH Activity

Reading Level **A**verage

▶ TEACH

Core Instruction

Step 1 Have students read the **Antes de leer** section silently.

Step 2 Have students glance at the weather charts as if they were actually reading the newspaper.

Step 3 You may wish to have students scan the weather information only or you may wish to have them read some sections aloud to reinforce the vocabulary.

Antes de leer

El famoso humorista norteamericano Mark Twain dijo: «Todo el mundo habla del tiempo y nadie puede cambiarlo». Es verdad que el tiempo es un tema frecuente de conversación y si quieres saber el tiempo para mañana puedes escuchar el pronóstico meteorológico en la tele o la radio o puedes leerlo en el periódico. Aquí tienes el Meteo del periódico *La Nación* de Buenos Aires. Al leer el pronóstico sabrás que es el verano.

El pronóstico meteorológico

Buenos Aires

Día: caluroso y despejado. Mín.: 23°. Máx.: 34°. Vientos variables, tornándose del nordeste, de 12 a 25 km/h. Promedio de humedad: 45%.

Por la noche: mayormente claro y cálido. Mín.: 23°. Vientos del norte al nordeste, de 10 a 20 km/h. Promedio de humedad: 70%.

Mañana: caluroso y bastante despejado; probable tormenta hacia última hora. Mín.: 23°. Máx.: 34°. Vientos del norte al nordeste, de 12 a 25 km/h. Promedio de humedad: 50%.

Martes: parcialmente nublado; sofocante, con brisas; probabilidad de un chaparrón. Mín.: 21°. Máx.: 30°. Vientos del sudeste, de 20 a 40 km/h. Promedio de humedad: 55%.

Miércoles: caluroso, con algo de sol. Mín.: 23°. Máx.: 32°.

Jueves: caluroso, probable tormenta. Mín.: 23°. Máx.: 32°.

Viernes 31 al martes 4 de febrero: la temperatura será superior a 23°3, marca normal para este período del año, y la caída de agua resultará inferior a su lectura habitual, que es de 14,7 milímetros.

La Argentina—5 días

Una ola de calor dominará el estado del tiempo durante la mayor parte de los próximos cinco días. Hoy, el país tendrá un día particularmente despejado y libre de toda clase de precipitaciones. Esta noche y mañana, un débil frente frío hará su ingreso al sur pampeano, dando lugar a algunas tormentas, con vientos racheados[1], que aportarán condiciones más frescas. El martes, en el sector medio del país, el calor se tornará más moderado, pero volverá a intensificarse a mediados de semana. Mientras tanto, en la Patagonia, la mayoría de estos cinco días traerá fuertes vientos y lluvias localizadas.

Regional—Hoy

Norte: el sol dominará la región. Tanto en el Chaco como al pie de los Andes o en la Puna, el cielo estará plenamente despejado, con apenas algunas nubes dispersas. El calor del día alcanzará marcas casi normales para la estación. Es probable que a lo largo de los Andes haya tormentas aisladas.

Nordeste: la mayor parte de la región tendrá un día despejado y caluroso. Entre Ríos se presentará totalmente despejado; las máximas rondarán los 35 grados. Al mismo tiempo, en Misiones y sus alrededores, se registrarán lluvias fuertes y dispersas.

Centro: una ola de calor se extenderá por la región. Las temperaturas superarán los 30 grados, y los sitios más calurosos excederán los 35 grados. Si bien habrá abundante sol, el calor podrá dar lugar a la formación de tormentas aisladas en La Pampa y el sur de Buenos Aires.

Oeste: el sol brillará intensamente sobre la región, promoviendo temperaturas muy elevadas. En Cuyo, éstas se ubicarán entre 35 y 40 grados. Unas pocas nubes se situarán a lo largo de los Andes, y hacia el norte podrán dar lugar a tormentas prolongadas durante la tarde.

Sur: hacia el norte de la región, el tiempo se presentará caluroso. Las llanuras más bajas de Río Negro y Neuquén registrarán máximas de 35 grados. Más al sur, el sector estará ventoso y parcialmente nublado, con unos pocos chaparrones, muy distantes entre sí.

[1] racheados *in gusts*

Después de leer

A **Comparando** Compara el tiempo de hoy en Buenos Aires con el tiempo para martes.

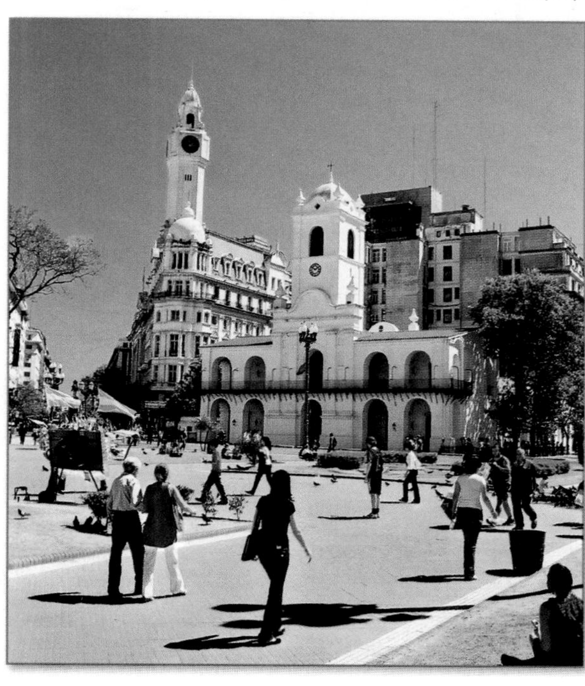

◀ Un día de primavera en Buenos Aires, Argentina

B **Recordando hechos** Contesta.

1. ¿Qué dominará el tiempo durante los próximos cinco días?
2. ¿Qué llegará esta noche o mañana?
3. Con su llegada, ¿cómo cambiará el tiempo?
4. ¿Qué tiempo hará en la Patagonia?

C **Explicando** Explica.
En tus propias palabras explica el significado de lo siguiente: la temperatura será superior a 23°3, marca normal para este período del año, y la caída de agua resultará inferior a su lectura habitual, que es de 14,7 milímetros.

Comunicación

D  Selecciona una de las regiones e imagínate que eres el/la meteorólogo(a) en una cadena de televisión local. Da el pronóstico meteorológico.

▶ PRACTICE

Después de leer

A This activity can be done as a group activity.

Differentiation

Multiple Intelligences

D You may wish to have **bodily-kinesthetic** and **visual-spatial** learners present this activity as if they were broadcasting live on TV—**en vivo.**

Cultural Snapshot

(page 139) La Plaza de Mayo se considera el alma de Buenos Aires. Su nombre de homenaje al 25 de mayo de 1810 refiere al día que se formó el primer gobierno argentino independiente. El cabildo en la esquina de la Plaza de Mayo es un museo.

Answers

A *Answers will vary but may include:*
Hoy en Buenos Aires hace calor y está despejado. Hace un poco viento. No es muy húmedo. Por la noche estará claro y cálido. La noche será más huméda. Martes hará mucho calor y estará parcialmente nublado. Habrá chaparrón. Hará viento. No será muy húmedo.

B *Answers will vary but may include:*
1. Una ola de calor dominará el tiempo durante los próximos cinco días.
2. Esta noche o mañana llegará un débil frente frío.
3. Habrá algunas tormentas con vientos racheados. Hará más fresco.
4. Hará mucho viento y habrá lluvias localizadas.

C *Answers will vary but may include:*
Significa que hace más calor que lo normal y hay menos lluvia.

D *Answers will vary.*

Resources

- Vocabulary Transparency V3.3
- Audio Activities TE, page 3.37
- Audio CD 3B, Tracks 3–5
- Workbook, pages 3.17–3.18
- *ExamView® Assessment Suite*

TEACH

Core Instruction

Step 1 You may wish to follow some of the suggestions given for the presentation of the vocabulary in previous sections.

Step 2 You may also wish to ask students the following questions with the new words. **¿Cuál es otra palabra que significa «graduado de una escuela secundaria»? ¿Tienes muchas metas? ¿Cuál es una meta importante que tienes? ¿Crees que tienes la formación apropiada para ir a la universidad? ¿Cuáles son algunos intereses que compartes con tus amigos? ¿Está creciendo la población de tu pueblo o ciudad? ¿Vas a fracasar en algún curso?**

PRACTICE

Leveling EACH Activity

Average Activity 1
CHallenging Activity 2

Activity 2 It is suggested that you have students write this activity before going over it in class.

Cuando hay que dejar el hogar

Vocabulario

Estudia las siguientes palabras para ayudarte a entender el artículo.

el hogar casa familiar
el/la egresado(a) graduado de un colegio
la meta objetivo
adecuado(a) apropiado; suficiente
compartir usar en común
fracasar no tener éxito, no realizar el resultado deseado
crecer aumentar
a juicio de en la opinión de

Práctica

ESCUCHAR • HABLAR

1 Personaliza. Da respuestas personales.

1. ¿Cuáles son algunas metas que tienes para el futuro?
2. A tu juicio, ¿tienes una preparación adecuada para matricularte en la universidad?

3. ¿Piensas dejar el hogar para hacer estudios universitarios o piensas asistir a una universidad local?
4. ¿Cuáles son unos gustos que compartes con tus amigos?
5. ¿Te da pena si fracasas en algo? ¿Qué opinas? ¿Es necesario sufrir unos fracasos para poder crecer?

▲ Estos jóvenes tienen la preparación necesaria para seguir cursos universitarios.

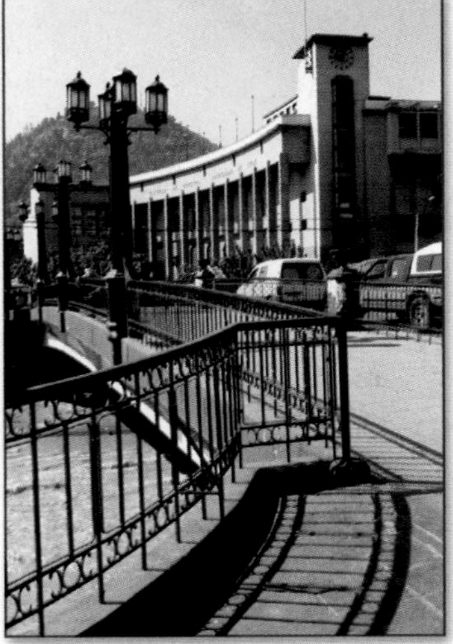

▲ Facultad de Derecho de la Universidad de Santiago

LEER • ESCRIBIR

2 Expresa de otra manera.

1. *El objetivo* de cada individuo es el de recibir una formación o educación *apropiada.*
2. *Los graduados* van a seguir con su carrera.
3. A veces es triste dejar *la casa familiar.*
4. Pero *en la opinión de* muchos, estudiar en otra ciudad, estado, provincia o país tiene muchas ventajas.
5. El número de jóvenes que dejan la casa familiar para hacer estudios superiores está *aumentando.*
6. Muchos estudiantes tienen que *usar en común* un departamento porque muchas universidades no tienen residencias estudiantiles.
7. Afortunadamente muy pocos estudiantes *no tienen éxito.*

Comunicación

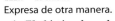

Interpersonal, Presentational

After going over Activity 1, have students work in groups to discuss further one of the questions that is of particular interest to them. Once students have had sufficient time to discuss their opinions, have a member of each group present the result of the discussion to the class. Encourage other classmates to ask questions of the presenter.

Antes de leer

¿Piensas asistir a la universidad? ¿Has escogido unas universidades o «colegios» en los cuales te gustaría matricularte? Según tus planes, ¿quieres hacer tus estudios universitarios cerca de donde vives o prefieres salir de casa?

Cuando hay que dejar el hogar

El salir de casa para dar comienzo a una carrera universitaria es muchas veces ingrato. A pesar de ello, las vivencias[1] de quienes así lo hacen son positivas, convirtiéndose en una opción real y creciente.

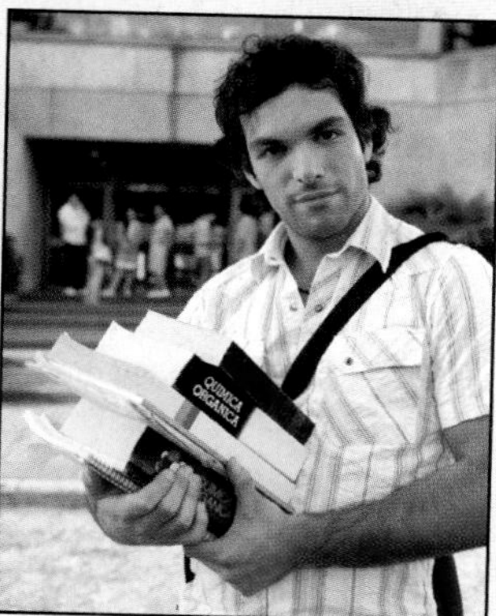

Comenzar la vida universitaria no es tarea fácil. Son muchas las opciones que se presentan y diversas las variables que se deben considerar. Una de ellas es realizar los estudios superiores fuera de la ciudad en donde crecimos, dejando amigos y la familia.

Este importante desafío[2] parte por definir la vocación, escoger la carrera, universidad y hasta la ciudad en donde empezará esta nueva etapa.

La capital siempre ha sido una de las opciones preferidas de los jóvenes que inician sus estudios y la posibilidad de hacerlo en regiones está creciendo lentamente.

En el país existen sesenta y una universidades, de las cuales más de la mitad son regionales, o bien de Santiago, con una o varias sedes[3] fuera. Por esto es que estudiantes del extremo sur del país terminan en Arica o La Serena y los capitalinos, en Temuco o en Valparaíso.

Aparte de la oferta en el centro del país, las ciudades que ofrecen mayores alternativas son Valparaíso y Viña del Mar, luego Concepción, Talcahuano y Temuco.

Un cambio adecuado La vida fuera del hogar es más que solo una nueva experiencia para cualquier egresado. El número de jóvenes que se va a estudiar a regiones crece cada día más, y un importante número de ellos toman esta opción por sobre el arraigo[4] y apego[5] a todos los seres queridos. Las ventajas y los beneficios que trae, a juicio de los que han vivido la experiencia, son múltiples. Por una parte se mejora la calidad de vida, ya que para algunos el vivir en ciudades más pequeñas y en un entorno más natural es positivo. Por lo general los aranceles[6] son más bajos, al igual que los puntajes[7], existe excelencia académica y la infraestructura que ofrecen no tiene nada que envidiarles a las de la capital.

La experiencia que nos cuenta Ramón Silva, estudiante de cuarto año de Servicio Social de la Universidad Católica de Valparaíso, confirma estas afirmaciones. «Santiago me tenía saturado. Comencé mis estudios en la capital, pero al cabo de un par de años tomé la opción de continuar en región. No quería más smog, tráfico, distancias largas; además nació en mí una fuerte necesidad de independencia y de vivir algo diferente».

El hecho de partir, cuenta, le trajo muchos beneficios, pero también debió enfrentar la soledad que muchas veces se presenta y que puede ser la peor compañera de esta nueva vida. «Luego de la decisión vino lo más complicado. Asumir que estaba solo, sin mis padres, mis amigos. La casa es un soporte emocional muy fuerte e importante, el que muchas veces te ayuda a pasar los problemas más fácilmente. Ahora debía darle la cara a lo bueno y lo malo, desenvolverme y enfrentar todo tipo de cosas».

A pesar de la ingrata realidad que debió asumir en un comienzo, evalúa su decisión como positiva y provechosa para su vida, ya que «en Valparaíso se respira aire limpio, veo el mar todos los días, mi costo de vida es menor, camino mucho y todo me queda cerca. Las distancias son más cortas, tengo las mismas comodidades que en Santiago y todo lo necesario para vivir bien, en el fondo hay menos factores de stress», afirma.

Pero no todo es tan simple y fácil. También se deben combatir los obstáculos que se cruzan en este nuevo camino. El vivir fuera de casa implica responsabilidades en términos prácticos y económicos.

[1] vivencias *personal experiences*
[2] desafío *challenge*
[3] sedes *branches*
[4] arraigo *roots, rootedness*
[5] apego *fondness, attachment*
[6] aranceles *costs*
[7] puntajes *competitive scores, grades*

Answers

1. *Answers will vary.*
2. A mi juicio, (no) tengo una preparación adecuada para matricularme en la universidad.
3. Pienso dejar el hogar para hacer estudios universitarios. (Pienso asistir a una universidad local.)
4. Unos gustos que comparto con mis amigos son ____.
5. Sí, (No, no) me da pena si fracaso en algo. Sí, (No, no) es necesario sufrir unos fracasos para poder crecer.

1. La meta, adecuada
2. Los egresados
3. el hogar
4. a juicio de
5. creciendo
6. compartir
7. fracasan

Periodismo

Leveling EACH Activity
Reading Level **Average**

TEACH
Core Instruction

Step 1 You may wish to have students read this selection silently.

Step 2 Have students discuss their opinions about the ideas presented in the reading.

Interpretive, Presentational

Divide the class into groups. Write the following questions on the board to poll the students on how they feel about leaving home for school. **¿Quieres hacer tus estudios universitarios cerca de donde vives? ¿Quieres dejar el hogar familiar? ¿Quieres ir a una universidad grande en una ciudad? ¿Prefieres ir a un «colegio» más pequeño en el campo o en las afueras de una ciudad?** Have students write their answers and then compile the group's answers in a chart. Each group will then present its results in front of the class.

GLENCOE Technology

Online Learning in the Classroom

You may wish to have students use QuickPass code ASD7851c3 for additional practice. Students can download audio files to their computer and/or MP3 player. They can also access a self-check quiz and a review worksheet.

Cultura

Ask students to compare the preferences of Chilean and American students when choosing where to attend college.

Comunicación

Interpersonal

Have students work in pairs and discuss what plans they have to attend college.

Ya no está la mamá o la nana para hacer la comida y lavar la ropa, no está el padre para dar más dinero si la mesada[8] se acabó, y los amigos no están al alcance[9] de una llamada telefónica para organizar una «junta».

«La independencia que se logra tiene dos caras, por un lado te sientes muy bien cuando te haces cargo de todo y resulta, pero no puedes estar con los amigos o la familia si tienes pena o simplemente quieres conversar con alguien. A pesar de todo, he madurado y crecido mucho. Soy más tolerante y me llevo mejor con mis padres, los veo menos, por lo que disfruto cada momento que comparto con ellos», reflexiona Ramón.

Aprender a compartir Un desafío importante, para los que pretenden vivir en residenciales o compartir departamento, es aprender a tolerar a las personas extrañas y de diferentes costumbres. Sobre este último punto, el estudiante de Servicio Social indica que «aprender a vivir con otras personas y ceder en la vida comunitaria es complicado y difícil. Cuando recién llegué a Valparaíso, arrendé una casa con compañeros que no conocía. No sabía cuáles eran sus costumbres y menos el estilo de vida que llevaban, tuve más de un problema, pero finalmente logré encontrar la persona adecuada para compartir».

Un elemento que no se debe dejar de lado al momento de tomar la decisión junto a la familia, es el factor económico. Hay que arrendar un lugar para vivir, tener el dinero necesario para asumir los costos de la carrera misma, divertirse, recrearse y considerar que cada cierto tiempo se visita el hogar.

▲ Universidad de Magallanes en Punta Arenas

Según José Cortés, director de asuntos estudiantiles del Campus Viña del Mar de la Universidad Nacional Andrés Bello, indica que «el elemento económico es muy importante; en algunos casos las familias hacen un gran esfuerzo para mandarlos a estudiar fuera de su casa. Los alumnos que fracasan en esta aventura son los que destinan sus recursos a otras cosas, como pasarlo bien y olvidarse a lo que vinieron, pero son los menos. El ochenta por ciento de nuestros alumnos de fuera logra sus metas académicas».

La experiencia de José Cortés indica que esta alternativa es muy importante y fuerte para sus vidas.

«Para los que recién egresan, el tomar esta decisión es muy complicado, maduran rápidamente, ya que deben asumir responsabilidades domésticas, administrar sus recursos, el tiempo y hacerse cargo del peso académico y el estar solos haciéndose cargo de todo».

Superar la soledad La gran desventaja que percibe Cortés es la soledad; muchos de los alumnos sufren lejos de su casa y deciden volver antes de terminar el primer año de carrera. «La mayor desventaja es la soledad. Los padres los ubican en departamentos o pensiones, pero hay muchos que no son capaces de superar su nuevo estado. Son varios los casos en los que caen en depresión en el primer semestre, lo que les dificulta llevar el peso académico que se les exige y terminan regresando a sus casas».

Estas situaciones, añade José Cortés, son consideradas por la mayoría de las universidades y por ello se realizan diferentes actividades para lograr que los novatos se integren y adapten. Es así como el encargado de asuntos estudiantiles explica que en la universidad «para lograr que los estudiantes se integren realizamos actividades deportivas y recreativas. Tenemos todo tipo de instalaciones para que realicen actividades en conjunto, multicanchas, espacios verdes, además del apoyo sicológico que entregamos si el alumno lo necesita. Nuestro campus es pequeño, por lo tanto, podemos conocer mejor al alumno que en universidades más grandes, así es más fácil ayudarlos y tratar de buscar la salida necesaria».

[8] mesada *monthly allowance*

[9] alcance *within reach*

Answers

A

1. Al comenzar sus estudios universitarios los estudiantes chilenos pueden realizar los estudios superiores fuera de la ciudad en donde crecen.
2. La mayoría de los estudiantes chilenos siempre han hecho sus estudios universitarios en la capital.
3. Hay sesenta y una universidades en el país y más de la mitad se encuentran en la región de Santiago.
4. Valparaíso, Viña del Mar, Concepción, Talcahuano y Temuco ofrecen mayores alternativas.
5. Sí, el número de estudiantes que dejan el hogar para ir a estudiar en otra ciudad está aumentando.
6. Sí, desde el punto de vista académico, las universidades regionales son tan buenas como las de la capital.
7. Los aranceles son más bajos.

Después de leer

A Recordando hechos Contesta.

1. ¿Cuál es una opción que tienen los estudiantes chilenos al comenzar sus estudios universitarios?
2. ¿Dónde han hecho siempre la mayoría de los estudiantes chilenos sus estudios universitarios?
3. ¿Cuántas universidades hay en el país y cuántas se encuentran en la región de Santiago?
4. ¿Qué otras ciudades ofrecen mayores alternativas?
5. ¿Está aumentando el número de estudiantes que dejan el hogar para ir a estudiar en otra región?
6. Desde el punto de vista académico, ¿son tan buenas las universidades regionales como las de la capital?
7. ¿Qué son más bajos?

B Buscando información Da la información indicada.

1. de donde es Ramón
2. lo que estudia y donde
3. lo que dice de la vida en Santiago
4. lo que debió enfrentar al dejar a la familia
5. algunas ventajas de estar en Valparaíso
6. algunos obstáculos que hay que enfrentar

C Explicando Contesta.

José Cortés es director de asuntos estudiantiles del Campus Viña del Mar de la Universidad Nacional Andrés Bello. Según el señor Cortés, ¿cuáles son algunas cosas que hacen las universidades para ayudar a los estudiantes que vienen de afuera?

Vista de Valparaíso, Chile ▼

▶ PRACTICE

Después de leer

A, B, and **C** All of these activities can be done orally, in writing, or both.

Differentiation

Multiple Intelligences

Have **verbal-linguistic** learners prepare a debate about the pros and cons of leaving home for college.

Note that Question 4 in Activity A asks **¿Qué otras ciudades ofrecen mayores alternativas?** There was a time that **cuál** could not be used as an adjective and **cuáles otras ciudades** was considered incorrect. That is no longer the case and one will often hear **cuál(es)** used as an adjective.

Cultural Snapshot

(page 143) Valparaíso es un puerto importante al oeste de Santiago de Chile. Un poco al norte de Valparaíso o «Valpo» se encuentra el famoso y elegante balneario de Viña del Mar.

Answers

B

1. Ramón es de Santiago.
2. Estudia el Servicio Social en la Universidad Católica de Valparaíso.
3. Dice que había smog, tráfico y distancias largas.
4. Debió enfrentar la soledad al dejar a la familia.
5. En Valparaíso se respira aire limpio, se puede ver el mar, el costo de vida es menor, se puede caminar mucho, todo le queda cerca porque las distancas son más cortas y hay menos factores de stress.
6. Hay que enfrentar el obstáculo de vivir fuera de casa. Se necesita llevar responsabilidades porque no está la mamá para hacer la comida y lavar la ropa, no está el padre para dar más dinero y los amigos no están cerca.

C *Answers will vary but may include:*
El señor Cortés dice que las universidades realizan diferentes actividades para lograr que los estudiantes que vienen de afuera se integren y se adapten.

Resources

- Tests, pages 3.79–3.80
- *ExamView® Assessment Suite*

Self-check for achievement

This is a pre-test for students to take before you administer the lesson test. Note that each section is cross-referenced so students can easily find the material they feel they need to review. You may wish to use Self-Check Worksheet Transparency SC3.3 to have students complete this assessment in class or at home. You can correct the assessment yourself, or you may prefer to project the answers on the overhead in class using Self-Check Answers Transparency SC3.3A.

Differentiation

Slower Paced Learners

Encourage students who need extra help to refer to the book icons and review any section before answering the questions.

Prepárate para el examen

Self-check for achievement

El pronóstico meteorológico

Vocabulario

Para repasar este vocabulario, mira la página 136.

1 Completa con una palabra apropiada.

1–2. Las temperaturas son muy altas. Está haciendo mucho ____. Es una temporada ____.
3–4. El cielo no está completamente despejado. Está bastante ____. Hay ____ dispersas.
5. Una ____ es más seria que un chaparrón.
6. Otra palabra que significa «aguacero» es «____».
7–8. Está cayendo mucha agua. Está ____ mucho. La verdad es que las ____ son continuas.

2 Expresa de otra manera.

9. la lluvia abundante
10. una tempestad
11. un chubasco
12. claro

Lectura

Para repasar este artículo, mira las páginas 138–139.

3 ¿Sí o no?

13. Estaba haciendo mucho frío en Buenos Aires.
14. Hay unas tormentas y chaparrones intermitentes.
15. No hay ninguna humedad.
16. El cielo está mayormente despejado con solamente unas nubes dispersas.

Cuando hay que dejar el hogar

Vocabulario

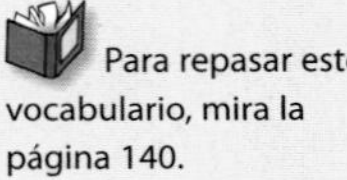
Para repasar este vocabulario, mira la página 140.

4 Da la palabra cuya definición sigue.

17. no salir bien
18. el objetivo
19. tener en común
20. en la opinión de

Lectura

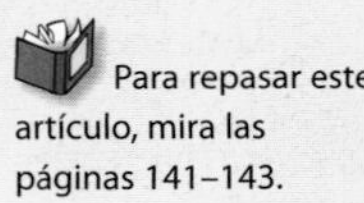
Para repasar este artículo, mira las páginas 141–143.

5 Contesta.

21. ¿Dónde han hecho sus estudios universitarios la mayoría de los estudiantes chilenos hasta recientemente?
22. ¿Qué están haciendo muchos estudiantes ahora?
23. ¿Cuáles son algunas ventajas de estudiar en una ciudad más lejana?
24. ¿Cuáles son algunos obstáculos que hay que enfrentar?
25. ¿Por qué tienen unos estudiantes problemas económicos?

Answers

1
1. calor
2. cálida
3. nublado
4. nubes
5. tormenta
6. chubasco
7. lloviendo
8. lluvias

2
9. el aguacero
10. una tormenta
11. un chaparrón (un aguacero)
12. despejado

3
13. no
14. sí
15. no
16. sí

4
17. fracasar
18. la meta
19. compartir
20. a juicio de

Prepárate para el examen

Practice for proficiency

1 El tiempo que hace

Trabaja en grupos de dos. Den una descripción lo más completa posible sobre el tiempo que hace donde vives en cada una de las cuatro estaciones.

2 El pronóstico meteorológico

Trabaja con un(a) compañero(a). Van a imaginar que son anclas de televisión y tienen que dar el pronóstico meteorológico local. Prepárenlo y preséntenlo a la clase.

elclima

Pronostico 10 dias para Encarnacion, Paraguay

	Pronostico Extendido	Max/Min (°C)	Precip. %
Martes Feb 19	Lluvias Disp.	Esta Noche: 22°	30%
Miercoles Feb 20	Tormentas Disp.	Max.: 29° Min.: 21°	60%
Jueves Feb 21	Soleado	Max.: 32° Min.: 21°	20%
Viernes Feb 22	Tormentas Disp.	Max.: 32° Min.: 21°	40%
Sabado Feb 23	Tormentas Disp.	Max.: 32° Min.: 21°	60%
Domingo Feb 24	P.Nublado	Max.: 32° Min.: 21°	20%
Lunes Feb 25	Tormentas PM	Max.: 31° Min.: 21°	30%
Martes Feb 26	P.Nublado	Max.: 32° Min.: 21°	10%
Miercoles Feb 27	P.Nublado	Max.: 32° Min.: 20°	20%
Jueves Feb 28	P.Nublado	Max.: 32° Min.: 20°	20%

3 Un debate

Trabajen en grupos de cuatro. Dos están a favor de dejar el hogar e ir a estudiar no muy cerca de donde viven. Dos están en contra y prefieren quedarse en casa y estudiar en una universidad cercana. Preparen un debate.

4 Mis ideas personales

Habla con un(a) compañero(a) de clase. Dile si quieres ir a una universidad cerca o lejos de tu casa. Da tus razones. Luego decidan si los dos tienen las mismas ideas.

Composición

Estudios universitarios ¿Dónde?

Cuando tienes una opinión fuerte sobre algo, es posible que la quieras compartir con otros para convencerles o persuadirles de aceptar tu opinión. Puedes hacerlo por medio de un escrito persuasivo.

Es probable que tengas unas ideas sobre las ventajas y desventajas de asistir a una universidad cerca de donde vives o lejos de donde vives.

Prepara un escrito en el cual presentas tus ideas y opiniones. Explica siempre el por qué. Sé lo más persuasivo posible porque estás tratando de convencer a otros que compartan o acepten tus opiniones. Puedes usar un diagrama como el de abajo para ayudarte a organizar tus ideas.

Después de revisar y corregir tu borrador, escribe de nuevo tu escrito en forma final.

Tips for Success

Encourage students to say as much as possible when they do these open-ended activities. Tell them not to be afraid to make mistakes, since the goal of the activities is real-life communication. If someone in the group makes an error, allow the others to politely correct him or her. Let students choose the activities they would like to do.

Tell students to feel free to elaborate on the basic theme and to be creative. They may use props, pictures, or posters if they wish.

Pre-AP These oral and written activities will give students the opportunity to develop and improve their speaking and writing skills so that they may succeed on the speaking and writing portions of the AP exam.

Note: You may wish to use the rubrics on page 104D or 104F to help students prepare their speaking activities and their writing task.

Answers

5

21. Hasta recientemente la mayoría de los estudiantes chilenos han hecho sus estudios universitarios en la capital.
22. Ahora muchos estudiantes están haciendo sus estudios en regiones.
23. Algunas ventajas de estudiar en una ciudad más lejana son que se respira aire limpio, el costo de vida es menor, se puede caminar mucho, todo le queda cerca porque las distancas son más cortas y hay menos factores de stress.
24. Algunos obstáculos que hay que enfrentar son que se necesita llevar responsabilidades porque no está la mamá para hacer la comida y lavar la ropa, no está el padre para dar más dinero y los amigos no están cerca.
25. Unos estudiantes tienen problemas económicos porque destinan sus recursos a otras cosas, como pasarlo bien y olvidarse a lo que vinieron.

Resources

- Vocabulary Transparency V3.4
- Audio Activities TE, page 3.38
- Audio CD 3B, Tracks 6–7
- *ExamView® Assessment Suite*

Vocabulario

TEACH

Core Instruction

You may wish to present the new vocabulary using Audio CD 3B and the activity that follows.

Differentiation

Advanced Learners

You may wish to call on advanced learners to use each word in an original sentence.

Cultural Snapshot

(page 146) El ombú es el árbol nacional de Argentina.

Lección 4 Literatura

Parte 1: Poesía

Martín Fierro de José Hernández

Los niños lloraban de Pablo Neruda

▲ El ombú, árbol autóctono de la pampa

Vocabulario 

Estudia las siguientes palabras para ayudarte a entender los poemas.

la pulpería tipo de bodega, colmado o tienda

la víbora culebra venenosa

el suelo superficie de la tierra

el nido lo que construyen los pájaros (las aves) en la rama de un árbol

la rama cada una de las partes que nace o sale del tronco de un árbol

la estrella lo que brilla en el cielo de noche

la pena sentimiento de tristeza, dolor, lástima

pelear luchar, hacer batalla

Práctica

LEER • ESCRIBIR

1 Completa.

1. Se venden muchos productos diferentes en ____.
2. La mordida de una ____ puede ser mortal porque muchas de ellas son venenosas.
3. ¡Qué ____! Todo le sale mal.
4. El árbol tiene muchas ____. En una de ellas hay un ____ de pájaros.
5. ¡Qué noche más clara con un cielo lleno de ____!
6. No deben ____. Es mejor llegar a un acuerdo amistoso.

QuickPass
Go to glencoe.com
For: Literature practice
Web code: ASD7851c3

Una culebra a punto de atacar ▲

Martín Fierro

de José Hernández

Introducción

José Hernández nació el 10 de noviembre de 1834 no muy lejos de Buenos Aires. En sus venas corría sangre española, irlandesa y francesa. Cuando tenía dieciocho años su padre lo llevó consigo al sur de la provincia de Buenos Aires que en aquel entonces era una región primitiva poblada de caballos salvajes. Se dice que allí Hernández «se hizo gaucho y aprendió a jinetear». Él vivió en el campo nueve años. En 1856 se reubicó en Buenos Aires y trabajó en el periodismo. Un poco más tarde ingresó en el ejército.

Con la acción de Ayacucho bajo el mando de Simón Bolívar y Antonio José de Sucre, se consumó la independencia de América. Pero medio siglo después siguieron las batallas en los campos de la provincia de Buenos Aires y el ejército cumplía una función penal arreando gauchos arbitrariamente. Hernández escribió el *Martín Fierro* para denunciar el regimen del dictador Juan Manuel de Rosas y esta conscripción ilegal de los gauchos.

El protagonista, al principio, es impersonal—un gaucho cualquiera. Después como el autor iba imaginándolo con más precisión, su protagonista llegó a ser Martín Fierro—el individuo Martín Fierro.

La primera edición del poema salió en 1872 y enseguida fue un éxito tremendo. Se vendieron más de cien mil ejemplares. Se vendió aun en pulperías rurales donde nunca antes se había vendido libro alguno. Para el gaucho, Martín Fierro fue una representación de su propia existencia en su propia lengua. Para el público más culto el *Martín Fierro* fue una obra literaria cuyo tema tiene raíces profundas en la vida de su nación. El *Martín Fierro* se considera el mejor y más elocuente de todos los poemas gauchescos. En el trozo que sigue Martín nos habla y nos dice lo que es ser gaucho. ¡A ver!

Resources

- Audio Activities TE, page 3.39
- Audio CD 3B, Track 8
- Tests, page 3.81
- *ExamView® Assessment Suite*

PRACTICE

Leveling EACH Activity

Average Activity 1

Introducción

Given the importance of this piece of literature, you may wish to go over this **Introducción** orally in class, interspersing comprehension questions such as: **¿Dónde y cuándo nació José Hernández? ¿De qué ascendencia era? ¿Adónde fue a vivir a los dieciocho años? ¿Qué le pasó allí? ¿Qué hizo al reubicarse en Buenos Aires?**

Leveling EACH Activity

Reading Level **Average**

GLENCOE Technology

Online Learning in the Classroom

You may wish to have students use QuickPass code ASD7851c3 for additional practice. Students can download audio files to their computer and/or MP3 player. They can also access eFlashcards and a review worksheet.

Answers

1. una pulpería
2. víbora
3. pena
4. ramas, nido
5. estrellas
6. pelear

TEACH

Core Instruction

Step 1 Have students reflect on the **Antes de leer** section.

Step 2 Have students listen to Audio CD 3B with books closed.

Step 3 Have them listen to the recording again and follow along in their books.

Step 4 Call on a student to read **una estrofa.** Ask questions such as: **Estrofa 1: ¿Qué significa: «ni la víbora me pica/ni quema la frente mi sol»? (Soy fuerte y nada me puede hacer daño.) Estrofa 2: ¿Qué significa: «Nací como nace el peje, en el fondo de la mar»? (Nací libre.)**

Step 5 Have students prepare Activities D and E on page 149.

Teaching Options

As you introduce this poem, you may wish to refer back to the information about gauchos on page 112 of this chapter.

Cultura

You may wish to tell students that *Martín Fierro,* by José Hernández is the most important poem of the **literatura gauchesca.** It is a poem read and studied by all Argentine students, and it is one of their literary favorites.

Antes de leer

Reflexiona un momento sobre la pena que siente una persona que lleva una vida solitaria y a quien los otros siempre maltratan.

Martín Fierro 

Soy gaucho, y entiendaló
como mi lengua lo explica:
para mí la tierra es chica
y pudiera ser mayor[1];
ni la víbora me pica
ni quema mi frente el sol.

Nací como nace peje[2],
en el fondo de la mar;
naides[3] me puede quitar
aquello que Dios me dio:
lo que al mundo truje[4] yo
del mundo lo he de llevar.

Mi gloria es vivir tan libre
como el pájaro del cielo;
no hago nido en este suelo,
ande hay tanto que sufrir;
y naides me ha de seguir
cuando yo remuento el vuelo[5].

Yo no tengo en el amor
quien me venga con querellas;
como esas aves tan bellas
que saltan de rama en rama,
yo hago en el trébol[6] mi cama
y me cubren las estrellas.

Y sepan cuantos escuchan
de mis penas el relato,
que nunca peleo ni mato
sino por necesidá,
y que a tanta alversidá[7]
sólo me arrojó el mal trato.

Y atienda[8] la relación
que hace un gaucho perseguido[9],
que padre y marido ha sido
empeñoso[10] y diligente,
y sin embargo la gente
lo tiene por un bandido.

▲ Un gaucho de hoy en una estancia

[1] y pudiera ser mayor *it would still be small to me*
[2] peje *pez*
[3] naides *nadie*
[4] truje *traje*
[5] remuento (remonto) el vuelo *take off*
[6] trébol *clover*
[7] alversidá *adversidad*
[8] atienda *keep in mind*
[9] perseguido *persecuted*
[10] empeñoso *persistent*

Answers

A

1. José Hernández nació no muy lejos de Buenos Aires.
2. Vivió y pasó su adolescencia en Buenos Aires.
3. Los caballos salvajes poblaban esta región en aquel entonces.
4. Se hizo gaucho.
5. El ejército arreaba gauchos arbitrariamente para la conscripción en el ejército.
6. Hernández escribió el poema para denunciar el régimen del dictador Rosas y la conscripción ilegal de los gauchos.
7. Al principio el protagonista es impersonal. Cambió en ser Martín Fierro, el individuo.
8. Para el gaucho, *Martín Fierro* es una descripción de su propia existencia en su propia lengua.
9. Para el lector culto, *Martín Fierro* es una obra literaria cuyo tema tiene raíces profundas en la vida de su nación.

Después de leer

A Buscando información Da la información correcta sobre José Hernández.

1. donde nació
2. donde vivió y pasó su adolescencia
3. lo que poblaba esta región en aquel entonces
4. lo que se hizo Hernández
5. lo que hacía de ilegal el ejército
6. el motivo de Hernández en escribir el poema
7. como empezó y cambió el protagonista
8. lo que es el *Martín Fierro* para el gaucho
9. lo que es el *Martín Fierro* para el lector culto

B Interpretando Explica el significado de los siguientes versos.

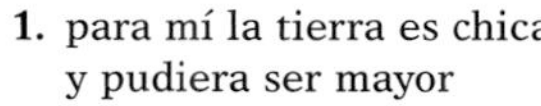

1. para mí la tierra es chica
   y pudiera ser mayor
2. ni la víbora me pica
   ni quema mi frente el sol
3. Nací como nace el peje
4. lo que al mundo truje yo
   del mundo lo he de llevar

▲ Entrada a una estancia en las pampas argentinas

C Analizando Contesta.

1. ¿Cómo y por qué compara Martín Fierro a sí mismo con un pájaro?
2. ¿Por qué pelea o mata el gaucho Martín Fierro?
3. ¿Qué ha sido el gaucho?
4. Sin embargo, ¿cómo lo considera la gente?

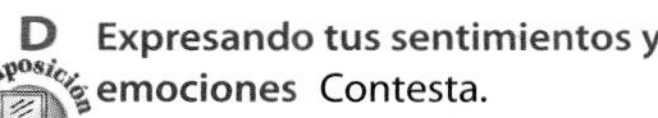

D Expresando tus sentimientos y emociones Contesta.

¿Cómo te sientes al leer este trozo de *Martín Fierro*? ¿Puedes compadecerte de la pena de Martín Fierro? ¿Por qué? En tu opinión, ¿qué tipo de persona es? Para ti, ¿hay una injusticia grave? ¿Cuál es?

E Escribiendo una narración

En forma de prosa, describe al gaucho Martín Fierro.

Answers

B *Answers will vary but may include:*

1. Le gustan los espacios abiertos.
2. No le molestan las condiciones duras de la pampa.
3. Es muy natural para él estar donde está.
4. Todo lo que es de él va a quedarse con él.

C *Answers will vary but may include:*

1. Dice que, como las aves que saltan de rama en rama, él se muda de un lugar a otro y está en libertad debajo del cielo.
2. Pelea o mata solamente por necesidad.
3. Ha sido empeñoso y diligente.
4. La gente lo considera un bandido.

D *Answers will vary.*

E *Answers will vary.*

Resources 

- Tests, page 3.81
- *ExamView® Assessment Suite*

Leveling EACH Activity

Reading Level **Easy–Average**

TEACH

Core Instruction

Step 1 Have students read the **Antes de leer** section. They learned about these **barrios pobres** in **¡Así se dice!** Level 2. Ask what they remember about this topic.

Step 2 Have students read the poem either aloud or silently. Tell them to visualize what is happening to the house and what is causing the destruction.

Teaching Options

You may wish to have students read the questions in Activity A on page 151 before they read the poem. They can help with comprehension.

Pre-AP This selection is on the AP reading list.

Cultural Snapshot

(pages 150–151) Los barrios pobres como la villa miseria que se ve aquí en Buenos Aires y la callampa en Valparaíso se encuentran en su mayoría en las afueras de las grandes urbes, no en el centro mismo.

Los niños lloraban

de Pablo Neruda

Introducción

Pablo Neruda sirvió a Chile, su país natal, como maestro y más tarde como cónsul en ciudades españolas e hispanoamericanas.

Neruda es un poeta de rica fantasía y léxico—un surrealista que se entrega a un mundo imaginativo que en muchos casos no es fácil comprender. Pero es también un «poeta realista-fotógrafo» como él mismo se ha llamado. Cuando se inspira en temas concretos y humildes su estilo es sencillo. Simplifica su tono y se dirige al hombre sencillo.

En su poesía Neruda, quien ganó el Premio Nobel de Literatura en 1971, se deja llevar a veces por su temperamento romántico y a veces por sus ideas políticas o sus preocupaciones sociales. ¿Qué le influye en la poesía sencilla que sigue?

Antes de leer

En todas las ciudades latinoamericanas, sobre todo en sus afueras, hay barrios muy humildes donde vive la gente en condiciones deprimentes. En cada país se les da otro nombre a estos barrios pobres—callampas en Chile, villas miseria en Argentina, pueblos jóvenes en Perú, ranchos en Venezuela y México. Al leer esta poesía, trata de identificarte con la vida de la gente que vive en las condiciones que describe el poeta tan fuertemente en tan pocas palabras.

▲ Una villa miseria en las afueras de Buenos Aires

Los niños lloraban

Los niños
lloraban en el barro[1]
y allí días y días
en las camas mojadas[2],
sillas rotas,
las mujeres,
el fuego, las cocinas,
mientras tú, lluvia negra,
enemiga,
continuabas cayendo
sobre nuestras desgracias.

[1] barro *mud*
[2] mojadas *wet*

Después de leer

A **Recordando hechos** Contesta.

1. ¿Qué caía?
2. ¿Caía por mucho tiempo?
3. ¿Quiénes lloraban? ¿Dónde?
4. ¿Por qué estaban mojadas las camas?
5. Y, ¿cómo estaban las sillas?
6. ¿Quiénes estaban en las cocinas?
7. ¿Qué había en las cocinas?

B **Interpretando** Contesta.

En esta poesía, ¿está dirigiéndose Neruda a una de sus preocupaciones sociales? ¿Cuál? ¿En qué está pensando el poeta o qué estará recordando? ¿Dónde tiene lugar la poesía? ¿Por qué? ¿A qué se refieren «nuestras desgracias»?

C **Visualizando** Describe.

Composición

Describe lo que ves al leer esta poesía.

D **Explicando** Explica.

Explica el significado del comentario: «La belleza de la lluvia se agria cuando el poeta recuerda las callampas».

Una callampa en Valparaíso, Chile ▼

PRACTICE

Después de leer

B This activity can be done as a class discussion.

Differentiation

Multiple Intelligences

C You may wish to have **visual-spatial** learners draw what they visualize.

The meaning of **se agria** in Activity D is somewhat problematic. It is difficult to find a perfect English equivalent. Tell students **agrio** is the opposite of **dulce.** Have them try to come up with the meaning (*sour*).

Answers

A

1. La lluvia caía.
2. Sí, caía por mucho tiempo.
3. Los niños lloraban en el barro.
4. Las camas estaban mojadas porque caía tanta lluvia y las «casas» en que vivía la gente pobre no la protegían de la lluvia.
5. Las sillas estaban rotas.
6. Las mujeres estaban en las cocinas.
7. Había fuego en las cocinas.

B *Answers will vary.*

C *Answers will vary.*

D *Answers will vary but may include:*
Cuando se considera que en las callampas no hay protección de la lluvia, no parece tan bella.

Resources

- Vocabulary Transparency V3.5
- Audio Activities TE, page 3.40
- Audio CD 3B, Tracks 9–10
- *ExamView® Assessment Suite*

Vocabulario

TEACH

Core Instruction

Step 1 You may wish to have students repeat the new words after you or Audio CD 3B.

Step 2 Call on a student to read the definition of the new word.

Step 3 Have students look at the callout words on the photographs on page 153, as the words will be used in the reading selection.

Cultural Snapshot

(page 152) El Calafate es el punto de partida de excursiones a los glaciares. Es una ciudad pequeña de unos 3.500 habitantes fundada en 1927. Su industria principal es el turismo.

Parte 2: Prosa

Historia de dos cachorros de coatí y dos cachorros de hombre de Horacio Quiroga

Continuidad de los parques de Julio Cortázar

▲ El Calafate, Argentina

Vocabulario

Estudia las siguientes palabras para ayudarte a entender la lectura.

el taller lugar donde trabaja un artista o artesano

las herramientas instrumentos con que trabajan los artesanos, carpinteros, etc.

la jaula caja con barras en que se encierran animales

la trampa lo que se usa para atrapar o coger un animal

la gallina pollo que pone huevos

el gallo ave que tiene aspecto arrogante

la soga cuerda que se usa para atar un caballo u otro animal

la hoja lo que sale de la rama de un árbol, generalmente de color verde

descalzo(a) sin zapatos

suelto(a) libre, en libertad; no sujeto

encaminarse a dirigirse a, marcharse hacia

Práctica

ESCUCHAR • HABLAR

Contesta con **sí** sobre un taller extraño.

1. ¿Al señor le gustaba trabajar en su taller?
2. ¿Tenía muchas herramientas?
3. ¿Había una jaula en el taller?
4. ¿Tenía el señor un gallo en la jaula?
5. ¿Cantaba el gallo?
6. De noche, ¿armaba el señor una trampa?
7. ¿Armaba la trampa para atrapar ratones?

EXPANSIÓN

En tus propias palabras describe este taller extraño.

LEER • ESCRIBIR

2 Completa con una palabra apropiada.

1. Muchos animales, tales como un coatí, tienen cuatro ____ y una ____ larga. Muchas veces andan con la ____ levantada.
2. La parte del animal donde están la boca y la nariz es el ____.
3. Un perrito que tiene solo seis semanas es un ____.
4. Los ____ cantan y las ____ ponen huevos.
5. Muchos árboles pierden sus ____ en el otoño.
6. Él nunca anda ____ porque hay muchas víboras.
7. Él nunca deja andar ____ al caballo. Siempre lo lleva de una ____.
8. El señor y su caballo ____ a la finca.

PRACTICE

Leveling EACH Activity

Easy Activity 1
Average Activity 1 **Expansion**
CHallenging Activity 2

Activity 1 This activity can be gone over orally in class with books closed. Call on students at random to respond.

Activity 2 This activity should be prepared and then gone over in class.

Answers

1. Sí, al señor le gustaba trabajar en su taller.
2. Sí, tenía muchas herramientas.
3. Sí, había una jaula en el taller.
4. Sí, el señor tenía un gallo en la jaula.
5. Sí, el gallo cantaba.
6. Sí, de noche, el señor armaba una trampa.
7. Sí, armaba la trampa para atrapar ratones.

1. patas, cola, cola
2. hocico
3. cachorro
4. gallos, gallinas
5. hojas
6. descalzo
7. suelto, soga
8. se encaminan

Resources

- Audio Activities TE, pages 3.41–3.45
- Audio CD 3B, Tracks 11–12
- Tests, pages 3.82–3.83
- *ExamView® Assessment Suite*

Introducción

You may wish to have students read the **Introducción** silently. If Quiroga is one of your favorite writers you may wish to give students some additional background information about him.

Leveling EACH Activity

Reading Level **Easy–Average**

Estrategia

Have students read and study the **Estrategia.** Explain to students the importance of being aware of the purpose the author has in writing a literary work. What is the true message the author wishes to convey through the description and action of the characters?

Pre-AP The author Horacio Quiroga is on the AP reading list.

Cultural Snapshot

(page 154) Misiones es una región muy calurosa de poca población.

GLENCOE Technology

Online Learning in the Classroom

You may wish to have students use QuickPass code ASD7851c3 for additional practice. Students can download audio files to their computer and/or MP3 player. They can also access eFlashcards and a review worksheet.

Historia de dos cachorros de coatí y dos cachorros de hombre

de Horacio Quiroga

Introducción

Horacio Quiroga (1878–1937) es considerado uno de los más importantes cuentistas de la literatura hispana. Él nació en Salto, Uruguay, de una familia bastante acomodada. Pero Quiroga pasó una gran parte de su vida en la provincia argentina de Misiones, una región de clima agobiante (caluroso y húmedo) y densa vegetación tropical. Muchos de sus cuentos tratan de las realidades y peligros de la jungla. La tragedia y la muerte son temas que recurren en sus cuentos. Pero el cuento que sigue, *Historia de dos cachorros de coatí y dos cachorros de hombre,* es de su colección *Cuentos de la selva*—una serie de cuentos encantadores de tono más liviano[1] que como dice el autor mismo «son para los niños de todas las edades y de todas las tierras».

[1] liviano *light*

Estrategia

Determinando el propósito del autor En muchas obras literarias los personajes que presenta el autor son más que personas—son símbolos de algo más profundo. Una estrategia importante para comprender y gozar de tal obra es fijarte no solo en las acciones de los protagonistas sino en el significado de sus acciones y comportamiento para poder identificarte con el verdadero mensaje o propósito del autor y entender mejor la obra.

▲ Selva tropical en Misiones, Argentina

Historia de dos cachorros de coatí y dos cachorros de hombre

Había una vez un coatí que tenía tres hijos. Vivían en el monte comiendo frutas, raíces y huevos de pajaritos. Cuando estaban arriba de los árboles y sentían un gran ruido, se tiraban al suelo de cabeza y salían corriendo con la cola levantada.

Una vez que los coaticitos fueron un poco más grandes, su madre los reunió un día arriba de un naranjo y les habló así:

—Coaticitos: ustedes son bastante grandes para buscarse la comida solos. Deben aprenderlo, porque cuando sean viejos andarán siempre solos, como todos los coatís. El mayor de ustedes, que es muy amigo de cazar cascarudos°, puede encontrarlos entre los palos podridos°, porque allí hay muchos cascarudos y cucarachas. El segundo, que es gran comedor de frutas, puede encontrarlas en este naranjal; hasta diciembre habrá naranjas. El tercero, que no quiere comer sino huevos de pájaros, puede ir a todas partes, porque en todas partes hay nidos de pájaros. Pero que no vaya nunca a buscar nidos al campo, porque es peligroso.

cascarudos *beetles*
podridos *rotten*

—Coaticitos: hay una sola cosa a la cual deben tener gran miedo. Son los perros. Yo peleé una vez con ellos. Y sé lo que les digo: por eso tengo un diente roto. Detrás de los perros vienen siempre los hombres con un gran ruido, que mata. Cuando oigan cerca este ruido, tírense de cabeza al suelo, por alto que sea el árbol. Si no lo hacen así los matarán con seguridad de un tiro°.

Reading Check

¿Parece que la madre conoce bien a sus «hijitos»?

tiro *shot*

Así habló la madre. Todos se bajaron entonces y se separaron, caminando de derecha a izquierda, y de izquierda a derecha, como si hubieran perdido algo, porque así caminan los coatís.

El mayor, que quería comer cascarudos, buscó entre los palos podridos y las hojas de los yuyos, y encontró tantos, que comió hasta quedarse dormido. El segundo, que prefería las frutas a cualquier cosa, comió cuantas naranjas quiso, porque aquel naranjal estaba dentro del monte, como pasa en el Paraguay y Misiones, y ningún hombre vino a incomodarlo. El tercero, que era loco por los huevos de pájaro, tuvo que andar todo el día para encontrar únicamente dos nidos; uno de tucán, que tenía tres huevos, y uno de tórtola, que tenía sólo dos. Total cinco huevos chiquitos, que eran muy poca comida; de modo que al caer la tarde el coaticito tenía tanta hambre como de mañana, y se sentó muy triste a la orilla del monte. Desde allí veía al campo, y pensó en la recomendación de su madre.

▲ ¡Cuánto le gustaría comer estas naranjas el coatí!

—¿Por qué no querrá mamá—se dijo—que vaya a buscar nidos al campo?

Estaba pensando así cuando oyó, muy lejos, el canto de un pájaro.

—¡Qué canto tan fuerte!—dijo admirado—. ¡Qué huevos tan grandes debe tener ese pájaro!

Reading Check

¿Qué consejo les dio su madre a los pequeños?

▶ TEACH

Core Instruction

Step 1 This short story is presented in its entirety. Due to its length, you will most probably want students to read some sections silently at home. You may wish to orally go over some sections that you consider particularly appealing in class and give them a more in-depth treatment.

Step 2 Call on individuals to give a brief synopsis of some of the sections.

Step 3 Have students give a synopsis of the mother's advice to her little **coatís** in lines 18–23.

TEACH

Core Instruction

Step 1 Have students tell how the author describes the speed of the coatí.

Step 2 Call on a student or students to answer the Reading Checks orally.

Step 3 Have a student describe the father and the children in lines 74–79.

Teaching Options

You can easily intersperse the **Después de leer** activities from page 160 since they are presented in chronological order.

El canto se repitió. Y entonces el coatí se puso a correr por entre el monte, cortando camino, porque el canto había sonado muy a su derecha. El sol caía ya, pero el coatí volaba con la cola levantada. Llegó a la orilla del monte, por fin, y moró el campo. Lejos vio la casa de los hombres, y vio a un hombre con botas que llevaba un caballo de la soga. Vio también un pájaro muy grande que cantaba y entonces el coaticito se golpeó la frente y dijo:

—¡Qué zonzo° soy! Ahora ya sé qué pájaro es ése: es un gallo; mamá me lo mostró un día desde arriba de un árbol. Los gallos tienen un canto lindísimo, y tienen muchas gallinas que ponen huevos. ¡Si yo pudiera comer huevos de gallina!

zonzo *foolish*

Es sabido que nada gusta tanto a los bichos° chicos del monte como los huevos de gallina. Durante un rato el coaticito se acordó de las recomendaciones de su madre. Pero el deseo pudo más, y se sentó a la orilla del monte, esperando que cerrara bien la noche para ir al gallinero.

bichos *critters*

Reading Check

¿Por qué decidió el coaticito no obedecer a su mamá? ¿Qué le atrajo mucho la atención?

La noche cerró por fin, y entonces, en punta de pie y paso a paso, se encaminó a la casa. Llegó allá y escuchó atentamente: no se sentía el menor ruido. El coaticito, loco de alegría porque iba a comer cien, mil, dos mil huevos de gallina, entró en el gallinero, y lo primero que vio bien en la entrada fue un huevo que estaba solo en el suelo. Pensó un instante en dejarlo para el final, como postre porque era un huevo muy grande; pero la boca se le hizo agua, y clavó los dientes en el huevo.

Reading Check

¿Qué le pasó al coaticito en el gallinero?

Apenas mordió, ¡TRAC!, un terrible golpe en la cara y un inmenso dolor en el hocico.

—¡Mamá, mamá!—gritó, loco de dolor, saltando a todos lados. Pero estaba sujeto, y en ese momento oyó el ronco ladrido° de un perro.

ronco ladrido *hoarse bark*

Mientras el coatí esperaba en la orilla del monte que cerrara bien la noche para ir al gallinero, el hombre de la casa jugaba sobre la gramilla° con sus hijos, dos criaturas rubias, de cinco y seis años, que corrían riendo, se caían, se levantaban riendo otra vez, y volvían a caerse. El padre se caía también, con gran alegría de los chicos. Dejaron por fin de jugar porque ya era de noche, y el hombre dijo entonces:

gramilla *grass, lawn*

—Voy a poner la trampa para cazar a la comadreja° que viene a matar los pollos y robar los huevos.

comadreja *weasel*

Y fue y armó la trampa. Después comieron y se acostaron. Pero las criaturas no tenían sueño, y saltaban de la cama del uno a la del otro y se enredaban° en el camisón. El padre, que leía en el comedor, los dejaba hacer. Pero los chicos de repente se detuvieron en sus saltos y gritaron:

se enredaban *got tangled up*

—¡Papá! ¡Ha caído la comadreja en la trampa! ¡Tuké está ladrando! ¡Nosotros también queremos ir, papá!

El padre consintió, pero no sin que las criaturas se pusieran las sandalias, pues nunca los dejaba andar descalzos de noche, por temor a las víboras.

Fueron. ¿Qué vieron allí? Vieron a su padre que se agachaba teniendo al perro con una mano, mientras con la otra levantaba por la cola a un coatí, un coaticito chico aún, que gritaba con un chillido° rapidísimo y estridente como un grillo°.

chillido *shriek*
grillo *cricket*

—¡Papá, no lo mates!—dijeron las criaturas—. ¡Es muy chiquito! ¡Dánoslo para nosotros!

—Bueno, se los voy a dar—respondió el padre—. Pero cuídenlo bien, y sobre todo no se olviden de que los coatís toman agua como ustedes. Esto lo decía porque los chicos habían tenido una vez un gatito montés al cual a cada rato le llevaban carne, que sacaban de la fiambrera°; pero nunca le dieron agua, y se murió.

fiambrera *food cabinet*

En consecuencia pusieron al coatí en la misma jaula del gato montés, que estaba cerca del gallinero, y se acostaron todos otra vez.

Reading Check

¿Qué tipo de padre era el señor? ¿Por qué?

Y cuando era más de medianoche y había un gran silencio, el coaticito, que sufría mucho por los dientes de la trampa, vio, a la luz de la luna, tres sombras que se acercaban con gran sigilo°. El corazón le dio un vuelco° al pobre coaticito al reconocer a su madre y sus dos hermanos que lo estaban buscando.

con gran sigilo *sneakingly*
vuelco *tumble*

—¡Mamá, mamá!—murmuró el prisionero en voz muy baja para no hacer ruido—. ¡Estoy aquí! ¡Sáquenme de aquí! ¡No quiero quedarme, ma... má...!—y lloraba desconsolado.

Pero a pesar de todo estaban contentos porque se habían encontrado, y se hacían mil caricias en el hocico.

Reading Check

¿Cuáles son las emociones del coaticito y las de los otros miembros de su familia?

Se trató en seguida de hacer salir al prisionero. Probaron primero cortar el alambre° tejido, y los cuatro se pusieron a trabajar con los dientes; mas no conseguían nada. Entonces a la madre se le ocurrió de repente una idea, y dijo:

alambre *wire*

—¡Vamos a buscar las herramientas del hombre! Los hombres tienen herramientas para cortar fierro. Se llaman limas°. Tienen tres lados como las víboras de cascabel. Se empuja y se retira. ¡Vamos a buscarla!

limas *files*

Fueron al taller del hombre y volvieron con la lima. Creyendo que uno solo no tendría fuerzas bastantes, sujetaron la lima entre los tres y empezaron el trabajo. Y se entusiasmaron tanto, que al rato la jaula entera temblaba con las sacudidas° y hacía un terrible ruido. Tal ruido hacía, que el perro se despertó, lanzando un ronco ladrido. Mas los coatís no esperaron a que el perro les pidiera cuenta de ese escándalo y dispararon al monte, dejando la lima tirada.

sacudidas *jolts, shakes*

Al día siguiente, los chicos fueron temprano a ver a su nuevo huésped, que estaba muy triste.

—¿Qué nombre le pondremos?—preguntó la nena a su hermano.

—¡Ya sé!—respondió el varoncito—. ¡Le pondremos *Diecisiete!*

¿Por qué *Diecisiete*? Nunca hubo bicho en el monte con nombre más raro. Pero el varoncito estaba aprendiendo a contar, y tal vez le había llamado la atención aquel número.

TEACH

Core Instruction

Have students explain the caring nature of the father and the children in lines 94–105.

Tips for Success

There is quite a bit of detail between lines 116 and 130. You may wish to give the following synopsis. **La familia del coatí hizo todo lo posible para tratar de abrir la jaula pero sin éxito.**

TEACH

Core Instruction

Step 1 Have students make a mental list of all the things that **coatís** did that had human qualities.

Step 2 Ask students ¿Por qué fue el segundo de los coatís que fue a quedarse en la jaula?

Step 3 Call on a student or students to answer the Reading Checks aloud.

rascar *scratch*

cautiverio *captivity*

Reading Check

¿Por qué se resignó el coaticito a su cautiverio?

Reading Check

¿Por qué dijo el coaticito que los otros son cachorritos también?

tronaba *it thundered*

enroscada *entwined*

mordido *bitten*

serpiente de cascabel *rattlesnake*

hinchado *swollen*

En balde *In vain*

lamieron *they licked*

refractarios *immune*

mangosta *mongoose*

El caso es que se llamó *Diecisiete*. Le dieron pan, uvas, chocolate, carne, langostas, huevos, riquísimos huevos de gallina. Lograron que en un solo día se dejara rascar° la cabeza; y tan grande es la sinceridad del cariño de las criaturas, que al llegar la noche, el coatí estaba casi resignado con su cautiverio°. Pensaba a cada momento en las cosas ricas que había para comer allí, y pensaba en aquellos rubios cachorros de hombre que tan alegres y buenos eran.

Durante dos noches seguidas, el perro durmió tan cerca de su jaula, que la familia del prisionero no se atrevió a acercarse, con gran sentimiento. Cuando la tercera noche llegaron de nuevo a buscar la lima para dar libertad al coaticito, éste les dijo:

—Mamá, yo no quiero irme más de aquí. Me dan huevos y son muy buenos conmigo. Hoy me dijeron que si me portaba bien me iban a dejar suelto muy pronto. Son como nosotros. Son cachorritos también, y jugamos juntos.

Los coatís salvajes quedaron muy tristes, pero se resignaron, prometiendo al coaticito venir todas las noches a visitarlo.

Efectivamente, todas las noches, lloviera o no, su madre y sus hermanos iban a pasar un rato con él. El coaticito les daba pan por entre el tejido del alambre, y los coatís salvajes se sentaban a comer frente a la jaula.

Al cabo de quince días, el coaticito andaba suelto y él mismo se iba de noche a su jaula. Salvo algunos tirones de orejas que se llevaba por andar cerca del gallinero todo marchaba bien. Él y las criaturas se querían mucho y los mismos coatís salvajes, al ver lo buenos que eran aquellos cachorritos de hombre, habían concluido por tomar cariño a las dos criaturas.

Hasta que una noche muy oscura, en que hacía mucho calor y tronaba°, los coatís salvajes llamaron al coaticito y nadie les respondió. Se acercaron muy inquietos y vieron entonces, en el momento en que casi lo pisaban una enorme víbora que estaba enroscada° en la entrada de la jaula. Los coatís comprendieron en seguida que el coaticito había sido mordido° al entrar, y no había respondido a su llamado, porque acaso ya estaba muerto. Pero lo iban a vengar bien. En un segundo, entre los tres, enloquecieron a la serpiente de cascabel°, saltando de aquí para allá, y en otro segundo cayeron sobre ella, deshaciéndole la cabeza a mordiscos.

Corrieron entonces adentro, y allí estaba en efecto el coaticito, tendido, hinchado°, con las patas temblando y muriéndose. En balde° los coatís salvajes lo movieron: lo lamieron° en balde por todo el cuerpo durante un cuarto de hora. El coaticito abrió por fin la boca y dejó de respirar, porque estaba muerto.

Los coatís son casi refractarios°, como se dice, al veneno de las víboras. No les hace casi nada el veneno, y hay otros animales como la mangosta°, que resisten muy bien el veneno de las víboras. Con toda seguridad el coaticito había sido mordido en una arteria o en una vena, porque entonces la sangre se envenena en seguida, y el animal muere. Esto le había pasado al coaticito.

Al verlo así, su madre y sus hermanos lloraron un largo rato. Después, como nada más tenían que hacer allí, salieron de la jaula, se dieron vuelta para mirar por última vez la casa donde tan feliz había sido el coaticito, y se fueron otra vez al monte.

Pero los tres coatís, sin embargo, iban muy preocupados, y su preocupación era ésta: ¿qué iban a decir los chicos, cuando, al día siguiente, vieran muerto a su querido coaticito? Los chicos lo querían muchísimo, y ellos, los coatís, querían también a los cachorros rubios. Así es que los tres coatís tenían el mismo pensamiento, y era evitarles ese gran dolor a los chicos.

¿Qué les preocupaba a los tres coatís?

Hablaron un largo rato y al fin decidieron lo siguiente: el segundo de los coatís, que se parecía mucho al menor en cuerpo y en modo de ser, iba a quedarse en la jaula, en vez del difunto. Como estaban enterados de muchos secretos de la casa, por los cuentos del coaticito, los chicos no conocerían nada; extrañarían un poco algunas cosas, pero nada más.

Y así pasó en efecto. Volvieron a la casa, y un nuevo coaticito reemplazó al primero, mientras la madre y el otro hermano se llevaban sujeto a los dientes el cadáver del menor. Lo llevaron despacio al monte, y la cabeza colgaba, balanceándose, y la cola iba arrastrando por el suelo.

Al día siguiente los chicos extrañaron, efectivamente, algunas costumbres raras del coaticito. Pero como éste era tan bueno y cariñoso como el otro, las criaturas no tuvieron la menor sospecha. Formaron la misma familia de cachorritos de antes, y, como antes, los coatís salvajes venían noche a noche a visitar al coaticito civilizado, y se sentaban a su lado a comer pedacitos de huevo que él les guardaba, mientras ellos le contaban la vida de la selva.

Reading Check

¿Qué hicieron los coatís para que no se pusieran muy tristes los niños?

CUIDADO CON LOS COATÍES
PUEDEN MORDER
GUARDE LA COMIDA EN SU PRESENCIA
PLEASE BEWARE OF COATIS
THEY CAN AND WILL BITE
HIDE FOOD ITEMS IN THEIR PRESENCE

Learning from Realia

(page 159) Note that this sign gives the plural of **coatí** as **coatíes,** which is correct. In the original version of the short story, however, Pablo Neruda uses **coatís.**

▶ PRACTICE

Después de leer

A, B, and **C** These activities can be assigned as students are reading the story. It is suggested that you have the students write the answers.

D and **E** Each of these activities can serve as a theme for class discussion. Students can also write their responses as a composition.

Answers

A

1. Había tres hijos en la familia de coatís.
2. Vivían en el monte y comían frutas, raíces y huevos de pajaritos.
3. Al mayor le dijo que podría encontrar cascarudos entre los palos podridos. Al segundo le dijo que podría encontrar frutas en el naranjal. Al tercero le dijo que podría ir a todas partes para encontrar huevos en nidos de pájaros.
4. No pueden ir nunca a buscar nidos al campo porque es peligroso.
5. Deben tener gran miedo a los perros porque detrás de ellos vienen siempre los hombres con un gran ruido que mata.
6. Al mayor le gustaba comer cascarudos. Al segundo le gustaba comer frutas. Al tercero le gustaba comer huevos.
7. Atraído por el canto de un pájaro, el tercer cachorro fue al campo.
8. Encontró un gallinero y se le atrapó el hocico en una trampa.

B

1. En la familia había un papá y dos hijos rubios de cinco y seis años.
2. El padre pone la trampa para cazar a la comadreja que viene a matar los pollos y robar los huevos.
3. Los niños saben que la comadreja ha caído en la trampa porque su perro está ladrando.
4. No les permite andar descalzos por temor a las víboras.
5. Ven un coatí en la trampa.
6. Los niños le ruegan a su padre que no mate al coatí y que se lo dé a ellos.
7. Pusieron al coaticito en una jaula.
8. Su mamá y sus hermanos probaron primero cortar el alambre tejido. Se pusieron a trabajar con los dientes. Luego usaron una lima, una herramienta para cortar hierro (fierro).

Conexiones

La literatura

¿Has leído un cuento o visto una película en que uno de los protagonistas es un animal con características humanas? ¿En qué obra piensas? Describe al animal.

Después de leer

A Buscando información Busca información sobre los coatís.

1. el número de hijos en la familia de coatís
2. donde vivían y lo que comían
3. como les enseñó su madre a buscar la comida solos
4. adonde no pueden ir nunca a buscar nidos
5. al que deben tener gran miedo y por qué
6. lo que le gustaba comer a cada uno de los cachorros
7. adonde fue el tercer cachorro atraído por el canto de un pájaro
8. lo que le pasó

B Recordando hechos Contesta.

1. ¿Cómo era la familia que vivía en la casa?
2. ¿Por qué pone o arma la trampa el padre?
3. ¿Cómo saben los niños que la comadreja ha caído en la trampa?
4. ¿Por qué no les permite el padre andar descalzos de noche?
5. ¿Qué ven en la trampa?
6. ¿Qué le ruegan a su padre los niños?
7. ¿Dónde pusieron al coaticito?
8. ¿Qué hicieron su mamá y sus hermanos para tratar de liberar al coaticito de su jaula?
9. ¿Qué nombre le dieron los niños al coaticito y qué le dieron de comer?

C Analizando e interpretando Contesta.

1. ¿Por qué no pudo visitarlo la familia del «prisionero»?
2. ¿Por qué dijo el coatí, «Mamá, yo no quiero irme más de aquí»?
3. Los coatís salvajes quedaron muy tristes, ¿pero qué se resignaron a hacer? Y, ¿qué hicieron?
4. Al cabo de quince días, ¿qué hacía el coaticito?
5. Pero durante una noche muy oscura, ¿qué pasó?
6. ¿Cómo encontraron los coatís salvajes al coaticito «civilizado»? ¿Qué le había pasado?
7. Los tres coatís estaban muy tristes. Pero estaban muy preocupados también. ¿Por quiénes estaban preocupados? ¿Por qué razón?
8. ¿Qué decidieron hacer? ¿Cómo y adónde llevaron el cadáver?
9. ¿Cómo era la vida después para el coatí «civilizado»?
10. ¿Cómo era la vida después para los coatís «salvajes»?

D Buscando la idea principal Explica.

Explica el significado del título de este cuento.

E Analizando e interpretando Contesta.

Analiza como Quiroga emplea las palabras «civilizado» y «salvaje». ¿Quiénes son civilizados y quiénes son salvajes? ¿Por qué? En el cuento, ¿hay mucha diferencia entre el comportamiento civilizado y salvaje? Busca ejemplos de comportamiento muy civilizado o humano de parte de los «salvajes». ¿Es posible que Quiroga nos dé un mensaje? ¿Cuál es?

Answers

9. Los niños le dieron el nombre *Diecisiete*. Le dieron pan, uvas, chocolate, carne, langostas y riquísimos huevos de gallina.

C

1. La familia del «prisionero» no pudo visitarlo porque el perro durmió tan cerca de su jaula que la familia del prisionero no se atrevió a acercarse.
2. El coaticito lo dijo porque le gustaba vivir allí. Siempre comía muy bien y los niños eran muy buenos con él.
3. Se resignaron a visitarlo todas las noches, y lo hicieron.
4. Al cabo de quince días, el caoticito andaba suelto y él mismo se iba de noche a su jaula.
5. Durante una noche muy oscura, los coatís salvajes llamaron al coaticito y nadie les respondió.
6. Los coatís salvajes encontraron al coaticito «civilizado» tendido, hinchado, con las patas temblando y muriéndose.

Continuidad de los parques

de Julio Cortázar

Vocabulario 

Estudia las siguientes palabras para ayudarte a entender la lectura.

la trama argumento, intriga
el dibujo tipo de cuadro
el respaldo parte trasera de una silla
el puñal arma blanca; cuchillo
el arroyo río pequeño
el ventanal ventana grande
minuciosamente detalladamente
volver (ue) a hacer de nuevo, repetir de hacer algo
ponerse a empezar a

Práctica

HABLAR • ESCRIBIR

1 Contesta.

1. ¿Es fácil ver los jardines de la finca de los ventanales del salón principal?
2. ¿Es el puñal un arma blanca o un arma de fuego?
3. ¿Tienen todas las sillas respaldos altos?
4. ¿Les gusta a los niños hacer dibujos?
5. Abordo de un avión, ¿hay que poner el respaldo del asiento en posición vertical durante el despegue y el aterrizaje?

LEER • ESCRIBIR

2 Expresa de otra manera.

1. ¿Te interesó *el argumento* de la novela?
2. Lo tienes que estudiar *detalladamente*.
3. Hay tres *ventanas grandes* que dan al mar.
4. Ellos *empezaron a* llorar.
5. Él les *habló de nuevo* a sus vecinos.

Rosales en un parque en la provincia de Buenos Aires ▶

Resources 

- Vocabulary Transparency V3.5
- Audio Activities TE, page 3.45
- Audio CD 3B, Track 13
- *ExamView® Assessment Suite*

Vocabulario

TEACH

Core Instruction

Step 1 You may wish to have students listen to and repeat the new words on Audio CD 3B.

Step 2 Have students make up several sentences using **volver a** and **ponerse a.**

Differentiation

Advanced Learners

You may wish to call on advanced learners to use the new words in original sentences.

PRACTICE

Leveling EACH Activity

Average Activity 1
CHallenging Activity 2

Activity 1 This activity can be gone over orally in class.

Activity 2 Students can rewrite the sentences and then read them in class.

Answers

7. Los coatís estaban preocupados por los hijos porque sabían que los hijos querían al coaticito, y los coatís querían a los hijos.
8. Decidieron dejar al segundo hijo en la jaula para reemplazar al coatí muerto. Llevaron sujeto a los dientes el cadáver al monte.
9. La vida era como antes para el coatí «civilizado».
10. La vida era como antes para los coatís «salvajes».

D *Answers will vary.*

E *Answers will vary.*

1

1. Sí, es fácil ver los jardines de la finca de los ventanales del salón prinicpal.
2. El puñal es un arma blanca.
3. No, todas las sillas no tienen respaldos altos.
4. Sí, a los niños les gusta hacer dibujos.
5. Abordo de un avión, hay que poner el respaldo del asiento en posición vertical durante el despegue y el aterrizaje.

1. la trama
2. minuciosamente
3. ventanales
4. se pusieron a
5. volvió de hablar

Resources

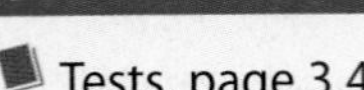

- Tests, page 3.4
- *ExamView® Assessment Suite*

Introducción

Have students read Cortázar's comments about a short story carefully. Tell them to think about it as they read the story. They should be aware of the suspense and the tension as they read the story. You may wish to ask the following questions about the **Introducción: ¿Dónde nació Julio Cortázar? ¿Cuándo? ¿Por qué estaba la familia en Bélgica? ¿Qué le pasó al padre cuando la familia regresó a Argentina? ¿Sabía el joven Julio dónde estaba su padre o adónde había ido? ¿Dónde se instaló su madre con sus hijos? ¿Cómo era su madre? ¿Cómo era su vida? ¿Cuál fue un talento del joven Julio? ¿Qué responsabilidad sentía Cortázar? ¿Cómo trabajaba? ¿Dónde pasó Cortázar una gran parte de su vida?**

Leveling EACH Activity

Reading Level **CHallenging**

Pre-AP This short story is on the AP reading list.

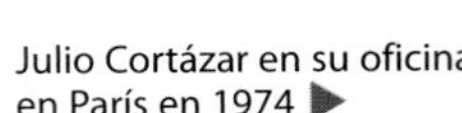
Julio Cortázar en su oficina en París en 1974 ▶

Introducción

Julio Cortázar nació el 26 de agosto de 1914 en Bruselas, Bélgica, donde su padre servía de delegado en la embajada argentina. La familia regresó a Argentina en 1918. Dos años más tarde el padre abandonó a la familia. Cortázar nunca sabía el paradero de su padre. La madre se instaló con Julio, que tenía solo siete años, y su hermana menor en Banfield, un suburbio humilde a media hora de Buenos Aires. La vida fue muy dura para la madre, una mujer culta e hija de padres intelectuales. Al joven Julio le encantaba leer y escribió su primera novela cuando tenía solo nueve años. Cortázar obtuvo el título de maestro de primaria y se sintió obligado de asumir la responsabilidad de cuidar de su hermana y a su madre. Enseñó en varios colegios e institutos pero nunca dejó de escribir.

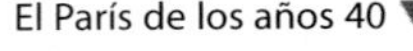
El París de los años 40 ▼

En 1949 hizo un viaje a Europa y dos años más tarde se radicó en París. Recibió la ciudadanía francesa en 1981 y murió en París en 1984. Cortázar es uno de los escritores más renombrados de Argentina.

El cuento *Continuidad de los parques* es el cuento más corto de Cortázar. El autor define un cuento así: «El cuento es un relato en el que lo que interesa es una cierta tensión, una cierta capacidad de atrapar al lector y llevarlo de una manera que podemos calificar casi de fatal hacia un final. Un cuento es como andar en bicicleta, mientras se mantiene la velocidad el equilibrio es muy fácil, pero si se empieza a perder velocidad ahí te caes y un cuento que pierde velocidad al final, pues es un golpe para el autor y para el lector».

Al leer este cuento tan corto, piensa en estas palabras del autor mismo. ¿Pierde velocidad el cuento durante su desenlace? ¿Hay una tensión que atrapa al lector?

Estrategia

Identificando realidad y ficción Muchas obras literarias mezclan la realidad con la ficción. Una estrategia importante al leer tal obra es la de determinar cuando el autor nos está presentando lo real y lo ficticio. Hay que saber cuando la ficción se convierte en realidad o viceversa.

Continuidad de los parques

Había empezado a leer la novela unos días antes. La abandonó por negocios urgentes, volvió a abrirla cuando regresaba en tren a la finca; se dejaba interesar lentamente por la trama, por el dibujo de los personajes. Esa tarde, después de escribir una carta a su apoderado° y discutir con el mayordomo una cuestión de aparcerías° volvió al libro en la tranquilidad del estudio que miraba hacia el parque de los robles°. Arrellanado en su sillón favorito de espaldas a la puerta que lo hubiera molestado como una irritante posibilidad de intrusiones, dejó que su mano izquierda acariciara una y otra vez el terciopelo° verde y se puso a leer los últimos capítulos.

apoderado *person with power of attorney*
aparcerías *sharecropping*
robles *oak trees*
terciopelo *velvet*

Reading Check

¿Dónde había empezado a leer el señor y dónde siguió leyendo más tarde?

Parque de Palermo en Buenos Aires ▼

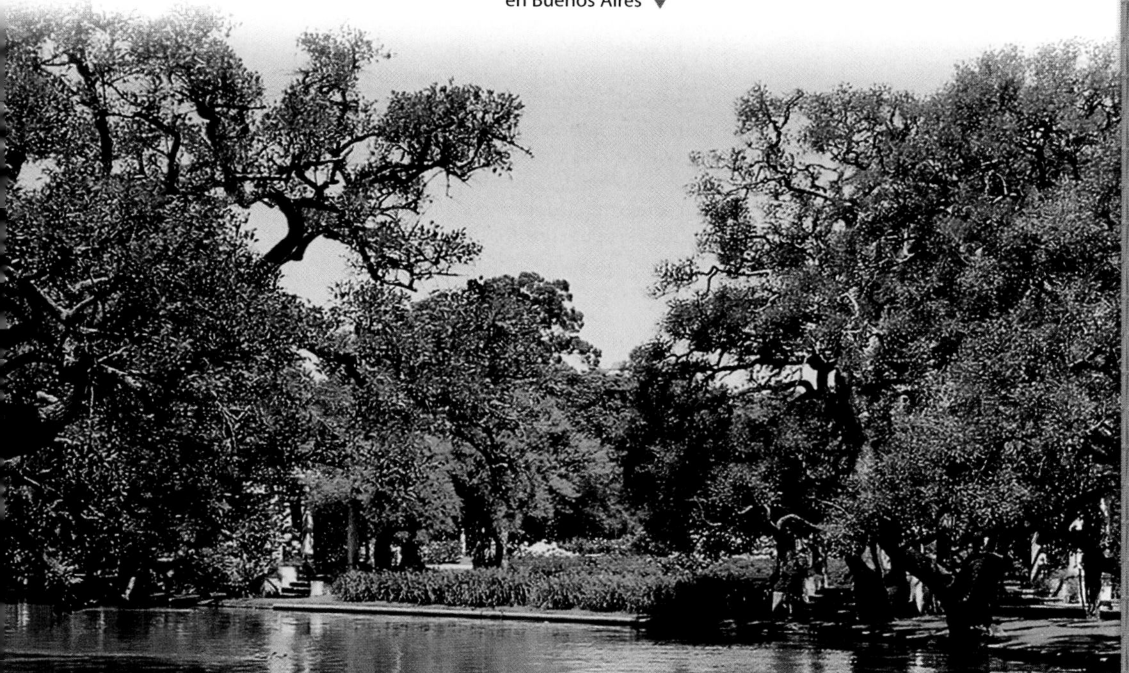

Note: You may wish to omit this story except with advanced groups or students.

TEACH

Core Instruction

Step 1 Have students read the **Estrategia.**

Step 2 Have students read the story silently. Tell them not to rush and to concentrate on the setting.

Step 3 Tell students to think about the following questions as they read: **¿Dónde tiene lugar la acción del cuento—en el libro que está leyendo el señor o en la vida del lector mismo? ¿Dónde están los límites entre la realidad y la ficción?**

Cultural Snapshot

(page 163) El parque de Palermo fue concebido por el arquitecto Francés Charles Thays. Le sirvió de modelo el Bois (Bosque) de Boulogne en París. El Parque de Palermo es un lugar bonito de plazas, fuentes, jardines, estatuas y lagos. A los porteños les gusta pasar sus momentos de ocio en el parque.

TEACH

Core Instruction

Have students indicate where in the story they became aware of what was happening.

disyuntiva *dilemma*
recelosa *suspicious*
chicotazo *lash*
restañaba *stopped the flow of*
agazapada *hidden*
anhelante *chilling*
coartadas *alibis*
azares *twists of fate*
parapetándose *hiding*
setos *hedges*
bruma malva *purplish haze*
peldaños *steps*

Su memoria retenía sin esfuerzo los nombres y las imágenes de los protagonistas; la ilusión novelesca lo ganó casi en seguida. Gozaba del placer casi perverso de irse desgajando línea a línea de lo que lo rodeaba, y sentir a la vez que su cabeza descansaba cómodamente en el terciopelo del alto respaldo, que los cigarrillos seguían al alcance de la mano, que más allá de los ventanales danzaba el aire del atardecer bajo los robles. Palabra a palabra, absorbido por la sórdida disyuntiva° de los héroes, dejándose ir hacia las imágenes que se concertaban y adquirían color y movimiento, fue testigo del último encuentro en la cabaña del monte. Primero entraba la mujer, recelosa°; ahora llegaba el amante, lastimada la cara por el chicotazo° de una rama.

Admirablemente restañaba° ella la sangre con sus besos, pero él rechazaba las caricias, no había venido para repetir las ceremonias de una pasión secreta, protegida por un mundo de hojas secas y senderos furtivos. El puñal se entibiaba contra su pecho, y debajo latía la libertad agazapada°. Un diálogo anhelante° corría por las páginas como un arroyo de serpientes, y se sentía que todo estaba decidido desde siempre. Hasta esas caricias que enredaban el cuerpo del amante como queriendo retenerlo y disuadirlo, dibujaban abominablemente la figura de otro cuerpo que era necesario destruir. Nada había sido olvidado: coartadas°, azares°, posibles errores. A partir de esa hora cada instante tenía su empleo minuciosamente atribuido. El doble repaso despiadado se interrumpía apenas para que una mano acariciara una mejilla. Empezaba a anochecer.

Sin mirarse ya, atados rígidamente a la tarea que los esperaba, se separaron en la puerta de la cabaña. Ella debía seguir por la senda que iba al norte. Desde la senda opuesta él se volvió un instante para verla correr con el pelo suelto. Corrió a su vez, parapetándose° en los árboles y los setos°, hasta distinguir en la bruma malva° del crepúsculo la alameda que llevaba a la casa. Los perros no debían ladrar, y no ladraron. El mayordomo no estaría a esa hora, y no estaba. Subió los tres peldaños° del porche y entró. Desde la sangre galopando en sus oídos le llegaban las palabras de la mujer: primero una sala azul, después una galería, una escalera alfombrada. En lo alto, dos puertas. Nadie en la primera habitación, nadie en la segunda. La puerta del salón, y entonces el puñal en la mano, la luz de los ventanales, el alto respaldo de un sillón de terciopelo verde, la cabeza del hombre en el sillón leyendo una novela.

Reading Check

¿Cómo es que sabía el señor adonde ir cuando entró en la casa?

Answers

A

1. El lector empezó a leer la novela unos días antes.
2. Sí, el lector es el protagonista del cuento.
3. Abandonó la lectura porque tenía negocios urgentes.
4. Cuando volvió a leer la novela estaba arrellanado en su sillón favorito.
5. No, no había olvidado lo que había leído.
6. Sí, le interesó mucho el argumento de la novela.

Después de leer

A Recordando hechos Contesta.

1. ¿Cuándo empezó a leer la novela el lector?
2. ¿Es el lector el protagonista del cuento?
3. ¿Por qué abandonó la lectura?
4. ¿Dónde estaba cuando volvió a leer la novela?
5. ¿Había olvidado lo que había leído?
6. ¿Le interesó mucho el argumento de la novela?

B Describiendo Describe.

1. el trabajo del protagonista—el lector en la primera frase del cuento
2. la casa a la cual volvió
3. el rango social del señor
4. el local y motivo de la reunión de la mujer y el otro señor

C Analizando Contesta.

1. ¿En cuántos lugares tiene lugar la acción en el cuento? ¿Cuáles son?
2. ¿Cuál fue el plan de la mujer y del señor en la cabaña del monte?
3. ¿Cómo es que el señor estaba familiarizado con la casa en que vivía el lector?
4. ¿Qué le hizo el señor al lector al final del cuento?

D Interpretando Contesta.

1. Para ti, ¿cuáles son los elementos ficticios y los elementos reales en el cuento?
2. ¿Cuál es la relación entre la mujer en la cabaña del monte y el lector?
3. ¿Quién es el lector?

E Explicando e interpretando Explica.

Composición

Explica como la figura del lector es al mismo tiempo el personaje del texto que está leyendo.

F Analizando el estilo Contesta.

Composición

Un estilo de Cortázar es el de presentar una narración dentro de otra narración en la misma obra. ¿Utiliza el autor este recurso en esta obra? ¿Cómo? ¿Cuáles son las dos narraciones?

PRACTICE

Después de leer

A You may wish to do this as a factual recall activity and not allow students to look for the answers.

B Have students be as complete as possible when giving their descriptions. This activity can also be written.

C In addition to writing the answers, these questions can serve as a discussion.

D, E, and F All of these activities can serve as the basis for classroom discussions.

E and F You may wish to have students select one of these activities and write a composition about it.

Answers

B

1. Es hombre de negocios.
2. *Answers will vary but may include:* La casa es grande. Tiene un estudio que mira hacia el parque de los robles.
3. Tiene un rango social bastante alto.
4. La reunión de la mujer y el otro señor es en una cabaña del monte. Son amantes.

C

1. La acción en el cuento tiene lugar en cuatro lugares: el estudio de la casa, la cabaña del monte, la senda en el bosque, la entrada de la casa.
2. El plan de la mujer y del señor en la cabaña del monte fue el de matar al esposo de la mujer.
3. Estaba familiarizado con la casa en que vivía el lector porque la mujer le había descrito todo.
4. Mató al hombre con un puñal.

D

1. *Answers will vary.*
2. La relación entre la mujer en la cabaña del monte y el lector es que se están casados.
3. El lector es el esposo.

E *Answers will vary.*

F *Answers will vary.*

Videopaseo

The Video Program for Chapter 3 includes three documentary segments of some interesting aspects of life in Argentina. You may wish to have students answer the **Antes de mirar** questions orally or in writing.

Episodio 1: Estos actores forman parte del grupo *Teatro Catalinas Sur*. Ellos trabajan en La Boca, un barrio de Buenos Aires cerca del puerto. El espectáculo que presentan se llama *El fulgor argentino* en el que representan cien años de la historia de Argentina. Emplean ciento veinte actores, un coro y una orquesta y títeres gigantes. Es un teatro de la comunidad para la comunidad.

Episodio 2: Esta es la sala de la casa de Flavio Nardini en Buenos Aires. Flavio es fanático o hincha del Racing, un equipo de fútbol. Los argentinos toman el fútbol muy en serio. Hay cinco equipos nacionales en el país y muchísimos equipos pequeños. Flavio lleva los colores del Racing, azul y blanco. A su lado está la estatua de un antiguo entrenador del Racing que ocupa un lugar de honor en su sala.

Episodio 3: Esta pareja está bailando el tango. El tango se creó en Buenos Aires a fines del siglo XIX. Los inmigrantes italianos, españoles, franceses y africanos expresaban su pasión, su tristeza, su desesperación en esta música y baile. Empezó con los pobres pero después fue adoptado por los ricos. La pareja que está bailando probablemente recibirá propinas de los espectadores.

Videopaseo

¡Un viaje virtual a Argentina!

Antes de mirar el episodio, completen las actividades que siguen.

Episodio 1: Teatro de la comunidad

Antes de mirar Con unos compañeros de clase, contesten las siguientes preguntas para prepararse para lo que van a ver en el video.

1. Según el título del episodio, ¿de qué se tratará?
2. ¿Les gusta ir al teatro?
3. ¿Tiene su comunidad un teatro?
4. ¿Les gustaría ver una obra de teatro relacionada con la política y los problemas sociales?

Episodio 2: Fiebre de fútbol

Antes de mirar Con unos compañeros de clase, contesten las siguientes preguntas para prepararse para lo que van a ver en el video.

1. Según el título del episodio, ¿de qué se tratará?
2. ¿Cuáles son algunos términos que conocen sobre el fútbol?
3. ¿Cuáles son algunas diferencias entre el fútbol europeo o latinoamericano y el fútbol que se juega en Estados Unidos?
4. ¿Prefieren ustedes el fútbol europeo o el fútbol americano? ¿Por qué?
5. En su opinión, ¿es el fútbol americano una obsesión nacional de los estadounidenses?

Episodio 3: Tango en Buenos Aires

Antes de mirar Con unos compañeros de clase, contesten las siguientes preguntas para prepararse para lo que van a ver en el video.

1. Según el título del episodio, ¿de qué se tratará?
2. ¿Qué es el «tango»?
3. ¿En qué país tiene sus orígenes el tango?
4. ¿Les gustaría aprender el tango?

CAPÍTULO 3 Repaso de vocabulario

Cultura

la boleadora
las bombachas
un cerro
un chaparrón
el cinturón
el facón
una huerta
una llanura
el odio
el peonaje
una ráfaga
una sabana
el viñedo
austral
belicoso(a)
pacífico(a)

Periodismo

El pronóstico meteorológico

el aguacero
el calor
el chaparrón
el chubasco
el frente
la humedad
la lluvia
la nube
la nubosidad
el sol
la tempestad
la tormenta
cálido(a)
caluroso(a)
húmedo(a)
lluvioso(a)
nublado(a)
solar
soleado(a)
llover (ue)

Cuando hay que dejar el hogar

el/la egresado(a)
el hogar
la meta
adecuado(a)
compartir
crecer
fracasar
a juicio de

Literatura

Poesía

la estrella
el nido
la pena
la pulpería
la rama
el suelo
la víbora
pelear

Prosa

Historia de dos cachorros de coatí y dos cachorros de hombre

la cola
la gallina
el gallo
las herramientas
el hocico
la hoja
la jaula
la pata
la soga
el taller
la trampa
descalzo(a)
suelto(a)
encaminarse a

Continuidad de los parques

el arroyo
el dibujo
el puñal
el respaldo
la trama
el ventanal
minuciosamente
ponerse a
volver (ue) a

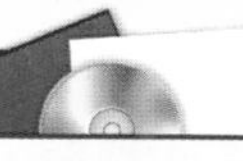

Resources

Tests, pages 3.89–3.108

Vocabulary Review

The words and phrases from Lessons 1, 3, and 4 have been taught for productive use in this chapter. They are summarized here as a resource for both student and teacher.

Teaching Options

This vocabulary reference list has not been translated into English. If it is your preference to give students the English translations, please refer to Vocabulary Transparency V3.1.

Chapter Overview

La América Central

Scope and Sequence

Topics
- The geography of Central American countries
- The history of Central American countries
- The culture of Central American countries

Culture
- The Central American isthmus
- The Mayans
- Capital cities of Central America
- Tikal, Guatemala, largest ancient ruined city of the Maya civilization
- Copan, Honduras and its famous stelaes
- Islas de San Blas in Panama
- Central American cuisine
- Rigoberta Menchú and los quichés, an indigenous group of Guatemala
- *Lo fatal* by Rubén Darío
- *Canción de otoño en primavera* by Rubén Darío
- *me llamo Rigoberta Menchú y así me nació la conciencia* by Elizabeth Burgos

Functions
- How to form the present subjunctive
- How to express necessity, possibility, and doubt using the subjunctive
- How to express emotion using the subjunctive
- How to give commands

Structure
- The present subjunctive
- Uses of the subjunctive
- Direct and indirect commands

Leveling

The activities within each chapter are marked in the Wraparound section of the Teacher Edition according to level of difficulty.

E indicates easy
A indicates average
CH indicates challenging

The readings in **Lección 3: Periodismo** and **Lección 4: Literatura** are also leveled to help you individualize instruction to best meet your students' needs. Please note that the material does not become progressively more difficult. Within each chapter there are easy and challenging sections.

Correlations to National Foreign Language Standards

Page numbers in light print refer to the Student Edition. Page numbers in bold print refer to the Teacher Edition.	
Communication Standard 1.1 Interpersonal	pp. **173, 174, 176, 180, 181,** 187, **187,** 188, 191, 193, **197, 201,** 203, **205, 207,** 211, 212
Communication Standard 1.2 Interpretive	pp. **170,** 171, **172,** 173, 175, **175, 176,** 177, **178, 179,** 180, 181, 182, 183, **184,** 186, 187, 188, 191, 193, 194, **194, 195,** 196, 197, 198, **198,** 199, **199,** 201, 202, 203, 204, **204,** 205, **205,** 206, **206,** 207, **208, 209,** 210, **210,** 211, 212
Communication Standard 1.3 Presentational	pp. **175, 181,** 183, 193, 203, 206
Cultures Standard 2.1	pp. **171,** 172, 180, 183, 186, **186,** 198, 199–200, **208,** 209, **209,** 210, 211, **211,** 212, **212**
Cultures Standard 2.2	pp. **169,** 170, **170, 171, 172,** 174, **174,** 175, 176, **177,** 178, **178,** 179, 181, **186, 187, 188, 191,** 193, **205,** 206, **206,** 207, **207,** 208, **210,** 212, **212**
Connections Standard 3.1	pp. **169, 171, 172,** 172–173, **173, 174,** 174–175, 176–177, 178–180, **179,** 182, 183, **183,** 196, 196–197, 199–200, 203, 205, 209, **209, 211, 212**
Connections Standard 3.2	pp. 185, **185,** 186, **187,** 196–197, **197, 199,** 199–200, **201,** 205, 206, **206, 209,** 210, **210,** 212
Comparisons Standard 4.1	pp. 190, **190, 199**
Comparisons Standard 4.2	pp. **172,** 183, 199, **209,** 212
Communities Standard 5.1	pp. **170,** 171, **175, 176, 181, 183,** 188, **193,** 194, **201, 203, 205, 207**
Communities Standard 5.2	pp. **174,** 185, **185,** 186, **187, 188, 205,** 212
To read the ACTFL Standards in their entirety, see the front of the Teacher Edition.	

Student Resources

Print

Workbook *(pp. 4.3–4.14)*
Audio Activities *(pp. 4.15–4.18)*

Technology

- StudentWorks™ Plus
- ¡Así se dice! Gramática en vivo
- ¡Así se dice! Cultura en vivo
- Vocabulary PuzzleMaker
- QuickPass glencoe.com

Teacher Resources

Print

TeacherTools, Chapter 4

- Workbook TE *(pp. 4.3–4.14)*
- Audio Activities TE *(pp. 4.17–4.36)*
- Quizzes 1–8 *(pp. 4.39–4.50)*
- Tests *(pp. 4.52–4.86)*

Technology

- Vocabulary Transparencies V4.1–V4.5
- Audio CDs 4A and 4B
- *ExamView® Assessment Suite*
- TeacherWorks™ Plus
- ¡Así se dice! Video Program
- Vocabulary PuzzleMaker
- QuickPass glencoe.com

50-Minute Lesson Plans

	Objective	Present	Practice	Assess/Homework
Day 1	Learn about the geography, history, and culture of Central America	Chapter Opener, pp. 168–169 Core Instruction/Vocabulario, p. 170 Core Instruction/La geografía, pp. 172–173 Core Instruction/Civilización precolombina—los mayas, pp. 174–175	Activities 1–2, p. 171 Activity A, p. 173 Activity B, p. 175 Audio Activities A–C, pp. 4.17–4.18	Student Workbook Activities A–F, pp. 4.3–4.5 QuickPass Culture Practice
Day 2	Learn about the geography, history, and culture of Central America	Core Instruction/Capitales centroamericanas, pp. 176–177 Core Instruction/Visitas históricas, pp. 178–180 Core Instruction/Comida, p. 181	Activity C, p. 177 Activities D–E, pp. 180–181 Audio Activities D–G, pp. 4.18–4.21	Quizzes 1–2, pp. 4.39–4.40 Student Workbook Activities G–J, pp. 4.6–4.7 QuickPass Culture Practice
Day 3	Review Lección 1: Cultura	Videopaseo, p. 212 Episodio 1: Una artesanía costarricense	Prepárate para el examen, Self-check for achievement, p. 182 Prepárate para el examen, Practice for proficiency, p. 183	Quizzes 3–4, pp. 4.41–4.42 Review for lesson test
Day 4	Reading and Writing Test for Lección 1: Cultura, pp. 4.55–4.57			
Day 5	The present subjunctive Uses of the subjunctive	Core Instruction/Presente del subjuntivo, pp. 184–185 Video, Gramática en vivo Core Instruction/Usos del subjuntivo, p. 186 Video, Gramática en vivo	Activities 1–6, pp. 187–188 Audio Activities A–D, pp. 4.21–4.23	Student Workbook Activities A–E, pp. 4.8–4.9 QuickPass Grammar Practice
Day 6	Uses of the subjunctive Direct and indirect commands	Core Instruction/Otros usos del subjuntivo, p. 189 Core Instruction/Mandatos directos e indirectos, p. 190	Activities 7–8, p. 189 Activities 9–13, p. 191 Audio Activities E–N, pp. 4.23–4.28	Quizzes 5–6, pp. 4.43–4.44 Student Workbook Activity A, p. 4.9 Student Workbook Activities A–E, pp. 4.10–4.11 QuickPass Grammar Practice
Day 7	Review Lección 2: Gramática	Videopaseo, p. 212 Episodio 2: Soñadores y malabaristas	Prepárate para el examen, Self-check for achievement, p. 192 Prepárate para el examen, Practice for proficiency, p. 193	Quizzes 7–8, pp. 4.45–4.48 Review for lesson test
Day 8	Reading and Writing Test for Lección 2: Gramática, pp. 4.58–4.60			
Day 9	Read and discuss a newspaper article about exercise	Core Instruction/Vocabulario, p. 194 Core Instruction/*Entrenamiento: Los beneficios y el por qué perseverar,* pp. 196–197	Activities 1–3, pp. 194–195 Activities A–C, p. 197 Audio Activities A–C, pp. 4.28–4.29	Student Workbook Activities A–D, pp. 4.12–4.13 QuickPass Journalism Practice
Day 10	Read and discuss a newspaper article about identification microchips for pets	Core Instruction/Vocabulario, p. 198 Core Instruction/*Amigos con «cédula»,* pp. 199–200	Activities 1–2, p. 198 Activities A–B, p. 201 Audio Activities D–F, pp. 4.29–4.30	Student Workbook Activities A–C, p. 4.14 QuickPass Journalism Practice
Day 11	Review Lección 3: Periodismo	Videopaseo, p. 212 Episodio 3: Una finca de mariposas	Prepárate para el examen, Self-check for achievement, p. 202 Prepárate para el examen, Practice for proficiency, p. 203	Review for lesson test
Day 12	Reading and Writing Test for Lección 3: Periodismo, pp. 4.61–4.62			
Day 13	Read poems by Rubén Darío	Core Instruction/Vocabulario, p. 204 Core Instruction/*Lo fatal, Canción de otoño en primavera,* pp. 205–206	Activity 1, p. 204 Activities A–D, p. 206 Audio Activities A–C, pp. 4.31–4.32	QuickPass Literature Practice

	Objective	Present	Practice	Assess/Homework
Day 14	Read poems by Rubén Darío	Core Instruction/*Lo fatal, Canción de otoño en primavera,* pp. 205–206	Activities E–I, p. 207 Audio Activities D–G, pp. 4.32–4.33	QuickPass Literature Practice
Day 15	Read a chapter of the biography of Rigoberta Menchú by Elizabeth Burgos	Core Instruction/Vocabulario, p. 208 Core Instruction/*me llamo Rigoberta Menchú y así me nació la conciencia,* pp. 209–210	Activity 1, p. 208 Activities A–B, p. 211 Audio Activities H–K, pp. 4.34–4.36	Review for lesson test QuickPass Literature Practice
Day 16	Reading and Writing Test for Lección 4: Literatura, pp. 4.63–4.65			
Day 17	Chapter 4 Tests Chapter Reading and Writing Test, pp. 4.69–4.76 Listening Comprehension Test, pp. 4.77–4.83 Test for Oral Proficiency, p. 4.84 Test for Writing Proficiency, pp. 4.85–4.86			

Note: You may want to use the rubrics below to help students prepare their speaking activities and their writing task.

Scoring Rubric for Speaking

	4	3	2	1
vocabulary	extensive use of vocabulary, including idiomatic expressions	adequate use of vocabulary and idiomatic expressions	limited vocabulary marked with some anglicisms	limited vocabulary marked by frequent anglicisms that force interpretation by the listener
grammar	few or no grammatical errors	minor grammatical errors	some serious grammatical errors	serious grammatical errors
pronunciation	good intonation and largely accurate pronunciation with slight accent	acceptable intonation and pronunciation with distinctive accent	errors in intonation and pronunciation with heavy accent	errors in intonation and pronunciation that interfere with listener's comprehension
content	thorough response with interesting and pertinent detail	thorough response with sufficient detail	some detail, but not sufficient	general, insufficient response

Scoring Rubric for Writing

	4	3	2	1
vocabulary	precise, varied	functional, fails to communicate complete meaning	limited to basic words, often inaccurate	inadequate
grammar	excellent, very few or no errors	some errors, but do not hinder communication	numerous errors interfere with communication	many errors, little sentence structure
content	thorough response to the topic	generally thorough response to the topic	partial response to the topic	insufficient response to the topic
organization	well organized, ideas presented clearly and logically	loosely organized, but main ideas present	some attempts at organization, but with confused sequencing	lack of organization

90-Minute Lesson Plans

	Objective	Present	Practice	Assess/Homework
Block 1	Learn about the geography, history, and culture of Central America	Chapter Opener, pp. 168–169 Core Instruction/Vocabulario, p. 170 Core Instruction/La geografía, pp. 172–173 Core Instruction/Civilización precolombina—los maya, pp. 174–175 Core Instruction/Capitales centroamericanas, pp. 176–177	Activities 1–2, p. 171 Activity A, p. 173 Activity B, p. 175 Activity C, p. 177 Audio Activities A–D, pp. 4.17–4.19	Student Workbook Activities A–E, pp. 4.3–4.5 QuickPass Culture Practice
Block 2	Learn about the geography, history, and culture of Central America	Core Instruction/Visitas históricas, pp. 178–180 Core Instruction/Comida, p. 181	Activities D–E, pp. 180–181 Audio Activities E–G, pp. 4.20–4.21	Quizzes 1–2, pp. 4.39–4.40 Student Workbook Activities F–J, pp. 4.5–4.7 QuickPass Culture Practice
Block 3	Review Lección 1: Cultura	Videopaseo, p. 212 Episodio 1: Una artesanía costarricense	Prepárate para el examen, Self-check for achievement, p. 182 Prepárate para el examen, Practice for proficiency, p. 183	Quizzes 3–4, pp. 4.41–4.42 Review for lesson test
Block 4	The present subjunctive Uses of the subjunctive	Core Instruction/Presente del subjuntivo, pp. 184–185 Video, Gramática en vivo Core Instruction/Usos del subjuntivo, p. 186 Video, Gramática en vivo	Activities 1–6, pp. 187–188 Audio Activities A–G, pp. 4.21–4.24	Reading and Writing Test for Lección 1: Cultura, pp. 4.55–4.57 Student Workbook Activities A–E, pp. 4.8–4.9 QuickPass Grammar Practice
Block 5	Uses of the subjunctive Direct and indirect commands	Core Instruction/Otros usos del subjuntivo, p. 189 Core Instruction/Mandatos directos e indirectos, p. 190	Activities 7–8, p. 189 Activities 9–13, p. 191 Audio Activities H–N, pp. 4.25–4.28	Quizzes 5–6, pp. 4.43–4.44 Student Workbook Activities A–B, p. 4.9 Student Workbook Activities A–E, pp. 4.10–4.11 QuickPass Grammar Practice
Block 6	Review Lección 2: Grámatica	Videopaseo, p. 212 Episodio 2: Soñadores y malabaristas	Prepárate para el examen, Self-check for achievement, p. 192 Prepárate para el examen, Practice for proficiency, p. 193	Quizzes 7–8, pp. 4.45–4.48 Review for lesson test
Block 7	Read and discuss a newspaper article about exercise	Core Instruction/Vocabulario, p. 194 Core Instruction/*Entrenamiento: Los beneficios y el por qué perseverar,* pp. 196–197	Activities 1–3, pp. 194–195 Activities A–C, p. 197 Audio Activities A–C, pp. 4.28–4.29	Reading and Writing Test for Lección 2: Gramática, pp. 4.58–4.60 Student Workbook Activities A–D, pp. 4.12–4.13 QuickPass Journalism Practice
Block 8	Read and discuss a newspaper article about identification microchips for pets	Core Instruction/Vocabulario, p. 198 Core Instruction/*Amigos con «cédula»,* pp. 199–200	Activities 1–2, p. 198 Activities A–B, p. 201 Audio Activities D–F, pp. 4.29–4.30 Prepárate para el examen, Self-check for achievement, p. 202 Prepárate para el examen, Practice for proficiency, p. 203	Student Workbook Activities A–C, p. 4.14 Review for lesson test QuickPass Journalism Practice

	Objective	Present	Practice	Assess/Homework
Block 9	Read poems by Rubén Darío	Core Instruction/Vocabulario, p. 204 Core Instruction/*Lo fatal, Canción de otoño en primavera*, pp. 205–206	Activity 1, p. 204 Activities A–I, pp. 206–207 Audio Activities A–G, pp. 4.31–4.33	Reading and Writing Test for Lección 3: Periodismo, pp. 4.61–4.62 QuickPass Literature Practice
Block 10	Read a chapter of the biography of Rigoberta Menchú by Elizabeth Burgos	Core Instruction/Vocabulario, p. 208 Core Instruction/*me llamo Rigoberta Menchú y así me nació la conciencia*, pp. 209–210 Videopaseo, p. 212 Episodio 3: Una finca de mariposas	Activity 1, p. 208 Activities A–B, p. 211 Audio Activities H–K, pp. 4.34–4.36	Review for lesson and chapter tests QuickPass Literature Practice
Block 11	Reading and Writing Test for Lección 4: Literatura, pp. 4.63–4.65 Chapter 4 Tests Chapter Reading and Writing Test, pp. 4.69–4.76 Listening Comprehension Test, pp. 4.77–4.83 Test for Oral Proficiency, p. 4.84 Test for Writing Proficiency, pp. 4.85–4.86			

Note: You may want to use the rubrics below to help students prepare their speaking activities and their writing task.

Scoring Rubric for Speaking

	4	3	2	1
vocabulary	extensive use of vocabulary, including idiomatic expressions	adequate use of vocabulary and idiomatic expressions	limited vocabulary marked with some anglicisms	limited vocabulary marked by frequent anglicisms that force interpretation by the listener
grammar	few or no grammatical errors	minor grammatical errors	some serious grammatical errors	serious grammatical errors
pronunciation	good intonation and largely accurate pronunciation with slight accent	acceptable intonation and pronunciation with distinctive accent	errors in intonation and pronunciation with heavy accent	errors in intonation and pronunciation that interfere with listener's comprehension
content	thorough response with interesting and pertinent detail	thorough response with sufficient detail	some detail, but not sufficient	general, insufficient response

Scoring Rubric for Writing

	4	3	2	1
vocabulary	precise, varied	functional, fails to communicate complete meaning	limited to basic words, often inaccurate	inadequate
grammar	excellent, very few or no errors	some errors, but do not hinder communication	numerous errors interfere with communication	many errors, little sentence structure
content	thorough response to the topic	generally thorough response to the topic	partial response to the topic	insufficient response to the topic
organization	well organized, ideas presented clearly and logically	loosely organized, but main ideas present	some attempts at organization, but with confused sequencing	lack of organization

Preview

In this chapter, students will learn about the geography, history, and culture of Guatemala, Honduras, El Salvador, Nicaragua, Costa Rica, and Panama. They will read two poems by the renowned Nicaraguan poet Rubén Darío as well as an excerpt from the life story of the Guatemalan Rigoberta Menchú as told to Elizabeth Burgos. Students will also read some newspaper articles about exercises and pets. They will review the present subjunctive and direct and indirect commands.

Pacing

Cultura	4–5 days
Gramática	4–5 days
Periodismo	4–5 days
Literatura	4–5 days
Videopaseo	2 days

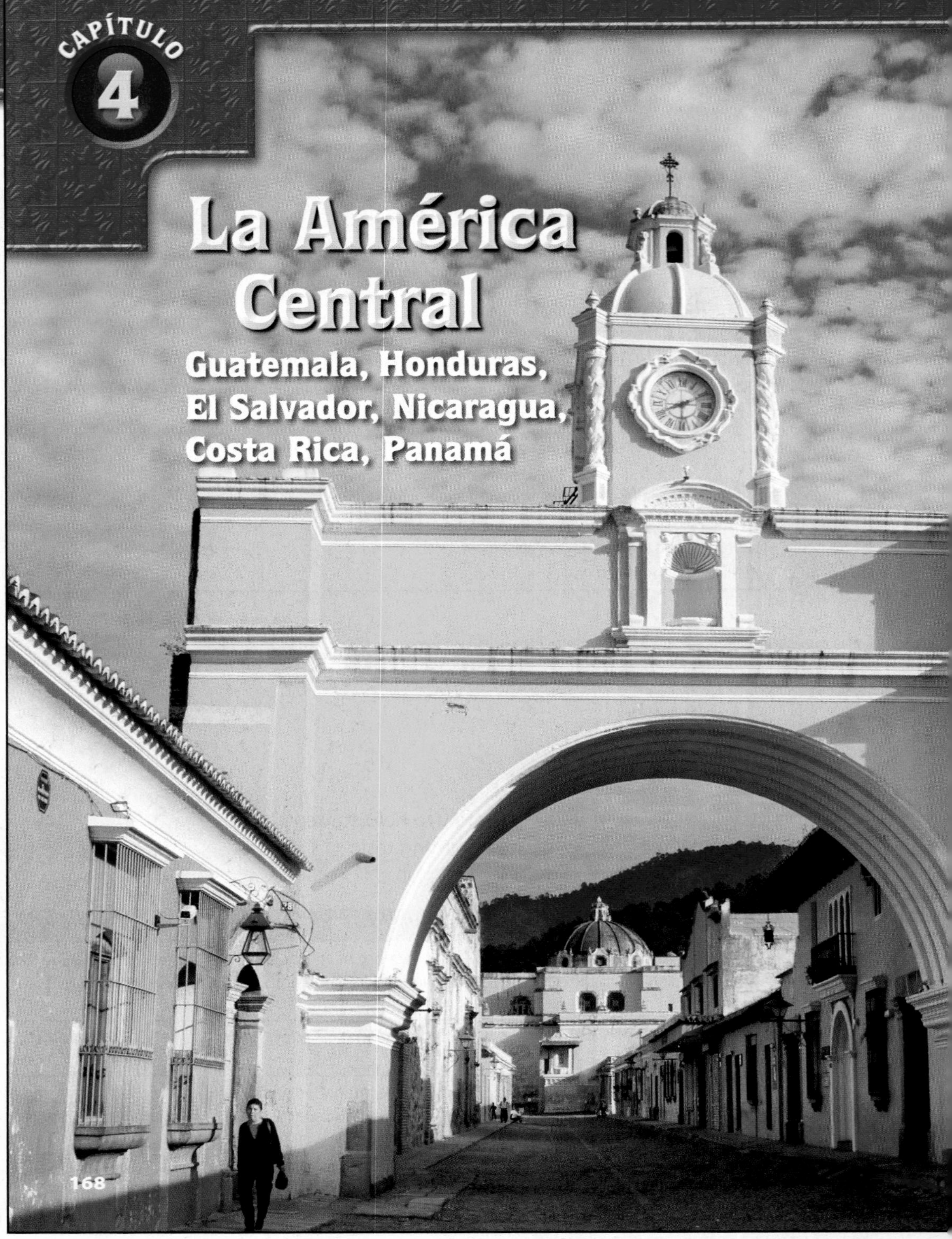

CAPÍTULO
4
La América Central
Guatemala, Honduras, El Salvador, Nicaragua, Costa Rica, Panamá
168

TeacherWorks Plus

The **¡Así se dice!** TeacherWorks™ Plus CD-ROM is an all-in-one planner and resource center. You may wish to use several of the following features as you plan and present the Chapter 4 material: Interactive Teacher Edition, Interactive Lesson Planner with Calendar, and Point and Click Access to Teaching Resources including Hotlinks to the Internet and Correlations to the National Standards.

Una callecita adoquinada y el arco de Santa Catalina, Antigua, Guatemala

Objetivos

You will:

- learn about the geography, history, and culture of Central America
- discuss the Mayan civilization
- read and discuss newspaper articles about exercise and identification microchips for pets
- read poems by Rubén Darío and a chapter of the biography of Rigoberta Menchú by Elizabeth Burgos

You will review:

- the present subjunctive
- direct and indirect commands

Contenido

QuickPass
Go to glencoe.com
For: **Online book**
Web code: **ASD7851c4**

CAPÍTULO 4

Cultural Snapshot

(pages 168–169) Antigua, Guatemala, fue una vez la capital del país. Toda la ciudad de Antigua, Guatemala, es una joya arquitectónica. Sus calles de adoquines han cambiado muy poco desde 1773. La mayoría de los edificios tienen solamente un piso (una planta). Casi todos son de estilo colonial con techos de azulejos, rejas en las ventanas, y patios interiores con fuentes. Aquí hay también ruinas de grandes iglesias y conventos destruidos en los terremotos de 1773 y 1976. El arco de Santa Catalina es uno de los monumentos más populares de Antigua. Construido a fines del siglo XVII y reconstruido después del terremoto de 1773 su función original es la de unir las dos alas del convento que había estado allí.

Quia Interactive Online Student Edition found at quia.com allows students to complete activities online and submit them for computer grading for instant feedback or teacher grading with suggestions for what to review. Students can also record speaking activities, listen to chapter audio, and watch the videos that correspond with each chapter. As a teacher you are able to create rosters, set grading parameters, and post assignments for each class. After students complete activities, you can view the results and recommend remediation or review. You can also add your own customized activities for additional student practice.

Resources

- Vocabulary Transparency V4.2
- Audio Activities TE, pages 4.17–4.18
- Audio CD 4A, Tracks 1–3
- Workbook, pages 4.3–4.4
- Quiz 1, page 4.39
- *ExamView® Assessment Suite*

TEACH

Core Instruction

Step 1 You may have students repeat the new words using Audio CD 4A.

Step 2 Ask students questions using the new words. **¿Hay muchos rascacielos en una ciudad como Nueva York? ¿Hay bohíos en los barrios pobres y zonas muy rurales? ¿Tienen unos bohíos hechos de paja? ¿Son de adoquines muchas callejuelas de los cascos antiguos de las ciudades latinoamericanas? ¿Puede causar mucha destrucción un terremoto? ¿Te gustan las salsas picantes?**

Differentiation

Advanced Learners

Call on advanced learners to use the new words in original sentences.

Heritage Speakers

If you have any students from Panama, have them bring in a **mola,** if they have one.

GLENCOE Technology

Online Learning in the Classroom

You may wish to have students use QuickPass code ASD7851c4 for additional vocabulary and comprehension practice. Students will be able to download audio files to their computer and/or MP3 player and access eFlashcards, eGames, a self-check quiz, and a review worksheet.

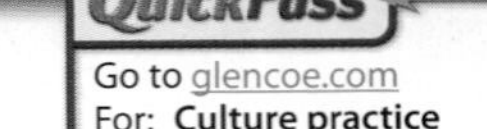

QuickPass
Go to glencoe.com
For: Culture practice
Web code: ASD7851c4

Vocabulario

Estudia las siguientes palabras para ayudarte a entender la lectura.

un rascacielos edificio muy alto que «rasca» el cielo
un bohío casa muy humilde; choza de paja
el techo parte superior que cubre un edificio
una callejuela de adoquines calle pequeña, callecita empedrada de piedras rectangulares
una mola tipo de blusa que hacen y llevan las indígenas de San Blas, Panamá
un terremoto catástrofe natural cuando se abre la tierra
picante que tiene un sabor fuerte de especias que pican
soler (ue) tener la costumbre, hacer normalmente
trasladar mover de un lugar a otro, cambiar de lugar; reubicar
tallar dar forma o trabajar un material como la madera

▲ Una mola

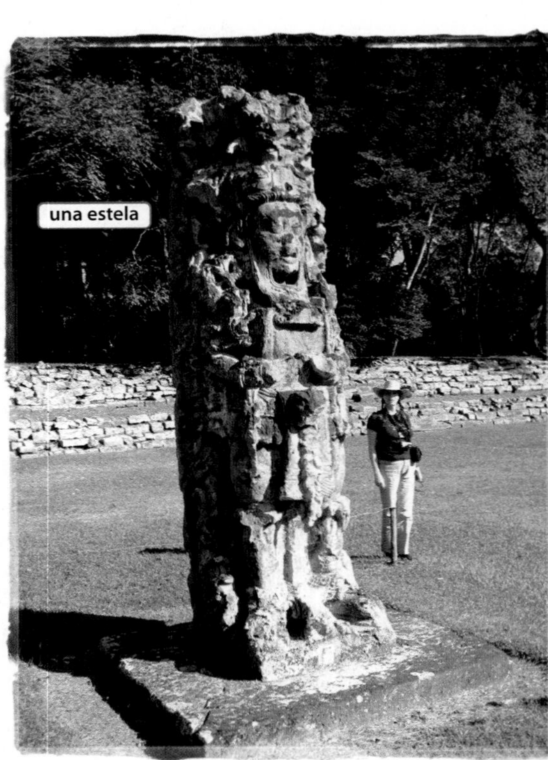

Estelas mayas con animales tallados en Copán, Honduras ▶

Cultural Snapshot

(page 170) Copán debió de ser una ciudad maya de mucha importancia. Se ha catalogado más de 3.500 estructuras en un área que cubre más de 20 kilómetros. Muchas de ellas están por desenterrar. Las estelas tenían un significado profundo para los mayas. A través de ellas se rendía culto a los árboles que sustentaban el cielo. Servían también de puerta hacia el Xibalba o mundo subterráneo y místico.

Práctica

ESCUCHAR • HABLAR

1 Contesta sobre un viaje que Carlos hizo a Centroamérica.

1. ¿Hizo Carlos mucho durante su viaje a Centroamérica?
2. ¿Anduvo por las pintorescas callejuelas de adoquines en Antigua, Guatemala?
3. ¿Admiró las estelas mayas con animales tallados en Copán, Honduras?
4. ¿Vio los rascacielos modernos de la Ciudad de Panamá?
5. ¿Compró una mola en las islas de San Blas?
6. ¿Vio la destrucción causada por un terremoto en Nicaragua?
7. ¿Vio los bohíos con techo de paja en que viven los emberá en Panamá?
8. ¿Comió a lo menos una comida picante?

EXPANSIÓN

Ahora, sin mirar las preguntas, cuenta la información en tus propias palabras. Si no recuerdas algo, un(a) compañero(a) te puede ayudar.

▲ En un pueblo emberá, Panamá

LEER • ESCRIBIR

2 Completa con una palabra apropiada.

1. Un ____ es un edificio muy alto de muchos pisos (muchas plantas).
2. No me gustaría estar en un rascacielos durante un ____. Me daría mucho miedo.
3. Los bohíos ____ tener ____ de paja.
4. En el bohío la hamaca cuelga del ____.
5. Las blusas de muchos colores que llevan las señoras de San Blas se llaman «____».
6. Otra palabra que significa «choza» es «____».
7. Van a reubicarse. Van a ____ el negocio de Tegucigalpa a San Pedro Sula en Honduras.

San Pedro Sula, Honduras ▶

Answers

1. Sí, Carlos hizo mucho durante su viaje a Centroamérica.
2. Sí, anduvo por las pintorescas callejuelas de adoquines en Antigua, Guatemala.
3. Sí, admiró las estelas mayas con animales tallados en Copán, Honduras.
4. Sí, vio los rascacielos modernos de la Ciudad de Panamá.
5. Sí, compró una mola en las islas de San Blas.
6. Sí, vio la destrucción causada por un terremoto en Nicaragua.
7. Sí, vio los bohíos con techo de paja en que viven los emberá en Panamá.
8. Sí, comió a lo menos una comida picante.

1. rascacielos
2. terremoto
3. suelen, techos
4. techo
5. molas
6. bohío
7. trasladar

PRACTICE

Leveling EACH Activity

Easy Activity 1

Average, Activity 1 **Expansión,** Activity 2

Activity 1 Students can record their answers to this activity using the **Quia Interactive Online Student Edition.** You may also wish to go over this activity orally in class calling on individuals to respond.

Activity 2 This activity can be prepared before being gone over in class.

Tips for Success

You may wish to have students redo Activity 1 by changing **Carlos** to **Carlos y sus amigos.**

Cultural Snapshot

(page 171 top) La mayoría de los emberá viven en las selvas tropicales del Darién. Pero hay algunos pueblos emberá en el Parque Nacional Chagres no muy lejos de la Ciudad de Panamá. Gente de personalidad tranquila, los emberá viven en bohíos de paja y rechazan casi todas las comodidades modernas. *(page 171 bottom)* San Pedro (de) Sula fue fundada en 1536 por Pedro de Alvarado. Tegucigalpa es la capital constitucional de Honduras, pero San Pedro Sula, ubicada en un valle fértil, es el centro agrícola e industrial del país.

Resources

- Workbook, pages 4.4–4.5
- Quiz 2, page 4.40
- *ExamView® Assessment Suite*

TEACH

Core Instruction

As you present this section, you may wish to ask the following questions: **¿Es ancho o estrecho el istmo de Centroamérica? ¿Cuál es el único país centroamericano que no es muy montañoso? ¿Qué hay en Centroamérica? ¿Por qué es muy fértil la tierra? ¿Dónde hay selvas tropicales en Centroamérica? ¿Qué tiempo hace en Centroamérica? ¿Cuántas estaciones hay? ¿Cuáles son?**

Cultura

This reading familiarizes students with the geography, history, and culture of Central America. You may wish to ask students to compare these cultural aspects of Central America with their own culture. How are they the same? How do they differ?

Cultural Snapshot

(page 172 top) Chiriquí es un departamento en el sudoeste de Panamá dominado por los picos de la Cordillera de Talamanca. Un departamento de varias etnias, su ciudad principal es David. Los chiricanos tienen un rico folklore y su música y danza se parecen bastante a la cumbia de Colombia.

La geografía

El istmo de Centroamérica comprende todos los países entre Guatemala y Panamá. Cubre un área de 196.000 millas cuadradas, o sea, el tamaño de una cuarta parte de México. En algunos lugares el istmo tiene un ancho de solo 50 millas. Una cordillera que une las Rocosas con los Andes va desde el norte hasta el sur. Esta cordillera domina casi todos los países menos Panamá. Algunos picos alcanzan 14.000 pies de altura.

Centroamérica es una región de muchos volcanes. Más de veinte son activos. Sus erupciones son peligrosas y año tras año han causado mucho daño. Sin embargo, es la ceniza volcánica la que hace la tierra tan fértil para la agricultura.

▲ Volcán Barú, Chiriquí, Panamá

Como el istmo es tan largo hay una gran variedad de terreno y clima. En la Mosquitia en la costa nordeste de Honduras y en el Darién en la costa oriental de Panamá, hay selvas tropicales, muchas partes de las cuales no han sido exploradas. Los Chocó, un grupo indígena del Darién, siguen viviendo aun hoy como vivían sus ancestros hace ya miles de años. Su sociedad primitiva se basa en la recolección[1] y la caza.

[1] recolección *harvest, gathering*

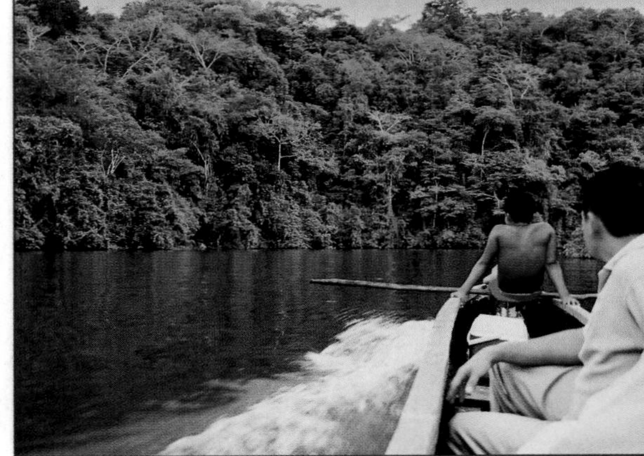

Una selva tropical en Panamá ▶

Panamá y muchas regiones de la costa de Centroamérica tienen un clima tropical. Las costas son calurosas y húmedas. En la cordillera se dice que la primavera es eterna aunque las noches pueden ser frías en la estación seca. Hay solo dos estaciones—la estación seca más o menos de noviembre a abril y la estación lluviosa y más cálida de mayo a octubre.

Se le da el nombre de «invierno» a la estación lluviosa y «verano» a la estación seca. La costa del Caribe es mucho más lluviosa que la costa del Pacífico con sus playas de ceniza volcánica negra.

A Buscando información Completa.

1. Centroamérica es un ____ que comprende todos los países entre ____ en el norte y ____ en el sur.
2. Una ____ va desde el norte hasta el sur.
3. En Centroamérica hay muchos ____, de los cuales más de veinte son ____.
4. Es la ____ de los volcanes que hace la tierra tan fértil.
5. ____ y ____ son dos regiones de selvas tropicales.
6. Los ____ viven en el Darién como vivían sus ancestros hace ya miles de años.
7. Las regiones de la costa de Centroamérica son ____ y ____.
8. Hay dos estaciones—la ____ y la ____.

El Cayo Bonacca, Honduras ▼

173

Cultura

Cultura

PRACTICE

A After going over this activity, call on students to convert each item into a question and call on someone to respond.

Conexiones

La historia

Belize won its independence from Great Britain in 1981. It had formerly been known as Honduras Británica. Although it is said that Columbus arrived at the coast of Belize in 1502, the first European colonization occurred in 1638 when British sailors arrived as victims of a shipwreck. From 1763 until 1798, Belize was under the sovereignty of Spain. In 1798 the British colonists, with the help of the British navy, conquered the territory. Guatemala, for many years, did not recognize Honduras Británica or Belize, considering it Guatemalan territory. In 1981, in exchange for important concessions, Guatemala renounced its claim over the territory.

ASSESS

Students are now ready to take Quiz 2 on page 4.40 of the TeacherTools booklet. If you prefer to create your own quiz, use the *ExamView® Assessment Suite.*

Answers

A

1. istmo, Guatemala, Panamá
2. cordillera
3. volcanes, activos
4. ceniza (volcánica)
5. La Mosquitia, el Darién
6. Chocó
7. calurosas, húmedas
8. seca, lluviosa

Resources

- Workbook, page 4.5
- Quiz 3, page 4.41
- *ExamView® Assessment Suite*

TEACH

Core Instruction

After reading one or two paragraphs, call on a student to give a summary of the information in his or her own words.

Comunicación

Interpersonal

You may wish to ask students the following question: **¿Por qué le fascina la arqueología a una persona que tiene mucho interés en el pasado?**

Carreras You may wish to ask students: **¿Te interesa el estudio del pasado? ¿Crees que te interesaría estudiar arqueología? ¿Por qué?**

Cultural Snapshot

(page 174 bottom) Las imponentes ruinas de Tikal están dentro de un parque nacional creado en 1955 y declarado Patrimonio Cultural de la Humanidad por la UNESCO en 1979. Tikal empezó a ser habitada hacia el año 800 a.C.

Civilización precolombina—los mayas

El territorio ocupado por los mayas, en el que se han descubierto más de cincuenta ciudades importantes, se extendía por zonas de México; y en Centroamérica en Guatemala, Belice y gran parte de Honduras y El Salvador. La teoría más probable es que sus ancestros vinieron de Asia, habiendo cruzado el estrecho de Bering, hace unos dieciocho mil años.

Los mayas desarrollaron su civilización durante dos períodos. El más importante es el Viejo Imperio de los siglos IV a IX d.C. Durante este período los mayas habitaron Guatemala y Honduras y se unieron a[2] los quichés, procedentes de las alturas de Guatemala.

Los progresos que hicieron los mayas entre 300 y 900 d.C. son increíbles. Su calendario fue más perfecto que el de los cristianos de la época y se dice que fue aún más preciso que el nuestro. Los mayas tenían un tipo de escritura jeroglífica muy parecida a la egipcia. Sus reyes solían mandar grabar en estelas jeroglíficos que representaban todos los acontecimientos que ocurrían durante su reinado.

▲ Calendario maya

[2] se unieron a *merged with*

Ruinas mayas, Tikal, Guatemala ▼

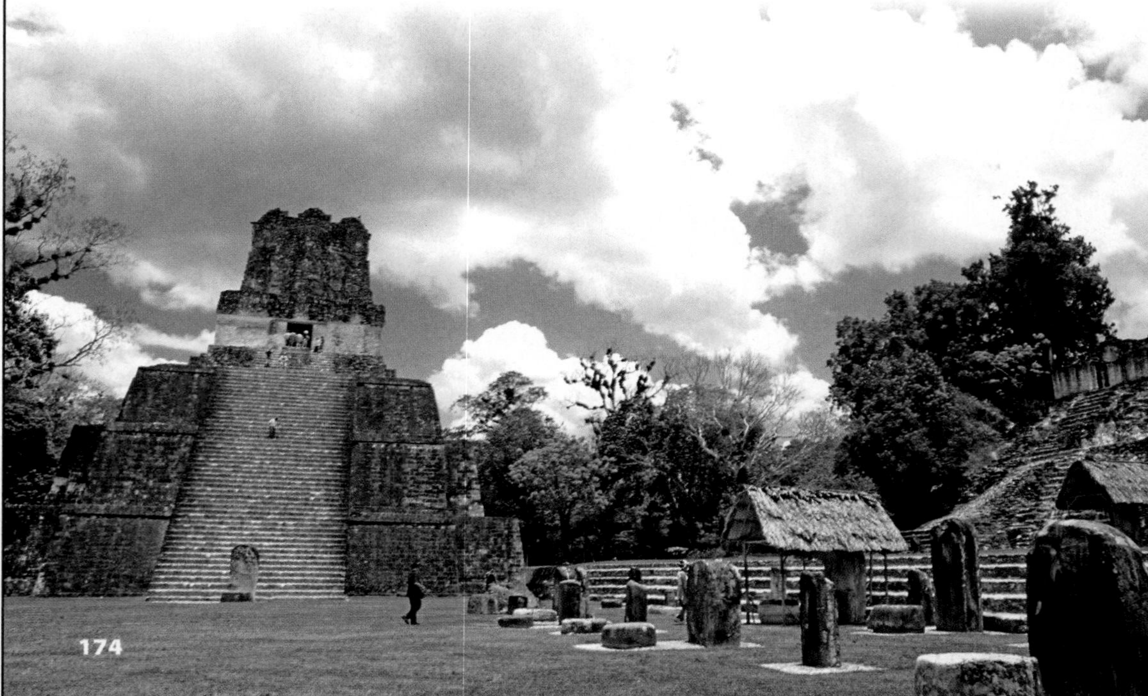

174

Los mayas eran expertos en arquitectura. Construyeron palacios y templos que adornaron con enormes esculturas. Tenían cuchillos, vasijas y piezas de cerámica adornadas con jeroglíficos. Los quichés tenían su libro sagrado, el *Popol Vuh*, que relata el origen del ser humano.

Desgraciadamente este desarrollo formidable terminó de forma inexplicable poco antes del año 900 d.C. Nuevos descubrimientos arqueológicos indican que existe la posibilidad de que los mayas quisieran lograr una gran expansión territorial y que las confrontaciones bélicas que acompañaban esa expansión fueran la causa más importante de la decadencia del Imperio maya.

Actualmente en Guatemala, el país de mayor población indígena de Centroamérica, se hablan veintiuna lenguas de origen maya. El 60 por ciento de los guatemaltecos tienen una lengua materna que no es el español. La lengua más extendida es el quiché que tiene 1.900.000 hablantes.

▲ Una urna funeraria maya

B **Explicando** Identifica.

1. donde vivían los mayas
2. las fechas del Viejo Imperio
3. el calendario maya
4. la escritura maya
5. instrumentos y utensilios que tenían los mayas
6. el *Popol Vuh*
7. una posible razón por la rápida decadencia del Imperio maya
8. el quiché

PRACTICE

B Call on individuals to describe each item in this activity. Students may do this activity either orally or in writing.

Comunicación

Presentational

Have students work in small groups. Ask them to research what indigenous languages are spoken in Guatemala and by what percentage of the population. Have them present the results of their research to the class using a chart or graph.

ASSESS

Students are now ready to take Quiz 3 on page 4.41 of the TeacherTools booklet. If you prefer to create your own quiz, use the *ExamView® Assessment Suite.*

Answers

B

1. Los mayas vivían en zonas de México, en Guatemala, Belice, Honduras y El Salvador.
2. El Viejo Imperio dató del siglo IV al IX d.C.
3. El calendario maya fue más perfecto que el de los cristianos (y aún más preciso que el nuestro).
4. La escritura maya consistió en un tipo de jeroglífico muy parecido al egipcio.
5. Los mayas tenían cuchillos, vasijas y piezas de cerámica adornadas con jeroglíficos.
6. El *Popol Vuh* es el libro sagrado de los mayas que relata el origen del ser humano.
7. Una posible razón por la rápida decadencia del Imperio maya son las confrontaciones bélicas durante su expansión territorial.
8. El quiché es la lengua materna de 1.900.000 guatemaltecos.

Resources

- Audio Activities TE, pages 4.18–4.21
- Audio CD 4A, Tracks 4–7
- Workbook, pages 4.6–4.7
- Quiz 4, page 4.42
- *ExamView® Assessment Suite*

TEACH

Core Instruction

Step 1 Have students look at the photographs that accompany the **Lectura.**

Step 2 If any student has been to any one of these cities, have him or her tell something about it.

Step 3 You may wish to call on students to give a description of each capital city.

Differentiation

Slower Paced Learners
Advanced Learners

Slower paced learners may merely give a sentence or two describing each capital city while advanced learners may give more complete and detailed descriptions.

Capitales centroamericanas

Algunas capitales centroamericanas no han sido siempre la capital de su país. Por una variedad de razones la capital ha sido cambiada de una ciudad a otra.

La Ciudad de Guatemala ▶

▲ Calle típica, Antigua, Guatemala

La Ciudad de Guatemala

Hoy la Ciudad de Guatemala es la capital del país del mismo nombre. Es una ciudad de mucho movimiento, y de todas las ciudades centroamericanas es la que tiene la mayor población. La mayor parte de la ciudad es moderna porque sufrió un terremoto en 1917 que causó mucha destrucción.

De 1543 a 1773 Antigua fue la capital. Cuando fue fundada llevaba el nombre de «Muy Noble y Muy Leal Ciudad de Santiago de los Caballeros de Goathemala». Goathemala en aquel entonces comprendía Chiapas en México y todos los países de Centroamérica menos Panamá. La capital fue trasladada a Guatemala en 1773 cuando un terremoto destruyó Antigua.

A pesar de esta destrucción Antigua ha conservado su belleza. No hay duda que se ven ruinas de magníficas iglesias, conventos y otros edificios coloniales. Pero es una ciudad placentera con callejuelas de adoquines y bonitas mansiones de colores vivos que también datan de la época colonial.

Tegucigalpa

El nombre de la capital de Honduras, Tegucigalpa, tiene su origen en dos palabras indígenas—*teguz* que significa «colina» y *galpa* que significa «plata». Durante años fue un centro minero de plata. La ciudad actual no ha perdido su cualidad de pequeña ciudad colonial con calles estrechas y casas de colores vivos. Actualmente el 70 por ciento de la población hondureña vive en el área metropolitana de Tegucigalpa.

Antes de 1880 Comayagua fue la capital. Pero fue destruida en una guerra civil en 1873 y siete años después se decidió restablecer la capital en Tegucigalpa.

Plaza Morazán, Tegucigalpa, Honduras ▼

Cultural Snapshot

(page 176 top) La Ciudad de Guatemala se divide en zonas enumeradas de una a trece. Una ciudad bastante poblada con unos tres millones de habitantes, es la mayor de Centroamérica. Sus habitantes la llaman «Guate».
(page 176 bottom) Tegucigalpa o «Tega» es una ciudad envuelta por verdes colinas. El 70 por ciento de la población hondureña vive en la urbe de la capital. La Plaza Morazán se llama también el Parque Central. A un lado de la plaza está la catedral. En la plaza hay también varios puestos de comida rápida.

Managua

Managua, la capital de Nicaragua, es otra capital cuyo nombre tiene origen en una lengua autóctona[3], el náhuatl. Significa «donde hay una extensión de agua». Es un nombre apropiado porque aquí se encuentran el lago Managua, la laguna Tiscapa y otras lagunas de origen volcánico que rodean el área urbana. Managua es una de las pocas ciudades que tiene grandes espacios abiertos.

▲ Managua, Nicaragua

León, Nicaragua ▶

Hay dos ciudades nicaragüenses conocidas por su belleza. Son León y Granada. Durante doscientos años León fue la capital del país. Pero León, de índole liberal y Granada, de índole conservadora, siempre rivalizaban por el liderazgo del país. Por consiguiente en 1851 la cabeza del país pasó a Managua, una ciudad equidistante o a medio camino de estas dos urbes rivales.

San José

San José, la capital de Costa Rica, y sus suburbios ocupan una gran parte de la sección central del país. Aquí vive más del 50 por ciento de la población costarricense. San José tiene la reputación de ser una ciudad muy «manejable». Hay algunos rascacielos pero la mayoría de sus edificios son de solo tres o cuatro plantas (pisos).

La antigua capital, Cartago, se encuentra a solo 25 kilómetros de San José. En 1821 Costa Rica ganó su independencia de España de forma pacífica. Como la ciudad de San José ya llevaba el liderazgo económico, se resolvió en 1823 trasladar la capital a esta ciudad para accederle también el liderazgo político. En aquel entonces la población total de Costa Rica era de cincuenta y siete mil habitantes. Hoy solo la capital y sus alrededores tienen una población de ochocientos mil.

San José, Costa Rica ▼

[3] autóctona *indigenous*

C **Explicando** Da el nombre de la capital actual y la capital antigua de cada país. Explica por qué fue trasladada cada capital de una ciudad a otra.

1. Guatemala
2. Honduras
3. Nicaragua
4. Costa Rica

Cultura

Cultural Snapshot

(page 177 top) Managua, a orillas del lago de Managua, es un conjunto de zonas urbanizadas con edificios modernos y espacios abiertos. La historia de la capital está completamente marcada por el horrible terremoto de 1972 que destruyó casi todos los edificios.
(page 177 middle) León, Nicaragua, tiene fama por su catedral, la más grande de Centroamérica. La Universidad Nacional Autónoma de Nicaragua fue fundada en León en 1912. Es el instituto de estudios superiores más grande del país.
(page 177 bottom) San José ocupa una gran parte del centro de Costa Rica. Es una ciudad manejable con solo unos 300.000 habitantes en el centro y unos 800.000 más en los alrededores. Es una ciudad que no tiene grandes aglomeraciones ni gigantescos rascacielos.

▶ ASSESS

Students are now ready to take Quiz 4 on page 4.42 of the TeacherTools booklet. If you prefer to create your own quiz, use the *ExamView*® *Assessment Suite.*

Answers

C

1. La capital actual de Guatemala es la Ciudad de Guatemala. La capital antigua fue Antigua. La capital fue trasladada porque un terremoto destruyó Antigua.
2. La capital actual de Honduras es Tegucigalpa. La capital antigua fue Comayagua. La capital fue trasladada porque Comayagua fue destruida en una guerra civil.
3. La capital actual de Nicaragua es Managua. La capital antigua fue León. La capital fue trasladada porque León fue de índole liberal y Granada fue de índole conservadora y siempre se rivalizaban por el liderazgo del país. Managua es equidistante de las dos.
4. La capital actual de Costa Rica es San José. La capital antigua fue Cartago. La capital fue trasladada porque San José ya llevaba el liderazgo económico del país.

Resources

Workbook, page 4.7
ExamView® Assessment Suite

TEACH

Core Instruction

Step 1 As you go over this section, have students explain in their own words the meaning of the following exerpts from the reading.

«El entorno natural de Tikal es fantástico, si no místico.»
«Unas macizas pirámides emergen sobre el techo de la vegetación de la impenetrable selva.»
«Un ruido ensordecedor de los monos y las chicharras sale de los árboles.»

Step 2 Call on a student to describe the ball game in his or her own words.

Cultural Snapshot

(page 178 top) La Gran Pirámide es una estructura diferente que el Templo I que también se llama el Templo del Gran Jaguar.

Visitas históricas

Un viaje a Centroamérica requiere una visita a las famosas ciudades mayas de Tikal en Guatemala y Copán en Honduras.

▲ El Templo del Gran Jaguar, Tikal, Guatemala

Tikal

Tikal se encuentra en el Petén, una zona selvática calurosa, bastante llana, en el norte de Guatemala. El entorno natural de Tikal es fantástico, si no místico. Unas macizas[4] pirámides emergen sobre el techo de la vegetación de la impenetrable selva. Un ruido ensordecedor[5] de los monos y las chicharras[6] sale de los árboles.

La Gran Plaza de Tikal es uno de los sitios más impresionantes de todo el mundo maya. El Templo I llamado también «el Templo del Gran Jaguar» accede a la Plaza. Es una pirámide que alcanza 45 metros de altura. En su interior se halla la tumba de Ah Cacao, el principal soberano de Tikal. El templo, formado de tres cuartos, está en la parte superior de la pirámide.

La Gran Pirámide es el más antiguo de los grandes edificios destapados[7] en Tikal. Se cree que la Gran Pirámide fue usada para observaciones astronómicas en vez de ritos ceremoniales.

[4] macizas *solid*
[5] ensordecedor *deafening*
[6] chicharras *cicadas*
[7] destapados *uncovered*

Tikal ▼

▲ Cancha de pelota, Copán, Honduras

Copán

La historia de Copán en Honduras no parece empezar hasta 435 d.C. pero hay arqueólogos que creen que estaba habitada mucho antes. Alcanzó su apogeo entre 650 y 750 d.C.

La Gran Plaza de Copán es impresionante por sus estelas con figuras humanas y altares con animales tallados. Estas estelas tenían para los mayas un significado profundo. A través de ellas se rendía culto a los árboles que sustentaban el cielo. Y servían de puerta hacia el Xibalba o mundo subterráneo y místico.

No muy lejos de la Gran Plaza está la cancha de pelota. Los jugadores tenían que rebotar la pelota, una pelota grande y pesada hecha de goma, haciéndola subir la pared hasta tocar una de las metas talladas en piedra en la parte superior de la pared. Los jugadores no podían usar las manos, los brazos ni los pies. Fue un juego duro, una combinación de fútbol, fútbol americano y balonmano.

▲ Una estela, Copán

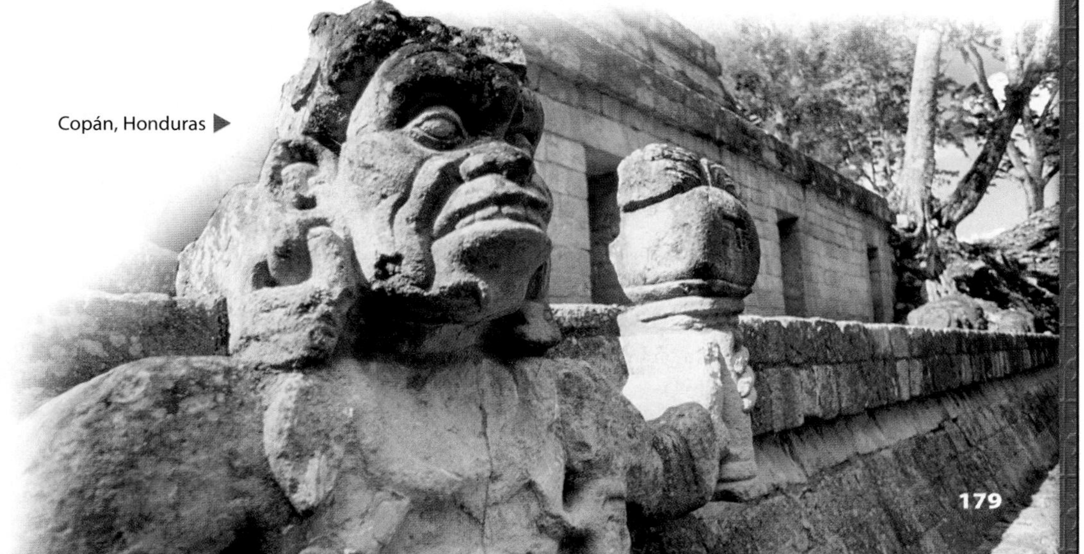
Copán, Honduras ▶

▶ TEACH

Core Instruction

Call on a student to tell about the kunas in his or her own words.

Differentiation

Slower Paced Learners

Call on slower paced learners to give one sentence about each photo. Other students should be able to give a few more details.

Conexiones

Los deportes

In many authoritative books it is suggested that the ball games in Copán also had a religious significance. Some books say that the winning team was sacrificed and others say the defeated team was sacrificed. You may wish to divide the class in two and have the two groups debate why they think either the winning or losing team was sacrificed.

PRACTICE

D You can have students give the answers to this activity orally or in writing.

Comunicación

Interpersonal

Have students describe in their own words all they see in this photograph of one of the San Blas islands.

Islas de San Blas, Panamá

Si estás en Panamá y no quieres pasar todo tu tiempo en una de sus magníficas playas, tendrás que visitar el archipiélago de San Blas formado de 365 islotes. Es aquí donde viven los famosos kuna. Sus casas son bohíos, o sea, chozas de paja y caña. En el interior del bohío cuelgan las hamacas. La mayoría de los kuna viven de la recolección de productos marinos y de la pesca. Algunos que viven en tierra firme son agricultores.

◀ Uno de los islotes del archipiélago de San Blas

Las mujeres kuna llevan molas. Una mola es una blusa hecha de telas de distintos colores. La mola tiene también motivos geométricos y mitológicos. Las molas de las kuna son tan apreciadas que se consideran objetos de arte.

▲ Mujeres kuna llevando mola

D **Recordando hechos** Contesta.

1. ¿Dónde está Tikal?
2. ¿Qué se ve en Tikal?
3. ¿Para qué servía la Gran Pirámide en Tikal?
4. Según los arqueólogos, ¿desde cuándo fue habitada Copán?
5. ¿Cómo es la Gran Plaza de Copán y qué tiene?
6. ¿Cómo jugaban pelota en Copán?
7. ¿Dónde viven los kuna?
8. ¿Cómo son sus casas?
9. ¿Qué es una mola? Descríbela.

Answers

D

1. Tikal está en el Petén, una zona selvática en el norte de Guatemala.
2. En Tikal se ven pirámides.
3. La Gran Pirámide en Tikal fue usada para observaciones astronómicas.
4. Según los arqueólogos, Copán fue habitada desde 435 d.C.
5. La Gran Plaza de Copán es impresionante; tiene estelas con figuras humanas y altares con animales tallados.
6. En Copán jugaban pelota con una pelota de goma grande y pesada. Fue un juego duro parecido al fútbol, al fútbol americano y al balonmano.
7. Los kuna vivían en las Islas de San Blas.
8. Sus casas son bohíos de paja y cana.
9. Una mola es una blusa de telas de distintos colores. Tiene motivos geométricos y mitológicos.

Comida

Cuando tienes hambre y decides comer algo vas a creer que estás en México. No hay duda que la cocina centroamericana tiene mucho parentesco con la cocina mexicana, sobre todo por el empleo del maíz en forma de tortillas y frijoles negros refritos con arroz. Igual que a los mexicanos, a la mayoría de los centroamericanos les gustan las salsas picantes.

En Guatemala los chiles rellenos son populares. En Honduras puedes comer enchiladas o tamales.

▲ Un chile relleno con frijoles, arroz y camarones

▲ Gallopinto

¿Quieres probar un desayuno favorito de los nicaragüenses—los nicas, y de los costarricenses—los ticos? Se llama «gallopinto». Es una mezcla de arroz y frijoles acompañada de huevos.

A los salvadoreños les gustan el pescado y los mariscos. Sirven el ceviche igual que en Perú. La mariscada, una sopa que lleva almejas, camarones y cangrejos, es otro plato favorito.

Y el plato nacional de Panamá es el sancocho. El sancocho lleva pollo, cebolla, maíz y papas.

Como a los españoles les gusta comer pequeñas raciones de comida, a los centroamericanos también les gusta comer raciones pequeñas, pero no se llaman «tapas». En Nicaragua y Costa Rica son «bocas», y en Guatemala, «boquitas». Una boquita favorita guatemalteca es el pan con ajo—rebanadas de pan frito frotadas[8] con ajo. Una de las bocas nicaragüenses muy buena y un poco exótica son los huevos de tortuga[9].

[8] frotadas *rubbed*
[9] tortuga *turtle*

E Describiendo y explicando Identifica.

1. el gallopinto
2. la mariscada
3. el sancocho
4. las bocas
5. las boquitas
6. los habitantes de Nicaragua
7. los habitantes de Costa Rica

▲ Sancocho

Cultura

Resources

- Workbook, page 4.7
- *ExamView® Assessment Suite*

TEACH

Core Instruction

Step 1 Read the **Comida** section to students.

Step 2 Have students identify any of the foods they are familiar with. They may recognize some foods because of their familiarity with Mexican cuisine.

Heritage Speakers

If you have any students in class from Central America, have them describe other dishes that are popular in their country.

Comunicación

Presentational

You may wish to have students choose a dish they would like to prepare. Have them videotape themselves as if they were on a cooking show, explaining each step of the preparation of their chosen dish.

Answers

E

1. El gallopinto es una mezcla de arroz y frijoles con huevos.
2. La mariscada es una sopa que lleva almejas, camarones y cangrejos.
3. El sancocho es el plato nacional de Panamá que lleva pollo, cebolla, maíz y papas.
4. Las bocas son pequeñas raciones de comida en Nicaragua y Costa Rica.
5. Las boquitas son pequeñas raciones de comida en Guatemala.
6. Los habitantes de Nicaragua son los nicas.
7. Los habitantes de Costa Rica son los ticos.

Resources

- Tests, pages 4.55–4.57
- *ExamView® Assessment Suite*

Self-check for achievement

This is a pre-test for students to take before you administer the lesson test. Note that each section is cross-referenced so students can easily find the material they feel they need to review. You may wish to use Self-Check Worksheet Transparency SC4.1 to have students complete this assessment in class or at home. You can correct the assessment yourself, or you may prefer to project the answers on the overhead in class using Self-Check Answers Transparency SC4.1A.

Differentiation

Slower Paced Learners

Encourage students who need extra help to refer to the book icons and review any section before answering the questions.

Prepárate para el examen

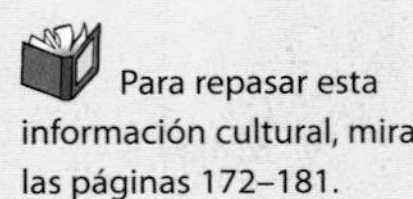

Self-check for achievement

Vocabulario

Para repasar este vocabulario, mira la página 170.

1 Parea.

1. trasladar
2. una mola
3. una choza
4. la paja
5. un rascacielos
6. un terremoto
7. el techo
8. de adoquines

a. un desastre natural
b. materia de la que se hacen casitas en una zona tropical
c. cambiar de lugar
d. un edificio de muchos pisos
e. una blusa con diseños bonitos
f. un bohío
g. de piedras rectangulares
h. el contrario del «suelo»

Lectura y cultura

2 ¿Sí o no?

9. Centroamérica es un istmo muy ancho que comprende tres países.
10. Una gran parte de Centroamérica es montañosa.
11. La ceniza volcánica es muy mala para la agricultura.
12. El clima en las costas es más caluroso y húmedo que en la cordillera.
13. En Centroamérica hay cuatro estaciones pero no hace mucho frío en el invierno.

Para repasar esta información cultural, mira las páginas 172–181.

3 Contesta.

14. ¿Qué países habitaron los mayas durante el período del Viejo Imperio?
15. ¿Cómo fue el calendario maya?
16. ¿Qué instrumentos y utensilios tenían los mayas?
17. ¿Cuál es el país de mayor población indígena de Centroamérica?

4 Identifica.

18. la antigua capital de Guatemala
19. la capital de Honduras
20. lo que significa «Managua» en náhuatl
21. como es la ciudad de San José

5 Describe.

22. Tikal
23. Copán
24. Islas de San Blas
25. gallopinto

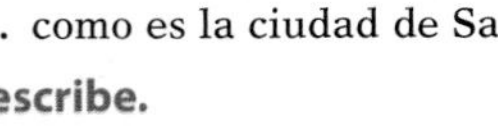

▲ Islotes del archipiélago de San Blas, Panamá

Answers

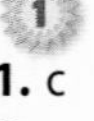

1

1. c
2. e
3. f
4. b
5. d
6. a
7. h
8. g

2

9. no
10. sí
11. no
12. sí
13. no

3

14. Durante el período del Viejo Imperio los mayas habitaron Guatemala y Honduras.
15. El calendario maya fue más perfecto que el de los cristianos y más preciso que el nuestro.
16. Los mayas tenían cuchillos, vasijas y piezas de cerámica.
17. El país de mayor población indígena de Centroamérica es Guatemala.

4

18. La antigua capital de Guatemala fue Antigua.
19. La capital de Honduras es Tegucigalpa.
20. Managua significa «donde hay una extensión de agua» en náhuatl.
21. La ciudad de San José es muy «manejable» con la mayoría de sus edificios de solo tres o cuatro pisos.

Prepárate para el examen

Practice for proficiency

1 El clima

Compara el clima de Centroamérica con el clima de una región templada donde hay cuatro estaciones. En Centroamérica, ¿hay variaciones entre el clima de la sierra y el de la costa? ¿Cuáles son?

2 Las civilizaciones precolombinas

Si te interesan los pueblos indígenas, compara la civilización de los mayas con la de los incas sirviéndote de todo lo que has aprendido sobre estos dos grupos importantes.

▲ Incensario maya

3 Me gustaría visitar

De todos los lugares en la América Central sobre los cuales leíste, ¿cuál o cuáles te gustaría visitar? Describe el lugar y explica por qué te interesa.

◀ Playa en el Parque Nacional Manuel Antonio en Costa Rica

Composición

Las civilizaciones precolombinas

Has aprendido mucho sobre las diferentes civilizaciones precolombinas igual que los grupos indígenas de hoy. Vas a escribir un ensayo en el cual vas a comparar y contrastar estas civilizaciones. Cuando comparas dos cosas, tienes que explicar como son similares (semejantes). Cuando las contrastas tienes que explicar como son diferentes. Al comparar y contrastar hay que analizar. Antes de empezar a escribir debes identificar las semejanzas y las diferencias entre las civilizaciones.

Hay que decidir cómo organizar tu ensayo. Puedes escoger el sujeto como los mayas, por ejemplo, y escribir sobre ellos. O puedes organizar tu ensayo por tema, tal como la arquitectura. Si organizas tu ensayo por tema, tienes que aplicar este tema a los varios sujetos al mismo tiempo.

Después de revisar y corregir tu borrador, escribe de nuevo tu ensayo en forma final.

Answers

5

22. Tikal es una famosa ciudad maya en Guatemala. Tiene un entorno fantástico con pirámides. Está en la selva.
23. Copán es una famosa ciudad maya en Honduras. Es impresionante con sus estelas y altares y canchas de pelota.
24. En las Islas de San Blas viven los kuna que hacen las molas.
25. El gallopinto es una mezcla de arroz y frijoles con huevos.

Cultura

Tips for Success

Encourage students to say as much as possible when they do these open-ended activities. Tell them not to be afraid to make mistakes, since the goal of the activities is real-life communication. If someone in the group makes an error, allow the others to politely correct him or her. Let students choose the activities they would like to do.

Tell students to feel free to elaborate on the basic theme and to be creative. They may use props, pictures, or posters if they wish.

Pre-AP These oral and written activities will give students the opportunity to develop and improve their speaking and writing skills so that they may succeed on the speaking and writing portions of the AP exam.

Cultural Snapshot

(page 183 bottom) Unos datos interesantes sobre Costa Rica: Los Parques Nacionales cubren el 15 por ciento del país. Hay más de 850 especies de mamíferos, 376 de reptiles y anfibios y más de 9.000 de flores, entre ellos 1.200 variedades de orquídeas.

Note: You may wish to use the rubrics on page 168D or 168F to help students prepare their speaking activities and their writing task.

Go to glencoe.com
For: **Grammar practice**
Web code: **ASD7851c4**

Resources

- Quiz 5, page 4.43
- *ExamView® Assessment Suite*

TEACH

Core Instruction

Step 1 Since students just reviewed the present tense in the previous chapter, they should be able to go over these forms quite quickly. Have the entire class say aloud all of the **yo** forms in Item 1.

Step 2 Point out to students the use of the vowel **e** in first conjugation subjunctive endings and the vowel **a** in second and third conjugation verbs.

Step 3 Point out to students that there are very few irregular verbs in the subjunctive.

Step 4 Have students read the forms in Item 4 aloud and note that the stem change is the same as the change in the present indicative.

Step 5 Have students read the forms in Item 5 aloud. Have them point out which stem change in the subjunctive is different from the change in the indicative.

You reviewed the present tense in the previous chapter.

Presente del subjuntivo

1. The first person singular of the present indicative serves as the stem for the present subjunctive.

INFINITIVE	YO	STEM FOR PRESENT SUBJUNCTIVE
MIRAR	miro	mir-
VENDER	vendo	vend-
VIVIR	vivo	viv-
CONOCER	conozco	conozc-
CONDUCIR	conduzco	conduzc-
TRADUCIR	traduzco	traduzc-
ESCOGER	escojo	escoj-
EXIGIR	exijo	exij-
VENCER	venzo	venz-
CONSTRUIR	construyo	construy-
HACER	hago	hag-
PONER	pongo	pong-
TRAER	traigo	traig-
SALIR	salgo	salg-
TENER	tengo	teng-
VENIR	vengo	veng-
CAER	caigo	caig-
OÍR	oigo	oig-
DECIR	digo	dig-

2. The subjunctive endings have the vowel **e** for **-ar** verbs and the vowel **a** for **-er** and **-ir** verbs.

mirar	
mire	miremos
mires	*miréis*
mire	miren

comer	
coma	comamos
comas	*comáis*
coma	coman

poner	
ponga	pongamos
pongas	*pongáis*
ponga	pongan

conocer	
conozca	conozcamos
conozcas	*conozcáis*
conozca	conozcan

La Calzada, Granada, Nicaragua

GLENCOE Technology

Online Learning in the Classroom

Have students use QuickPass code ASD7851c4 for additional grammar practice. They can review verb conjugations with eFlashcards. They can also review all grammar points by doing a self-check quiz and a review worksheet.

3. The following are the only verbs that are irregular in the present subjunctive.

dar	ser	estar	saber	ir	haber
dé	sea	esté	sepa	vaya	haya
des	seas	estés	sepas	vayas	hayas
dé	sea	esté	sepa	vaya	haya
demos	seamos	estemos	sepamos	vayamos	hayamos
deis	*seáis*	*estéis*	*sepáis*	*vayáis*	*hayáis*
den	sean	estén	sepan	vayan	hayan

4. Verbs ending in **-ar** and **-er** with the stem change **e** to **ie** and **o** to **ue** maintain the same change in the present subjunctive.

e → ie		o → ue	
pensar	perder	contar	volver
piense	pierda	cuente	vuelva
pienses	pierdas	cuentes	vuelvas
piense	pierda	cuente	vuelva
pensemos	perdamos	contemos	volvamos
penséis	*perdáis*	*contéis*	*volváis*
piensen	pierdan	cuenten	vuelvan

5. Verbs ending in **-ir** with a stem change in the present have a different change in the subjunctive. Verbs with the change **e** to **i** have **i** in all forms. Verbs with the change **e** to **ie** and **o** to **ue** change to **i** or **u** respectively in the **nosotros** (and **vosotros**) form.

e → i, i		e → ie, i	o → ue, u
pedir	repetir	preferir	dormir
pida	repita	prefiera	duerma
pidas	repitas	prefieras	duermas
pida	repita	prefiera	duerma
pidamos	repitamos	prefiramos	durmamos
pidáis	*repitáis*	*prefiráis*	*durmáis*
pidan	repitan	prefieran	duerman

Si quieres que yo te dé una llamada, podré ir a este centro de llamadas en la Ciudad de Panamá.

VIDEO Want help with the forms of the subjunctive? Watch **Gramática en vivo.**

Gramática

Tips for Success

Remind students that if they pronounce the verb form correctly they will never have trouble spelling it. Once again review the pronunciation of the vowels.

About the Spanish Language

In addition to **llamadas, llamados** is used in many areas of Latin America.

GLENCOE Technology

Video in the Classroom

Gramática en vivo: *The subjunctive* Enliven learning with the animated world of Professor Cruz! **Gramática en vivo** is a fun and effective tool for additional instruction and/or review.

ASSESS

Students are now ready to take Quiz 5 on page 4.43 of the TeacherTools booklet. If you prefer to create your own quiz, use the *ExamView® Assessment Suite.*

Resources

- Audio Activities TE, pages 4.21–4.23
- Audio CD 4A, Tracks 8–12
- Workbook, pages 4.8–4.9
- Quiz 6, page 4.44
- *ExamView® Assessment Suite*

TEACH

Core Instruction

Read each of the explanations and have students read aloud the expressions and model sentences. Again explain to students that in each case, the use of the subjunctive is logical because one does not know if the action will really take place or not.

GLENCOE SPANISH Why It Works!

Grammatical explanations in **¡Así se dice!** are simple and to the point. The easier we keep explanations, the easier they are for students to understand.

¡Ojo! The most important concept for students to grasp is that the indicative is used when reporting an objective, real fact. The subjunctive is used when reporting something that is not necessarily real or that depends upon something else. Therefore it may or may not happen. When students understand this concept, they no longer have to memorize the long list of expressions that are followed by the subjunctive. It is a question of logic.

VIDEO Want help with the subjunctive with emotions, wishes, and doubt? Watch **Gramática en vivo.**

Usos del subjuntivo

1. The subjunctive mood in Spanish is used to distinguish between that which is real and that which may not be real. The subjunctive is almost always used in a dependent clause that is introduced by a verb or other expression that does not guarantee that the action in the clause will actually take place. It may or may not. Because of this uncertainty the subjunctive is used.

2. Review these expressions that are followed by the subjunctive since they introduce information that is not or will not necessarily be a reality.

querer	**insistir en**	**es posible**
desear	**exigir**	**es imposible**
esperar	**mandar**	**es necesario (menester)**
preferir	**pedir**	**es bueno (mejor)**
	aconsejar	**es importante**
		es fácil
		es difícil

▲ ¿Es posible que esta señora esté decidiendo lo que quiere comprar en este mercado en Chichicastenango, Guatemala?

3. Note that in all the examples that follow it is not definite that José will help. He may, but he may not.

Quiero / Deseo / Espero / Prefiero / Insisto en / Exijo / Es posible / Es necesario / Es mejor } **que José te ayude. Pero, ¿te va a ayudar o no? ¿Quién sabe?**

4. The subjunctive is also used when introduced by an expression of doubt. The indicative is used with an expression of certainty.

Dudo / No creo / Es dudoso } **que ellos vengan.**

Creo / No dudo / Es cierto } **que ellos vienen (vendrán).**

Note that the future tense is often used after expressions of certainty.

5. The subjunctive is used only when there is a change of subject in the sentence. When there is no change of subject, you use the infinitive.

CHANGE	NO CHANGE
Él quiere que tú lo sepas.	**Él quiere saberlo.**
Insisten en que lo hagamos.	**Insisten en hacerlo.**
Es mejor que no digas nada.	**Es mejor no decir nada.**

Cultural Snapshot

(page 186) Chichicastenango, llamado también Chichi, es un destino conocido por su mercado, iglesia e interesante mezcla de ritos mayas y católicos. En Chichi, aunque hay un alcalde oficial, los indígenas eligen además a sus propias autoridades incluyendo un juzgado que resuelve los pleitos entre los vecinos.

Answers

1. La abuela de Maripaz quiere que ella preste atención. / Yo también espero que preste atención pero es posible que ella no preste atención.
2. La abuela de Maripaz quiere que ella trabaje. / Yo también espero que trabaje pero es posible que ella no trabaje.
3. La abuela de Maripaz quiere que ella comprenda lo que dice. / Yo también espero que comprenda lo que dice (digo) pero es posible que ella no comprenda lo que dice (digo).

Práctica

HABLAR • ESCRIBIR

1 La abuela de Maripaz quiere que ella haga muchas cosas pero es posible que ella no las haga. Forma frases según el modelo.

MODELO **estudiar más →**
La abuela de Maripaz quiere que ella estudie más.
Yo también espero que estudie más pero es posible que ella no estudie más.

1. prestar atención
2. trabajar
3. comprender lo que dice
4. asistir a la universidad
5. tener éxito
6. salir bien
7. conducir con cuidado
8. ser cortés
9. ir a España
10. saber las consecuencias

▲ Es posible que estas jóvenes no sepan que este museo en Antigua, Guatemala, es la antigua Universidad de San Carlos.

Comunicación

2 Trabaja con un(a) compañero(a) y digan todo lo que quieren que haga un(a) amigo(a). Indiquen si es posible que él o ella no lo haga.

ESCUCHAR • HABLAR • ESCRIBIR

3 Forma frases según el modelo.

MODELO **ir a Panamá →**
Quiero ir a Panamá y es probable que yo vaya.

1. pasar unos días en la capital
2. dar un paseo por el casco viejo
3. tener la oportunidad de ver el canal
4. cruzar el Puente de las Américas
5. hacer una excursión a un pueblo de los emberá
6. conocer las selvas tropicales

EXPANSIÓN

En tus propias palabras, explica todo lo que es probable que tú hagas y veas si vas a Panamá.

El Puente de las Américas, Panamá ▼

Answers

4. La abuela de Maripaz quiere que ella asista a la universidad. / Yo también espero que asista a la universidad pero es posible que ella no asista a la universidad.
5. La abuela de Maripaz quiere que ella tenga éxito. / Yo también espero que tenga éxito pero es posible que ella no tenga éxito.
6. La abuela de Maripaz quiere que ella salga bien. / Yo también espero que salga bien pero es posible que ella no salga bien.
7. La abuela de Maripaz quiere que ella conduzca con cuidado. / Yo también espero que conduzca con cuidado pero es posible que ella no conduzca con cuidado.
8. La abuela de Maripaz quiere que ella sea cortés. / Yo también espero que sea cortés pero es posible que ella no sea cortés.
9. La abuela de Maripaz quiere que ella vaya a España. / Yo también espero que vaya a España pero es posible que ella no vaya a España.

Gramática

GLENCOE Technology

Video in the Classroom

Gramática en vivo: *The subjunctive with emotions, wishes, and doubt* Enliven learning with the animated world of Professor Cruz! **Gramática en vivo** is a fun and effective tool for additional instruction and/or review.

PRACTICE

Leveling EACH Activity

Easy Activities 1, 2, 3
Average Activity 3 **Expansión**

Activities 1 and 3 You may wish to have students do these activities in pairs with books open.

Cultural Snapshot

(page 187 bottom) Para seguir la carretera panamericana desde el norte hasta el sur hay que cruzar el Puente de las Américas.

Answers

10. La abuela de Maripaz quiere que ella sepa las consecuencias. / Yo también espero que sepa las consecuencias pero es posible que ella no sepa las consecuencias.

2 *Answers will vary.*

3

1. Quiero pasar unos días en la capital y es probable que yo pase unos días allí.
2. Quiero dar un paseo por el casco viejo y es probable que yo dé un paseo allí.
3. Quiero tener la oportunidad de ver el canal y es probable que tenga la oportunidad de verlo.
4. Quiero cruzar el Puente de las Américas y es probable que lo cruce.
5. Quiero hacer una excursión a un pueblo de los emberá y es probable que yo la haga.
6. Quiero conocer las selvas tropicales y es probable que las conozca.

PRACTICE *(continued)*

Leveling EACH Activity

Average Activity 6
Average–CHallenging Activities 4, 5
CHallenging Activity 5 **Expansión**

Activities ④ and ⑤ You may wish to have students prepare these activities before going over them in class.

Tips for Success

Have students refer to the list of thematic vocabulary related to hotels as they do Activity 6. This is a review of what they have previously learned in **¡Así se dice!** Activities such as this help students retain useful, survival vocabulary that they need to communicate in the real world.

Cultural Snapshot

(page 188) Granada, a orillas del lago de Nicaragua es una ciudad interesantísima desde el punto de vista arquitectónico colonial. Es también un lugar tranquilo donde uno puede disfrutar de unos días de ocio.

ASSESS

Students are now ready to take Quiz 6 on page 4.44 of the TeacherTools booklet. If you prefer to create your own quiz, use the *ExamView® Assessment Suite.*

LEER • ESCRIBIR

4 Introduce cada frase con la expresión indicada y haz los cambios necesarios.

1. Tú le pides direcciones. Es necesario que ____.
2. Salimos mañana. Él prefiere que ____.
3. No pierdo tiempo. Ellos insisten en que ____.
4. Ellos llegan a tiempo. Dudo que ____.
5. Tienes cuidado. Te aconsejo que ____.
6. Me lo cuentas. Quiero que ____.
7. Van en avión. Es mejor que ____.
8. No conducimos allí. Ellos prefieren que ____.

LEER • ESCRIBIR

5 Completa sobre una reservación para un hotel en Nicaragua.

—¿Qué piensas? ¿Es posible que el hotel en Granada __1__ (estar) completo?
—Puede ser. Pero yo dudo que no __2__ (haber) ningún cuarto disponible.
—Luego, es mejor que yo __3__ (hacer) una reservación, ¿no?
—Sí, sí. Te aconsejo que __4__ (tener) la reservación ya hecha.
—¿Es necesario que yo les __5__ (enviar) un correo electrónico o prefieres que yo les __6__ (dar) una llamada en mi móvil?
—No es necesario que tú __7__ (llamar). Yo creo que __8__ (responder) a tu e-mail enseguida.

EXPANSIÓN

Ahora, sin mirar la conversación, cuéntala en tus propias palabras. Si no recuerdas algo, un(a) compañero(a) te puede ayudar.

Un hotel en Granada, Nicaragua ▶

Comunicación

6  Trabajando en parejas tengan una conversación sobre una estadía en un hotel. Pueden consultar la lista de vocabulario temático sobre el hotel al final de este libro.

Answers

4
1. (tú) le pidas direcciones
2. salgamos mañana
3. no pierda tiempo
4. (ellos) lleguen a tiempo
5. tengas cuidado
6. me lo cuentes
7. vayan en avión
8. no conduzcamos allí

5
1. esté
2. haya
3. haga
4. tengas
5. envíe
6. dé
7. llames
8. responden

6 *Answers will vary.*

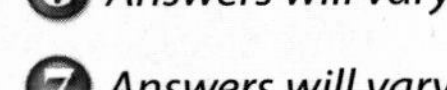
7 *Answers will vary.*

8 *Answers will vary.*

Otros usos del subjuntivo

1. The subjunctive is also used after expressions that denote an emotion or reaction.

   Note the following expressions that are used with the subjunctive.

alegrarse de	**estar triste**	**gustar**
estar contento(a)	**tener miedo**	**sorprender**

   Study the following examples.

   —Me alegro de que él esté con nosotros.
   —Me sorprende que tú digas eso.
   —¿Por qué?
   —Porque yo no estoy contento que él esté.

   Note that, although it is a fact that he is here, the subjunctive is used because the information is introduced by a completely subjective feeling or sentiment.

2. The subjunctive is also used in a clause that modifies an indefinite antecedent or one that can be considered an exaggeration.

   Busco un asistente administrativo que hable español.
   Conozco a un asistente administrativo que habla español.
   Aquí hay alguien que puede hacer el trabajo.
   No hay nadie que pueda hacer el trabajo.
   Él es el único que pueda hacer el trabajo.

▲ No es posible que sea el único parque ecológico que haya en todo Costa Rica.

Práctica

LEER • HABLAR

7 Completa.

1. Quiero que tú ____.
2. Nos sorprende que ustedes ____.
3. Se alegran de que yo ____.
4. Tiene miedo de que nosotros ____.
5. ¿Te gusta que yo ____?

LEER • ESCRIBIR

8 Completa la tabla.

Necesito un asistente Tengo un amigo	tener su licenciatura ser de aquí conocer la América Central haber viajado hablar español poder adaptarse a nuevas situaciones

Gramática

Resources

- Audio Activities TE, pages 4.24–4.25
- Audio CD 4A, Tracks 13–15
- Workbook, page 4.19
- Quiz 7, page 4.45
- *ExamView® Assessment Suite*

Teaching Options

Rather than complete all of **Lección 2 Gramática** at one time, you may wish to intersperse the review of these grammatical points as you are doing other lessons in the chapter. This is up to the preference of each teacher.

TEACH

Core Instruction

Step 1 Reinforce with students the fact that the subjunctive is used in these cases because they deal with an emotional feeling or sentiment. Call on students to read the model sentences aloud.

Step 2 After reading the Item 2 explanation, have students read aloud the model sentences.

Step 3 Have students give as many completions as possible.

Busco unos amigos que ____.
Espero encontrarme con alguien que ____.
Tengo unos amigos que ____.
He visto a unos jóvenes que ____.

ASSESS

Students are now ready to take Quiz 7 on page 4.45 of the TeacherTools booklet. If you prefer to create your own quiz, use the *ExamView® Assessment Suite.*

Tips for Success

Have students read the captions that accompany the photographs as they also serve to reinforce the grammatical point being reviewed.

Many of the expressions used in Item 1 can be followed by **de,** but this **de** is not necessary—**estar contento (de), triste (de), tener miedo (de).** It is probably safe to say that **de** is, however, almost always used with **alegrarse de.**

Resources

- Audio Activities TE, pages 4.25–4.28
- Audio CD 4A, Tracks 16–21
- Workbook, pages 4.10–4.11
- Quiz 8, pages 4.46–4.48
- *ExamView® Assessment Suite*

TEACH

Core Instruction

Guide students through Items 1, 2, and 3, having them repeat the command forms after you for review practice.

GLENCOE SPANISH Why It Works!

Throughout **¡Así se dice!** we attempt to group material logically to assist the students. Note the students have just reviewed the subjunctive forms. All the command forms presented in Item 1 are an additional review of the subjunctive verb forms.

ABOUT THE SPANISH LANGUAGE

The **vamos a** construction is more frequently used than the **nosotros** form of the subjunctive to express *let's*.

Additional Vocabulary

You may also review the expression, **¡Vámonos!** meaning *Let's get going*.

Mandatos directos e indirectos

1. All commands except the **tú** affirmative form use the subjunctive form of the verb.

HABLAR	(no) hable Ud.	(no) hablen Uds.	no hables
COMER	(no) coma Ud.	(no) coman Uds.	no comas
ESCRIBIR	(no) escriba Ud.	(no) escriban Uds.	no escribas
REPETIR	(no) repita Ud.	(no) repitan Uds.	no repitas
VOLVER	(no) vuelva Ud.	(no) vuelvan Uds.	no vuelvas
SALIR	(no) salga Ud.	(no) salgan Uds.	no salgas
CONDUCIR	(no) conduzca Ud.	(no) conduzcan Uds.	no conduzcas

2. The informal **tú** affirmative command is the same as the **usted** form of the present indicative.

¡Habla! **¡Come!** **¡Escribe!** **¡Vuelve!** **¡Repite!**

3. The following verbs have an irregular **tú** affirmative command form.

HACER	haz
SALIR	sal
PONER	pon
TENER	ten
VENIR	ven
SER	sé
IR	ve
DECIR	di

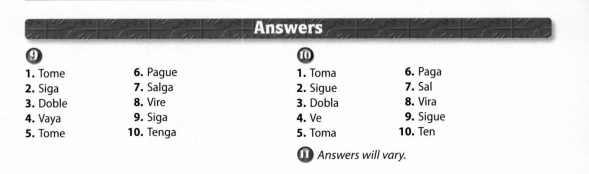

4. The **nosotros** form of the subjunctive can be used to express *let's*.

Nademos.
Salgamos rápido.
Demos un paseo.

The only exception is the verb **ir.** The subjunctive is not used in the affirmative.

¡Vamos!

However, *let's* is more often expressed with **vamos a** + the infinitive.

Vamos a nadar.
Vamos a salir.
Vamos a dar un paseo.

5. The idea *let* or *may*, as in *let someone do something*, is expressed with **¡Que... !** plus the subjunctive.

¡Que vengan ellos!
¡Que lo aprenda pronto!

¿Te acuerdas?

Remember that an easy and polite way to express a command is to use the expression **Favor de.**

Favor de pasar el pan.

Answers

9

1. Tome
2. Siga
3. Doble
4. Vaya
5. Tome
6. Pague
7. Salga
8. Vire
9. Siga
10. Tenga

10

1. Toma
2. Sigue
3. Dobla
4. Ve
5. Toma
6. Paga
7. Sal
8. Vira
9. Sigue
10. Ten

11 *Answers will vary.*

Práctica

HABLAR • ESCRIBIR

9 Completa con el mandato de **usted** para dar direcciones a la Ciudad de Panamá.

1. ____ la avenida Balboa. (tomar)
2. ____ derecho hasta el final. (seguir)
3. ____ a la derecha. (doblar)
4. ____ hasta la tercera bocacalle. (ir)
5. ____ la autopista. (tomar)
6. ____ el peaje (la cuota). (pagar)
7. ____ en la segunda salida. (salir)
8. ____ a la derecha. (virar)
9. ____ los rótulos a la Ciudad de Panamá. (seguir)
10. ____ muy buen viaje. (tener)

▲ Una calle en la Ciudad de Panamá

HABLAR • ESCRIBIR

10 Cambia los mandatos de la Actividad 9 a **tú**.

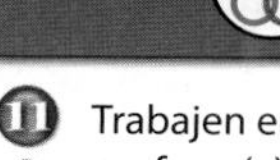

Comunicación

11 Trabajen en grupos pequeños. Ahora les toca a ustedes. El/La profesor(a) siempre les da órdenes. Ahora denle órdenes a su profesor(a). Pero, no olviden. Sean corteses.

ESCUCHAR • HABLAR

12 Contesta según el modelo.

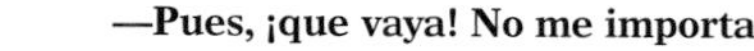

MODELO —**Elena quiere ir a León.**
—**Pues, ¡que vaya! No me importa.**

1. Ellos quieren salir ahora.
2. José quiere volver.
3. Elena les quiere mandar un e-mail.
4. Él no quiere comer.
5. Ellos no quieren hablar.

¿Quieres ir a este café Internet?
Sí, vamos.
MAYA CONNECTIONS

ESCUCHAR • HABLAR

13 Contesta según el modelo.

MODELO —**Vamos a bailar.**
—**¿Quieres? ¡Buena idea! ¡Bailemos!**

1. Vamos a cantar.
2. Vamos a celebrar.
3. Vamos a jugar.
4. Vamos a salir.
5. Vamos a ir.

PRACTICE

Leveling EACH Activity

Easy Activity 9
Average Activities 10, 12, 13
CHallenging Activity 11

Activities 12 and 13 These activities can be done first with books closed.

Cultural Snapshot

(page 191 top) La Ciudad de Panamá tiene un casco antiguo interesante que el gobierno está restaurando después de bastante tiempo de deterioro. Es una ciudad de progreso y por todas partes se ven construcciones (en su mayoría rascacielos) nuevas. La Ciudad de Panamá se considera el centro financiero de Latinoamérica.

ASSESS

Students are now ready to take Quiz 8 on pages 4.46–4.48 of the TeacherTools booklet. If you prefer to create your own quiz, use the *ExamView® Assessment Suite.*

Answers

12

1. Pues, ¡que salgan! No me importa.
2. Pues, ¡que vuelva! No me importa.
3. Pues, ¡que les mande un e-mail! No me importa.
4. Pues, ¡que no coma! No me importa.
5. Pues, ¡que no hablen! No me importa.

13

1. ¿Quieres? ¡Buena idea! ¡Cantemos!
2. ¿Quieres? ¡Buena idea! ¡Celebremos!
3. ¿Quieres? ¡Buena idea! ¡Juguemos!
4. ¿Quieres? ¡Buena idea! ¡Salgamos!
5. ¿Quieres? ¡Buena idea! ¡Vamos!

Resources

- Tests, pages 4.58–4.60
- *ExamView® Assessment Suite*

Self-check for achievement

This is a pre-test for students to take before you administer the lesson test. Note that each section is cross-referenced so students can easily find the material they feel they need to review. You may wish to use Self-Check Worksheet Transparency SC4.2 to have students complete this assessment in class or at home. You can correct the assessment yourself, or you may prefer to project the answers on the overhead in class using Self-Check Answers Transparency SC4.2A.

Differentiation

Slower Paced Learners

Encourage students who need extra help to refer to the book icons and review any section before answering the questions.

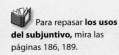

Para repasar **el presente del subjuntivo,** mira las páginas 184–185.

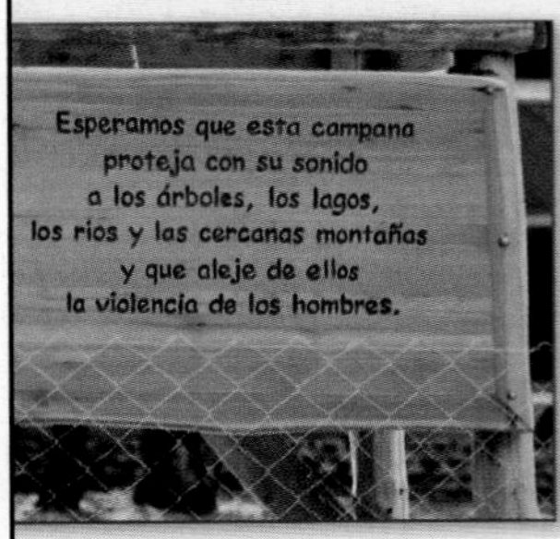

Esperamos que esta campana
proteja con su sonido
a los árboles, los lagos,
los ríos y las cercanas montañas
y que aleje de ellos
la violencia de los hombres.

Para repasar **los usos del subjuntivo,** mira las páginas 186, 189.

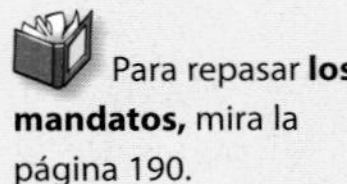

Para repasar **los mandatos,** mira la página 190.

Prepárate para el examen

Self-check for achievement

Gramática

1 Forma frases según el modelo.

MODELO **es imposible / saber →**
Es imposible que él lo sepa.

1. es imposible / comprar
2. es imposible / vender
3. es imposible / tener
4. es imposible / conocer
5. es imposible / perder
6. es imposible / decir

2 Completa.

7. Yo quiero que tú lo ____. (hacer)
8. Ellos insisten en que nosotros ____ a la fiesta. (ir)
9. Prefiero que ella no se lo ____. (pedir)
10. Es necesario que ustedes ____ allí. (estar)
11. Es importante que tú ____ tus libros a clase. (traer)

3 Sigue el modelo.

MODELO **Ganamos. Él se alegra de ____. →**
Él se alegra de que ganemos.

12. Paco viene con nosotros a Costa Rica. Me sorprende ____.
13. Nadie quiere estar con él. Siento ____.
14. Paco está mejor ahora. Me alegro de ____.
15. Yo lo invito a la fiesta. Ellos están contentos ____.
16. Roberto vuelve hoy. Me gusta ____.

4 Completa.

17. Dudo mucho que él ____ tantos ejercicios. (hacer)
18. Yo no. Yo creo que él los ____. (hacer)
19. Es cierto que ellos ____ a hallar su mascota. (ir)
20. Es dudoso que todo le ____ bien. (salir)

5 Completa con el mandato apropiado.

21. Usted, ____ un momento. (esperar)
22. Tú, ¡____ a tus padres! (escribir)
23. Y ustedes, ¡no ____ nada! (decir)
24. Usted, ¡____ con nosotros! (venir)
25. Y tú, ¡no ____ muy tarde! (volver)
26. ____ ustedes un viaje a Guatemala. (hacer)

6 Cambia a la forma negativa.

27. Habla español.
28. Venga enseguida.
29. Haz el trabajo.
30. Conduzcan ustedes.

Answers

1

1. Es imposible que él lo compre.
2. Es imposible que él lo venda.
3. Es imposible que él lo tenga.
4. Es imposible que él lo conozca.
5. Es imposible que él lo pierda.
6. Es imposible que él lo diga.

2

7. hagas
8. vayamos
9. pida
10. estén
11. traigas

3

12. que venga con nosotros a Costa Rica
13. que nadie quiera estar con él
14. que esté mejor ahora
15. que yo lo invite a la fiesta
16. que Roberto vuelva hoy

Prepárate para el examen

Practice for proficiency

1 Todo lo que espero de ti

Imagínate que tienes un(a) novio(a) a quien quieres mucho. Escríbele una carta describiendo todo lo que esperas que él o ella haga para ponerte feliz.

2 ¡Exigentes!

Hay personas en tu vida que exigen, piden y quieren mucho de ti. Pueden ser tus padres u otros parientes, profesores o amigos. Hay cosas que quieren que hagas. Hay otras cosas que prefieren que hagas. Y hay cosas que absolutamente insisten en que hagas. Da el nombre de la persona o personas. Di todo lo que quiere(n), prefiere(n) e insiste(n) en que tú hagas. Luego decide y explica si se van a realizar todos sus deseos, preferencias y exigencias.

3 En mi vida

Habla de cosas que crees que van a pasar en tu vida y de cosas que dudas que ocurran en tu vida.

4 Escoge uno de los siguientes y dile a un amigo como hacerlo.

preparar arroz con pollo o cualquier otro plato
llegar a tu casa del aeropuerto

¿Cómo hacerlo?

A veces es necesario dar o tomar instrucciones en forma escrita. Al escribir instrucciones es importante prestar atención a los detalles. Una receta mal escrita, por ejemplo, puede resultar en un desastre.

Tienes un(a) amigo(a) que nunca recuerda detalles importantes. Como se dice en español es un poco «despistado(a)». Escríbele a tu amigo(a) las instrucciones para hacer una de las siguientes actividades.

- usar el cajero automático
- ir de un lugar a otro
- enviar un e-mail
- planear un viaje
- preparar una comida

Escribe las instrucciones paso a paso en un orden claro y lógico. Antes de empezar repasa una vez más las formas apropiadas del imperativo en este capítulo. Usa un diagrama como el de abajo para organizar tus instrucciones.

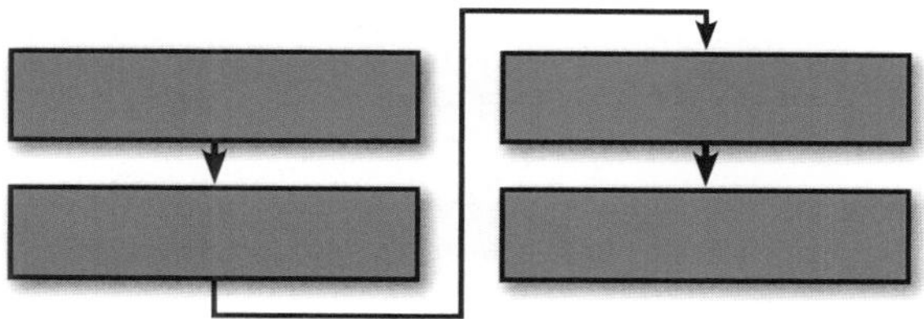

Después de revisar y corregir tu borrador, escribe de nuevo tus instrucciones en forma final.

Tips for Success

Encourage students to say as much as possible when they do these open-ended activities. Tell them not to be afraid to make mistakes, since the goal of the activities is real-life communication. If someone in the group makes an error, allow the others to politely correct him or her. Let students choose the activities they would like to do.

Tell students to feel free to elaborate on the basic theme and to be creative. They may use props, pictures, or posters if they wish.

Pre-AP These oral and written activities will give students the opportunity to develop and improve their speaking and writing skills so that they may succeed on the speaking and writing portions of the AP exam.

Note: You may wish to use the rubrics on page 168D or 168F to help students prepare their speaking activities and their writing task.

Answers

4

17. haga
18. hace
19. van
20. salga

5

21. espere
22. escribe
23. digan
24. venga
25. vuelvas
26. Hagan

6

27. No hables español.
28. No venga enseguida.
29. No hagas el trabajo.
30. No conduzcan ustedes.

Resources

- Vocabulary Transparency V4.3
- Audio Activities TE, pages 4.28–4.29
- Audio CD 4B, Tracks 1–3
- Workbook, pages 4.12–4.13
- *ExamView® Assessment Suite*

TEACH

Core Instruction

Step 1 Students can repeat the new words after Audio CD 4B.

Step 2 You may wish to ask additional questions to afford students more practice with the new vocabulary. **¿Leemos mucho hoy en día en los periódicos sobre el peso—o mejor dicho—sobre el exceso de peso? ¿Es el perder peso una labor agradable? ¿Establece mucha gente metas para tratar de perder peso? Después de hacer mucho trabajo, ¿se necesitan unos momentos de reposo? Cuando trabajamos mucho, ¿sudamos (transpiramos)? ¿Sale el sudor por la frente?**

Teaching Options

You may wish to have students merely repeat the words after you or have them study and learn them on their own.

PRACTICE

Leveling EACH Activity

Easy Activity 1
Average Activities 2, 3, Activity 1 **Expansión**

Lección 3
Periodismo

Entrenamiento: Los beneficios y el por qué perseverar

Vocabulario 

Estudia las siguientes palabras para ayudarte a entender el artículo.

el peso número de kilos o libras que tiene (pesa) una persona
la meta objetivo, propósito
el reposo el descanso
el sudor la transpiración, líquido que se le sale a uno cuando tiene mucho calor
la labor el trabajo
concurrido(a) de mucha gente; popular; frecuentado
asiduo(a) de muy aficionado a
vencer conquistar
otorgar dar (como premio)

Estudio de palabras

el calor Hace mucho calor en el verano.
caliente El té está muy caliente.
calentar (ie) Tienes que calentar la sopa. Está fría. Bien. La caliento.
los calentamientos Los atletas tienen que hacer calentamientos.
caluroso(a) Ellos viven en una región calurosa.
la calefacción Los que viven en el norte necesitan la calefacción central en el invierno.

Práctica

ESCUCHAR • HABLAR

1 Personaliza. Da respuestas personales.

1. ¿Sudas mucho cuando levantas pesas o haces calentamientos?
2. ¿Hay un gimnasio cerca de donde tú vives?
3. ¿Eres muy asiduo(a) de los ejercicios?
4. Para ti, ¿es el hacer ejercicios una labor agradable o no?
5. A veces, ¿tienes que tratar de perder peso?
6. ¿Qué piensas? ¿Hay obstáculos en la vida que todos tenemos que vencer?
7. ¿Qué opinas? ¿Es importante establecer metas?

EXPANSIÓN
Ahora, sin mirar las preguntas, cuenta la información en tus propias palabras. Si no recuerdas algo, un(a) compañero(a) te puede ayudar.

Answers

1. Sí, (No, no) sudo mucho cuando levanto pesas o hago calentamientos.
2. Sí, (No, no) hay un gimnasio cerca de donde vivo.
3. Sí, (No, no) soy muy asiduo(a) de los ejercicios.
4. Para mí, el hacer ejercicios (no) es una labor agradable.
5. Sí, a veces tengo que tratar de perder peso. (No, nunca tengo que tratar de perder peso.)
6. Sí, hay obstáculos en la vida que todos tenemos que vencer. (No, no hay obstáculos en la vida que tengamos que vencer.)
7. Sí, (No, no) es importante establecer metas.

QuickPass
Go to glencoe.com
For: **Journalism practice**
Web code: **ASD7851c4**

HABLAR • ESCRIBIR

2 Expresa de otra manera.

1. Le deben *dar* el premio porque lo merece.
2. Es *un trabajo duro.*
3. Necesitas *descanso.* Trabajas demasiado.
4. ¿Tienes calor? Veo *la transpiración* en tu frente.
5. Es algo que tienes que *conquistar.*
6. ¡Qué lugar más *popular*! Siempre está lleno de gente.
7. Él es *muy aficionado* a los deportes.
8. Todos debemos tener *objetivos* realistas.

3 Completa.

1. Hace mucho _____ en las selvas tropicales.
2. —¿Qué pasa? ¿No te gusta la sopa?
   —Sí, me gusta pero no está muy _____. ¿Me la puedes _____, por favor?
3. ¿Prefieres vivir en una región _____ o fría?
4. Nosotros ponemos la _____ en casa cuando hace frío.
5. Ella siempre hace _____ antes de empezar a hacer ejercicios.

▲ Una clase de ejercicios aeróbicos

Periodismo

GLENCOE Technology

Online Learning in the Classroom

You may wish to have students use QuickPass code ASD7851c4 for additional practice. Students can download audio files to their computer and/or MP3 player. They can also access a self-check quiz and a review worksheet.

Activities 2 and 3 You may wish to follow suggestions given in previous chapters for going over these vocabulary activities.

Answers

2

1. otorgar
2. una labor dura
3. reposo
4. el sudor
5. vencer
6. concurrido
7. asiduo
8. metas

3

1. calor
2. caliente, calentar
3. calurosa
4. calefacción
5. calentamientos

Leveling EACH Activity

Reading Level **Easy–Average**

TEACH

Core Instruction

You may wish to have students read this article quickly as if they were browsing through a magazine.

Antes de leer

Hoy en día todos queremos mantenernos en forma como vas a leer en estos artículos en la sección «Estilo de vida» en un periódico de Panamá. ¿Cuáles son algunas cosas que haces para mantenerte en forma? ¿Sigues un régimen de ejercicios? A veces, ¿tienes que ir a dieta o no?

Entrenamiento: Los beneficios y el por qué perseverar

La importancia de los ejercicios

No tiene sentido en un día o en una semana querer eliminar los kilos ganados, es un proceso constante.

Perder peso, romper la rutina, vencer el estrés y la depresión, sentirse bien: una rutina de actividades que ayuda a vivir mejor.

Los gimnasios siguen siendo bastante concurridos. Pero generalmente las promesas hechas al iniciarse el año y el entusiasmo de las primeras semanas no suelen ser de mucha duración.

Para muchos, el auge[1] de los gimnasios permanece mientras reducen los kilos ganados durante descansos y vacaciones, y se limpian los complejos de culpa[2] que dejan los desórdenes y excesos propios de las fiestas.

Aun así, para numerosos asiduos del ejercicio y las actividades físicas, va este saludo cordial. Es preciso celebrar el hecho de que ellos mantienen una rutina que les proporciona una mejor calidad de vida además de infundirles bienestar y energías siempre renovadas para la labor cotidiana.

El ejercicio, bien se sabe, es el mejor aliado de la salud y uno de los grandes garantes de la longevidad, pero con calidad.

Y cada vez son más los atributos que se le otorgan a esa rutina cotidiana de desarrollar actividades físicas, sean estas ejercicios, deportes u otros.

Protección para el corazón, armadura contra el estrés, equilibrio contra el exceso de peso y, por supuesto la obesidad, control a la diabetes, fortalecimiento de los músculos y la estructura ósea, es decir, también protección contra la artritis y la osteoporosis.

Muchos beneficios que compensan lo que para algunos implican un esfuerzo grande para perseverar.

Cumple con tus objetivos de entrenar

Recuerde que la actividad física, junto con una dieta equilibrada, además de saludable, es la mejor manera de mantener los kilos a raya. Además, si aumenta su masa muscular, acelerará su metabolismo y, consecuentemente, quemará más calorías, incluso en reposo.

Si su objetivo es perder unos kilos, dé prioridad a los ejercicios cardiovasculares (cinta, bicicleta estática). Si quiere tonificar sus músculos, empiece haciendo ejercicios con pesas, ya que agotará los depósitos de glucógeno.

(a continuación)

[1] auge *peak, height*
[2] complejos de culpa *guilt complexes*

Hábitos para aplicarlos en el gimnasio

Ingiera líquidos, agua o bebidas isotónicas antes, durante y después del ejercicio, a fin de evitar la deshidratación y los calambres[3] musculares. Las bebidas isotónicas, ricas en sodio y potasio, ayudan a reponer los minerales perdidos a través del sudor.

Nunca empiece un ejercicio sin haber calentado antes. Un buen calentamiento es la base de un buen entrenamiento. Con él, se aumenta la temperatura interna corporal, estimula la circulación sanguínea y prepara el organismo para la actividad física, y a la vez disminuye el riesgo de lesiones.

[3] calambres cramps

Después de leer

A Conectando con la gramática En este capítulo hay un buen repaso de los mandatos. Busca todos los mandatos que aparecen en estos artículos.

B Confirmando información Indica si la información es correcta o no.

1. Es aconsejable ingerir líquidos solamente después de hacer ejercicios.
2. No es necesario haber calentado antes de hacer ejercicios.
3. Una dieta equilibrada es tan importante como la actividad física.
4. Levantar pesas es un buen ejercicio cardiovascular.
5. Eliminar kilos, es decir perder peso, es algo que se hace en un solo día.
6. Una rutina de actividades nos ayuda a vivir mejor.

C Explicando Explica el significado de la siguiente frase.

«Para muchos, el auge de los gimnasios permanece mientras reducen los kilos ganados durante descansos y vacaciones, y se limpian los complejos de culpa que dejan los desórdenes y excesos propios de las fiestas».

◀ Gimnasio en Montelimar, Nicaragua

▶ PRACTICE

Después de leer

A Have students scan for the five command forms in **Cumple con tus objetivos de entrenar** and **Hábitos para aplicarlos en el gimnasio.**

B This activity can be prepared and then gone over in class.

C This activity can be used for class discussion. Have students discuss or debate whether or not they agree with the statement.

Cultural Snapshot

(page 197) Montelimar es un balneario en la costa occidental (del Pacífico) de Nicaragua.

Answers

A

Recuerde, dé, empiece, Ingiera, empiece

B

1. no
2. no
3. sí
4. no
5. no
6. sí

C *Answers will vary but may include:*

A mucha gente solo le interesa ir al gimnasio después de haber ganado peso durante vacaciones. Se sienten menos culpables si hacen ejercicios por un rato.

Resources

- Vocabulary Transparency V4.3
- Audio Activities TE, pages 4.29–4.30
- Audio CD 4B, Tracks 4–6
- Workbook, pages 4.14
- *ExamView® Assessment Suite*

TEACH

Core Instruction

You may wish to ask students the following personal questions as you present the vocabulary. **¿Tienes una mascota? ¿Qué tienes? ¿Lleva algún tipo de identificación? ¿Se extravió alguna vez? ¿Adónde fue? ¿Dónde lo (la) encontraste? ¿Tú lo (la) encontraste o lo (la) encontró otra persona? ¿Te lo (la) devolvió?**

PRACTICE

Leveling EACH Activity

Easy Activity 1
Average Activity 2

Activities ❶ and ❷ You can go over these activities orally in class.

Amigos con «cédula»

Vocabulario 

Estudia las siguientes palabras para ayudarte a entender el artículo.

el lomo parte superior del cuerpo de un animal
la cédula tarjeta de identidad; documento
el extravío acción de tomar un camino equivocado (erróneo)
las siglas OTAN, AAA, OEA son siglas
devolver restituirle (darle) una cosa a la persona que la poseía
rechazar resistir; lo contrario de «aceptar»
extraviarse perderse el camino

Práctica

ESCUCHAR • HABLAR

❶ Contesta.

1. ¿Llevan muchas mascotas una cédula?
2. ¿Se extravían de vez en cuando las mascotas?
3. ¿Se pone nerviosa la familia cuando su mascota se extravía?
4. ¿Esperan que alguien la encuentre y se la devuelva?

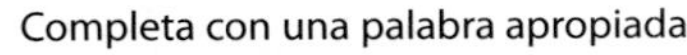

LEER • ESCRIBIR

❷ Completa con una palabra apropiada.

1. En muchos países los ciudadanos tienen que llevar siempre una ____ de identidad.
2. Él tiene mi lápiz. Yo lo necesito y él no me lo quiere ____.
3. No lo va a ____. Lo va a aceptar.
4. OEA son las ____ de la Organización de Estados Americanos.
5. A mí me gusta mucho el ____ de bife. Es muy tierno.

Esta señora kuna tiene como mascota un mono pequeño. ▶

Answers

❶

1. Sí (No), muchas mascotas (no) llevan una cédula.
2. Sí, las mascotas se extravían de vez en cuando.
3. Sí, la familia se pone nerviosa cuando su mascota se extravía.
4. Sí, esperan que alguien la encuentre y se la devuelva.

❷

1. cédula
2. devolver
3. rechazar
4. siglas
5. lomo

Antes de leer

¿Tienes una mascota o tienen otros miembros de tu familia una mascota? Casi todos los dueños de mascotas hacen todo lo posible para protegerlas y manternerlas en buena salud. ¿Cuáles son algunas cosas que se pueden hacer para la seguridad de las mascotas? Ahora vas a leer sobre un mecanismo que ayuda a dar con una mascota que se haya extraviado.

Amigos con «cédula»

«Chip» se implanta en animales para poder identificarlos.

A veces, ver abierta la puerta de la casa que da a la calle es una mala señal. Puede significar que el perro salió y anda vagando por el barrio. A menudo hay que preguntar a los vecinos o salir a «patrullar» las calles para dar con la mascota.

La angustia y la preocupación que invade a los dueños es fuerte. Sin embargo, esas sensaciones podrían ser cosa del pasado.

Para que «los mejores amigos del hombre» puedan ser identificados y devueltos a casa se creó un microchip que se les coloca en el cuerpo y reúne toda su información. Esta pequeña pieza, aunque parezca ciencia-ficción, es lo último en tecnología.

Aunque ya tiene algunos años en el mercado aún no es muy difundido en el país y se llama AVID, (siglas en inglés para *American Veterinarian Identification Device*) y en Costa Rica se usa desde hace unos años.

Al servicio

«Este sistema fue ideado por una compañía estadounidense para proporcionar una identificación individual de todas las mascotas y así poder localizarlas mediante el servicio ID Animal (como una cédula), en caso de extravío», explicó el veterinario Oldemar Echandi, de la veterinaria Doctores Echandi.

El AVID es un pequeñísimo circuito de computadora, recubierto con una proteína biocompatible (que el cuerpo del animal no rechaza) y almacena[1] el número de identificación de cada mascota.

«Es como la punta de un lápiz, se inyecta bajo la piel y es inalterable e irremovible», aseguró el veterinario Pedro Villalobos, de la Veterinaria Lutz.

Ambos veterinarios, Echandi y Lutz, implantan el AVID en el país y dan el servicio de identificación con un costo de ¢7.000 y ¢8.000 respectivamente.

«Si un animal se pierde o es robado, el dueño puede comprobar que es suyo con solo revisar el chip», comentó Villalobos.

¿Cómo se implanta?

Este dispositivo se aplica mediante una sencilla inyección, con un aparato especial mediante la cual el microchip es colocado bajo la piel del animal, específicamente en la región cruz (lomo). La aplicación no significa ninguna molestia para las mascotas.

(a continuación)

[1] almacena *stores*

Periodismo

Leveling EACH Activity

Reading Level **Easy**

TEACH

Core Instruction

Step 1 Have students read this human interest story for amusement. You may even just have them read it silently. Call on a few students to summarize the general idea.

Step 2 In slower paced groups, however, you may wish to go over the reading orally in class. It is quite easy and contains some useful vocabulary.

Additional Vocabulary

You may wish to give students the names of the following breeds of dogs: **el cócker, el bóxer, el gran danés, el pequinés, el afgano, el galgo** *(greyhound)*, **el pastor alemán, el choco** *(poodle)*, **el perro de San Bernardo, el perro de muestra** *(setter)*, **el perro de aguas** *(spaniel)*.

GLENCOE Technology

Online Learning in the Classroom

You may wish to have students use QuickPass code ASD7851c4 for additional practice. Students can download audio files to their computer and/or MP3 player. They can also access a self-check quiz and a review worksheet.

Teaching Options

It is recommended that you allow students to look up the answers as they read rather than use the activities for factual recall.

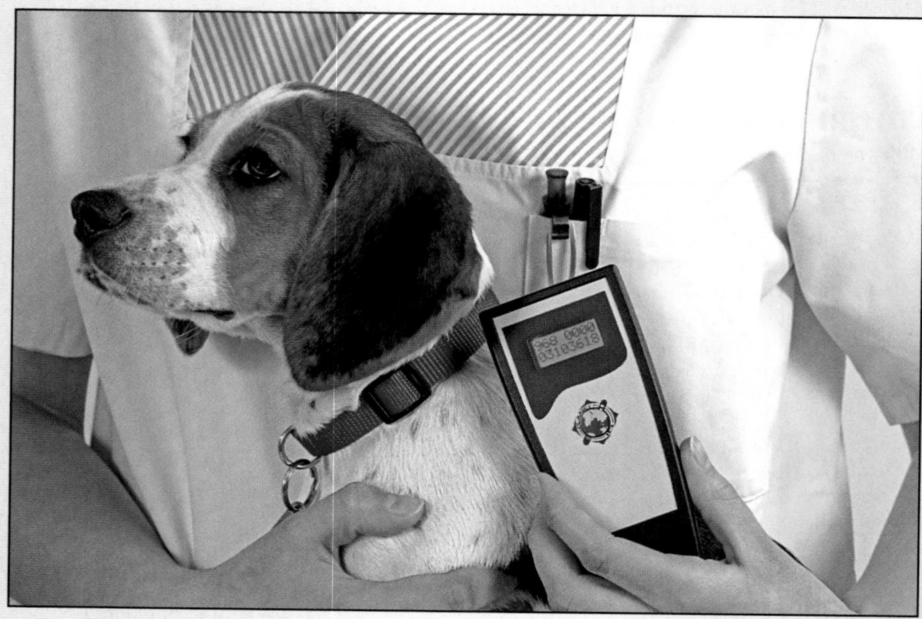

Aunque el dispositivo solo se coloca en perros y caballos, es posible usarlo en cualquier otro animal, incluso en aves.

«Antes nosotros lo implantábamos en animales salvajes, pero luego se exportó a los domésticos», aseguró Echandi.

Además, el chip se puede colocar en animales de cualquier edad pues no causa efectos secundarios negativos.

«Una vez inyectado la capa que recubre al microchip evita su migración del sitio donde se puso y garantiza la permanencia y durabilidad por el resto de la vida del animal», explicó Echandi.

Este chip no funciona con baterías, ni requiere mantenimiento. La memoria computarizada del mismo contiene un código individual e irrepetible, por lo que es imposible que existan dos iguales.

Para leer el código se utiliza un lector[2] especial, el cual al ser activado registra el número en una pantalla de cristal líquido.

«Una vez identificada la serie, esta se mete en la computadora, la cual indica el nombre del propietario, su dirección y cédula, así como las características del animal ya sea raza, color y edad», comentó Echandi.

Este código no solo funciona en Costa Rica (se aplica en más de veinticinco veterinarias en San José, Cartago, Heredia y Alajuela), pues también en Estados Unidos, Canadá, Europa y todo Latinoamérica.

[2] lector *scanner*

Después de leer

A **Recordando hechos** Contesta.

1. ¿Por qué puede ser una mala señal una puerta abierta que da a la calle?
2. ¿Quiénes son «los mejores amigos del hombre»?
3. ¿Qué se ha creado?
4. ¿Dónde se coloca el microchip?
5. ¿Qué es el AVID? Descríbelo.

B **Explicando** Explica el microchip.

1. como se implanta
2. por cuanto tiempo dura el chip
3. como funciona
4. lo que se usa para leer el código
5. la información que da el código
6. donde funciona el código

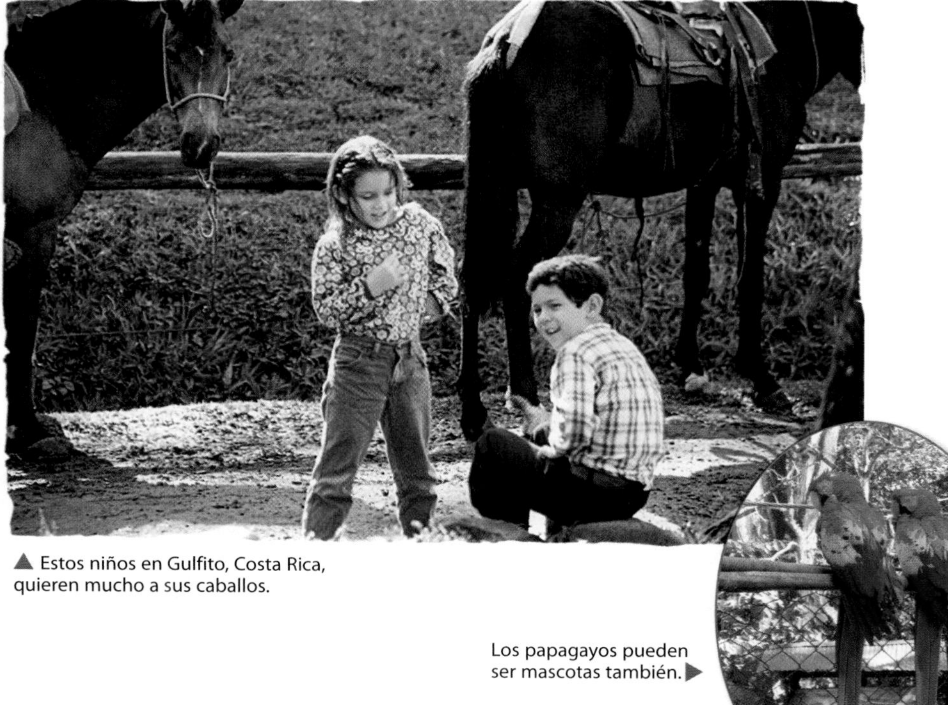

▲ Estos niños en Gulfito, Costa Rica, quieren mucho a sus caballos.

Los papagayos pueden ser mascotas también. ▶

▶ PRACTICE

Después de leer

A and **B** Have students prepare these activities for homework and then go over them orally in class.

Divide the class into two teams. Have each team take turns giving the name of an animal in Spanish. The team that thinks of the most names wins.

Answers

A

1. Una puerta abierta que da a la calle puede ser una mala señal porque puede indicar que la mascota se extravió (salió).
2. «Los mejores amigos del hombre» son los perros.
3. Se ha creado un microchip que reune toda la información de la mascota.
4. El microchip se coloca en el cuerpo del animal.
5. El AVID es un dispositivo que se inyecta en el animal que ayuda a localizarlo en caso de extravío.

B

1. Se implanta bajo la piel del animal en la región cruz (lomo) mediante una sencilla inyección.
2. El chip dura por toda la vida del animal.
3. Tiene una memoria computarizada con un código individual e irrepetible para identificar al animal y a su dueño.
4. Se usa un lector especial.
5. Da el nombre del propietario, su dirección y cédula, así como los detalles del animal.
6. El código funciona en Costa Rica, Estados Unidos, Canadá, Europa y Latinoamérica.

Resources

- Tests, pages 4.61–4.62
- *ExamView® Assessment Suite*

Self-check for achievement

This is a pre-test for students to take before you administer the lesson test. Note that each section is cross-referenced so students can easily find the material they feel they need to review. You may wish to use Self-Check Worksheet Transparency SC4.3 to have students complete this assessment in class or at home. You can correct the assessment yourself, or you may prefer to project the answers on the overhead in class using Self-Check Answers Transparency SC4.3A.

Differentiation

Slower Paced Learners

Encourage students who need extra help to refer to the book icons and review any section before answering the questions.

Prepárate para el examen

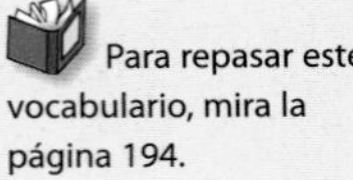

Self-check for achievement

Entrenamiento

Para repasar este vocabulario, mira la página 194.

Para repasar este artículo, mira las páginas 196–197.

Vocabulario

1 Completa.

1. Sí, tenemos que trabajar pero todos necesitamos ____ también.
2. Es muy ____ de los deportes. Los practica siempre.
3. Este gimnasio tiene muchos socios. Es un gimnasio muy ____.
4. Todos debemos establecer ____ realistas que podemos realizar.

5–7. No hace frío. Hace mucho ____ en una región ____ y la gente que vive allí no necesita ____ en su casa.

8. Debes hacer ____ antes de hacer ejercicios fuertes.

Lectura

2 Contesta.

9. ¿Qué debe ingerir una persona cuando hace ejercicios?
10. ¿Qué debe hacer antes de empezar a hacer ejercicios?
11. Además de la actividad física, ¿cuáles son otras cosas que debemos hacer para mantener buena salud?

3 ¿Sí o no?

12. Es fácil perder muchos kilos en pocos días.
13. Para todos los que empiezan a ir a un gimnasio, su entusiasmo dura mucho tiempo.

Amigos con «cédula»

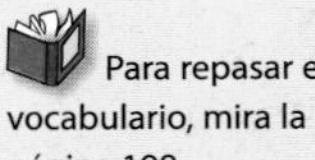

Para repasar este vocabulario, mira la página 198.

Para repasar este artículo, mira las páginas 199–201.

Vocabulario

4 Completa.

14. OEA y OTAN son ____.
15. No debes ____ ninguna opción antes de considerarla.
16. Si tienes algo que no es tuyo lo debes ____ a su dueño.
17. Una ____ es un tipo de documento de identidad.
18. Los dueños se ponen muy nerviosos si su mascota ____.

Lectura

5 Completa.

19. A veces una mascota puede salir de la casa por ____.
20. Se ha creado un microchip ____.
21. El chip se implanta por ____.
22. Antes insertaban este chip solo en ____.

6 ¿Sí o no?

23. El chip funciona con baterías y requiere mucho mantenimiento.
24. El chip permite identificar el nombre y dirección del propietario.
25. El chip se puede usar solo con perros.

Answers

1

1. reposo
2. asiduo(a)
3. concurrido
4. metas

5–7. calor, calurosa, calefacción

8. calentamientos

2

9. Cuando hace ejercicios una persona debe ingerir líquidos, agua o bebidas.
10. Antes de empezar a hacer ejercicios una persona debe calentar.
11. Además de la actividad física, debemos tomar una dieta equilibrada y saludable y aumentar la masa muscular para mantener buena salud.

3

12. no
13. no

Prepárate para el examen

Practice for proficiency

Periodismo

1 **Usando las siguientes categorías indica lo que tú haces para mantener un buen estado de salud.**

dieta	actividad física	metas	reposo

2 **Ejercicios**

Trabajen en grupos de tres o cuatro. Den sus opiniones sobre los ejercicios y los que cada uno de ustedes practica o no practica. Después de su conversación determinen quién es el más asiduo(a) de los ejercicios. Pueden consultar la lista de vocabulario temático sobre los deportes y actividades físicas al final de este libro.

3 **Mi mascota**

¿Tienes una mascota? Descríbela. ¿La adoras? ¿Cuáles son algunas cosas «adorables» que hace? ¿Saldrá si dejas una puerta abierta? ¿Se extravía de vez en cuando o regresa (vuelve) enseguida?

4 **Amigos con «cédula»**

¿Qué opinas del chip que describe este artículo? Explica como funciona. ¿Quisieras tener implantada una en tu mascota?

▲ Estas excursionistas están descansando un rato mientras admiran la misteriosa vegetación tropical en Tikal, Guatemala.

Un escrito personal

Vas a preparar un escrito personal. En tu escrito incluye los siguientes temas.

mi rutina **mi vida escolar** **mis talentos** **mi dieta** **mis amigos** **mis actividades (deportes, pasatiempos)**

Analiza la información que pones en cada una de las categorías para determinar si la mayoría de tus actividades te ayudan a mantenerte en forma o no. Expresa tus opiniones. Si contestas que no, explica lo que puedes o debes hacer para cambiar tu rutina o actividades.

Después de revisar y corregir tu borrador, escribe de nuevo tu escrito en forma final.

Tips for Success

Encourage students to say as much as possible when they do these open-ended activities. Tell them not to be afraid to make mistakes, since the goal of the activities is real-life communication. If someone in the group makes an error, allow the others to politely correct him or her. Let students choose the activities they would like to do.

Tell students to feel free to elaborate on the basic theme and to be creative. They may use props, pictures, or posters if they wish.

Pre-AP These oral and written activities will give students the opportunity to develop and improve their speaking and writing skills so that they may succeed on the speaking and writing portions of the AP exam.

Note: You may wish to use the rubrics on page 168D or 168F to help students prepare their speaking activities and their writing task.

Answers

4

14. siglas
15. rechazar
16. devolver
17. cédula
18. se extravía

5

19. una puerta abierta
20. que se les coloca en el cuerpo y reúne toda su información
21. una inyección en la región cruz
22. animales salvajes

6

23. no
24. sí
25. no

Resources

- Vocabulary Transparency V4.4
- Audio Activities TE, pages 4.31–4.32
- Audio CD 4B, Tracks 7–9
- *ExamView® Assessment Suite*

Teaching Options

You may wish to choose certain selections to be studied or you can do them all.

PRACTICE

Leveling EACH Activity

Easy Activity 1

GLENCOE Technology

Online Learning in the Classroom

You may wish to have students use QuickPass code ASD7851c4 for additional practice. Students can download audio files to their computer and/or MP3 player. They can also access eFlashcards and a review worksheet.

Lección 4 Literatura

Parte 1: Poesía

Lo fatal* • *Canción de otoño en primavera de Rubén Darío

▲ El volcán San Cristóbal en Nicaragua

un ramo (racimo) de flores

Vocabulario

Estudia las siguientes palabras para ayudarte a entender los poemas.

la sombra lo que da un árbol; oscuridad debida a las hojas del árbol

el rumbo dirección, sentido

dichoso(a) afortunado, que tiene suerte

llorar una persona muy triste lo hace; se le salen lágrimas de los ojos

Práctica

ESCUCHAR • HABLAR • ESCRIBIR

1 Contesta.

1. ¿Da sombra el árbol?
2. ¿Son bonitos los ramos de flores?
3. ¿Anda la señora sin rumbo?
4. ¿Llora ella?
5. ¿Mira su ramo de flores?
6. ¿Qué opinas? ¿Es dichosa la señora?
7. ¿Es dichosa la persona que encuentra la felicidad?

Answers

1. Sí, el árbol da sombra.
2. Sí, los ramos de flores son bonitos.
3. Sí, la señora anda sin rumbo.
4. Sí, ella llora.
5. Sí, mira su ramo de flores.
6. No, la señora no es dichosa.
7. Sí, la persona que encuentra la felicidad es dichosa.

Lo fatal • Canción de otoño en primavera

de Rubén Darío

Introducción

Rubén Darío (1867–1916) tiene fama de ser el príncipe de los poetas de las Américas. Su verdadero nombre es Félix Rubén García Sarmiento. Nació en una aldea pequeña de Nicaragua y cuando tenía solo ocho meses sus padres lo abandonaron y fue recogido por una tía. Aprendió a leer y escribir muy temprano. Un joven pobre y angustiado, anduvo por muchos países de América y Europa sin echar raíces en ninguno. Trabajó en varias revistas y periódicos importantes. Vivió intensamente y volvió a su patria donde murió a los cuarenta y nueve años.

Rubén Darío pudo resumir muchas corrientes literarias—antiguas, modernas, clásicas, románticas, simbolistas y decadentes. Se dice que vivió de la poesía y para la poesía.

Los dos poemas que siguen reflejan la tristeza y pena que sintió el poeta durante toda su vida.

En las siguientes poesías el famoso autor Rubén Darío nos presenta unos aspectos de su filosofía de vida. Basado en lo poco que sabes de su vida, ¿qué tipo de filosofía tendría? ¿Te sorprende lo que él dice en sus poesías o no?

Lo fatal

Dichoso el árbol que es apenas[1] sensitivo,
y más piedra dura, porque ésa ya no siente,
pues no hay dolor más grande que el dolor de ser vivo,
ni mayor pesadumbre[2] que la vida consciente.
Ser, y no saber nada, y ser sin rumbo cierto,
y el temor de haber sido y un futuro terror...
y el espanto[3] seguro de estar mañana muerto,
y sufrir por la vida y por la sombra y por
lo que no conocemos y apenas sospechamos,
y la carne que tienta con sus frescos racimos,
y la tumba que aguarda con sus fúnebres ramos,
y no saber adónde vamos,
¡ni de dónde venimos... !

[1] apenas *scarcely*
[2] pesadumbre *grief, pain*
[3] espanto *fright, terror*

▲ Una ceiba a orillas del lago de Nicaragua

Literatura

Resources

- Audio Activities TE, pages 4.32–4.33
- Audio CD 4B, Tracks 10–13
- Tests, pages 4.63–4.64
- *ExamView® Assessment Suite*

Introducción

Call on a student to give a brief overview of Darío's life.

Leveling EACH Activity

Reading Level **CHallenging**

TEACH

Core Instruction

Step 1 Have students listen to the poem on Audio CD 4B.

Step 2 Read the poem to the class with as much expression as possible. The expression can help with comprehension.

Students experience, discuss, and analyze two poems, *Lo fatal* and *Canción de otoño en primavera,* by the famous Nicaraguan modernist poet Rubén Darío.

Leveling EACH Activity

Reading Level **Average**

TEACH

Core Instruction

Step 1 Call on a student with good pronunciation to read the poem aloud.

Step 2 Ask students: **¿Va a volver la juventud? A veces, ¿qué pasa cuando el poeta quiere llorar? Y a veces, ¿cuándo llora? ¿Puedes explicar por qué?**

PRACTICE

Después de leer

A, B, and **C** You can intersperse these activities as you are presenting the poem, *Lo fatal.*

Cultural Snapshot

(page 206 top) Esta es el patio de la casa donde Rubén Darío pasó su niñez. Pero no vivió aquí con sus padres. La casa es ahora un museo donde se pueden ver muchos efectos personales del autor.
(page 206 bottom) El Teatro Nacional Rubén Darío está ubicado cerca de las orillas del Lago de Managua. Patrocinado por el gobierno, se presentan obras dramáticas, conciertos y espectáculos de bailes.

▲ Casa de Rubén Darío en León, Nicaragua

Canción de otoño en primavera

Juventud, divino tesoro
¡ya te vas para no volver!
Cuando quiero llorar, no lloro,
y a veces lloro sin querer...

Después de leer

A **Analizando** Contesta según lo que dice el poeta en *Lo fatal.*

1. ¿Por qué es dichoso el árbol?
2. ¿Por qué es aún más dichosa una piedra dura?
3. ¿Cuál es el dolor más grande?
4. ¿Qué es la vida consciente?

B **Personalizando** Contesta.

Al leer el poema *Lo fatal,* ¿cuáles son las emociones y los sentimientos que te evocan? ¿Alguna vez te has sentido como el poeta?

Teatro Rubén Darío, Managua, Nicaragua ▶

C **Comparando y analizando** Contesta.

En el poema *Lo fatal,* ¿a quién está comparando Rubén Darío un árbol y una piedra? ¿Por qué?

D **Interpretando emociones y sentimientos** Contesta.

Leer el poema *Lo fatal* no es ni fácil ni alegre. El poeta nos habla no solo de su tristeza sino de su verdadero sufrimiento interior—de sus pesadumbres. En tus propias palabras, por sencillas que sean, expresa lo que el poeta te está diciendo. ¿Cómo te está hablando?

Answers

A

1. El árbol es dichoso porque no es sensitivo.
2. Una piedra dura es aún más dichosa porque ya no siente.
3. El dolor más grande es el dolor de ser vivo.
4. La vida consciente es la vida no dormida (la vida despertada).

B *Answers will vary.*

C *Answers will vary but may include:*
En el poema *Lo fatal,* Ruben Darío está comparando un árbol y una piedra a los humanos. Quiere demostrar lo dichosos que son porque no experimentan los sentimientos humanos.

D *Answers will vary.*

◀ Tumba de Rubén Darío, León, Nicaragua

E **Conectando la literatura con la vida** Contesta.

De lo que has aprendido sobre la vida de Rubén Darío, ¿puedes comprender el tono triste y deprimente de su poema *Lo fatal*? ¿Por qué es así?

F **Buscando la idea principal** Explica por qué el poeta le daría el título *Lo fatal* a este poema.

G **Interpretando** Explica según lo que dice el poeta en *Canción de otoño en primavera.*

1. lo que simboliza el otoño
2. lo que simboliza la primavera
3. lo que es la juventud
4. lo que le pasa a la juventud

H **Dando opiniones personales** Contesta.

Todavía eres muy joven, pero ¿qué te parece? ¿Se va la juventud muy de prisa o no? ¿Quisieras más tiempo para disfrutar de la juventud? ¿Esperas que no pase muy rápido? ¿Por qué?

I **Investigando** Lee una traducción del poema *Carpe diem* del famoso autor romano Ovidio. Compara su *Carpe diem* con *Canción de otoño en primavera.*

Literatura

E–I These activities can also be done as complete class discussions.

Teaching Options

You may wish to let students select the activities they would like to do or take part in.

Cultural Snapshot

(page 207) La tumba de Rubén Darío está en la catedral de León, la catedral más grande de Centroamérica.

Answers

E *Answers will vary but may include:*
Es así porque sus padres lo abandonaron cuando tenía solo ocho años. Era pobre y angustiado. No echó raíces por ninguna parte.

F *Answers will vary.*

G
1. La vejez simboliza el otoño.
2. La juventud simboliza la primavera.
3. La juventud es un divino tesoro.
4. La juventud ya se va.

H *Answers will vary.*

I *Answers will vary.*

Resources

- Vocabulary Transparency V4.5
- Audio Activities TE, page 4.34
- Audio CD 4B, Tracks 14–15
- *ExamView® Assessment Suite*

Vocabulario

Core Instruction

Have students listen to the new words on Audio CD 4B.

PRACTICE

Leveling EACH Activity

Average Activity 1

Activity 1 Have students study the vocabulary for homework and prepare this activity. Then go over it the next day in class.

ABOUT THE SPANISH LANGUAGE

The word **ladino** has different meanings in different parts of the Hispanic world. The word is used to refer to the Judeo-Spanish dialect based upon sixteenth-century Spanish that is still heard in many parts of the world. In Central America **ladino** usually refers to mestizos who speak only Spanish.

GLENCOE Technology

Online Learning in the Classroom

You may wish to have students use QuickPass code ASD7851c4 for additional practice. Students can download audio files to their computer and/or MP3 player. They can also access eFlashcards and a review worksheet.

Lección 4

Literatura

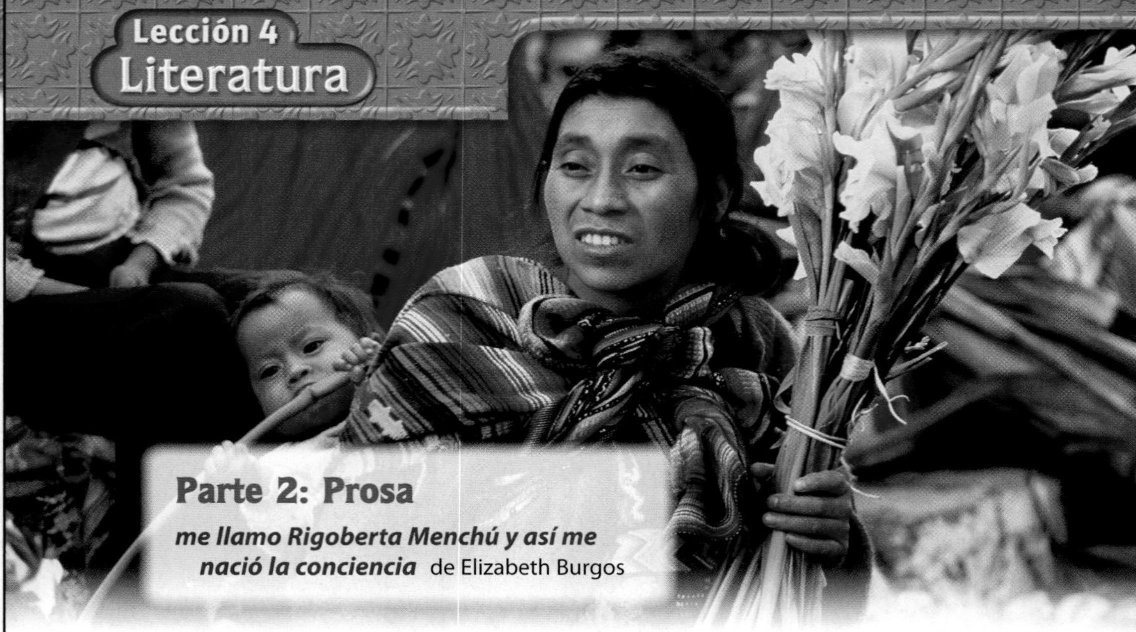

Parte 2: Prosa

me llamo Rigoberta Menchú y así me nació la conciencia de Elizabeth Burgos

▲ Mercado de flores en la provincia de Quiché, Guatemala

Milpa en Santiago de Atitlán, Guatemala ▼

Vocabulario

Estudia las siguientes palabras para ayudarte a entender la lectura.

la milpa en Centroamérica y México, terreno dedicado al cultivo del maíz

una chispa partícula que salta de un fuego o incendio

el/la antepasado(a) abuelo(a); ancestro(a)

el/la ladino(a) mestizo o indígena que habla español y que se ha adaptado a costumbres urbanas (usado en Guatemala)

compuesto(a) hecho, producido

sagrado(a) venerable, santo, con valor religioso

desperdiciar perder, malgastar

herir causar daño, lastimar

Práctica

LEER • ESCRIBIR

1 Completa con una palabra apropiada.

1. Los recursos naturales son limitados, no se deben ____.
2. Los indígenas respetan el agua y la tierra porque creen que son cosas ____.
3. Los indígenas también respetan a sus abuelos y a otros ____.
4. Ellos prefieren los productos naturales, no los productos ____ por máquinas.
5. Nunca debemos ____ ni lastimar a nadie.
6. La tierra destinada al cultivo del maíz es la ____.
7. De vez en cuando una ____ pequeña puede causar un incendio.

Answers

1

1. desperdiciar
2. sagradas
3. antepasados
4. compuestos
5. herir
6. milpa
7. chispa

me llamo Rigoberta Menchú y así me nació la conciencia

de Elizabeth Burgos

Introducción

En muchas partes de Latinoamérica la población indígena es significativa, y en algunos países, mayoritaria. A pesar de lo numerosa que es la población indígena, su participación en la vida económica y social nacional es frecuentemente muy limitada. Las poblaciones indígenas se ven marginadas. Muchas veces son víctimas de pobreza y discriminación. Siempre ha habido defensores de los indígenas, como Fray Bartolomé de las Casas en el México del siglo XVI. Pero hoy, desde México hasta Tierra del Fuego, son los mismos indígenas los que luchan por la justicia y por sus derechos.

Rigoberta Menchú pertenece a los quichés, grupo indígena de Guatemala, descendientes de los mayas. Ella nació en 1959 en la pequeña aldea de Chimel en el estado guatemalteco de El Quiché en el norte del país.

A los veintitrés años de edad Rigoberta Menchú contó la historia de su vida a Elizabeth Burgos quien la redactó tal como se la contó Rigoberta. Dice Burgos:

«La historia de su vida es más un testimonio sobre la de Guatemala. Por ello es ejemplar, puesto que encarna la vida de todos los indios del continente americano. Lo que ella dice a propósito de su vida, de su relación con la naturaleza, de la vida, la muerte, la comunidad, lo encontramos igualmente entre los indios norteamericanos, los de América Central y los de Sudamérica».

Rigoberta Menchú ha luchado por los derechos de los indígenas, no solo de Guatemala, sino de toda la América. En 1992 ella recibió el Premio Nobel de la Paz.

En la selección que sigue del libro *me llamo Rigoberta Menchú y así me nació la conciencia* ella nos habla de la importancia de la naturaleza en la vida de los quichés. La selección comienza con unas frases del *Popul Vuh,* el libro sagrado de los quichés de Guatemala que data del siglo XVI.

Estrategia

Leyendo en voz alta La siguiente selección tiene un estilo conversacional. Una buena estrategia es leerla en voz alta para oír lo que te dice la autora. Otra estrategia es la de determinar el propósito que tenía la autora en producir su obra.

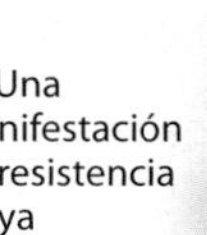

◀ Una manifestación de resistencia maya

Rigoberta Menchú ▶

Resources

- Audio Activities TE, pages 4.35–4.36
- Audio CD 4B, Tracks 16–17
- Tests, page 4.65
- *ExamView® Assessment Suite*

Introducción

You may wish to ask students questions about Rigoberta Menchú's life.

Differentiation

Advanced Learners

Call on advanced learners to give a brief synopsis of Rigoberta Menchú's life.

Leveling EACH Activity

Reading Level **Easy**

Cultura

Students increase their cultural understanding by learning of the customs and traditions of the Quiché people of Guatemala, as described by Rigoberta Menchú. Ask students to point out some of these customs and compare and contrast them with customs and traditions of their own.

Conexiones

La literatura

Rigoberta Menchú narrated her book to Elizabeth Burgos, who transcribed and edited the work. It should be noted that Burgos tried to maintain the original flavor and feeling of the narrative provided by Menchú.

TEACH
Core Instruction

Step 1 Before they begin to read, have students read the questions in Activity A on page 211 so they can look for the information as they read the selection.

Step 2 Choose students to read portions of the selection aloud to the class. Remind them that this is a first person narrative.

Step 3 After each student has read his or her portion of the text, call on another student to tell in his or her own words what was read to them.

Cultura

The *Popol Vuh,* the sacred book of the Quiché, is the most important document of the mythology and history of the Quiché. The conquistador Pedro de Alvarado destroyed the original. It was rewritten in Spanish by a converted Quiché shortly after the conquest.

me llamo Rigoberta Menchú y así me nació la conciencia

Tojil, en la oscuridad que le era propicia, con una piedra golpeó el cuero de su sandalia, y de ella, al instante, brotó una chispa, luego un brillo y en seguida una llama y el nuevo fuego lució esplendoroso. (Popol Vuh)

Entonces también desde niños recibimos una educación diferente de la que tienen los blancos, los ladinos. Nosotros, los indígenas, tenemos más contacto con la naturaleza.

... respetamos una serie de cosas de la naturaleza. Las cosas más importantes para nosotros. Por ejemplo, el agua es algo sagrado. La explicación que nos dan nuestros padres desde niños es que no hay que desperdiciar el agua, aunque haya. El agua es algo puro, es algo limpio y es algo que da vida al hombre. Sin el agua no se puede vivir, tampoco hubieran podido vivir nuestros antepasados...

Reading Check
Para la gente de Rigoberta Menchú, ¿qué es el agua?

Tenemos tierra. Nuestros padres nos dicen «Hijos, la tierra es la madre del hombre porque es la que da de comer al hombre.» Y más nosotros que nos basamos en el cultivo, porque nosotros los indígenas comemos maíz, frijol y yerbas del campo y no sabemos comer, por ejemplo, jamón o queso, cosas compuestas con aparatos, con máquinas.

Reading Check
¿Qué comen y no comen los quichés?

Entonces se considera que la tierra es la madre del hombre. Y de hecho nuestros padres nos enseñan a respetar esa tierra. Sólo se puede herir la tierra cuando hay necesidad. Esa concepción hace que antes de sembrar nuestra milpa, tenemos que pedirle permiso a la tierra.

Cuando se pide permiso a la tierra, antes de cultivarla, se hace una ceremonia... En primer lugar se le pone una candela al representante de la tierra, del agua, del maíz, que es la comida del hombre. Se considera, según los antepasados, que nosotros los indígenas estamos hechos de maíz. Estamos hechos del maíz blanco y del maíz amarillo, según nuestros antepasados. Entonces, eso se toma en cuenta. Y luego la candela, que representa al hombre como un hijo de la naturaleza, del universo. Entonces, se ponen esas candelas y se unen todos los miembros de la familia a rezar. Más que todo pidiéndole permiso a la tierra, que dé una buena cosecha. También se reza a nuestros antepasados, mencionándoles sus oraciones, que hace tiempo, hace mucho tiempo existen.

Reading Check
¿A quiénes rezan?

El río Rey Marcos, Guatemala

QuickPass
Go to glencoe.com
For: **Literature practice**
Web code: **ASD7851c4**

Después de leer

Lago Atitlán, Guatemala

A **Recordando hechos** Contesta sobre unas costumbres quichés.

1. ¿Qué reciben los indígenas que es diferente de lo que reciben los blancos o los ladinos?
2. ¿Con qué tienen más contacto y qué respetan más?
3. ¿Por qué tiene el agua tanta importancia para ellos?
4. Para ellos, ¿qué es la tierra? ¿Por qué?
5. ¿Qué comen? Y, ¿qué no comen los indígenas?
6. ¿Qué se hace antes de cultivar la milpa?
7. ¿Cómo es la ceremonia?
8. Según los antepasados, ¿de qué están hechos los indígenas?
9. Cuando rezan, ¿qué le piden a la tierra?
10. ¿A quiénes más rezan?

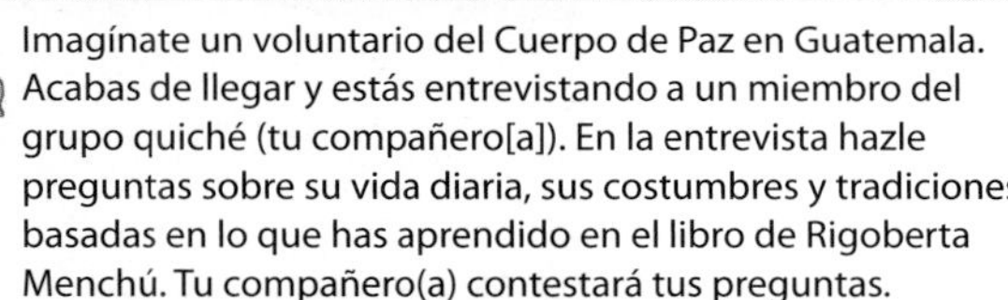

Comunicación

B Imagínate un voluntario del Cuerpo de Paz en Guatemala. Acabas de llegar y estás entrevistando a un miembro del grupo quiché (tu compañero[a]). En la entrevista hazle preguntas sobre su vida diaria, sus costumbres y tradiciones basadas en lo que has aprendido en el libro de Rigoberta Menchú. Tu compañero(a) contestará tus preguntas.

Literatura

Cultura

Ask students to compare the attitudes of nonindigenous peoples and indigenous people such as the Quiché toward the cultivation of the land and the use of natural resources such as water.

Conexiones

La literatura

In 1998 an American anthropologist questioned a number of assertions found in Rigoberta Menchú's book. He accused her of fabricating or seriously exaggerating many of the episodes in the book. Her claim that she only learned Spanish as an adult, for example, seemed to be refuted by nuns who claimed to have taught her as a child in church schools. Nevertheless, the conditions and descriptions of village life related by her are, it is agreed, accurate.

Cultural Snapshot

(page 211) Del lago Atitlán dijo Aldous Huxley «Es el lago más bonito del mundo». Las aguas del lago son de un azul claro y a sus orillas hay tres volcanes. Alrededor del lago hay doce pueblos; cada uno lleva el nombre de un apóstol. El más conocido es Santiago Atitlán.

Answers

A

1. La educación que reciben los indígenas es diferente de lo que reciben los blancos o los ladinos.
2. Tienen más contacto con la naturaleza y la respetan más.
3. El agua tiene tanta importancia para ellos porque es algo sagrado y puro; da vida al hombre.
4. Para ellos, la tierra es la madre del hombre porque es la que da de comer al hombre.
5. Comen maíz, frijol y yerbas del campo. No comen jamón o queso.
6. Antes de cultivar la milpa se le pide permiso.
7. En la ceremonia se le pone una candela al representante de la tierra, del agua, del maíz y rezan con todos los miembros de la familia.
8. Según los antepasados, los indígenas están hechos del maíz blanco y maíz amarillo.
9. Cuando rezan, le piden a la tierra que dé una buena cosecha.
10. Rezan también a los antepasados.

B *Answers will vary.*

The Video Program for Chapter 4 includes three documentary segments of some interesting aspects of life in Costa Rica. You may wish to have students answer the **Antes de mirar** questions orally or in writing.

Episodio 1: Los agricultores costarricenses hoy usan tractores. Pero hace un siglo usaban carretas tiradas por bueyes. La gente entonces empezó a decorar sus carretas. Las pintaban de colores vivos y brillantes y diseños complicados. Hoy las carretas son parte del folclore de Costa Rica. Los artesanos pintan estas carretas para exhibirlas.

Episodio 2: Hace muchos siglos que acróbatas, malabaristas y payasos presentan sus espectáculos en las calles y plazas de todo el mundo. Estos jóvenes son miembros del grupo *Magos del tiempo* en San José, Costa Rica. El grupo se estableció en 2002. Aquí uno de ellos está enseñándoles a los compañeros como hacer malabarismo.

Episodio 3: En esta finca no crían vacas ni ovejas. Lo que crían son mariposas. María Fernanda guía a un grupo de visitantes por la finca. La mariposa comienza como un huevecito. Luego se convierte en larva y después en crisálida. La Finca de Mariposas envía crisálidas a todo el mundo. Una visita a la Finca de Mariposas es una experiencia inolvidable.

Videopaseo

¡Un viaje virtual a Costa Rica!

Antes de mirar el episodio, completen las actividades que siguen.

Episodio 1: Una artesanía costarricense

Antes de mirar Con unos compañeros de clase, contesten las siguientes preguntas para prepararse para lo que van a ver en el video.

1. Según el título del episodio, ¿de qué se tratará?
2. Piensen en lo que han aprendido en la lección de Cultura de este capítulo. ¿Qué saben ustedes de Costa Rica? ¿Dónde está? ¿Cuál es la capital del país?
3. Miren la foto del video. ¿Para qué se usará el objeto en la foto?
4. ¿Han visto artesanías semejantes en Estados Unidos? ¿Dónde? Descríbanlas.

Episodio 2: Soñadores y malabaristas

Antes de mirar Con unos compañeros de clase, contesten las siguientes preguntas para prepararse para lo que van a ver en el video.

1. Según el título del episodio, ¿de qué se tratará?
2. ¿Saben ustedes lo que es un(a) «malabarista»? Compartan sus ideas. (Tal vez la foto les ayude.)
3. ¿Han participado alguna vez en la actividad que se ve en la foto? ¿Dónde? ¿Será fácil dominarla?

Episodio 3: Una finca de mariposas

Antes de mirar Con unos compañeros de clase, contesten las siguientes preguntas para prepararse para lo que van a ver en el video.

1. Según el título del episodio, ¿de qué se tratará?
2. ¿Viven ustedes en una finca o han estado alguna vez en una finca?
3. ¿Cuáles son unas cosas que ustedes asocian con una finca?

CAPÍTULO 4 Repaso de vocabulario

Cultura

un bohío
una callejuela de adoquines
una estela
una mola
un rascacielos
el techo
un terremoto
picante
soler (ue)
tallar
trasladar

Periodismo

Entrenamiento

el calentamiento
la calefacción
el calor
la labor
la meta
el peso
el reposo
el sudor
asiduo(a) de
caliente
caluroso(a)
concurrido(a)
calentar (ie)
otorgar
vencer

Amigos con «cédula»

la cédula
el extravío
el lomo
las siglas
devolver (ue)
extraviarse
rechazar

Literatura

Poesía

un ramo (racimo) de flores
el rumbo
la sombra
dichoso(a)
llorar

Prosa

el/la antepasado(a)
una chispa
el/la ladino(a)
la milpa
compuesto(a)
sagrado(a)
desperdiciar
herir (ie, i)

Resources

Tests, pages 4.69–4.86

Vocabulary Review

The words and phrases from Lessons 1, 3, and 4 have been taught for productive use in this chapter. They are summarized here as a resource for both student and teacher.

Teaching Options

This vocabulary reference list has not been translated into English. If it is your preference to give students the English translations, please refer to Vocabulary Transparency V4.1.

Chapter Overview

México

Scope and Sequence

Topics

- The geography of Mexico
- The history of Mexico
- The culture of Mexico

Culture

- Indigenous civilizations
- Hernán Cortés and the conquest of the Aztec empire
- September 16, Mexican Independence Day
- **Cinco de Mayo**
- Mexican Revolution of 1910
- El Zócalo
- Tenochtitlán
- Chichén Itzá
- Mexican cuisine
- Bosque de Chapultepec
- Mexican film synopses
- *En paz* by Amado Nervo
- *Aquí* by Octavio Paz
- *Malinche* by Laura Esquivel

Functions

- How to express what people do for themselves
- How to tell what was done or what is done in general
- How to express what you have done recently
- How to describe actions completed prior to other actions
- How to express opinions and feelings about what has happened
- How to place object pronouns in a sentence

Structure

- Reflexive verbs
- Passive voice (with **se**)
- Present perfect
- Pluperfect
- Present perfect subjunctive
- Object pronouns

Leveling

The activities within each chapter are marked in the Wraparound section of the Teacher Edition according to level of difficulty.

E indicates easy
A indicates average
CH indicates challenging

The readings in **Lección 3: Periodismo** and **Lección 4: Literatura** are also leveled to help you individualize instruction to best meet your students' needs. Please note that the material does not become progressively more difficult. Within each chapter there are easy and challenging sections.

Correlations to National Foreign Language Standards

Page numbers in light print refer to the Student Edition. Page numbers in bold print refer to the Teacher Edition.	
Communication Standard 1.1 Interpersonal	pp. **218, 226, 227,** 235, 241, 249, 264
Communication Standard 1.2 Interpretive	pp. **216,** 217, **218,** 219, **219,** 221, 223, 225, 226, 227, 228, 229, **230,** 231, **231,** 233, 235, **235,** 239, 241, 242, **242, 243,** 244, **244, 245,** 247, **247,** 248, 249, **251,** 253, 255, **256, 257, 258,** 259, 260, 261, 262, 263, 264
Communication Standard 1.3 Presentational	pp. **218, 226,** 229, **231,** 241, **247,** 249, 263, 264
Cultures Standard 2.1	pp. **217,** 220, **224, 227,** 229, 245, **250, 251, 263,** 264, **264**
Cultures Standard 2.2	pp. **215, 219,** 220, **220, 221,** 224, **224, 226,** 227, **231, 233, 235, 237,** 243, 244, **244,** 246, **252,** 264, **264**
Connections Standard 3.1	pp. 218, **218,** 220, **222,** 224, **224,** 225, **225,** 226, 228, 229, **236, 244,** 249, 253, **253,** 258, 264, **264**
Connections Standard 3.2	pp. **222, 223,** 231, **231,** 235, **235,** 237, **237,** 239, **239,** 243, 246, 252, **252,** 254, 259–262
Comparisons Standard 4.1	pp. 230, 232, 234, **234, 238,** 243
Comparisons Standard 4.2	pp. **227, 233,** 242
Communities Standard 5.1	pp. **218, 226, 227,** 229, **229,** 231, **241, 249**
Communities Standard 5.2	pp. 231, **231, 233,** 235, **235,** 237, **237,** 239, **239, 243**
To read the ACTFL Standards in their entirety, see the front of the Teacher Edition.	

Student Resources

Print

Workbook *(pp. 5.3–5.16)*
Audio Activities *(pp. 5.17–5.20)*

Technology

- StudentWorks™ Plus
- ¡Así se dice! Gramática en vivo
- ¡Así se dice! Cultura en vivo
- Vocabulary PuzzleMaker
- QuickPass glencoe.com

Teacher Resources

Print

TeacherTools, Chapter 5

Workbook TE *(pp. 5.3–5.16)*
Audio Activities TE *(pp. 5.19–5.34)*
Quizzes 1–10 *(pp. 5.37–5.50)*
Tests *(pp. 5.52–5.80)*

Technology

- Vocabulary Transparencies V5.1–V5.5
- Audio CDs 5A and 5B
- *ExamView® Assessment Suite*
- TeacherWorks™ Plus
- ¡Así se dice! Video Program
- Vocabulary PuzzleMaker
- QuickPass glencoe.com

50-Minute Lesson Plans

	Objective	Present	Practice	Assess/Homework
Day 1	Learn about the geography, history, and culture of Mexico	Chapter Opener, pp. 214–215 Core Instruction/Vocabulario, p. 216 Core Instruction/La geografía, p. 218 Core Instruction/Una ojeada histórica, p. 220	Activities 1–5, p. 217 Activities A–C, p. 219 Activities D–F, p. 221 Audio Activities A–D, pp. 5.19–5.20	Student Workbook Activities A–E, pp. 5.3–5.4 QuickPass Culture Practice
Day 2	Learn about the geography, history, and culture of Mexico	Core Instruction/Una ojeada histórica, pp. 222–224	Activities G–J, p. 223 Activities K–N, p. 225	Quizzes 1–2, pp. 5.37–5.38 Student Workbook Activities F–I, pp. 5.4–5.5 QuickPass Culture Practice
Day 3	Learn about the geography, history, and culture of Mexico	Core Instruction/Una ojeada histórica, p. 226 Core Instruction/Comida, p. 227	Activities O–Q, pp. 226– 227 Audio Activities E–F, pp. 5.21–5.22	Quizzes 3–4, pp. 5.39–5.40 Student Workbook Activities J–K, pp. 5.5–5.6 QuickPass Culture Practice
Day 4	Review Lección 1: Cultura	Videopaseo, p. 264 Episodio 1: La vida del Zócalo	Prepárate para el examen, Self-check for achievement, p. 228 Prepárate para el examen, Practice for proficiency, p. 229	Quiz 5, p. 5.41 Review for lesson test
Day 5	Reading and Writing Test for Lección 1: Cultura, pp. 5.55–5.56			
Day 6	Reflexive verbs	Core Instruction/Verbos reflexivos, p. 230 Video, Gramática en vivo	Activities 1–4, p. 231 Audio Activities A–D, pp. 5.23–5.25	Student Workbook Activities A–D, pp. 5.7–5.9 QuickPass Grammar Practice
Day 7	The passive voice The present perfect and pluperfect	Core Instruction/La voz pasiva, p. 232 Core Instruction/Presente perfecto y pluscuamperfecto, p. 234 Video, Gramática en vivo	Activities 5–7, p. 233 Activities 8–12, p. 235 Audio Activities E–J, pp. 5.25–5.27	Quiz 6, p. 5.42 Student Workbook Activities A–B, pp. 5.9–5.10 Student Workbook Activities A–E, pp. 5.10–5.11 QuickPass Grammar Practice
Day 8	The present perfect of the subjunctive	Core Instruction/Presente perfecto del subjuntivo, p. 236 Video, Gramática en vivo	Activities 13–14 p. 237 Audio Activities K–L, pp. 5.27–5.28	Quizzes 7–8, pp. 5.43–5.44 Student Workbook Activity A, p. 5.12 QuickPass Grammar Practice
Day 9	Object pronouns	Core Instruction/Colocación de los pronombres de complemento, p. 238 Video, Gramática en vivo	Activities 15–19 p. 239 Audio Activities M–O, pp. 5.28–5.29	Quiz 9, p. 5.45 Student Workbook Activities A–B, p. 5.13 QuickPass Grammar Practice
Day 10	Review Lección 2: Gramática	Videopaseo, p. 264 Episodio 2: Un carro y sus admiradores	Prepárate para el examen, Self-check for achievement, p. 240 Prepárate para el examen, Practice for proficiency, p. 241	Quiz 10, pp. 5.47–5.48 Review for lesson test
Day 11	Reading and Writing Test for Lección 2: Gramática, pp. 5.57–5.58			
Day 12	Read and discuss a newspaper article about a concert	Core Instruction/Vocabulario, p. 242 Core Instruction/*Cantarán en San Ildefonso Bon Jovi y Fito Páez,* p. 243	Activities 1–2, p. 242 Activities A–C, p. 244 Audio Activities A–B, pp. 5.29–5.30	Student Workbook Activities A–C, pp. 5.14–5.15 QuickPass Journalism Practice
Day 13	Read and discuss several film reviews	Core Instruction/Vocabulario, p. 245 Core Instruction/*Películas que se estrenan esta semana,* p. 246	Activities 1–2, p. 245 Activities A–B, p. 247 Audio Activities C–D, pp. 5.30–5.31	Student Workbook Activities A–D, p. 5.16 QuickPass Journalism Practice

	Objective	Present	Practice	Assess/Homework
Day 14	Review Lección 3: Periodismo	Videopaseo, p. 264 Episodio 3: La historia de Teotihuacán	Prepárate para el examen, Self-check for achievement, p. 248 Prepárate para el examen, Practice for proficiency, p. 249	Review for lesson test
Day 15	Reading and Writing Test for Lección 3: Periodismo, pp. 5.59–5.60			
Day 16	Read poems by Amado Nervo and Octavio Paz	Core Instruction/Vocabulario, p. 250 Core Instruction/*En paz,* p. 252 Core Instruction/*Aquí,* p. 254	Activities 1–3, p. 251 Activities A–C, p. 253 Activities A–C, p. 255 Audio Activities A–E, pp. 5.31–5.33	QuickPass Literature Practice
Day 17	Read a chapter of a novel by Laura Esquivel	Core Instruction/Vocabulario, p. 256 Core Instruction/*Malinche,* pp. 258–260	Activities 1–3, p. 257 Activities A–B, p. 263 Audio Activities F–G, p. 5.34	QuickPass Literature Practice
Day 18	Read a chapter of a novel by Laura Esquivel	Core Instruction/*Malinche,* pp. 260–262	Activities C–G, p. 263	Review for lesson test QuickPass Literature Practice
Day 19	Reading and Writing Test for Lección 4: Literatura, pp. 5.61–5.63			
Day 20	Chapter 5 Tests Chapter Reading and Writing Test, pp. 5.67–5.72 Listening Comprehension Test, pp. 5.73–5.76		Test for Oral Proficiency, p. 5.77 Test for Writing Proficiency, pp. 5.79–5.80	

Note: You may want to use the rubrics below to help students prepare their speaking activities and their writing task.

Scoring Rubric for Speaking

	4	3	2	1
vocabulary	extensive use of vocabulary, including idiomatic expressions	adequate use of vocabulary and idiomatic expressions	limited vocabulary marked with some anglicisms	limited vocabulary marked by frequent anglicisms that force interpretation by the listener
grammar	few or no grammatical errors	minor grammatical errors	some serious grammatical errors	serious grammatical errors
pronunciation	good intonation and largely accurate pronunciation with slight accent	acceptable intonation and pronunciation with distinctive accent	errors in intonation and pronunciation with heavy accent	errors in intonation and pronunciation that interfere with listener's comprehension
content	thorough response with interesting and pertinent detail	thorough response with sufficient detail	some detail, but not sufficient	general, insufficient response

Scoring Rubric for Writing

	4	3	2	1
vocabulary	precise, varied	functional, fails to communicate complete meaning	limited to basic words, often inaccurate	inadequate
grammar	excellent, very few or no errors	some errors, but do not hinder communication	numerous errors interfere with communication	many errors, little sentence structure
content	thorough response to the topic	generally thorough response to the topic	partial response to the topic	insufficient response to the topic
organization	well organized, ideas presented clearly and logically	loosely organized, but main ideas present	some attempts at organization, but with confused sequencing	lack of organization

90-Minute Lesson Plans

	Objective	Present	Practice	Assess/Homework
Block 1	Learn about the geography, history, and culture of Mexico	Chapter Opener, pp. 214–215 Core Instruction/Vocabulario, p. 216 Core Instruction/La geografía, p. 218 Core Instruction/Una ojeada histórica, pp. 220–222	Activities 1–5, p. 217 Activities A–C, p. 219 Activities D–F, p. 221 Activities G–J, p. 223 Audio Activities A–D, pp. 5.19–5.20	Student Workbook Activities A–H, pp. 5.3–5.5 QuickPass Culture Practice
Block 2	Learn about the geography, history, and culture of Mexico	Core Instruction/Una ojeada histórica, pp. 224–226 Core Instruction/Comida, p. 227	Activities K–P, pp. 225–227 Audio Activities E–F, pp. 5.21–5.22	Quizzes 1–3, pp. 5.37–5.39 Student Workbook Activities I–K, pp. 5.5–5.6 QuickPass Culture Practice
Block 3	Review Lección 1: Cultura	Videopaseo, p. 264 Episodio 1: La vida del Zócalo	Prepárate para el examen, Self-check for achievement, p. 228 Prepárate para el examen, Practice for proficiency, p. 229	Quizzes 4–5, pp. 5.40–5.41 Review for lesson test
Block 4	Reflexive verbs	Core Instruction/Verbos reflexivos, p. 230 Video, Gramática en vivo	Activities 1–4, p. 231 Audio Activities A–D, pp. 5.23–5.25	Reading and Writing Test for Lección 1: Cultura, pp. 5.55–5.56 Student Workbook Activities A–D, pp. 5.7–5.9 QuickPass Grammar Practice
Block 5	The passive voice The present perfect and pluperfect	Core Instruction/La voz pasiva, p. 232 Core Instruction/Presente perfecto y pluscuamperfecto, p. 234 Video, Gramática en vivo	Activities 5–7, p. 233 Activities 8–12, p. 235 Audio Activities E–J, pp. 5.25–5.27	Quiz 6, p. 5.42 Student Workbook Activities A–B, pp. 5.9–5.10 Student Workbook Activities A–E, pp. 5.10–5.12 QuickPass Grammar Practice
Block 6	The present perfect subjunctive Object pronouns	Core Instruction/Presente perfecto del subjuntivo, p. 236 Video, Gramática en vivo Core Instruction/Colocación de los pronombres de complemento, p. 238 Video, Gramática en vivo	Activities 13–14, p. 237 Activities 15–19, p. 239 Audio Activities K–O, pp. 5.27–5.29	Quizzes 7–8, pp. 5.43–5.44 Student Workbook Activity A, p. 5.12 Student Workbook Activities A–B, p. 5.13 QuickPass Grammar Practice
Block 7	Review Lección 2: Grámatica	Videopaseo, p. 264 Episodio 2: Un carro y sus admiradores	Prepárate para el examen, Self-check for achievement, p. 240 Prepárate para el examen, Practice for proficiency, p. 241	Quizzes 9–10, pp. 5.45–5.48 Review for lesson test
Block 8	Read and discuss a newspaper article about a concert	Core Instruction/Vocabulario, p. 242 Core Instruction/*Cantarán en San Ildefonso Bon Jovi y Fito Páez,* p. 243	Activities 1–2, p. 242 Activities A–C, p. 244 Audio Activities A–B, pp. 5.29–5.30	Reading and Writing Test for Lección 2: Gramática, pp. 5.57–5.58 Student Workbook Activities A–C, pp. 5.14–5.15 QuickPass Journalism Practice
Block 9	Read and discuss several film reviews	Core Instruction/Vocabulario, p. 245 Core Instruction/*Películas que se estrenan esta semana,* p. 246	Activities 1–2, p. 245 Activities A–B, p. 247 Audio Activities C–D, pp. 5.30–5.31 Prepárate para el examen, Self-check for achievement, p. 248 Prepárate para el examen, Practice for proficiency, p. 249	Student Workbook Activities A–D, p. 5.16 Review for lesson test QuickPass Journalism Practice

	Objective	Present	Practice	Assess/Homework
Block 10	Read poems by Amado Nervo and Octavio Paz	Core Instruction/Vocabulario, p. 250 Core Instruction/*En paz,* p. 252 Core Instruction/*Aquí,* p. 254 Videopaseo, p. 264 Episodio 3: La historia de Teotihuacán	Activities 1–3, p. 251 Activities A–C, p. 253 Activities A–C, p. 255 Audio Activities A–E, pp. 5.31–5.33	Reading and Writing Test for Lección 3: Periodismo, pp. 5.59–5.60 QuickPass Literature Practice
Block 11	Read a chapter of the a novel by Laura Esquivel	Core Instruction/Vocabulario, p. 256 Core Instruction/*Malinche,* pp. 258–262	Activities 1–3, p. 257 Activities A–G, p. 263 Audio Activities F–G, p. 5.34	Review for lesson and chapter tests QuickPass Literature Practice
Block 12	Reading and Writing Test for Lección 4: Literatura, pp. 5.61–5.63 Chapter 4 Tests Chapter Reading and Writing Test, pp. 5.67–5.72 Listening Comprehension Test, pp. 5.73–5.76 Test for Oral Proficiency, p. 5.77 Test for Writing Proficiency, pp. 5.79–5.80			

Note: You may want to use the rubrics below to help students prepare their speaking activities and their writing task.

Scoring Rubric for Speaking

	4	3	2	1
vocabulary	extensive use of vocabulary, including idiomatic expressions	adequate use of vocabulary and idiomatic expressions	limited vocabulary marked with some anglicisms	limited vocabulary marked by frequent anglicisms that force interpretation by the listener
grammar	few or no grammatical errors	minor grammatical errors	some serious grammatical errors	serious grammatical errors
pronunciation	good intonation and largely accurate pronunciation with slight accent	acceptable intonation and pronunciation with distinctive accent	errors in intonation and pronunciation with heavy accent	errors in intonation and pronunciation that interfere with listener's comprehension
content	thorough response with interesting and pertinent detail	thorough response with sufficient detail	some detail, but not sufficient	general, insufficient response

Scoring Rubric for Writing

	4	3	2	1
vocabulary	precise, varied	functional, fails to communicate complete meaning	limited to basic words, often inaccurate	inadequate
grammar	excellent, very few or no errors	some errors, but do not hinder communication	numerous errors interfere with communication	many errors, little sentence structure
content	thorough response to the topic	generally thorough response to the topic	partial response to the topic	insufficient response to the topic
organization	well organized, ideas presented clearly and logically	loosely organized, but main ideas present	some attempts at organization, but with confused sequencing	lack of organization

Preview

In this chapter, students will learn more about the geography, history, culture, and literature of Mexico. They will read an article about the Bosque de Chapultepec and a benefit concert in which Bon Jovi participated to raise funds for reconstruction work in this famous and popular park. Students will read the synopses of some films that played recently in Mexico City. They will read some poems by the famous poets Amado Nervo and Octavio Paz as well as an excerpt from Laura Esquivel's new novel *Malinche.* Students will continue with their review of Spanish grammar.

Pacing

Cultura	4–5 days
Gramática	4–5 days
Periodismo	4–5 days
Literatura	4–5 days
Videopaseo	2 days

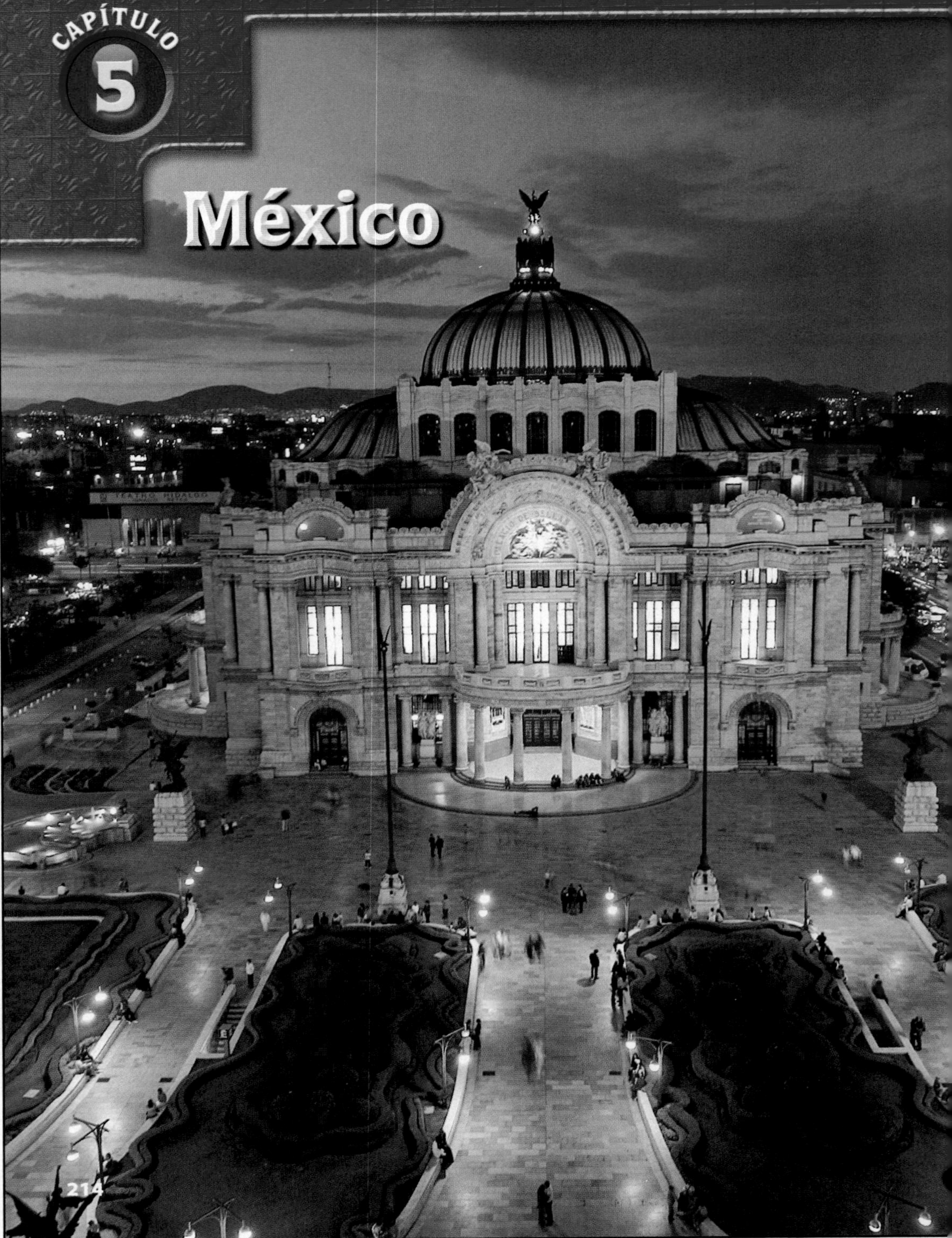

TeacherWorks Plus

The **¡Así se dice!** TeacherWorks™ Plus CD-ROM is an all-in-one planner and resource center. You may wish to use several of the following features as you plan and present the Chapter 5 material: Interactive Teacher Edition, Interactive Lesson Planner with Calendar, and Point and Click Access to Teaching Resources including Hotlinks to the Internet and Correlations to the National Standards.

◀ Palacio de Bellas Artes, México, D.F.

QuickPass
Go to glencoe.com
For: **Online book**
Web code: **ASD7851c5**

Objetivos

You will:

- learn about the geography, history, and culture of Mexico
- read and discuss a newspaper article about a concert, as well as several film reviews
- read poems by Amado Nervo and Octavio Paz and a chapter of a novel by Laura Esquivel

You will review:

- reflexive verbs
- passive voice
- present perfect and pluperfect
- present perfect subjunctive
- object pronouns

Contenido

Cultural Snapshot

(pages 214–215) Este magnífico edificio, el Palacio de Bellas Artes, está en el centro histórico de la Ciudad de México. Dentro del teatro hay obras de Orozco, Siqueiros y Rivera, los tres famosos muralistas. El teatro tiene una capacidad de 3.500 espectadores y es aquí donde da sus presentaciones el famoso Ballet Folklórico de México.

QUIA **Quia Interactive Online Student Edition** found at quia.com allows students to complete activities online and submit them for computer grading for instant feedback or teacher grading with suggestions for what to review. Students can also record speaking activities, listen to chapter audio, and watch the videos that correspond with each chapter. As a teacher you are able to create rosters, set grading parameters, and post assignments for each class. After students complete activities, you can view the results and recommend remediation or review. You can also add your own customized activities for additional student practice.

Resources

- Vocabulary Transparency V5.2
- Audio Activities TE, pages 5.19–5.20
- Audio CD 5A, Tracks 1–3
- Workbook, page 5.3
- Quiz 1, page 5.37
- *ExamView® Assessment Suite*

TEACH

Core Instruction

Step 1 You may wish to present vocabulary by having students listen to Audio CD 5A with books closed or they can follow along as they read in the book.

Step 2 Call on students to read the new words and definitions aloud.

Differentiation

Advanced Learners

You may wish to have advanced learners make up original sentences using the new words.

GLENCOE SPANISH

Students have to be given the opportunity to put new material to use. Note the vocabulary practice that is offered on page 217.

Go to glencoe.com
For: **Culture practice**
Web code: **ASD7851c5**

▲ La señora forma una figura, Oaxaca.

Vocabulario

Estudia las siguientes palabras para ayudarte a entender la lectura.

la estela monumento en posición vertical sobre el suelo; columna rota o pedestal que lleva una inscripción generalmente funeraria

el derecho conjunto de leyes; justicia

esculpir cincelar o tallar piedra, madera; hacer una escultura

emprender empezar

alojar hospedar

colocar poner

levantarse alzarse en armas; tomar armas contra algo o alguien

Estudio de palabras

Las siguientes expresiones significan *to become* pero cada una tiene su propio uso.

ponerse Él se puso nervioso. (no tener control sobre lo que pasa)

hacerse Él se hizo abogado. (después de estudiar—después de hacer un esfuerzo)

llegar a ser Él llegó a ser presidente. (después de mucho trabajo y persistencia)

volverse (ue) Él se volvió demócrata. (después de haber sido republicano; indica una acción inesperada y completamente contraria)

El señor Felipe Calderón Hinojosa llegó a ser presidente de la República. ▶

GLENCOE Technology

Online Learning in the Classroom

You may wish to have students use QuickPass code ASD7851c5 for additional vocabulary and comprehension practice. Students will be able to download audio files to their computer and/or MP3 player and access eFlashcards, eGames, a self-check quiz, and a review worksheet.

Práctica

ESCUCHAR • HABLAR

1 Contesta.

1. ¿Esculpen los escultores en un taller?
2. ¿Se alojan los turistas en un hotel?
3. ¿Se levantaron los ciudadanos contra los invasores?
4. ¿Emprendieron un viaje alrededor del mundo?

LEER • ESCRIBIR

2 Completa.

1. Todos tenemos que respetar los ____ humanos.
2. ¿Dónde te vas a ____ en la Ciudad de México?
3. Hay muchas ____ en los sitios arqueológicos de los indígenas.
4. Ellos van a ____ un negocio nuevo.
5. ¿Por qué no lo ____ (tú) aquí en el jardín?

▲ Alberca en el jardín de un hotel en Tepoztlán

ESCRIBIR

3 Da una palabra relacionada.

1. el alojamiento
2. la colocación
3. el levantamiento
4. el escultor

LEER

4 Parea el verbo apropiado con el nombre o adjetivo.

1. profesor
2. director del instituto
3. soldado
4. jefe supremo
5. director
6. enfermo
7. celoso
8. terrorista
9. loco
10. rojo

a. ponerse
b. hacerse
c. llegar a ser
d. volverse

ESCRIBIR

5 Usa cada expresión en una frase original.

1. ponerse
2. hacerse
3. llegar a ser
4. volverse

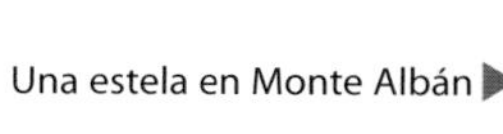

Una estela en Monte Albán ▶

▶ PRACTICE

Leveling EACH Activity

Easy Activities 1, 3
Average Activities 2, 4
CHallenging Activity 5

Activities 1, 3, and 4 These activities can be gone over in class without previous preparation.

Activities 2 and 5 These activities should be prepared prior to going over them in class.

Cultural Snapshot

(page 217 top) Tepoztlán es un pueblo idílico ubicado en un valle rodeado de montañas que dan la impresión de un cuadro abstracto. A los residentes de la Ciudad de México les gusta huir del ajetreo urbano e ir a pasar un agradable fin de semana en Tepoztlán.

▶ ASSESS

Students are now ready to take Quiz 1 on page 5.37 of the TeacherTools booklet. If you prefer to create your own quiz, use the *ExamView® Assessment Suite.*

Answers

1

1. Sí, los escultores esculpen en un taller.
2. Sí, los turistas se alojan en un hotel.
3. Sí, los ciudadanos se levantaron contra los invasores.
4. Sí, emprendieron un viaje alrededor del mundo.

2

1. derechos
2. alojar
3. estelas
4. emprender
5. colocas

3

1. alojar
2. colocar
3. levantarse
4. esculpir

4

1. b
2. c
3. b
4. c
5. c
6. a
7. a
8. d
9. d
10. a

5 *Answers will vary.*

Resources

- Workbook, pages 5.3–5.4
- Quiz 2, page 5.38
- *ExamView® Assessment Suite*

TEACH

Core Instruction

Step 1 Have students look at the photographs as they do the reading.

Step 2 You may wish to have students read some paragraphs silently. You may want to go over others orally in class, interspersing comprehension questions.

Step 3 You may wish to ask the questions in Activity B on page 219 as you are going over the **Lectura.**

Teaching Options

- You may wish to decide how thoroughly to do each section of the cultural reading.
- You may wish to assign different sections of the **Lectura** to different groups. Each group can present the information it was assigned to the other members of the class. It is recommended that all students have some familiarity with each cultural topic.

Tips for Success

To review material about the Barranca del Cobre y los Tarahumara, you may wish to have students discuss information they recall from Chapter 3 in **¡Así se dice!** Level 2.

▲ Vista de la Barranca del Cobre, Chihuahua

La geografía

México, un país cuatro veces mayor que España, además de ser grande es un país de mucha diversidad geográfica. Tiene grandes mesetas, montañas, desiertos y 8.000 kilómetros de costa. Al norte limita con Estados Unidos y al sur con Guatemala y Belice.

México goza también de una variedad de climas. En la altiplanicie central donde se encuentran la capital y la ciudad de Guadalajara el tiempo es templado todo el año. En la mayoría de la costa del Pacífico y del Caribe el clima es cálido. En el desierto del norte las temperaturas alcanzan más de los 38 grados centígrados mientras las noches en invierno son muy frías.

México se divide en los treinta y un Estados Unidos Mexicanos y un Distrito Federal que es la capital, la Ciudad de México. Es una de las ciudades más grandes del mundo con una población de más de veintidós millones de habitantes.

Desierto árido en el norte de México ▼

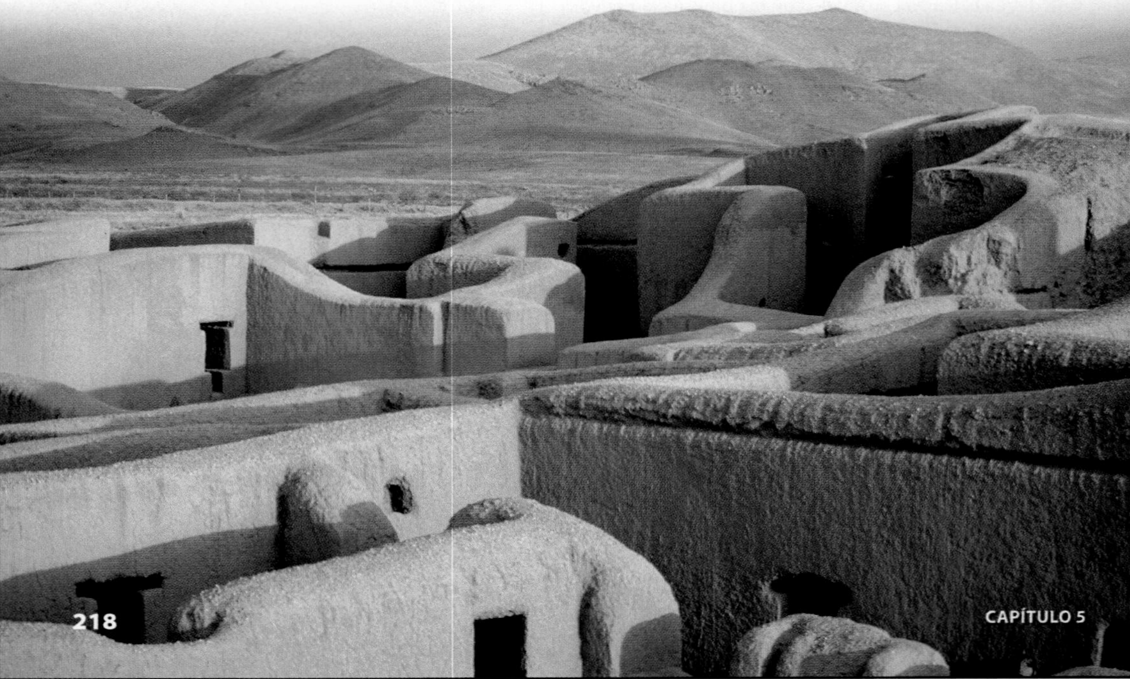

Conexiones

La geografía
Have students locate on a map of Mexico each of the areas or geographical features mentioned in the reading. If you happen to have students in the class who are from Mexico or have family from there, you may wish to have them discuss the geographic features with which they are familiar. Encourage classmates to ask questions.

Cultural Snapshot

(page 218) El desierto de Sonora comienza en el suroeste de California, atraviesa el sur de Arizona y parte de Nuevo México y cubre grandes áreas de los estados mexicanos de Sonora y Baja California. En algunas regiones no cae una gota de agua durante cuatro o cinco años.

A Confirmando Corrige la información falsa.

1. España es tan grande como México.
2. México no tiene mucha costa.
3. México limita al sur con Chiapas y la península de Yucatán.
4. La Ciudad de México y la ciudad importante de Guadalajara están en la costa.
5. Puede hacer mucho frío en la costa del Pacífico.
6. México se divide en estados autónomos como en España.

B Describiendo Describe.

1. el tamaño de México
2. la diversidad geográfica de México
3. sus fronteras norteñas y sureñas
4. el clima de México
5. las divisiones políticas de México

Comparaciones

C En tus cursos de estudios sociales no hay duda que has aprendido mucho sobre la geografía de Estados Unidos. Identifica unas cosas geográficas y climáticas que México y Estados Unidos tienen en común.

◀ Ciudad de México

Cultura

Cultural Snapshot

(page 219) El Monumento de la Independencia está en el Paseo de la Reforma. Los habitantes de la ciudad lo llaman frecuentemente «el monumento del Ángel» debido al ángel de bronce que se encuentra encima de la columna. El ángel mide casi 7 metros y pesa 7 toneladas.

ASSESS

Students are now ready to take Quiz 2 on page 5.38 of the TeacherTools booklet. If you prefer to create your own quiz, use the *ExamView® Assessment Suite.*

Answers

A

1. España es menos grande que México.
2. México tiene 8.000 kilómetros de costa.
3. México limita al sur con Guatemala y Belice y al norte con Estados Unidos.
4. La Ciudad de México y Guadalajara están en la altiplanicie central.
5. El clima es cálido en la costa del Pacífico.
6. México se divide en treinta y un Estados Unidos Mexicanos y un Distrito Federal.

B

1. México es cuatro veces mayor que España.
2. México es muy diverso. Tiene grandes mesetas, montañas, desiertos y 8.000 kilómetros de costa.
3. En el norte limita con Estados Unidos y en el sur limita con Guatemala y Belice.
4. Tiene una variedad de climas. En la altiplanicie central el tiempo es templado todo el año. En la mayoría de la costa del Pacífico y del Caribe el clima es cálido. En el desierto del norte las temperaturas son muy altas durante el día mientras las noches en invierno son muy frías.
5. México se divide en los treinta y un Estados Unidos Mexicanos y un Distrito Federal que es la capital, la Ciudad de México.

C *Answers will vary.*

Resources

- Audio Activities TE, pages 5.20–5.22
- Audio CD 5A, Tracks 3–6
- Workbook, pages 5.4–5.5
- Quiz 3, page 5.39
- *ExamView® Assessment Suite*

Differentiation

Multiple Intelligences

You may wish to have **visual-spatial** learners make a chart or time line summarizing important events and facts about the different groups described in this reading. Have students ask you questions in Spanish if they need help completing their time line.

Cultural Snapshot

(page 220 top) Las cabezas colosales de basalto como la que vemos aquí fueron hechas por los olmecas alrededor del año 1000 a.C. Hoy están en el Parque-Museo de la Venta. *(page 220 bottom)* En Teotihuacán vivían unas 125.000 personas. Cubría un área de más de 20 kilómetros cuadrados y durante cinco siglos dominaba la región. Hacia 650 d.C. la ciudad fue abandonada y no se sabe por qué.

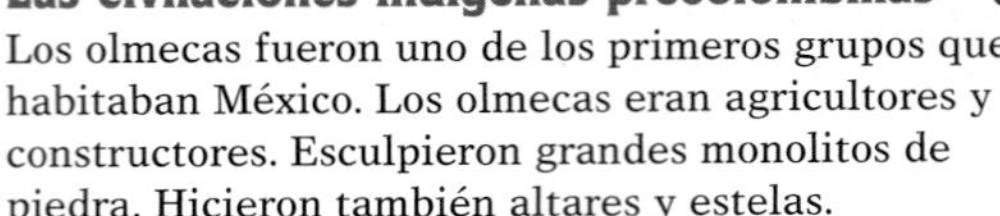

Una ojeada histórica

Las civilaciones indígenas precolombinas

Los olmecas fueron uno de los primeros grupos que habitaban México. Los olmecas eran agricultores y constructores. Esculpieron grandes monolitos de piedra. Hicieron también altares y estelas.

De todas las antiguas culturas la más fuerte era la teotihuacana en los valles de México y Puebla. La ciudad de Teotihuacán llegó a su cenit[1] entre 350 y 650 d.C. cuando tenía una población de doscientos mil habitantes.

Se sitúa el apogeo[2] de la cultura maya en la segunda mitad del siglo VII d.C. Los mayas eran excelentes matemáticos y astrónomos. El calendario maya fue uno de los más exactos de todas las civilizaciones antiguas.

▲ Una estatua olmeca, Parque La Venta, Villahermosa

Los toltecas fundaron un reino en Mesoamérica en el siglo VIII que floreció hasta 1150. A mediados del siglo XI habían convertido Tula en una gran ciudad de unos cuarenta mil habitantes. Los toltecas eran buenos comerciantes y guerreros[3] feroces.

El último gran imperio de Mesoamérica fue el de los aztecas. Los aztecas fueron guerreros feroces y muy temidos entre sus vecinos. Su dios principal era Huitzilopochtli, el dios de la guerra. Según la tradición el dios les mandó salir de su tierra en el norte en busca de un lugar mejor donde establecerse. Les dijo que encontrarían un sitio donde verían un águila con una serpiente en la boca sobre un cacto. Es allí donde Huitzilopochtli les dijo que se establecieran. Vieron el águila en una isla de un lago en el sitio que llegaría a ser Tenochtitlán donde hoy se encuentra la Ciudad de México. El águila y la serpiente están conmemoradas para siempre en la bandera mexicana.

[1] cenit *zenith, peak* [2] apogeo *height, zenith* [3] guerreros *warriors*

Pirámide del Sol, Teotihuacán ▼

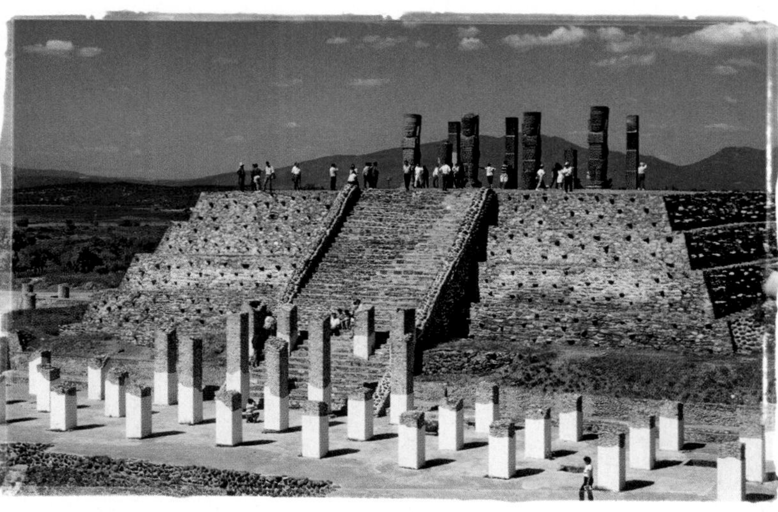

◀ Atlantes mayas, Tula, México

D Ordenando Pon en orden cronológico los grupos indígenas.

los olmecas
los aztecas
los mayas
los toltecas
los teotihuacanos

Un dios azteca ▶

E Identificando ¿Quiénes eran…?

1. guerreros feroces
2. agricultores y constructores
3. buenos comerciantes
4. excelentes matemáticos y astrónomos

F Recordando hechos Contesta.

1. ¿Dónde vivían los teotihuacanos?
2. ¿Cómo fue el calendario maya?
3. ¿Cuál fue el último gran imperio de Mesoamérica?
4. ¿Quién era Huitzilopochtli?
5. ¿Qué es Tenochtitlán hoy día?
6. ¿Qué se ve en la bandera mexicana?

El joven mexicano dibujó la bandera de México. ▶

Cultural Snapshot

(page 221 top) Sobre la pirámide principal Tlahuizcalpantecuhtli, o templo de la estrella de la mañana, están los famosos Atlantes de Tula. Son cuatro estatuas de 4 a 6 metros de altura que representan dioses toltecas. Tula es el sitio tolteca de mayor importancia en México.
(page 221 middle) Este dios azteca es del *Codex Florentino,* un manuscrito escrito a mano que describe la sociedad azteca. El Padre Sahagún lo comenzó hacia 1540 traduciendo del nahuátl. El Codex contiene dibujos como este que representa los dioses aztecas como Huitzilopochtli, Tlaloc y Quetzalcóatl.

ASSESS

Students are now ready to take Quiz 3 on page 5.39 of the TeacherTools booklet. If you prefer to create your own quiz, use the *ExamView® Assessment Suite.*

Answers

D

los olmecas, los teotihuacanos, los mayas, los toltecas, los aztecas

E

1. Los aztecas eran guerreros feroces.
2. Los olmecas eran agricultores y constructores.
3. Los toltecas eran buenos comerciantes.
4. Los mayas eran excelentes matemáticos y astrónomos.

F

1. Los teotihuacanos vivían en los valles de México y Puebla.
2. El calendario maya fue uno de los más exactos de todas las civilizaciones antiguas.
3. El último gran imperio de Mesoamérica fue el de los aztecas.
4. Huitzilopochtli era el dios principal de los aztecas.
5. Hoy día Tenochtitlán es la Ciudad de México.
6. En la bandera mexicana se ven el águila y la serpiente.

Resources

- Workbook, page 5.5
- Quiz 4, page 5.40
- *ExamView® Assessment Suite*

Conexiones

La historia

- An Aztec legend said that their god Quetzalcóatl would return to Mexico and that he would be white and blond. When Cortés arrived, the Aztecs thought that he was Quetzalcóatl returning to their land.
- Students will learn more about the personality of Hernán Cortés in the excerpt from the novel *Malinche* presented in **Lección 4** of this chapter.

La conquista

El Viernes Santo de 1519 Hernán Cortés y sus hombres llegaron de Cuba a la costa de México. Cortés era un hombre ambicioso y quería emprender la conquista de México por su cuenta. Él había oído que algunos de sus hombres querían volver a Cuba. Él no quería que se unieran con su enemigo político Diego Velázquez quien había conquistado Cuba. Cortés decidió quemar todos sus barcos para hacer imposible el regreso de sus hombres a Cuba. Luego empezó su marcha hacia el interior del país.

▲ La llegada de Cortés a orillas de la costa oriental de México

▲ El encuentro de Cortés y Moctezuma

En aquel entonces Moctezuma era el emperador azteca y su capital era Tenochtitlán. Muchos pueblos indígenas que eran enemigos de Moctezuma se unieron con Cortés y le dieron ayuda. Cortés llegó a la capital y Moctezuma decidió recibirlo. ¿Por qué? Lo recibió porque oyó que venía un hombre blanco y creía que este hombre extraño tenía que ser Quetzalcóatl, un dios supremo de los aztecas. Según una leyenda azteca Quetzalcóatl había salido de Tenochtitlán hacia el golfo de México. Les prometió a los aztecas que regresaría a Tenochtitlán en el año de «actl» que en el calendario azteca era el año 1519—el año de la llegada de Cortés. Para no ofender a su «dios», Moctezuma le dio regalos y lo alojó en un gran palacio en la magnífica capital.

Máscara del dios Quetzalcóatl ▼

▲ Cortés quemó sus barcos para que sus hombres no pudieran volver a Cuba.

G Confirmando información Determina si la información es correcta o no. Si no lo es, corrígela.

1. Hernán Cortés llegó a la costa de México el día de Navidad de 1619.
2. Cuando llegaron Cortés y sus hombres al interior, Moctezuma era el emperador de los aztecas.
3. A todos los otros grupos indígenas les gustaban mucho los aztecas.
4. Cuando Cortés llegó a Tenochtitlán esta era una ciudad muy pobre.

H Explicando Explica las siguientes circunstancias.

1. el conflicto o problema entre Cortés y unos de sus hombres
2. como Cortés resolvió el conflicto

I Infiriendo Contesta.

Basado en lo que has leído sobre Hernán Cortés, a tu parecer, ¿qué tipo de hombre sería?

J Analizando Contesta.

¿Por qué recibió Moctezuma a Cortés con «brazos abiertos»?

 PRACTICE

G You may wish to have students do this activity a second time after they have read *Malinche* in **Lección 4** of this chapter.

ASSESS

Students are now ready to take Quiz 4 on page 5.40 of the TeacherTools booklet. If you prefer to create your own quiz, use the *ExamView® Assessment Suite.*

Answers

G

1. Hernán Cortés llegó a la costa de México el Viernes Santo de 1519.
2. correcta
3. Muchos otros grupos indígenas eran enemigos de los aztecas.
4. Cuando Cortés llegó a Tenochtitlán esta era una ciudad magnífica.

H

1. El conflicto o problema fue que Cortés había oído que algunos de sus hombres querían volver a Cuba pero él no quería que se unieran con su enemigo político Diego Velázquez (quien había conquistado Cuba).
2. Cortés quemó todos sus barcos para hacer imposible el regreso de sus hombres a Cuba.

I *Answers will vary but may include:* Hernán Cortés era un hombre muy duro y terco. Quería tener poder y haría todo lo posible para tenerlo.

J *Answers will vary but may include:* Moctezuma recibió a Cortés con «brazos abiertos» porque, a causa de una leyenda azteca, creyó que Cortés era Quetzalcóatl, un dios supremo de los aztecas.

Resources

- Workbook, page 5.5
- Quiz 5, page 5.41
- *ExamView® Assessment Suite*

TEACH

Core Instruction

As you are going over this part of the **Lectura,** you may wish to intersperse questions from Activity K on page 225.

Conexiones

La historia

Father Hidalgo gave his famous **grito de Dolores** in the village of Dolores, now called Dolores Hidalgo. He shouted, **«Mexicanos, ¡Viva México!»** From Dolores, Father Hidalgo continued to Querétaro and to other towns in central Mexico. In each town he visited, he gathered more support from the people. It is said that many of Father Hidalgo's followers marched with him barefoot.

Cultural Snapshot

(page 224 bottom) El parque Alameda o Alameda Central es un oasis de verdura y espacio abierto en el centro mismo de la ciudad. Sigue siendo un lugar donde se celebran muchas festividades. En este mismo lugar tenían los aztecas su mercado o **tianguis.**

La época colonial y después

El México colonial se llamaba «la Nueva España» pero la mayoría de los habitantes de la Nueva España no querían vivir bajo el dominio de España. Querían su independencia. En 1808 los franceses invadieron y ocuparon España y Napoleón colocó en el trono español a su hermano José Bonaparte. Los españoles se levantaron contra los franceses y los mexicanos tomaron la oportunidad para luchar por su independencia. En Dolores el día 16 de septiembre de 1810 el humilde padre Hidalgo de la parroquia[4] de Dolores lanzó su famoso «grito de Dolores». Incitó a sus feligreses[5] a tomar armas y clamar por la libertad, la igualdad de los hombres y el derecho a la tierra para los que no la tenían. El 16 de septiembre se celebra el día de la Independencia mexicana.

▲ Mural del presidente Benito Juárez

Después de la independencia había varios líderes, entre ellos el muy querido oaxaqueño Benito Juárez. Debido a grandes problemas económicos Juárez se vio obligado a suspender el pago de la deuda exterior. Napoleón III se aprovechó de esta situación para invadir México. El cinco de mayo tuvo lugar la batalla de Puebla—una batalla contra las tropas francesas que ganaron los mexicanos a pesar de la fuerza militar superior de los franceses. Pero los conservadores odiaban a Juárez y apoyaron a los franceses quienes ocuparon la mayor parte del país. En 1864 Napoleón III nombró a Maximiliano de Hapsburgo emperador de México. Maximiliano reinó hasta 1867 cuando se rindió y fue fusilado. Juárez fue nombrado presidente de México.

Porfirio Díaz apoyó a Juárez en la lucha contra Maximiliano pero lo opuso cuando llegó a ser presidente. El general Porfirio Díaz tomó el poder en 1877 y gobernó con dureza[6] durante treinta y cuatro años.

▲ Mural del padre Hidalgo

[4] parroquia *parish*
[5] feligreses *faithful*
[6] dureza *toughness, harshness*

Parque de la Alameda, México, D.F. ▶

Answers

K

1. El México colonial se llamaba «la Nueva España».
2. En vez de vivir bajo el dominio de España, la gran mayoría de los mexicanos quería(n) su independencia.
3. En 1808 los franceses invadieron y ocuparon España y Napoleón colocó en el trono español a su hermano, José Bonaparte.
4. Los mexicanos tomaron la oportunidad para luchar por su independencia. El padre Hidalgo lanzó su famoso «grito de Dolores», incitando a sus feligreses a tomar armas y clamar por la libertad.
5. Los mexicanos que pedían la independencia querían la libertad, la igualdad de los hombres y el derecho a la tierra para los que no la tenían.
6. Después de la independencia, el más querido de los varios líderes mexicanos era Benito Juárez.
7. Los conservadores no favorecían a Juárez.

K **Recordando hechos** Contesta.

1. ¿Cómo se llamaba el México colonial?
2. En vez de vivir bajo el dominio de España, ¿qué quería la gran mayoría de los mexicanos?
3. ¿Qué pasó en 1808?
4. Los españoles se levantaron contra los franceses. Y, ¿qué hicieron los mexicanos?
5. ¿Qué querían los mexicanos que pedían la independencia?
6. Después de la independencia, ¿quién era el más querido de los varios líderes mexicanos?
7. ¿Quiénes no favorecían a Juárez?

L **Describiendo** Contesta.

En tus propias palabras, describe lo que pasó el 16 de septiembre de 1810 en Dolores. ¿Qué iniciaron estas acciones?

M **Analizando** Contesta.

¿Por qué invadió Francia a México?

N **Identificando** Identifica.

1. Benito Juárez
2. Napoleón III
3. Maximiliano de Hapsburgo
4. el cinco de mayo
5. Porfirio Díaz

Estatua a la Corregidora, Querétaro ▶

Cultural Snapshot

(page 225) La Corregidora de Querétaro, la esposa del alcalde, avisó al padre Hidalgo de una conspiración. El padre Hidalgo pudo escapar de Querétaro y salió con la imagen de la Virgen de Guadalupe camino de Dolores donde dio origen al movimiento de la independencia. Debido a sus acciones, la Corregidora fue encarcelada varias veces.

Answers

L *Answers will vary but may include:*
En Dolores el día 16 de septiembre de 1810 el padre Hidalgo de la parroquia de Dolores incitó a sus feligreses a tomar las armas y luchar por la libertad, la igualdad y el derecho a la tierra. Esto se llamaba el «grito de Dolores».

M *Answers will vary but may include:*
Francia invadió a México porque este dejó de pagar sus deudas a Francia y otros países extranjeros.

N

1. Benito Juárez fue un presidente querido de México.
2. Napoleón III fue el emperador de Francia.
3. Maximiliano de Hapsburgo fue el emperador de México nombrado por Napoleón III.
4. El cinco de mayo fue la batalla de Puebla entre los mexicanos y las tropas francesas (que ganaron los mexicanos).
5. Porfirio Díaz fue un general que apoyó a Juárez en la lucha contra Maximiliano pero lo opuso cuando llegó a ser presidente. Díaz tomó el poder en 1877 y gobernó con dureza por treinta y cuatro años.

Resources

- Workbook, page 5.7
- Quiz 5, page 5.41
- *ExamView® Assessment Suite*

Comunicación

Presentational

Many fascinating books have been written about the Mexican Revolution. You may wish to have students who are interested in history do some additional research on this period and present what they learn to the class.

Comunicación

Interpersonal

It is quite possible that some of your students have been to Mexico. If they have, allow them to share their experiences with the class and tell where they went and what they saw. Encourage classmates to ask questions.

Cultural Snapshot

(page 226 middle) El Zócalo, o Plaza de la Constitución, es la plaza principal de la Ciudad de México y una de las más grandes del mundo. En ella se encuentran la Catedral Metropolitana y el Palacio Nacional. Alrededor de la plaza hay museos y otros edificios importantes. En una esquina del Zócalo están las ruinas del Templo Mayor de los aztecas que datan de los tiempos de Tenochtitlán. Fue sobre las ruinas de Tenochtitlán que Cortés hizo construir la nueva ciudad.

La Revolución mexicana

Se le denomina «Revolución mexicana» al movimiento armado que comenzó en 1910 al final de la dictadura del general Porfirio Díaz. La Revolución tuvo objetivos sociales y culturales y consistió en una serie de revoluciones y conflictos organizados por distintos jefes políticos y militares. La Revolución mexicana culminó en la promulgación de la Constitución de 1917 pero la violencia continuó hasta finales de la década.

Después de la Revolución se instituyó la reforma agraria, se establecieron organizaciones obreras y hubo muchas reformas en la educación y la cultura.

Pancho Villa en la Batalla de Zacatecas durante la Revolución ▶

O Buscando información Completa.

1. Se le denomina «Revolución mexicana» al ____.
2. Los objetivos de la Revolución eran ____.
3. La Revolución en sí era ____.
4. La Revolución culminó en ____.
5. Unos resultados de la Revolución eran ____.

▲ Palacio Nacional en el Zócalo, México, D.F.

▲ Ruinas mayas, Chichén Itzá

Visitas históricas

Si un día decides visitar México tienes que ir primero a la capital. Te sorprenderá la belleza del Zócalo en el centro histórico de la Ciudad de México, ciudad construida por los españoles sobre las ruinas de Tenochtitlán. Si quieres observar la magnífica arquitectura de los pueblos indígenas precolombinos, debes ir a Chichén Itzá y Monte Albán.

No puedes salir de México sin andar por los cascos antiguos y coloniales de ciudades como Oaxaca y Guanajuato.

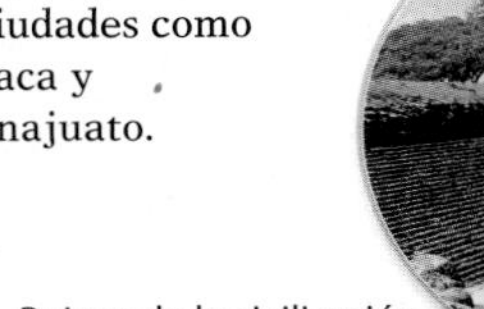

Ruinas de la civilización zapoteca, Monte Albán ▶

▶ ASSESS

Students are now ready to take Quiz 5 on page 5.41 of the TeacherTools booklet. If you prefer to create your own quiz, use the *ExamView® Assessment Suite.*

Answers

O

1. movimiento armado que comenzó en 1910 al final de la dictadura del general Porfirio Díaz
2. sociales y culturales
3. una serie de revoluciones y conflictos organizados por distintos jefes políticos y militares
4. la promulgación de la Constitución de 1917
5. la reforma agraria, el establecimiento de organizaciones obreras y muchas reformas en la educación y la cultura

Comida

La cocina mexicana es conocida en el mundo entero. Si tienes hambre puedes comer unos tamales, tostadas, quesadillas o tacos, todos a base de tortilla de maíz o harina hecha a mano. Y tienes que probar las muchas salsas regionales como el famoso mole poblano preparado por primera vez por unas monjas en el Convento de Santa Rosa en la ciudad de Puebla. Las salsas regionales llevan muchos ingredientes e hierbas diferentes—como el chocolate y chiles, por ejemplo. ¡Buen apetito!

La señora va a moler los granos de maíz para hacer masa. ▼

P **Recordando hechos** Contesta.

1. ¿En qué parte de la capital de México está el Zócalo?
2. ¿Qué hay en Chichén Itzá y Monte Albán?
3. ¿Qué hay en las ciudades históricas como Oaxaca y Guanajuato?

Q **Confirmando información** ¿Sí o no?

1. La cocina mexicana es apreciada solo en México.
2. Muchos platos mexicanos se hacen a base de tortillas de maíz.
3. Los indígenas de Puebla prepararon los primeros moles poblanos.
4. Muchas salsas se preparan con chocolate y chiles (ajíes).

Muslo de pollo con mole poblano ▶

Cocina del Convento de Santa Rosa, Puebla ▼

Resources

ExamView® Assessment Suite

Heritage Speakers

If you have any students from Mexico in class, you may wish to have them give information about the foods they eat. Students of Mexican American background can compare those foods with what they eat. Students can make comparisons between Mexican, Tex-Mex, and Southwestern Mexican cuisine.

Answers

P

1. El Zócalo está en el centro histórico de la Ciudad de México.
2. En Chichén Itzá y Monte Albán hay la magnífica arquitectura de los pueblos indígenas precolombinos.
3. En las ciudades históricas como Oaxaca y Guanajuato hay cascos antiguos con edificios coloniales.

Q

1. no
2. sí
3. no
4. sí

Resources 

- Tests, pages 5.55–5.56
- *ExamView® Assessment Suite*

Self-check for achievement

This is a pre-test for students to take before you administer the lesson test. Note that each section is cross-referenced so students can easily find the material they feel they need to review. You may wish to use Self-Check Worksheet Transparency SC5.1 to have students complete this assessment in class or at home. You can correct the assessment yourself, or you may prefer to project the answers on the overhead in class using Self-Check Answers Transparency SC5.1A.

Differentiation

Slower Paced Learners

Encourage students who need extra help to refer to the book icons and review any section before answering the questions.

Prepárate para el examen

Self-check for achievement

Vocabulario

Para repasar este vocabulario, mira la página 216.

1 Completa.

1. Muchos dictadores no respetan los ____ humanos.
2. Si no cambia la situación ellos van a ____ contra el gobierno.
3. Ellos se quieren ____ en un hotel económico.
4. La artista va a ____ una estatua en madera.
5. Si quieres, lo puedes ____ aquí. Es un lugar apropiado.
6. Van a ____ un viaje de exploración.

2 Escoge.

se hizo   se volvió   se puso   llegó a ser

7. Ella ____ furiosa.
8. Ella ____ famosa.
9. Él ____ director de la compañía.
10. Era protestante pero ____ católico.

▲ Calendario azteca

Lectura y cultura

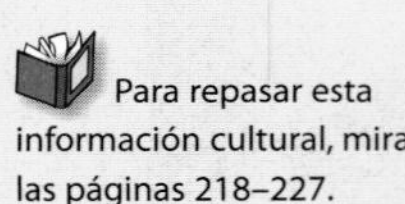

Para repasar esta información cultural, mira las páginas 218–227.

3 Corrige la información falsa.

11. México no tiene costa.
12. El clima en las diferentes partes de México no varía mucho.
13. México se divide en provincias.
14. Había solamente una civilización indígena en México antes de la llegada de los españoles.
15. Hernán Cortés y sus hombres salieron de España y llegaron a la costa de México el día del Año Nuevo en 1519.

4 Identifica.

16. Moctezuma
17. el padre Hidalgo
18. Benito Juárez
19. Porfirio Díaz

5 Parea.

20. los olmecas
21. los aztecas
22. los mayas
23. los toltecas

a. buenos comerciantes y feroces guerreros
b. guerreros feroces a quienes conquistó Hernán Cortés
c. buenos matemáticos y astrónomos que tenían un calendario muy avanzado
d. uno de los primeros grupos indígenas: eran agricultores y constructores

6 Pon en orden cronológico los siguientes eventos.

24–25. la conquista de México
la Revolución
la independencia
la colonización
el florecimiento de las civilizaciones indígenas

Answers

1

1. derechos
2. levantarse
3. alojar
4. esculpir
5. colocar
6. emprender

2

7. se puso
8. se hizo
9. llegó a ser
10. se volvió

3

11. México tiene 8.000 kilómetros de costa.
12. El clima en las diferentes partes de México varía mucho.
13. México se divide en treinta y un Estados Unidos Mexicanos (y un Distrito Federal).
14. Había cinco civilizaciones indígenas en México antes de la llegada de los españoles.
15. Hernán Cortés y sus hombres salieron de España y llegaron a la costa de México el Viernes Santo de 1519.

4

16. Moctezuma era el emperador azteca.
17. El padre Hidalgo fue el que lanzó el famoso «grito de Dolores», incitando a sus feligreses a tomar armas y clamar por la libertad.
18. Benito Juárez fue un presidente querido de México.
19. Porfirio Díaz fue un general que apoyó a Juárez en la lucha contra Maximiliano pero lo opuso cuando llegó a ser presidente. Díaz tomó el poder en 1877 y gobernó por treinta y cuatro años.

Prepárate para el examen

Practice for proficiency

1 La geografía de México

Has leído que México es cuatro veces más grande que España. En tus propias palabras describe como son similares México y España y cuales son algunos contrastes importantes. Piensa en el clima y la topografía. Luego, dibuja un mapa de México que demuestra su topografía. Consulta a tu profesor(a) o el Internet si necesitas ayuda.

2 La historia de México

En grupos de cuatro, hablen de todo lo que aprendieron sobre la historia de México. Mencionen algunos personajes y acontecimientos muy conocidos y expliquen su importancia.

3 Una leyenda

En tus propias palabras relata una leyenda de los indígenas de México.

4 ¿Por qué y cómo?

Cortés llegó a México con solo quinientos soldados. ¿Cómo pudo conquistar el gran Imperio azteca? Con unos compañeros, discutan los factores que contribuyeron a la derrota de los aztecas.

5 Investigaciones

La vida del muy querido líder mexicano Benito Juárez, un humilde indígena de Oaxaca, es una historia interesante. Haz unas investigaciones sobre este personaje tan estimado.

▲ Una playa, Puerto Vallarta

Composición

La historia de México

En muchos cursos es necesario escribir un resumen de lo que has leído o oído. Antes de tratar de preparar un resumen es aconsejable tomar apuntes.

Vuelve a leer la lectura sobre la historia de México. Mientras leas toma apuntes. Algunos consejos son:

- Apunta solo la información que se aplica directamente al tema.
- Suprime o elimina detalles superfluos.
- Abrevia la información lo más posible.
- Evita el uso de citas directas.

Para ayudarte a no desviar de los temas más importantes puedes servirte del siguiente diagrama.

geografía	historia precolombina	leyendas	la conquista	la independencia

Luego consulta tus apuntes y escribe tu resumen. Es importante repasar y revisar el resumen para asegurarte que la información es precisa y que no hay errores gramaticales.

Answers

5

20. d
21. b
22. c
23. a

6

24–25. el florecimiento de las civilizaciones indígenas, la conquista de México, la colonización, la Revolución, la independencia

Tips for Success

Encourage students to say as much as possible when they do these open-ended activities. Tell them not to be afraid to make mistakes, since the goal of the activities is real-life communication. If someone in the group makes an error, allow the others to politely correct him or her. Let students choose the activities they would like to do.

Tell students to feel free to elaborate on the basic theme and to be creative. They may use props, pictures, or posters if they wish.

Pre-AP These oral and written activities will give students the opportunity to develop and improve their speaking and writing skills so that they may succeed on the speaking and writing portions of the AP exam.

Cultural Snapshot

(page 229) Antes de la década de 1960, Puerto Vallarta era un tranquilo pueblo pesquero hasta que Hollywood lo descubrió. Rodaron una película famosa en el pueblo, *Night of the Iguana* con Elizabeth Taylor y Richard Burton, y así los turistas lo descubrieron. Ahora un millón y medio de turistas descienden en este pueblo del Pacífico cada año.

Note: You may wish to use the rubrics on page 214D or 214F to help students prepare their speaking activities and their writing task.

Go to glencoe.com
For: Grammar practice
Web code: ASD7851c5

Resources

- Audio Activities TE, pages 5.23–5.25
- Audio CD 5A, Tracks 7–10
- Workbook, pages 5.7–5.9
- Quiz 6, page 5.42
- *ExamView® Assessment Suite*

TEACH

Core Instruction

Step 1 Write the forms of one of the verbs on the board. Include the subject pronouns. Circle the subject and the reflexive pronoun. Draw a line from the reflexive pronoun to the subject pronoun to indicate that they are the same.

Step 2 It should not be necessary to spend much time on the review of the reciprocal construction. You may wish to have students read the model sentences aloud and then proceed directly to the activities.

Teaching Options

To avoid doing large segments of grammar at one time, you may wish to intersperse the grammar points as you are doing other lessons of the chapter. If you prefer, however, you can spend four or five class periods in succession doing the review grammar.

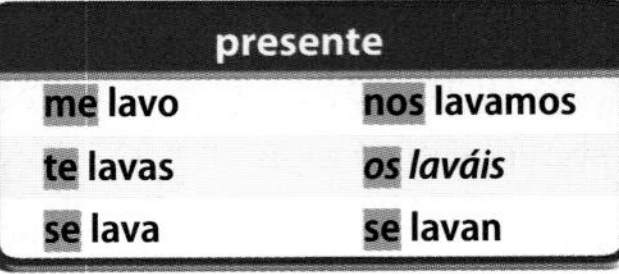

Nota

To review the forms of stem-changing verbs, refer to pages 118–119.

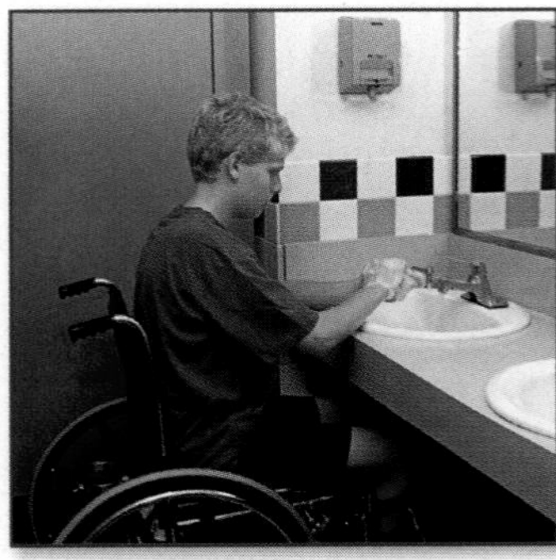

▲ El joven se lava las manos.

Verbos reflexivos

1. A verb is reflexive when the action of the verb is both executed and received by the subject. Because the subject also receives the action of the verb an additional pronoun is required. This pronoun is called a reflexive pronoun.

presente	
me lavo	nos lavamos
te lavas	os *laváis*
se lava	se lavan

pretérito	
me levanté	nos levantamos
te levantaste	os *levantasteis*
se levantó	se levantaron

2. The following verbs have a stem change in the present.

   acostarse (ue) **despertarse (ie)** **sentarse (ie)**

   The following have a stem change in the present and preterite.

   despedirse (i, i) **vestirse (i, i)** **divertirse (ie, i)** **sentirse (ie, i)** **dormirse (ue, u)** **morirse (ue, u)**

3. The reflexive pronoun is required only when the subject and recipient of the action are one and the same. If someone or something other than the subject receives the action of the verb, no reflexive pronoun is used.

   Él lavó el carro y luego se lavó.
   Él acostó al bebé y luego se acostó.

4. Remember that with a reflexive verb the definite article rather than a possessive adjective is used with parts of the body and articles of clothing.

   Él se lavó las manos y se puso el suéter.

   Note that with reflexives Spanish uses a singular noun whereas English uses the plural.

   Ellos se lavaron la cara. *They washed their faces.*
   Nos quitamos la gorra. *We took off our caps.*

Todos se divertían al pasar un domingo en el Bosque de Chapultepec. ▼

5. The reflexive construction is also used to express a reciprocal action. The concept of reciprocity in English is most often expressed by *each other* or *one another*.

   Rosita y yo nos conocemos. Nos conocimos en México.
   Rosita and I know one another. We met each other in México.

   Ellos se vieron pero no se hablaron.
   They saw one another but they didn't speak to each other.

Answers

1

1. Me acuesto a la(s) ____.
2. Me duermo en seguida. (Paso un rato dando vueltas en la cama.)
3. Me levanto a las ____.
4. Sí, (No, no) me despierto fácilmente.
5. Me baño (Me ducho) antes de acostarme (después de levantarme).
6. Sí, (No, no) me siento a la mesa para tomar el desayuno.
7. Sí, (No, no) me cepillo los dientes luego.
8. Sí, me visto.
9. Sí, (No, no) me divierto con mis amigos en la escuela.
10. Sí, (No, no) me despido de mis amigos cuando salgo de la escuela.

2

1. Sí, (No, no) me divertí cuando estaba en México.
2. Sí, (No, no) me sentí como en casa.
3. Sí, (No, no) fui a la playa en Puerto Vallarta.
4. Sí, (No, no) me puse el bañador cuando fui a la playa.
5. Sí, (No, no) me puse una crema protectora.
6. Sí, (No, no) me bronceé.
7. Sí, (No, no) me dormí en la playa.
8. Sí (No), al salir de México (no) me despedí de mis nuevos amigos.

VIDEO Want help with reflexive verbs? Watch **Gramática en vivo.**

Práctica

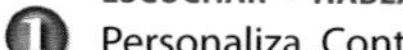

ESCUCHAR • HABLAR

1 Personaliza. Contesta sobre tu rutina diaria.

1. ¿A qué hora te acuestas por la noche?
2. ¿Te duermes enseguida o pasas un rato dando vueltas en la cama?
3. Y, ¿a qué hora te levantas por la mañana?
4. ¿Te despiertas fácilmente?
5. ¿Te bañas o te duchas antes de acostarte o después de levantarte?
6. ¿Te sientas a la mesa para tomar el desayuno?
7. Luego, ¿te cepillas los dientes?
8. ¿Te vistes?
9. ¿Te diviertes con tus amigos en la escuela?
10. ¿Te despides de tus amigos cuando sales de la escuela?

EXPANSIÓN

Ahora, sin mirar las preguntas, cuenta toda la información en tus propias palabras. Si no recuerdas algo, un(a) compañero(a) te puede ayudar.

HABLAR • ESCRIBIR

2 Contesta sobre un viaje imaginario a México.

1. ¿Te divertiste cuando estabas en México?
2. ¿Te sentiste como en casa?
3. ¿Fuiste a la playa en Puerto Vallarta?
4. ¿Te pusiste el bañador cuando fuiste a la playa?
5. ¿Te pusiste una crema protectora?
6. ¿Te bronceaste?
7. ¿Te dormiste en la playa?
8. Al salir de México, ¿te despediste de tus nuevos amigos?

EXPANSIÓN

Ahora, haz la Actividad 2 de nuevo. Cambia **tú** a **ustedes** y contesta las preguntas. Haz todos los cambios necesarios.

▲ Una playa, Acapulco

LEER • ESCRIBIR

3 Completa con el pronombre reflexivo cuando necesario.

1. La señora ____ levanta temprano.
2. Después ella ____ despierta a su hijo.
3. Los dos ____ lavan el carro.
4. El hijo también ____ lava al perro.
5. Y después, él ____ baña.

LEER • ESCRIBIR

4 Completa.

1. Él me vio y yo lo vi. Nosotros ____ en el restaurante.
2. Ella me conoció y yo la conocí. Nosotros ____ en la escuela.
3. Ella le escribió a él y él le escribió a ella. Ellos ____ con frecuencia.
4. Él la quiere y ella lo quiere. Ellos ____.
5. El niño ayuda a la niña y la niña ayuda al niño. Los niños ____ mucho.

PRACTICE

Leveling EACH Activity

Easy Activity 1

Average Activities 2, 3, 4, Activity 1 **Expansión,** Activity 2 **Expansión**

Activities 1 and 2 You may wish to do these activities as a total class activity, calling on individuals at random to respond. You may also wish to have students prepare these activities in writing.

Differentiation

Multiple Intelligences

You may wish to have **bodily-kinesthetic** and **visual-spatial** learners dramatize the following: **levantarse, ponerse la chaqueta, bañarse, acostarse, despertarse, desayunarse, dormirse, vestirse.** Have average and advanced learners narrate the actions.

Cultural Snapshot

(page 231) Las playas de Acapulco en la costa del Pacífico han atraído turistas durante muchos años. Fundada en el siglo XVI, la ciudad era donde llegaban los galeones que venían del Oriente.

GLENCOE Technology

Video in the Classroom

Gramática en vivo: *Reflexive verbs* Enliven learning with the animated world of Professor Cruz! **Gramática en vivo** is a fun and effective tool for additional instruction and/or review.

Answers

EXPANSIÓN

1. Sí, (No, no) nos divertimos cuando estábamos en México.
2. Sí, (No, no) nos sentimos como en casa.
3. Sí, (No, no) fuimos a la playa en Puerto Vallarta.
4. Sí, (No, no) nos pusimos el bañador cuando fuimos a la playa.
5. Sí, (No, no) nos pusimos una crema protectora.
6. Sí, (No, no) nos bronceamos.
7. Sí, (No, no) nos dormimos en la playa.
8. Sí (No), al salir de México (no) nos despedimos de nuestros nuevos amigos.

3

1. se
2. —
3. —
4. —
5. se

4

1. nos vimos
2. nos conocimos
3. se escribieron
4. se quieren
5. se ayudan

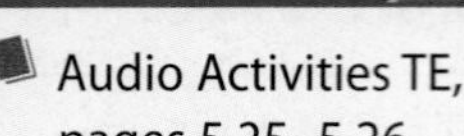

Resources

- Audio Activities TE, pages 5.25–5.26
- Audio CD 5A, Tracks 11–13
- Workbook, pages 5.9–5.10
- Quiz 7, page 5.43
- *ExamView® Assessment Suite*

TEACH

Core Instruction

Step 1 Have students read the explanatory material aloud.

Step 2 Have students say the verb forms and the model sentences aloud.

GLENCOE Technology

Online Learning in the Classroom

Have students use QuickPass code ASD7851c5 for additional grammar practice. They can review verb conjugations with eFlashcards. They can also review all grammar points by doing a self-check quiz and a review worksheet.

▲ En esta tienda se solicita empleada.

Primera persona hospitalizada en Rusia por un posible contagio de gripe aviar

Moscú advierte de que la epidemia puede extenderse a otros países en otoño

La voz pasiva

1. The pronoun **se** is often used in Spanish to express the passive, especially when the person who carried out the action is not stated. Observe the following.

Se habla español en México.	*Spanish is spoken in México.*
Se venden chiles en el mercado.	*Chiles are sold in the market. (They sell chiles in the market.)*
¿Cómo se dice?	*How is it said? (How does one say?)*

2. The true passive is much less commonly used in Spanish than in English. In Spanish, the active voice is preferred. When used, the true passive is formed by using the verb **ser** and the past participle followed by **por.**

VOZ ACTIVA	**Los aztecas construyeron la ciudad.**
VOZ PASIVA	**La ciudad fue construida por los aztecas.**

3. The true passive is frequently found in a shortened form in headlines.

Casa destruida por huracán
Niño herido en accidente de automóvil

▲ Se venden muchos productos en este mercado en Oaxaca.

Answers

5

1. El mercado se abre temprano por la mañana.
2. Sí, se venden chiles.
3. Se venden todos tipos de comestibles y otras mercancías también.
4. Absolutamente se regatea en el mercado.
5. Por lo general, se dice «elote».

Práctica

ESCUCHAR • HABLAR

5 Contesta según se indica.

1. ¿A qué hora se abre el mercado? (temprano por la mañana)
2. ¿Se venden chiles? (sí)
3. ¿Qué más se vende en el mercado? (todos tipos de comestibles y otras mercancías también)
4. ¿Se regatea en el mercado? (absolutamente)
5. ¿Cómo se dice «maíz» en México? (por lo general, «elote»)

▲ Se venden productos frescos en este mercado en Mérida en la península de Yucatán.

LEER • ESCRIBIR

6 Completa con el pronombre y la forma apropiada del verbo.

1. _____ hierv__ el agua para hacer té.
2. _____ cuec__ las habas en agua.
3. _____ frí__ el pollo.
4. _____ as__ las chuletas.
5. _____ rellen__ los chiles de queso.
6. _____ cocin__ el plato a fuego lento.
7. Las mejores comidas caseras _____ elabor__ en casa.
8. _____ dic__ que la comida mexicana es muy buena.

◀ Se dice que la comida es muy buena en este puesto en México, D.F.

HABLAR • ESCRIBIR

7 Cambia a la voz pasiva.

1. Los olmecas habitaron México de 1500 a.C. hasta 300 d.C.
2. Los mayas crearon un calendario muy exacto.
3. Cortés quemó todos los barcos.
4. Los españoles construyeron la Ciudad de México.

◀ Monumento a los Héroes de la Independencia, México, D.F.

PRACTICE

Leveling EACH Activity

Easy Activities 5, 6
Average Activity 7

Activity 5 This activity can be done orally without previous preparation.

Activities 6 and 7 You may wish to have students prepare these activities before going over them in class.

Comunidades

You may wish to point out to students that markets and food stands such as those seen in the top and middle pictures of page 233 are very common throughout Mexico. Ask students if there are open-air markets or food stands in their community. If so, would they consider this a part of their local culture?

Cultural Snapshot

(page 233 bottom) Para información sobre el Monumento de la Independencia ve la página 219. Nota que a veces se refiere al monumento como el Monumento a los Héroes de la Independencia.

ASSESS

Students are now ready to take Quiz 7 on page 5.43 of the TeacherTools booklet. If you prefer to create your own quiz, use the *ExamView® Assessment Suite.*

Answers

6

1. Se, e
2. Se, en
3. Se, e
4. Se, an
5. Se, an
6. Se, a
7. se, an
8. Se, e

7

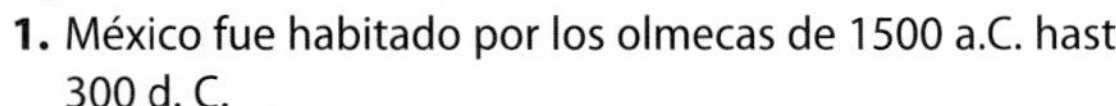

1. México fue habitado por los olmecas de 1500 a.C. hasta 300 d. C.
2. Un calendario muy exacto fue creado por los mayas.
3. Todos los barcos fueron quemados por Cortés.
4. La Ciudad de México fue construida por los españoles.

Resources

- Audio Activities TE, pages 5.26–5.27
- Audio CD 5A, Tracks 14–16
- Workbook, pages 5.10–5.12
- Quiz 8, page 5.44
- *ExamView® Assessment Suite*

TEACH

Core Instruction

Step 1 Most students will only need a quick review of this point.

Step 2 Have students review the forms and explanations in Items 1–5.

Have students look at the picture at the bottom of page 234. **Padre** is a term heard a great deal in Mexico. It conveys the meaning **fantástico** or **estupendo.** It's a very good equivalent for the untranslatable expression *Nice* in English.

Presente perfecto y pluscuamperfecto

1. The present perfect tense is formed by using the present tense of the helping (auxiliary) verb **haber** and the past participle. The pluperfect is formed by using the imperfect tense of **haber** and the past participle.

present perfect	
he hablado	hemos hablado
has hablado	*habéis hablado*
ha hablado	han hablado

pluperfect	
había comido	habíamos comido
habías comido	*habíais comido*
había comido	habían comido

2. Review the forms of the regular past participles.

VISITAR	**visitado**
VENDER	**vendido**
VIVIR	**vivido**

3. The following verbs have irregular past participles.

ABRIR	**abierto**
CUBRIR	**cubierto**
DESCUBRIR	**descubierto**
MORIR	**muerto**
VOLVER	**vuelto**
PONER	**puesto**
ESCRIBIR	**escrito**
FREÍR	**frito**
ROMPER	**roto**
VER	**visto**
DECIR	**dicho**
HACER	**hecho**

4. The present perfect tense is used to express a past action without reference to a particular time. It usually indicates an action that continues into the present or relates closely to the present. The adverb **ya** *(already)* is often used with the present perfect.

Su madre ha estado enferma.	*His mother has been ill.*
Ellos ya lo han visto.	*They have already seen it.*

5. The pluperfect tense is used the same way in Spanish as in English. It describes a past action completed prior to another past action.

Ellos ya habían salido cuando nosotros llegamos.
They had already left when we arrived.

◀ ¡Qué padre! Se han rebajado los precios de todas las botas en esta tienda de calzado en Guadalajara.

Answers

8
1. Sí, en mi clase de español he estudiado la historia de México.
2. Nosotros hemos aprendido ____.
3. Sí, (No, no) me ha interesado la historia de México.
4. Sí (No), el/la profesor(a) de español (no) ha estado en México.
5. Sí, (No, no) he ido a México.

9
1. Ellos han vuelto esta mañana.
2. Hemos cubierto la olla con una tapa.
3. El niño ha abierto la refrigeradora.
4. ¿Quién ha escrito la receta?
5. Yo he hecho las enchiladas.
6. Tú has puesto la mesa.
7. Nunca he roto un vaso.

10
1. Pero es que ya habían capturado la ciudad de Tenochtitlán.
2. Pero es que ya habían establecido una fortaleza.
3. Pero es que ya se habían levantado contra los invasores.
4. Pero es que ya había muerto.
5. Pero es que ya había ascendido al trono.
6. Pero es que ya había hecho un pacto de paz.

VIDEO Want help with compound tenses? Watch **Gramática en vivo.**

Práctica

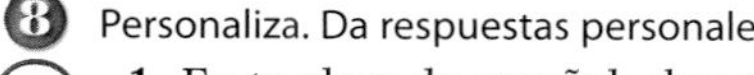

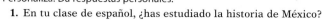

ESCUCHAR • HABLAR

8 Personaliza. Da respuestas personales.

1. En tu clase de español, ¿has estudiado la historia de México?
2. ¿Qué han aprendido ustedes?
3. ¿Te ha interesado la historia de México?
4. ¿Ha estado el/la profesor(a) de español en México?
5. Y tú, ¿has ido una vez a México?

ESCUCHAR • HABLAR

9 Cambia al presente perfecto.

1. Ellos vuelven esta mañana.
2. Cubrimos la olla con una tapa.
3. El niño abre la refrigeradora.
4. ¿Quién escribe la receta?
5. Yo hago las enchiladas.
6. Tú pones la mesa.
7. Nunca rompo un vaso.

▲ ¿Has tenido la oportunidad de ver la famosa pirámide de Kukulkán en Chichén Itzá en la península de Yucatán?

ESCUCHAR • HABLAR

10 Contesta según el modelo.

MODELO **¿Llegar los conquistadores españoles? →**
Pero es que ellos ya habían llegado.

1. ¿Capturar los conquistadores la ciudad de Tenochtitlán?
2. ¿Establecer una fortaleza?
3. ¿Levantarse contra los invasores?
4. ¿Morir Moctezuma?
5. ¿Ascender al trono José Bonaparte?
6. ¿Hacer un pacto de paz?

LEER • ESCRIBIR

11 Enlaza las dos frases en una según el modelo.

MODELO **Ellos llegaron. Yo llegué después. →**
Ellos ya habían llegado cuando yo llegué.

1. Ellos hablaron con él. Nosotros le hablamos después.
2. Yo terminé. Ustedes empezaron después.
3. Tú volviste a casa. Yo volví después.
4. Ella recibió las noticias. Las recibimos después.
5. Vimos la película. Ellos la vieron después.

▲ Los aztecas y los españoles ya habían construido edificios importantes en esta plaza mucho antes de la fundación de la moderna Ciudad de México.

Comunicación

12 Imagínate que tienes unos parientes o amigos que están de visita. Habla de todo lo que han hecho y visto desde su llegada.

Answers

11

1. Ellos ya habían hablado con él cuando nosotros le hablamos.
2. Yo ya había terminado cuando ustedes empezaron.
3. Tú ya habías vuelto a casa cuando yo volví.
4. Ella ya había recibido las noticias cuando las recibimos.
5. Ya habíamos visto la película cuando ellos la vieron.

12 *Answers will vary.*

PRACTICE

Leveling EACH Activity

Easy Activities 8, 9
Average Activities 10, 11
CHallenging Activity 12

Differentiation

Multiple Intelligences

Activity 9 You may wish to call on **bodily-kinesthetic** learners to dramatize the meaning of sentences 2 through 7 as they give their responses.

Cultural Snapshot

(page 235 top) Kukulkán es otro nombre de Quetzalcóatl. La pirámide de Kukulkán se llama también «el Castillo». Tiene cuatro escalinatas, flanqueadas en su base por grandes cabezas de serpiente. Los ejes de la pirámide están alineados con los cuatro puntos cardinales. Durante los equinoccios de primavera y otoño (el veintiuno de marzo y el veintiuno de septiembre) las sombras que proyecta la pirámide en su escalinata norte hacen el efecto de una serpiente ondulante.

GLENCOE Technology

Video in the Classroom

Gramática en vivo: *Compound tenses* Enliven learning with the animated world of Professor Cruz! **Gramática en vivo** is a fun and effective tool for additional instruction and/or review.

Resources

- Audio Activities TE, pages 5.27–5.28
- Audio CD 5A, Tracks 17–18
- Workbook, page 5.12
- Quiz 9, page 5.45
- *ExamView® Assessment Suite*

Cultural Snapshot

(page 236) Benito Juárez nació muy pobre en el pueblo de Guelatao. La hermana de Benito dejó el hogar para ir a trabajar con una familia oaxaqueña adinerada, los Masa. Unos amigos de los Masa, los Salanueva, conocieron a Benito. Lo querían mucho y lo llevaron a Oaxaca donde lo adoptaron. Benito creció y se educó al amparo de esta familia. Años más tarde Benito se casó con su hija.

Presente perfecto del subjuntivo

1. The present perfect subjunctive is formed by using the present subjunctive of **haber** and the past participle.

llegar	
que yo haya llegado	que hayamos llegado
que hayas llegado	*que hayáis llegado*
que haya llegado	que hayan llegado

ver	
que yo haya visto	que hayamos visto
que hayas visto	*que hayáis visto*
que haya visto	que hayan visto

2. The present perfect subjunctive is used when the action in the dependent clause that requires the subjunctive took place before the action in the main clause.

   Me alegro de que hayas tenido la oportunidad de ir a México.
   Dudo que ellos hayan vuelto de su viaje.

El patio de la casa de Benito Juárez, Oaxaca ▼

VIDEO Want help with compound tenses in the subjunctive? Watch **Gramática en vivo.**

Práctica

LEER • HABLAR • ESCRIBIR

13 Combina los tres elementos en frases completas.

Me sorprende Dudo Me alegro de Siento Es mejor	que tú ya	volver hacerlo decirlo

LEER • ESCRIBIR

14 Completa en el pasado.

1. Ellos no creen que yo lo ____. (hacer)
2. Es una pena que ustedes no ____ los artefactos en el Museo Nacional de Antropología. (ver)
3. Ellos dudan que tú ____. (volver)
4. Es posible que ellos no ____ el trabajo. (terminar)
5. Ellos se alegran de que todos nosotros ____ éxito. (tener)

Me sorprende que alguien haya estado en México sin visitar el famoso Museo Nacional de Antropología. ▼

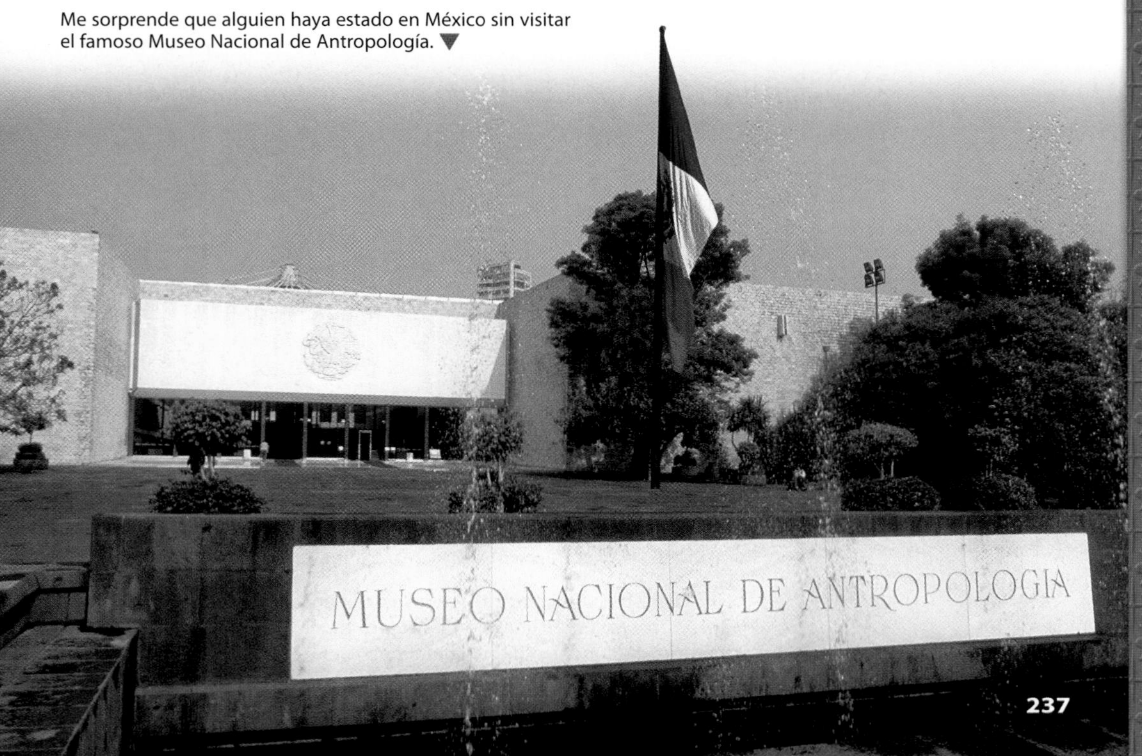

237

Answers

13 *Answers will vary.*

14
1. haya hecho
2. hayan visto
3. hayas vuelto
4. hayan terminado
5. hayamos tenido

PRACTICE

Leveling EACH Activity

Easy Activity 13
Average Activity 14

Cultural Snapshot

(page 237) El Museo Nacional de Antropología fue establecido en 1964 en la Ciudad de México. La colección de artefactos precolombinos es mundialmente reconocida. Allí están representadas todas las importantes culturas indígenas de México del pasado y también las cincuenta y seis culturas indígenas que todavía existen en el país.

GLENCOE Technology

Video in the Classroom

Gramática en vivo: *Compound tenses in the subjunctive* Enliven learning with the animated world of Professor Cruz! **Gramática en vivo** is a fun and effective tool for additional instruction and/or review.

ASSESS

Students are now ready to take Quiz 9 on page 5.45 of the TeacherTools booklet. If you prefer to create your own quiz, use the *ExamView®* *Assessment Suite.*

Resources

- Audio Activities TE, pages 5.28–5.29
- Audio CD 5A, Tracks 19–21
- Workbook, page 5.13
- Quiz 10, pages 5.47–5.48
- *ExamView® Assessment Suite*

TEACH

Core Instruction

This is one of those grammatical points that students learn better through examples than explanation. In your presentation, it is recommended that you concentrate on the model sentences and use the actual answers to the activities as examples rather than belabor the explanation of which pronoun goes where. The more students hear the correct order, the less frequently they will make errors.

The word for *cotton candy* is **algodón de azúcar** or **dulce de azúcar.**

Colocación de los pronombres de complemento

1. Direct and indirect object pronouns always come before a conjugated form of a verb.

Él me dio el mapa.	**Él me lo dio.**
Ellos nos regalaron las entradas.	**Ellos nos las regalaron.**
No me has devuelto el dinero.	**No me lo has devuelto.**

2. Direct and/or indirect object pronouns can either be attached to an infinitive or present participle or come before the auxiliary verb.

Él te quiere dar las entradas.	**Él quiere darte las entradas.**
Él te las quiere dar.	**El quiere dártelas.**
Y él te las va a dar.	**Y él va a dártelas.**
Ellos me estaban explicando la diferencia.	**Ellos estaban explicándome la diferencia.**
Ellos me la estaban explicando.	**Ellos estaban explicándomela.**

Note that when two pronouns are attached to the infinitive, the infinitive carries a written accent to maintain the same stress. The present participle carries a written accent when either one or two pronouns are attached.

La gente está paseándose tranquilamente por el Bosque de Chapultepec, México, D.F.

3. The direct and indirect object pronouns are always attached to the affirmative command and precede the negative command.

Hábleme usted.	**No me hable usted.**
Dígamelo en español.	**No me lo diga en español.**
Háblame.	**No me hables.**
Dímelo.	**No me lo digas.**

Note that the command carries a written accent to maintain the same stress when either one or two pronouns are attached. The only exception is a monosyllabic command: **dime**—but **dímelo.**

Answers

15
1. Sí, ayúdame. / No, no me ayudes por favor.
2. Sí, llámame. / No, no me llames por favor.
3. Sí, contéstame. / No, no me contestes por favor.
4. Sí, dámelo. / No, no me lo des por favor.
5. Sí, dímelo. / No, no me lo digas por favor.

16
1. ¡No lo haga ahora!
2. ¡No me lo diga!
3. ¡No me la venda!
4. ¡No se lo dé a él!
5. ¡No nos lo pida!

17
1. Póngalo usted allí.
2. Siéntense ustedes aquí.
3. Repítaselo.
4. Cuéntenmelo.
5. Sírvanselo a ellos.

VIDEO Want help with object pronouns? Watch **Gramática en vivo.**

Práctica

ESCUCHAR • HABLAR

15 Sigue el modelo.

MODELO **—¿Te hablo?**
—Sí, háblame.
—No, no me hables por favor.

1. ¿Te ayudo?
2. ¿Te llamo?
3. ¿Te contesto?
4. ¿Te lo doy?
5. ¿Te lo digo?

LEER • ESCRIBIR

16 Pon las frases en la forma negativa.

1. ¡Hágalo ahora!
2. ¡Dígamelo!
3. ¡Véndamela!
4. ¡Déselo a él!
5. ¡Pídanoslo!

LEER • ESCRIBIR

17 Pon las frases en la forma afirmativa.

1. No lo ponga usted allí.
2. No se sienten ustedes aquí.
3. No se lo repita.
4. No me lo cuenten.
5. No se lo sirvan ustedes a ellos.

LEER • ESCRIBIR

18 Escribe las frases con pronombres según el modelo.

MODELO **Quiere invitar a Mara. →**
La quiere invitar.
Quiere invitarla.

1. Quiero ver *la película.*
2. Tadeo va a comprar *las entradas.*
3. Quiere dar *las entradas a sus amigos.*
4. Voy a invitar *a José* también.
5. Vamos a ver *el film* en español—en versión original.
6. No queremos ver *el film* doblado en inglés.
7. Mis amigos podrán entender *la versión original.*

ESCUCHAR • HABLAR

19 Contesta según el modelo.

MODELO **—¿Estás comiendo los mariscos?**
—Sí, los estoy comiendo.
—Sí, estoy comiéndolos.

1. ¿Estás leyendo el menú?
2. ¿Estás hablando al mesero?
3. ¿El mesero te está recomendando la especialidad de la casa?
4. ¿Estás pidiendo el pescado a la veracruzana?
5. ¿Tu amiga está pidiendo el plato combinado que lleva tacos, enchiladas y chiles rellenos?
6. ¿Están comiendo los frijoles refritos?
7. ¿Estás pidiendo la cuenta?
8. ¿Estás pagando la cuenta?

Mucha gente está comiendo en esta terraza en Puebla. ▼

PRACTICE

Leveling EACH Activity

Easy Activities 16, 18, 19
Average Activities 15, 17

Activities 15–19 All of these activities can be done orally in class without previous preparation with the exception of Activity 18.

GLENCOE  Technology

Video in the Classroom

Gramática en vivo: *Object pronouns* Enliven learning with the animated world of Professor Cruz! **Gramática en vivo** is a fun and effective tool for additional instruction and/or review.

ASSESS

Students are now ready to take Quiz 10 on pages 5.47–5.48 of the TeacherTools booklet. If you prefer to create your own quiz, use the *ExamView® Assessment Suite.*

Answers

18

1. La quiero ver. / Quiero verla.
2. Tadeo las va a comprar. / Tadeo va a comprarlas.
3. Se las quiere dar. / Quiere dárselas.
4. Lo voy a invitar también. / Voy a invitarlo también.
5. Lo vamos a ver en español—en versión original. / Vamos a verlo en español—en versión original.
6. No lo queremos ver doblado en inglés. / No queremos verlo doblado en inglés.
7. Mis amigos la podrán entender. / Mis amigos podrán entenderla.

19

1. Sí, lo estoy leyendo. / Sí, estoy leyéndolo.
2. Sí, le estoy hablando. / Sí, estoy hablándole.
3. Sí, el mesero me la está recomendando. / Sí, el mesero está recomendándomela.
4. Sí, lo estoy pidiendo. / Sí, estoy pidiéndolo.
5. Sí, mi amiga lo está pidiendo. / Sí, mi amiga está pidiéndolo.
6. Sí, los estamos comiendo. / Sí, estamos comiéndolos.
7. Sí, la estoy pidiendo. / Sí, estoy pidiéndola.
8. Sí, la estoy pagando. / Sí, estoy pagándola.

Resources

- Tests, pages 5.57–5.58
- *ExamView® Assessment Suite*

Self-check for achievement

This is a pre-test for students to take before you administer the lesson test. Note that each section is cross-referenced so students can easily find the material they feel they need to review. You may wish to use Self-Check Worksheet Transparency SC5.2 to have students complete this assessment in class or at home. You can correct the assessment yourself, or you may prefer to project the answers on the overhead in class using Self-Check Answers Transparency SC5.2A.

Differentiation

Slower Paced Learners

Encourage students who need extra help to refer to the book icons and review any section before answering the questions.

Prepárate para el examen

Self-check for achievement

Gramática

1 Completa con el pronombre cuando necesario.

Para repasar **los verbos reflexivos,** mira la página 230.

1. ¿A qué hora ____ acostaste anoche?
2. Hace tiempo que tú y yo ____ conocemos, ¿verdad?
3. Ella ____ divirtió mucho en la fiesta.
4. Después de la fiesta nosotros ____ lavamos todos los platos y vasos.

2 Completa con la voz pasiva con se.

Para repasar **la voz pasiva,** mira la página 232.

5. En este mercado ____ vend__ muchos objetos de artesanía.

6–7. En México ____ habl__ español. ____ habl__ también varios idiomas indígenas.

8. ¿Cómo ____ dic__ *grocery store* en español?

3 Cambia a la voz pasiva.

9. Mis amigos mandaron el paquete.
10. El alcalde invitó a los habitantes de ese barrio.

4 Completa con el presente perfecto.

Para repasar **el presente perfecto y el pluscuamperfecto,** mira la página 234.

11. Yo ____ dos veces a México. (viajar)

12–13. Pero (yo) nunca ____ el viaje solo. Siempre ____ con mi familia o con unos amigos. (hacer, ir)

14. Los aztecas nos ____ unas joyas arquitectónicas. (dejar)

5 Contesta según el modelo.

MODELO **—¿Fueron ustedes al museo?**
—No, porque ya habíamos ido tres veces.

15. ¿Viste la película anoche?
16. ¿Fueron tus amigos al concierto?
17. ¿Subieron ustedes la pirámide?

6 Completa con la forma apropiada del presente perfecto del subjuntivo.

Para repasar **el presente perfecto del subjuntivo,** mira la página 236.

18. Es una pena que ustedes no ____ acompañarnos. (poder)
19. Dudo que ellos ____ el viaje. (hacer)
20. Nos alegramos de que tú ____. (divertirte)
21. No creo que él ____. (volver)

7 Expresa de otra manera.

Para repasar **la colocación de los pronombres de complemento,** mira la página 238.

22. Lo estoy esperando.
23. Se lo quiero explicar.
24. Nos vamos a sentar aquí.
25. Yo sé que ella te la está comprando.

Answers

1. te
2. nos
3. se
4. —

2

5. se, en

6–7. se, a, Se, an

8. se, e

3

9. El paquete fue mandado por mis amigos.
10. Los habitantes de ese barrio fueron invitados por el alcalde.

11. he viajado

12–13. he hecho, he ido

14. han dejado

Prepárate para el examen

Practice for proficiency

1 Mi día

Habla con un(a) compañero(a) de clase. Dile todo lo que tú haces desde que te levantas por la mañana hasta que te acuestas por la noche. Luego hagan unas comparaciones para determinar si tienen rutinas semejantes. Puedes consultar la lista de vocabulario temático sobre la rutina diaria al final de este libro.

2 Algún día

Hay tantas cosas que nos gustaría hacer algún día que no hemos hecho todavía porque no hemos tenido la oportunidad o porque no hemos podido. Trabaja con un(a) compañero(a) y hablen de las cosas que quieren hacer algún día pero que hasta ahora no han hecho nunca. Expliquen por qué no las han hecho.

▲ Este café Internet en Tepoztlán es muy popular entre los alumnos del pueblo.

3 Yo lo había hecho

Habla con un(a) compañero(a) y dile todo lo que ya habías hecho antes de entrar en la secundaria.

4 Los sentimientos de mis padres

Tú ya has hecho muchas cosas en tu vida. Sus padres se alegran de muchas cosas que hayas hecho y hay otras cosas que es posible que les sorprenda que las hayas hecho. Habla con un(a) compañero(a) de clase y dile cosas que has hecho introduciéndolas con expresiones tales como **se alegran de que, no pueden creer que, les sorprende que, no les gusta que, están contentos que,** según los sentimientos y opiniones de tus padres.

Composición

Una visita a México

Tu tarea es escribir una carta con el propósito de presentarte a la facultad de español a la universidad adonde piensas asistir. En tu carta necesitas darles a los profesores una idea de tu nivel del español. El tema de tu carta será imaginario—a no ser que hayas visitado México.

De las lecturas de la Lección 1 en este capítulo puedes sacar algunas ideas para tu carta. Debes tomar apuntes sobre la información que consideras más interesante para incluir en tu viaje ficticio. Entonces describe en tu carta todo lo que has visto y has hecho en tu viaje. Tambíen puedes incluir algunos platos que has comido.

Hay tres partes de la carta:

- el encabezamiento—que contiene tu dirección y la fecha
- el cuerpo de la carta
- la conclusión

El saludo para este tipo de carta puede ser: **Muy señores míos** (si es a una organización o si no sabes cómo se llaman las personas a quiénes escribes), o **Muy estimada señora Rodríguez; Estimado Dr. López,** etc.

La despedida puede ser: **Respetuosamente; Muy atentamente, Atentamente.**

Tips for Success

Encourage students to say as much as possible when they do these open-ended activities. Tell them not to be afraid to make mistakes, since the goal of the activities is real-life communication. If someone in the group makes an error, allow the others to politely correct him or her. Let students choose the activities they would like to do.

Tell students to feel free to elaborate on the basic theme and to be creative. They may use props, pictures, or posters if they wish.

Pre-AP These oral and written activities will give students the opportunity to develop and improve their speaking and writing skills so that they may succeed on the speaking and writing portions of the AP exam.

Note: You may wish to use the rubrics on page 214D or 214F to help students prepare their speaking activities and their writing task.

Answers

5

15. No, porque ya la había visto tres veces.
16. No, porque ya habían ido tres veces.
17. No, porque ya la habíamos subido tres veces.

6

18. hayan podido
19. hayan hecho
20. te hayas divertido
21. haya vuelto

7

22. Estoy esperándolo.
23. Quiero explicárselo.
24. Vamos a sentarnos aquí.
25. Yo sé que ella está comprándotela.

Resources

- Vocabulary Transparency V5.3
- Audio Activities TE, pages 5.29–5.30
- Audio CD 5B, Tracks 1–2
- Workbook, pages 5.14–5.15
- *ExamView® Assessment Suite*

TEACH

Core Instruction

You may wish to follow some suggestions from previous chapters for the presentation of the new vocabulary.

Cultural Snapshot

(page 242) You may wish to ask students the following questions about the photograph. Some of the questions will present students with new words. **¿Están lavando los jóvenes el carro? ¿Tiene un joven una manguera en la mano? ¿Está usando la manguera? ¿Están lavando los jóvenes el carro con una esponja? ¿Tienen agua en unos baldes? ¿Hay mucha espuma de jabón?**

About the Spanish Language

Other terms for **el balde** are **el cubo** and **la cubeta.** A much larger type of wash bucket is **una palangana.**

PRACTICE

Leveling EACH Activity

Easy Activity 2
Average Activity 1

Lección 3
Periodismo

Cantarán en San Ildefonso Bon Jovi y Fito Páez

Vocabulario

Estudia las siguientes palabras para ayudarte a entender el artículo.

la meta aspiración, objetivo
una propuesta proposición, plan
recaudar fondos recibir dinero
señalar indicar
destacar indicar algo dándole mucha importancia o énfasis

Práctica

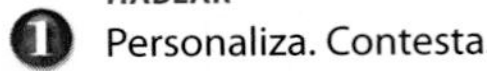

HABLAR

1 Personaliza. Contesta.

1. En tu comunidad, ¿hay algunos eventos que tienen lugar para recaudar fondos? ¿Qué tipo de eventos son y para qué o quiénes quieren recaudar los fondos?
2. ¿Cuáles son algunas metas personales que tienes y que consideras importantes?

LEER

2 ¿Cuál de las siguientes maneras de expresarse es la más fuerte?

a. Ella señaló la importancia de la propuesta.
b. Ella destacó la importancia de la propuesta.

▲ ¿Qué tipo de trabajo están haciendo estos jóvenes para recaudar fondos para su escuela?

Answers

1 *Answers will vary.*

2 b

Antes de leer

Vas a leer un artículo que apareció recientemente en un periódico de la Ciudad de México. Tiene que ver con dos cantantes famosos—uno de ellos estadounidense. Al leer el artículo, fíjate en la importancia de cierto parque en la gran capital mexicana.

Cantarán en San Ildefonso Bon Jovi y Fito Páez

El evento será para ayudar a las obras de reconstrucción del Bosque de Chapultepec

Los cantantes Bon Jovi y Fito Páez ofrecerán un concierto el 19 de julio próximo en las instalaciones del Antiguo Colegio de San Ildefonso, a fin de recaudar fondos para ayudar a las obras de reconstrucción del Bosque de Chapultepec.

La presidenta del Fideicomiso Pro Bosque de Chapultepec, Marinela Servitje, expresó en declaraciones a la prensa su entusiasmo por este concierto que ayudará a llegar a la meta que se han impuesto para este año, que es recaudar unos 20 millones de pesos.

Fito Páez en vivo en un festival de canciones en Viña del Mar, Chile

Destacó que este evento forma parte de la campaña financiera que desde hace algunos años se lleva a cabo para preservar el Bosque de Chapultepec, el cual es visitado por cerca de 200 mil personas cada semana y 15 millones al año.

Servitje explicó que con lo que se recaude de esta presentación en el Antiguo Colegio de San Ildefonso se construirá un centro de informes y un museo de sitio, en un edificio histórico ubicado debajo del Castillo de Chapultepec.

«La gente tiene que saber que el Bosque es un espacio cultural», señaló Servitje y aseguró que este concierto no solo beneficiará al Bosque de Chapultepec sino también a los amantes de la buena música.

El evento será el 19 de julio próximo y su costo será de alrededor de cuatro o cinco mil pesos por boleto, destacó

Bon Jovi en vivo en un concierto benévolo en Nueva York

Jaime Graña Belmont, director general de Diageo México y representante de Buchanan's Forever.

Señaló que con esto se pretende ayudar a las obras de reconstrucción del Bosque, por lo que la presencia de artistas de talla internacional como Bon Jovi y Fito Páez es una excelente propuesta.

¡Ojo! The verb **pretender** is a false cognate. It means *to try* or *to hope to do something.*

Leveling EACH Activity

Reading Level **Easy–Average**

TEACH

Core Instruction

You may wish to have students read this article orally in class and intersperse questions from Activity B on page 244. You may also choose to have students read the article silently first.

Comunidades

You may wish to call on some students to tell what they know about Bon Jovi. Encourage students to have a class discussion in Spanish about singers they like, particularly Hispanic ones.

Note: Item 2 in Activity A is introduced to give students some information about Fito Páez. Unlike Bon Jovi most students will not know who Fito Páez is.

Cultural Snapshot

(page 244) El Bosque de Chapultepec en la Ciudad de México es adonde va la gente de la ciudad los fines de semana. Ha sido un parque público desde el siglo XVI. Allí hay un lago, un zoológico, varios museos y galerías de arte, un jardín botánico y el Castillo de Chapultepec del siglo XVIII en el que está el Museo Nacional de Historia. En el Castillo perdieron la vida *Los niños héroes.* En 1847 las tropas estadounidenses marchaban hacia la capital mexicana. Chapultepec—el histórico castillo situado en la cima de un cerro—donde se encontraba el Colegio Militar, era el último obstáculo. El 13 de septiembre comenzó la batalla. Los soldados mexicanos lucharon valientemente, entre ellos los jóvenes cadetes que estaban en su Colegio. Murieron en defensa de su bandera y su patria. El monumento a los Niños Héroes conmemora el sacrificio de seis de estos jóvenes guerreros.

GLENCOE Technology

Online Learning in the Classroom

You may wish to have students use QuickPass code ASD7851c5 for additional practice. Students can download audio files to their computer and/or MP3 player. They can also access a self-check quiz and a review worksheet.

QuickPass
Go to glencoe.com
For: **Journalism practice**
Web code: **ASD7851c5**

Después de leer

A Confirmando información Escoge.

1. _____ es un parque popular en la Ciudad de México.
   a. San Ildefonso
   b. El Bosque de Chapultepec
2. _____ es un músico y compositor argentino de rock que formó su primera banda «Staff» cuando tenía solo trece años.
   a. Bon Jovi
   b. Fito Páez
3. Estos dos señores van a dar _____.
   a. unas declaraciones a la prensa
   b. un concierto

B Recordando hechos Contesta.

1. ¿Cuánto dinero quieren recaudar este año por la preservación y reconstrucción del Bosque de Chapultepec?
2. ¿Por qué se ha distinguido Bon Jovi?
3. ¿Cuál será el precio de un boleto de entrada al concierto?
4. En el momento del artículo el dólar estaba a unos diez pesos. ¿Cuál es el precio de un boleto en dólares?
5. ¿Qué proponen construir en el Bosque de Chapultepec?
6. ¿Cuántas personas visitan el Bosque de Chapultepec cada semana? Y, ¿al año?

C Analizando Contesta.

¿Por qué habría dicho la presidenta del Fideicomiso Pro Bosque de Chapultepec que «la gente tiene que saber que el bosque es un espacio cultural»?

Monumento a los Niños Héroes en el Bosque de Chapultepec ▼

244

Answers

A
1. b
2. b
3. b

B
1. Quieren recaudar unos 20 millones de pesos por la preservación y reconstrucción del Bosque de Chapultepec.
2. Bon Jovi se ha distinguido porque tiene talla internacional.
3. El precio de un boleto de entrada al concierto será cuatro o cinco mil pesos.
4. El precio de un boleto en dólares es 400 o 500 dólares.
5. Proponen construir un centro de informes y un museo de sitio en el Bosque de Chapultepec.
6. Cerca de 200 mil personas visitan el Bosque de Chapultepec cada semana y 15 milliones de personas visitan al año.

C *Answers will vary.*

Películas que se estrenan esta semana

Vocabulario

Estudia las siguientes palabras para ayudarte a entender las sinopses.

un riesgo peligro o inconveniente posible
un juguete objeto con que juegan los niños
apresado(a) tomado por fuerza; aprisionado, encarcelado
siniestro(a) relativo a un suceso catastrófico o hecho que causa daños
lograr llegar a obtener lo que se quiere
burlarse de acción de tratar de poner en ridículo a una persona o cosa

Estudio de palabras

arriesgar No debes arriesgar la vida por nada.
un riesgo Tratar de cruzar el océano a solas es un riesgo.
arriesgado(a) Cruzar el océano a solas es una acción arriesgada.
jugar (ue) Mañana van a jugar en la Copa Mundial.
el/la jugador(a) Hay once jugadores en el equipo de fútbol.
el juguete A los niños les gusta tener muchos juguetes.
el juego Queremos ir al estadio a ver el juego.
juguetón(ona) Es una persona juguetona. Le encanta hacer cosas cómicas.

▲ Una jugadora mexicana y otra japonesa jugando en un partido durante la Copa Mundial

Práctica

1 LEER • ESCRIBIR

Expresa de otra manera.

1. Fue un accidente *horrible.*
2. El niño empezó a llorar porque rompió *la cosita con que jugaba.*
3. No es amable *ponerle en ridículo a* alguien.
4. Es ambicioso y siempre quiere *realizar* sus metas.
5. Hay que darse cuenta de que hay *inconvenientes posibles.*

2 LEER • ESCRIBIR

Completa con la forma apropiada.

jugar

Ellos van a __1__ mañana. El __2__ empieza a las dieciséis horas. Los __3__ están muy ansiosos. El padre le dijo a su hijito que no puede acompañarlo al __4__ si insiste en llevar sus __5__. Le dijo también que durante el __6__ tiene que comportarse de una manera seria, no __7__.

arriesgar

A veces hay que __8__ algo. Hay quienes dicen que el que no toma __9__, __10__ no tener éxito ni lograr sus metas. Pero no hay duda que algunos comportamientos son más __11__ que otros.

Answers

1. Fue un accidente siniestro.
2. El niño empezó a llorar porque rompió el juguete.
3. No es amable burlarse de alguien.
4. Es ambicioso y siempre quiere lograr sus metas.
5. Hay que darse cuenta de que hay riesgos.

1. jugar
2. juego
3. jugadores
4. juego
5. juguetes
6. juego
7. juguetona
8. arriesgar
9. riesgos
10. arriesga
11. arriesgados

Resources

- Vocabulary Transparency V5.3
- Audio Activities TE, pages 5.30–5.31
- Audio CD 5B, Tracks 3–4
- Workbook, page 5.16
- *ExamView® Assessment Suite*

TEACH

Core Instruction

You may wish to have students listen to and repeat the new words after Audio CD 5B or you may prefer to have students study the vocabulary on their own, write the **Práctica** activities, and then go over them in class.

Differentiation

Advanced Learners

You may wish to have advanced learners use the words from the **Estudio de palabras** section in original sentences.

Additional Vocabulary

If students do not know the meaning of **se estrenan** give them the equivalent, **se presentan.**

PRACTICE

Leveling EACH Activity

Easy Activity 1
Average Activity 2

Leveling EACH Activity

Reading Level **Average**

TEACH
Core Instruction

You may wish to have students skim the various synopses and allow each student to concentrate on the one(s) that would be of personal interest.

Antes de leer

Vas a leer una sinopsis de varias películas (varios filmes) que se estrenaban recientemente en los cines de la Ciudad de México. Al leer las sinopses piensa en el tema principal de cada película. Decide si a ti te gustaría verla o no.

Beethoven: Monstruo inmortal

Anna Holtz, de 23 años, es una aspirante a compositora con pocos medios que intenta encontrar inspiración y prosperar en la capital mundial de la música, Viena. Anna, que estudia en el conservatorio, se las ingenia para conseguir una oportunidad de trabajar junto al mejor y más voluble artista vivo: Ludwig van Beethoven.

Camino a Guantánamo

Cuatro jóvenes británicos de origen pakistaní son apresados por la Alianza del Norte, cuyo fin es derrocar al régimen talibán. Después caerán en manos de las tropas estadounidenses, que conducirán a tres de ellos a la base de Guantánamo, en Cuba.

¿Y tú cuánto cuestas?

¿Y tú cuánto cuestas? cuestiona filosóficamente a la gente de las calles de la Ciudad de México y Nueva York sobre su relación con el dinero, la vecindad geográfica o la influencia cultural. El autor asegura que los círculos de poder que controlan al mundo ven al ser humano como un producto, el cual está diseñado y programado para consumir otros productos.

El violín

Don Plutarco, su hijo Genaro y su nieto Lucio viven una doble vida: son músicos y campesinos, al tiempo que participan en la guerrilla que planea levantarse en armas contra su gobierno. Don Plutarco tiene la música y quiere las armas, el Capitán debe sofocar a los alzados, pero ama la música... Dos seres unidos por la música y enfrentados por su destino.

Eréndira la indomable[1]

La historia trata acerca de la leyenda de Eréndira, una joven purépecha que durante el período de la colonización española se resistió a la dominación de su territorio por parte de los conquistadores, y terminó con las estructuras sociales que prohibían a la mujer la participación activa en las guerras.

La revelación de Sara

En Sarajevo de la posguerra, Esma vive con su hija de doce años, Sara. Sara exige a su madre respuestas sobre la muerte de su padre y a ésta no le queda más remedio que contarle la verdad.

Los mensajeros

La familia Solomon abandona la ajetreada[2] vida de Chicago por el apartado mundo de una granja en Dakota del Norte. Jess se da cuenta hasta qué punto el aislamiento puede ser terrorífico cuando ella y su hermano Ben comienzan a ver siniestras apariciones.

La vida de los otros

El exitoso dramaturgo Georg Dreyman y su compañera, la popular actriz Christa-Maria Sieland, son dos figuras prominentes de la escena intelectual en el estado socialista, aunque ellos secretamente no concuerdan con dicha línea partidista. Un día, el Ministro de Cultura ordena al agente secreto Wiesler seguir a la pareja, pero el agente cada vez se fascina más y más con la vida de la pareja.

Premoniciones

Cuando Linda Hanson se entera que su esposo Jim ha muerto en un accidente de auto, queda sorprendida al encontrarlo vivo el próximo día en la casa. La premonición de Linda causa una serie de eventos confusos, mientras ella trata de entender la situación para prevenir el fatal accidente y así mantener a su familia junta.

Una aventura mágica

Dos niños descubren una misteriosa caja que contiene objetos extraños que parecen juguetes, pero que provocan que sus niveles de inteligencia aumenten. Cuando ocurre un apagón[3] en la ciudad, el gobierno localiza que la descarga proviene de la casa de la niña Emma.

En busca de un milagro[4]

Ralph Walker es un niño cuyo sueño es obtener el primer lugar dentro del maratón que se realizará en Boston. Ralph no tiene padre y su madre se encuentra gravemente enferma y en estado de coma, su meta es crear un milagro, y se propone que si logra ganar la carrera, su madre se recuperará de todo.

[1] indomable *untamable*
[2] ajetreada *hectic*
[3] apagón *blackout*
[4] milagro *miracle*

Después de leer

A Determinando ¿Qué película tiene el siguiente argumento?

1. Un joven quiere ganar en un evento deportivo para ayudar a su madre.
2. Unos juguetes mágicos influyen los niveles de inteligencia.
3. Habla del rol del dinero en nuestras vidas.
4. Una muchacha que ha sufrido durante una guerra quiere respuestas sobre su padre.
5. Trata de una muerte que no ocurrió.
6. Relata la historia de una joven que quiere llegar a ser famosa.

B Categorizando ¿En qué categoría colocarías cada película? Es posible que haya más de una en la misma categoría.

1. historia
2. metas personales
3. misterio
4. suspenso
5. filosofía
6. guerra
7. tema o vida familiar
8. política

CARTELERA DE CINE

AMOR CIEGO
(Todo público)

San Pedro 5	2-4:30-6:45-9:15 p.m.	*¢1.100 **¢600
Internacional 3	2-4:30-6:45-9:15 p.m	*¢1.100 **¢600
Cariari 6	2-4:30-6:45-7-9:15 p.m.	*¢1.100 **¢600
Cinemark	1:20-4:05-7:20-9:55 p.m.	*¢1.300 **¢1.000

LOS OTROS
(May. de 16 años)

San Pedro 4	2-4-7-9 p.m.	*¢1.100 **¢600

MONSTER, INC
(Todo público)

San Pedro 2	9 p.m. (inglés)	*¢1.200 **¢600
San Pedro 2	1:15-3:10-5:05-7 p.m.	*¢1.200 **¢600
Internacional 2	11:25-3:20-5:15-7:10-9:05 p.m.	*¢1.100 **¢600
Cariari 5	1:25-3:20-5:15-7:10-9:05 p.m.	*¢1.100 **¢600
Cinemark	1:25-3:40-6:45-9 p.m.	*¢1.300 **¢1.000
Cinemark	2-4:15 p.m. (inglés)	*¢1.300 **¢1.000

Cine en la Ciudad de México ▼

Periodismo

Comunicación

Presentational

Have students make a **cartelera** of movies showing in their area. You may also wish to have them find out some information about the movies, write a brief synopsis, and present it to the class.

GLENCOE Technology

Online Learning in the Classroom

You may wish to have students use QuickPass code ASD7851c5 for additional practice. Students can download audio files to their computer and/or MP3 player. They can also access a self-check quiz and a review worksheet.

Answers

A

1. En busca de un milagro
2. Una aventura mágica
3. ¿Y tú cuánto cuestas?
4. La revelación de Sara
5. Premoniciones
6. Beethoven: Monstruo inmortal

B

1. Eréndira la indomable, La revelación de Sara
2. Beethoven: Monstruo inmortal
3. Una aventura mágica
4. En busca de un milagro, Premoniciones, Los mensajeros
5. ¿Y tú cuánto cuestas?
6. El violín, Camino a Guantánamo
7. En busca de un milagro, La revelación de Sara, Los mensajeros
8. La vida de los otros, Camino a Guantánamo

Resources

- Tests, pages 5.59–5.60
- *ExamView® Assessment Suite*

Self-check for achievement

This is a pre-test for students to take before you administer the lesson test. Note that each section is cross-referenced so students can easily find the material they feel they need to review. You may wish to use Self-Check Worksheet Transparency SC5.3 to have students complete this assessment in class or at home. You can correct the assessment yourself, or you may prefer to project the answers on the overhead in class using Self-Check Answers Transparency SC5.3A.

Differentiation

Slower Paced Learners

Encourage students who need extra help to refer to the book icons and review any section before answering the questions.

Prepárate para el examen

Self-check for achievement

Cantarán en San Ildefonso

Para repasar este vocabulario, mira la página 242.

Para repasar este artículo, mira las páginas 243–244.

Películas que se estrenan esta semana

Para repasar este vocabulario, mira la página 245.

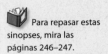

Para repasar estas sinopses, mira las páginas 246–247.

Vocabulario

1 Completa.

1. Me interesa mucho su ____. Es posible que dé buenos resultados.

2–3. En su discurso él ____ que es importante hacer algo para mejorar la situación. Y ____ que el no hacer nada resultará en un desastre.

4. Todos tenemos ____ personales que queremos realizar.
5. Van a ____ fondos para construir un centro cultural.

Lectura

2 Contesta.

6. ¿Para qué es el evento en que van a tomar parte Bon Jovi y Fito Páez?
7. ¿Qué es el Bosque de Chapultepec?
8. ¿Cuántas personas visitan el Bosque de Chapultepec cada semana?
9. ¿Dónde está el Bosque?
10. ¿Qué van a construir en el Bosque de Chapultepec?

Vocabulario

3 Expresa de otra manera.

11. Fue un verdadero suceso *catastrófico.*
12. Es posible que haya *inconvenientes o peligros.*
13. Si no haces más esfuerzo, no vas a *obtener* lo que quieres.
14. ¿Lo han *tomado por fuerza*?

4 Completa.

15–17. Siempre tenemos que correr ____ de vez en cuando. Pero no tenemos que ____ la vida. Hay algunas acciones que son más ____ que otras.

5 Identifica la palabra.

18. acción de participar en un juego
19. el que juega
20. un objeto que les divierte a los niños

Lectura

6 Identifica el tema de cinco de las siguientes películas.

21–25. La vida de los otros
Beethoven: Monstruo inmortal
Premoniciones
Camino a Guantánamo
¿Y tú cuánto cuestas?
Los mensajeros
En busca de un milagro

Answers

1

1. propuesta
2. señaló
3. destacó
4. metas
5. recaudar

2

6. El evento en que van a tomar parte Bon Jovi y Fito Páez es un concierto para ayudar a las obras de reconstrucción del Bosque de Chapultepec.
7. El Bosque de Chapultepec es un parque popular en la ciudad de México.
8. Dos cientas mil personas visitan el Bosque de Chapultepec cada semana.
9. El Bosque está en la Ciudad de México.
10. Van a construir un centro de informes y un museo de sitio en el Bosque de Chapultepec.

Prepárate para el examen

Practice for proficiency

1 Bon Jovi

Con un(a) compañero(a) compartan todo lo que saben de Bon Jovi. ¿Son aficionados a su música o no? ¿Por qué?

2 Un beneficio

Explica por qué Bon Jovi decidió dar un concierto en la Ciudad de México.

3 Una película que me interesa.

De todas las sinopsis de películas que leíste, ¿cuáles te picaron el interés? ¿Cuáles te gustaría ver? Explica por qué. Y, ¿cuáles no te interesan nada?

4 Preferencias

¿Prefieres ir a oír un concierto o ir a ver una película en el cine? Explica por qué. Si has asistido a un concierto, descríbelo. Si has ido a ver una película recientemente, descríbela.

Una crítica

La crítica es un tipo de artículo o ensayo que critica o juzga una obra—presenta un resumen y evaluación detallada de la obra.

Vas a escribir una crítica de una película o de un programa de televisión que has visto. Puedes seguir esta tabla de sugerencias para darle orden a tu crítica.

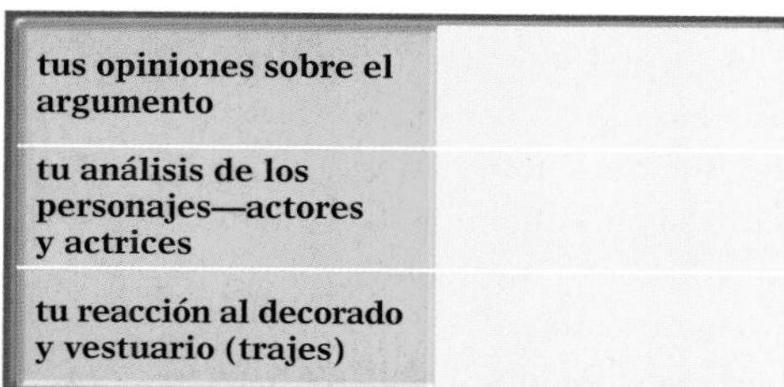

tus opiniones sobre el argumento	
tu análisis de los personajes—actores y actrices	
tu reacción al decorado y vestuario (trajes)	

▲ El Zócalo de noche durante un concierto del cantante y guitarrista mexicano Carlos Santana

Como conclusión, da tu opinión general de la obra. ¿Te ha gustado o no? ¿Recomendarías verla o no?

Después de revisar y corregir tu borrador, escribe de nuevo tu crítica en forma final.

Tips for Success

Encourage students to say as much as possible when they do these open-ended activities. Tell them not to be afraid to make mistakes, since the goal of the activities is real-life communication. If someone in the group makes an error, allow the others to politely correct him or her. Let students choose the activities they would like to do.

Tell students to feel free to elaborate on the basic theme and to be creative. They may use props, pictures, or posters if they wish.

Pre-AP These oral and written activities will give students the opportunity to develop and improve their speaking and writing skills so that they may succeed on the speaking and writing portions of the AP exam.

Note: You may wish to use the rubrics on page 214D or 214F to help students prepare their speaking activities and their writing task.

Answers

11. Fue un verdadero suceso siniestro.
12. Es posible que haya riesgos.
13. Si no haces más esfuerzo, no vas a lograr lo que quieres.
14. Lo han apresado.

15–17. riesgos, arriesgar, arriesgadas

18. jugar
19. jugador
20. un juguete

21–15. *Answers will vary but may include:*
La vida de los otros—la política
Beethoven: Monstruo inmortal—las metas personales
Premoniciones—el suspenso, la vida familiar
Camino a Guantánamo—la guerra, la política
¿Y tú cuánto cuestas?—la filosofía
Los mensajeros—el suspenso, la vida familiar
En busca de un milagro—la vida familiar, el suspenso

Resources

- Vocabulary Transparency V5.4
- Audio Activities TE, pages 5.31–5.32
- Audio CD 5B, Tracks 5–6
- *ExamView® Assessment Suite*

Additional Vocabulary

You may wish to give students the following related words or equivalent expressions to help them further understand the meaning of the new words.

resonar → la resonancia
rudo → crudo
inmerecido → sin mérito
amargura → amargo → El vinagre es amargo: Y la miel, ¿es amarga o dulce?

Cultural Snapshot

(page 250) Playa del Carmen está a unos 65 kilómetros al sur de Cancún. Es un antiguo pueblo de pescadores que sigue siendo un lugar placentero y bastante tranquilo a pesar del establecimiento de unos complejos turísticos.

Lección 4 Literatura

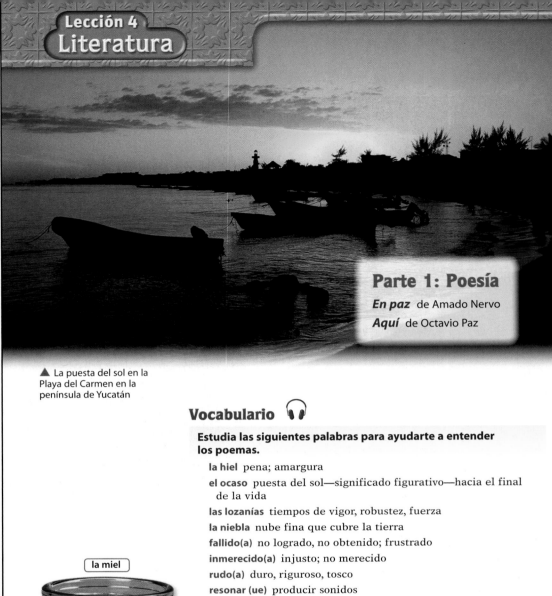

Parte 1: Poesía

En paz de Amado Nervo
Aquí de Octavio Paz

▲ La puesta del sol en la Playa del Carmen en la península de Yucatán

Vocabulario

Estudia las siguientes palabras para ayudarte a entender los poemas.

la hiel pena; amargura
el ocaso puesta del sol—significado figurativo—hacia el final de la vida
las lozanías tiempos de vigor, robustez, fuerza
la niebla nube fina que cubre la tierra
fallido(a) no logrado, no obtenido; frustrado
inmerecido(a) injusto; no merecido
rudo(a) duro, riguroso, tosco
resonar (ue) producir sonidos

la miel

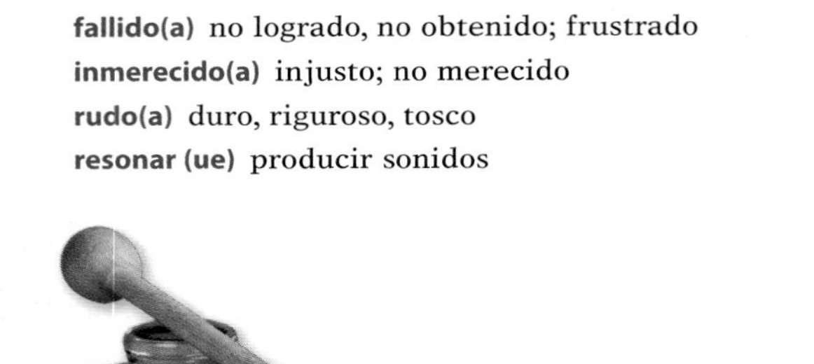

Práctica

QuickPass
Go to glencoe.com
For: Literature practice
Web code: ASD7851c5

LEER • ESCRIBIR

Completa con una palabra apropiada.

1. El día se acaba y se pone el sol. Es el _____.
2. Durante su vida su camino no ha sido muy fácil. Al contrario ha sido bastante _____.
3. A mucha gente le gusta poner limón y _____ en su té.
4. Nunca lo logró. Fue un deseo _____.
5. Es una persona buena y las penas que sufre son _____.

ESCRIBIR

Da lo contrario.

1. logrado
2. justo
3. el vinagre

▲ Niebla en la selva tropical Lacandona en Chiapas

LEER • ESCRIBIR

Completa.

Hay unos ecos que _____ en la calle. No sé por qué, pero los ecos parecen más fuertes cuando hay _____.

Leveling EACH Activity

Average Activities 1, 2, 3

Cultural Snapshot

(page 251) La selva Lacandona es un bosque tropical rico en flora y fauna en una región casi inaccesible. Aquí viven los lacandones, el último grupo indígena no cristianizado que trata de vivir apartado de la sociedad hispanizada. Pero su forma de vida está en peligro de desaparecer.

GLENCOE Technology

Online Learning in the Classroom

You may wish to have students use QuickPass code ASD7851c5 for additional practice. Students can download audio files to their computer and/or MP3 player. They can also access eFlashcards and a review worksheet.

Answers

1
1. ocaso
2. rudo
3. miel
4. fallido
5. inmerecidas

2
1. fallido
2. inmerecido
3. la miel

 resuenan, niebla

Resources 

- Audio Activities TE, pages 5.32–5.33
- Audio CD 5B, Tracks 7–8
- Tests, pages 5.61–5.62
- *ExamView® Assessment Suite*

Leveling EACH Activity

Reading Level **CHallenging**

Differentiation

Multiple Intelligences

You may wish to ask **verbal-linguistic** learners: **Los poetas con frecuencia utilizan la primavera y el invierno como metáfora. Usan estas estaciones del año para representar otra cosa. ¿Qué es lo que representan? ¿Por qué? Explica.**

Students experience, discuss, and analyze the poem *En paz* by Amado Nervo.

En paz

de Amado Nervo

INTRODUCCIÓN

Amado Nervo (1870–1919) nació en México. Estudió para sacerdote en el seminario de Jacona, pero en 1891 dejó la carrera religiosa. Entró en el servicio diplomático de su país a principios del siglo XX y pasó gran parte de su vida en Madrid, París, Buenos Aires y Montevideo, donde murió mientras servía de embajador de México en Uruguay.

Aunque el autor escribió en varios géneros, se destacó como poeta. En las poesías de su madurez se le nota una preocupación por la muerte y el amor.

Cuando somos jóvenes pensamos poco en la muerte pero no es raro que los mayores piensen en sus días finales y reflexionen sobre lo que han hecho en su vida. Es lo que hace Amado Nervo en su poema *En paz*.

Antes de leer

Una estrategia importante al leer muchas poesías es la de fijarte en el título. El título que le da el poeta puede decir mucho. ¿Qué te indica el título de este poema en cuanto a los sentimientos del autor?

En paz 

Muy cerca de mi ocaso, yo te bendigo, Vida,
porque nunca me diste ni esperanza fallida
ni trabajos injustos, ni pena inmerecida;

porque veo al final de mi rudo camino
que yo fui el arquitecto de mi propio destino;
que si extraje las mieles o la hiel de las cosas,
fue porque en ellas puse hiel o mieles sabrosas;
cuando planté rosales, coseché siempre rosas.

...Cierto, a mis lozanías va a seguir el invierno:
¡mas[1] tú no me dijiste que mayo fuese eterno!
Hallé sin duda largas las noches de mis penas;
mas no me prometiste tú sólo noches buenas;
y en cambio tuve algunas santamente serenas...

Amé, fui amado, el sol acarició mi faz.
¡Vida, nada me debes! ¡Vida, estamos en paz!

[1] mas *pero*

◀ Un paisaje de paz y tranquilidad en el estado de Sonora

Después de leer

A Interpretando Escoge.

1. ¿A quién se dirige el poeta en este poema?
   a. a Dios
   b. a la muerte
   c. a la vida
2. ¿Por qué dice el poeta «muy cerca de mi ocaso»?
   a. Habla por la tarde y se va a poner el sol.
   b. Se están acercando sus días finales.
   c. Él vive muy cerca de allí.
3. ¿Qué quiere decir el autor cuando dice que es «arquitecto de su propio destino»?
   a. Toma responsabilidad por lo bueno y lo malo de su vida, por todo lo que le ha pasado.
   b. Está contento con los edificios que ha construido.
   c. Siempre ha sabido adonde dirigirse.

◀ Cuando planté rosales, coseché siempre rosas.

B Recordando hechos Contesta.

1. ¿Tenía el autor noches de pena?
2. ¿Cómo las encontró?
3. ¿Tuvo solo noches de pena?
4. ¿Qué dice el poeta en cuanto al amor?

C Escribiendo una carta filosófica

Composición

Imagínate que eres Amado Nervo. En vez de escribir un poema, escribe las ideas que expresa el poeta en forma de una carta.

Conexiones

La literatura

- You may wish to ask students the following question. **La personificación es la atribución de vida o acciones o cualidades propias del ser racional a las cosas inanimadas, incorpóreas o abstractas. En este poema Amado Nervo se refiere a algo abstracto como si fuera persona. ¿Qué es lo que el poeta personifica?**
- Ask students to cite as many examples of figurative language used in the poem as they can. They may cite: **mi ocaso; el final de mi rudo camino; arquitecto de mi propio destino.** Then have students interpret the terms.

Answers

A

1. c
2. b
3. a

B

1. Sí, el autor tenía noches de pena.
2. Las encontró largas.
3. No, también tuvo noches serenas.
4. Dice que amó y fue amado.

C *Answers will vary.*

Resources 

- Audio Activities TE, page 5.33
- Audio CD 5B, Track 9
- Tests, pages 5.60–5.61
- *ExamView® Assessment Suite*

Leveling EACH Activity

Reading Level **Easy–Average**

TEACH

Core Instruction

You may wish to have students read the activities in the **Después de leer** section before they begin reading. The questions can help them interpret the meaning of this short poem. In spite of the simple language, the meaning is not so easy.

Aquí

de Octavio Paz

▲ Octavio Paz cuando recibió el Premio Nobel de Literatura en 1990

Introducción

Octavio Paz (1914–1998) nació en la Ciudad de México en 1914 de una familia intelectual. Sirvió de diplomático y fue embajador de México en India. Pero Octavio Paz se conoce como ensayista y poeta. Se considera uno de los mejores poetas de su generación. En 1990 recibió el Premio Nobel de Literatura. Muchos de sus poemas tienen temas metafísicos—tienen una profunda seriedad.

Dice Octavio Paz mismo, «la vida no es de nadie, todos somos la vida; los actos míos son más míos si son también de todos».

Vamos a leer un poema sencillo y profundo de este poeta mexicano tan renombrado.

Antes de leer

Antes de leer este poema corto, cierra los ojos. Visualízate andando solo(a) por una calle bajo una niebla fina. ¿Oyes algo? ¿Qué? ¿De dónde viene el sonido?

Aquí 

Mis pasos en esta calle
Resuenan
            en otra calle
donde
            oigo mis pasos
pasar en esta calle
donde
sólo es real la niebla.

Después de leer

A Internalizando Describe lo que ves u oyes al leer este poema.

B Interpretando Contesta.

1. ¿Es real o no real lo que sucede en este poema?
2. ¿Por qué dice Octavio Paz que solo es real la niebla?

C Analizando Contesta.

Dicen unos críticos que los discursos poéticos y prosísticos (de prosa) se aproximan en las poesías de Octavio Paz. ¿Crees que el poema *Aquí* es poético y prosístico? ¿Por qué?

◀ ¿Dónde en la niebla resuenan mis pasos?

Answers

A *Answers will vary.*

B

1. *Answers will vary.*
2. *Answers will vary.*

C *Answers will vary.*

Resources

- Vocabulary Transparency V5.5
- Audio Activities TE, page 5.34
- Audio CD 5B, Tracks 10–11
- *ExamView® Assessment Suite*

Tips for Success

Since students are now becoming rather advanced in their study of Spanish, you may wish to see if they are acquiring a "feel" for the language and if they are ready to do some word study of their own. Have them give verbs for the following nouns or adjectives.

la pelea → pelear
el fracaso → fracasar
el ruego → rogar
equivocado(a) → equivocar(se)

Have them give nouns for the following verbs.

empeñarse → el empeño
fallar → el fallo
desviarse → el desvío
quejarse → la queja

Parte 2: Prosa

Malinche de Laura Esquivel

▲ La Malinche y Hernán Cortés, conquistador y explorador español

Vocabulario 

Estudia las siguientes palabras para ayudarte a entender la lectura.

la pelea batalla, lucha
el fracaso resultado adverso; contrario de «éxito»
un milagro suceso no explicable por leyes naturales; suceso raro y maravilloso
el ruego la súplica, la petición
el manojo cantidad que cabe en la mano
equivocado(a) no correcto, erróneo
poderoso(a) grande—que puede hacer todo; que tiene mucho poder
primordial muy importante
empeñarse en persistir, insistir, tratar de hacer algo con determinación
fallar dejar de funcionar
desviar(se) apartar(se); alejarse del camino
quejarse expresar o manifestar resentimiento
encomendar (ie) encargar (hacer) que alguien haga algo

Práctica

LEER • ESCRIBIR

1 Completa con una palabra apropiada.

1. No puedo creer lo que ha pasado. Parece ser un ____.
2. Estás ____. No tienes razón.
3. Nunca tiene éxito. Ha sufrido muchos ____.
4. Él sabía que sería difícil hacerlo pero él ____ en salir victorioso.
5. Él nunca está satisfecho. Siempre ____ de algo.
6. Él es tan ____ que puede hacer lo que le dé la gana.

LEER • ESCRIBIR

2 Expresa de otra manera.

1. Su vida ha sido *una lucha* continua.
2. No necesito muchos; solo *lo que me cabe en la mano.*
3. Ellos no deben *alejarse del camino* para que no se pierdan.
4. *Dejó de funcionar* el motor.
5. Es un asunto *de gran importancia.*
6. Es una reacción *errónea.*

◀ Un manojo de chiles o chipotles

ESCRIBIR

3 Da una palabra relacionada.

1. pelear
2. rogar
3. una equivocación
4. un desvío
5. poder
6. fracasar
7. una encomienda
8. una queja

PRACTICE

Leveling EACH Activity

Average Activities 1, 2, 3

Differentiation

Advanced Learners

You may wish to have advanced learners write an original sentence using a form of each word in Activity 3.

Answers

1
1. milagro
2. equivocado(a)
3. fracasos
4. se empeñó
5. se queja
6. poderoso

2
1. una pelea
2. un manojo
3. desviarse
4. Falló
5. primordial
6. equivocada

3
1. la pelea
2. el ruego
3. equivocado(a)
4. desviarse
5. poderoso(a)
6. el fracaso
7. encomendar
8. quejarse

Resources

- Tests, pages 5.62–5.63
- *ExamView® Assessment Suite*

Introducción

You may wish to ask the following questions about the information in the introduction. **¿Dónde nació Laura Esquivel? ¿Cuándo? ¿Cuál fue su primera novela? ¿Tuvo mucho éxito? ¿Quién es Malinche? ¿De qué sirvió Malinche? ¿Cuál es la polémica sobre Malinche? ¿Qué creyó Malinche?**

GLENCOE Technology

Online Learning in the Classroom

You may wish to have students use QuickPass code ASD7851c5 for additional practice. Students can download audio files to their computer and/or MP3 player. They can also access eFlashcards and a review worksheet.

Malinche

de Laura Esquivel

▲ Laura Esquivel

Introducción

Laura Esquivel nació en la Ciudad de México en 1950. Su primera novela *Como agua para chocolate* se publicó en 1990 y enseguida llegó a ser número uno en ventas en México. En 2005 salió su muy esperada novela *Malinche*. La Malinche o Malinalli—su nombre indígena—es uno de los personajes más controvertidos de la historia de México. Fue la admirada amante de Hernán Cortés y sirvió de intérprete entre españoles y aztecas durante la conquista. Hay quienes dicen que Malinche había traicionado a su pueblo por haber ayudado al invasor.

En la novela, Laura Esquivel narra la aventura vital de la mujer que creyó que el extranjero Hernán Cortés pondría fin a los horribles sacrificios humanos que practicaba la religión azteca solo para descubrir la crueldad, la ambición y la codicia de los españoles que no eran menos sangrientas que los sacrificios de su gente.

El relato penetra el corazón de la protagonista, Malinche, tal como el corazón de México mismo.

Estrategia

Comprendiendo el contexto histórico Al leer muchas obras es necesario comprender el contexto histórico en que se desarrolla la obra. Hay que comprender que Malinalli, la protagonista de esta novela, vivía en una sociedad que nunca había visto ni experimentado ninguna influencia de afuera y que de repente se encuentra rodeada de jamás imaginados fenómenos.

Malinche

Cortés, al igual que Malinalli, también pensó en su madre. En la infinidad de veces que lo llevó de la mano a la iglesia para pedir por su salud de niño enfermizo. En su constante preocupación por ayudarlo a superar su corta estatura, su debilidad física y su condición de hijo único. Era claro que dentro de una sociedad dedicada a las artes marciales y en donde eran frecuentes las peleas urbanas un niño con estas características estaba destinado al fracaso y tal vez por eso sus padres se empeñaron en procurarle una buena educación.

▲ La Malinche sirve de intérprete durante un encuentro entre Cortés y Moctezuma.

Cortés, durante la misa, recordó el momento en que se había despedido de su madre antes de partir para el Nuevo Mundo. Recordó su aflicción, sus lágrimas y el cuadro de la Virgen de Guadalupe que le había regalado para que siempre lo acompañara. Cortés estaba seguro que esa virgen era quien le había salvado la vida cuando un escorpión lo había picado y le pidió en ese momento que no lo abandonara, que lo cuidara, que fuera su aliada, que lo ayudara a triunfar. Le quería demostrar a su madre que podía ser algo más que un simple paje° al servicio del rey.

Reading Check ¿Cómo se sentía Cortés al despedirse de su madre?

paje *page*

Estaba dispuesto a todo. A desobedecer órdenes, a pelear, a matar. No le había bastado ser alcalde de Santiago, en Cuba. No le había importado ignorar las instrucciones que el gobernador Diego Velázquez le había dado, según las cuales se le recomendaba no correr riesgos, tratar a los indios con prudencia, recavar° información sobre los secretos de esas tierras y encontrar a Grijalva, quien dirigía la anterior expedición. Venía en un viaje de exploración, no de conquista, que tenía el propósito de descubrir, no de poblar. Lo que Velázquez esperaba de él era que explorara la costa del golfo y regresara a Cuba con algún rescate° de oro pacíficamente obtenido, pero Cortés tenía mucha más ambición que ésa.

recavar *dig up*

rescate *ransom*

Reading Check ¿Qué ambiciones tenía Cortés?

¡Si su madre pudiera verlo! Conquistando nuevas tierras, descubriendo nuevos lugares, nombrando nuevas cosas. La sensación de poder que sentía cuando le ponía un nuevo nombre a algo o a alguien era equiparable° con la de dar a luz°. Las cosas que él nombraba nacían en ese momento. Iniciaban nueva vida a partir de él. Lo malo era que a veces le fallaba la imaginación. Cortés era bueno para las estrategias, las alianzas, las conquistas, pero no para imaginar nuevos nombres; tal vez por eso admiraba tanto la sonoridad y la musicalidad que el maya y el náhuatl° contenían. Era incapaz de inventar nombres como Quiahuiztlan, Otlaquiztlan, Tlapacoyan, Iztacamaxtitlan o Potonchan, así que recurría al idioma español para nombrar de la manera más convencional a cada lugar y a cada persona que tomaba bajo su poder. Por ejemplo, al pueblo totonaca de Chalchicueyecan lo bautizó como Veracruz ya que había llegado a ese lugar el 22 de abril de 1519, un Viernes Santo, o sea, día de la Verdadera Cruz: Vera Cruz.

equiparable *comparable*
dar a luz *giving birth*

náhuatl *indigenous language*

Reading Check ¿Cuál fue un talento que le faltaba?

Leveling EACH Activity
Reading level **CHallenging**

▶ TEACH
Core Instruction

Step 1 Once students have read lines 4–31, have them discuss Cortes' childhood and aspirations—**su niñez y sus aspiraciones.**

Step 2 Then have students compare the motives of Velázquez and Cortés—**los motivos de Velázquez y los de Cortés.**

TEACH

Core Instruction

Step 1 After students have read lines 48–69, have them discuss the indigenous peoples' willingness to accept their saints. What was Cortes' reaction to this? **¿Por qué aceptaron los indígenas a los santos y ceremonias religiosas de los españoles? ¿Cuál fue la reacción de Cortés?**

Step 2 After students have read lines 77–93, have students discuss Malinalli's reaction to the candles. **¿Cuál fue la reacción de Malinalli cuando vio tantas velas, etc.? ¿Por qué la transportaron a los días de su infancia?**

Lo mismo pasó con los nombres que eligió para las indias que les acababan de regalar. Eligió los nombres más comunes, sin esforzarse mucho. Eso no impidió que Cortés siguiera la misa previa al bautizo con entusiasmo; le conmovía ver el fervor reflejado en los ojos de todos los indios presentes a pesar de que la misa, como tal, era completamente nueva para ellos. Lo que no sabía era que para los indígenas cambiar el nombre o la forma de sus dioses no representaba ningún problema. Cada dios era conocido con dos o más nombres y se le representaba de diferentes maneras, así que el hecho de que ahora les pusieran una virgen española en la pirámide donde antes celebraban a sus dioses antiguos podía ser superado con la fe°.

fe *faith*

acólito *altar boy*

Cortés, a quien de niño había sido acólito°, nunca había sentido tanta fe reunida. Y pensó que si estos indios, en vez de dedicar su fe a un dios equivocado la encaminaran con el mismo empeño al dios verdadero, iban a ser capaces de producir muchos milagros. Esta reflexión lo llevó a concluir que tal vez ésa era su verdadera misión, salvar de las tinieblas° a todos los indios, ponerlos en contacto con la religión verdadera, acabar con la idolatría y con la nefasta° práctica de los sacrificios humanos, para lo cual tenía que tener poder, y para adquirirlo tenía que enfrentarse al poderoso imperio de Moctezuma. Con toda la fe que le fue posible, le pidió a la Virgen que le permitiera salir triunfante en esa empresa.

tinieblas *darkness, ignorance*

nefasta *ominous*

Reading Check

Para Cortés, ¿cuál fue la religión verdadera? ¿La suya o la de los indígenas?

Él era un hombre de fe. La fe lo elevaba, le proporcionaba altura, lo transportaba fuera del tiempo. Y precisamente en el momento en que con más fervor pedía ayuda, sus ojos se cruzaron con los de Malinalli y una chispa° materna los conectó con un mismo deseo. Malinalli sintió que ese hombre la podía proteger; Cortés, que esa mujer podía ayudarlo como sólo una madre podía hacerlo: incondicionalmente.

chispa *spark*

II

Ninguno de los dos supo de dónde surgió ese sentimiento pero así lo sintieron y así lo aceptaron. Tal vez fue el ambiente del momento, el incienso, las velas, los cantos, los ruegos, pero el caso es que los dos se transportaron al momento en el que más inocencia habían tenido: a su infancia.

Reading Check

¿Qué le fascinaba a Malinalli durante las ceremonias religiosas de los españoles?

Malinalli sintió que su corazón se inflamaba con el calor que despedían la gran cantidad de velas que los españoles habían colocado en el lugar que antes fuera un templo dedicado a sus antiguos dioses. Ella nunca había visto velas. Muchas veces había encendido antorchas e incensarios, pero velas no. Le parecía completamente mágico ver tantos fuegos pequeños, tanta luz reflejada, tanta iluminación proveniente de tan pequeña lumbre°. Dejó que el fuego le hablara con todas esas minúsculas voces y quedó deslumbrada° al ver la luz de las velas reflejada en los ojos de Cortés.

lumbre *light*

deslumbrada *dazzled*

Cortés desvió la mirada. La fe lo elevaba, pero los ojos de Malinalli lo devolvían a la realidad, a la carnalidad, al deseo, y no quiso que el brillo de los ojos de Malinalli lo distrajera de sus planes.

Estaba en medio de la misa e iniciando una empresa que tenía que respetar y hacer respetar, la cual ordenaba que ninguno de ellos podía tomar para sí una mujer indígena.

Sin embargo, su atracción por las mujeres era irrefrenable° y le significaba un enorme esfuerzo controlar su instinto, así que para evitar tentaciones, decidió destinar a esa india al servicio de Alonso Hernández Portocarrero, noble que lo había acompañado desde Cuba y con quien quería quedar bien. Darle una india a su servicio era una forma de halago°. A todas luces Malinalli sobresalía entre las demás esclavas, caminaba con seguridad, era desenvuelta° e irradiaba señorío.

irrefrenable *uncontrollable*

halago *flattery*

desenvuelta *confident*

Al conocer la decisión de Cortés, el corazón de Malinalli dio un vuelco°. Ése era el signo que ella esperaba. Si Cortés, quien sabía era el capitán principal de los extranjeros, le ordenaba servir a ese señor que parecía un respetable tlatoani°, era porque había visto en ella algo bueno. Claro que a Malinalli le hubiera encantado quedar bajo el servicio directo de Cortés, el señor principal, pero no se quejaba, había causado una buena impresión y en su experiencia de esclava sabía que eso era primordial para llevar una vida lo más digna posible.

dio un vuelco *turned upside down*

tlatoani *ruler*

¿Por qué estaba contenta Malinalli?

A Portocarrero, por su parte, también le agradó la decisión de Cortés. Malinalli, esa mujer-niña, era inteligente y bella. Presta a obedecer y a servir. Su primera tarea fue encender el fuego para darle de comer. Malinalli se dispuso a hacerlo de inmediato. Buscó trozos de ocote°, madera impregnada de resina ideal para encender el fuego. Luego formó con ellos una cruz de Quetzalcóatl, paso indispensable en el ritual del fuego. Enseguida tomó una vara° seca, de buen tamaño, y la comenzó a frotar° sobre el ocote.

ocote *pine*

vara *stick, wand*

frotar *to rub*

Malinalli sabía allegarse al fuego como nadie. No tenía problemas para encenderlo, sin embargo, en esa ocasión el fuego parecía estar enojado con ella. La cruz de Quetzalcóatl se negaba a encender. Malinalli se preguntó el motivo. ¿Estaría enojado el señor Quetzalcóatl con ella? ¿Por qué? Ella no lo había traicionado, todo lo contrario. Había participado en la ceremonia del bautizo con la mente° impregnada de su recuerdo. Es más, ¡desde antes de la ceremonia! Pues recordó que al entrar al templo donde se ofreció la misa, su corazón brincó de emoción al ver en el centro del altar una cruz, que para ella era la del señor Quetzalcóatl, pero que los españoles consideraban como propia, y no pudo evitar conmoverse. En ningún momento había traicionado sus creencias. Sin embargo, el ocote se negaba a obedecer y ése era un mal augurio°.

mente *mind*

augurio *omen*

Malinalli, angustiada, comenzó a sudar. Para solucionar el inconveniente, decidió ir a buscar hierba seca. Para llegar al lugar en donde se encontraba, tenía que cruzar por donde pastaban los caballos. Al llegar frente a ellos se detuvo. Entre todos ellos, descubrió al que había estado con ella en el río en el momento de su bautizo. Su amigo silencioso, el caballo, se acercó a ella y por unos momentos se observaron el uno al otro. Fue un momento mágico, de mutua admiración y reconocimiento.

Reading Check

¿Por qué podría estar enfadado Quetzalcóatl con Malinalli?

▶ TEACH

Core Instruction

Step 1 Have students be as complete as possible when they answer these Reading Checks.

Step 2 After students have read through line 142, have them describe Malinalli's encounter with the horse—**el encuentro de Malinalli con el caballo.**

TEACH

Core Instruction

After students have finished the reading, have them explain Malinalli's negative impression of Cortés. With whom is Malinalli comparing Cortes?

Answers

I

A *Answers will vary but may include:*

1. En su juventud, Hernán Cortés iba a menudo a la iglesia con su madre. Sus padres se empeñaron en procurarle una buena educación. Era hijo único.
2. El joven Cortés era un niño enfermizo. Era bajo y débil.
3. La autor señala que Cortés era un personaje ambicioso cuando dice que «estaba dispuesto a todo. A desobedecer órdenes, a pelear, a matar».
4. Cortés no podía inventar nuevos nombres con facilidad porque le fallaba la imaginación.
5. Cuando Cortés vio a los indígenas presentes en las ceremonias religiosas, se sentía conmovido ver el fervor reflejado en sus ojos.

B

1. La autora dice que Cortés estaba conquistando nuevas tierras, descubriendo nuevos lugares y nombrando nuevas cosas.
2. No sabía que para los indígenas cambiar el nombre o la forma de sus dioses no era un problema.
3. Cortés concluyó que su verdadera misión era la de salvar a todos los indios por ponerlos en contacto con la religión verdadera y acabar con la idolatría y los sacrificios humanos. Llegó a esta conclusión porque vio que los indios iban a ser capaces de encaminar su fe al dios verdadero.
4. Al mirarse en los ojos Malinalli pensó que Cortés la podía proteger y Cortés pensó que Malinalli podía ayudarlo incondicionalmente.

III

pertenencias *belongings*

Los caballos eran una de las cosas que más le habían llamado la atención a Malinalli de entre todas las pertenencias° de los extranjeros. Nunca había visto animales como aquéllos y de inmediato cayó presa de la seducción. Tanto que la segunda palabra que Malinalli aprendió a pronunciar, después de dios, fue caballo.

nitidez *clarity, vividness*

Reading Check

¿Por qué a Malinalli le gustaban tanto los caballos?

alma *soul*

Le gustaban los caballos, eran como perros grandotes con la diferencia de que en ellos uno alcanzaba a verse totalmente reflejado en sus ojos. En cambio, en los ojos de los perros no encontraba esa nitidez°. Mucho menos en los perros que los españoles habían traído con ellos; éstos no eran como los itzcuintlis, los perros de los indígenas, sino perros agresivos, violentos, de mirada cruel. Los ojos de los caballos eran bondadosos. Malinalli sentía que los ojos de los caballos eran un espejo donde se reflejaba todo aquello que uno sentía, en otras palabras, eran un espejo del alma°.

La autora sigue narrando la admiración que Malinalli tenía por los caballos. Recuerda haber visto a los españoles montados a caballo durante la batalla de Cintla y observó lo mansos que eran estos animales. En un momento un español se cayó de su caballo y el caballo hizo todo lo posible para no pisarlo. A partir de ese instante, Malinalli sintió admiración por los caballos. No le hacían daño a nadie y ella podía confiar en ellos, lo cual no podía decirse de todas las personas. Por ejemplo, los ojos y las miradas de Cortés la desconcertaban.

IV

pedernal *flint*

Presurosa *Hurried*

Ya había sentido las miradas de Cortés y no le gustaban. Los ojos de Cortés eran como los ojos que les ponían a los cuchillos de pedernal° con los que sacaban los corazones de los sacrificados. Eran ojos en los que no podía confiar pues al igual que los cuchillos con ojos se podían enterrar en el pecho y sacar el corazón. Prefería los ojos de su nuevo amo, el señor Portocarrero; eran unos ojos de mirar indiferente, pero como para ella la indiferencia era lo familiar, lo conocido, lo que siempre había vivido, se sentía a gusto a su lado. Y para complacerlo era necesario cumplir con la primera tarea que le había encomendado. Presurosa° tomó un manojo de hierbas secas, y con su ayuda no tuvo ningún problema para encender el fuego y hacer tortillas para su nuevo amo.

Reading Check

¿Por qué se puso más contenta Malinalli?

El alivio le llenó el corazón. Estaba encendiendo un fuego nuevo, de una nueva forma, con un nuevo nombre, con nuevos amos que traían nuevas ideas, nuevas costumbres. Se sentía agradecida y convencida de que estaba en buenas manos y de que los nuevos dioses habían venido a acabar con los sacrificios humanos.

Answers

II

C

1. A Malinalli le fascinaban las velas porque ella nunca había visto velas y le parecía mágico ver tantos fuegos pequeños y tanta luz proveniente de tan pequeña lumbre.
2. Malinalli se puso agitada y nerviosa al no poder encender el fuego porque pensó que Quetzalcóatl estaría enojado con ella.
3. Malinalli cree que nunca había traicionado sus creencias a pesar de haber asistido a misa porque tenía siempre la mente impregnada del recuerdo de Quetzalcóatl y en ningún momento había traicionado sus creencias.

D

1. Cortés decidió dar o encomendar a Malinalli a Alonso Hernández Portocarrero, un noble que lo había acompañado desde Cuba.

Después de leer

I

A Explicando y describiendo Describe.

1. Describe la juventud de Hernán Cortés.
2. Describe unas características del joven Cortés.
3. Explica como señala la autora que Cortés era ambicioso.
4. Explica por qué Cortés no podía inventar nuevos nombres.
5. Describe los sentimientos de Cortés al ver a los indígenas presentes en las ceremonias religiosas.

B Interpretando Contesta.

1. ¿Cómo dice la autora que Cortés vio muchas cosas en México que no había visto antes?
2. Había una cosa importante en la religión de los indígenas que Cortés no sabía. ¿Cuál?
3. ¿Qué concluyó Cortés que era su verdadera misión? ¿Cómo o por qué llegó a esta conclusión?
4. ¿Qué opiniones formaron Malinalli y Cortés al mirarse?

II

C Interpretando Contesta.

1. ¿Por qué le fascinaban tanto a Malinalli las velas?
2. ¿Por qué se puso muy agitada y nerviosa Malinalli al no poder encender el fuego?
3. ¿Por qué cree Malinalli que nunca había traicionado sus creencias a pesar de haber asistido a misa?

D Recordando hechos Contesta.

1. ¿A quién decidió Cortés dar o encomendar a Malinalli?
2. ¿Cómo reaccionó Malinalli ante esta decisión? ¿Por qué?
3. ¿Cuál fue la primera tarea que tuvo en casa de Portocarrero?
4. ¿Qué decidió hacer Malinalli cuando no pudo encender el fuego?

E Describiendo Describe el encuentro de Malinalli y el caballo.

III

F Confirmando información Corrige toda la información falsa.

1. Malinalli les tenía miedo a los caballos.
2. Los perros que tenían los indígenas se llamaban «itzcuintlis». Eran perros agresivos y violentos.
3. La primera palabra que Malinalli aprendió a pronunciar en español fue «bautizo».

IV

G Analizando e interpretando Escribe una composición que contesta la siguiente pregunta.

¿Cómo reaccionó la joven Malinalli quien conocía bien a su gente y tradiciones y que de repente se encontró introducida a animales jamás vistos y seres de facciones extrañas con tradiciones, ceremonias y ritos totalmente ajenos a los suyos?

Antes de terminar tu composición da tus reacciones u opiniones sobre las reacciones de Malinalli.

▲ Una ceremonia de índole indígena en la plaza de Coyoacán

¿Te habla este caballo? ¿Te ves en sus ojos? ¿Qué te dicen? ▼

263

Teaching Options

The answers to all these activities can be written, but you may wish to choose a few that you prefer to do just orally. Many of these activities can also serve as class discussions.

Cultural Snapshot

(page 263 top) Esta ceremonia está teniendo lugar en la plaza principal de Coyoacán, un suburbio de la Ciudad de México. Coyoacán conserva un encanto colonial con sus angostas calles, muchos restaurantes, cafés y cantinas. Los fines de semana se llena de gente. Hernán Cortés se instaló en Coyoacán dos años antes de trasladar la Capitanía General a la Ciudad de México.

Answers

2. Ante esta decisión Malinalli estaba contenta porque pensó que ese era el signo que ella esperaba.
3. La primera tarea que tuvo en casa de Portocarrero fue la de encender un fuego.
4. Cuando no pudo encender el fuego Malinalli decidió ir a buscar hierba seca.

E *Answers will vary but may include:*
Cuando Malinalli cruzaba por donde pastaban los caballos, uno de estos se acercó a ella y por unos momentos se observaron el uno al otro. Fue un momento mágico, de mutua admiración y reconocimiento.

III

F

1. A Malinalli le gustaban los caballos.
2. Los perros que tenían los españoles eran agresivos y violentos.
3. La primera palabra que Malinalli aprendió a pronunciar en español fue «dios».

IV

G *Answers will vary.*

The Video Program for Chapter 5 includes three documentary segments of some interesting aspects of life in Mexico. You may wish to have students answer the **Antes de mirar** questions orally or in writing.

Episodio 1: Los bailarines son **concheros.** Su música y baile son de origen nahua y sus trajes fueron inspirados por los aztecas. Están enfrente del Palacio Nacional en el Zócalo, la plaza principal de la Ciudad de México. Aquí los españoles levantaron sus edificios sobre las ruinas de un templo azteca. Los aztecas gobernaron aquí hasta el siglo XV y los españoles desde el siglo XVI hasta el XIX.

Episodio 2: Luis es taxista. Él lleva veinticuatro años como taxista, siempre manejando su carro favorito, su Vocho. Puedes ver Vochos en toda la Ciudad de México, en las grandes avenidas y en las pequeñas calles. El 70 por ciento de los taxis de la ciudad son Vochos. El primero fue construido en México en 1956 y el último en julio de 2003. Para muchos taxistas su Vocho no es solo un carro, es un amigo y compañero.

Episodio 3: Estas son las ruinas de una gran ciudad de 150.000 habitantes. Es Teotihuacán. Hace mil setecientos años allí construyeron templos y pirámides a sus dioses. Teotihuacán está a 30 millas al norte de la Ciudad de México. Los arqueólogos descubren cada día artefactos de la gente que habitaba la ciudad. Pero, ¿qué les pasó? ¿Por qué desaparecieron? Todavía no sabemos.

Videopaseo

¡Un viaje virtual a México!

Antes de mirar el episodio, completen las actividades que siguen.

Episodio 1: La vida del Zócalo

Antes de mirar Con unos compañeros de clase, contesten las siguientes preguntas para prepararse para lo que van a ver en el video.

1. Según el título del episodio, ¿de qué se tratará?
2. ¿Saben ustedes lo que es el «Zócalo»? ¿En qué ciudad está?
3. Miren la foto del episodio. ¿Qué pasa en la foto?
4. ¿Han visitado alguna ciudad capital? ¿Cuál(es)? ¿Han visto cantar, bailar o crear arte la gente en las plazas? Describan lo que vieron.

Episodio 2: Un carro y sus admiradores

Antes de mirar Con unos compañeros de clase, contesten las siguientes preguntas para prepararse para lo que van a ver en el video.

1. Según el título del episodio, ¿de qué se tratará?
2. Miren la foto del episodio. ¿Conocen ustedes este tipo de carro? ¿Cuál es la marca del carro?
3. ¿Hay un carro que a ustedes les gusta mucho? ¿Cuál es la marca? ¿Por qué les gusta?

Episodio 3: La historia de Teotihuacán

Antes de mirar Con unos compañeros de clase, contesten las siguientes preguntas para prepararse para lo que van a ver en el video.

1. Según el título del episodio, ¿de qué se tratará?
2. Piensen en lo que han aprendido en la lección de Cultura de este capítulo. ¿Recuerdan ustedes lo que es Teotihuacán? ¿Dónde está? Compartan todo lo que recuerdan.
3. Miren la foto del episodio. ¿Qué estará haciendo la gente en la foto?

CAPÍTULO 5 Repaso de vocabulario

Cultura

el derecho
la estela
alojar

colocar
emprender

esculpir
levantarse

hacerse
llegar a ser
ponerse
volverse (ue)

Periodismo

Cantarán en San Ildefonso Bon Jovi y Fito Páez

la meta
una propuesta
destacar

recaudar fondos
señalar

Películas que se estrenan esta semana

el juego
el/la jugador(a)
el juguete
un riesgo
apresado(a)
arriesgado(a)

juguetón(ona)
siniestro(a)
arriesgar
burlarse de
jugar (ue)
lograr

Literatura

Poesía

la hiel
las lozanías
la miel
la niebla
el ocaso

fallido(a)
inmerecido(a)
rudo(a)
resonar (ue)

Prosa

el fracaso
el manojo
un milagro
la pelea
el ruego
equivocado(a)
poderoso(a)

primordial
desviar(se)
empeñarse en
encomendar (ie)
fallar
quejarse

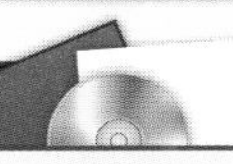

Resources

Tests, pages 5.67–5.80

Vocabulary Review

The words and phrases from Lessons 1, 3, and 4 have been taught for productive use in this chapter. They are summarized here as a resource for both student and teacher.

Teaching Options

This vocabulary reference list has not been translated into English. If it is your preference to give students the English translations, please refer to Vocabulary Transparency V5.1.

Chapter Overview

El Caribe

Scope and Sequence

Topics
- The geography of Cuba, Puerto Rico, and the Dominican Republic
- The history of Cuba, Puerto Rico, and the Dominican Republic
- The culture of Cuba, Puerto Rico, and the Dominican Republic

Culture
- Mountain ranges in Cuba, Puerto Rico, and the Dominican Republic
- The climate of the Greater Antilles
- The exploration of Christopher Columbus
- The Taino culture
- Fidel Castro
- José Martí
- Santo Domingo
- Havana, Cuba
- Caribbean food
- Caves of Camuy
- *Búcate plata* by Nicolás Guillén
- *Sensemayá* by Nicolás Guillén
- *El ave y el nido* by Salomé Ureña
- *Mi padre* by Manuel del Toro

Functions
- How to express future events
- How to express what you will have done and what you would have done
- How to refer to specific things
- How to express ownership

Structure
- The future and conditional
- The future perfect and conditional perfect
- Demonstrative pronouns
- Possessive pronouns
- Relative pronouns

Leveling

The activities within each chapter are marked in the Wraparound section of the Teacher Edition according to level of difficulty.

E indicates easy
A indicates average
CH indicates challenging

The readings in **Lección 3: Periodismo** and **Lección 4: Literatura** are also leveled to help you individualize instruction to best meet your students' needs. Please note that the material does not become progressively more difficult. Within each chapter there are easy and challenging sections.

Correlations to National Foreign Language Standards

Page numbers in light print refer to the Student Edition. Page numbers in bold print refer to the Teacher Edition.	
Communication Standard 1.1 Interpersonal	pp. **272, 275, 277,** 279, 281, **283, 291**, 293, **297, 298,** 301, 306, **308,** 316
Communication Standard 1.2 Interpretive	pp. 268, **268,** 270, **270, 271, 272,** 273, **273,** 275, **275, 276,** 277, **277,** 278, 279, 280, 281, **282,** 283, **283,** 288, 290, **291,** 293, **295, 296,** 297, **297,** 299, **299,** 300, 301, **302,** 303, **303, 304, 305,** 306, **307,** 308, 309, **310,** 311, **312,** 313, 314, 315, **315,** 316
Communication Standard 1.3 Presentational	pp. **274, 277, 279,** 281, 288, 293, 297, **297,** 301, **303,** 308
Cultures Standard 2.1	pp. 277, **302, 312, 314,** 316, **316**
Cultures Standard 2.2	pp. **267, 269, 271, 274,** 275, **275,** 277, **277, 278,** 279, **279,** 281, **283,** 286, **294,** 295–296, 298, **298, 299,** 300, 301, **302,** 312, **312, 313,** 316, **316**
Connections Standard 3.1	pp. **267, 269,** 269–270, **270, 271,** 271–272, **272,** 273, **274,** 274–275, 275, **275, 276,** 276–277, 277, **277,** 278, **278,** 280, 281, 300, 304, 308, **309, 316**
Connections Standard 3.2	pp. 282, **282,** 285, **285, 295,** 295–296, **296, 297,** 298, 305, 307, **308,** 310, **310, 313,** 313–314, 316
Comparisons Standard 4.1	pp. 282, 284, 286, **314**
Comparisons Standard 4.2	pp. **274,** 301, 316
Communities Standard 5.1	pp. **270, 272, 274, 275, 277, 281, 293, 297, 301, 308**
Communities Standard 5.2	pp. **279,** 282, **282,** 285, **285,** 301, **305, 307, 310,** 316
To read the ACTFL Standards in their entirety, see the front of the Teacher Edition.	

Student Resources

Print

Workbook *(pp. 6.3–6.12)*

Audio Activities *(pp. 6.13–6.15)*

Technology

StudentWorks™ Plus

¡Así se dice! Gramática en vivo

¡Así se dice! Cultura en vivo

Vocabulary PuzzleMaker

QuickPass glencoe.com

Teacher Resources

Print

TeacherTools, Chapter 6

Workbook TE *(pp. 6.3–6.12)*

Audio Activities TE *(pp. 6.15–6.30)*

Quizzes 1–10 *(pp. 6.33–6.44)*

Tests *(pp. 6.46–6.76)*

Technology

Vocabulary Transparencies V6.1–V6.5

Audio CDs 6A and 6B

ExamView® Assessment Suite

TeacherWorks™ Plus

¡Así se dice! Video Program

Vocabulary PuzzleMaker

QuickPass glencoe.com

50-Minute Lesson Plans

	Objective	Present	Practice	Assess/Homework
Day 1	Learn about the geography, history, and culture of Cuba, Puerto Rico, and the Dominican Republic	Chapter Opener, pp. 266–267 Core Instruction/Vocabulario, p. 268 Core Instruction/La geografía, p. 269 Core Instruction/El clima, p. 270	Activities 1–2, p. 268 Activities A–C, p. 270 Audio Activities A–C, pp. 6.15–6.16	Student Workbook Activities A–B, p. 6.3 QuickPass Culture Practice
Day 2	Learn about the geography, history, and culture of Cuba, Puerto Rico, and the Dominican Republic	Core Instruction/Una ojeada histórica, pp. 271–275	Activities D–E, p. 273 Activities F–G, p. 275	Quizzes 1–2, pp. 6.33–6.34 Student Workbook Activities C–D, p. 6.4 QuickPass Culture Practice
Day 3	Learn about the geography, history, and culture of Cuba, Puerto Rico, and the Dominican Republic	Core Instruction/Una ojeada histórica, pp. 276–278 Core Instruction/Comida, p. 279	Activities H–N, pp. 277–279 Audio Activities D–E, pp. 6.16–6.17	Quizzes 3–4, pp. 6.35–6.36 Student Workbook Activities E–F, pp. 6.4–6.5 QuickPass Culture Practice
Day 4	Review Lección 1: Cultura	Videopaseo, p. 316 Episodio 1: El Viejo San Juan	Prepárate para el examen, Self-check for achievement, p. 280 Prepárate para el examen, Practice for proficiency, p. 281	Quizzes 5–6, pp. 6.37–6.38 Review for lesson test
Day 5	Reading and Writing Test for Lección 1: Cultura, pp. 6.49–6.50			
Day 6	The future and conditional The future perfect and conditional perfect	Core Instruction/Futuro y condicional, p. 282 Video, Gramática en vivo Core Instruction/Futuro perfecto y condicional perfecto, p. 284 Video, Gramática en vivo	Activities 1–3, p. 283 Activities 4–5, p. 285 Audio Activities A–D, pp. 6.17–6.19	Student Workbook Activities A–B, pp. 6.6–6.7 Student Workbook Activities A–C, pp. 6.7–6.8 QuickPass Grammar Practice
Day 7	Demonstrative pronouns Possesive pronouns	Core Instruction/Pronombres demostrativos, p. 286 Core Instruction/Pronombres posesivos, p. 287	Activity 6, p. 286 Activities 7–10, p. 288 Audio Activities E–G, pp. 6.19–6.20	Quizzes 7–8, pp. 6.39–6.40 Student Workbook Activity A, pp. 6.8–6.9 Student Workbook Activity A, p. 6.9 QuickPass Grammar Practice
Day 8	Relative pronouns The conjunctions **y**/**e, o**/**u**	Core Instruction/Pronombres relativos, p. 289 Core Insturction/Las conjunciones **y**/**e, o**/**u** p. 291	Activities 11–15, p. 290 Activities 16–17, p. 291 Audio Activities H–I, p. 6.21	Quiz 9, p. 6.41 Student Workbook Activities A–B, p. 6.10 Student Workbook Activity A, p. 6.10 QuickPass Grammar Practice
Day 9	Review Lección 2: Gramática	Videopaseo, p. 316 Episodio 2: Las tejedoras	Prepárate para el examen, Self-check for achievement, p. 292 Prepárate para el examen, Practice for proficiency, p. 293	Quiz 10, p. 6.42 Review for lesson test
Day 10	Reading and Writing Test for Lección 2: Gramática, pp. 6.51–6.52			
Day 11	Read and discuss a newspaper article about the fight to preserve the colonial wall in San Juan	Core Instruction/Vocabulario, p. 294 Core Instruction/*Lucha por preservar muralla de San Juan,* pp. 295–296	Activity 1, p. 294 Activities A–E, p. 297 Audio Activities A–B, p. 6.22	Student Workbook Activities A–C, pp. 6.11–6.12 QuickPass Journalism Practice
Day 12	Read and discuss a newspaper article about a vacation in Punta Cana	Core Instruction/*Cuando calienta el sol aquí en la playa,* p. 298	Activities A–C, p. 299	Student Workbook Activities A–B, p. 6.12 QuickPass Journalism Practice

	Objective	Present	Practice	Assess/Homework
Day 13	Review Lección 3: Periodismo	Videopaseo, p. 316 Episodio 3: Visita al bosque tropical	Prepárate para el examen, Self-check for achievement, p. 300 Prepárate para el examen, Practice for proficiency, p. 301	Review for lesson test
Day 14	Reading and Writing Test for Lección 3: Periodismo, pp. 6.53–6.55			
Day 15	Read a poem by Nicolás Guillén	Core Instruction/Vocabulario, p. 302 Core Instruction/*Búcate plata*, pp. 304–305	Activities 1–3, p. 303 Activities A–F, p. 306 Audio Activities A–E, pp. 6.23–6.26	QuickPass Literature Practice
Day 16	Read a poem by Nicolás Guillén	Core Instruction/*Sensemayá*, p. 307	Activities A–E, p. 308 Audio Activities F–H, pp. 6.26–6.29	QuickPass Literature Practice
Day 17	Read a poem by Salomé Ureña	Core Instruction/*El ave y el nido*, pp. 309–310	Activities A–D, p. 311 Audio Activity I, p. 6.30	QuickPass Literature Practice
Day 18	Read a short story by Manuel del Toro	Core Instruction/Vocabulario, p. 312 Core Instruction/*Mi padre*, pp. 313–314	Activity 1, p. 312 Activities A–D, p. 315 Audio Activity J, p. 6.30	Review for lesson test QuickPass Literature Practice
Day 19	Reading and Writing Test for Lección 4: Literatura, pp. 6.56–6.59			
Day 20	Chapter 6 Tests Chapter Reading and Writing Test, pp. 6.63–6.69 Listening Comprehension Test, pp. 6.70–6.72		Test for Oral Proficiency, p. 6.73 Test for Writing Proficiency, pp. 6.75–6.76	

Note: You may want to use the rubrics below to help students prepare their speaking activities and their writing task.

Scoring Rubric for Speaking

	4	3	2	1
vocabulary	extensive use of vocabulary, including idiomatic expressions	adequate use of vocabulary and idiomatic expressions	limited vocabulary marked with some anglicisms	limited vocabulary marked by frequent anglicisms that force interpretation by the listener
grammar	few or no grammatical errors	minor grammatical errors	some serious grammatical errors	serious grammatical errors
pronunciation	good intonation and largely accurate pronunciation with slight accent	acceptable intonation and pronunciation with distinctive accent	errors in intonation and pronunciation with heavy accent	errors in intonation and pronunciation that interfere with listener's comprehension
content	thorough response with interesting and pertinent detail	thorough response with sufficient detail	some detail, but not sufficient	general, insufficient response

Scoring Rubric for Writing

	4	3	2	1
vocabulary	precise, varied	functional, fails to communicate complete meaning	limited to basic words, often inaccurate	inadequate
grammar	excellent, very few or no errors	some errors, but do not hinder communication	numerous errors interfere with communication	many errors, little sentence structure
content	thorough response to the topic	generally thorough response to the topic	partial response to the topic	insufficient response to the topic
organization	well organized, ideas presented clearly and logically	loosely organized, but main ideas present	some attempts at organization, but with confused sequencing	lack of organization

90-Minute Lesson Plans

	Objective	Present	Practice	Assess/Homework
Block 1	Learn about the geography, history, and culture of Cuba, Puerto Rico, and the Dominican Republic	Chapter Opener, pp. 266–267 Core Instruction/Vocabulario, p. 268 Core Instruction/La geografía, p. 269 Core Instruction/El clima, p. 270 Core Instruction/Una ojeada histórica, pp. 271–275	Activities 1–2, p. 268 Activities A–C, p. 270 Activities D–E, p. 273 Activities F–G, p. 275 Audio Activities A–C, pp. 6.15–6.16	Student Workbook Activities A–B, p. 6.3 QuickPass Culture Practice
Block 2	Learn about the geography, history, and culture of Cuba, Puerto Rico, and the Dominican Republic	Core Instruction/Una ojeada histórica, pp. 276–278 Core Instruction/Comida, p. 279	Activities H–N, pp. 277–279 Audio Activities D–E, pp. 6.16–6.17	Quizzes 1–3, pp. 6.33–6.35 Student Workbook Activities C–F, pp. 6.4–6.5 QuickPass Culture Practice
Block 3	Review Lección 1: Cultura	Videopaseo, p. 316 Episodio 1: El Viejo San Juan	Prepárate para el examen, Self-check for achievement, p. 280 Prepárate para el examen, Practice for proficiency, p. 281	Quizzes 4–6, pp. 6.36–6.38 Review for lesson test
Block 4	The future and conditional The future perfect and conditional perfect	Core Instruction/Futuro y condicional, p. 282 Video, Gramática en vivo Core Instruction/Futuro perfecto y condicional perfecto, p. 284 Video, Gramática en vivo	Activities 1–3, p. 283 Activities 4–5, p. 285 Audio Activities A–D, pp. 6.17–6.19	Reading and Writing Test for Lección 1: Cultura, pp. 6.49–6.50 Student Workbook Activities A–B, pp. 6.6–6.7 Student Workbook Activities A–C, pp. 6.7–6.8 QuickPass Grammar Practice
Block 5	Demonstrative pronouns Possessive pronouns Relative pronouns The conjunctions **y/e, o/u**	Core Instruction/Pronombres demostrativos, p. 286 Core Instruction/Pronombres posesivos, p. 287 Core Instruction/Pronombres relativos, p. 289 Core Instruction/Las conjunciones **y/e, o/u** p. 291	Activity 6, p. 286 Activities 7–10, p. 288 Activities 11–15, p. 290 Activities 16–17, p. 291 Audio Activities E–I, pp. 6.19–6.21	Quizzes 7–8, pp. 6.39–6.40 Student Workbook Activity A, pp. 6.8–6.9 Student Workbook Activity A, p. 6.9 Student Workbook Activities A–B, p. 6.10 Student Workbook Activity A, p. 6.10 QuickPass Grammar Practice
Block 6	Review Lección 2: Gramática	Videopaseo, p. 316 Episodio 2: Las tejedoras	Prepárate para el examen, Self-check for achievement, p. 292 Prepárate para el examen, Practice for proficiency, p. 293	Quizzes 9–10, pp. 6.41–6.42 Review for lesson test
Block 7	Read and discuss a newspaper article about the fight to preserve the colonial wall in San Juan	Core Instruction/Vocabulario, p. 294 Core Instruction/*Lucha por preservar muralla de San Juan,* pp. 295–296	Activity 1, p. 294 Activities A–E, p. 297 Audio Activities A–B, p. 6.22	Reading and Writing Test for Lección 2: Gramática, pp. 6.51–6.52 Student Workbook Activities A–C, pp. 6.11–6.12 QuickPass Journalism Practice
Block 8	Read and discuss a newspaper article about a vacation in Punta Cana	Core Instruction/*Cuando calienta el sol aquí en la playa,* p. 298	Activities A–C, p. 299 Prepárate para el examen, Self-check for achievement, p. 300 Prepárate para el examen, Practice for proficiency, p. 301	Student Workbook Activities A–B, p. 6.12 Review for lesson test QuickPass Journalism Practice

	Objective	Present	Practice	Assess/Homework
Block 9	Read a poem by Nicolás Guillén	Core Instruction/Vocabulario, p. 302 Core Instruction/*Búcate plata,* pp. 304–305	Activities 1–3, p. 303 Activities A–F, p. 306 Audio Activities A–E, pp. 6.23–6.26	Reading and Writing Test for Lección 3: Periodismo, pp. 6.53–6.55 QuickPass Literature Practice
Block 10	Read a poem by Nicolás Guillén and a poem by Salomé Ureña	Core Instruction/*Sensemayá,* p. 307 Core Instruction/*El ave y el nido,* pp. 309–310	Activities A–E, p. 308 Activities A–D, p. 311 Audio Activities F–I, pp. 6.26–6.30	QuickPass Literature Practice
Block 11	Read a short story by Manuel del Toro	Core Instruction/Vocabulario, p. 312 Core Instruction/*Mi padre,* pp. 313–314 Videopaseo, p. 316 Episodio 3: Visita el bosque tropical	Activity 1, p. 312 Activities A–D, p. 315 Audio Activity J, p. 6.30	Review for lesson and chapter tests QuickPass Literature Practice
Block 12	Reading and Writing Test for Lección 4: Literatura, pp. 6.56–6.59 Chapter 6 Tests Chapter Reading and Writing Test, pp. 6.63–6.69 Listening Comprehension Test, pp. 6.70–6.72 Test for Oral Proficiency, p. 6.73 Test for Writing Proficiency, pp. 6.75–6.76			

Note: You may want to use the rubrics below to help students prepare their speaking activities and their writing task.

Scoring Rubric for Speaking

	4	3	2	1
vocabulary	extensive use of vocabulary, including idiomatic expressions	adequate use of vocabulary and idiomatic expressions	limited vocabulary marked with some anglicisms	limited vocabulary marked by frequent anglicisms that force interpretation by the listener
grammar	few or no grammatical errors	minor grammatical errors	some serious grammatical errors	serious grammatical errors
pronunciation	good intonation and largely accurate pronunciation with slight accent	acceptable intonation and pronunciation with distinctive accent	errors in intonation and pronunciation with heavy accent	errors in intonation and pronunciation that interfere with listener's comprehension
content	thorough response with interesting and pertinent detail	thorough response with sufficient detail	some detail, but not sufficient	general, insufficient response

Scoring Rubric for Writing

	4	3	2	1
vocabulary	precise, varied	functional, fails to communicate complete meaning	limited to basic words, often inaccurate	inadequate
grammar	excellent, very few or no errors	some errors, but do not hinder communication	numerous errors interfere with communication	many errors, little sentence structure
content	thorough response to the topic	generally thorough response to the topic	partial response to the topic	insufficient response to the topic
organization	well organized, ideas presented clearly and logically	loosely organized, but main ideas present	some attempts at organization, but with confused sequencing	lack of organization

Preview

In this chapter, students will learn more about the geography, history, culture, and literature of three Spanish-speaking islands of the Caribbean. They will read newspaper articles about the famous wall in old San Juan and the resort of Punta Cana. Students will read two poems by the Cuban author Nicolás Guillén and one by the Dominican Salomé Ureña. They will also read a short story by the Puerto Rican Manuel del Toro. Students will continue with their review of Spanish grammar.

Pacing

Cultura	4–5 days
Gramática	4–5 days
Periodismo	4–5 days
Literatura	4–5 days
Videopaseo	2 days

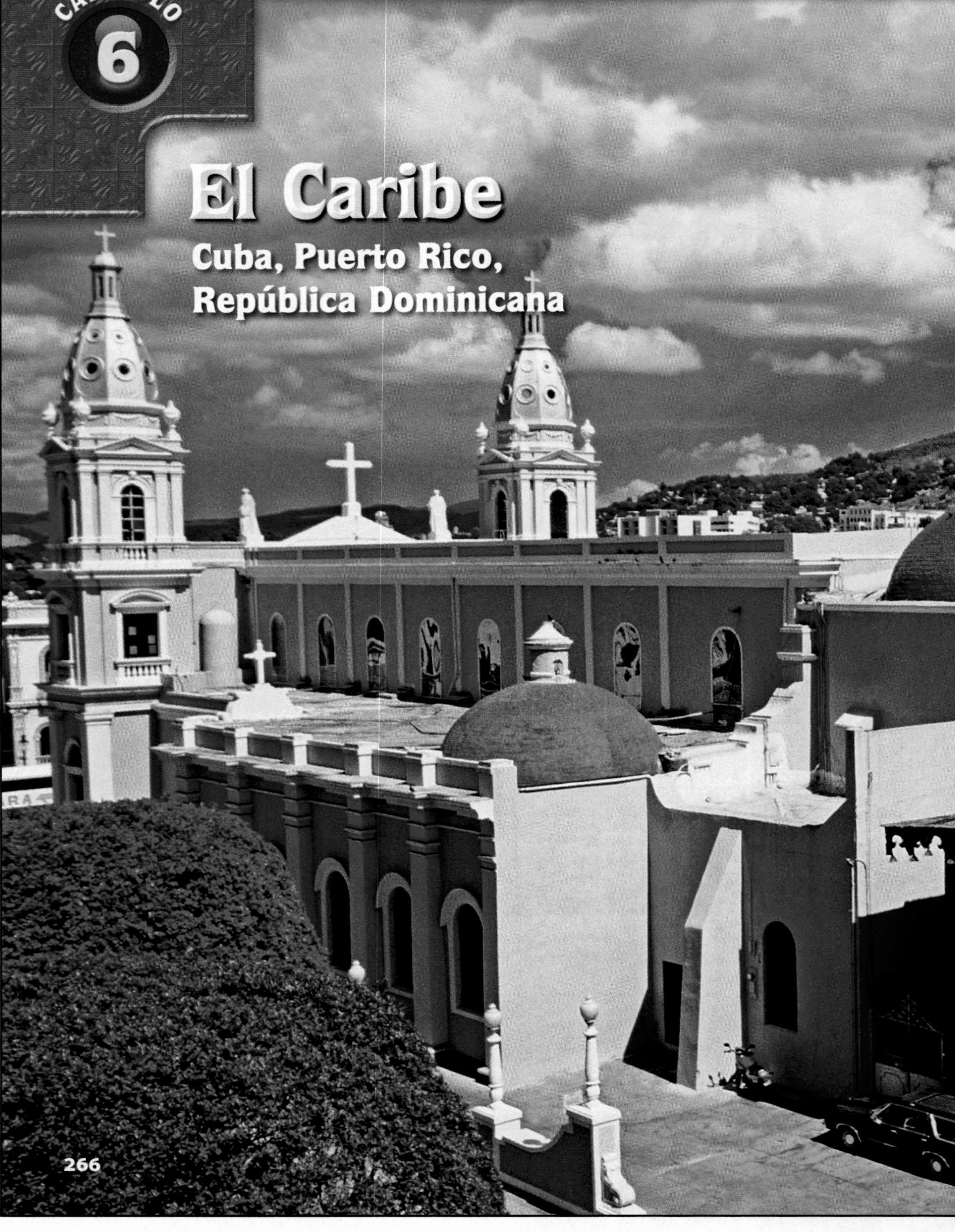

TeacherWorks Plus

The **¡Así se dice!** TeacherWorks™ Plus CD-ROM is an all-in-one planner and resource center. You may wish to use several of the following features as you plan and present the Chapter 6 material: Interactive Teacher Edition, Interactive Lesson Planner with Calendar, and Point and Click Access to Teaching Resources including Hotlinks to the Internet and Correlations to the National Standards.

La catedral y el parque de bombas, Ponce, Puerto Rico

Objetivos

You will:

- learn about the geography, history, and culture of Cuba, Puerto Rico, and the Dominican Republic
- discuss and compare the current political situation in Cuba, Puerto Rico, and the Dominican Republic
- read and discuss newspaper articles about the fight to preserve the colonial wall in San Juan and a vacation in Punta Cana
- read poems by the Cuban Nicolás Guillén and the Dominican Salomé Ureña and a short story by the Puerto Rican Manuel del Toro

You will review:

- the future and conditional
- the future perfect and conditional perfect
- demonstrative and possessive pronouns
- relative pronouns
- **y** to **e; o** to **u**

Contenido

QuickPass
Go to glencoe.com
For: **Online book**
Web code: **ASD7851c6**

Cultural Snapshot

(pages 266–267) Ponce se llama «la perla del sur». Fue fundada en 1692 por el bisnieto de Juan Ponce de León. La catedral de Nuestra Señora de Guadalupe está en la Plaza de las Delicias. La catedral actual fue construida en 1919 pero en el mismo sitio donde los españoles construyeron una capilla en 1660.

El parque de bombas fue construido en 1882 para una feria agrícola. Un año más tarde el edificio fue declarado el cuartel general de los bomberos voluntarios de Ponce. Pintado en negro, rojo, verde y amarillo, sigue siendo una atracción turística.

Quia Interactive Online Student Edition found at quia.com allows students to complete activities online and submit them for computer grading for instant feedback or teacher grading with suggestions for what to review. Students can also record speaking activities, listen to chapter audio, and watch the videos that correspond with each chapter. As a teacher you are able to create rosters, set grading parameters, and post assignments for each class. After students complete activities, you can view the results and recommend remediation or review. You can also add your own customized activities for additional student practice.

Resources

- Vocabulary Transparency V6.2
- Audio Activities TE, pages 6.15–6.16
- Audio CD 6A, Tracks 1–3
- Workbook, page 6.3
- Quiz 1, page 6.33
- *ExamView® Assessment Suite*

TEACH

Core Instruction

Step 1 Have students repeat the new words after Audio CD 6A.

Step 2 You may wish to ask some questions using the new words. **¿Hay una cadena de montañas donde vives? ¿Te adoptas fácilmente a costumbres ajenas? Cuando uno saquea algo, ¿roba mucho o solo toma un poco? ¿Se estalló la Guerra de Cuba en 1898?**

PRACTICE

Leveling EACH Activity

Average Activities 1, 2

Cultural Snapshot

(page 268) La cordillera central mide 550 kilómetros de longitud y sus picos son los más elevados de las Antillas.

Lección 1

Cultura

Go to glencoe.com
For: **Culture practice**
Web code: **ASD7851c6**

Vocabulario 

Estudia las siguientes palabras para ayudarte a entender la lectura.

una cadena de montañas una cordillera o serie de montañas como los Andes, por ejemplo

ajeno(a) diferente, extraño

estallarse ocurrir violentamente

saquear robar en gran cantidad

pisar poner los pies en

Práctica

LEER • ESCRIBIR

1 Completa con una palabra apropiada.

1. Los piratas ____ las embarcaciones españolas que volvían a España repletas de las riquezas de las Américas.
2. Cristóbal Colón fue el primer europeo en ____ tierra cubana.
3. Se ____ la Guerra Civil española en 1936.
4. Una ____ montañosa es una sucesión de montañas en línea continua.
5. Las costumbres de los españoles eran muy ____ a las de los indígenas.

ESCUCHAR • HABLAR

2 Contesta para indicar cuánto sabes de la historia.

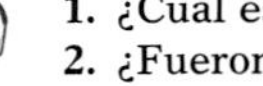

1. ¿Cuál es una cadena de montañas en Estados Unidos?
2. ¿Fueron los españoles los primeros en pisar tierra americana?
3. ¿En qué año se estalló la Segunda Guerra Mundial?
4. ¿Qué hacen ilegalmente unos manifestantes cuando entran en un edificio durante un motín o manifestación?

◀ La cordillera central en la República Dominicana

GLENCOE Technology

Online Learning in the Classroom

You may wish to have students use QuickPass code ASD7851c6 for additional vocabulary and comprehension practice. Students will be able to download audio files to their computer and/or MP3 player and access eFlashcards, eGames, a self-check quiz, and a review worksheet.

ASSESS

Students are now ready to take Quiz 1 on page 6.33 of the TeacherTools booklet. If you prefer to create your own quiz, use the *ExamView® Assessment Suite.*

La geografía

El Caribe es un mar. Es también el término que se refiere a las Antillas, un archipiélago constituido por miles de islas que forman tres grupos importantes—las Grandes Antillas, las Pequeñas Antillas y las Bahamas. Las islas antillanas en que se habla español son Cuba, Puerto Rico y la República Dominicana. Cada una pertenece a las Grandes Antillas. Jamaica, la cuarta de las Grandes Antillas, es un país de habla inglesa.

▲ Playa, Boca de Yuma, República Dominicana

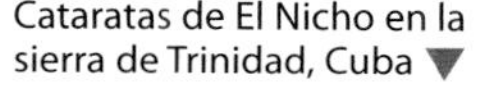

Cataratas de El Nicho en la sierra de Trinidad, Cuba ▼

Cuba es la más grande de las Antillas y es también la isla más cercana a Estados Unidos. Al este de Cuba se encuentra la Española, una isla dividida en dos repúblicas, Haití de habla criolla y francesa y la República Dominicana. Al este de la Española está la más pequeña del grupo, Puerto Rico.

Las Grandes Antillas son mayormente montañosas y surgen de una cadena de montañas submarinas.

El Morro y el Capitolio, San Juan, Puerto Rico ▼

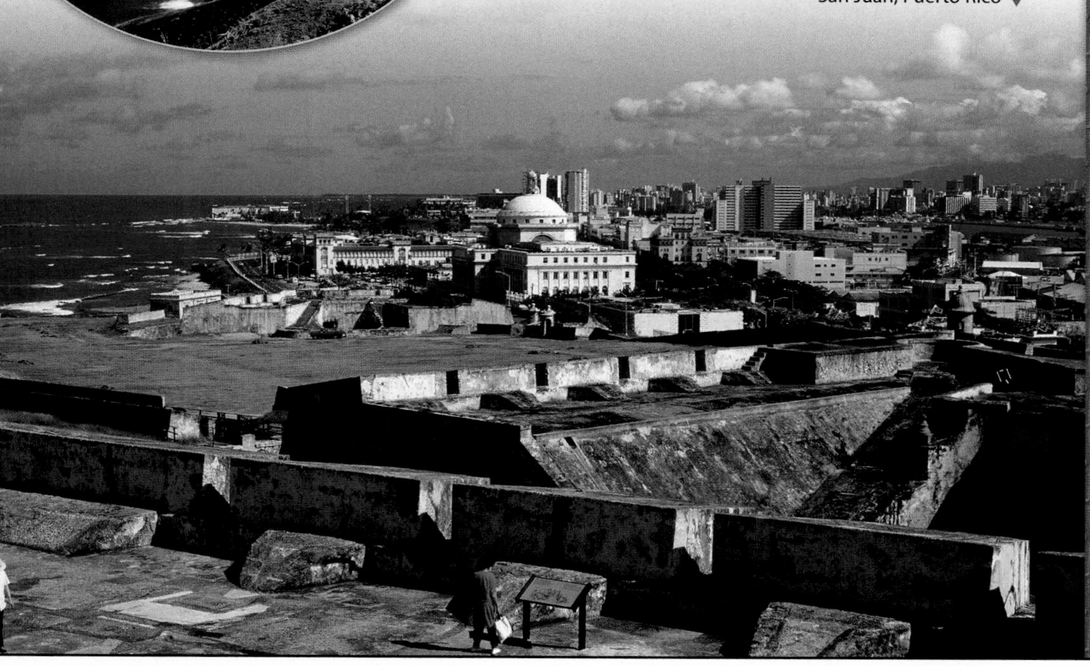

Answers

1. saquearon
2. pisar
3. estalló
4. cadena
5. ajenas

2

1. Las Montañas Rocosas (Los Apalaches) son una cadena de montañas en Estados Unidos.
2. Sí, los españoles fueron los primeros en pisar tierra americana.
3. La Segunda Guerra Mundial se estalló en 1939.
4. Unos manifestantes saquean cuando entran en un edificio durante un motín o manifestación.

Cultura

Resources

- Workbook, page 6.3
- Quiz 2, page 6.34
- *ExamView® Assessment Suite*

TEACH

Core Instruction

Step 1 Have students read this selection silently, or call on individuals to read it aloud.

Step 2 You can intersperse comprehension questions from Activity A on page 270 as you are going over this selection.

Cultura

This reading familiarizes students with the geography, history, and culture of Spanish-speaking islands in the Caribbean.

Conexiones

La geografía

Have students locate each island mentioned in the **Lectura** on a map.

Cultural Snapshot

(page 269 bottom) El Castillo San Felipe del Morro, llamado más comúnmente el Morro, es un fuerte (una fortaleza) construido originalmente en 1540. Está ubicado en la punta del nordeste del Viejo San Juan mirando hacia la bahía. Los estudiantes van a leer más sobre el Morro en Lección 3 de este capítulo.

PRACTICE

A You may wish to do this activity as factual recall or you may permit students to look up the answers.
B and **C** Have students make up sentences orally about the information in each one of these activities.

Conexiones

La geografía

The most common time of the year for hurricanes in the Caribbean is from July through September, but the official season is actually June through October. Ask students what natural disasters are common in your area and if there is a season in which they occur.

Comunidades

If you live in an area where there are hurricanes, have students describe one if they have experienced one. This activity will review vocabulary from **Capítulo 3, Lección 3.**

ASSESS

Students are now ready to take Quiz 2 on page 6.34 of the TeacherTools booklet. If you prefer to create your own quiz, use the *ExamView® Assessment Suite.*

El clima

▲ Un huracán, Yabucoa, Puerto Rico

Las Grandes Antillas se encuentran en una zona tropical. El clima es tropical en los llanos y subtropical en las montañas. Hay dos estaciones: la seca, de noviembre a mayo, y la húmeda, de junio a octubre. Como en partes orientales de Estados Unidos, los huracanes, que nacen en el océano Atlántico de julio a agosto, a veces baten las costas de estas islas. El clima es especialmente apropiado para el cultivo de la caña de azúcar, el café y el tabaco, productos importantes en las tres islas. La vegetación es exuberante en todas partes de las Antillas.

A **Recordando hechos** Contesta.

1. ¿A qué se refiere el término «Caribe»?
2. ¿Cuáles son tres de las Grandes Antillas en que se habla español?
3. ¿En qué países se divide la Española?
4. ¿Cuál es una característica geográfica de las Grandes Antillas?
5. ¿Cuántas estaciones tienen las islas antillanas? ¿Cuáles son?
6. ¿Cuáles son unos productos importantes de las Antillas?

▲ Cosechando la caña de azúcar, Cuba

B **Organizando** Organiza las islas del Caribe en que se habla español desde la más occidental hasta la más oriental.

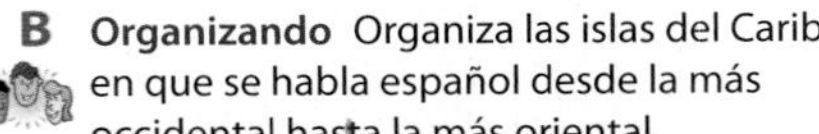

C **Buscando información** Completa la tabla.

país	lengua que se habla
Puerto Rico	
Haití	
República Dominicana	
Jamaica	
Cuba	
Bahamas	

Answers

A

1. El término «Caribe» se refiere a un mar y también a las Antillas, un archipiélago constituido por miles de islas.
2. Tres de las Grandes Antillas en que se habla español son Cuba, Puerto Rico y la República Dominicana.
3. La Española se divide en Haití y la República Dominicana.
4. Una característica de las Grandes Antillas son las montañas.
5. Las islas antillanas tienen dos estaciones: la seca y la húmeda.
6. Unos productos importantes de las Antillas son la caña de azúcar, el café y el tabaco.

B

Cuba, La Española, Puerto Rico

C

español
francés y criolla
español
inglés
español
inglés

Una ojeada histórica

República Dominicana

El cinco de diciembre de 1492 Cristóbal Colón llegó a una isla que llamó La Española, hoy día la República Dominicana y Haití. Cuando llegaron los españoles vivían en La Española los taínos, palabra que en su lengua indígena significaba «los buenos» o «los nobles». En la isla había unas seiscientos mil personas pero desaparecieron casi todas en menos de trece años debido a las enfermedades y al tratamiento cruel de los conquistadores. En 1493 se estableció «el emplazamiento»[1] de La Isabela y de ese lugar empezó la infiltración de los españoles por toda la isla. Iban fundando fortalezas a lo largo de todo el territorio. A los indígenas no les gustaba nada la presencia de los españoles con sus costumbres tan ajenas a las suyas y se estalló una serie de enfrentamientos.

[1] emplazamiento *settlement*

Catedral y monumento a Colón, Santo Domingo, República Dominicana ▼

Cultural Snapshot

(page 271) La puerta norte de La Catedral da al parque Colón. La primera piedra de la Catedral de Santa María de la Encarnación fue colocada por Diego Colón en 1514. La Catedral tiene importantes obras de arte como cuadros de los pintores Murillo y Velázquez.

Resources

- Workbook, pages 6.4–6.5
- Quiz 3, page 6.35
- *ExamView® Assessment Suite*

TEACH

Core Instruction

You may wish to have students read this paragraph silently and then ask questions such as: **¿En qué países se divide La Española? ¿Quiénes eran los indígenas que vivían en La Española? ¿Por qué desaparecieron los indígenas? ¿Qué se estalló entre los indígenas y los españoles?**

Conexiones

La historia

You may wish to share the following information with students. **Cristóbal Colón nació en 1446 en Génova, Italia. Entró al servicio de España en 1492. Obtuvo de Isabel la Católica tres carabelas: la Niña, la Pinta y la Santa María. Salió del puerto de Palos el 3 de agosto de 1492 en busca de una ruta más corta a las Indias. Llegó a tierra el 12 de octubre. En su primer viaje llegó a Cuba y a la isla que él nombró Hispaniola (La Española), hoy Haití y la República Dominicana.**

En su segundo viaje descubrió Puerto Rico y otras islas de las Antillas Menores y volvió otra vez a La Española (Hispaniola). En 1498 recorrió la costa de la América del Sur desde la desembocadura del río Orinoco hasta Caracas.

TEACH

Core Instruction

Call on students to give a comparison between **un corsario** and **un pirata.**

Conexiones

La historia

Quisqueya was the indigenous name of the Dominican Republic.

Heritage Speakers

If you have any Dominican students in class, have them tell about their country.

El hermano de Cristóbal Colón, Bartolomé Colón, fundó la ciudad de Santo Domingo, la capital actual, en 1496. Esta fue la primera población europea de importancia en las Américas. Santo Domingo fue un lugar de mucho movimiento económico y comercial. De Santo Domingo salieron muchas expediciones españolas para conquistar y más tarde explorar otras regiones de las Américas. El hijo de Cristóbal Colón, Diego Colón, sirvió de gobernador de 1508 hasta 1515 y todavía hoy se puede visitar su casa en la capital.

▲ La Isabela fundada por Colón en la isla de La Española en 1493

Al hablar de la historia de la zona caribeña no se puede pasar de largo a los piratas y corsarios que durante siglos atacaban y saqueaban los barcos españoles que transportaban las riquezas de las Américas. Uno de los más famosos fue el corsario británico Francis Drake. Hay que destacar la diferencia entre un pirata y un corsario. La palabra pirata significa «ladrón del mar». El pirata ataca sin discriminación a quien se ponga en su camino. No reconoce ni fe ni ley. El corsario tiene un contrato que firma con cierto país y se dedica a perseguir y saquear barcos considerados enemigos del país u organización en cuestión. Siguieron operando los corsarios hasta 1856 cuando los países europeos firmaron un pacto para abolir el corso.

La República Dominicana se independizó de España en 1865.

Tiempos modernos

La dictadura del general Rafael Trujillo Molina duró más de tres décadas. Él tomó el poder en un golpe de Estado en 1930 y murió a balazos[2] en 1961. Actualmente la República Dominicana tiene un sistema de gobierno presidencialista.

[2] a balazos *of bullet wounds*

D **Analizando** Contesta.

1. ¿Por qué desapareció casi la totalidad de la población indígena de La Española en solo unos trece años?
2. ¿Por qué no les gustaba a los taínos la presencia de los españoles?
3. ¿Cómo es que Santo Domingo se hizo un lugar de mucho movimiento económico y comercial?
4. ¿Cuál es la diferencia entre un pirata y un corsario?

E **Identificando** Identifica a cada personaje, lugar o fecha y explica su importancia.

Cristóbal Colón	
La Isabela	
1856	
1865	
Rafael Trujillo	

▲ Cafés en la zona colonial de Santo Domingo

Differentiation

Slower Paced Learners

Advanced Learners

E Slower paced learners should be able to give basic information in response to this activity, while advanced learners should be able to give significant detail.

ASSESS

Students are now ready to take Quiz 3 on page 6.35 of the TeacherTools booklet. If you prefer to create your own quiz, use the *ExamView® Assessment Suite.*

Answers

D

1. Casi la totalidad de la población indígena de La Española desapareció en solo unos trece años por el tratamiento cruel de los conquistadores.
2. A los taínos no les gustaba la presencia de los españoles porque estos tenían costumbres muy ajenas.
3. Santo Domingo se hizo un lugar de mucho movimiento económico y comercial porque de allí salieron muchas expediciones españolas.
4. Un pirata es un ladrón del mar que ataca sin discriminación a quien se ponga en su camino. Un corsario tiene un contrato con cierto país y se dedica a perseguir y saquear a los enemigos del país.

E

Cristóbal Colón: llegó a La Española que es hoy día la República Dominicana y Haití
La Isabela: emplazamiento en La Española donde empezó la infiltración de los españoles
1856: los países europeos firmaron un pacto para abolir el corso
1865: la República Dominicana se independizó de España
Rafael Trujillo: general de una dictadura que duró más de tres décadas; tomó poder en un golpe de estado en 1930; murió a balazos en 1961

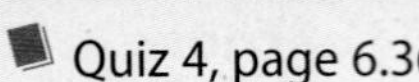
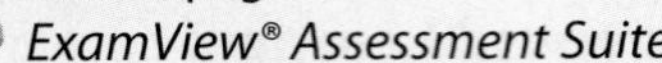

Resources

- Quiz 4, page 6.36
- *ExamView® Assessment Suite*

Conexiones

La historia

Ask students if they studied the Spanish-American War in social studies. If they did, have them tell what they remember. Give them the Spanish equivalent for the name of this war—**la Guerra de Cuba.**

Comunicación

Presentational

You may wish to have students who are interested in the topic do some research about Cuba during the Spanish-American War and report what they learn to the class.

Comunidades

Have students look at the picture on the bottom of page 274 and take note of the restoration work that is taking place in many areas of Cuba, particularly the old section of Havana. Have students look at the contrasts in the buildings. Ask if they know of similar renovations of older neighborhoods in your community.

Cultural Snapshot

(page 274 bottom) La Plaza Vieja data del siglo XVI y es una de las plazas más espectaculares de la Habana Vieja.

Cuba

Colón vio la isla de Cuba pero la abandonó en favor de La Española. Más tarde en 1512 una expedición bajo el mando de Diego Velázquez de Cuéllar salió de La Española para conquistar Cuba en nombre de la corona española. Ya en 1514 los españoles habían fundado siete ciudades en Cuba incluyendo la capital, La Habana.

A la llegada de los españoles los taínos habitaban Cuba y Velázquez trató de protegerlos pero los invasores siguieron masacrándolos. Un jefe taíno, Hatuey, se sublevó y trató de resistir a los invasores pero los españoles lo capturaron. Con la casi total desaparición de la población indígena, como en todas partes del Caribe, empezó a llegar a Cuba gente esclavizada de la África Occidental.

Durante la primera mitad del siglo XIX cuando la mayoría de las colonias españolas se independizaron Cuba se mantuvo fiel a España. Pero comenzando en 1868 y durante los siguientes treinta años los cubanos lucharon valientemente contra la dominación española. Ganaron su independencia en 1898 cuando terminó la Guerra de Cuba. Los dos grandes héroes de la independencia, José Martí y Antonio Maceo, ya habían perdido la vida sin poder realizar su sueño de ver una Cuba libre.

▲ Cuadro del viaje de Colón a las Américas

La Plaza Vieja, La Habana ▼

274

Tiempos modernos

Después de la independencia había una serie de gobiernos, casi todos apoyados por Estados Unidos. En 1959 Fidel Castro, el líder de un grupo revolucionario, derrocó al gobierno corrupto del dictador Fulgencio Batista y estableció el primer gobierno comunista en las Américas. Miles de cubanos, que estaban en contra de la política de Castro, salieron de Cuba y se instalaron mayormente en Estados Unidos (Florida y Nueva Jersey), Puerto Rico y España.

◀ Fidel Castro

F **Confirmando información** ¿Sí o no?

1. La primera vez que Colón puso pie en Cuba se quedó por mucho tiempo.
2. Fue Cristóbal Colón quien conquistó Cuba en nombre de la corona española.
3. Velázquez trató de una manera horrible a los taínos.
4. Los españoles trajeron de África a gente esclavizada para sustituir a los indígenas que desaparecían.
5. Cuba fue el primer país que se independizó de España.
6. Cuba ganó su independencia al terminar la Guerra de Cuba entre España y Estados Unidos en 1898.
7. Estados Unidos no apoyó a ninguno de los gobiernos cubanos después de la independencia de este país.

G **Explicando** Identifica.

1. Diego Velázquez de Cuéllar
2. Hatuey
3. José Martí y Antonio Maceo
4. Fulgencio Batista
5. Fidel Castro

Estatua de José Martí, La Habana ▶

Answers

F

1. no
2. no
3. no
4. sí
5. no
6. no
7. no

G

1. Diego Velázquez de Cuéllar fue un explorador que salió de La Española para conquistar Cuba en nombre de la corona española.
2. Hatuey fue un jefe taíno de Cuba que se sublevó y trató de resistir a los invasores pero fue capturado.
3. José Martí y Antonio Maceo fueron los héroes de la independencia. Ellos perdieron la vida en la lucha contra la dominación española.
4. Fulgencio Batista fue el dictador que tenía un gobierno corrupto contra el cual lucharon Fidel Castro y un grupo revolucionario.
5. Fidel Castro derrocó al gobierno de Batista en 1959 y estableció el primer gobierno comunista en las Américas.

Cultura

Heritage Speakers

You may wish to have students of Cuban background tell some of the things they have heard from their grandparents or parents about contemporary Cuban history.

Conexiones

La historia

José Martí (1853–1895) nació en La Habana. Era hijo de un militar español. A los dieciséis años fue arrestado y encarcelado por los españoles por subversión. Después de un año, fue exiliado a España donde estudió en Madrid y Zaragoza. Vivió también en México, Guatemala, Honduras y Venezuela. Dice que en cada país se encontró en casa—lo que le hizo proclamar «De América soy hijo». Pasó catorce años en Estados Unidos donde organizó un grupo revolucionario. Martí murió en el campo de batalla en Cuba en 1895. Murió sin realizar su sueño de ver a su Cuba libre e independiente. Martí es el máximo héroe de la independencia de Cuba. Además de ser político y revolucionario, la gran pasión de Martí durante toda su vida era la poesía. Escribió sus famosos *Versos sencillos* durante su estadía en Nueva York.

▶ PRACTICE

Differentiation

Advanced Learners

F Have advanced learners correct any false information in this activity.

ASSESS

Students are now ready to take Quiz 4 on page 6.36 of the TeacherTools booklet. If you prefer to create your own quiz, use the *ExamView®* *Assessment Suite.*

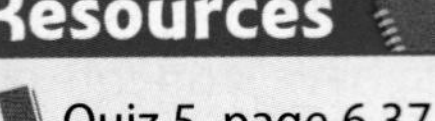

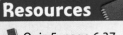

Resources

- Quiz 5, page 6.37
- *ExamView® Assessment Suite*

TEACH

Core Instruction

As students read this page you may wish to call on a student to give a summary of each paragraph.

Conexiones

La historia

- The indigenous name for Puerto Rico is **Borinquen.** It is still heard in many songs and used fondly by Puerto Ricans who are also referred to as **boricuas** or **borincanos.**
- The city of Ponce, Puerto Rico, is named after the first governor of Puerto Rico, don Juan Ponce de León (1460–1521). He arrived in Borinquen (Puerto Rico) in 1508, founding the city of San Juan. Ponce de León later discovered Florida en 1512.

Cultural Snapshot

(page 276 middle) La península de Samaná es uno de los puntos más atractivos de la República Dominicana sobre todo por su esplendidez natural.

Comunicación

Interpersonal, Presentational

If some of your students have been to Puerto Rico or the Dominican Republic, have them bring in photographs and share some of their experiences with the class. Encourage classmates to ask questions to facilitate a discussion.

▲ Ponce de León, el primer gobernador de Puerto Rico

Puerto Rico

Uno de los primeros grupos que vivían en Puerto Rico eran los arawaks en los años 300 a.C. Al llegar los españoles a Puerto Rico, habitaban la isla, igual que otras islas del Caribe, los taínos. Pero fue en Puerto Rico y la República Dominicana que la civilización taína había alcanzado su apogeo. Los taínos eran buenos agricultores, constructores, cazadores, marineros y navegadores. Unos cien años antes de la llegada de los españoles los taínos ya habían sido debilitados por una serie de luchas sangrientas con un grupo de invasores feroces—los caribes.

Fue Cristóbal Colón el primer europeo en pisar tierra puertorriqueña el 19 de noviembre de 1493. En 1508 Juan Ponce de León fue nombrado el primer gobernador de Puerto Rico y él empezó a importar colonizadores de La Española. Fundaron el pueblo de Caparra muy cerca de lo que hoy es San Juan. Los indígenas empezaron a morir no solo en sus luchas contra los españoles sino también de muchas enfermedades introducidas por los invasores.

Puerto Rico se hizo un territorio muy importante por su situación geográfica. Sirvió como el primer puerto de entrada de muchos barcos llegando de España con destino a las Américas. Sirvió también como el último puerto de salida de las embarcaciones que volvían a España repletas de las riquezas de las Américas. Por eso los españoles decidieron construir tres grandes fortalezas en San Juan.

En Puerto Rico, como en sus otras colonias, los españoles, a diferencia de otros colonizadores europeos, no se mantenían apartados[3] de los indígenas. En 1514 el Rey dio permiso oficial para que los españoles se casaran con indígenas y más tarde se celebraban matrimonios entre españoles y africanos. La mezcla de taínos, blancos y africanos es la base de la población actual no solo de Puerto Rico sino de Cuba y la República Dominicana también.

▲ Monumento a los taínos atacando a Colón en 1493, península de Samaná, República Dominicana

[3] apartados *isolated*

Paseo de La Muralla y el Palacio del Gobernador, Viejo San Juan ▼

Answers

H

1. los arawaks
2. Los taínos
3. otras islas del Caribe; agricultores, constructores, cazadores, marineros y navegadores
4. Cristóbal Colón, Juan Ponce de León
5. enfermedades introducidas por los invasores

I

1. Los taínos ya habían sido debilitados antes de la llegada de los españoles por una serie de luchas sangrientas con los caribes.
2. Puerto Rico se hizo un territorio importante por su situación geográfica. Fue el primer puerto de entrada de muchos barcos de España y el último puerto de salida de las embarcaciones que volvían a España.

Tiempos modernos

Cuando terminó la Guerra de Cuba de 1898 entre España y Estados Unidos, Puerto Rico pasó de manos españolas a manos estadounidenses. Medio siglo después Puerto Rico se estableció como Estado Libre Asociado de Estados Unidos y adquirió un alto grado de gobierno propio. Los habitantes de Puerto Rico tienen la ciudadanía estadounidense.

Actualmente los puertorriqueños se dividen en tres grupos políticos. Los independentistas, que no es un grupo muy grande, quieren su independencia de Estados Unidos. Los populares quieren mantener el status actual de Estado Libre Asociado y los estadistas quieren ver a Puerto Rico un estado de Estados Unidos.

▲ Puente Teodoro Moscoso, San Juan, Puerto Rico

H **Buscando información** Completa.

1. Uno de los primeros grupos que habitaba Puerto Rico eran ____.
2. ____ habitaban la isla cuando llegaron los españoles.
3. Este mismo grupo habitaba ____ y eran buenos ____.
4. ____ fue el primer europeo en pisar tierra puertorriqueña y ____ fue su primer gobernador.
5. Además del maltrato, muchos indígenas murieron de ____.

I **Explicando** Da la información correcta.

1. Explica por qué los taínos ya habían sido debilitados antes de la llegada de los españoles.
2. Explica por qué Puerto Rico se hizo un territorio muy importante.
3. Explica una gran diferencia entre los colonizadores españoles y los colonizadores de otros países europeos.
4. Explica la situación política de Puerto Rico actualmente.
5. Explica la diferencia entre los tres grupos políticos en Puerto Rico.

◀ Ruinas de los taínos en el Parque Ceremonial Indígena, Caguana, Puerto Rico

Answers

3. Una gran diferencia entre los colonizadores españoles y los colonizadores de otro países europeos fue que no se mantenían apartados de los indígenas.
4. Actualmente Puerto Rico es un Estado Libre Asociado de Estados Unidos y sus habitantes tienen la ciudadanía estadounidense.
5. De los tres grupos políticos en Puerto Rico, son los independentistas que quieren su independencia de Estados Unidos, los populares que quieren continuar como Estado Libre Asociado y los estadistas que quieren ver Puerto Rico un estado de Estados Unidos.

TEACH

Core Instruction

As students read you may wish to ask the following comprehension questions. **¿Qué pasó a Puerto Rico cuando terminó la Guerra de Cuba? ¿Qué es Puerto Rico hoy día? ¿Qué ciudadanía tienen los puertorriqueños? ¿En cuántos grupos políticos se dividen los puertorriqueños? ¿Cuáles son?**

Heritage Speakers

If you have any students from Puerto Rico in class, have them give some information about their homeland.

La historia

You may wish to share the following information with students. **Los tres partidos políticos de Puerto Rico son el PPD, Partido Democrático Popular, que está en favor del status quo; el PNP, el Partido Nuevo Progresivo, que apoya la estadía; y el PIP, el Partido Independentista Puertorriqueño, que quiere la independencia de Estados Unidos.**

Cultural Snapshot

(page 277 bottom) Estas ruinas fueron descubiertas y excavadas durante los años cincuenta. Se considera el sitio taíno ceremonial más importante de las Antillas. Muchos de los monolitos representan «cemías», dioses protectores de los taínos. Hay también doce «bateyes» o canchas de pelota que datan de 1200 a.C.

Resources

- Audio Activities TE, pages 6.16–6.17
- Audio CD 6A, Tracks 4–5
- Quiz 6, page 6.38
- *ExamView® Assessment Suite*

Cultural Snapshot

(page 278 top) Los jesuitas comenzaron la construcción de la Catedral de San Cristóbal de La Habana en 1748 y, a pesar de su expulsión en 1767, la construcción fue terminada en 1787.

ASSESS

Students are now ready to take Quiz 6 on page 6.38 of the TeacherTools booklet. If you prefer to create your own quiz, use the *ExamView® Assessment Suite.*

▲ Plaza de la Catedral, La Habana

Visitas históricas

La Habana, la capital de Cuba, tiene fama de ser una de las ciudades más bellas de las Américas. La Habana colonial fue un centro de comercio, arte y cultura durante los siglos XVIII y XIX. Hasta hoy puedes visitar las magníficas iglesias, residencias y otros edificios como la Catedral, el Castillo del Morro y el Castillo de la Real Fuerza.

La ciudad más antigua de las Américas es Santo Domingo y tienes que visitarla para apreciar sus muchos monumentos coloniales incluyendo la casa del hijo de Cristóbal Colón. Durante más de un siglo, según los dominicanos, los restos de Colón reposaban en la Catedral de Santo Domingo aunque los españoles dicen que están en la Catedral de Sevilla. En 1992 sus restos se trasladaron a un monumento nuevo—el Faro—y se dice que más de un millón de personas lo han visitado.

La capital de Puerto Rico tiene también su precioso casco colonial. Llamado el Viejo San Juan es una verdadera joya arquitectónica. Pero si quieres ver una joya creada por la naturaleza, debes ir a ver las Cuevas de Camuy. Hace más de un millón de años que el río Camuy va formando este sistema de cuevas subterráneas, el tercero más grande del mundo. Una de las cuevas es más grande que un campo de fútbol. Hay un pequeño tranvía que te llevará al Sumidero[4] Tres Pueblos donde puedes ver caer las aguas del río cientos de pies hasta el fondo del sumidero.

[4] Sumidero *Sinkhole*

▲ Cuevas de Camuy, Puerto Rico

J Personalizando Di lo que puedes ver o visitar si vas a los siguientes lugares.

Cuba	
República Dominicana	
Puerto Rico	

K Explicando Explica la polémica sobre los restos de Cristóbal Colón.

Entrada al Faro a Colón, Santo Domingo ▼

Faro a Colón, Santo Domingo ▶

Answers

J *Answers will vary.*

K *Answers will vary but may include:*
Según los dominicanos, los restos de Colón reposaban en la Catedral de Santo Domingo y en 1992 se trasladaron a un momumento nuevo (el Faro) pero los españoles dicen que sus restos están en la Catedral de Sevilla.

Comida

Cada isla del Caribe hispanohablante tiene sus especialidades culinarias, pero no se puede ir a ninguna de las tres sin comer arroz con frijoles. En Cuba se llaman «moros y cristianos», en Puerto Rico «arroz con habichuelas» y en la República Dominicana simplemente «arroz con frijoles». Hay quienes dicen que un día sin arroz y frijoles es un día sin sol.

▲ Arroz y frijoles (habichuelas)

▲ Deliciosas frutas tropicales

Un plato delicioso y muy apreciado en las tres islas es el suculento lechón asado acompañado de tostones y—¿qué más?—arroz y frijoles. Para terminar cualquier comida hay una abundancia de frutas tropicales como la papaya, el mango, la piña, el coco y la banana.

L **Recordando hechos** Contesta.

1. ¿Cuál es un plato popularísimo en todas las islas hispanohablantes del Caribe?
2. ¿Cuáles son los diferentes nombres que lleva el plato?
3. ¿Cuál es otro plato apreciado en las tres islas?
4. Y, de postre, ¿qué hay?

M **Interpretando** ¿Cuál será la interpretación de «un día sin arroz y frijoles es un día sin sol»?

Comunicación

N Trabajando en grupos, mencionen todos los alimentos y platos que conocen del Caribe. Luego discutan los que les gustaría comer y por qué.

Answers

L

1. Un plato popularísimo en todas las islas hispanohablantes del Caribe es arroz con frijoles.
2. Los diferentes nombres que lleva el plato son «moros y cristianos» y «arroz con habichuelas».
3. Otro plato apreciado en las tres islas es el lechón asado.
4. De postre, hay una abundancia de frutas tropicales como la papaya, el mango, la piña, el coco y la banana.

M *Answers will vary but may include:*
La interpretación de «un día sin arroz y frijoles es un día sin sol» puede significar que es un plato que a los habitantes de las islas del Caribe les gusta mucho.

N *Answers will vary.*

Cultura

Resources

- *ExamView® Assessment Suite*

Comunidades

There are quite a few Cuban restaurants in many areas of the United States. If there is one near you, you may wish to take students on a field trip. Have them look for items on the menu that they have learned about and then have them order in Spanish. Today both Puerto Rican and Dominican restaurants are becoming more common. If you have one or both in your community, you may wish to offer students a choice in which foods they try.

Comunicación

Presentational

You may wish to have students work in groups to prepare dishes for a class party. A very simple dish to make is **arroz con pollo**—see the recipe on page 312 of **¡Así se dice!** Level 2. Even easier is roast or fried chicken served with rice and beans. The black beans available in cans in many supermarkets are excellent. Since **tostones** are a bit difficult to make, a salad of sliced avocado and onion with vinegar and olive oil is another nice accompaniment. Before eating the food, have each group explain to the class how they made each dish and which ingredients they used.

Resources

- Tests, pages 6.49–6.50
- *ExamView® Assessment Suite*

Self-check for achievement

This is a pre-test for students to take before you administer the lesson test. Note that each section is cross-referenced so students can easily find the material they feel they need to review. You may wish to use Self-Check Worksheet Transparency SC6.1 to have students complete this assessment in class or at home. You can correct the assessment yourself, or you may prefer to project the answers on the overhead in class using Self-Check Answers Transparency SC6.1A.

Differentiation

Slower Paced Learners

Encourage students who need extra help to refer to the book icons and review any section before answering the questions.

Prepárate para el examen

Self-check for achievement

Vocabulario

Para repasar este vocabulario, mira la página 268.

1 Expresa de otra manera.

1. Él *puso pie en* tierra el ocho de noviembre.
2. *Empezó de manera violenta* una guerra horrible.
3. Él les *robó grandes cantidades.*
4. Hay una gran *cordillera* de montañas del este al oeste.

Lectura y cultura

Para repasar esta información cultural, mira las páginas 269–279.

2 Completa.

5. Las Grandes Antillas son mayormente islas ____.
6. Las dos estaciones son ____ y la seca.

3 Identifica.

7. el cinco de diciembre de 1492
8. los taínos
9. Santo Domingo
10. los corsarios
11. 1865

4 Contesta.

12. ¿Quién conquistó a Cuba en nombre de la corona española?
13. ¿Por qué empezó a llegar a la República Dominicana gente esclavizada de África?
14. ¿Cuándo recibieron los cubanos su independencia?
15. ¿Qué pasó en Cuba en 1959?

5 ¿Sí o no?

16. Antes de la llegada de los españoles los taínos tuvieron que luchar contra los feroces caribes.
17. Cristóbal Colón fue el primer europeo en pisar tierra puertorriqueña y se nombró el primer gobernador de la isla.
18. Puerto Rico se hizo un territorio muy importante por su situación geográfica tan estratégica.
19. Actualmente Puerto Rico es un estado de los Estados Unidos.
20. La mayoría de los puertorriqueños desean su independencia de Estados Unidos.

6 Completa.

21. La ciudad más antigua de las Américas es ____.

22–23. Según los dominicanos los restos de Cristóbal Colón reposaban en ____ pero en 1992 los trasladaron a ____.

24–25. Dos platos de la cocina antillana son ____ y ____.

Answers

1

1. pisó
2. Se estalló
3. saqueó
4. cadena

2

5. montañosas
6. la húmeda

3

7. Cristóbal Colón llegó a La Española el cinco de diciembre de 1492.
8. Los taínos era un grupo indígena que habitaba La Española.
9. Santo Domingo fue fundado por Bartolomé Colón y es la actual capital de la República Dominicana.
10. Los corsarios fueron los que tenían contratos que firmaron con cierto país; se dedicaron a perseguir y saquear barcos considerados enemigos del país.
11. En 1865 la República Dominicana se independizó de España.

Prepárate para el examen

Practice for proficiency

1 El clima del Caribe

¿Qué tipo de clima tienen las islas del Caribe? Da tantos detalles posibles. ¿Te gustaría vivir en las Antillas o no? ¿Por qué?

2 Comparaciones y contrastes

Trabajen en grupos de tres. Comparen la historia de la República Dominicana, Cuba y Puerto Rico. Señalen las cosas que tienen en común y las que son diferentes.

3 La población antillana de hoy

Describe la etnia de los habitantes de los tres países del Caribe donde se habla español. Da los rasgos y razones históricas por esta etnia.

4 La situación actual

Discute y compara la situación política actual en Cuba, la República Dominicana y Puerto Rico. ¿Tienen las tres regiones el mismo sistema político hoy en día?

Las islas del Caribe

En esta lección leíste sobre las tres islas hispanohablantes del Caribe: Cuba, la República Dominicana y Puerto Rico. Estas tres islas en su cultura, geografía, historia y política tienen mucho en común pero también hay diferencias entre ellas.

Vas a escribir una composición en la cual vas a comparar y contrastar estas tres islas. Lee de nuevo la información en la lectura. Mientras leas, usa una tabla como la de abajo para tomar apuntes que te ayudarán a organizar tu composición.

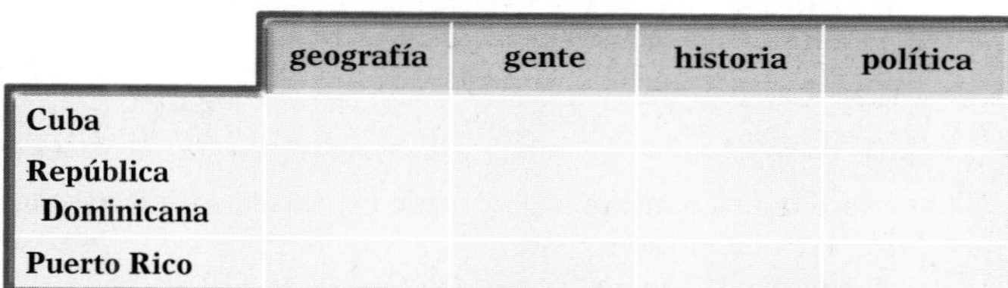

	geografía	gente	historia	política
Cuba				
República Dominicana				
Puerto Rico				

Después de tomar los apuntes, categoriza toda la información en tres clasificaciones: **semejanzas, diferencias, características singulares.** Organiza la información y preséntala de una manera clara. Después de revisar y corregir tu borrador, escribe de nuevo tu composición en forma final.

Cultura

Tips for Success

Encourage students to say as much as possible when they do these open-ended activities. Tell them not to be afraid to make mistakes, since the goal of the activities is real-life communication. If someone in the group makes an error, allow the others to politely correct him or her. Let students choose the activities they would like to do.

Tell students to feel free to elaborate on the basic theme and to be creative. They may use props, pictures, or posters if they wish.

Pre-AP These oral and written activities will give students the opportunity to develop and improve their speaking and writing skills so that they may succeed on the speaking and writing portions of the AP exam.

Note: You may wish to use the rubrics on page 266D or 266F to help students prepare their speaking activities and their writing task.

Answers

12. Diego Velázquez de Cuéllar conquistó a Cuba en nombre de la corona española.
13. Gente esclavizada de África empezó a llegar a la República Dominicana porque había una desaparición casi total de la población indígena.
14. Los cubanos recibieron su independencia en 1898.
15. En Cuba en 1959 Fidel Castro, el líder de un grupo revolucionario, derrocó al gobierno corrupto del dictador Fulgencio Batista y estableció el primer gobierno comunista en las Américas.

16. sí
17. no
18. sí
19. no
20. no

6

21. Santo Domingo
22–23. la Catedral de Santo Domingo, un monumento nuevo (el Faro)
24–25. arroz con frijoles, lechón asado

Resources

- Audio Activities TE, pages 6.17–6.18
- Audio CD 6A, Tracks 6–8
- Workbook, pages 6.6–6.7
- Quiz 7, page 6.39
- *ExamView® Assessment Suite*

TEACH

Core Instruction

Step 1 Write the verb paradigms on the board, underline the endings, and then have students repeat the forms after you.

Step 2 Have students say the irregular forms in unison.

Step 3 Read Items 3 and 4 to the class and call on students to read the model sentences.

GLENCOE Technology

Online Learning in the Classroom

Have students use QuickPass code ASD7851c6 for additional grammar practice. They can review verb conjugations with eFlashcards. They can also review all grammar points by doing a self-check quiz and a review worksheet

GLENCOE Technology

Video in the Classroom

Gramática en vivo: *The future and conditional* Enliven learning with the animated world of Professor Cruz! **Gramática en vivo** is a fun and effective tool for additional instruction and/or review.

Go to glencoe.com
For: **Grammar practice**
Web code: **ASD7851c6**

VIDEO Want help with the future and conditional? Watch **Gramática en vivo.**

Futuro y condicional

1. The future and conditional of regular verbs are formed by adding the personal endings to the entire infinitive.

futuro		condicional	
hablaré	hablaremos	iría	iríamos
hablarás	*hablaréis*	irías	*iríais*
hablará	hablarán	iría	irían

Note that the endings for the conditional are the same as those for the imperfect of **-er** and **-ir** verbs.

2. The following verbs have an irregular stem for the future and conditional. The endings are the same as those of regular verbs.

HACER	**haré**	**haría**	VENIR	**vendré**	**vendría**
DECIR	**diré**	**diría**	PONER	**pondré**	**pondría**
QUERER	**querré**	**querría**	SALIR	**saldré**	**saldría**
SABER	**sabré**	**sabría**	TENER	**tendré**	**tendría**
PODER	**podré**	**podría**	VALER	**valdré**	**valdría**

3. The future is used in Spanish, as in English, to express a future event.

Ellos llegarán a Puerto Rico mañana.
Nosotros los veremos el sábado que viene.
José tendrá mucho que decirnos.

Pasajeros desembarcando en el aeropuerto internacional Luis Muñoz Marín ▶

Note that the future is very often expressed with **ir a** + the infinitive or with the present tense.

Ellos van a salir la semana próxima.
Y yo voy mañana.

4. The conditional is used in Spanish, as it is in English, to express what would or would not happen under certain circumstances or "conditions." The conditional in English is usually expressed by *would.*

Yo lo llamaría, pero no tengo tiempo.
I would call him but I don't have time.

Answers

1. Algún día, haré un viaje a Puerto Rico.
2. Visitaré el Viejo San Juan.
3. Caminaré por las murallas que bordean el Viejo San Juan.
4. Iré a las Cuevas de Camuy.
5. Pasaré unos días en una de las playas estupendas de Puerto Rico.
6. Volveré a casa bronceado(a).
7. Comeré lechón asado con arroz y habichuelas.
8. Creo que me gustará.

1. Ellos lo dirán pero nosotros no lo diríamos.
2. Ellos lo sabrán pero nosotros no lo sabríamos.
3. Ellos podrán ir pero nosotros no podríamos ir.
4. Ellos vendrán pero nosotros no vendríamos.
5. Ellos saldrán pero nosotros no saldríamos.
6. Ellos lo tendrán pero nosotros no lo tendríamos.

Práctica

HABLAR • ESCRIBIR

1 Contesta sobre un viaje futuro a Puerto Rico.

1. Algún día, ¿harás un viaje a Puerto Rico?
2. ¿Visitarás el Viejo San Juan?
3. ¿Caminarás por las murallas que bordean el Viejo San Juan?
4. ¿Irás a las Cuevas de Camuy?
5. ¿Pasarás unos días en una de las playas estupendas de Puerto Rico?
6. ¿Volverás a casa bronceado(a)?
7. ¿Comerás lechón asado con arroz y habichuelas?
8. ¿Qué crees? ¿Te gustará?

▲ Vista del Viejo San Juan

EXPANSIÓN

Ahora, sin mirar las preguntas, cuenta la información en tus propias palabras. Si no recuerdas algo, un(a) compañero(a) te puede ayudar.

ESCUCHAR • HABLAR

2 Sigue el modelo.

MODELO **hacerlo →**
Ellos lo harán pero nosotros no lo haríamos.

1. decirlo
2. saberlo
3. poder ir
4. venir
5. salir
6. tenerlo

Nos gustaría visitar el Yunque en Puerto Rico. ▼

LEER • ESCRIBIR

3 Cambia las siguientes frases al futuro y luego al condicional.

1. Él nunca dice nada.
2. Pero puede jugar.
3. El problema es que no quiere.
4. Tenemos que rogarle.
5. Le decimos que no ganamos sin él.
6. Y que todo el mundo viene a verlo jugar.
7. Vale la pena intentarlo.
8. Si no, nunca sabemos.

Descubre un lugar especial
Enter a special world

Answers

3

1. Él nunca dirá nada. / Él nunca diría nada.
2. Pero podrá jugar. / Pero podría jugar.
3. El problema será que no querrá. / El problema sería que no querría.
4. Tendremos que rogarle. / Tendríamos que rogarle.
5. Le diremos que no ganaremos sin él. / Le diríamos que no ganaríamos sin él.
6. Y que todo el mundo vendrá a verlo jugar. / Y que todo el mundo vendría a verlo jugar.
7. Valdrá la pena intentarlo. / Valdría la pena intentarlo.
8. Si no, nunca sabremos. / Si no, nunca sabríamos.

▶ PRACTICE

Leveling EACH Activity

Easy Activity 1
Average Activity 1
Expansión, Activity 2
CHallenging Activity 3

Activity 1 This activity can be done orally with books closed calling on students at random to respond.

Activity 2 This activity can also be done in class without previous preparation.

Activity 3 It is suggested that students prepare this activity before going over it in class.

Cultural Snapshot

(page 283 bottom) El Yunque está a unos cuarenta y cinco minutos al este de San Juan. Tiene una gran variedad de flora y fauna: 4 tipos de bosques, unos 240 especies de árboles y plantas tropicales y millones de coquís—la rana tan querida de todo puertorriqueño nombrado por el sonido que hace. Con tanto desarrollo los coquís son una especie en peligro de extinción.

ASSESS

Students are now ready to take Quiz 7 on page 6.39 of the TeacherTools booklet. If you prefer to create your own quiz, use the *ExamView® Assessment Suite.*

Resources

- Audio Activities TE, page 6.19
- Audio CD 6A, Track 9
- Workbook, pages 6.7–6.8
- Quiz 8, page 6.40
- *ExamView® Assessment Suite*

Teaching Options

It is suggested that you review the future perfect for recognition purposes only. It is a tense that is very seldom used. The conditional perfect, however, is used a great deal.

TEACH

Core Instruction

Step 1 Go over the paradigms in Item 1. Have students say the forms aloud.

Step 2 Read the explanatory material in Items 2 and 3 to the class and then call on students to read the model sentences.

Futuro perfecto y condicional perfecto

1. The future and conditional perfect are formed by using the future or conditional of the auxiliary verb **haber** and the past participle.

futuro perfecto		condicional perfecto	
habré comido	habremos comido	habría vuelto	habríamos vuelto
habrás comido	*habréis comido*	habrías vuelto	*habríais vuelto*
habrá comido	habrán comido	habría vuelto	habrían vuelto

2. The future perfect tense is used to express a future action that will be completed prior to another future action. It is a tense that is very seldom used.

Pablo y Luisa no estarán en la playa el domingo.
Habrán vuelto a la ciudad el sábado.
Como nosotros no llegaremos hasta el domingo, no los veremos. Ya habrán salido.

3. The conditional perfect is used much more frequently than the future perfect. The conditional perfect in Spanish, as in English, is used to state what would have taken place had something else not interfered or made it impossible.

Yo habría hablado con mi padre pero él estaba muy ocupado.
I would have talked to my father, but he was very busy.

Ella habría limpiado el cuarto pero tenía muchas tareas.
She would have cleaned her room, but she had a lot of homework.

Una calle en el casco antiguo de Santo Domingo ▶

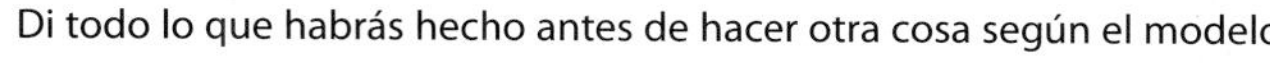

VIDEO Want help with compound tenses? Watch **Gramática en vivo.**

Práctica

HABLAR • ESCRIBIR

4 Di todo lo que habrás hecho antes de hacer otra cosa según el modelo.

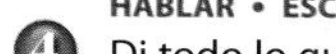

MODELO **tomar el desayuno / salir →**
Habré tomado el desayuno antes de salir.

1. hablar con ellos / escribir el artículo
2. estudiar / tomar el examen
3. reflexionar mucho / tomar una decisión
4. comer / ir al teatro
5. salir / saber los resultados

EXPANSIÓN

Haz la Actividad 4 una vez más cambiando **yo** a **ellos.**

◀ ¿Que dirección habrías seguido para llegar al Gran Teatro?

LEER • ESCRIBIR

5 Completa con el condicional perfecto.

1. La verdad es que ella ____ y ____ más trabajo pero tenía muchas interrupciones. (estudiar, hacer)
2. Yo te ____ pero no pude porque perdí mi móvil. (llamar)
3. Nosotros ____ hacer el viaje pero no pudimos porque ____ demasiado. (querer, costar)
4. Yo sé que tú lo ____ pero desgraciadamente nadie te lo explicó. (comprender)
5. Yo te ____ pero nadie me dijo que querías ayuda. (ayudar)
6. Ellos ____ antes pero no sabían la hora. (salir)

PRACTICE

Leveling EACH Activity

Average Activities 4, 5, Activity 4 **Expansión**

GLENCOE Technology

Video in the Classroom

Gramática en vivo: *Compound tenses* Enliven learning with the animated world of Professor Cruz! **Gramática en vivo** is a fun and effective tool for additional instruction and/or review.

ASSESS

Students are now ready to take Quiz 8 on page 6.40 of the TeacherTools booklet. If you prefer to create your own quiz, use the *ExamView® Assessment Suite.*

Answers

4

1. Habré hablado con ellos antes de escribir el artículo.
2. Habré estudiado antes de tomar el examen.
3. Habré reflexionado mucho antes de tomar una decisión.
4. Habré comido antes de ir al teatro.
5. Habré salido antes de saber los resultados.

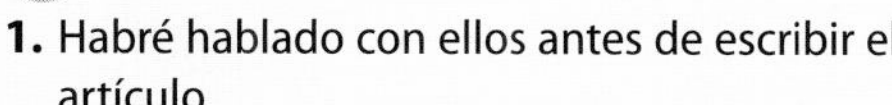

5

1. habría estudiado, habría hecho
2. habría llamado
3. habríamos querido, habría costado
4. habrías comprendido
5. habría ayudado
6. habrían salido

Resources

- Audio Activities TE, page 6.19
- Audio CD 6A, Track 10
- Workbook, pages 6.8–6.9
- Quiz 9, page 6.41
- *ExamView® Assessment Suite*

TEACH

Core Instruction

This point is not very difficult, so a brief review should suffice. The main point for students to understand is that **este** is near the person speaking, **ese** is near the person being spoken to, and **aquel** is off in the distance from both the speaker and the listener.

PRACTICE

Leveling EACH Activity

Easy Activity 6

Differentiation

Multiple Intelligences

Have **bodily-kinesthetic** learners point to the appropriate location each time they use a form of **este, ese,** or **aquel.**

Pronombres demostrativos

1. The forms for demonstrative pronouns *(this one, that one, these, those)* are the same as those for the demonstrative adjectives. Until recently, the pronoun had to carry a written accent mark to differentiate it from the adjective but that is no longer necessary. Like any other pronoun the demonstrative pronoun must agree in number and gender with the noun it replaces. Note the forms of the demonstrative adjectives and pronouns.

este	**esta**	**estos**	**estas**
ese	**esa**	**esos**	**esas**
aquel	**aquella**	**aquellos**	**aquellas**

2. Remember that **ese** and **aquel** can both mean *that* or *that one.* **Ese** refers to something near the person spoken to. **Aquel** refers to something far away—*that one over there* **(allá). Este** means *this* or *this one here* **(aquí).**

Este tren aquí y ese que está llegando ahora son muy modernos.
Pero creo que este (aquí) tiene pasillos más amplios que ese (allí).
Este tren aquí no sigue la misma ruta que aquel (allá en la otra vía).

▲ ¿Es nueva esta cámara que tiene este fotógrafo en La Habana?

Práctica

HABLAR

6 Con un(a) compañero(a) preparen una conversación según el modelo.

MODELO **los cuadros →**
—De todos los cuadros, ¿cuál te gusta más?
—Me gusta este pero no me gusta aquel.
—Y, ¿este que tengo yo?
—Sí, me gusta ese también.

1. las revistas
2. las camisas
3. los anillos
4. los tejidos
5. las fotografías
6. las tarjetas postales

¿Cuál de estos cuadros en una exposición en una plaza de La Habana te gusta más? ▼

Answers

6

1. —De todas las revistas, ¿cuál te gusta más? / —Me gusta esta pero no me gusta aquella. / —Y, ¿esta que tengo yo? / —Sí, me gusta esa también.
2. —De todas las camisas, ¿cuál te gusta más? / —Me gusta esta pero no me gusta aquella. / —Y, ¿esta que tengo yo? / —Sí, me gusta esa también.
3. —De todos los anillos, ¿cuál te gusta más? / —Me gusta este pero no me gusta aquel. / —Y, ¿este que tengo yo? / —Sí, me gusta ese también.
4. —De todos los tejidos, ¿cuál te gusta más? / —Me gusta este pero no me gusta aquel. / —Y, ¿este que tengo yo? / —Sí, me gusta ese también.
5. —De todas las fotografías, ¿cuál te gusta más? / —Me gusta esta pero no me gusta aquella. / —Y, ¿esta que tengo yo? / —Sí, me gusta esa también.
6. —De todas las tarjetas postales, ¿cuál te gusta más? / —Me gusta esta pero no me gusta aquella. / —Y, ¿esta que tengo yo? / —Sí, me gusta esa también.

Pronombres posesivos

1. A possessive pronoun replaces a noun that is modified by a possessive adjective. Like any other pronoun, the possessive pronoun must agree in gender and number with the noun it replaces. Note that the possessive pronoun is accompanied by a definite article.

POSSESSIVE ADJECTIVE	POSSESSIVE PRONOUN
mi, mis	**el mío, la mía, los míos, las mías**
tu, tus	**el tuyo, la tuya, los tuyos, las tuyas**
su, sus	**el suyo, la suya, los suyos, las suyas**
nuestro, nuestra, nuestros, nuestras	**el nuestro, la nuestra, los nuestros, las nuestras**
vuestro, vuestra, vuestros, vuestras	***el vuestro, la vuestra, los vuestros, las vuestras***
su, sus	**el suyo, la suya, los suyos, las suyas**

Todos tenemos nuestros billetes.
Yo tengo el mío, tú tienes el tuyo y Sandra tiene el suyo.

2. Just as the adjective **su** can refer to many different people, so can the pronouns **el suyo, la suya, los suyos,** and **las suyas.** Whenever it is unclear to whom the possessive pronoun refers, a prepositional phrase is used for clarification.

EL SUYO	LA SUYA	LOS SUYOS	LAS SUYAS
el de Ud.	**la de Ud.**	**los de Ud.**	**las de Ud.**
el de él	**la de él**	**los de él**	**las de él**
el de ella	**la de ella**	**los de ella**	**las de ella**
el de Uds.	**la de Uds.**	**los de Uds.**	**las de Uds.**
el de ellos	**la de ellos**	**los de ellos**	**las de ellos**
el de ellas	**la de ellas**	**los de ellas**	**las de ellas**

¿Está llevando Elena su suéter?
No, no está llevando el suyo. Está llevando el de él.

3. Note that the definite article is often omitted after the verb **ser.**

Estos libros son de Marta. Son suyos.
No son míos.

However, the article can be used for emphasis.

Estos son los míos y aquellos son los tuyos.

Yo sé que tengo el mío. ¿Dónde has puesto el tuyo?

Resources

- Audio Activities TE, page 6.20
- Audio CD 6A, Tracks 11–12
- Workbook, page 6.9
- Quiz 9, page 6.41
- *ExamView® Assessment Suite*

TEACH

Core Instruction

This is another grammar concept that students should find quite easy. The only somewhat difficult point is when to use **el de él,** etc. rather than **el suyo.**

PRACTICE

Leveling EACH Activity

Easy Activities 7, 9
Average Activities 8, 10

ASSESS

Students are now ready to take Quiz 9 on page 6.41 of the TeacherTools booklet. If you prefer to create your own quiz, use the *ExamView® Assessment Suite.*

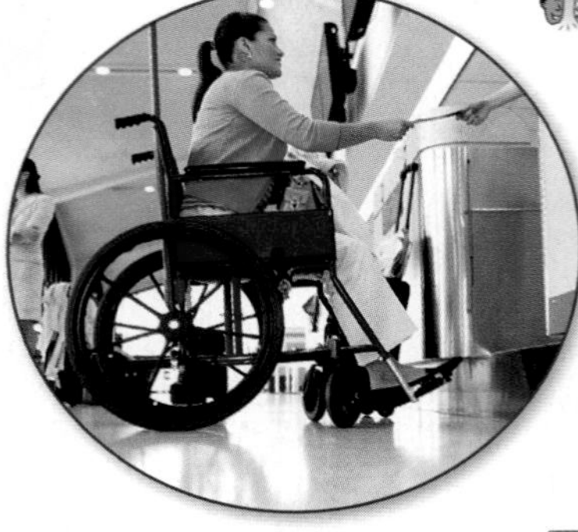

▲ La agente entrega su pasabordo a la pasajera.

Práctica

HABLAR

7 Con un(a) compañero(a) preparen una conversación en un aeropuerto según el modelo.

MODELO **el pasaporte →**
—¿El pasaporte? Tengo el mío.
—¿Estás seguro(a) que no es el mío?
—Estoy seguro(a). Y no me preguntes dónde está el tuyo.

1. la tarjeta de embarque
2. los boletos
3. la mochila
4. los talones para el equipaje
5. las revistas
6. el periódico

Comunicación

8 Con un(a) compañero(a) preparen una conversación que ustedes tienen en un aeropuerto. Pueden consultar el vocabulario temático sobre un viaje en avión al final de este libro.

ESCUCHAR • HABLAR

9 Cambia cada frase usando el pronombre posesivo.

1. Estoy buscando mi boleto.
2. Y Sandra está buscando su boleto.
3. Carlos, ¿son estas mis fotos o tus fotos?
4. Estamos admirando su carro. Nos gusta.
5. ¿Toma Andrés las fotos con su móvil o con tu móvil?

LEER • ESCRIBIR

10 Usa pronombres según el modelo.

MODELO **Ramón tiene su entrada. →**
Ramón tiene la suya.
Ramón tiene la entrada de Elena. →
Ramón tiene la de ella.

1. Ramón está en su asiento.
2. Él está guardando el asiento de Elena.
3. Ahora, ella tiene su entrada.
4. Los amigos buscan sus asientos.
5. Ellos tienen el programa de Elena y el de Ramón.
6. Y Ramón no tiene su programa.

Yo quiero facturar mi equipaje.
Puedes facturar el tuyo si quieres pero no voy a facturar el mío.

Answers

7

1. —¿La tarjeta de embraque? Tengo la mía. / —¿Estás seguro(a) que no es la mía? / —Estoy seguro(a). Y no me preguntes dónde está la tuya.
2. —¿Los boletos? Tengo los míos. / —¿Estás seguro(a) que no son los míos? / —Estoy seguro(a). Y no me preguntes dónde están los tuyos.
3. —¿La mochila? Tengo la mía. / —¿Estás seguro(a) que no es la mía? / —Estoy seguro(a). Y no me preguntes dónde está la tuya.
4. —¿Los talones para el equipaje? Tengo los míos. / —¿Estás seguro(a) que no son los míos? / —Estoy seguro(a). Y no me preguntes dónde están los tuyos.
5. —¿Las revistas? Tengo las mías. / —¿Estás seguro(a) que no son las mías? / —Estoy seguro(a). Y no me preguntes dónde están las tuyas.
6. —¿El periódico? Tengo el mío. / —¿Estás seguro(a) que no es el mío? / —Estoy seguro(a). Y no me preguntes dónde está el tuyo.

Pronombres relativos

1. The most commonly used relative pronoun in Spanish is **que.** It can replace either a person or a thing and can function as either the subject or object of a clause.

   El señor que habla ahora es dominicano.
   El libro que está en la mesa es de un autor cubano.
   La señora que vimos anoche es la presidenta de la asociación.
   Las conferencias que da la señora son interesantes.

   Note that the pronoun **que** can also be used after a preposition but only when it refers to a thing.

   La novela de que hablas es de Julia Álvarez, la escritora dominicana.

2. The relative pronoun **a quien (a quienes)** may replace the pronoun **que** when it refers to a person and functions as the direct object.

   La señora que vimos anoche es la presidenta.
   La señora a quien vimos anoche es la presidenta.

   Quien can be used as a subject when referring to a person but **que** is more common.

   La señora que (quien) habla es la presidenta.

   Quien, however, must be used after a preposition when it refers to a person.

   La joven en quien estoy pensando es de Puerto Rico.

3. The longer pronouns **el que, la que, los que,** and **las que** may also be used as the subject or object of a clause and can replace either a person or a thing. The most common use of these pronouns is to provide emphasis. They often begin a sentence and are equivalent to *the one(s) who.* Note the agreement of the verb **ser.**

   El que llega es mi hermano.
   La que llegará mañana es mi hermana.
   Los que llegaron ayer fueron mis primos.

   El cual can replace **el que** but the use of **cual** is not common in everyday conversational Spanish. It is more commonly used after a longer preposition.

   Es la torre desde la cual (la que) **tuvimos una vista de toda la ciudad.**

4. **Lo que** is a neuter relative pronoun which replaces a general or abstract idea rather than a specific antecedent. It is similar to *what.*

   Lo que necesitamos es más dinero.
   No creo lo que me dices.
   Dime lo que pasó.

5. The relative adjective **cuyo** is equivalent to the English *whose.* It agrees with the noun it modifies.

   La señora cuyo hijo está hablando es directora del instituto.
   El señor cuyas hijas están hablando es director de otro instituto.

▲ De todas las playas es esta la que tiene menos gente.

Gramática

Resources

- Audio Activities TE, page 6.21
- Audio CD 6A, Tracks 13–14
- Workbook, page 6.10
- Quiz 10, page 6.42
- *ExamView® Assessment Suite*

TEACH

Core Instruction

Most students do not have problems with this grammar point. You may wish to summarize this concept by explaining that you can use **que** to refer to a person or thing and it can be used as a subject or an object. **Que** is also used as the object of a preposition when referring to a thing. **Quien,** rather than **que,** must be used after a preposition when referring to a person. Note that this is the only place where **quien** must be used rather than **que.**

Cultural Snapshot

(page 289) La playa en Guajataca es un buen lugar para recoger conchas marinas pero es una playa peligrosa para nadar debido a las corrientes fuertes.

Answers

8  *Answers will vary.*

 9

1. Estoy buscando el mío.
2. Y Sandra está buscando el suyo.
3. Carlos, ¿son estas (las) tuyas o (las) mías?
4. Estamos admirando el suyo. Nos gusta.
5. ¿Toma Andrés las suyas con el suyo o con el tuyo?

10

1. Ramón está en el suyo.
2. Él está guardando el de ella.
3. Ahora, ella tiene la suya.
4. Los amigos buscan los suyos.
5. Ellos tienen el de ella y el de él.
6. Y Ramón no tiene el suyo.

PRACTICE

Leveling EACH Activity

Average Activities 11, 12, 13, 14, 15

ASSESS

Students are now ready to take Quiz 10 on page 6.42 of the TeacherTools booklet. If you prefer to create your own quiz, use the *ExamView® Assessment Suite.*

▲ El restaurante al aire libre que vemos aquí está en una plaza de Santo Domingo.

Práctica

LEER • ESCRIBIR

11 Enlaza las dos frases según el modelo.

MODELO **El señor habla. Es cubano. →**
El señor que habla es cubano.

1. La isla es Puerto Rico. La isla está al este de La Española.
2. Miro las fotos. Las fotos son del Viejo San Juan.
3. Los restaurantes son buenos. Los restaurantes están en el casco histórico de Santo Domingo.
4. Las playas son fabulosas. Las playas están en las afueras de La Habana.
5. El señor es director de la escuela. El señor acaba de llegar.

LEER • ESCRIBIR

12 Completa con **que** o **quien.**

1. La señora de ____ te hablé no está.
2. La señora ____ vimos anoche es su esposa.
3. Es un asunto en ____ no tengo ningún interés.
4. No sé en ____ estará pensando el señor ____ habla. No me parece que pudiera existir tal persona.
5. No sé en ____ estarán pensando los señores ____ hablan. Sus ideas son absurdas.

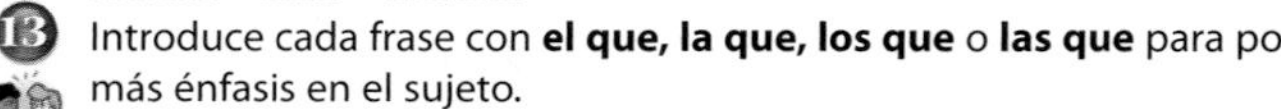

HABLAR • LEER • ESCRIBIR

13 Introduce cada frase con **el que, la que, los que** o **las que** para ponerle más énfasis en el sujeto.

1. Nuestros mejores amigos llegaron.
2. Mi tía asistirá.
3. Mis primos vienen mañana de Puerto Rico.
4. Carlos dio la fiesta.
5. Los directores resolvieron el problema.
6. El vicepresidente tomó la decisión.

ESCUCHAR • HABLAR

14 Introduce cada frase con **lo que.**

1. Necesitamos más tiempo.
2. Quiere dinero.
3. Me sorprende que ellos digan tal cosa.
4. Me molesta que hayan decidido no asistir.
5. Quieren derrocar al dictador.
6. El dictador quiere todo el poder.

LEER • ESCRIBIR

15 Completa cada frase con la forma apropiada de **cuyo.**

1. El museo ____ nombre se me escapa está en Ponce.
2. Es un médico ____ fama es mundial y ____ pacientes lo admiran mucho.
3. Todos son proyectos ____ metas son buenas pero difíciles de realizar.
4. El señor ____ hijo acaba de hablar está muy orgulloso.

Answers

11

1. La isla que está al este de La Española es Puerto Rico.
2. Las fotos que miro son del Viejo San Juan.
3. Los restaurantes que están en el casco histórico de Santo Domingo son buenos.
4. Las playas que están en las afueras de La Habana son fabulosas.
5. El señor que acaba de llegar es director de la escuela.

12

1. quien
2. que
3. que
4. quien, que
5. que, que

13

1. Los que llegaron fueron nuestros mejores amigos.
2. La que asistirá es mi tía.
3. Los que vienen mañana de Puerto Rico son mis primos.
4. El que dio la fiesta fue Carlos.
5. Los que resolvieron el problema fueron los directores.
6. El que tomó la decisión fue el vicepresidente.

Las conjunciones y/e, o/u

1. The conjunction **y** changes to **e** when followed by a word that begins with **i, hi,** or **y.**

   sabiduría e inteligencia

2. The conjunction **o** changes to **u** when followed by a word that begins with **o** or **ho.**

   ¿Quién va? ¿Enrique u Oscar?

Práctica

LEER • ESCRIBIR

16 Completa con **y, e.**

1. Había poblaciones españolas ____ indígenas.
2. Había poblaciones indígenas ____ españoles.
3. Es una región de islas ____ montañas.
4. Es una región de montañas ____ islas.
5. Mucha gente venía ____ iba.
6. Mucha gente iba ____ venía.
7. Alejandra ____ Inés lo sabían.
8. Inés ____ Alejandra lo sabían.
9. Había hielo ____ nieve.
10. Había nieve ____ hielo.

LEER • ESCRIBIR

17 Completa con **o, u.**

1. ¿Qué gas es? ¿Es oxígeno ____ hidrógeno?
2. ¿Qué gas es? ¿Es hidrógeno ____ oxígeno?
3. No sé si son militares ____ oficiales del gobierno.
4. No sé si son oficiales del gobierno ____ militares.
5. ¿Tiene un ambiente hotelero ____ hogareño?
6. ¿Tiene un ambiente hogareño ____ hotelero?
7. Hay al menos ocho ____ diez.
8. Hay al menos siete ____ ocho.

Lo que me encanta es la vista de la catedral de Ponce al atardecer. ▶

Resources

- Workbook, page 6.10
- *ExamView® Assessment Suite*

PRACTICE

Leveling EACH Activity

Easy Activities 16, 17

Activities 16 and 17 Both of these activities should be done orally and in written form.

Answers

14

1. Lo que necesitamos es más tiempo.
2. Lo que quiere es dinero.
3. Lo que me sorprende es que ellos digan tal cosa.
4. Lo que me molesta es que hayan decidido no asistir.
5. Lo que quieren es derrocar al dictador.
6. Lo que quiere el dictador es todo el poder.

15

1. cuyo
2. cuya, cuyos
3. cuyas
4. cuyo

16

1. e
2. y
3. y
4. e
5. e
6. y
7. e
8. y
9. y
10. e

17

1. o
2. u
3. u
4. o
5. u
6. u
7. o
8. u

Resources

- Tests, pages 6.51–6.52
- *ExamView® Assessment Suite*

Self-check for achievement

This is a pre-test for students to take before you administer the lesson test. Note that each section is cross-referenced so students can easily find the material they feel they need to review. You may wish to use Self-Check Worksheet Transparency SC6.2 to have students complete this assessment in class or at home. You can correct the assessment yourself, or you may prefer to project the answers on the overhead in class using Self-Check Answers Transparency SC6.2A.

Differentiation

Slower Paced Learners

Encourage students who need extra help to refer to the book icons and review any section before answering the questions.

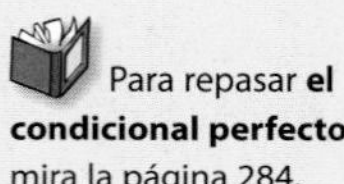

Para repasar **el futuro y el condicional,** mira la página 282.

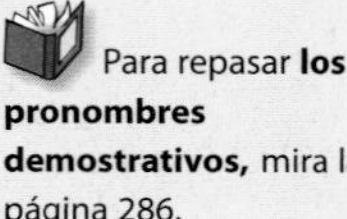

Para repasar **el condicional perfecto,** mira la página 284.

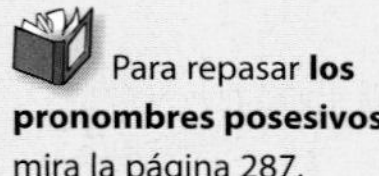

Para repasar **los pronombres demostrativos,** mira la página 286.

Para repasar **los pronombres posesivos,** mira la página 287.

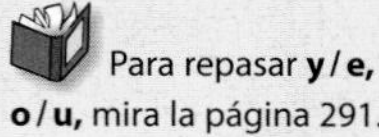

Para repasar **los pronombres relativos,** mira la página 289.

Para repasar **y / e, o / u,** mira la página 291.

Prepárate para el examen

Self-check for achievement

Gramática

1 Completa con el futuro.

1. Él ____ el viaje. (hacer)
2. Yo sé que ellos ____ acompañarnos. (querer)
3–4. Yo ____ a Cuba pero tú ____ a Puerto Rico. (ir)
5. Yo ____ que reservar un hotel ahora. (tener)

2 Completa con el condicional.

6–7. Yo ____ pero sé que ellos no ____. (salir)
8–9. Carlos ____ a tiempo pero los otros ____ tarde. (llegar)
10–11. Nosotros no ____ nada pero ellos lo ____ todo. (saber)

3 Forma frases según el modelo.

MODELO yo / ir →
Yo habría ido pero no pude.

12. ellos / salir
13. tú / llegar a tiempo
14. nosotros / estudiar más
15. yo / ayudarte

4 Completa con pronombres demostrativos.

16. Esta foto aquí es más bonita que ____ allá al fondo.
17–18. ____ libro que tengo es más largo que ____ que tienes.
19–20. De todos los edificios, ____ aquí en Isla Verde son más altos y modernos que ____ allá en el Viejo San Juan.

5 Escribe con un pronombre posesivo.

21. ¿Tienes *tu libro*?
22. María está mirando *sus billetes.*
23. Juan quiere usar *mi coche (carro).*
24. *Tu cámara digital* no está en la mochila.

6 Completa con el pronombre relativo apropiado.

25–26. El señor ____ está hablando ahora es el señor ____ hija escribió el libro.
27. ____ me sorprende es que ella no haya hablado.
28. ¿Es este el amigo de ____ me hablaste?
29. ____ acaban de llegar son mis primos.
30. Es el tipo de casa en ____ viven los indígenas.

7 Completa.

31. Luis ____ Ignacio son buenos amigos.
32. ¿Tiene la casa siete ____ ocho cuartos?
33. Es una península ____ una isla?

Answers

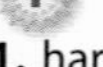

1
1. hará
2. querrán
3–4. iré, irás
5. tendré

2
6–7. saldría, saldrían
8–9. llegaría, llegarían
10–11. sabríamos, sabrían

3
12. Ellos habrían salido pero no pudieron.
13. Tú habrías llegado a tiempo pero no pudiste.
14. Nosotros habríamos estudiado más pero no pudimos.
15. Yo te habría ayudado pero no pude.

4
16. aquella
17–18. Este, ese
19–20. estos, aquellos

5
21. el tuyo
22. los suyos
23. el mío
24. La tuya

6
25–26. que, cuya
27. Lo que
28. quien
29. Los que
30. que

7
31. e
32. u
33. o

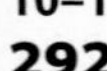

Prepárate para el examen

Practice for proficiency

1 Lo que pasará en mi vida

Habla con un(a) compañero(a) y según tus planes o metas, dile lo que ocurrirá o sucederá en tu vida. Luego tu compañero(a) te dirá lo que pasará en su vida. Comparen sus esperanzas. ¿Tienen las mismas metas o no?

2 Con un millón de dólares

Di todo lo que harías con un millón de dólares. Y tu mejor amigo(a), ¿haría lo mismo con su millón de dólares? ¿Qué haría él o ella que no harías tú? Y, ¿qué no haría él o ella que tú harías?

3 Lo habría hecho pero…

Di todo lo que habrías hecho ayer, la semana pasada o el año pasado pero no pudiste porque tuviste que hacer otra cosa. Di lo que tuviste que hacer.

Composición

El futuro

Vas a escribir un ensayo sobre el futuro. Antes de empezar a escribir reflexiona sobre el presente—como son las cosas, como eres tú, como es el ambiente en que vives, cuales son unos avances recientes.

Luego dale rienda *(rein)* libre a tu imaginación. Imagínate que no estás viviendo hoy sino unos treinta años en el futuro. Piensa en cómo serán las cosas, cómo y qué serás tú, en qué ambiente vivirás, cuáles serán unos avances que todos tomaremos como normales.

Trata también de pensar en ti mismo(a). En los próximos treinta años, ¿cuáles son unas cosas que harás? Puedes incluir en tu ensayo tus esperanzas y tus deseos y no olvides que «¡el cielo es el límite!»

Si algún día vas a la República Dominicana, ¿andarás a caballo entre los cocos de Punta Cana? ▼

Gramática

Tips for Success

Encourage students to say as much as possible when they do these open-ended activities. Tell them not to be afraid to make mistakes, since the goal of the activities is real-life communication. If someone in the group makes an error, allow the others to politely correct him or her. Let students choose the activities they would like to do.

Tell students to feel free to elaborate on the basic theme and to be creative. They may use props, pictures, or posters if they wish.

Pre-AP These oral and written activities will give students the opportunity to develop and improve their speaking and writing skills so that they may succeed on the speaking and writing portions of the AP exam.

Note: You may wish to use the rubrics on page 266D or 266F to help students prepare their speaking activities and their writing task.

Resources 

- Vocabulary Transparency V6.3
- Audio Activities TE, page 6.22
- Audio CD 6B, Tracks 1–2
- Workbook, pages 6.11–6.12
- *ExamView® Assessment Suite*

TEACH

Core Instruction

You may wish to follow some of the suggestions given in previous chapters for the presentation of the new vocabulary.

Teaching Options

You may wish to select which newspaper article you want to have students read or you may prefer to have all students read both of them.

Cultural Snapshot

(page 294) Una gran parte de la zona portuaria sobre todo la que está en el Viejo San Juan ha estado completamente restaurada. Miles de turistas que llegan en cruceros visitan San Juan cada semana.

PRACTICE

Leveling EACH Activity

Easy Activity 1

Lección 3

Periodismo

Lucha por preservar muralla de San Juan

Vocabulario 

Estudia las siguientes palabras para ayudarte a entender el artículo.

un crucero viaje turístico en barco; barco que lleva tales turistas

la cobertura lo que sirve para cubrir o tapar algo

la mejora acción de hacer mejor

la amenaza acción de indicarle a alguien que va a hacer algo malo contra él

grueso(a) voluminoso, gordo; relativo al espesor o grosor de algo o alguien

destrozar destruir; echar abajo

estar a cargo de tener la responsabilidad por

Práctica

LEER • ESCRIBIR

1 Expresa de otra manera.

1. Hay que ponerle una *tapa.*
2. Es él que *tiene la responsabilidad por el* trabajo.
3. Esperamos ver *un mejoramiento* en la condición de la muralla antigua.
4. Los bloques de cemento o arenisca de la muralla son muy *espesos.*
5. Los *barcos que hacen viajes turísticos* llegan los sábados.

Answers

1. cobertura
2. está a cargo del
3. una mejora
4. gruesos
5. cruceros

Antes de leer

Ya has aprendido que San Juan fue un puerto importante durante los días de la colonización española. Por eso los españoles construyeron una serie de grandes fortalezas y murallas para proteger la ciudad. Estas murallas construidas ya hace siglos todavía se ven en el Viejo San Juan. El periodista Ray Quintanilla destaca en el siguiente artículo la condición precaria en la cual se encuentran las gruesas murallas de estas fortalezas y por qué se encuentran en tales condiciones.

Lucha por preservar muralla de San Juan

Casco histórico podría peligrar

SAN JUAN, PUERTO RICO • Los gruesos bloques interconectados que bordean la segunda ciudad más antigua de las Américas han resistido el bombardeo de barcos de guerra de Inglaterra, Holanda y, más recientemente, de Estados Unidos, durante la Guerra Hispanoamericana.

Pero esta estructura, conocida como La Muralla, no puede competir con sus más recientes enemigos: la erosión, la negligencia y la intención de urbanizar la antigua sección de San Juan.

«Antiguamente se pensaba que esta maciza[1] pared permanecería de pie para siempre, pero nos hemos dado cuenta que eso no va a ser así», explica Walter Chávez, superintendente del Sitio Histórico Nacional de San Juan, una unidad del Servicio Nacional de Parques encargada de mantener tres cuartas partes de la fortificación de 2.5 millas que bordea el Viejo San Juan y que incluye el fortín del Morro.

«[La Muralla] necesita mucha atención», dice Chávez. «Este es un trabajo de nunca acabar».

▲ La Muralla, San Juan

El mantenimiento es hoy tan importante como cuando los barcos piratas cruzaban el Caribe y los buques enemigos navegaban la Bahía de San Juan buscando tierras para saquear.

Actualmente La Muralla, con sus columnas y fortalezas militares, se ha convertido en uno de los principales motores económicos del Caribe, logrando atraer a 1.2 millones de visitantes anualmente.

Con más de 400 años de antigüedad, La Muralla sigue en pie como un símbolo de orgullo para los puertorriqueños en todo el mundo.

Todo esto salió a relucir tres años atrás, cuando una sección de 70 pies de La Muralla colapsó, dejando a los residentes de la isla y a los funcionarios del gobierno sorprendidos y a los políticos cuestionándose sobre el futuro de la histórica fortaleza.

Los funcionarios del Servicio Nacional de Parques respondieron alarmados. Cerca del 85 por ciento de la cobertura exterior que protege la estructura ha desaparecido. Una pequeña sección cayó al océano hace algunos años, y aún no ha sido restaurada.

(a continuación)

[1] maciza *solid, strong*

Leveling EACH Activity
Reading Level **Easy–Average**

TEACH

Core Instruction

Step 1 You may wish to ask the following comprehension question. ¿Cuáles son los enemigos de La Muralla?

Step 2 Have students look at the photograph as they read the sentence **«Cerca del 85 por ciento de la cobertura exterior que protege la estructura ha desaparecido».**

TEACH

Core Instruction

Step 1 You can intersperse the activities on page 297 as you are going over this reading.

Step 2 You may wish to ask the following comprehension questions. **¿Para qué fueron diseñadas las calles del Viejo San Juan? Y, ¿qué las está usando hoy en día? A los turistas a Puerto Rico, ¿les gusta ver y caminar sobre La Muralla?**

Según Luis Fortuño, comisionado residente de Puerto Rico en Washington, funcionario sin derecho a voto del gobierno del Estado Libre Asociado, La Muralla debe salvarse. Fortuño ha logrado obtener $600.000 en fondos federales para reparaciones, restauraciones y mejoras de una estructura que, según él, tiene «un tremendo significado histórico y cultural».

El gobierno de Puerto Rico, por su parte, también ha colaborado recaudando cerca de $3 millones para las reparaciones.

Claramente la mayor amenaza de La Muralla es el creciente[2] volumen de tráfico que circula a lo largo de las estrechas calles del Viejo San Juan, donde camiones con cemento y vehículos comerciales de reparto[3] son comúnmente vistos, los cuales envían fuertes vibraciones en las calles presionando la estructura.

«Estas calles fueron diseñadas para caballos y carrozas[4]», dijo Edwin Colón, gerente del Servicio Nacional de Parques, quien supervisa los esfuerzos de restauración y el personal que está reconstruyendo una sección que colapsó en 2004.

«El tema del tráfico tiene que ser tratado pronto o habrá mayores problemas», dijo Colón.

«Créanme, si no tuviera que manejar en estas estrechas calles, no lo haría», dijo Giberto Soto Palacio, quien todos los días maneja un camión transportando trozos de concreto hacia el Viejo San Juan. «Hasta que se me diga que no puedo estar ahí, seguiré cumpliendo con mi trabajo».

La idea de prohibir el paso de vehículos pesados por las calles a lo largo de La Muralla fue considerada hace algunos años cuando se dijo a los líderes del gobierno que estos representaban un peligro. Pero no se llegó a ningún acuerdo.

Mientras que el Servicio de Parques está a cargo de la mayor parte de La Muralla, el resto es responsabilidad del gobierno de Puerto Rico. La falta de fondos, sin embargo, dificulta que la isla haga reparaciones a tiempo.

La Muralla fue construida por los españoles entre 1539 y 1641 para proteger a la ciudad de invasores, según cuenta el gobierno de Puerto Rico.

Algunas secciones de la fortaleza, finalizada en 1782, tienen 40 pies de altura y bloques de arenisca[5] de hasta 20 pies de grosor, que fueron ubicados por trabajadores españoles, prisioneros y esclavos.

La Muralla resistió cinco fuertes ataques: entre 1595 y 1797 los ingleses la destrozaron tres veces; barcos holandeses la atacaron en 1625; y la marina estadounidense la bombardeó en 1898.

Los cruceros que llegan con frecuencia a la Bahía de San Juan son un fuerte indicativo de que La Muralla sigue siendo un atractivo popular. Es común divisar largas líneas de turistas caminando hacia las secciones más altas de El Morro, uno de los fuertes de la popular muralla.

«Las paredes son lo más encantador de Puerto Rico», dijo Margaret Bell, una turista mientras caminaba por las calles del Viejo San Juan durante un viaje en crucero por el Caribe.

«Uno ve algo así y se queda estupefacta. Además es inmenso. En cierto modo me hace acordar a La Muralla China», dijo Bell, de 25 años, una neoyorquina mientras visitaba el lugar durantes sus vacaciones.

[2] creciente *growing*
[3] de reparto *delivery*
[4] carrozas *carriages*
[5] arenisca *sandstone*

Answers

A

1. gruesos, bordean
2. Antiguamente se pensaba, maciza, siempre
3. El mantenimiento
4. a lo largo de, estrechas, de reparto, comúnmente

B

1. La segunda ciudad más antigua de las Américas es San Juan, Puerto Rico.
2. La Muralla necesita mucha atención por la erosión, la negligencia y la intención de urbanizar la antigua sección de San Juan.

Go to glencoe.com
For: **Journalism practice**
Web code: **ASD7851c6**

Después de leer

A **Aumentando tu vocabulario** ¿Cómo expresa el autor las siguientes ideas?

1. Los *espesos* bloques que *rodean* la ciudad han resistido el bombardeo de barcos de guerra.
2. *En el pasado se estimaba* que esta *sólida* pared permanecería de pie para *la eternidad*.
3. *La manutención* es hoy tan importante como en el pasado.
4. La mayor amenaza para La Muralla es el volumen de tráfico que circula *por* las *angostas* calles del Viejo San Juan donde vehículos comerciales *de entrega* son *frecuentemente* vistos.

B **Recordando hechos** Contesta.

1. ¿Cuál es la segunda ciudad más antigua de las Américas?
2. ¿Por qué necesita mucha atención La Muralla?

C **Causa y efecto** Completa las tablas.

tres factores que van a causar la destrucción de La Muralla
1.
2.
3.

unos efectos de la urbanización del Viejo San Juan
1.
2.
3.

▲ La mayor amenaza para La Muralla es el volumen de tráfico.

D **Analizando** Contesta.

El autor dice que el mantenimiento de La Muralla es tan importante como cuando los barcos piratas cruzaban el Caribe y los buques enemigos navegaban la bahía de San Juan. Da sus razones por decir eso.

Comunicación

E En su artículo Quintanilla hace muchas referencias históricas. Finge *(Pretend)* ser La Muralla y habla de todo lo que has visto y experimentado durante tu vida según la información en el artículo.

PRACTICE

Después de leer

A and **C** Students can prepare these activities before going over them in class.

D This activity can serve as a class discussion. Remind students of the economic importance of **La Muralla.**

E Students can work in groups and present this activity to the class. Have students be as creative as possible.

GLENCOE Technology

Online Learning in the Classroom

You may wish to have students use QuickPass code ASD7851c6 for additional practice. Students can download audio files to their computer and/or MP3 player. They can also access a self-check quiz and a review worksheet.

Answers

C

1. la erosión
2. la negligencia
3. la intención de urbanizar el Viejo San Juan

1. se ha convertido en uno de los principales motores económicos del Caribe
2. el creciente volumen de tráfico
3. una sección de 70 pies de La Muralla colapsó

D *Answers will vary.*

E *Answers will vary.*

Leveling **EACH** Activity

Reading Level **E**asy–**A**verage

TEACH

Core Instruction

As you are reading the information about Punta Cana in this article, you may wish to have students review vocabulary about summer and beach activities on page SR9. They have learned all this vocabulary in other levels of **¡Así se dice!**

Differentiation

Multiple Intelligences

You may wish to have **bodily-kinesthetic** learners make up skits or discuss experiences about spending time on the beach.

Note the use of **le** in the sentence, **«Me imagino que lo que sentí debe ocurrirle a muchos de los peruanos que viven en el exterior». Le** rather than **les** is something that is becoming quite common.

Cultural Snapshot

(page 298) Punta Cana está en el extremo este de la isla. Posee el mayor arrecife de coral de toda la isla, sus playas son espléndidas y en los últimos años se ha convertido en un destino turístico popularísimo de estadounidenses, europeos y latinoamericanos.

Antes de leer

El artículo que sigue sobre la República Dominicana no apareció en un periódico dominicano sino en un periódico de Lima, Perú. Lo escribió un peruano que está residiendo en la República Dominicana. Presenta sus reacciones sobre el país de su residencia mientras sirve de guía a una amiga de Lima que lo visita en la República Dominicana. El artículo está escrito en un lenguaje informal y bastante divertido.

El artículo lleva el título de una canción española popular, «Cuando calienta el sol aquí en la playa». La República Dominicana, tal como España, es conocida por sus bellas playas placenteras.

Cuando calienta el sol aquí en la playa

Vivo desde hace seis años en Santo Domingo, capital de la República Dominicana. Estoy en medio de ese Caribe tan promocionado por las agencias de viaje, especialmente para fines de semana largos, vacaciones, lunas de miel y demás. Vine por doce meses y sin darme cuenta ya llevo más de un lustro[1] por estos lares[2]. Obviamente, en ese lapso de tiempo, tanto las anécdotas como las nostalgias se acumulan y dan mucho para escribir.

Por ejemplo, a raíz de la visita de una amiga que venía de Lima, la última semana del mes de abril me tomé unos días de vacaciones en un resort de Punta Cana. En honor a la verdad, buena falta me hacía, porque mi tanque de gasolina ya andaba en reserva y pidiendo descanso a gritos.

El viaje a Punta Cana puede resultar muy novedoso[3] tanto para los que viven acá como para los turistas. Para comenzar, es bueno desmitificar[4] esa idea de que aquí uno sale del trabajo y se tira con bermudas y sandalias a tomar sol en la playa. Santo Domingo está a cuatro horas en auto de Bávaro y Punta Cana, aunque si lo que uno quiere es aprovechar el tiempo para desintoxicarse de la rutina, hay opciones más cercanas y no por ello menos bonitas. Por ejemplo, una de mis playas favoritas es Bayahibe (a dos horas de la capital) y altamente recomendable en materia de precios y belleza natural.

Punta Cana hace honor a toda la fama que se le hace en las agencias turísticas, ya sea con un día un poco nublado, con vientos que despeinan las palmeras, con los inevitables aguaceros caribeños o con un sol esplendoroso en medio de un cielo rabiosamente celeste.

El sitio es ideal para descansar, disfrutar al máximo y olvidarse del estrés de la ciudad. Y ahora cuenta además con atractivos como un centro comercial que no tiene nada que envidiarle a ningún otro, y en el que incluso se inaugurará en breve un Hard Rock Punta Cana. Los turistas—felices, agradecidos y cámara en mano—no dejan de tomarle fotos hasta al coco que cuelga de la palmera y eso hace que me pregunte: *¿Será que ellos no son los exóticos, sino que en realidad soy yo el que tiene poca inquietud turística para tomarle fotos a todo lo que se mueve?*

Nadando en las cristalinas aguas del Mar Caribe o despanzurrado[5] en la piscina del resort haciendo de hacer nada todo un oficio, uno tiene tiempo hasta de pensar en la particularidad de esos breves momentos de felicidad y descanso.

Pero como todo tiene su final y nada dura para siempre, cuando uno menos lo espera es tiempo de volver a la civilización.

Sin embargo, hay todavía tiempo de mostrarle a mi amiga algunos de los atractivos de la ciudad, como el Alcázar de Colón, la Calle del Conde, el Museo de las Casas Reales o la Catedral. Me imagino que lo que sentí debe ocurrirle a muchos de los peruanos que viven en el exterior: terminamos siendo guías turísticos de nuestros visitantes en un país que no es el nuestro.

Ya para terminar quiero comentarles que toda visita siempre tiene sus bonificaciones[6], y cortesía del recién llegado uno puede recargar sus provisiones de sobres de chicha, mazamorra, botellas de pisco y demás productos *«made in Perú»* que no se encuentran así nomás fuera del país, por lo que hay que racionalizarlos hasta que alguien más se anime a venir o hasta que uno vuelva a la querida Lima.

▲ Punta Cana, República Dominicana

[1] lustro *período de cinco años*
[2] lares *hogares*
[3] novedoso *original, novelesco*
[4] desmitificar *take the myth out of*
[5] despanzurrado *belly hanging out*
[6] bonificaciones *bonuses*

298

Answers

A

1. Hace seis años que el autor está viviendo en Santo Domingo.
2. Había venido por dos meses.
3. Fue a pasar unos días de vacaciones en Punta Cana porque una amiga de Lima vino a visitarlo y pasar unos días en la playa.
4. Según el autor, el viaje de Santo Domingo a Punta Cana en carro es largo (cuatro horas).
5. Sí, el autor cree que hay playas tan bonitas como las de Punta Cana cerca de la capital.
6. El autor dice que el tiempo en Punta Cana es bueno, aunque a veces hace viento y está nublado con aguaceros.

Después de leer

A **Buscando información** Contesta.

1. ¿Cuánto tiempo hace que el autor está viviendo en Santo Domingo?
2. ¿Por cuánto tiempo había venido?
3. ¿Por qué fue a pasar unos días de vacaciones en Punta Cana?
4. Según el autor, ¿cómo es el viaje de Santo Domingo a Punta Cana en carro?
5. ¿Cree el autor que hay playas tan bonitas como las de Punta Cana cerca de la capital?
6. ¿Cómo describe el autor el tiempo en Punta Cana?

B **Interpretando** Explica lo que quiere decir el autor.

1. Estoy en medio de ese Caribe tan promocionado por las agencias de viaje.
2. En honor a la verdad, buena falta me hacía pasar unos días en Punta Cana, porque mi tanque de gasolina ya andaba en reserva y pidiendo descanso a gritar.
3. *(al hablar del viaje a Punta Cana)* Para comenzar, es bueno desmitificar esa idea de que aquí uno sale del trabajo y se tira con bermudas y sandalias a tomar el sol en la playa.
4. Pero como todo tiene su final y nada dura para siempre, cuando uno menos lo espera es tiempo de volver a la civilización.

C **Analizando** Contesta.

1. El autor se burla de los turistas. ¿Cómo?
2. Según el autor, ¿cuál es una de las bonificaciones tener visitantes de su país natal?

El Alcázar de Colón, Santo Domingo ▼

PRACTICE

Después de leer

A You can do this activity with books closed, calling on students at random to respond.

B and **C** These activities can be prepared before going over them in class.

Cultural Snapshot

(page 299) El Alcázar de Colón comenzó a construirse por deseo de Diego Colón en 1510. Su construcción terminó cuatro años más tarde. El Alcázar está perfectamente restaurado y en sus habitaciones (cuartos) hay muebles y adornos de la época en que vivían los descendientes de Colón.

GLENCOE Technology

Online Learning in the Classroom

You may wish to have students use QuickPass code ASD7851c6 for additional practice. Students can download audio files to their computer and/or MP3 player. They can also access a self-check quiz and a review worksheet.

Answers

B *Answers will vary but may include:*

1. Estoy en un lugar popular para los turistas (que los agentes de viaje promueven).
2. La verdad es que yo también necesitaba unos días de vacaciones porque estaba bastante cansado.
3. No es verdad que la gente que vive en Punta Cana vaya a la playa todos los días.
4. Las vacaciones terminan rápidamente.

C

1. Dice que sacan fotos de todo lo que se mueve.
2. Según el autor, una de las bonificaciones tener visitantes de su país natal es que puede recargar sus provisiones de sobres de chicha, mazamorra, botellas de pisco y otros productos peruanos que traen los visitantes que no se encuentran fuera de Perú.

Resources

- Tests, pages 6.53–6.55
- *ExamView® Assessment Suite*

Self-check for achievement

This is a pre-test for students to take before you administer the lesson test. Note that each section is cross-referenced so students can easily find the material they feel they need to review. You may wish to use Self-Check Worksheet Transparency SC6.3 to have students complete this assessment in class or at home. You can correct the assessment yourself, or you may prefer to project the answers on the overhead in class using Self-Check Answers Transparency SC6.3A.

Differentiation

Slower Paced Learners

Encourage students who need extra help to refer to the book icons and review any section before answering the questions.

Prepárate para el examen

Self-check for achievement

Lucha por preservar muralla de San Juan

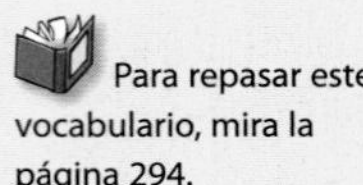

Para repasar este vocabulario, mira la página 294.

Vocabulario

1 Parea.

1. un crucero
2. una amenaza
3. grueso
4. la cobertura
5. la mejora
6. destrozar

a. de mucho volumen, espeso
b. el mejoramiento
c. indicación de la posibilidad de algo malo
d. derribar, destruir
e. tipo de embarcación
f. la tapa

Lectura

2 Identifica.

7–8. los enemigos de La Muralla en el pasado
9–11. los enemigos actuales de La Muralla

Para repasar este artículo, mira las páginas 295–297.

3 ¿Sí o no?

12. San Juan es la ciudad más antigua de las Américas.
13. Muchos turistas siguen visitando La Muralla con sus columnas y fortalezas militares.
14. Hasta ahora no ha colapsado ninguna sección de La Muralla.
15. Las calles del Viejo San Juan fueron diseñadas para caballos y carrozas, no para grandes vehículos comerciales.
16. La Muralla fue construida en el siglo XIX.

▲ Una calle del Viejo San Juan

Cuando calienta el sol

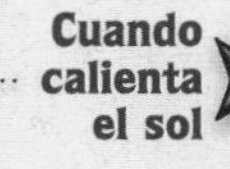

Para repasar este artículo, mira las páginas 298–299.

Lectura

4 Completa.

17. El señor que escribió el artículo es de ____.
18. Punta Cana tiene fama por sus ____.
19. Según el autor Punta Cana es un lugar ideal para ____.

5 ¿Sí o no?

20. Hay poca publicidad sobre la República Dominicana.
21. El autor fue a Punta Cana solo para complacer a su visitante.
22. El viaje de Santo Domingo a Punta Cana es fácil y rápido.
23. Punta Cana es la playa que queda más cerca de Santo Domingo.
24. Al autor no le gusta vivir en Santo Domingo.
25. El autor le mostró a su visitante algunas de las atracciones y monumentos históricos de Punta Cana.

Answers

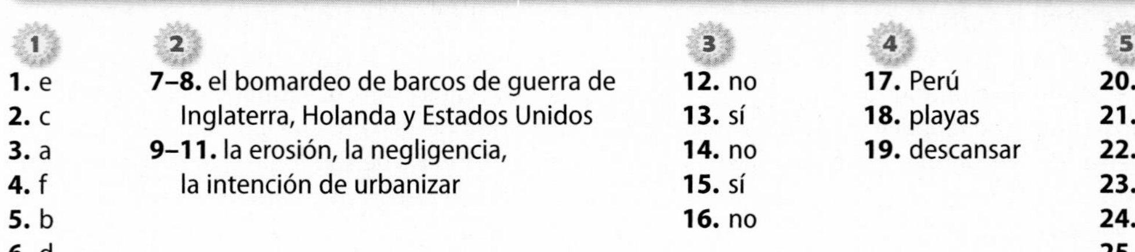

1
1. e
2. c
3. a
4. f
5. b
6. d

2
7–8. el bomardeo de barcos de guerra de Inglaterra, Holanda y Estados Unidos
9–11. la erosión, la negligencia, la intención de urbanizar

3
12. no
13. sí
14. no
15. sí
16. no

4
17. Perú
18. playas
19. descansar

5
20. no
21. no
22. no
23. no
24. no
25. sí

Prepárate para el examen

Practice for proficiency

1 El Viejo San Juan

Describe la imagen que tienes del Viejo San Juan.

2 La Muralla

Trabajen en parejas y discutan las razones por las cuales los españoles construyeron en San Juan millas de murallas y fortalezas ya hace muchos siglos.

▲ El Viejo San Juan

3 La Muralla amenazada

Trabajen en grupos de tres y discutan las amenazas pasadas y actuales para la destrucción de La Muralla.

4 En tu comunidad

¿Hay monumentos o sitios cerca de donde tú vives que están en peligro de sufrir daños serios debido al «progreso»? ¿Cuáles son? Identifica las razones por el peligro.

5 Punta Cana

Según lo que has leído ¿te gustaría visitar Punta Cana? ¿Por qué?

6 Vivir en el extranjero ¿Sí o no?

¿Qué piensas? ¿Te gustaría residir por unos años en un país extranjero? ¿Por qué dices que sí o que no?

Composición

Un lugar o una cosa de interés

Has leído descripciones de países, paisajes, ciudades, pueblos y monumentos de todas partes del mundo hispano.

Ahora te toca a ti escribir una descripción. Puede ser un lugar que conoces personalmente o puede ser un lugar sobre el que has leído y que te ha picado el interés.

Antes de empezar a escribir, piensa en una lista de lugares que quisieras describir. Reflexiona sobre cuánto sabes de cada uno. Selecciona el que vas a describir y trata de visualizarlo.

Pon en orden los aspectos que vas a describir. Usa un diagrama como el de al lado para organizar tus pensamientos. Haz una lista de adjetivos descriptivos vivos que les atraerán la atención a tus lectores.

Prepara un borrador. Corrige cualquier error. Determina si falta algo interesante o elimina cualquier detalle superfluo. Luego prepara tu versión final.

Tips for Success

Encourage students to say as much as possible when they do these open-ended activities. Tell them not to be afraid to make mistakes, since the goal of the activities is real-life communication. If someone in the group makes an error, allow the others to politely correct him or her. Let students choose the activities they would like to do.

Tell students to feel free to elaborate on the basic theme and to be creative. They may use props, pictures, or posters if they wish.

Pre-AP These oral and written activities will give students the opportunity to develop and improve their speaking and writing skills so that they may succeed on the speaking and writing portions of the AP exam.

Note: You may wish to use the rubrics on page 266D or 266F to help students prepare their speaking activities and their writing task.

Resources

- Vocabulary Transparency V6.4
- Audio Activities TE, pages 6.23–6.24
- Audio CD 6B, Tracks 3–5
- *ExamView® Assessment Suite*

Vocabulario

Core Instruction

You may wish to ask the questions from Activity 1 on page 303 while presenting the new vocabulary. These questions use the new words in context. They are also recorded.

Differentiation

Advanced Learners

Have advanced learners make up original sentences using the new words.

Cultural Snapshot

(page 302) Camagüey es el pueblo natal del renombrado poeta Nicolás Guillén y también de Carlos Finlay, el médico que descubrió la causa de la fiebre amarilla. Camagüey se conoce como la ciudad de los tinajones—grandes jarros de cerámica que se ponían en los patios de las casas para coleccionar agua durante las sequías. Según una leyenda, quien beba agua de los tinajones se enamorará de Camagüey y volverá para siempre.

Lección 4 Literatura

Parte 1: Poesía

Búcate plata de Nicolás Guillén

Sensemayá de Nicolás Guillén

El ave y el nido de Salomé Ureña

▲ Camagüey, Cuba, la ciudad natal de Nicolás Guillén

Vocabulario

Estudia las siguientes palabras para ayudarte a entender los poemas.

una culebra serpiente
una pata pie de un animal
un palo pieza de madera larga de forma cilíndrica
el nido casa de un ave (pájaro)
enredarse arrollarse
morder (ue) clavar (poner) los dientes en algo
alejarse de ir lejos; distanciarse
asustar dar o causar miedo

Estudio de palabras

alejarse Quería alejarse de una mala situación.
lejos Viven lejos de aquí, no cerca.
lejano(a) Vivían allá en una región lejana y misteriosa.
la lejanía Allá en la lejanía se puede empezar a distinguir las montañas.

Práctica

ESCUCHAR • HABLAR

1 Contesta.

1. ¿Cuántos pies tiene el ser humano y cuántas patas tienen los animales?
2. ¿Habitan las culebras zonas cálidas o frías?
3. ¿Dónde ponen sus huevos las aves?
4. ¿Muerden algunos animales cuando alguien los asusta?
5. ¿Te asustas cuando ves una culebra?
6. ¿Prefieres alejarte de una situación peligrosa?
7. ¿Camina mucha gente con un palo cuando tienen que subir una senda montañosa?

LEER

2 Parea los antónimos.

1. cerca
2. acercarse a
3. cercano
4. las cercanías

a. alejarse de
b. lejos
c. las lejanías
d. lejano

ESCRIBIR

3 Usa las palabras de la Actividad 2 en una frase original.

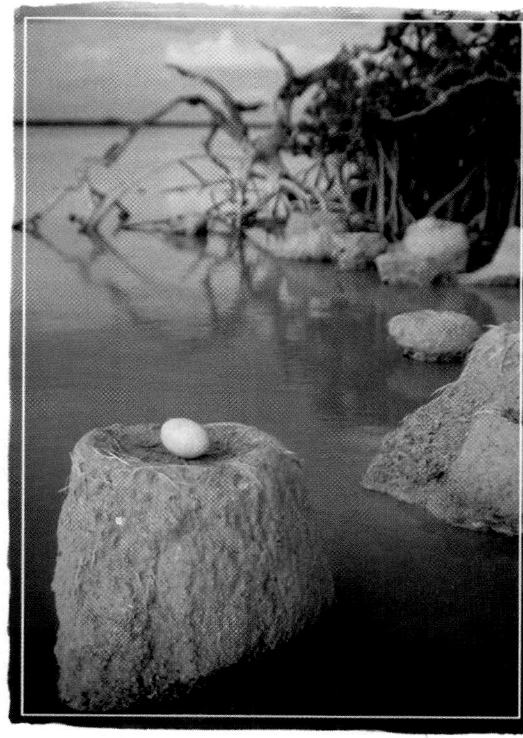

◀ El nido de una flamenca

QuickPass

Go to glencoe.com
For: **Literature practice**
Web code: **ASD7851c6**

▶ PRACTICE

Leveling EACH Activity

Easy Activity 2
Average Activity 1
CHallenging Activity 3

GLENCOE Technology

Online Learning in the Classroom

You may wish to have students use QuickPass code ASD7851c6 for additional practice. Students can download audio files to their computer and/or MP3 player. They can also access eFlashcards and a review worksheet.

Answers

1

1. El ser humano tiene dos pies y los animales tienen cuatro patas.
2. Las culebras habitan zonas cálidas.
3. Las aves ponen sus huevos en un nido.
4. Sí, algunos animales muerden cuando alguien los asusta.
5. Sí, (No, no) me asusto cuando veo una culebra.
6. Sí, (No, no) prefiero alejarme de una situación peligrosa.
7. Sí, mucha gente camina con un palo cuando tienen que subir una senda montañosa.

2

1. b
2. a
3. d
4. c

3 *Answers will vary.*

Resources

- Audio Activities TE, pages 6.25–6.26
- Audio CD 6B, Tracks 6–7
- Tests, pages 6.56–6.58
- *ExamView® Assessment Suite*

Introducción

You may wish to ask the following questions concerning the information about Nicolás Guillén. **¿Dónde nació Guillén? ¿De qué ascendencia era? ¿Qué combina en su poesía? ¿Cuáles son unos temas de su poesía? ¿Qué lamenta la mujer en el poema Búcate plata? En el poema Sensemayá, ¿qué representa la culebra? ¿Qué es la onomatopeya?**

Leveling EACH Activity

Reading Level **Easy–Average**

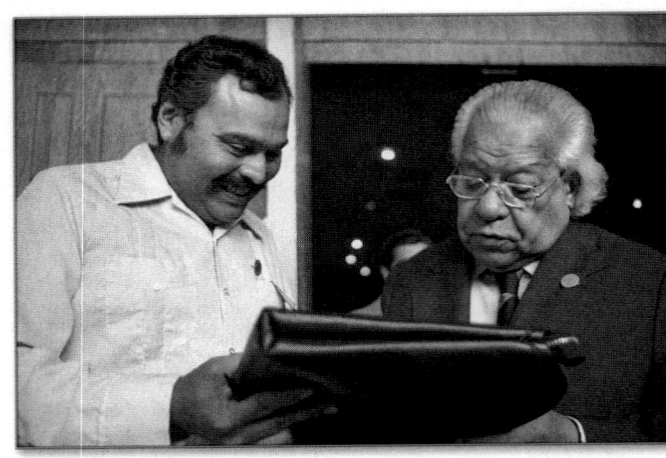

▲ Nicolás Guillén (a la derecha)

Búcate plata • Sensemayá

de Nicolás Guillén

Introducción

Nicolás Guillén nació en 1902 en Camagüey, Cuba. De sangre española y africana Guillén introdujo en sus versos el folklore afrocubano. En sus poesías combina su amor a la lírica tradicional de España y el elemento folklórico afroantillano. Su poesía nos ofrece magníficas escenas costumbristas y un fuerte ataque contra la explotación del negro.

En *Búcate plata* Guillén emplea el habla negroide. En el poema la pobre mujer lamenta no poder tener las comodidades o necesidades que otros poseen. A pesar de sentir pena por el hombre le dice que «hay que comer». Ella lo llama «mi negro». En el habla antillano decirle «mi negro» o «mi negra» a una persona querida es expresarle cariño. *Búcate plata* es una denuncia de las condiciones económicas en la Cuba de su tiempo.

El subtítulo del poema *Sensemayá es Canto para matar a una culebra.* En el poema la culebra representa algo malo que debe morir porque mata con su mordida y asfixia con su cuerpo. El título *Sensemayá* es una onomatopeya; la repetida **-s** imita el sonido del silbido de la serpiente y añade un elemento de suspenso. Otra onomatopeya es «Mayombe—bombe—mayombé» que se dice tiene su origen en la cultura Yoruba en la África Occidental. Evoca el sonido del tambor que se usa en muchas ceremonias religiosas africanas.

Antes de leer

Antes de leer el poema *Búcate plata,* escúchalo.

Oirás varias jitanjáforas que son vocablos (palabras) onomatopéyicos que suenan a voces africanas.

Búcate plata

Búcate plata,
búcate plata,
porque no doy un paso má;
etoy a arró con galleta,
na má

Yo bien sé como etá tó,
pero viejo, hay que comer:
búcate plata,
búcate plata,
porque me voy a correr.

Depué dirán que soy mala,
y no me querrán tratar[1],
pero amor con hambre, viejo,
¡qué va!
Con tanto zapato nuevo,
¡qué va!
Con tanto reló[2], compadre,
¡qué va!
Con tanto lujo, mi negro,
¡qué va!

[1] tratar *tener alguna relación*
[2] reló (reloj) *watch*

▲ Barrio pobre, La Habana

TEACH
Core Instruction

Step 1 Have students listen to the poem on Audio CD 6B. The oral aspect of this poem is very important.

Step 2 Have students glance at Activities A–F on page 306 to help them look for information.

Step 3 Have the class read the poem aloud.

Step 4 Have students read silently.

Step 5 Go over the activities on page 306.

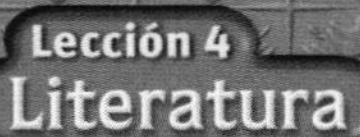

Después de leer

A Parea.

1. arroz	**a.** búcate
2. nada más	**b.** arró
3. búscate	**c.** tó
4. está	**d.** na má
5. después	**e.** etá
6. todo	**f.** depué
7. reloj	**g.** reló

B **Analizando** Contesta.

1. ¿Qué es lo que le pide la mujer al hombre?
2. ¿Qué es lo único que ella come ahora?
3. ¿Qué va a hacer ella si las cosas no cambian?
4. ¿Qué ve ella que la hace sentir mal?

C **Explicando** Explica el significado de los siguientes versos.

1. …no doy un paso má;
2. Depué dirán que soy mala, y no me querrán tratar,
3. pero amor con hambre, viejo, ¡qué va!
4. Yo bien sé como etá tó.

D **Interpretando** ¿Cómo interpretas tú las palabras de la mujer?

Depué dirán que soy mala,
y no me querrán tratar,
pero amor con hambre, viejo,
¡qué va!

Con tanto zapato nuevo,
¡qué va!
Con tanto reló, compadre,
¡qué va!
Con tanto lujo, mi negro,
¡qué va!

E **Interpretando y analizando** Contesta.

¿Qué emociones sientes al leer *Búcate plata*? ¿Puedes compadecer *(sympathize)* con la señora? ¿Y con el hombre? ¿Cuál será la causa de los problemas que le traen tanta pena a la señora?

Comunicación

F En el poema *Búcate plata,* la señora le habla al hombre. Con un(a) compañero(a), entablen la conversación que tiene lugar entre los dos.

Answers

A
1. b
2. d
3. a
4. e
5. f
6. c
7. g

B
1. La mujer le pide al hombre que busque dinero.
2. Lo único que come ahora es arroz con galleta.
3. Si las cosas no cambian, ella va a salir.
4. Ella ve que otras personas tienen zapatos nuevos, relojes y más cosas lujosas.

C *Answers will vary but may include:*
1. Ella no va a continuar (va a salir).
2. Ella cree que la gente va a hablar mal de ella y no tendrán nada que ver con ella.
3. Es difícil sentir el amor cuando tiene hambre y nadie le da ni dinero ni comida.
4. Es claro que su vida no va bien.

D
La gente va a hablar mal de mí y no tendrá nada que ver conmigo.
Es difícil sentir el amor cuando tengo hambre y nadie me da ni dinero ni comida.
Ustedes tienen tantas riquezas, ¿cómo es que no pueden compartir un poco conmigo?

E *Answers will vary.*

F *Answers will vary.*

Sensemayá 

Canto para matar a una culebra

¡Mayombe—bombe—mayombé!
¡Mayombe—bombe—mayombé!
¡Mayombe—bombe—mayombé!

La culebra tiene los ojos de vidrio;
la culebra viene y se enreda en un palo;
con sus ojos de vidrio, en un palo,
con sus ojos de vidrio.
La culebra camina sin patas;
la culebra se esconde en la yerba;
caminando se esconde en la yerba,
caminando sin patas.

¡Mayombe—bombe—mayombé!
¡Mayombe—bombe—mayombé!
¡Mayombe—bombe—mayombé!

Tú le das con el hacha, y se muere:
¡dale ya!
¡No le des con el pie, que te muerde,
no le des con el pie, que se va!

Sensemayá, la culebra,
sensemayá.
Sensemayá, con sus ojos,
sensemayá.
Sensemayá, con su lengua,
sensemayá.
Sensemayá, con su boca,
sensemayá...

¡La culebra muerta no puede comer;
la culebra muerta no puede silbar;
no puede caminar,
no puede correr!
¡La culebra muerta no puede mirar;
la culebra muerta no puede beber;
no puede respirar,
no puede morder!

¡Mayombe—bombe—mayombé!
Sensemayá, la culebra...
¡Mayombe—bombe—mayombé!
Sensemayá, no se mueve...
¡Mayombe—bombe—mayombé!
Sensemayá, la culebra...
¡Mayombe—bombe—mayombé!
Sensemayá, se murió!

Antes de leer

La culebra es una serpiente bastante misteriosa que asusta a muchos. Antes de leer esta poesía piensa en la apariencia y los movimientos de una serpiente. ¿Por qué nos puede dar miedo?

Al leer la poesía reflexiona sobre un posible mensaje escondido. ¿Es posible que Guillén presente la serpiente para simbolizar otra cosa—otra cosa que representa la maldad? ¿Qué?

▲ La culebra tiene los ojos de vidrio. Camina sin patas y se esconde en la yerba.

Resources 

- Audio Activities TE, pages 6.26–6.29
- Audio CD 6B, Tracks 8–10
- Tests, pages 6.56–6.58
- *ExamView® Assessment Suite*

Leveling EACH Activity

Reading Level **Average**

Pre-AP The poem *Sensemayá* is on the AP reading list.

TEACH

Core Instruction

Step 1 Have students listen to the recording of the poem on Audio CD 6B. Tell them to pay particular attention to the onomatopoeia.

Step 2 Tell students to listen to the poem again. Have them raise their right hands when they think they hear the sound of drums. Have them lift their left hands when they think they hear the hissing of a snake.

Step 3 Have students read the poem aloud.

Step 4 Have students read the poem silently.

Step 5 Go over the activities on page 308.

Differentiation

Multiple Intelligences

Have **bodily-kinesthetic** learners pantomime the following, even if they just use their hands.

La culebra viene.
Se enreda en un palo.
Camina sin patas.
Se esconde en la yerba.
Le das con un hacha.
Te muerde.
silbar
caminar
correr
mirar
beber
respirar

PRACTICE

Después de leer

A–E All of these activities can be gone over orally in class. Many can serve as a basis for group discussion.

Differentiation

Advanced Learners

E This activity is quite thought provoking and rather difficult. It is suggested that you gear the discussion toward more advanced learners. Then ask other students their opinions about what has been said.

Después de leer

A **Describiendo** Contesta.

1. ¿Cómo son los ojos de la culebra?
2. ¿En qué se enreda?
3. ¿Cómo camina?
4. ¿Dónde se esconde?
5. ¿Cuándo se esconde?

B **Describiendo** Contesta.

Se oyen los sonidos del tambor y alguien le va a matar a la serpiente. ¿Cómo?

C **Interpretando** Explica.

Explica como la repetición del sonido **s** (ese) en *Sensemayá* introduce un elemento de susto o suspenso.

D **Buscando información** Contesta.

¿Cuáles son ocho cosas que no pueder hacer la culebra muerta?

E **Interpretando** Contesta.

Composición

Nicolás Guillén es uno de los mejores expositores de la literatura negroide. Sin embargo, en *Sensemayá* Guillén presenta la culebra de una manera típica de la tradición occidental en que la culebra representa la maldad y le da una connotación negativa. Esta interpretación no corresponde a los significados antiguos de la serpiente en la tradición africana donde la serpiente es un dios del agua y puede dar vida. De esta infidelidad a la tradición africana ha surgido una polémica pero es posible que Guillén haya tenido sus razones.

Nicolás Guillén fue un activista político que protestó vehemente contra la explotación socio-económica del afroantillano y del imperialismo de los yanquís. Según el crítico Keith Ellis, el mal que la serpiente representa en el poema es el imperialismo. ¿Qué opinas de esta interpretación? ¿Cómo y por qué se podría asociar el imperialismo con las acciones de una culebra?

Camagüey, el pueblo natal de Nicolás Guillén ▼

Answers

A

1. Los ojos de la culebra son de vidrio.
2. Se enreda en un palo.
3. Camina sin patas.
4. Se esconde en la yerba.
5. Se esconde cuando está caminando.

B

Alguien va a matarle con un hacha.

C *Answers will vary.*

D

La culebra muerta no puede comer, ni silbar, ni caminar, ni correr, ni mirar, ni beber, ni respirar ni morder.

E *Answers will vary.*

El ave y el nido

de Salomé Ureña

Introducción

Salomé Ureña nació en 1850 en Santo Domingo de una familia culta. Con su padre leyó todos los clásicos castellanos y franceses. La joven precoz publicó sus primeros versos a los diecisiete años.

Ella se casó con don Francisco Henríquez y Carvajal cuando tenía veinte años. Su esposo era escritor, médico y abogado. Del matrimonio les nacieron cuatro hijos. Desgraciadamente la adorada poeta dominicana murió muy joven a los cuarenta y siete años.

Sus poesías tienen un estilo espontáneo. En su obra se manifiesta una gran ternura. Canta de su patria, su paisaje y su familia. Su estilo puede ser viril y a veces trágico en sus poemas patrióticos.

Antes de leer

¿Es posible imaginar algo más tierno que una avecita haciendo un nido para su futura familia? Antes de leer la siguiente poesía, imagina que estás en el campo y te acercas a una avecita construyendo su nido. ¿Qué harías? ¿Le hablarías como le habla la poeta?

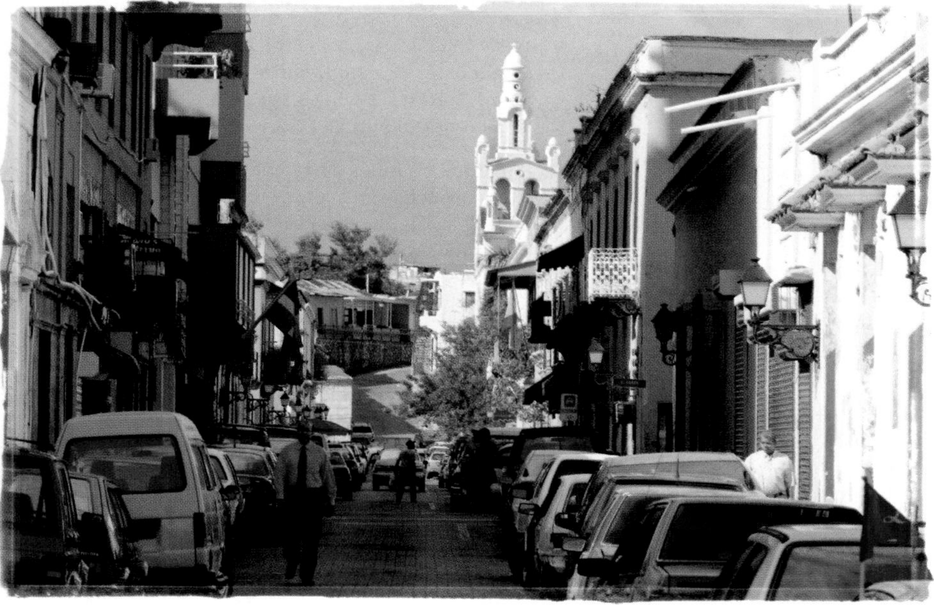

▲ Una calle de Santo Domingo

Resources

- Audio Activities TE, page 6.30
- Audio CD 6B, Track 11
- Tests, pages 6.56–6.58
- *ExamView® Assessment Suite*

Leveling EACH Activity

Reading Level **CHallenging**

Conexiones

La literatura

The Dominican writer Julia Álvarez wrote a novel about Salomé Ureña entitled *In the name of Salomé.* The novel is written in English.

TEACH

Core Instruction

Step 1 Have students listen to the poem on Audio CD 6B.

Step 2 Have students look at Activity D, read the poem silently, and supply the answers. The activity is intended to help comprehension.

Teaching Options

Due to its difficulty level, you may wish to skip this poem with certain groups.

Huevos de una avecilla en un nido que la poeta no va a llevar lejos. ▶

El ave y el nido 

¿Por qué te asustas, ave sencilla?
¿Por qué tus ojos fijas en mí?
Yo no pretendo, pobre avecilla,
llevar tu nido lejos de aquí.

Aquí, en el hueco[1] de piedra dura,
tranquila y sola te vi al pasar,
y traigo flores de la llanura
para que adornes tu libre hogar.

Pero me miras y te estremeces[2],
y el ala bates con inquietud,
y te adelantas, resuelta, a veces,
con amorosa solicitud.

Porque no sabes hasta qué grado
yo la inocencia sé respetar,
que es, para el alma tierna, sagrado
de tus amores el libre hogar.

¡Pobre avecilla! Vuelve a tu nido
mientras del prado[3] me alejo yo;
en él mi mano lecho mullido[4]
de hojas y flores te preparó.

Mas si tu tierna prole[5] futura
en duro lecho miro al pasar,
con flores y hojas de la llanura
deja que adorne tu libre hogar.

[1] hueco *hollow, hole*
[2] te estremeces *you shake*
[3] prado *meadow, field*
[4] lecho mullido *soft bed*
[5] prole *kids, offspring*

Después de leer

A **Analizando** Contesta.

1. ¿A quién le está hablando la poeta?
2. ¿Qué le trae a la avecilla?
3. ¿Cómo se pone la avecilla? ¿Por qué?
4. ¿Qué le aconseja a la avecilla la poeta?
5. ¿Qué va a encontrar la avecilla?

B **Describiendo** Describe todas las acciones de la avecilla.

C **Analizando** Explica.

Se dice que Salomé Ureña es una poeta cuya obra emite gran ternura. Explica como se destaca su ternura en esta poesía.

D **Conectando con el lenguaje** Contesta.

1. En la quinta estrofa, ¿qué forma del verbo es «vuelve»? ¿A quién va dirigida?
2. «En él mi mano lecho mullido»—¿a qué se refiere «él»?
3. ¿Cuál es el sujeto del verbo «preparó»?
4. En la sexta estrofa, ¿qué forma del verbo es «deja»? Y, ¿a quién va dirigida?
5. ¿Cuál es el sujeto implícito del verbo «adorne»—«deja que te adorne tu libre hogar»?
6. ¿A qué se refiere «el libre hogar»?

Answers

A

1. La poeta le está hablando a una avecilla.
2. Le trae flores de la llanura a la avecilla.
3. La avecilla se pone asustada porque vio pasar a la poeta.
4. La poeta le aconseja a la avecilla que vuelva a su nido.
5. La avecilla va a encontrar flores y hojas de la llanura en su nido.

B

La avecilla se asusta, fija sus ojos en los de la poeta, mira a la poeta, se estremece, bata las alas con inquietud y se adelanta con solicitud.

C *Answers will vary but may include:*

La poeta usa palabras que permiten visualizar acciones cariñosas. Además, le explica sencillamente a la avecilla todas sus acciones para que la avecilla no se asuste.

D

1. Es la forma familiar (el **tú**). Va dirigida a la avecilla.
2. Se refiere al prado.
3. El sujeto es la mano de la poeta.
4. Es la forma familiar. Va dirigida a la avecilla.
5. El sujeto implícito es el **yo.**
6. Se refiere al nido de la avecilla.

Resources

- Vocabulary Transparency V6.5
- Audio Activities TE, page 6.30
- Audio CD 6B, Track 12
- *ExamView® Assessment Suite*

Vocabulario

TEACH

Core Instruction

You may wish to ask the following questions to have students use the new words. **Él llegó sin aliento. ¿Por qué? ¿Había corrido mucho? ¿Tienes escalofríos cuando algo te asusta o cuando tienes fiebre? Cuando alguien está aturdido, ¿se le nota en los ojos? ¿Hay gente que envidia a los que poseen más que ellos? Él lo hizo de manera que nadie lo supiera. ¿Lo hizo a hurtadillas?**

Cultural Snapshot

(page 312) La universidad tiene varios recintos a través de la isla. El más importante es este, en Río Piedras. La universidad se fundó a principios del siglo XX y hoy tiene más de 25.000 estudiantes y un distinguido profesorado. Entre los que han enseñado aquí figuran Pablo Casals y don Juan Ramón Jiménez.

PRACTICE

Leveling EACH Activity

Average Activity 1

Parte 2: Prosa

Mi padre de Manuel del Toro

▲ La Universidad de Puerto Rico

Vocabulario 

Estudia las siguientes palabras para ayudarte a entender la lectura.

el aliento respiración
el escalofrío sensación de frío, a veces debido al terror o al susto
aturdido(a) lento o confuso por el afecto del alcohol o similar
tragar tomar o consumir algo vorazmente
envidiar querer algo que tiene otra persona
a hurtadillas furtivamente, a escondidas, sin que nadie se dé cuenta

Práctica

LEER • ESCRIBIR

1 Completa.

1. _____ y _____ son dos partes de la cara.
2. Él _____ el vaso de agua tan rápido que empezó a toser.
3. Ellos llegaron sin _____. No pudieron respirar después de correr tan rápido.
4. Lo va a hacer _____ porque no quiere que nadie sepa que lo ha hecho.
5. Me asustó tanto que tenía _____.

Answers

1

1. La sien, el mentón
2. tragó
3. aliento
4. a hurtadillas
5. escalofrío(s)

Mi padre

de Manuel del Toro

Introducción

El cuento que sigue apareció por primera vez en una revista literaria de la Universidad de Puerto Rico. Su autor, Manuel del Toro, ejerció varias profesiones pero como muchos intelectuales hispanos nunca dejó su vocación de escritor. Su cuento *Mi padre* es de profundo interés humano.

Mi padre

De niño siempre tuve el temor de que mi padre fuera un cobarde. No porque le viera correr seguida de cerca por un machete como vi tantas veces a Paco el Gallina y a Quino Pascual. ¡Pero era tan diferente a los papás de mis compañeros de clase! En aquella escuela de barrio donde el valor era la virtud suprema, yo bebía el acíbar° de ser el hijo de un hombre que ni siquiera usaba cuchillo. ¡Cómo envidiaba a mis compañeros que relataban una y otra vez sin cansarse nunca de las hazañas de sus progenitores°! A Perico Lugo le dejaron por muerto en un zanjón° con veintitrés tajos de perrillo°. Felipe Chaveta lucía una hermosa herida desde la sien hasta el mentón.

Mi padre, mi pobre padre, no tenía ni una sola cicatriz° en el cuerpo. Acababa de comprobarlo con gran pena mientras nos bañábamos en el río aquella tarde sabatina° en que como de costumbre veníamos de voltear las talas de tabaco°. Ahora seguía yo sus pasos hundiendo mis pies descalzos en el tibio polvo del camino y haciendo sonar mi trompeta. Era ésta un tallo de amapola° al que mi padre con aquella mansa habilidad para todas las cosas pequeñas había convertido en trompeta con sólo hacerle una incisión longitudinal.

Al pasar frente a La Aurora me dijo:

—Entremos aquí. No tengo cigarros para la noche.

Estrategia

Sacando conclusiones sobre los personajes Al leer este cuento fíjate en los deseos del hijo y las acciones y el comportamiento del padre. Considera detalles específicos sobre cada uno de los dos personajes para llegar a una conclusión general sobre el carácter de cada uno.

acíbar *amargura, disgusto*
progenitores *padres*
zanjón *huge opening in the ground*
tajos de perrillo *cortes con un cuchillo*

Reading Check

¿Cuál era la diferencia entre el padre del niño y los padres de sus compañeros de clase?

cicatriz *scar*
sabatina *del sábado*
talas de tabaco *tobacco stalks*
tallo de amapola *poppy stem*

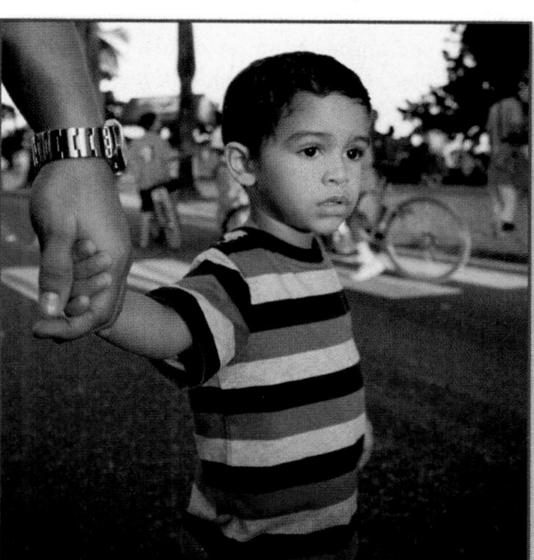

◀ Papi le toma la mano a su hijito.

Literatura

Resources 

- Tests, pages 6.58–6.59
- *ExamView® Assessment Suite*

Leveling EACH Activity

Reading Level **CHallenging**

TEACH

Core Instruction

You may wish to explain the following to students. **Un bravucón es una persona que presume de valiente sin serlo y la fanfarronería es la presunción u ostentación de alguna calidad que la persona cree que posee.**

Cultura

Students experience, discuss, and analyze the short story *Mi padre,* by the Puerto Rican author Manuel del Toro.

ABOUT THE SPANISH LANGUAGE

- In line 23 the son says **«...por poco me trago la trompeta».** Note that the present is always used with **por poco** even though the narration is in the past.
- In the Antilles, **el jíbaro** refers to a peasant and his customs. In Puerto Rico, **el jíbaro** is a peasant from the interior, mountainous region of the island.
- In many regions, but particularly in the Antilles, it is common to not pronounce the **d** when saying a past participle of an **-ar** verb: **hablao, desarmao.**
- In some regions, Madrid for example, not pronouncing the **d** is acceptable. Some even consider it pretentious to pronounce this **d.** There is a joke that says: **Ha comido bacalado (bacalao) en Bilbado (Bilbao).**

asombro *shock*

muñones *stumps*

Del asombro° por poco me trago la trompeta. Porque papá nunca entraba a La Aurora, punto de reunión de todos los guapos del barrio. Allí se jugaba baraja (cartas), se bebía ron y casi siempre se daban tajos. Unos tajos de machete que convertían brazos nervudos en cortos muñones°. Unos tajos largos de navaja que echaban afuera intestinos y se entraba la muerte.

Reading Check
¿Qué le sorprendió mucho al niño?

palpándolos *stroking them*

ventorrillo *bodega*

estiba de arroz *montón de sacos de arroz*

sarnoso *mangy*

Después de dar las buenas tardes, papá pidió cigarros. Los iba escogiendo uno a uno con fruición de fumador, palpándolos° entre los dedos y llevándolos a la nariz para percibir su aroma. Yo, pegado al mostrador forrado de zinc, trataba de esconderme entre los pantalones de papá. Sin atreverme a tocar mi trompeta, pareciéndome que ofendía a los guapetones hasta con mi aliento, miraba a hurtadillas de una a otra esquina del ventorrillo°. Acostado sobre la estiba de arroz° veía a José el Tuerto comer pan y salchichón echándole los pellejos al perro sarnoso° que los atrapaba en el aire con un ruido seco de dientes. En la mesita del lado tallaban con una baraja sucia Nolasco Rivera, Perico Lugo, Chus Maurosa y un colorado que yo no conocía. En un tablero colocado sobre un barril se jugaba dominó. Un grupo de curiosos seguía de cerca las jugadas. Todos bebían ron.

Reading Check
¿En qué tipo de actividades participaban los hombres en La Aurora?

Dése un palo *Tome*

pelao *nobody*

Fue el colorado el de la provocación. Se acercó a donde estaba papá alargándole la botella de la que ya todos habían bebido.

—Dése un palo°, don.

—Muchas gracias, pero yo no puedo tomar.

—Ah, ¿conque me desprecia porque soy un pelao°?

—No es eso, amigo. Es que no puedo tomar. Déselo usted en mi nombre.

—Este palo se lo da usted... se lo echo por la cabeza.

empellón *push, shove*

Lo intentó pero no pudo. El empellón° de papá lo arrojó contra el barril de macarelas. Se levantó aturdido por el ron y por el golpe y palpándose el cinturón con ambas manos dijo:

—Está usted de suerte, viejito, porque ando desarmao.

—A ver, préstenle un cuchillo.

Reading Check
¿Cuál fue la causa de la provocación?

Yo no lo podía creer pero era papá el que hablaba.

raídos *worn out*

enlodadas *muddy*

jíbaro encastado *puro y legítimo campesino puertorriqueño*

cuchillo casero, el puñal de tres filos, la sevillana corva *tres tipos de cuchillo*

Todavía al recordarlo un escalofrío me corre por el cuerpo. Veinte manos se hundieron en las camisetas sucias, en los pantalones raídos°, en las botas enlodadas°, en todos los sitios en que un hombre sabe guardar su arma. Veinte manos surgieron ofreciendo en silencio de jíbaro encastado° el cuchillo casero, el puñal de tres filos, la sevillana corva...°

—Amigo, escoja el que más le guste.

—Mire, don, yo soy un hombre guapo pero usté es más que yo.

Así dijo el colorado y salió de la tienda con pasito lento.

Reading Check
¿Cómo se resolvió la provocación?

Pagó papá sus cigarros, dio las buenas tardes y salimos. Al bajar el escaloncito escuché al Tuerto decir con admiración:

—Ahí va un macho completo.

Mi trompeta de amapola tocaba a triunfo. ¡Dios mío que llegue el lunes para contárselo a los muchachos!

Después de leer

A Recordando hechos Contesta.

1. ¿Por qué de niño creía el niño que su padre era cobarde?
2. ¿Por qué envidiaba a sus compañeros de clase?
3. ¿Qué le dejaron en el cuerpo de Perico Lugo?
4. ¿Qué tenía Felipe Chaveta entre la sien y el mentón?
5. Un día, ¿qué le asombró mucho al niño?
6. ¿Cuántas cicatrices llevaba el padre del niño?
7. ¿En qué día de la semana ocurrió este incidente?
8. ¿Qué acababan de hacer padre e hijo antes de bañarse?

B Confirmando información Escoge.

1. ¿De qué era la trompeta del niño?
   a. de parte de una planta
   b. de madera y metal
   c. de papel
2. ¿Qué era La Aurora?
   a. un club
   b. un tipo de bar y bodega
   c. un parque
3. ¿Qué hacían los señores que se reunían en La Aurora?
   a. Comían.
   b. Solo conversaban.
   c. Bebían y jugaban cartas.
4. ¿Qué significa «usted es más guapo que yo»?
   a. Yo soy más feo que usted.
   b. Usted es más bravo y macho que yo.
   c. Usted tiene una apariencia más agradable que yo.
5. ¿Qué le ofrece uno de los hombres al padre?
   a. un trago de ron
   b. un cigarro
   c. un árbol
6. ¿Por qué no acepta el padre?
   a. porque no fuma
   b. porque no bebe
   c. porque no tiene hambre

C Confirmando información ¿Sí o no? Corrige la información falsa.

1. El niño compró su trompeta en La Aurora.
2. El padre del niño entró en La Aurora porque quería tomar ron.
3. Todos los guapos y bravucones del barrio se reunían en La Aurora.
4. El padre del hijo frecuentaba La Aurora.

▲ El amor entre el papi y el hijito se ve en la cara.

Comunicación

D Imagínate que eres el niño del cuento. ¿Qué les vas a decir a tus amiguitos cuando vuelvas a la escuela?

PRACTICE

Después de leer

B This activity is intended to help students better understand some of the more difficult sections of the reading.

GLENCOE Technology

Online Learning in the Classroom

You may wish to have students use QuickPass code ASD7851c6 for additional practice. Students can download audio files to their computer and/or MP3 player. They can also access eFlashcards and a review worksheet.

Answers

A

1. De niño el niño creía que su padre era cobarde porque no usaba cuchillo.
2. Envidiaba a sus compañeros de clase porque ellos relataban sin cansarse nunca de las hazañas de sus padres.
3. Le dejaron veintitrés tajos de perrillo en el cuerpo de Perico Lugo.
4. Felipe Chaveta tenía una hermosa herida entre la sien y el mentón.
5. Un día, le asombró mucho al niño que su padre quisiera entrar a La Aurora.
6. El padre del niño no llevaba ninguna cicatriz.
7. Este incidente ocurrió el sábado.
8. Antes de bañarse padre e hijo acababan de voltear las talas de tabaco.

B

1. a
2. b
3. c
4. b
5. a
6. b

C

1. El padre había convertido un tallo de amapola en trompeta para el niño.
2. El padre del niño entró en La Aurora porque quería comprar cigarros para la noche.
3. correcta
4. El padre del hijo nunca frecuentaba La Aurora.

D *Answers will vary.*

The Video Program for Chapter 6 includes three documentary segments of some interesting aspects of life in Puerto Rico. You may wish to have students answer the **Antes de mirar** questions orally or in writing.

Episodio 1: La ciudad de San Juan fue fundada en 1508 por don Juan Ponce de León. Es una bella ciudad colonial. Sus calles adoquinadas y sus clásicos edificios son preciosos. Caminar por esas calles es hacer un viaje al pasado. A los sanjuaneros les encanta estar en la calle para ver a los amigos, hablar y disfrutar de su encantadora ciudad.

Episodio 2: María es tejedora. Ella practica una arte con una larga historia en Puerto Rico. María hace ropa infantil que vende en ferias artesanales. Ella aprendió a tejer con su abuela y su madre. Todos los días ellas se reúnen en casa de María para tejer. La hija de María, Alondra, está aprendiendo a tejer también. Para ellas es una manera de ganar dinero, pero más importante aún, es la forma de conservar una tradición.

Episodio 3: Recientemente se estableció un programa llamado Ecoventure para dar a la gente de la ciudad la oportunidad de ver de cerca la naturaleza. Este grupo está visitando el Bosque de Toro Negro a pocas horas de San Juan. Toro Negro es un bosque tropical. Es la reserva más alta de Puerto Rico y tiene una enorme variedad de plantas y animales.

Videopaseo

¡Un viaje virtual a Puerto Rico!

Antes de mirar el episodio, completen las actividades que siguen.

Episodio 1: El Viejo San Juan

Antes de mirar Con unos compañeros de clase, contesten las siguientes preguntas para prepararse para lo que van a ver en el video.

1. Según el título del episodio, ¿de qué se tratará?
2. Piensen en lo que han aprendido en la lección de Cultura de este capítulo. ¿Qué saben ustedes de San Juan? ¿Dónde está?
3. Miren la foto del video. ¿Les gustaría visitar este lugar? ¿Por qué?
4. ¿Hay calles parecidas a esta en su ciudad?

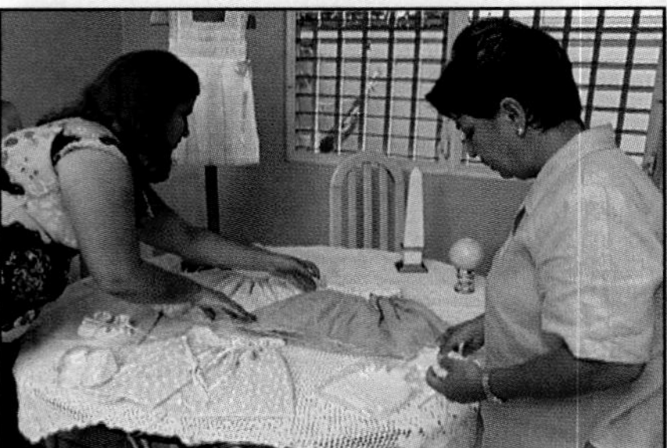

Episodio 2: Las tejedoras

Antes de mirar Con unos compañeros de clase, contesten las siguientes preguntas para prepararse para lo que van a ver en el video.

1. Según el título del episodio, ¿de qué se tratará?
2. ¿Recuerdan ustedes el significado de la palabra «tejedora»? Compartan sus ideas.
3. Miren la foto del video. Según lo que ven en la foto, ¿qué tejerán las señoras?
4. ¿Hay alguien en el grupo cuya familia sea artística? ¿Vende la familia sus creaciones o artesanías?

Episodio 3: Visita al bosque tropical

Antes de mirar Con unos compañeros de clase, contesten las siguientes preguntas para prepararse para lo que van a ver en el video.

1. Según el título del episodio, ¿de qué se tratará?
2. ¿Han visitado ustedes alguna vez un bosque tropical?
3. ¿Dónde está el bosque tropical más cerca de donde viven?
4. Ya han aprendido mucho sobre los bosques tropicales en sus estudios del español. ¿Qué hay en los bosques tropicales? Imagínense lo que estará mirando la gente en la foto.

CAPÍTULO 6 Repaso de vocabulario

Cultura

una cadena de montañas
ajeno(a)
estallarse
pisar
saquear

Periodismo

Lucha por preservar muralla de San Juan

la amenaza
la cobertura
un crucero
la mejora
grueso(a)
destrozar
estar a cargo de

Literatura

Poesía

una culebra
la lejanía
el nido
un palo
una pata
lejano(a)
lejos
alejarse de
asustar
enredarse
morder (ue)

Prosa

el aliento
el escalofrío
el mentón
la sien
aturdido(a)
envidiar
tragar
a hurtadillas

Resources

Tests, pages 6.63–6.76

Vocabulary Review

The words and phrases from Lessons 1, 3, and 4 have been taught for productive use in this chapter. They are summarized here as a resource for both student and teacher.

Teaching Options

This vocabulary reference list has not been translated into English. If it is your preference to give students the English translations, please refer to Vocabulary Transparency V6.1.

Chapter Overview

Venezuela y Colombia

Scope and Sequence

Topics

- The geography of Venezuela and Colombia
- The history of Venezuela and Colombia
- The culture of Venezuela and Colombia

Culture

- Angel Falls in Venezuela
- Orinoco River
- Petroleum industry
- Four geographic regions of Colombia
- Simón Bolívar and the fight for independence
- Typical food of Venezuela and Colombia
- Cartagena, Colombia
- *Cien años de soledad* by Gabriel García Márquez
- *Los maderos de San Juan* by José Asunción Silva
- *Vivir para contarla* by Gabriel García Márquez

Functions

- How to form the imperfect subjunctive
- How to use the subjunctive in adverbial clauses
- How to express *although* and *perhaps*
- How to use **por** and **para**

Structure

- The imperfect subjunctive
- The subjunctive with adverbs of time
- The subjunctive with **aunque**
- The subjunctive with **quizá(s), tal vez, ojalá (que)**
- **Por** and **para**

Leveling

The activities within each chapter are marked in the Wraparound section of the Teacher Edition according to level of difficulty.

E indicates easy
A indicates average
CH indicates challenging

The readings in **Lección 3: Periodismo** and **Lección 4: Literatura** are also leveled to help you individualize instruction to best meet your students' needs. Please note that the material does not become progressively more difficult. Within each chapter there are easy and challenging sections.

Correlations to National Foreign Language Standards

Page numbers in light print refer to the Student Edition. Page numbers in bold print refer to the Teacher Edition.	
Communication Standard 1.1 Interpersonal	pp. **329, 331, 338,** 341, **341, 342, 347, 358,** 363, 364
Communication Standard 1.2 Interpretive	pp. **320,** 321, **322,** 323, **324,** 325, **326,** 327, 328, 329, 330, 331, **332,** 333, 334, **334, 335,** 336, 341, **342, 343, 344,** 345, 346, 347, 349, **349, 350,** 351, **352, 353,** 355, 356, 357, 358, **358,** 359, 360, 361, **361,** 362, 363, 364
Communication Standard 1.3 Presentational	pp. **322,** 325, 331, **331, 341,** 345, 347, **347,** 351, **357,** 363
Cultures Standard 2.1	pp. 336, **343,** 364
Cultures Standard 2.2	pp. 325, 329, 331, 335, 342, 343, **343,** 344, 345, 347, 353, 364
Connections Standard 3.1	pp. **320, 322,** 322–323, **324,** 324–325, **326,** 326–327, 328, 330, 331, 334, **338,** 342, 343, 344, 346, 347, 351, 354, **359,** 364
Connections Standard 3.2	pp. **327,** 334, 335, 343, **343,** 344, **344, 349,** 349–350, **354,** 355–361, **357,** 364
Comparisons Standard 4.1	pp. 332, **336,** 337, 338
Comparisons Standard 4.2	pp. 326, 335, 343, **345**
Communities Standard 5.1	pp. **321, 325,** 327, **327, 331, 341,** 345, **345, 347, 350, 351, 352, 354**
Communities Standard 5.2	pp. 334, **334,** 335, **335, 349, 357,** 364
To read the ACTFL Standards in their entirety, see the front of the Teacher Edition.	

Student Resources

Print

Workbook *(pp. 7.3–7.10)*
Audio Activities *(pp. 7.11–7.14)*

Technology

- StudentWorks™ Plus
- ¡Así se dice! Gramática en vivo
- ¡Así se dice! Cultura en vivo
- Vocabulary PuzzleMaker
- QuickPass glencoe.com

Teacher Resources

Print

TeacherTools, Chapter 7

Workbook TE *(pp. 7.3–7.10)*
Audio Activities TE *(pp. 7.13–7.27)*
Quizzes 1–9 *(pp. 7.31–7.41)*
Tests *(pp. 7.44–7.71)*

Technology

- Vocabulary Transparencies V7.1–V7.5
- Audio CDs 7A and 7B
- *ExamView® Assessment Suite*
- TeacherWorks™ Plus
- ¡Así se dice! Video Program
- Vocabulary PuzzleMaker
- QuickPass glencoe.com

50-Minute Lesson Plans

	Objective	Present	Practice	Assess/Homework
Day 1	Learn about the geography, history, and culture of Venezuela and Colombia	Chapter Opener, pp. 318–319 Core Instruction/Vocabulario, p. 320 Core Instruction/La geografía, pp. 322–323 Core Instruction/Una ojeada histórica, pp. 324–325	Activities 1–4, p. 321 Activities A–C, p. 323 Activities D–E, p. 325 Audio Activities A–D, pp. 7.13–7.15	Student Workbook Activities A–B, pp. 7.3–7.4 QuickPass Culture Practice
Day 2	Learn about the geography, history, and culture of Venezuela and Colombia	Core Instruction/Una ojeada histórica, pp. 326–328 Core Instruction/Comida, p. 329	Activities F–I, pp. 327–329 Audio Activity E, pp. 7.15–7.16	Quizzes 1–2, pp. 7.31–7.32 Student Workbook Activities C–E, pp. 7.4–7.6 QuickPass Culture Practice
Day 3	Review Lección 1: Cultura	Videopaseo, p. 364 Episodio 1: El Libertador	Prepárate para el examen, Self-check for achievement, p. 330 Prepárate para el examen, Practice for proficiency, p. 331	Quizzes 3–4, pp. 7.33–7.34 Review for lesson test
Day 4	Reading and Writing Test for Lección 1: Cultura, pp. 7.47–7.48			
Day 5	The imperfect subjunctive	Core Instruction/El imperfecto del subjuntivo, pp. 332–333 Video, Gramática en vivo	Activities 1–4, p. 334 Audio Activities A–E, pp. 7.16–7.18	Student Workbook Activities A–D, pp. 7.6–7.7 QuickPass Grammar Practice
Day 6	The subjunctive with adverbial clauses of time	Core Instruction/El subjuntivo con conjunciones de tiempo, p. 335 Video, Gramática en vivo	Activities 5–7, p. 336 Audio Activities F–G, p. 7.19	Quiz 5, p. 7.35 Student Workbook Activities A–C, pp. 7.7–7.8 QuickPass Grammar Practice
Day 7	The subjunctive with **aunque, quizá(s), tal vez, ojalá (que)** **Por** and **para**	Core Instruction/El subjuntivo con **aunque,** p. 337 Core Instruction/**Quizá(s), tal vez, ojalá (que),** p. 337 Core Instruction/**Por** y **para,** pp. 338–339	Activities 8–9, p. 337 Activities 10–11, p. 339 Audio Activity H, p. 7.19	Quiz 6, p. 7.36 Student Workbook Activity A, p. 7.8 Student Workbook Activities A–B, pp. 7.8–7.9 QuickPass Grammar Practice
Day 8	Review Lección 2: Gramática	Videopaseo, p. 364 Episodio 2: La fábrica de chocolate	Prepárate para el examen, Self-check for achievement, p. 340 Prepárate para el examen, Practice for proficiency, p. 341	Quizzes 7–9, pp. 7.37–7.39 Review for lesson test
Day 9	Reading and Writing Test for Lección 2: Gramática, pp. 7.49–7.50			
Day 10	Read and discuss newspaper articles about Gabriel García Márquez and the restoration of the railway between Santa Marta and Aracataca	Core Instruction/Vocabulario, p. 342 Core Instruction/*Un tren en honor de Macondo,* pp. 342–343 Core Instruction/*Una multitud celebró el regreso de Gabo a Aracataca,* p. 344	Activity 1, p. 342 Activities A–E, p. 345 Audio Activities A–B, p. 7.20	Student Workbook Activities A–B, p. 7.10 QuickPass Journalism Practice
Day 11	Review Lección 3: Periodismo	Videopaseo, p. 364 Episodio 3: Radio Chuspa	Prepárate para el examen, Self-check for achievement, p. 346 Prepárate para el examen, Practice for proficiency, p. 347	Review for lesson test
Day 12	Reading and Writing Test for Lección 3: Periodismo, pp. 7.51–7.52			
Day 13	Read a poem by José Asunción Silva	Core Instruction/Vocabulario, p. 348 Core Instruction/*Los maderos de San Juan,* pp. 349–350	Activity 1, p. 348 Activities A–F, p. 351 Audio Activities A–D, pp. 7.21–7.23	QuickPass Literature Practice

	Objective	Present	Practice	Assess/Homework
Day 14	Read an excerpt of a novel by Gabriel García Márquez	Core Instruction/Vocabulario, p. 352 Core Instruction/*Vivir para contarla,* pp. 354–356	Activities 1–2, p. 353 Activities A–C, pp. 362–363 Audio Activities E–G, pp. 7.24–7.25	QuickPass Literature Practice
Day 15	Read an excerpt of a novel by Gabriel García Márquez	Core Instruction/*Vivir para contarla,* pp. 356–360	Activities D–G, p. 363 Audio Activity H, pp. 7.25–7.26	QuickPass Literature Practice
Day 16	Read an excerpt of a novel by Gabriel García Márquez	Core Instruction/*Vivir para contarla,* pp. 360–361	Activities H–K, p. 363 Audio Activities I–J, p. 7.27	Review for lesson test QuickPass Literature Practice
Day 17	Reading and Writing Test for Lección 4: Literatura, pp. 7.53–7.54			
Day 18	Chapter 7 Tests Chapter Reading and Writing Test, pp. 7.59–7.65 Listening Comprehension Test, pp. 7.66–7.68 Test for Oral Proficiency, p. 7.69 Test for Writing Proficiency, pp. 7.70–7.71			

Note: You may want to use the rubrics below to help students prepare their speaking activities and their writing task.

Scoring Rubric for Speaking

	4	3	2	1
vocabulary	extensive use of vocabulary, including idiomatic expressions	adequate use of vocabulary and idiomatic expressions	limited vocabulary marked with some anglicisms	limited vocabulary marked by frequent anglicisms that force interpretation by the listener
grammar	few or no grammatical errors	minor grammatical errors	some serious grammatical errors	serious grammatical errors
pronunciation	good intonation and largely accurate pronunciation with slight accent	acceptable intonation and pronunciation with distinctive accent	errors in intonation and pronunciation with heavy accent	errors in intonation and pronunciation that interfere with listener's comprehension
content	thorough response with interesting and pertinent detail	thorough response with sufficient detail	some detail, but not sufficient	general, insufficient response

Scoring Rubric for Writing

	4	3	2	1
vocabulary	precise, varied	functional, fails to communicate complete meaning	limited to basic words, often inaccurate	inadequate
grammar	excellent, very few or no errors	some errors, but do not hinder communication	numerous errors interfere with communication	many errors, little sentence structure
content	thorough response to the topic	generally thorough response to the topic	partial response to the topic	insufficient response to the topic
organization	well organized, ideas presented clearly and logically	loosely organized, but main ideas present	some attempts at organization, but with confused sequencing	lack of organization

90-Minute Lesson Plans

	Objective	Present	Practice	Assess/Homework
Block 1	Learn about the geography, history, and culture of Venezuela and Colombia	Chapter Opener, pp. 318–319 Core Instruction/Vocabulario, p. 320 Core Instruction/La geografía, pp. 322–323 Core Instruction/Una ojeada histórica, pp. 324–328 Core Instruction/Comida, p. 329	Activities 1–4, p. 321 Activities A–C, p. 323 Activities D–E, p. 325 Activities F–I, pp. 327–329 Audio Activities A–E, pp. 7.13–7.16	Student Workbook Activities A–E, pp. 7.3–7.6 QuickPass Culture Practice
Block 2	Review Lección 1: Cultura	Videopaseo, p. 364 Episodio 1: El Libertador	Prepárate para el examen, Self-check for achievement, p. 330 Prepárate para el examen, Practice for proficiency, p. 331	Quizzes 1–4, pp. 7.31–7.34 Review for lesson test
Block 3	The imperfect subjunctive The subjunctive with adverbial clauses of time	Core Instruction/El imperfecto del subjuntivo, pp. 332–333 Video, Gramática en vivo Core Instruction/El subjuntivo con conjunciones de tiempo, p. 335 Video, Gramática en vivo	Activities 1–4, p. 334 Activities 5–7, p. 336 Audio Activities A–G, pp. 7.16–7.19	Reading and Writing Test for Lección 1: Cultura, pp. 7.47–7.48 Student Workbook Activities A–D, pp. 7.6–7.7 Student Workbook Activities A–C, pp. 7.7–7.8 QuickPass Grammar Practice
Block 4	The subjunctive with **aunque, quizá(s), tal vez, ojalá (que)** **Por** and **para**	Core Instruction/El subjuntivo con **aunque,** p. 337 Core Instruction/**Quizá(s), tal vez, ojalá (que),** p. 337 Core Instruction/**Por** y **para,** pp. 338–339	Activities 8–9, p. 337 Activities 10–11, p. 339 Audio Activity H, p. 7.19	Quizzes 5–6, pp. 7.35–7.36 Student Workbook Activity A, p. 7.8 Student Workbook Activities A–B, pp. 7.8–7.9 QuickPass Grammar Practice
Block 5	Review Lección 2: Gramática	Videopaseo, p. 364 Episodio 2: La fábrica de chocolate	Prepárate para el examen, Self-check for achievement, p. 340 Prepárate para el examen, Practice for proficiency, p. 341	Quizzes 7–9, pp. 7.37–7.39 Review for lesson test
Block 6	Read and discuss a newspaper article about Gabriel García Marquez and the restoration of the railway between Santa Marta and Aracataca	Core Instruction/Vocabulario, p. 342 Core Instruction/*Un tren en honor de Macondo,* pp. 342–343	Activity 1, p. 342 Audio Activities A–B, p. 7.20	Reading and Writing Test for Lección 2: Gramática, pp. 7.49–7.50 Student Workbook Activity A, p. 7.10 QuickPass Journalism Practice
Block 7	Read and discuss a newspaper article about Gabriel García Márquez and the restoration of the railway between Santa Marta and Aracataca	Core Instruction/*Una multitud celebró el regreso de Gabo a Aracataca,* p. 344	Activities A–E, p. 345 Prepárate para el examen, Self-check for achievement, p. 346 Prepárate para el examen, Practice for proficiency, p. 347	Student Workbook Activity B, p. 7.10 Review for lesson test QuickPass Journalism Practice
Block 8	Read a poem by José Asunción Silva	Core Instruction/Vocabulario, p. 348 Core Instruction/*Los maderos de San Juan,* pp. 349–350	Activity 1, p. 348 Activities A–F, p. 351 Audio Activities A–D, pp. 7.21–7.23	Reading and Writing Test for Lección 3: Periodismo, pp. 7.51–7.52 QuickPass Literature Practice
Block 9	Read an excerpt of a novel by Gabriel García Márquez	Core Instruction/Vocabulario, p. 352 Core Instruction/*Vivir para contarla,* pp. 354–360	Activities 1–2, p. 353 Activities A–G, pp. 362–363 Audio Activities E–G, pp. 7.24–7.25	QuickPass Literature Practice

	Objective	Present	Practice	Assess/Homework
Block 10	Read an excerpt of a novel by Gabriel García Márquez	Core Instruction/*Vivir para contarla,* pp. 360–361 Videopaseo, p. 364 Episodio 3: Radio Chuspa	Activities H–K, p. 363 Audio Activities H–J, pp. 7.25–7.27	Review for lesson and chapter tests QuickPass Literature Practice
Block 11	Reading and Writing Test for Lección 4: Literatura, pp. 7.53–7.54 Chapter 7 Tests Chapter Reading and Writing Test, pp. 7.59–7.65 Listening Comprehension Test, pp. 7.66–7.68 Test for Oral Proficiency, p. 7.69 Test for Writing Proficiency, pp. 7.70–7.71			

Note: You may want to use the rubrics below to help students prepare their speaking activities and their writing task.

Scoring Rubric for Speaking

	4	3	2	1
vocabulary	extensive use of vocabulary, including idiomatic expressions	adequate use of vocabulary and idiomatic expressions	limited vocabulary marked with some anglicisms	limited vocabulary marked by frequent anglicisms that force interpretation by the listener
grammar	few or no grammatical errors	minor grammatical errors	some serious grammatical errors	serious grammatical errors
pronunciation	good intonation and largely accurate pronunciation with slight accent	acceptable intonation and pronunciation with distinctive accent	errors in intonation and pronunciation with heavy accent	errors in intonation and pronunciation that interfere with listener's comprehension
content	thorough response with interesting and pertinent detail	thorough response with sufficient detail	some detail, but not sufficient	general, insufficient response

Scoring Rubric for Writing

	4	3	2	1
vocabulary	precise, varied	functional, fails to communicate complete meaning	limited to basic words, often inaccurate	inadequate
grammar	excellent, very few or no errors	some errors, but do not hinder communication	numerous errors interfere with communication	many errors, little sentence structure
content	thorough response to the topic	generally thorough response to the topic	partial response to the topic	insufficient response to the topic
organization	well organized, ideas presented clearly and logically	loosely organized, but main ideas present	some attempts at organization, but with confused sequencing	lack of organization

Preview

In this chapter, students will learn about the geography, history, culture, and literature of Venezuela and Colombia. They will read newspaper articles about the eightieth birthday of author Gabriel García Márquez and a return trip to Aracataca to celebrate the occasion. They will also read a poem by José Asunción Silva and an excerpt from *Vivir para contarla,* an autobiographical work by García Márquez. Students will continue to review their Spanish grammar.

Pacing

Cultura	4–5 days
Gramática	4–5 days
Periodismo	4–5 days
Literatura	4–5 days
Videopaseo	2 days

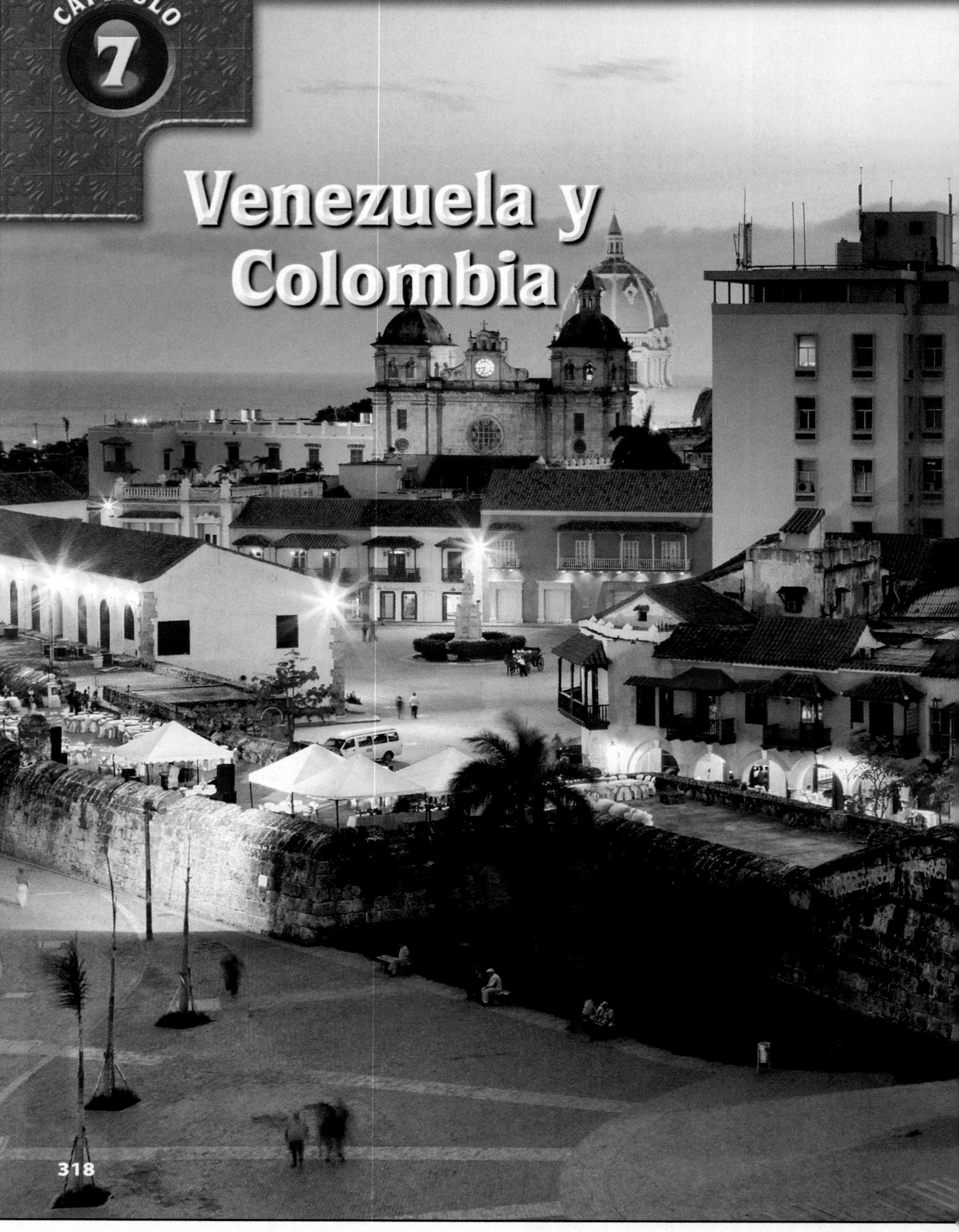

TeacherWorks Plus

The **¡Así se dice!** TeacherWorks™ Plus CD-ROM is an all-in-one planner and resource center. You may wish to use several of the following features as you plan and present the Chapter 7 material: Interactive Teacher Edition, Interactive Lesson Planner with Calendar, and Point and Click Access to Teaching Resources including Hotlinks to the Internet and Correlations to the National Standards.

La Puerta del Reloj en la ciudad amurallada de Cartagena, Colombia

Objetivos

You will:

- learn about the geography, history, and culture of Venezuela and Colombia
- discuss the life of the great Latin American hero Simón Bolívar
- read and discuss newspaper articles about Gabriel García Márquez and the restoration of the railway between Santa Marta and Aracataca
- read a poem by José Asunción Silva and an excerpt of a novel by Gabriel García Márquez

You will review:

- the imperfect subjunctive
- the subjunctive with adverbial clauses of time
- the subjunctive with **aunque**
- the subjunctive with **quizá(s), tal vez, ojalá (que)**
- **por** and **para**

Contenido

QuickPass
Go to glencoe.com
For: **Online book**
Web code: **ASD7851c7**

Cultural Snapshot

(pages 318–319) El casco antiguo de Cartagena, una ciudad en la costa norte de Colombia, está rodeado de murallas. La Puerta del Reloj, cuyo nombre original era Boca del Puente, sirvió como la puerta principal a la ciudad interior. Se añadió el reloj en 1888.

Quia Interactive Online Student Edition found at quia.com allows students to complete activities online and submit them for computer grading for instant feedback or teacher grading with suggestions for what to review. Students can also record speaking activities, listen to chapter audio, and watch the videos that correspond with each chapter. As a teacher you are able to create rosters, set grading parameters, and post assignments for each class. After students complete activities, you can view the results and recommend remediation or review. You can also add your own customized activities for additional student practice.

Resources

- Vocabulary Transparency V7.2
- Audio Activities TE, pages 7.13–7.14
- Audio CD 7A, Tracks 1–3
- Workbook, page 7.3
- Quiz 1, page 7.31
- *ExamView® Assessment Suite*

TEACH

Core Instruction

Step 1 Have students repeat the new words after Audio CD 7A.

Step 2 You may wish to ask questions using the new words in context. **¿Hay muchos bohíos lacustres cerca de la desembocadura del río? En las montañas, ¿hay saltos de agua? ¿Hay playas pequeñas en la caleta? ¿Hay barcos fluviales o lanchas en el río Magdalena? ¿Es una experiencia tomar una lancha por la vegetación espesa de un bosque tropical? ¿Han sellado el documento los oficiales imperantes? ¿Se enriquecen buscando petróleo?**

Cultural Snapshot

(page 320) Bohíos lacustres como estos se ven a las orillas de todos los ríos en las zonas tropicales de Latinoamérica—en la cuenca amazónica y la del Orinoco.

QuickPass
Go to glencoe.com
For: **Culture practice**
Web code: **ASD7851c7**

Vocabulario

Estudia las siguientes palabras para ayudarte a entender la lectura.

un bohío una casa pequeña y humilde, una choza, una chabola

la desembocadura lugar donde el río entra en el mar

una caleta bahía pequeña, ensenada

un salto caída (donde se cae) un caudal (una gran cantidad) de agua como en las cataratas del Niágara

la deuda dinero que se debe a alguien

la empresa acción de dar principio a una obra o un negocio

la sequía falta de lluvia durante largos períodos de tiempo

espeso(a) que tiene mucha densidad; cosas muy próximas (cercanas) unas de otras

fluvial de un río

imperante que domina, que tiene el poder

inolvidable que no se puede olvidar

lacustre que vive o que está en los bordes o en las aguas de un río

asemejarse a ser similar o semejante

enriquecerse hacerse rico, prosperar

oprimir someter por la violencia, poniendo uno debajo de la autoridad o dominio de otro

sellar llevar a una conclusión

surgir salir; aparecer; alcanzar algo cierta altura relativo a lo que lo rodea

Unos bohíos lacustres, Venezuela ▶

GLENCOE Technology

Online Learning in the Classroom

You may wish to have students use QuickPass code ASD7851c7 for additional vocabulary and comprehension practice. Students will be able to download audio files to their computer and/or MP3 player and access eFlashcards, eGames, a self-check quiz, and a review worksheet.

Práctica

ESCUCHAR • HABLAR

1 Contesta.

1. ¿Son muchos bohíos casas lacustres?
2. ¿Están construidas sobre pilotes las casas lacustres?
3. ¿Es una caleta o una ensenada una gran extensión de agua?
4. ¿Dónde entra el río en el mar?
5. ¿Llueve mucho durante una sequía?
6. ¿Oprimen los dictadores a sus sujetos?

LEER

2 Parea la palabra con su definición.

1. la deuda	a. tiranizar
2. imperante	b. prosperar
3. sellar	c. dominante
4. oprimir	d. dinero debido
5. enriquecerse	e. concluir

LEER

3 Da una palabra relacionada.

1. saltar	5. emprender
2. olvidar	6. semejante
3. el sello	7. desembocar
4. rico	8. seco

▲ La lancha es un medio de transporte en el río Magdalena, Colombia.

LEER • ESCRIBIR

4 Completa con una palabra apropiada.

1. Un ____ lacustre está construido sobre pilotes en un río o lago.
2. El río Magdalena es navegable hasta Bogotá. Un barco ____ hace el viaje de Barranquilla a Bogotá.
3. Para él es una ____ nueva. ¡Ojalá que tenga éxito!
4. ¡Ojalá que se haga rico! Todos sabemos que tiene muchas ganas de ____.
5. Ella va a tomar una decisión para ____ el proyecto.
6. Son muy similares. El uno ____ mucho al otro.
7. La vegetación de una selva tropical es muy densa. Es muy ____.
8. El dictador ____ a sus súbditos.

Casas sobre pilotes en un lago de Venezuela ▼

Cultura

PRACTICE

Leveling EACH Activity

Easy Activities 1, 2, 3
Average Activity 4

Activity 1 This activity can be done orally with books closed, calling on students at random to respond.

Differentiation

Advanced Learners

Activities 2 and 3 Have advanced learners use the words from these activities to make original sentences.

Cultural Snapshot

(page 321 top) La lancha en las zonas tropicales es frecuentemente el medio de transporte más importante. *(page 321 bottom)* Algunas casas sobre pilotes tienen menos paredes que estas para que entren las brisas. Es una forma de ventilación.

ASSESS

Students are now ready to take Quiz 1 on page 7.31 of the TeacherTools booklet. If you prefer to create your own quiz, use the *ExamView® Assessment Suite.*

Answers

1

1. Sí, muchos bohíos son casas lacustres.
2. Sí, las casas lacustres están construidas sobre pilotes.
3. No, una caleta o ensenada no es una gran extensión de agua.
4. El río entra en el mar en la desembocadura.
5. No, no llueve mucho durante una sequía.
6. Sí, los dictadores oprimen a sus sujetos.

2

1. d
2. c
3. e
4. a
5. b

3

1. el salto
2. inolvidable
3. sellar
4. enriquecerse
5. la empresa
6. asemejarse a
7. la desembocadura
8. la sequía

4

1. bohío
2. fluvial
3. empresa
4. enriquecerse
5. sellar
6. se asemeja
7. espesa
8. oprime

Resources

- Workbook, pages 7.3–7.4
- Quiz 2, page 7.32
- *ExamView® Assessment Suite*

TEACH

Core Instruction

You may wish to ask students the following comprehension questions. **¿Cómo es la región en los alrededores del río Orinoco? ¿Dónde vive la mayoría de la gente en Venezuela? ¿Por qué tiene el país el nombre «Venezuela»? ¿Cómo es el río Magdalena?**

Teaching Options

You may wish to have all students read the entire selection or you may wish to assign sections to groups who report back to the class. All members should be responsible for the basic information.

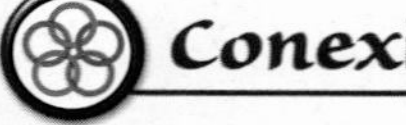

Conexiones

Las ciencias

As students look at the photos of the tropical rivers of Latin America in this chapter, have them notice the variety of vegetation that lines the rivers and their tributaries. Ask students who are studying biology to share any information they know about the flora found in this climate.

Cultural Snapshot

(page 322 top) Ciudad Bolívar en la orilla sur del río Orinoco fue fundada en 1764. Hoy es la capital del estado del mismo nombre y alberga a unos 300.000 habitantes. Ciudad Bolívar es el punto de partida para excursiones a Salto Angel.

La geografía

Venezuela

Venezuela en el nordeste del continente sudamericano es un país de grandes contrastes geográficos. Dos veces más grande que California es el único país sudamericano cuya costa se encuentra totalmente en el Caribe.

El río Orinoco y sus tributarios forman el sistema fluvial más importante de Sudamérica después de el del Amazonas. Una región de temperaturas cálidas, la cuenca del Orinoco se encuentra bajo agua por unos seis meses del año y durante los otros seis sufre de una sequía severa sin una gotita de lluvia.

▲ Puente sobre el río Orinoco en Ciudad Bolívar, Venezuela

▲ El Parque Nacional de Canaima, Venezuela

El Orinoco divide Venezuela en dos partes iguales. Al sur está la Sierra de la Guayana, una vasta región remota de bellísimas mesetas de arenisca[1] que surgen de la verde selva tropical que cubre la mitad del país. Al norte del río se encuentran las grandes sabanas o llanos donde viven los llaneros cuya vida ganadera es muy similar a la de los gauchos argentinos. Más al norte hacia la costa está la región andina con sus ciudades donde vive la mayoría de la población venezolana.

No muy lejos de la capital, Caracas, está el lago Maracaibo, un lago rico en petróleo. Venezuela es uno de los más importantes productores de petróleo del mundo.

Fue a la región de Maracaibo que llegaron los primeros exploradores españoles. Encontraron a muchos indígenas que vivían en bohíos lacustres y que iban de un lugar a otro en canoas. A los europeos les hizo pensar en la ciudad italiana de canales, Venecia, y así le dieron al territorio el nombre de «Venezuela» o «Venecia pequeña».

Colombia

Se puede dividir Colombia en cuatro regiones geográficas: la costa, la sierra andina, los llanos en el sureste del país y la selva tropical bañada por los afluentes o tributarios de los ríos Orinoco y Amazonas. En los llanos viven los llaneros cuya vida se asemeja mucho a la de los gauchos de la pampa argentina. Como su vecino, Venezuela, casi la mitad del país es selva tropical.

Barranquilla en la desembocadura del río Magdalena en la costa del Caribe es el puerto más importante del país. El Magdalena es uno de los ríos más largos del mundo y es navegable hasta la capital andina, Bogotá, a unos 8.640 pies sobre el nivel del mar. El viaje en barco fluvial tarda nueve días.

▲ Un tributario del Amazonas en Colombia

[1] arenisca *sandstone*

Answers

A

1. Venezuela está en el nordeste del continente sudamericano.
2. Tiene costa solamente en el Caribe.
3. El Orinoco y sus tributarios forman el sistema fluvial más importante de Sudamérica después de el del Amazonas.
4. El Orinoco divide Venezuela en dos partes iguales.
5. La Sierra de Guayana es una vasta región remota de bellísimas mesetas de arenisca.
6. Una selva tropical cubre la mitad de Venezuela.
7. Los llaneros viven en las grandes sabanas o llanos.
8. La mayoría de las ciudades venezolanas están en el norte hacia la costa en la región andina.
9. Hay petróleo en el lago Maracaibo.
10. Los exploradores europeos al ver a los indígenas en sus canoas en el lago Maracaibo pensaban en Venecia y le dieron al territorio el nombre de «Venezuela» o «Venecia pequeña».

▲ Una vista de Medellín, Colombia

Desde el punto de vista cultural y comercial la región andina se considera la más importante del país. Bogotá es el centro político e intelectual. Medellín, la capital de la región de Antioquia es una ciudad industrial que compite con Bogotá desde el punto de vista de importancia económica. Medellín goza de un clima ideal. Se le llama «la ciudad de las flores, la amistad y la primavera eterna». Es la capital del mundo en el cultivo de orquídeas. Y en las laderas de las montañas antioqueñas se cultiva el famoso café colombiano.

▲ Bogotá, Colombia

A **Recordando hechos** Contesta sobre Venezuela.

1. ¿Dónde está Venezuela?
2. ¿Dónde tiene costa?
3. ¿Qué forman el Orinoco y sus tributarios?
4. ¿En qué divide el Orinoco a Venezuela?
5. ¿Qué es la Sierra de la Guayana?
6. ¿Qué cubre la mitad de Venezuela?
7. ¿Quiénes viven en las grandes sabanas o llanos?
8. ¿Dónde está la mayoría de las ciudades venezolanas?
9. ¿Qué hay en el lago Maracaibo?
10. ¿Cómo recibió su nombre Venezuela?

B **Describiendo** Describe el clima en la cuenca del Orinoco.

C **Buscando información** Busca información sobre los siguientes temas y lugares colombianos.

1. las cuatro regiones geográficas de Colombia
2. los llaneros
3. Barranquilla
4. el río Magdalena
5. Bogotá
6. Medellín
7. el nombre que se le da a Medellín

▼ El lago Maracaibo, Venezuela

Cultura

PRACTICE

A You may wish to intersperse questions from this activity as you are going over the reading selection.

B More than one student can take part in this activity.

C Have students give as much information as they can.

Cultural Snapshot

(page 323 top) Medellín, con 2.100.000 habitantes, es la segunda ciudad más grande después de Bogotá y es la capital de Antioquia. Conocida por sus flores y fabuloso clima, es además un dinámico centro industrial y comercial.

(page 323 middle) Bogotá, con una población de siete millones, es una ciudad capitalina con museos, iglesias coloniales, edificios de arquitectura moderna, universidades renombradas y una diversa vida cultural. Creciendo rápidamente, Bogotá sufre también de unos problemas urbanos como el tráfico y la sobrepoblación.

(page 323 bottom) El lago de Maracaibo mide 12.800 kilómetros cuadrados. Es el lago más grande del continente sudamericano y tiene enormes depósitos de petróleo que fueron descubiertos en 1910. Hoy Venezuela es un exportador importantísimo de petróleo.

Answers

B

La cuenca del Orinoco tiene temperaturas cálidas y se encuentra bajo agua por unos seis meses del año; durante los otros seis sufre de una sequía severa.

C

1. Las cuatro regiones geográficas de Colombia son la costa, la sierra andina, los llanos al sureste del país y la selva tropical bañada por los afluentes de los ríos Orinoco y Amazonas.
2. Los llaneros son la gente que vive en los llanos; su vida se asemeja mucho a la de los gauchos de la pampa argentina.
3. Barranquilla está en la desembocadura del río Magdalena en la costa del Caribe; es el puerto más importante del país.
4. El río Magdalena es uno de los ríos más largos del mundo; es navegable hasta Bogotá y está a unos 8.640 pies sobre el nivel del mar.
5. Bogotá es la capital andina; es el centro político e intelectual.
6. Medellín es la capital de la región de Antioquia; es una ciudad industrial; compite con Bogotá desde el punto de vista de importancia económica; goza de un clima ideal.
7. El nombre que se le da a Medellin es «la ciudad de las flores, la amistad y la primavera eterna».

Resources

- Audio Activities TE, pages 7.14–7.16
- Audio CD 7A, Tracks 4–5
- Workbook, pages 7.4–7.6
- Quiz 3, page 7.33
- *ExamView® Assessment Suite*

TEACH

Core Instruction

You may wish to ask students the following comprehension question. **¿Por qué escogió el rey de España a dos alemanes a explorar Colombia?**

Conexiones

La historia

When we consider when these events took place, in the early to mid-sixteenth century, it seems quite improbable that various European explorers found themselves in the site that is now Bogotá at the same time. Have students pay attention to the **«sorpresa»** as they read.

Una ojeada histórica

▲ Carlos I de España

Unas anécdotas

Históricamente es Colombia el país que dio vida a la famosa leyenda de *El Dorado*. En el siglo XVI los españoles habían oído del rito de los muiscas, un grupo de los chibchas, los indígenas de Colombia, en el cual cubrían el cuerpo de su jefe en polvo de oro. Este mito les entusiasmó a los españoles a explorar esta región. Con su afán de encontrar oro creían que aquí se enriquecerían grandiosamente.

El rey de España, Carlos I, Carlos V de Austria, era soberano también de Alemania. Debía grandes cantidades de dinero a unos banqueros alemanes, los Welser. A causa de sus deudas, les concedió la conquista de Venezuela. Los Welser nombraron a Ambrosio Alfinger gobernador de Venezuela. Este fundó la ciudad de Maracaibo en 1530. Alfinger tenía la reputación de ser muy cruel y siguió explorando hasta que llegó a territorio que no le correspondía—territorio colombiano. Cayó mortalmente herido en 1533 en un encuentro con unos indígenas pero hay quienes creen que lo hirió uno de sus propios soldados. Un año más tarde llegó a Venezuela otra expedición alemana bajo el mando de Nicolás de Federman. Federman pasó tres años explorando nuevos territorios hasta llegar a la meseta de Bogotá. ¡Allí le esperaba una gran sorpresa!

Alonso de Ojeda fue el primer español (1530) que llegó a lo que hoy es Colombia cuando entró en Cartagena, pero enseguida fue expulsado por los indígenas. Otro explorador, Jiménez de Quesada, salió del puerto de Santa Marta en 1536 para seguir el curso del río Magdalena y explorar el interior de Colombia. Subiendo montañas y cruzando torrentes, Quesada encontró oro y esmeraldas y en 1537 fundó la ciudad de Santafé de Bogotá. ¡Al año siguiente recibió una sorpresa!

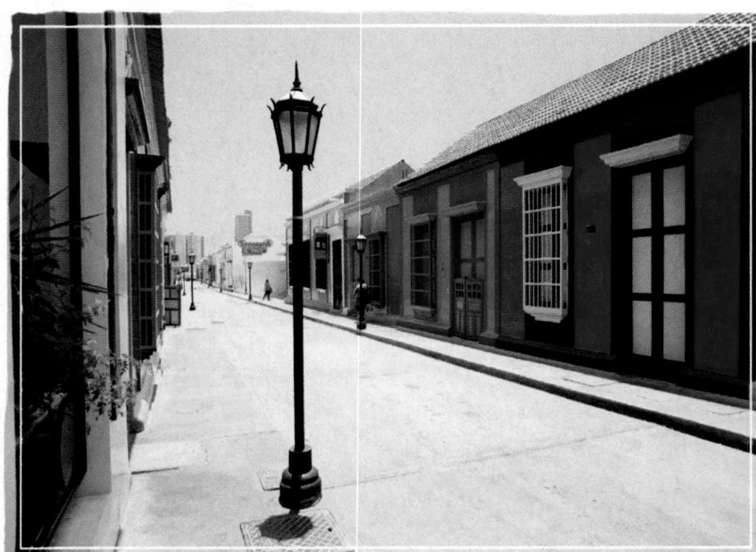

◀ Una callecita, Maracaibo

Terminada la conquista de Perú salieron varias expediciones españolas a diferentes regiones. Un teniente de Pizarro, Sebastián de Benalcázar, fue a Quito y continuó hacia el norte donde fundó la ciudad de Popayán en Colombia y avanzó hasta la meseta de Bogotá. ¡Qué sorpresa! Allí encontró a Gonzalo Jiménez de Quesada, el fundador de Bogotá y al alemán Nicolás de Federman.

Gonzalo Jiménez de Quesada fue abogado de profesión y convenció a Benalcázar y a Federman de dejarle a él la empresa de completar la colonización de lo que sería la Nueva Granada. Y así fue.

En 1546 Carlos V suspendió los privilegios de los banqueros alemanes y nombró a Juan Pérez de Tolosa gobernador de Venezuela.

▲ El conquistador Gonzalo Jiménez de Quesada

D Confirmando Indica si la información es correcta o no.

1. Los muiscas eran indígenas de Colombia que cubrían el cuerpo de su jefe de joyas preciosas.
2. El rey de España permitió a unos alemanes conquistar Venezuela.
3. El rey era un buen amigo de estos alemanes.
4. Un explorador alemán llegó hasta Bogotá.
5. Jiménez de Quesada fue el primer español que llegó a lo que hoy es Colombia.
6. Jiménez de Quesada navegó el río Magdalena de la costa al altiplano donde fundó la ciudad de Santafé de Bogotá.
7. Terminada la conquista de Perú, todos los hombres de Pizarro volvieron a España.

▲ La Balsa Muisca en el Museo del Oro, Bogotá

Conexiones

La historia

E Describiendo Describe a los siguientes personajes históricos. Presenta tus descripciones a la clase.

Carlos I o Carlos V
Ambrosio Alfinger
Alonso de Ojeda
Gonzalo Jiménez de Quesada
Sebastián de Benalcázar

PRACTICE

Differentiation

Advanced Learners

D Have advanced learners correct all the wrong information in each statement.

E Have students be as complete as possible in their descriptions. They can give them orally or in writing.

Cultural Snapshot

(page 325 bottom) El Museo del Oro está ubicado en un edificio moderno y tiene una colección de más de 34.000 piezas de oro de todas las culturas precolombinas de Colombia. Es indudablemente el museo de oro más importante del mundo. La famosa Balsa Muisca es una de las piezas más espectaculares.

ASSESS

Students are now ready to take Quiz 3 on page 7.33 of the TeacherTools booklet. If you prefer to create your own quiz, use the *ExamView® Assessment Suite.*

Answers

D

1. no
2. sí
3. no
4. sí
5. no
6. sí
7. no

E

1. Carlos I o Carlos V fue el rey de España y también fue rey de Austria. Era soberano de Alemania. Debía grandes cantidades de dinero a unos banqueros alemanes, los Welser.
2. Ambrosio Alfinger fue nombrado gobernador de Venezuela por los Welser y fundó la ciudad de Maracaibo.
3. Alonso de Ojeda fue el primer español que llegó (en 1530) a lo que hoy es Colombia cuando entró en Cartagena. Enseguida fue expulsado por los indígenas.
4. Gonzalo Jiménez de Quesada salió del puerto de Santa Marta en 1536 para explorar el interior de Colombia. Quesada encontró oro y esmeraldas y en 1537 fundó la ciudad de Santafé de Bogotá.
5. Sebastián de Benalcázar fue un teniente de Pizarro que fue a Quito y continuó hacia el norte donde fundó la ciudad de Poayán en Colombia y avanzó hasta la meseta de Bogotá donde encontró a Gonzalo Jiménez de Quesada y a Nicolás de Federman.

Resources

- Quiz 4, page 7.34
- *ExamView® Assessment Suite*

TEACH

Core Instruction

You may wish to ask the following comprehension questions.
¿Por qué tenía Simón Bolívar ideas políticas que no se parecían a las de su familia? ¿Qué fundó Bolívar y qué territorio incluía? ¿Cuál fue el sueño de Bolívar que nunca realizó?

Cultural Snapshot

(page 326 bottom) Se dice que Santa Marta es el pueblo colonial más antiguo de Colombia. Hoy Santa Marta es la capital de Magdalena y es un lugar turístico apreciado por sus playas atractivas.

La independencia

Simón Bolívar nació en Venezuela en 1783 de una familia noble y adinerada. Uno de los profesores del joven Simón tenía mucha influencia en su vida. Le explicaba que el rey de España gozaba de poder absoluto y que oprimía a sus súbditos. Le enseñaba las ideas liberales imperantes en Francia y Estados Unidos. A su tío no le gustaba que su sobrino aprendiera tales ideas y lo envió a estudiar en España. Pero Bolívar nunca se olvidó de lo que le había enseñado su antiguo profesor, Simón Rodríguez.

Bolívar volvió a Venezuela en 1810 para tomar parte en la rebelión contra los españoles. Fue nombrado coronel del ejército y para 1812 ya era general. En 1813 entró triunfante en Caracas donde derrotó a los españoles y recibió el título de «el Libertador».

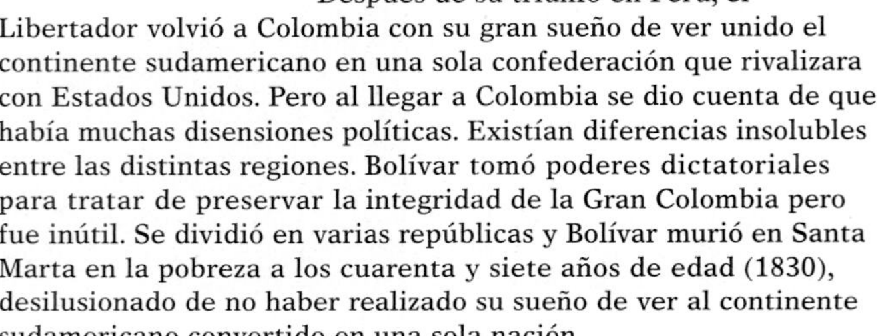

Pero pronto llegaron refuerzos españoles y Bolívar tuvo que refugiarse en Santo Domingo. Allí organizó un nuevo ejército y desembarcó una vez más en Venezuela donde fue proclamado presidente de la República. Siguió la lucha por la independencia y en 1819, con mucha dificultad, atravesó los imponentes Andes. Derrotó a las fuerzas españolas y fundó la República de la Gran Colombia que hoy comprende Colombia, Venezuela y Ecuador. Aceptó la presidencia de la nueva república. Luego pasó a Perú donde selló la independencia sudamericana ganando las batallas de Junín y Ayacucho en 1824.

Después de su triunfo en Perú, el Libertador volvió a Colombia con su gran sueño de ver unido el continente sudamericano en una sola confederación que rivalizara con Estados Unidos. Pero al llegar a Colombia se dio cuenta de que había muchas disensiones políticas. Existían diferencias insolubles entre las distintas regiones. Bolívar tomó poderes dictatoriales para tratar de preservar la integridad de la Gran Colombia pero fue inútil. Se dividió en varias repúblicas y Bolívar murió en Santa Marta en la pobreza a los cuarenta y siete años de edad (1830), desilusionado de no haber realizado su sueño de ver al continente sudamericano convertido en una sola nación.

▲ Simón Bolívar

Playa en Santa Marta, Colombia ▼

Answers

F

1. Simón Bolívar nació en Venezuela en 1783 de una familia noble y adinerada.
2. Su profesor favorito le explicaba que el rey de España gozaba de poder absoluto y que oprimía a sus súbditos. Le enseñaba las ideas liberales imperantes en Francia y Estados Unidos.
3. Su tío lo mandó a estudiar en España.
4. Al volver a Venezuela en 1810 Bolívar tomó parte en la rebelión contra los españoles.
5. Le dieron el título de «el Libertador».
6. Tuvo que refugiarse en Santo Domingo porque llegaron refuerzos españoles.
7. En Santo Domingo organizó un nuevo ejército.
8. Al regresar de Santo Domingo la lucha por la independencia siguió en Venezuela.
9. El gran sueño de Bolívar era de ver unido el continente sudamericano en una sola confederación que rivalizara con Estados Unidos.

Después de la independencia

En Colombia, igual que en Venezuela, los años después de la independencia han sido bastante conflictivos con sublevaciones militares y guerras civiles.

El siglo XX fue conflictivo también. En Colombia hubo más de treinta y cinco cambios de gobierno y en Venezuela más de veinticinco. Unos períodos cortos de relativa calma y paz fueron interrumpidos por períodos de violencia, dictaduras militares y golpes de Estado[2].

La gran mayoría de las poblaciones colombiana y venezolana son jóvenes. La edad promedio[3] es menos de veinticuatro años. ¡Ojalá que estos jóvenes puedan realizar un siglo de paz y estabilidad a sus tierras que tanto lo merecen!

[2] golpes de Estado *coups d'état*
[3] promedio *average*

▲ Plaza Bolívar, Mérida, Venezuela

F Buscando información Da la siguiente información sobre Simón Bolívar.

1. donde y en qué ambiente nació Bolívar
2. lo que aprendía de su profesor favorito
3. adonde lo mandó su tío a estudiar
4. lo que hizo al volver a Venezuela en 1810
5. el título que le dieron
6. por qué tuvo que refugiarse en Santo Domingo
7. lo que hizo en Santo Domingo
8. por donde siguió la lucha por la independencia al regresar de Santo Domingo
9. lo que era el gran sueño de Bolívar
10. donde murió y como

EXPANSIÓN

Ahora, relata toda la información en tus propias palabras. Si no recuerdas algo, un(a) compañero(a) te puede ayudar.

G Explicando Explica todos los problemas políticos que han surgido en Colombia y Venezuela desde su independencia.

PRACTICE

F Students can give their answers orally.

Heritage Speakers

G If you have any students from Venezuela or Colombia, have them give additional information for this activity.

Cultural Snapshot

(page 327) Mérida es una ciudad agradable. La gran Universidad de los Andes con unos treinta y cinco mil estudiantes está en Mérida. Es un destino popular para mochileros extranjeros atraídos por el ambiente académico y bohemio.

ASSESS

Students are now ready to take Quiz 4 on page 7.34 of the TeacherTools booklet. If you prefer to create your own quiz, use the *ExamView® Assessment Suite.*

Answers

10. Murió en Santa Marta en la pobreza a los cuarenta y siete años de edad, desilusionado de no haber realizado su sueño de ver al continente sudamericano convertido en una sola nación.

G *Answers will vary but may include:*
Desde su independencia, Colombia y Venezuela han enfrentado dictaduras militares, golpes de Estado y terrible violencia. Colombia ha tenido más de treinta y cinco cambios de gobierno y Venezuela ha tenido más de veinticinco.

Resources

ExamView® Assessment Suite

ABOUT THE SPANISH LANGUAGE

Note that **Salto Angel** does not take an accent. The falls are named after the American pilot James "Jimmie" Angel, who discovered them in the 1930s.

Cultural Snapshot

(page 328 middle) Salto Angel es el salto más alto del mundo, dieciséis veces más alto que las Cataratas del Niágara. Fue descubierto por un piloto estadounidense, Jimmie Angel, en 1937.

(page 328 bottom left) Caracas, la capital de Venezuela, es conocida por su arquitectura moderna pero se dice que es la ciudad con más embotellamientos o tapones de tráfico que cualquier otra ciudad del continente. Es el centro de la vida política, científica, cultural, intelectual y educativo del país.

Vista de Bogotá al atardecer ▼

▲ Salto Angel, Venezuela

Visitas históricas

No puedes ir a Colombia sin visitar la bonita ciudad de Cartagena. La vieja ciudad colonial amurallada ha cambiado muy poco a través de los siglos. Tan bonita es la ciudad que UNESCO la ha declarado Patrimonio de la Humanidad. Si quieres descansar puedes ir a pasar un rato en las playas de Boca Chica. O puedes volar a la isla de San Andrés donde puedes disfrutar de playas de arena blanca fina bordeadas de palmeras bajo un cielo azul caribeño. Se dice que en una cueva de una caleta de San Andrés el pirata Henry Morgan enterró un tesoro de oro que vale un billón de dólares. Los turistas siguen buscándolo hoy.

Tampoco puedes perder las dos capitales, Bogotá y Caracas. Cada una tiene avenidas anchas con rascacielos modernos y grandes centros comerciales. Y cada una tiene su pintoresco casco antiguo llamado «La Candelaria» en Bogotá.

Algo inolvidable en Venezuela es el Salto Angel que toma su nombre del piloto norteamericano que en 1935 buscaba una montaña de oro cuando chocó su avioneta. Se dice que es él que descubrió el salto más alto del mundo con una altura total de más de 3.000 pies y una caída ininterrumpida de 2.648 pies—quince veces más alto que las cataratas del Niágara.

Comunicación

H Describe los siguientes lugares interesantes.

Cartagena	Bogotá y Caracas
San Andrés	Salto Angel

Avenida Bolívar, Caracas ▼

▲ Cartagena, Colombia

Answers

H

1. Cartagena es una vieja ciudad colonial amurallada. Es tan bonita que UNESCO la ha declarado Patrimonio de la Humanidad.
2. San Andrés es una isla con playas de arena blanca.
3. Bogotá y Caracas son capitales con rascacielos modernos y grandes centros comerciales.
4. El Salto Angel en Venezuela es el salto más alto del mundo.

Comida

Si vas a Colombia o Venezuela, encontrarás arepas en todas partes. Son tortas de maíz rellenas de queso, frijoles, chorizo, carne picada o pollo y están riquísimas.

En Colombia hay que probar un sancocho cuya preparación varía de una región a otra. Un buen sancocho es el sancocho paisa de Antioquia. Es una sopa espesa de carne de res y cerdo, yuca, papas, plátanos, mazorca y cilantro.

Y para tomar, un vaso de frutas tropicales. ¿Qué te apetece más—guayaba, papaya, mango? Y después, no olvides de tomar una taza del famoso colombiano.

▲ La joven está haciendo arepas.

I **Contrastando** Explica la diferencia entre las «arepas» que se comen en Colombia y Venezuela y el «sancocho», un plato popular en Colombia.

◀ Un sancocho

Un cafetal, Armenia, Colombia ▼

329

Differentiation

Slower Paced Learners

For review and recall purposes, have slower students give the names of all the foods they remember after reading these two paragraphs. It can be done in the form of a speed game.

Answers

I

Las arepas son tortas de maíz rellenas de jamón, queso, chorizo, pollo, frijoles o carne mechada. El sancocho es una sopa espesa de carne de res y cerdo, yuca, papas, plátanos, mazorca y cilantro.

Resources

- Tests, pages 7.47–7.48
- *ExamView® Assessment Suite*

Self-check for achievement

This is a pre-test for students to take before you administer the lesson test. Note that each section is cross-referenced so students can easily find the material they feel they need to review. You may wish to use Self-Check Worksheet Transparency SC7.1 to have students complete this assessment in class or at home. You can correct the assessment yourself, or you may prefer to project the answers on the overhead in class using Self-Check Answers Transparency SC7.1A.

Differentiation

Slower Paced Learners

Encourage students who need extra help to refer to the book icons and review any section before answering the questions.

Cultural Snapshot

(page 330) Canaima está cerca de Salto Angel.

Prepárate para el examen

Self-check for achievement

Vocabulario

Para repasar este vocabulario, mira la página 320.

1 Completa.

1. Un ____ es una casa humilde.
2. Una casa ____ está construida sobre pilotes en un lago.
3. La ____ es el dinero que uno le debe a otro.
4. Es una ____ horrible. No ha llovido en dos meses.
5. La ____ del río Magdalena está en Barranquilla. Allí entra en el mar.

2 Da la palabra cuya definición sigue.

6. una bahía pequeña
7. llevar a una conclusión
8. denso
9. someter por la violencia
10. difícil o imposible de olvidar
11. de un río
12. ser similar o semejante

3 Expresa de otra manera.

13. Es un bosque muy *denso.*
14. Es una casa *en los bordes de un río.*
15. Ellos siempre quieren *hacerse ricos.*
16. Tienes que pagar *el dinero que les debes a otros.*

▲ Camping en el Parque Nacional de Canaima, Venezuela

Lectura y cultura

Para repasar esta información cultural, mira las páginas 322–329.

4 ¿Sí o no?

17. El río Orinoco es más largo y más importante que el Amazonas.
18. El río Magdalena en Colombia es navegable de Barranquilla a Bogotá. El viaje en barco fluvial toma nueve días.
19. Los llaneros viven solamente en Venezuela.
20. La mitad de Colombia, igual que Venezuela, es selva tropical.

5 Identifica.

21. los Welser y Ambrosio Alfinger
22. Sebastián de Benalcázar
23. Gonzalo Jiménez de Quesada

6 Contesta.

24. ¿Qué aprendió Simón Bolívar de un profesor favorito?
25. ¿Qué hizo Bolívar al refugiarse en Santo Domingo?
26. ¿Cuál fue el gran sueño de Bolívar? ¿Lo realizó?
27. ¿Cómo eran los años después de la independencia en Colombia y Venezuela?

7 Completa.

28. Si voy a Colombia quiero visitar ____.
29. Si voy a Venezuela quiero visitar ____.
30. Si voy a Colombia quiero comer ____.

Answers

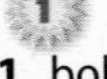
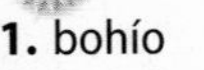

1

1. bohío
2. lacustre
3. deuda
4. sequía
5. desembocadura

2

6. una caleta
7. sellar
8. espeso
9. oprimir
10. inolvidable
11. fluvial
12. asemejarse a

3

13. Es un bosque muy espeso.
14. Es una casa lacustre.
15. Ellos siempre quieren enriquecerse.
16. Tienes que pagar la deuda.

4

17. no
18. sí
19. no
20. sí

5

21. Los Welser fueron unos banqueros alemanes a quiénes Carlos I o Carlos V les debía grandes cantidades de dinero. Ambrosio Alfinger fue nombrado gobernador de Venezuela por los Welser y él fundó la ciudad de Maracaibo.
22. Sebastián de Benalcázar fue un teniente de Pizarro que fue a Quito y continuó hacia el norte donde fundó la ciudad de Poayán en

Prepárate para el examen

Practice for proficiency

1 La geografía de Venezuela y Colombia

Venezuela y Colombia son dos repúblicas vecinas. Describe la geografía de estos dos países e indica como se asemejan.

2 La cuenca del Orinoco

La cuenca del Orinoco es una región interesante. Di todo lo que sabes del río Orinoco y describe el clima de esta región. ¿Te gustaría vivir allí? ¿Por qué dices que sí o que no?

3 Una sorpresa histórica

Varios individuos llegaron a la meseta de Bogotá. ¿Quiénes fueron? ¿Qué es algo que no hubieran esperado al llegar a una región montañosa tan aislada en aquel entonces? Explica lo que pasó y como se resolvió el encuentro.

4 Un gran héroe

Describe la vida del gran libertador y héroe latinoamericano Simón Bolívar.

5 Investigaciones

Haz unas investigaciones sobre la reciente y actual situación política en Venezuela y en Colombia.

6 Una visita

Describe los lugares que te gustaría ver durante una visita a Venezuela o Colombia.

Un cuento

En esta lectura hay algo que se asemeja más a un cuento ficticio que a una realidad histórica. Es el episodio de Nicolás de Federman y su encuentro con Jiménez de Quesada y Sebastián de Benalcázar en Bogotá.

Ahora vas a ser autor(a) y vas a escribir un cuento. No va a ser difícil si sigues estos pasos sencillos. Piensa en un protagonista. Visualiza a tu protagonista—su aparencia, su personalidad, etc. Piensa en el ambiente y lugar donde se desarrolla la acción del cuento. Piensa en lo que hace (o hizo) tu protagonista y si sus acciones han involucrado a otros. Introduce unos elementos de suspenso o conflicto y establece una resolución que lleva tu cuento a una conclusión. Puedes servirte de un diagrama como el de al lado para organizar tus ideas.

Después de revisar y corregir tu borrador, escribe de nuevo tu cuento en forma final.

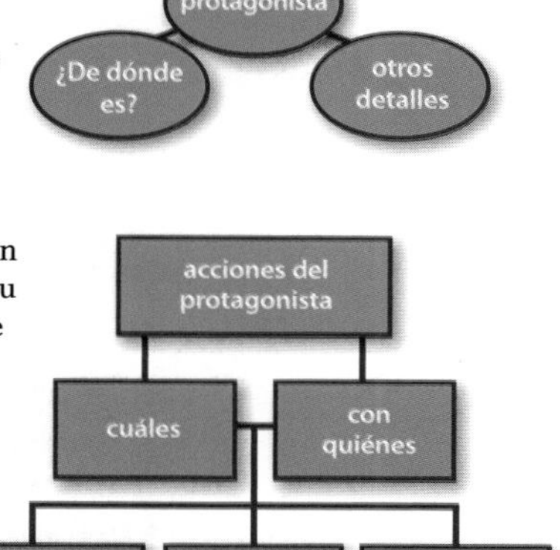

Cultura

Tips for Success

Encourage students to say as much as possible when they do these open-ended activities. Tell them not to be afraid to make mistakes, since the goal of the activities is real-life communication. If someone in the group makes an error, allow the others to politely correct him or her. Let students choose the activities they would like to do.

Tell students to feel free to elaborate on the basic theme and to be creative. They may use props, pictures, or posters if they wish.

Pre-AP These oral and written activities will give students the opportunity to develop and improve their speaking and writing skills so that they may succeed on the speaking and writing portions of the AP exam.

Note: You may wish to use the rubrics on page 318D or 318F to help students prepare their speaking activities and their writing task.

Answers

Colombia y avanzó hasta la meseta de Bogotá donde encontró a Gonzalo Jiménez de Quesada y a Nicolás de Federman.

23. Gonzalo Jiménez de Quesada salió del puerto de Santa Marta en 1536 para explorar el interior de Colombia. Quesada encontró oro y esmeraldas y en 1537 fundó la ciudad de Santafé de Bogotá.

6

24. De un profesor favorito Simón Bolívar aprendió que el rey de España gozaba de poder absoluto y que oprimía a sus súbditos. Le enseñó a Bolívar las ideas liberales imperantes en Francia y Estados Unidos.

25. Al refugiarse en Santo Domingo Bolívar organizó un nuevo ejército.

26. El gran sueño de Bolívar era de ver unido el continente sudamericano en una sola confederación que rivalizara con Estados Unidos. No lo realizó.

27. Los años después de la independencia en Colombia eran conflictivos.

28–30. *Answers will vary.*

Resources

- Audio Activities TE, pages 7.16–7.18
- Audio CD 7A, Tracks 6–9
- Workbook, pages 7.6–7.7
- Quiz 5, page 7.35
- *ExamView® Assessment Suite*

TEACH

Core Instruction

Step 1 Have students repeat the verb forms in Item 1.

Step 2 Indicate the endings that have to be added.

Step 3 Have students read aloud the conjugations in unison.

Step 4 Emphasize the sequence of tenses in Item 5. Students who have a good understanding of when to use the subjunctive will have little trouble with the use of the imperfect subjunctive.

GLENCOE Technology

Online Learning in the Classroom

Have students use QuickPass code ASD7851c7 for additional grammar practice. They can review verb conjugations with eFlashcards. They can also review all grammar points by doing a self-check quiz and a review worksheet.

QuickPass
Go to glencoe.com
For: **Grammar practice**
Web code: **ASD7851c7**

Quisiera can stand alone to express the idea *would like.* **Pudiera** can convey *could.*

El imperfecto del subjuntivo

1. The **ustedes, ellos, ellas** form of the preterite minus the **-on** part of the ending serves as the stem for the formation of the imperfect subjunctive of all verbs.

INFINITIVE	PRETERITE	STEM
hablar	hablaron	hablar-
comer	comieron	comier-
vivir	vivieron	vivier-
pedir	pidieron	pidier-
dormir	durmieron	durmier-
estar	estuvieron	estuvier-
andar	anduvieron	anduvier-
tener	tuvieron	tuvier-
poder	pudieron	pudier-
poner	pusieron	pusier-
saber	supieron	supier-
haber	hubieron	hubier-
querer	quisieron	quisier-
venir	vinieron	vinier-
hacer	hicieron	hicier-
traer	trajeron	trajer-
decir	dijeron	dijer-
conducir	condujeron	conduj-
construir	construyeron	construyer-
leer	leyeron	leyer-
oír	oyeron	oyer-
ir	fueron	fuer-
ser	fueron	fuer-

2. To this stem, add the following endings: **-a, -as, -a, -amos, -ais, -an.**

infinitive	hablar	comer	pedir	tener	decir
yo	hablara	comiera	pidiera	tuviera	dijera
tú	hablaras	comieras	pidieras	tuvieras	dijeras
Ud., él, ella	hablara	comiera	pidiera	tuviera	dijera
nosotros(as)	habláramos	comiéramos	pidiéramos	tuviéramos	dijéramos
vosotros(as)	*hablarais*	*comierais*	*pidierais*	*tuvierais*	*dijerais*
Uds., ellos, ellas	hablaran	comieran	pidieran	tuvieran	dijeran

3. The same rules that govern the use of the present subjunctive govern the use of the imperfect subjunctive. It is the tense of the verb in the main clause that determines whether the present or imperfect subjunctive must be used in the dependent clause. If the verb of the main clause is in the present or future tense, the present subjunctive is used in the dependent clause.

Quiero que ellos me digan lo que harán.
Será necesario que lo sepamos pronto.

4. When the verb of the main clause is in the preterite, imperfect, or conditional, the imperfect subjunctive must be used in the dependent clause.

Yo dudé que ellos comprendieran la situación.
Quería que ellos me dijeran lo que hicieron.
Sería absolutamente imposible que yo asistiera a la reunión.

◀ ¿Le sorprendió a la gente que hubiera tantos asientos libres en el bus?

5. The following is the sequence of tenses for using the present and imperfect subjunctive.

present / **future**	**que + present subjunctive**	**preterite** / **imperfect** / **conditional**	**que + imperfect subjunctive**

PRACTICE

Leveling EACH Activity

Easy Activity 1
Average Activities 2, 3
Average–CHallenging Activity 4

Activities ①, ②, ③ These activities can all be done orally in class with books closed. For further reinforcement you may wish to have students write them.

Activity ④ Have students prepare this activity before they go over it in class.

GLENCOE Technology

Video in the Classroom

Gramática en vivo: *The imperfect subjunctive* Enliven learning with the animated world of Professor Cruz! **Gramática en vivo** is a fun and effective tool for additional instruction and/or review.

ASSESS

Students are now ready to take Quiz 5 on page 7.35 of the TeacherTools booklet. If you prefer to create your own quiz, use the *ExamView® Assessment Suite.*

VIDEO Want help with the imperfect subjunctive? Watch **Gramática en vivo.**

Práctica

ESCUCHAR • HABLAR

1 Sigue el modelo.

MODELO
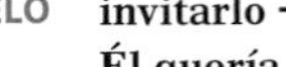
invitarlo →
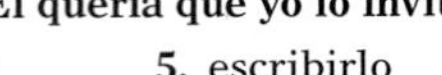
Él quería que yo lo invitara.

1. mirarlo
2. pagarlo
3. comerlo
4. devolverlo
5. escribirlo
6. servirlo
7. tenerlo
8. saberlo
9. hacerlo
10. leerlo
11. decirlo
12. ponerlo

HABLAR • ESCRIBIR

2 Contesta sobre unos deseos de tus padres.

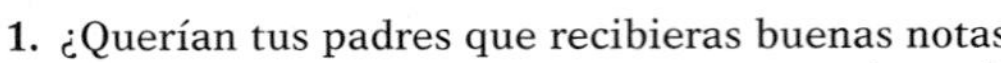

1. ¿Querían tus padres que recibieras buenas notas?
2. ¿Insistieron en que hicieras tus tareas cada noche?
3. ¿Se alegraban de que todos sus hijos tuvieran éxito?
4. ¿Estarían contentos que uno(a) de ustedes recibiera una beca para estudiar en la universidad?

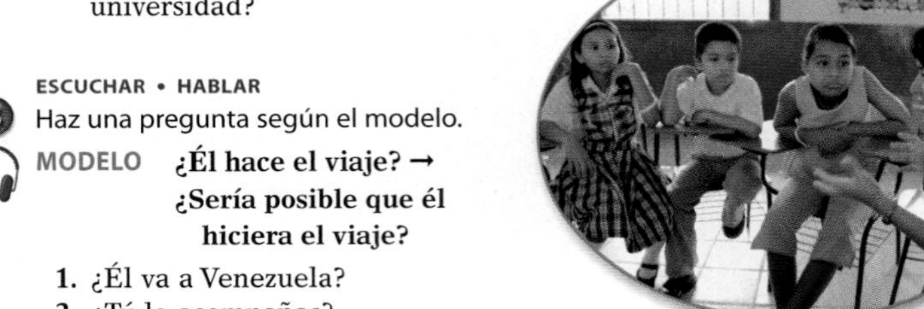

▲ La maestra se alegraba de que sus alumnos prestaran tanta atención en su clase en Barrancabermeja, Colombia.

ESCUCHAR • HABLAR

3 Haz una pregunta según el modelo.

MODELO **¿Él hace el viaje? →**
¿Sería posible que él hiciera el viaje?

1. ¿Él va a Venezuela?
2. ¿Tú lo acompañas?
3. ¿Ustedes pasan tiempo en Caracas?
4. ¿Ustedes hacen una excursión al Salto Angel?
5. ¿Visitan ustedes la región de Ciudad Bolívar en el río Orinoco?

▲ ¿Sería posible que todos nosotros hiciéramos una excursión en el río Orinoco?

LEER • ESCRIBIR

4 Forma una frase nueva. Haz los cambios necesarios.

1. Ella quiere que yo vaya al banco.
   Ella quería ____.
2. Ella espera que tengamos bastante dinero.
   Ella esperaba ____.
3. Ella estará contenta que no necesitemos más.
   Ella estaría ____.
4. Ella insiste en que tú se lo digas enseguida.
   Ella insistió ____.
5. Ella duda que nos haga falta más.
   Ella dudó ____.
6. ¿Buscará ella una persona que te dé dinero?
   ¿Buscaría ella ____?

Answers

1

1. Él quería que yo lo mirara.
2. Él quería que yo lo pagara.
3. Él quería que yo lo comiera.
4. Él quería que yo lo devolviera.
5. Él quería que yo lo escribiera.
6. Él quería que yo lo sirviera.
7. Él quería que yo lo tuviera.
8. Él quería que yo lo supiera.
9. Él quería que yo lo hiciera.
10. Él quería que yo lo leyera.
11. Él quería que yo lo dijera.
12. Él quería que yo lo pusiera.

2

1. Sí (No), mis padres (no) querían que recibiera buenas notas.
2. Sí, (No, no) insistieron en que hiciera mis tareas cada noche.
3. Sí, se alegraban de que todos sus hijos tuvieran éxito.
4. Sí, estarían contentos que uno(a) de nosotros(as) recibiera una beca para estudiar en la universidad.

VIDEO Want help with the subjunctive with adverbial and adjective clauses? Watch **Gramática en vivo.**

El subjuntivo con conjunciones de tiempo

1. The subjunctive is used with adverbial conjunctions of time when the verb of the main clause is in the future, since it is uncertain if the action in the adverbial clause will really take place. When the verb in the main clause is in the past, the indicative is used since the action of the clause has already been realized.

   Ella nos hablará cuando lleguemos.
   Ella nos habló cuando llegamos.

2. Some frequently used adverbial conjunctions of time that follow the same pattern are:

cuando	*when*
en cuanto	*as soon as*
tan pronto como	*as soon as*
hasta que	*until*
después de que	*after*

3. The conjunction **antes de que,** *before,* is an exception. **Antes de que** is always followed by the subjunctive. The imperfect subjunctive is used after **antes de que** when the verb of the main clause is in the past or in the conditional.

   Ellos saldrán antes de que nosotros lleguemos.
   Ellos salieron antes de que nosotros llegáramos.
   Ellos saldrían antes de que nosotros llegáramos.

Los pasajeros subieron al metro cuando se paró en esta estación en Medellín. ▼

Gramática

Resources

- Audio Activities TE, pages 7.18–7.19
- Audio CD 7A, Tracks 9–12
- Workbook, pages 7.7–7.8
- Quiz 6, page 7.36
- *ExamView® Assessment Suite*

▶ TEACH

Core Instruction

Step 1 The use of the subjunctive with adverbial clauses of time is extremely logical. The past is a known fact and therefore the indicative is used. The future is not a known fact and therefore the subjunctive is used.

Step 2 Students have to be reminded that **antes de que** does take the imperfect subjunctive.

ABOUT THE SPANISH LANGUAGE

Note that the media in all parts of the Spanish-speaking world frequently uses the **-ra** form of the imperfect even for events that have taken place after conjunctions such as **desde que** and **después de que.** Here are a few of many examples: **después de que el gobierno hiciera pública su decisión; Vargas Llosa, que conserva muchos amigos desde que residiera en España.** It is not necessary for students to learn this since the rule given is completely correct.

Answers

1. ¿Sería posible que él fuera a Venezuela?
2. ¿Sería posible que tú lo acompañaras?
3. ¿Sería posible que ustedes pasaran tiempo en Caracas?
4. ¿Sería posible que ustedes hicieran una exursión al Salto Angel?
5. ¿Sería posible que visitaran ustedes la región de Ciudad Bolívar en el río Orinoco?

1. que yo fuera al banco
2. que tuviéramos bastante dinero
3. contenta que no necesitáramos más
4 en que tú se lo dijeras enseguida
5. que nos hiciera falta más
6. una persona que te diera dinero

GLENCOE Technology

Video in the Classroom

Gramática en vivo: *The subjunctive with adverbial and adjective clauses* Enliven learning with the animated world of Professor Cruz! **Gramática en vivo** is a fun and effective tool for additional instruction and/or review.

PRACTICE

Leveling EACH Activity

Easy Activity 5
Average Activities 6, 7

ABOUT THE SPANISH LANGUAGE

You may want to explain the use of the present with **cuando.** When the meaning conveyed is *every time,* the present indicative is used after **cuando** as well as in the main clause. **Cuando (cada vez que) visitamos a Abuelita, ella nos da de comer. Cuando él me habla, aprendo algo nuevo.**

ASSESS

Students are now ready to take Quiz 6 on page 7.36 of the TeacherTools booklet. If you prefer to create your own quiz, use the *ExamView® Assessment Suite.*

Práctica

HABLAR • ESCRIBIR

5 Completa cada frase con los verbos indicados.

1. Ellos saldrán en cuanto nosotros ____. (comenzar, comer, salir, volver)
2. Ellos salieron en cuanto nosotros ____. (comenzar, comer, salir, volver)
3. Esperaremos aquí hasta que ustedes ____. (llegar, volver, salir)
4. Esperamos ayer hasta que ustedes ____. (llegar, volver, salir)
5. Ellos saldrán antes de que tú ____. (llegar, irte, levantarte, saberlo)
6. Ellos salieron antes de que tú ____. (llegar, irte, levantarte, saberlo)

ESCUCHAR • HABLAR

6 Da respuestas personales.

1. ¿Qué piensas hacer en cuanto termines con la escuela secundaria o la prepa?
2. Y, ¿qué piensas hacer cuando te gradúes de la universidad?
3. ¿Tienes ganas de viajar después de que empieces a ganar dinero?
4. ¿Qué vas a hacer tan pronto como tengas tu propio dinero?

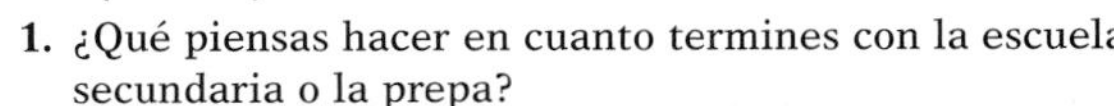

Esta pareja colombiana se casó en cuanto se graduaron de la universidad. ▶

LEER • ESCRIBIR

7 Completa con la forma apropiada del verbo.

1. Yo sé que Carla y José quieren casarse en cuanto ____. (poder)
2. Yo sé que Carla y José querían casarse en cuanto ____. (poder)
3. Pero tendrán que esperar hasta que José ____ del ejército. (volver)
4. Pero tuvieron que esperar hasta que José ____ del ejército. (volver)
5. Ellos no quieren casarse antes de que él ____ con su servicio militar. (terminar)
6. Ellos no se casaron antes de que él ____ con su servicio militar. (terminar)

Answers

5

1. comencemos, comamos, salgamos, volvamos
2. comenzamos, comimos, salimos, volvimos
3. lleguen, vuelvan, salgan
4. llegaron, volvieron, salieron
5. llegues, te vayas, te levantes, lo sepas
6. llegaras, te fueras, te levantaras, lo supieras

6

1. En cuanto termine con la escuela secundaria o la prepa, yo ____.
2. Cuando me gradúe de la universidad, pienso ____.
3. Sí, (No, no) tengo ganas de viajar después de que empiece a ganar dinero.
4. Tan pronto como tenga mi propio dinero, voy a ____.

7

1. puedan
2. podían
3. vuelva
4. volvió
5. termine
6. terminara

El subjuntivo con **aunque**

The conjunction **aunque** *(although)* may be followed by the subjunctive or indicative depending upon the meaning of the sentence.

Ella saldrá aunque llueva.
Ella saldrá aunque llueve.

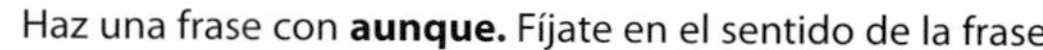

In the first example the subjunctive is used to indicate that it may rain but it is not raining now. In the second example the indicative is used to indicate that it is indeed raining.

▲ Un concierto en vivo, «Colombia sin minas»

Práctica

LEER • ESCRIBIR

8 Haz una frase con **aunque.** Fíjate en el sentido de la frase.

1. No tengo un boleto pero iré al concierto.
2. No sé si él tiene un boleto pero irá al concierto.
3. Está lloviendo pero van a salir.
4. Es posible que llueva pero van a salir.
5. No sé si ellos quieren que lo haga pero lo voy a hacer.
6. Yo sé que ellos no quieren que lo haga pero lo voy a hacer.

Quizá(s), tal vez, ojalá (que)

1. The expressions **quizá (quizás)** and **tal vez** convey the meaning *perhaps.* They are most often followed by the subjunctive but they can be followed by the future or conditional to lend a higher degree of certainty to what may perhaps happen.

LESS CERTAINTY	MORE CERTAINTY
¡Quizás vengan!	**¡Quizás vendrán!**
¡Quizás vinieran!	**¡Quizás vendrían!**

2. **¡Ojalá!** or **¡Ojalá que!** expresses what one wishes would happen. It is followed by either the present or imperfect subjunctive.

¡Ojalá vengan! **¡Ojalá vinieran!**

¡Ojalá que lleguen clientes y vendamos mucho! ▼

Práctica

HABLAR

9 En grupos de tres preparen una conversación según el modelo.

MODELO **saberlo →**
—¡Ojalá lo sepan!
—Sí, quizás lo sepan pero no estoy seguro.
—Pues, tal vez lo sabrán. Es casi cierto.

1. hacerlo
2. decírnoslo
3. venderlo
4. llegar a tiempo

Gramática

Resources

- Audio Activities TE, page 7.19
- Audio CD 7A, Track 13
- Workbook, page 7.8
- Quizzes 7–8, pages 7.37–7.38
- *ExamView® Assessment Suite*

▶ TEACH

Core Instruction

Point out once again to students how logical the use of the subjunctive is. If it's real, use the indicative. If it's a possibility, use the subjunctive.

PRACTICE

Leveling EACH Activity

Average–CHallenging Activity 8

TEACH

Core Instruction

Read the explanation to the class and call on students to read the model sentences.

PRACTICE

Leveling EACH Activity

Easy Activity 9

ASSESS

Students are now ready to take Quizzes 7–8 on pages 7.37–7.38 of the TeacherTools booklet. If you prefer to create your own quiz, use the *ExamView® Assessment Suite.*

Answers

8

1. Iré al concierto aunque no tengo boleto.
2. Irá al concierto aunque no tenga boleto.
3. Van a salir aunque está lloviendo.
4. Van a salir aunque llueva.
5. Lo voy a hacer aunque ellos no quieran que lo haga.
6. Lo voy a hacer aunque ellos no quieren que lo haga.

9

1. —¡Ojalá lo hagan! / —Sí, quizás lo hagan pero no estoy seguro(a). / —Pues, tal vez lo harán. Es casi cierto.
2. —¡Ojalá nos lo digan! / —Sí, quizás nos lo digan pero no estoy seguro(a). / —Pues, tal vez nos lo dirán. Es casi cierto.
3. —¡Ojalá lo vendan! / —Sí, quizás lo vendan pero no estoy seguro(a). / —Pues, tal vez lo venderán. Es casi cierto.
4. —¡Ojalá lleguen a tiempo! / —Sí, quizás lleguen a tiempo pero no estoy seguro(a). / —Pues, tal vez llegarán a tiempo. Es casi cierto.

Resources

- Workbook, pages 7.8–7.9
- Quiz 9, page 7.39
- *ExamView® Assessment Suite*

TEACH

Core Instruction

Step 1 The difference between **por** and **para** is a grammatical point that requires a great deal of aural practice. In our experience, practice and use are more successful at helping students master this concept than extensive explanation.

Step 2 If students are still having trouble with these prepositions, as do some natives in tricky situations, you can also refer to the **por** and **para** presentation in Chapter 10 of **¡Así se dice!** Level 3 where the concept is explained in more detail and there are more activities.

Differentiation

Multiple Intelligences

To help **bodily-kinesthetic** learners practice some uses of **por** and **para,** turn the classroom into a map of South America by labeling different parts of the room with the names of countries. Have students "travel" to different countries by walking to the spot that is designated as a particular country. Have them say where they are going, through which countries they must travel, and perhaps how long they plan to stay: **«Salgo para Perú». «Viajo por Colombia». «Voy a estar en Colombia por tres semanas».** Encourage students to use **por** and **para** to give additional information about this fictional journey.

Cultural Snapshot

(page 338) La isla Margarita está a 40 kilómetros de la costa. Los turistas visitan la isla para disfrutar de la playa e ir de compras en la zona franca.

Por y para

1. The prepositions **por** and **para** have very specific uses in Spanish. **Para** is most often associated with either a destination or certain time limits. **Por** has many different uses and is therefore more problematic.

2. You use **para:**
   - to express destination
     Salen para Bogotá.
   - to express a time limit or deadline
     Tienen que estar en Bogotá para mañana.
   - to express *to be about to do something* in the sense of *to be ready*
     Estamos para salir ahora.
   - to express certain comparisons
     Para cubano, habla muy bien el inglés.
   - to express *for whom*
     El regalo es para Elena.
   - to express purpose
     Necesito gafas para leer.

3. You use **por:**
   - to express *through, around, by,* or *along*
     Van a viajar por Venezuela.
     Pasaron por las orillas de la isla Margarita.
     El ladrón entró por la ventana.
   - to express the reason for an errand
     Ellos fueron por agua.
     Voy a mandar por el médico.
     Han vuelto por su dinero.
     Lo compré por María porque ella no pudo ir a la tienda.
   - to express manner, means, or motive
     Tomó al niño por la mano para cruzar la calle.
     Cambié mis dólares por pesos.
     Bolívar luchó por la independencia.
   - to express a period of time
     Los árabes estuvieron en España por ocho siglos.
   - to express an indefinite time or place
     Estarán aquí por Navidades.
     Las llaves tienen que estar por aquí.
   - to express what remains to be done
     Tengo mucho trabajo por hacer.
   - to express the inclination to do something
     Estamos por divertirnos.

▲ Puerto Fermín en la isla Margarita, Venezuela

- to express opinion or estimation
  - **No lo tomé por tonto.**
  - **La verdad es que puede pasar por norteamericano.**
- to express measure or number
  - **Se venden por docenas.**
  - **Condujo a 50 millas por hora.**

Práctica

10 LEER • ESCRIBIR

Completa con **por** o **para.**

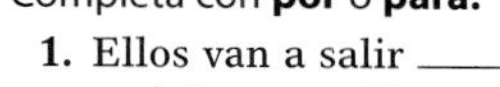

1. Ellos van a salir ____ Caracas mañana y luego van a viajar ____ Venezuela.
2. Tienen que estar en Caracas ____ el día ocho.
3. Estuvieron en la ciudad ____ ocho días.
4. No hay duda que ellos están ____ divertirse. Tienen todo listo y están ____ salir.
5. ____ español habla tan bien el inglés que yo lo tomé ____ norteamericano.
6. Necesita más tiempo ____ terminar su novela porque le queda mucho ____ hacer. Ha escrito solamente tres de los ocho capítulos.
7. Es una emergencia. Tienes que llamar ____ el médico.
8. Yo compré el regalo ____ Elena porque ella no tuvo tiempo de ir a comprarlo pero el regalo no fue ____ ella, fue ____ su hijo.
9. Necesito mis gafas ____ leer y no sé dónde las puse. Tienen que estar ____ aquí.
10. ____ robar la casa el ladrón tuvo que entrar ____ la puerta porque no había ninguna ventana rota.

▲ La gente anda por la Plaza Bolívar en Caracas.

11 LEER • ESCRIBIR

Completa con **por** o **para.**

1. Hoy salgo ____ Cartagena.
2. ¿Por qué no damos un paseo ____ el casco histórico?
3. Si yo no puedo ir, ¿quién irá ____ mí?
4. Él me dio diez pesos ____ el dólar.
5. Los están vendiendo solo ____ docenas.
6. Yo diría que ____ rico, no es muy generoso.
7. Yo lo tomé ____ inteligente pero ahora no sé.
8. Él luchó ____ su patria.
9. Este correo electrónico no es ____ mí.
10. ____ hacer un buen trabajo necesitas tiempo.

Cartagena, Colombia ▶

Answers

10

1. para, por
2. por
3. por
4. por, para
5. Para, por
6. para, por
7. por
8. por, para, para
9. para, por
10. Para, por

11

1. para
2. por
3. por
4. por
5. por
6. para
7. por
8. por
9. para
10. Para

▶ PRACTICE

Leveling EACH Activity

CHallenging Activities 10, 11

▶ ASSESS

Students are now ready to take Quiz 9 on page 7.39 of the TeacherTools booklet. If you prefer to create your own quiz, use the *ExamView® Assessment Suite.*

Resources

- Tests, pages 7.49–7.50
- *ExamView® Assessment Suite*

Self-check for achievement

This is a pre-test for students to take before you administer the lesson test. Note that each section is cross-referenced so students can easily find the material they feel they need to review. You may wish to use Self-Check Worksheet Transparency SC7.2 to have students complete this assessment in class or at home. You can correct the assessment yourself, or you may prefer to project the answers on the overhead in class using Self-Check Answers Transparency SC7.2A.

Differentiation

Slower Paced Learners

Encourage students who need extra help to refer to the book icons and review any section before answering the questions.

Prepárate para el examen

Self-check for achievement

▲ Un andinista en la Sierra Nevada, Colombia

Gramática

Para repasar **el imperfecto del subjuntivo,** mira las páginas 332–333.

1 Sigue el modelo.

MODELO **saberlo →**
Fue necesario que él lo supiera.

1. comprarlo
2. recibirlo
3. leerlo
4. hacerlo
5. pedirlo
6. decirlo
7. ponerlo
8. pagarlo

Para repasar **el subjuntivo con conjunciones de tiempo,** mira la página 335.

2 Completa.

9. No creo que ellos lo ____. (tener)
10. No creería que ellos lo ____. (tener)
11. Ellos quieren que yo ____. (ir)
12. Ellos querían que yo ____. (ir)
13. Él insistirá en que tú lo ____. (hacer)
14. Él insistió en que tú lo ____. (hacer)

3 Completa.

15. Él estaba viajando cuando ____ su tío. (morir)
16. Él volverá en cuanto ____ de su muerte. (saber)
17. ¿Podrán esperar hasta que él ____? (regresar)
18. No, el sepelio se efectuó antes de que él ____. (llegar)

Para repasar **el subjuntivo con aunque,** mira la página 337.

4 Escoge.

19. Las temperaturas han bajado mucho y no van a subir.
    a. No importa. Ellos irán aunque hace mucho frío.
    b. No importa. Ellos irán aunque haga mucho frío.
20. Yo no sé si él va a ir o no.
    a. No importa. Yo iré aunque él no va.
    b. No importa. Yo iré aunque él no vaya.

Para repasar **quizá(s), tal vez, ojalá,** mira la página 337.

5 Completa.

21. ¡Quizás ____ ellos! (venir)
22. ¡Tal vez él lo ____! (saber)
23. ¡Ojalá que los ____ nosotros! (ver)

Para repasar **por** y **para,** mira las páginas 338–339.

6 Completa con por o para.

24. Ellos piensan viajar ____ Colombia y Venezuela.
25. Saldrán mañana ____ Maracaibo.
26. Tienen que ir a la agencia de viajes ____ sus boletos.

27–28. Vamos a estar en Cali ____ una semana más o menos pero tenemos que estar ____ el día quince.

29. No me queda mucho ____ hacer antes de que salgamos.

30–31. Él me dice que ____ una persona de Estados Unidos hablo muy bien el español y él me tomó ____ colombiano.

32–33. ____ apreciar el heroísmo de Simón Bolívar tienes que saber todo lo que hizo en su lucha ____ la independencia.

Answers

1. Fue necesario que él lo comprara.
2. Fue necesario que él lo recibiera.
3. Fue necesario que él lo leyera.
4. Fue necesario que él lo hiciera.
5. Fue necesario que él lo pidiera.
6. Fue necesario que él lo dijera.
7. Fue necesario que él lo pusiera.
8. Fue necesario que él lo pagara.

9. tengan
10. tuvieran
11. vaya
12. fuera
13. hagas
14. hicieras

15. murió
16. sepa
17. regrese
18. llegara

Prepárate para el examen

Practice for proficiency

1 Obligaciones familiares

Habla con un(a) compañero(a). Dile todo lo que tu familia quisiera que hicieras. A tu parecer, ¿son muy exigentes o no? Y la familia de tu compañero(a), ¿quiere que él o ella haga las mismas cosas que tu familia querría que tú hicieras?

2 Un(a) profesor(a) exigente

Piensa en el/la profesor(a) más exigente que hayas tenido. Explica todo lo que insistió en que sus alumnos hicieran.

▲ Es posible que este profesor sea exigente pero la verdad es que sus alumnos están estudiando mucho.

3 Mis planes para el futuro

Habla de todo lo que quieres hacer en cuanto termines con la escuela secundaria.

- lo que esperas hacer cuando seas mayor de edad
- lo que quieres hacer antes de que cumplas veintiún años
- lo que hiciste antes de que cumplieras catorce años

4 ¡Ojalá!

Di todo lo que quisieras que sucediera en tu vida. Introduce tus deseos con **¡Ojalá que... !**

Tips for Success

Encourage students to say as much as possible when they do these open-ended activities. Tell them not to be afraid to make mistakes, since the goal of the activities is real-life communication. If someone in the group makes an error, allow the others to politely correct him or her. Let students choose the activities they would like to do.

Tell students to feel free to elaborate on the basic theme and to be creative. They may use props, pictures, or posters if they wish.

Pre-AP These oral and written activities will give students the opportunity to develop and improve their speaking and writing skills so that they may succeed on the speaking and writing portions of the AP exam.

Note: You may wish to use the rubrics on page 318D or 318F to help students prepare their speaking activities and their writing task.

Answers

4

19. a
20. b

5

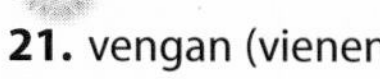
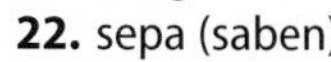

21. vengan (vienen)
22. sepa (saben)
23. veamos

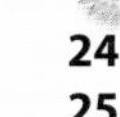

6

24. por
25. para
26. por
27. por
28. para
29. por
30. para
31. por
32. Para
33. por

Resources

- Vocabulary Transparency V6.3
- Audio Activities TE, page 7.20
- Audio CD 7B, Tracks 1–2
- Workbook, page 7.10
- *ExamView® Assessment Suite*

TEACH

Core Instruction

Step 1 Have students repeat the new words after Audio CD 7B.

Step 2 You may wish to ask the following questions to have students use the new words. **¿Corren los trenes de alta velocidad sobre rieles viejos o antiguos? ¿Han tenido tus padres que pedir un presupuesto? ¿Qué iban a hacer? Nota que presupuesto tiene otro significado,** *budget.* **¿Tienes un presupuesto? ¿Cuánto dinero puedes gastar cada semana? ¿Tienes un apodo? ¿Cuál es? ¿Tiene tu escuela semestres o trimestres? ¿Suele una persona célebre ir acompañada de una comitiva?**

PRACTICE

Leveling EACH Activity

Average Activity 1

Lección 3 Periodismo

Un tren en honor de Macondo

Una multitud celebró el regreso de *Gabo* a Aracataca

Vocabulario 

Estudia las siguientes palabras para ayudarte a entender los artículos.

los rieles carriles de una vía férrea (de trenes)

el presupuesto documento que presenta la estimación de cuanto costará un proyecto

el apodo sobrenombre; nombre que se da a una persona además de su nombre oficial

el trimestre período de tres meses, un cuarto del año

la comitiva grupo que acompaña a alguien, cortejo

el rostro la cara

ardiente muy caliente

Práctica

LEER • ESCRIBIR

 Completa con una palabra apropiada.

1. Mucha gente tiene que pagar sus impuestos al gobierno cada ____; es decir al final de cada período de tres meses.
2. Una ____ grande acompañó a la famosa estrella de cine.
3. Les he pedido un ____ para poder determinar el costo.
4. El viejo tren anda o corre sobre unos ____ en malas condiciones.
5. Su ____ siempre luce una expresión de felicidad.
6. Su nombre es José pero todos usan su ____ Pepe.
7. Hoy el sol está tan fuerte que la arena en la playa está ____. Hay que tener cuidado para que no te quemes los pies.

▲ El tren metropolitano pasa por el Palacio de la Cultura en Medellín. Es un tren moderno que corre rápido sobre rieles nuevos.

▲ Gabriel García Márquez llevando como sombrero su renombrada novela «Cien años de soledad».

Introducción

El autor colombiano Gabriel García Márquez es uno de los escritores más renombrados de las letras castellanas. Recientemente celebró sus ochenta años y para conmemorar la fecha volvió a su pueblo natal, Aracataca, en la zona bananera de Colombia, lugar importante en su obra cumbre *Cien años de soledad.*

Answers

1. trimestre
2. comitiva
3. presupuesto
4. rieles
5. rostro
6. apodo
7. ardiente

Antes de leer

Aquí tenemos dos artículos sobre el regreso de García Márquez a su pueblo natal. Los artículos aparecieron en dos periódicos mexicanos. Al leerlos, fíjate en dos asuntos importantes. Es interesante notar que cada artículo se enfoca en un aspecto diferente en cuanto a la importancia del evento. ¿Cuáles son? Considera también la probabilidad o posibilidad de atraer tanta atención el cumpleaños de un novelista en la prensa estadounidense.

Un tren en honor de Macondo

La visita al mundo de García Márquez incluye 70 kilómetros de rieles que unen las ciudades de Santa Marta y Aracataca.

El premio Nobel de Literatura Gabriel García Márquez inauguró el miércoles pasado La Ruta de Macondo, que tiene como atractivo central un recorrido en tren que une las ciudades de Santa Marta y Aracataca, tierra natal del escritor y sitio de inspiración del clásico *Cien años de soledad.*

Una comitiva formada por más de 300 familiares del autor, amigos, funcionarios y periodistas recorrió durante tres horas los más de 70 kilómetros de rieles que pretenden ser la columna vertebral de este nuevo atractivo turístico.

Cuando la locomotora asomó a la entrada del pueblo localizado al norte de Colombia, se oyeron cañonazos y aplausos, al tiempo que fueron liberados docenas de mariposas y globos amarillos.

La máquina y todos los vagones del ferrocarril lucen mariposas amarillas y el rostro de Gabo en un fondo azul y crema.

Sus cien años

Las mariposas son una alusión a Mauricio Babilonia, uno de los personajes de *Cien años de soledad,* cuya presencia era avisada por un enjambre[1] de insectos de ese color.

De acuerdo con la gobernadora interna del departamento de Magdalena, del que Santa Marta es capital, Sandra Rubiano, el objetivo de este proyecto turístico es recuperar todas las estaciones de la antigua ruta: Bonda, Gaira, Pozos Colorados y la zona bananera, en la que se encuentran, así como atraer un mayor número de visitantes.

La funcionaria manifestó que es un proyecto a largo plazo pero, sobre todo, es el inicio para sensibilizar al país de la necesidad de consolidar esta nueva ruta, que no sólo representará un nuevo atractivo turístico sino que es una conmemoración al escritor colombiano que ha logrado que el mundo fije su atención en Colombia.

Recuerdos de Gabo

Por su parte el presidente de la Asociación Hotelera de ese departamento, Omar García Silva, aseguró que se trata de una zona que puede convertirse en un valor agregado para los viajes a Santa Marta, la cual, cada año recibe a miles de viajeros de diferentes regiones del mundo, que se sienten atraídos por las historias que Gabo ha escrito.

Expuso que los turistas «siempre preguntaban» como llegar a Aracataca, para conocer la tierra en que nació y vivió sus primeros años el reconocido escritor.

Por ello el gobierno colombiano remodela la casa de los García Márquez, con un presupuesto de 530 mil dólares. Se prevé[2] que estén concluidos los trabajos durante el primer trimestre del próximo año.

Ahora los viajeros tendrán la oportunidad de rememorar el viaje aquel descrito por Gabo en *Vivir para contarla,* cuando acompañó a su madre y realizó ese recorrido, donde «cada río tenía su pueblo y su puente de hierro por donde el tren pasaba dando alaridos[3], y las muchachas que se bañaban en las aguas heladas saltaban como sábalos[4] a su paso.

[1] enjambre *swarm*
[2] Se prevé *It is foreseen*
[3] alaridos *shrieking noises*
[4] sábalos *shad (fish)*

Periodismo

Leveling EACH Activity

Reading Level **Easy**

TEACH
Core Instruction

You may wish to ask the following comprehension questions. **¿De dónde y hasta dónde viajó García Márquez? ¿Quiénes lo acompañaron? ¿Cómo estaba decorado el tren? ¿Cuál es el objetivo de este proyecto?**

Note the meaning of **pretenden** in the first column—*hope (expect).*

Leveling EACH Activity

Reading Level **Easy**

TEACH

Core Instruction

You may wish to ask the following comprehension questions. **¿Hacía cuántos años que García Márquez no estaba en su pueblo natal? ¿Cuánto tiempo duró su viaje de regreso? ¿Con qué nombre lo saludaban los jóvenes del pueblo? ¿Cuál es el proyecto turístico que comenzó con el regreso del novelista a su tierra natal?**

GLENCOE Technology

Online Learning in the Classroom

You may wish to have students use QuickPass code ASD7851c7 for additional practice. Students can download audio files to their computer and/or MP3 player. They can also access a self-check quiz and a review worksheet.

QuickPass
Go to glencoe.com
For: **Journalism practice**
Web code: **ASD7851c7**

Una multitud celebró el regreso de *Gabo* a Aracataca

El escritor colombiano Gabriel García Márquez fue recibido ayer con cañonazos, mariposas y globos amarillos por más de cinco mil personas en Aracataca, su pueblo natal, al que llegó después de veinticinco años de ausencia en un tren similar al de los años 40 que aparece en sus obras literarias.

Gabo, Premio Nobel de Literatura 1982, llegó a la ardiente localidad bananera de la costa caribeña del norte de Colombia, acompañado por unos 300 familiares, amigos, funcionarios y periodistas, procedente de Santa Marta, capital del departamento del Magdalena.

▲ Estudiantes saludando a García Márquez a su llegada a Aracataca, el 30 de mayo del 2007

El autor de *Cien años de soledad* y su comitiva invirtieron más de tres horas en recorrer los 80 kilómetros que separan a Santa Marta de Aracataca en una caravana formada por una locomotora pintada con mariposas amarillas y su propio rostro y tres vagones de color azul y crema.

Las mariposas son una alusión a Mauricio Babilonia, uno de los personajes de *Cien años de soledad,* cuya presencia era avisada por un enjambre de insectos de ese color.

«Gabito, Gabito, Gabito», gritaban en coro niños y jóvenes de colegios de la población, en la que se decretó día cívico para recibir al escritor, considerado uno de los más grandes de la literatura castellana, que reside en México desde hace casi cuatro décadas.

García Márquez ha sido el centro de numerosos homenajes al cumplir el pasado 6 de marzo 80 años de edad y celebrar, también en 2007, los 40 años de la primera edición de su novela cumbre, *Cien años de soledad,* y 25 de recibir el Nobel.

Con el regreso del novelista a su tierra natal, comenzó el proyecto turístico del «tren amarillo de Macondo», nombre del universo literario de su obra, situado en la zona bananera colombiana.

Esta iniciativa pretende rescatar la ruta y las estaciones que formaron el tren de la zona durante años de auge económico que terminaron en el siglo pasado.

Gabo, vestido de blanco, no ocultaba en su rostro el impacto de los 34 grados centígrados en un vagón protegido de los curiosos por policías en el que iban su esposa Mercedes, su hermano Jaime, sobrinos y varios amigos como el compositor Rafael Escalona, primera figura de la música vallenata, que se encuentra en la obra del escritor.

La locomotora pasó lentamente por los pueblos, y sus habitantes saludaban al escritor, que fue invitado a un almuerzo típico en un colegio de Aracataca que lleva su nombre, y al que llegó en un carruaje tirado por caballos.

Después de leer

A Comparando Escoge.

1. De los artículos, ¿cuál destacó la animación y festividades del evento?
   a. Artículo 1 b. Artículo 2 c. los dos
2. De los artículos, ¿cuál destacó más la relación entre el evento y su impacto sobre el turismo?
   a. Artículo 1 b. Artículo 2 c. los dos
3. De los artículos, ¿cuál dio más información personal sobre el autor?
   a. Artículo 1 b. Artículo 2 c. los dos

B Buscando información Completa la tabla.

nombre del autor	
su apodo	
nombre de su pueblo natal	
título de su novela cumbre	
nombre de la esposa del autor	
premio que ganó el autor	
donde reside el autor actualmente	

Comunicación

C Describe.

1. Describe el tren en que viajaron García Márquez y su comitiva.
2. Describe a la comitiva que acompañó a García Márquez.
3. Describe algunos planes turísticos que tiene el gobierno.
4. Describe unas de las festividades que tuvieron lugar para conmemorar la ocasión.

▲ García Márquez y su mujer en el tren cuando llegan a Aracataca de Santa Marta

D Comparando y contrastando

«Más de cinco mil personas acudieron a Aracataca para presenciar la vuelta de García Márquez. ‹Gabito, Gabito, Gabito› gritaban en coro niños y jóvenes de colegios de la población... ».

¿Puedes pensar en un autor estadounidense que pudiera recibir tanta atención? ¿Qué crees? ¿Acudirían muchos estudiantes de tu pueblo o ciudad para festejar con tanto ánimo a un autor de ochenta años? ¿Es posible que haya algunas diferencias culturales? ¿Cuáles? Analízalas.

E Haciendo investigaciones

El compositor Rafael Escalona, primera figura de la música vallenata, formó parte de la comitiva que acompañó a García Márquez. Haz unas investigaciones sobre esta música intrínsecamente colombiana y escribe un reportaje para presentar a la clase.

▶ PRACTICE

Después de leer

A–E You can have students prepare all these activities and then go over them in class.

D This activity can serve as an excellent discussion for the entire class.

Teaching Options

You may wish to allow students to select the activities they want to do.

Cultural Snapshot

(page 345) Hace mucho tiempo que García Márquez y su mujer están viviendo en México.

Answers

A

1. c
2. a
3. b

B

Gabriel García Márquez, Gabo, Aracataca, *Cien años de soledad,* Mercedes, Premio Nobel de Literatura, México

C *Answers will vary but may include:*

1. El tren estaba pintado con mariposas amarillas y con el rostro de García Márquez. Había tres vagones de color azul y crema.
2. En la comitiva había más de 300 familiares del autor, amigos, funcionarios y periodistas.
3. El gobierno piensa recuperar todas las estaciones de la antigua ruta del tren.
4. Docenas de mariposas y globos amarillos fueron liberados; García Márquez fue en un carruaje tirado por caballos a un almuerzo típico en un colegio de Aracataca que lleva su nombre.

D *Answers will vary.*

E *Answers will vary.*

Resources

- Tests, pages 7.51–7.52
- *ExamView® Assessment Suite*

Self-check for achievement

This is a pre-test for students to take before you administer the lesson test. Note that each section is cross-referenced so students can easily find the material they feel they need to review. You may wish to use Self-Check Worksheet Transparency SC7.3 to have students complete this assessment in class or at home. You can correct the assessment yourself, or you may prefer to project the answers on the overhead in class using Self-Check Answers Transparency SC7.3A.

Differentiation

Slower Paced Learners

Encourage students who need extra help to refer to the book icons and review any section before answering the questions.

Prepárate para el examen

Self-check for achievement

Vocabulario

Para repasar este vocabulario, mira la página 342.

1 Da la palabra apropiada.

1. la cara
2. un tipo de alias pero no malo
3. carriles para un tren
4. valor estimado
5. muy cálido, hirviente
6. un cortejo
7. período de tres meses

Lectura

Identifica.

8. nombre del pueblo natal de García Márquez
9. la edad que tenía cuando hizo este viaje de regreso
10. manera en que viajó
11. el apodo de García Márquez
12. título de su obra cumbre
13. donde reside García Márquez desde hace unos cuarenta años

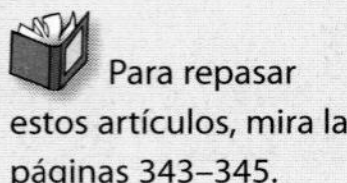

Para repasar estos artículos, mira las páginas 343–345.

¿Sí o no?

14. García Márquez menciona y hace alusión a la zona bananera de Aracataca en sus novelas.
15. García Márquez vuelve a visitar su pueblo natal con frecuencia.
16. El gobierno del departamento del Magdalena tiene un proyecto para restaurar las estaciones de la «ruta de Macondo» entre Santa Marta y Aracataca.
17. Gabo se vistió de negro para las festividades.
18. García Márquez describió este viaje en tren en su autobiografía, *Vivir para contarla.*
19. La comitiva fue formada por unos veinte familiares del autor.
20. Hay un colegio en Aracataca que lleva el nombre del autor.

Answers

1. el rostro
2. el apodo
3. los rieles
4. el presupuesto
5. ardiente
6. una comitiva
7. un trimestre

2

8. Aracataca
9. ochenta años
10. en tren
11. Gabo
12. *Cien años de soledad*
13. México

14. sí
15. no
16. sí
17. no
18. sí
19. no
20. sí

Prepárate para el examen

Practice for proficiency

1 **Gabriel García Márquez**

Di todo lo que sabes de la vida de García Márquez.

2 ***Un día de éstos***

Si leíste el cuento *Un día de éstos* de García Márquez el año pasado, relata en tus propias palabras el argumento del cuento. Los dos protagonistas eran un dentista y un alcalde.

3 **Un viaje en tren**

Da una descripción de un viaje ficticio en tren. Sé tan original como posible. Puedes consultar la lista de vocabulario temático sobre el transporte ferroviario al final de este libro.

4 **Reacciones personales**

Da tus reacciones personales sobre el júbilo que ocasionó García Márquez al volver a su pueblo natal después de una ausencia de veinticinco años.

Composición

Una biografía

Una biografía relata la historia de la vida de una persona. Ahora vas a escribir una biografía. Primero tienes que escoger al personaje sobre cuya vida quieres escribir. Tienes que describir la apariencia física de la persona igual que su personalidad. Sigue contando lo que hizo (hacía) y dijo (decía) la persona para darle vida. Pinta un retrato verbal de tu personaje.

Organiza tu escrito de una manera clara. No olvides de usar adjetivos vivos. Puedes presentar tu biografía en orden cronológico o puedes empezar con la vida actual de la persona y retroceder a su pasado. Si la persona está muerta, además de las otras sugerencias, puedes empezar con un evento decisivo en la vida de la persona.

Después de revisar y corregir tu borrador, escribe de nuevo tu biografía en forma final.

La Semana Santa en Mompós, Colombia ▶

Tips for Success

Encourage students to say as much as possible when they do these open-ended activities. Tell them not to be afraid to make mistakes, since the goal of the activities is real-life communication. If someone in the group makes an error, allow the others to politely correct him or her. Let students choose the activities they would like to do.

Tell students to feel free to elaborate on the basic theme and to be creative. They may use props, pictures, or posters if they wish.

Pre-AP These oral and written activities will give students the opportunity to develop and improve their speaking and writing skills so that they may succeed on the speaking and writing portions of the AP exam.

Cultural Snapshot

(page 347) El nombre oficial de Mompós es Santa Cruz de Mompox. Está en las orillas del río Magdalena.

Note: You may wish to use the rubrics on page 318D or 318F to help students prepare their speaking activities and their writing task.

Resources

 Vocabulary Transparency V7.4
Audio Activities TE, page 7.21
Audio CD 7B, Tracks 3–4
ExamView® Assessment Suite

PRACTICE

Leveling EACH Activity

Average Activity 1

Parte 1: Poesía

Los maderos de San Juan de José Asunción Silva

▲ Lago de Sochagota, Boyacá, Colombia

Vocabulario 

Estudia las siguientes palabras para ayudarte a entender el poema.

el desengaño la desilusión, la decepción
yerto(a) sin movimiento, rígido; muerto
mudo(a) silencioso

Práctica

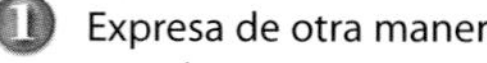

LEER • ESCRIBIR

 Expresa de otra manera.

1. Él se quedó *sin decir una palabra.*
2. No pudo moverse la mano que se quedó *inmóvil.*
3. *La decepción* por parte de su hijo le dio mucha pena.

Answers

1. Él se quedó mudo.
2. No pudo moverse la mano que se quedó yerta.
3. El desengaño por parte de su hijo le dio mucha pena.

Los maderos de San Juan

de José Asunción Silva

Introducción

José Asunción Silva, poeta colombiano nacido en Bogotá en 1865, tuvo una vida triste. Vio morir a varios miembros de su familia, entre ellos una hermana que murió en plena juventud. Silva era un joven supersensible a quien no le preocupaban las cuestiones políticas y sociales que les preocupaban a sus contemporáneos. Él sufría mucho tratando de hallar una explicación lógica del mundo y no la halló. Su desesperanza y pesimismo se reflejan en su obra.

Antes de leer

Al leer esta poesía piensa en una abuelita mayor de edad meciendo a su querido nieto de unos cinco años. ¿Qué pensamientos pasarán por la mente de la abuelita mientras reflexiona sobre lo que ya le ha pasado en la vida y lo que experimentará su nieto en su vida futura?

Los maderos de San Juan

… Y aserrín
aserrán,
los maderos
de San Juan
piden queso,
piden pan;
los de Roque,
Alfandoque[1];
los de Rique,
Alfeñique[2];
los de Trique,
Triquitrán.
¡Triqui, triqui, triqui, tran!
¡Triqui, triqui, triqui, tran!…

Y en las rodillas duras y firmes de la abuela
con movimiento rítmico se balancea el niño,
y entrambos[3] agitados y trémulos están…
La abuela se sonríe con maternal cariño,
mas cruza por su espíritu como un temor extraño
por lo que en el futuro, de angustia y desengaño,
los días ignorados del nieto guardarán…

[1] Alfandoque *Dulces*
[2] Alfeñique *Dulces*
[3] entrambos *los dos*

Resources

- Audio Activities TE, pages 7.21–7.23
- Audio CD 7B, Tracks 5–6
- Tests, page 7.53
- *ExamView® Assessment Suite*

Introducción

Have students read the introduction. Ask them what type of poetry the poet wrote based on his personal background. José Asunción Silva committed suicide at 32 years of age.

Leveling EACH Activity

Reading level
Average–CHallenging

TEACH

Core Instruction

Step 1 Before students begin to read the poem, explain to them that there will be a line in it from a nursery rhyme. They should be able to easily guess what it is.

Step 2 **Los maderos de San Juan** are wood cutters. Have students raise their hands when they hear the sounds that represent the sawing of wood.

Step 3 Have students listen to the poem on Audio CD 7B.

Step 4 You may wish to have them recite the first strophe aloud.

Step 5 Have students read the poem silently.

Additional Vocabulary

You may wish to share the following vocabulary with students.

el serrín *sawdust*
serrar *to saw*
la sierra *saw*

Go to glencoe.com
For: **Literature practice**
Web code: **ASD7851c7**

TEACH

Core Instruction

Tell students to look at the questions in Activity B and then read the poem silently again as they ascertain the answers.

Differentiation

Advanced Learners

Call on advanced learners to give a brief summary of each strophe.

GLENCOE Technology

Online Learning in the Classroom

You may wish to have students use QuickPass code ASD7851c7 for additional practice. Students can download audio files to their computer and/or MP3 player. They can also access eFlashcards and a review worksheet.

Los maderos
de San Juan
piden queso,
piden pan;
¡Triqui, triqui, triqui, tran!

¡Esas arrugas[4] hondas recuerdan una historia
de largos sufrimientos y silenciosa angustia!,
y sus cabellos blancos como la nieve están;
... de un gran dolor el sello marcó la frente mustia[5],
y son sus ojos turbios espejos que empañaron[6]
los años, y que a tiempo las formas reflejaron
de seres y de cosas que nunca volverán...

... Los de Roque,
Alfandoque...
¡Triqui, triqui, triqui, tran!

Mañana, cuando duerma la abuela, yerta y muda,
lejos del mundo vivo, bajo la oscura tierra,
donde otros, en la sombra, desde hace tiempo están,
del nieto a la memoria, con grave voz que encierra
todo el poema triste de la remota infancia,
pasando por las sombras del tiempo y la distancia,
de aquella voz querida las notas volverán...

... Los de Rique,
Alfeñique...
¡Triqui, triqui, triqui, tran!...

En tanto, en las rodillas cansadas de la abuela
con movimiento rítmico se balancea el niño,
y entrambos agitados y trémulos están...
La abuela se sonríe con maternal cariño,
mas cruza por su espíritu como un temor extraño
por lo que en el futuro, de angustia y desengaño,
los días ignorados del nieto guardarán...

... Los maderos
de San Juan
piden queso,
piden pan;
los de Roque,
Alfandoque;
los de Rique,
Alfeñique;
los de Trique,
Triquitrán,
¡Triqui, triqui, triqui, tran!

[4] arrugas *wrinkles*
[5] mustia *triste, melancólica*
[6] empañaron *blurred*

Después de leer

A Identificando Contesta.

1. El poeta ha introducido una canción infantil (para niños) en el poema. Identifícala.
2. ¿Cuál será la onomatopeya que sugiere el sonido que se oye al cortar madera?

B Interpretando y analizando Contesta.

1. ¿Cómo se pone la abuela en la segunda estrofa? ¿Por qué?
2. Según los versos en la tercera estrofa, ¿cómo fue la vida de la abuela?
3. Analiza el paso del tiempo de una estrofa a otra en el poema.

C Visualizando y describiendo Describe a la abuela que ves al leer la segunda estrofa.

D Comparando Compara a la abuela en el primer verso de la segunda estrofa con la abuela en el primer verso de la séptima estrofa.

E Símiles y metáforas Te acuerdas que el símil es la comparación de una cosa con otra, «tu cabello es como el oro». La metáfora es una figura retórica que consiste en una comparación tácita, «la primavera de la vida». Busca todos los ejemplos de símiles y metáforas en *Los maderos de San Juan.*

F Analizando El no poder hallar una explicación lógica de la vida le llenó el corazón de Silva de desesperanza y pesimismo. Analiza los pensamientos pesimistas que encuentras en *Los maderos de San Juan.*

Camposanto en Mompós, Colombia ▼

▶ PRACTICE

Después de leer

B, D, E, and **F** These activities can serve as class discussions.

Answers

A

1. Es «Los maderos de San Juan».
2. La onomatopeya que sugiere el sonido que se oye al cortar madera será «aserrín, asserán» y «¡Triqui, triqui, triqui, tran!».

B *Answers will vary but may include:*

1. En la segunda estrofa, la abuela se pone asustada porque piensa en las dificultades que enfrentarán a su nieto en el futuro.
2. Según los versos en la tercera estrofa, la vida de la abuela ha sido llena de largos sufrimientos y silenciosa angustia.
3. El poema empieza en el presente, luego regresa al pasado de la abuela, después llega al futuro cuando ella esté muerta, y finalmente regresa al presente.

C *Answers will vary.*

D *Answers will vary but may include:*
La abuela del primer verso de la segunda estrofa es muy fuerte pero tiene miedo del futuro para su nieto; en el primer verso de la séptima estrofa la abuela está cansada.

E *Answers will vary but may include:*
metáforas: Esas arrugas hondas recuerdan... , son sus ojos turbios espejos, mañana cuando duerma la abuela, pasando por las sombras el tiempo y la distancia; símil: sus cabellos blancos como la nieve

F *Answers will vary.*

Resources

- Vocabulary Transparency V7.5
- Audio Activities TE, pages 7.24–7.25
- Audio CD 7B, Tracks 7–9

TEACH

Core Instruction

Step 1 Have students listen to the new words on Audio CD 7B.

Step 2 Have students do the activities on page 353.

Differentiation

Advanced Learners

You may wish to have advanced learners use the new words in original sentences.

Parte 2: Prosa

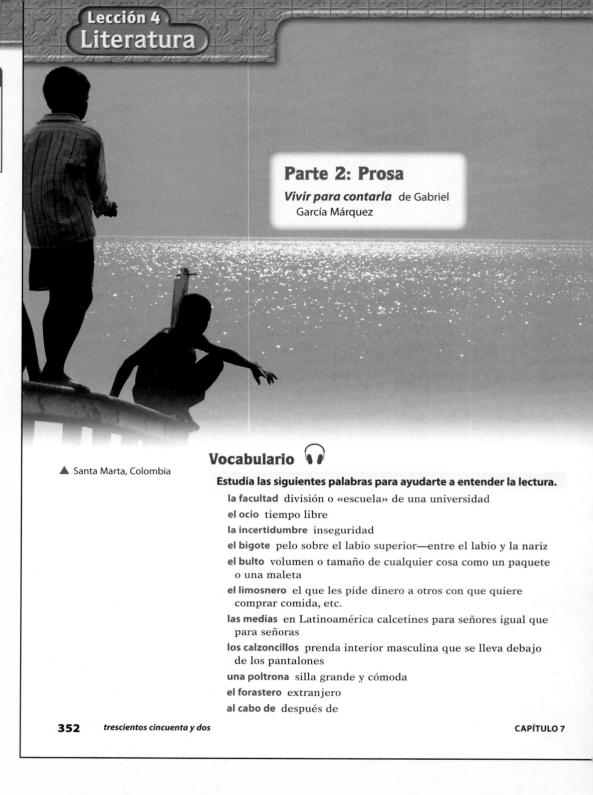

Vivir para contarla de Gabriel García Márquez

▲ Santa Marta, Colombia

Vocabulario

Estudia las siguientes palabras para ayudarte a entender la lectura.

la facultad división o «escuela» de una universidad
el ocio tiempo libre
la incertidumbre inseguridad
el bigote pelo sobre el labio superior—entre el labio y la nariz
el bulto volumen o tamaño de cualquier cosa como un paquete o una maleta
el limosnero el que les pide dinero a otros con que quiere comprar comida, etc.
las medias en Latinoamérica calcetines para señores igual que para señoras
los calzoncillos prenda interior masculina que se lleva debajo de los pantalones
una poltrona silla grande y cómoda
el forastero extranjero
al cabo de después de

Práctica

QuickPass
Go to glencoe.com
For: **Literature practice**
Web code: **ASD7851c7**

LEER • HABLAR

1 Corrige toda la información falsa.

1. En sus ocios él trabaja mucho.
2. Por lo general los limosneros son gente rica.
3. Las medias en Latinoamérica son calzados para señora.
4. La incertidumbre implica seguridad.
5. Una poltrona es una silla de madera.
6. Los forasteros son de aquí.

LEER • ESCRIBIR

2 Completa con una palabra apropiada.

1. A algunos señores les gusta tener _____ y a otros no les gusta.
2. En las ciudades de España y Latinoamérica se ven _____ pidiendo ayuda delante de las iglesias y catedrales.
3. No puedo creer como la gente viaja con tantos _____. No sé cómo los puede llevar.
4. Durante mis _____ me gusta leer.
5. _____ de tres días de viaje, por fin llegaron.
6. Las universidades en España y Latinoamérica se dividen en _____; la _____ de medicina, la _____ de derecho, ingeniería, etc.
7. _____ son una prenda interior.
8. Los _____ no son de aquí y no conocen bien la ciudad.

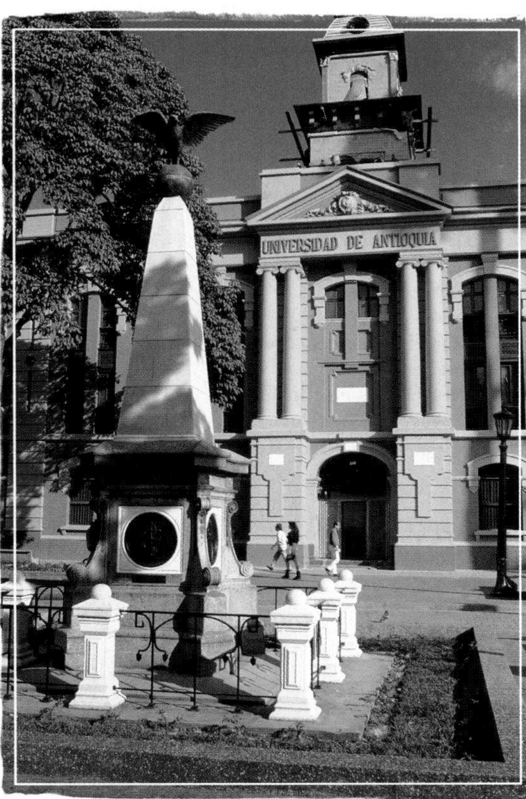

▲ La Universidad de Antioquia en Medellín, Colombia, es una universidad con muchas facultades.

PRACTICE

Leveling EACH Activity

Average Activity 2
CHallenging Activity 1

GLENCOE Technology

Online Learning in the Classroom

You may wish to have students use QuickPass code ASD7851c7 for additional practice. Students can download audio files to their computer and/or MP3 player. They can also access eFlashcards and a review worksheet.

Answers

1. En sus ocios él no trabaja mucho.
2. Por lo general los limosneros son gente pobre.
3. Las medias en Latinoamérica son calzados para señor y señora.
4. La incertidumbre implica inseguridad.
5. Una poltrona es una silla grande y cómoda.
6. Los forasteros son de otro país.

2

1. bigote
2. limosneros
3. bultos
4. ocios
5. Al cabo
6. facultades, facultad, facultad
7. Los calzoncillos
8. forasteros

Resources

 Tests, pages 7.53–7.54
ExamView® Assessment Suite

Leveling EACH Activity

Reading Level **Easy**

Conexiones

La literatura

You may wish to ask students if they remember any information about García Márquez from **¡Así se dice!** Level 3. Some of them may have read his short story *Un día de éstos.*

Vivir para contarla

de Gabriel García Márquez

INTRODUCCIÓN

Vivir para contarla fue publicada en 2002. Es una obra autobiográfica en la cual el Premio Nobel colombiano, Gabriel García Márquez, recuerda sus años de infancia y juventud—años en que él fundaba en su imaginación tiempos y lugares que le inspirarían a crear las más renombradas novelas en lengua española del siglo XX.

Dice García Márquez de la vida «La vida no es la que uno vivió, sino la que uno recuerda y cómo la recuerda para contarla».

Estrategia

Identificando el punto de vista del narrador Puedes alcanzar una comprensión más profunda de una narración si te identificas con el punto de vista del narrador. Puedes identificarte con su punto de vista al establecer de qué perspectiva narra el autor. A veces el narrador emplea la primera persona—**yo.** A veces escoge a un personaje que sirve para expresar los pensamientos, emociones y opiniones del narrador.

García Márquez recibe el Premio Nobel de Literatura en 1982. ▶

Vivir para contarla

Mi madre me pidió que la acompañara a vender la casa. Había llegado a Barranquilla esa mañana desde el pueblo distante donde vivía la familia y no tenía la menor idea de cómo encontrarme. Preguntando por aquí y por allá entre los conocidos, le indicaron que me buscara en la librería Mundo o en los cafés vecinos, donde iba dos veces al día a conversar con mis amigos escritores. El que se lo dijo le advirtió: «Vaya con cuidado porque son locos de remate°». Llegó a las doce en punto. Se abrió paso con su andar ligero por entre las mesas de libros en exhibición, se me plantó enfrente, mirándome a los ojos con la sonrisa pícara de sus días mejores, y antes que yo pudiera reaccionar, me dijo:

—Soy tu madre.

Algo había cambiado en ella que me impidió reconocerla a primera vista. Tenía cuarenta y cinco años. Sumando sus once partos°, había pasado casi diez años encinta° y por lo menos otros tantos amamantando° a sus hijos. Había encanecido° por completo antes de tiempo, los ojos se le veían más grandes y atónitos° detrás de sus primeros lentes bifocales, y guardaba un luto° cerrado y serio por la muerte de su madre, pero conservaba todavía la belleza romana de su retrato de bodas, ahora dignificada por un aura otoñal. Antes de nada, aun antes de abrazarme, me dijo con su estilo ceremonial de costumbre:

—Vengo a pedirte el favor de que me acompañes a vender la casa.

locos de remate *muy locos*

partos *births*
encinta *pregnant*
amamantando *nursing (a baby)*
encanecido *grey haired*
atónitos *astonished*
luto *mourning*

Reading Check

¿Cómo se sabe que hace tiempo que la madre y el hijo no se ven?

Barranquilla, Colombia ▼

▶ TEACH

Core Instruction

Step 1 This interesting autobiographical novel is not difficult to read. You may wish to have most students read it silently and then go over the comprehension activities as a class.

Step 2 Tell students to be sure to answer the Reading Checks as they read. If they cannot answer them, they should go back and read again.

Cultural Snapshot

(page 355) Barranquilla es el centro más industrial y comercial de la costa del Caribe.

TEACH

Core instruction

Step 1 You may wish to have students read lines 58–81 aloud.

Step 2 You may wish to choose additional sections to be read aloud.

No tuvo que decirme cuál, ni dónde, porque para nosotros sólo existía una en el mundo: la vieja casa de los abuelos en Aracataca, donde tuve la buena suerte de nacer y donde no volví a vivir después de los ocho años. Acababa de abandonar la facultad de derecho al cabo de seis semestres, dedicados más que nada a leer lo que me cayera en las manos y recitar de memoria la poesía irrepetible del Siglo de Oro español. Había leído ya, traducidos y en ediciones prestadas, todos los libros que me habrían bastado para aprender la técnica de novelar, y había publicado seis cuentos en suplementos de periódicos, que merecieron el entusiasmo de mis amigos y la atención de algunos críticos. Iba a cumplir veintitrés años el mes siguiente, era ya infractor del servicio militar y veterano de dos blenorragias°, y me fumaba cada día, sin premoniciones, sesenta cigarrillos de tabaco bárbaro. Alternaba mis ocios entre Barranquilla y Cartagena de Indias, en la costa caribe de Colombia, sobreviviendo a cuerpo de rey con lo que me pagaban por mis notas diarias en *El Heraldo,* que era casi menos que nada, y dormía lo mejor acompañado posible donde me sorprendiera la noche. Como si no fuera bastante la incertidumbre sobre mis pretensiones y el caos de mi vida, un grupo de amigos inseparables nos disponíamos a publicar una revista temeraria y sin recursos que Alfonso Fuenmayor planeaba desde hacía tres años. ¿Qué más podía desear?

blenorragias *a disease*

Reading Check

¿Cómo ha pasado el tiempo el joven? ¿Qué ha hecho o no ha hecho?

El autor sigue describiendo su pésima situación económica que no podía resolver.

Ni mi madre ni yo, por supuesto, hubiéramos podido imaginar siquiera que aquel cándido paseo de sólo dos días iba a ser tan determinante para mí, que la más larga y diligente de las vidas no me alcanzaría para acabar de contarlo. Ahora, con más de setenta y cinco años bien medidos, sé que fue la decisión más importante de cuantas tuve que tomar en mi carrera de escritor. Es decir: en toda mi vida.

Hasta la adolescencia, la memoria tiene más interés en el futuro que en el pasado, así que mis recuerdos del pueblo no estaban todavía idealizados por la nostalgia. Lo recordaba como era: un lugar bueno para vivir, donde se conocía todo el mundo, a la orilla de un río de aguas diáfanas° que se precipitaban por un lecho de piedras pulidas, blancas y enormes como huevos prehistóricos.

diáfanas *clear, transparent*

La única manera de llegar a Aracataca desde Barranquilla era en una destartalada° lancha de motor por un caño excavado a brazo de esclavo durante la Colonia, y luego a través de una vasta ciénaga° de aguas turbias y desoladas, hasta la misteriosa población de Ciénaga. Allí se tomaba el tren ordinario que había sido en sus orígenes el mejor del país, y en el cual se hacía el trayecto final por las inmensas plantaciones de banano, con muchas paradas ociosas en aldeas polvorientas° y ardientes, y estaciones solitarias. Ése fue el camino que mi madre y yo emprendimos a las siete de la noche

destartalada *beat-up, shabby*
ciénaga *swamp*
polvorientas *dusty*

del sábado 18 de febrero de 1950—vísperas del carnaval—bajo un aguacero diluvial fuera de tiempo y con treinta y dos pesos en efectivo° que nos alcanzarían apenas para regresar si la casa no se vendía en las condiciones previstas.

Los vientos alisios estaban tan bravos aquella noche, que en el puerto fluvial me costó trabajo convencer a mi madre de que se embarcara. No le faltaba razón. Las lanchas eran imitaciones reducidas de los buques de vapor de Nueva Orleáns, pero con motores de gasolina que le transmitían un temblor de fiebre mala a todo lo que estaba a bordo. Tenían un saloncito con horcones° para colgar hamacas en distintos niveles, y escaños° de madera donde cada quien se acomodaba a codazos° como pudiera con sus equipajes excesivos, bultos de mercancías, huacales° de gallinas y hasta cerdos vivos. Tenían unos pocos camarotes° sofocantes con dos literas de cuartel, casi siempre ocupados...

en efectivo *cash*

horcones *beams*
escaños *seats*
a codazos *elbow to elbow*
huacales *crates*
camarotes *berths*

Durante el viaje en lancha había una tempestad que le dio mucho miedo a su madre. García Márquez leía y su madre rezaba el rosario. Ella nació en una casa modesta pero durante los días de la compañía bananera recibió una educación de una niña acomodada en un colegio católico. Para ella y su esposo también la educación era importante. Así, a pesar de sus recursos escasos los padres querían que su hijo recibiera una buena educación y rehusaron aceptar que Gabriel renunciara sus estudios para dedicarse al periodismo y a la literatura.

Reading Check
¿Era cómoda o no la lancha?

—Tu papá está muy triste—dijo.

Ahí estaba, pues, el infierno tan temido. Empezaba como siempre, cuando menos se esperaba, y con una voz sedante que no había de alterarse ante nada. Sólo por cumplir con el ritual, pues conocía de sobra° la respuesta, le pregunté:

—¿Y eso por qué?

—Porque dejaste los estudios.

—No los dejé—le dije—. Sólo cambié de carrera.

La idea de una discusión a fondo le levantó el ánimo.

—Tu papá dice que es lo mismo—dijo.

A sabiendas° de que era falso, le dije:

—También él dejó de estudiar para tocar el violín.

—No fue igual—replicó ella con una gran vivacidad—. El violín lo tocaba sólo en fiestas y serenatas. Si dejó sus estudios fue porque no tenía ni con qué comer. Pero en menos de un mes aprendió telegrafía, que entonces era una profesión muy buena, sobre todo en Aracataca.

—Yo también vivo de escribir en los periódicos—le dije.

—Eso lo dices para no mortificarme—dijo ella—. Pero la mala situación se te nota de lejos. Cómo será, que cuando te vi en la librería no te reconocí.

—Yo tampoco la reconocí a usted—le dije.

—Pero no por lo mismo—dijo ella—. Yo pensé que eras un limosnero. —Me miró las sandalias gastadas—y agregó—: Y sin medias.

de sobra *well enough*

A sabiendas *Aware*

Literatura

TEACH

Core Instruction

The conversation between the mother and son is recorded *(lines 82–129)*. You may wish to have students listen to it on Audio CD 7B.

Differentiation

Multiple Intelligences

You may wish to have **bodily-kinesthetic** learners prepare the conversation between the mother and the son as a skit and perform it in front of the class.

357

TEACH

Core Instruction

While students read about the train trip that García Márquez and his mother took, starting with line 130, you may wish to have them refer to the list of vocabulary concerning train travel on page SR5. It is vocabulary they have already learned.

Comunicación

Interpersonal

Ask students if they find the discussion in the story true to life. Why or why not?

Reading Check

¿Cuál es el tema de la conversación entre la madre y su hijo?

contrariara *I went against*

—Es más cómodo—le dije—. Dos camisas y dos calzoncillos: uno puesto y otro secándose. ¿Qué más se necesita?

—Un poquito de dignidad—dijo ella. Pero enseguida lo suavizó en otro tono—: Te lo digo por lo mucho que te queremos.

—Ya lo sé—le dije—. Pero dígame una cosa: ¿usted en mi lugar no haría lo mismo?

—No lo haría—dijo ella—si con eso contrariara° a mis padres. De todos modos—suspiró—, alguna respuesta tengo que llevarle a tu papá.

—Mejor no se preocupe—le dije con la misma inocencia—. En diciembre iré, y entonces le explicaré todo.

—Faltan diez meses—dijo ella.

—A fin de cuentas, este año ya no se puede arreglar nada en la universidad—le dije.

—¿Prometes en serio que irás?

vislumbré *I detected*

—Lo prometo—le dije. Y por primera vez vislumbré° una cierta ansiedad en su voz:

—¿Puedo decirle a tu papá que vas a decirle que sí?

—No—le repliqué de un tajo—. Eso no.

Era evidente que buscaba otra salida. Pero no se la di.

—Entonces es mejor que le diga de una vez toda la verdad—dijo ella—. Así no parecerá un engaño.

—Bueno—le dije aliviado—. Dígasela.

El joven Gabriel sabía que su madre tenaz no dejaría el asunto de sus estudios. Decidió absorberse en sus propios pensamientos y se acordó en el mismo viaje que él había hecho en lancha con su abuelo cuando era niño.

jornaleros *day workers*

Por fin madre e hijo llegan a Ciénaga donde desembarcan y desayunan antes de dirigirse a la estación de ferrocarril para continuar su viaje a Aracataca. Camino de la estación su madre le describe una escena horrible que ocurrió en la placita por la cual pasaban. El ejército había matado a un número nunca establecido de jornaleros° del banano—un episodio que le había repetido mil veces su querido abuelo.

El tren llegaba a Ciénaga a las nueve de la mañana, recogía los pasajeros de las lanchas y los que bajaban de la sierra, y proseguía hacia el interior de la zona bananera un cuarto de hora después. Mi madre y yo llegamos a la estación pasadas las ocho, pero el tren estaba demorado. Sin embargo, fuimos los únicos pasajeros. Ella se dio cuenta desde que entró en el vagón vacío, y exclamó con un humor festivo:

Reading Check

¿Quiénes viajaron en el tren?

disimular *to conceal*
estragos *devastation*
mimbre *reed*
curtidas *weather-beaten*
fondillos lisos *soft buttocks*

—¡Qué lujo! ¡Todo el tren para nosotros solos!

Siempre he pensado que fue un júbilo fingido para disimular° su desencanto, pues los estragos° del tiempo se veían a simple vista en el estado de los vagones. Eran los antiguos de segunda clase, pero sin asientos de mimbre° ni cristales de subir y bajar en las ventanas, sino con bancas de madera curtidas° por los fondillos lisos° y calientes de los pobres. En comparación con lo que fue en otro tiempo, no sólo aquel vagón sino todo el tren era un fantasma de sí mismo. Antes tenía tres clases. La tercera, donde viajaban los más pobres, eran los mismos huacales de tablas donde transportaban el banano o las reses de sacrificio, adaptados para pasajeros con bancas longitudinales de madera cruda. La segunda clase, con asientos de mimbre y marcos° de bronce. La primera clase, donde viajaban las gentes del gobierno y altos empleados de la compañía bananera, con alfombras en el pasillo y poltronas forradas de terciopelo rojo que podían cambiar de posición. Cuando viajaba el superintendente de la compañía, o su familia, o sus invitados de nota, enganchaban en la cola del tren un vagón de lujo con ventanas de vidrios solares y cornisas doradas, y una terraza descubierta con mesitas para viajar tomando el té. No conocí ningún mortal que hubiera visto por dentro esa carroza de fantasía. Mi abuelo había sido alcalde dos veces y además tenía una noción alegre del dinero, pero sólo viajaba en segunda si iba con alguna mujer de la familia. Y cuando le preguntaban por qué viajaba en tercera, contestaba: «Porque no hay cuarta». Sin embargo, en otros tiempos, lo más recordable del tren había sido la puntualidad. Los relojes de los pueblos se ponían en la hora exacta por su silbato°.

marcos *frames*

Reading Check

¿Cómo viajaba el abuelito del joven? Y, ¿qué había sido su abuelo?

silbato *sound of its whistle*

Aquel día, por un motivo o por otro, partió con una hora y media de retraso. Cuando se puso en marcha, muy despacio y con un chirrido lúgubre°, mi madre se persignó°, pero enseguida volvió a la realidad.

—A este tren le falta aceite en los resortes°—dijo.

Éramos los únicos pasajeros, tal vez en todo el tren, y hasta ese momento no había nada que me causara un verdadero interés. Me sumergí en el sopor de *Luz de agosto,* fumando sin tregua°, con rápidas miradas ocasionales para reconocer los lugares que íbamos dejando atrás. El tren atravesó con un silbido largo las marismas° de la ciénaga, y entró a toda velocidad por un trepidante corredor de rocas bermejas°, donde el estruendo° de los vagones se volvió insoportable. Pero al cabo de unos quince minutos disminuyó la marcha, entró con un resuello sigiloso° en la penumbra fresca de las plantaciones, y el tiempo se hizo más denso y no volvió a sentirse la brisa del mar. No tuve que interrumpir la lectura para saber que habíamos entrado en el reino hermético° de la zona bananera.

chirrido lúgubre *dismal creaking*
se persignó *crossed herself*

resortes *springs*

sin tregua *nonstop*

marismas *marshlands*

bermejas *bright red*
estruendo *roar, racket*

resuello sigiloso *soft breathing*

hermético *impenetrable*

García Márquez sigue describiendo como ha cambiado el paisaje por el cual pasan. Los pueblos de la zona se quedan en ruinas desde la salida de la compañía bananera. Sube al tren un cura cuyos sermones tocan el tema del posible regreso de la compañía. El cura mismo está en contra porque según él «La compañía deja la ruina por donde pasa».

Reading Check

¿Por qué tipo de zona climática pasaba el tren?

La nostalgia, como siempre, había borrado los malos recuerdos y magnificado los buenos. Nadie se salvaba de sus estragos. Desde la ventanilla del vagón se veían los hombres sentados en la puerta de sus casas y bastaba con mirarles la cara para saber lo que esperaban. Las lavanderas en las playas de caliche° miraban pasar el tren con la misma esperanza. Cada forastero que llegaba con un maletín de negocios les parecía que era el hombre de la United

caliche *pebble*

TEACH

Core Instruction

Lines 181–215 are a bit more difficult. You may wish to have students read them aloud and stop them after every three or four sentences to check for comprehension.

Conexiones

La literatura

Luz de agosto refers to the novel *Light in August* by William Faulkner.

TEACH

Core Instruction

Step 1 You may wish to have students read this page silently.

Step 2 You may, however, want to have students read aloud again when the mother suddenly begins her conversation again in lines 231–248.

Reading Check

¿Era cierto que la United Fruit Company volvería o no?

Fruit Company que volvía a restablecer el pasado. En todo encuentro, en toda visita, en toda carta surgía tarde o temprano la frase sacramental: «Dicen que la compañía vuelve». Nadie sabía quién lo dijo, ni cuándo ni por qué, pero nadie lo ponía en duda.

añoranzas *yearnings*

Mi madre se creía curada de espantos, pues una vez muertos sus padres había cortado todo vínculo con Aracataca. Sin embargo, sus sueños la traicionaban. Al menos, cuando tenía alguno que le interesaba tanto como para contarlo al desayuno, estaba siempre relacionado con sus añoranzas° de la zona bananera. Sobrevivió a sus épocas más duras sin vender la casa, con la ilusión de cobrar por ella hasta cuatro veces más cuando volviera la compañía. Al fin la había vencido la presión insoportable de la realidad. Pero cuando le oyó decir al cura en el tren que la compañía estaba a punto de regresar, hizo un gesto desolado y me dijo al oído:

plata *money*

—Lástima que no podamos esperar un tiempecito más para vender la casa por más plata°.

Reading Check

¿Por qué dijo la madre que quisiera poder esperar más tiempo antes de vender la casa?

cuentos de hadas *fairy tales*

Mientras el cura hablaba pasamos de largo por un lugar donde había una multitud en la plaza y una banda de músicos que tocaba una retreta alegre bajo el sol aplastante. Todos aquellos pueblos me parecieron siempre iguales. Cuando Papalelo me llevaba al flamante cine Olympia de don Antonio Daconte yo notaba que las estaciones de las películas de vaqueros se parecían a las de nuestro tren. Más tarde, cuando empecé a leer a Faulkner, también los pueblos de sus novelas me parecían iguales a los nuestros. Y no era sorprendente, pues éstos habían sido construidos bajo la inspiración mesiánica de la United Fruit Company, y con su mismo estilo provisional de campamento de paso. Yo los recordaba todos con la iglesia en la plaza y las casitas de cuentos de hadas° pintadas de colores primarios.

III

ráfaga de cisco *blast of coal*

se despabiló *woke up*

Ya en mi niñez no era fácil distinguir unos pueblos de los otros. Veinte años después era todavía más difícil, porque en los pórticos de las estaciones se habían caído las tablillas con los nombres idílicos—Tucurinca, Guamachito, Neerlandia, Guacamayal—y todos eran más desolados que en la memoria. El tren se detuvo en Sevilla como a las once y media de la mañana para cambiar de locomotora y abastecerse de agua durante quince minutos interminables. Allí empezó el calor. Cuando reanudó la marcha, la nueva locomotora nos mandaba en cada vuelta una ráfaga de cisco° que se metía por la ventana sin vidrios y nos dejaba cubiertos de una nieve negra. El cura y las mujeres se habían desembarcado en algún pueblo sin que nos diéramos cuenta y esto agravó mi impresión de que mi madre y yo íbamos solos en un tren de nadie. Sentada frente a mí, mirando por la ventanilla, ella había descabezado dos o tres sueños, pero se despabiló° de pronto y me soltó una vez más la pregunta temible:

—Entonces, ¿qué le digo a tu papá?

flanco *side*
quebrantar *to break*

Yo pensaba que no iba a rendirse jamás, en busca de un flanco° por donde quebrantar° mi decisión. Poco antes había sugerido algunas fórmulas de compromiso que descarté° sin argumentos, pero sabía que su repliegue° no sería muy largo. Aun así me tomó por sorpresa esta nueva tentativa. Preparado para otra batalla estéril, le contesté con más calma que en las veces anteriores:

—Dígale que lo único que quiero en la vida es ser escritor, y que lo voy a ser.

—Él no se opone a que seas lo que quieras—dijo ella—, siempre que te gradúes en cualquier cosa.

Hablaba sin mirarme, fingiendo interesarse menos en nuestro diálogo que en la vida que pasaba por la ventanilla.

—No sé por qué insiste tanto, si usted sabe muy bien que no voy a rendirme—le dije.

Al instante me miró a los ojos y me preguntó intrigada:

—¿Por qué crees que lo sé?

—Porque usted y yo somos iguales—dije.

El tren hizo una parada en una estación sin pueblo, y poco después pasó frente a la única finca bananera del camino que tenía el nombre escrito en el portal: *Macondo.* Esta palabra me había llamado la atención desde los primeros viajes con mi abuelo, pero sólo de adulto descubrí que me gustaba su resonancia poética. Nunca se lo escuché a nadie ni me pregunté siquiera qué significaba. Lo había usado ya en tres libros como nombre de un pueblo imaginario, cuando me enteré en una enciclopedia casual que es un árbol del trópico parecido a la ceiba°, que no produce flores ni frutos, y cuya madera esponjosa° sirve para hacer canoas y esculpir trastos de cocina. Más tarde descubrí en la Enciclopedia Británica que en Tanganyika existe la etnia errante de los makondos y pensé que aquél podía ser el origen de la palabra. Pero nunca lo averigüé ni conocí el árbol, pues muchas veces pregunté por él en la zona bananera y nadie supo decírmelo. Tal vez no existió nunca.

El tren pasaba a las once por la finca Macondo, y diez minutos después se detenía en Aracataca. El día en que iba con mi madre a vender la casa pasó con una hora y media de retraso. Yo estaba en el retrete° cuando empezó a acelerar y entró por la ventana rota un viento ardiente y seco, revuelto con el estrépito de los viejos vagones y el silbato despavorido° de la locomotora. El corazón me daba tumbos en el pecho y una náusea glacial me heló las entrañas°. Salí a toda prisa, empujado por un pavor° semejante al que se siente con un temblor de tierra, y encontré a mi madre imperturbable en su puesto, enumerando en voz alta los lugares que veía pasar por la ventana como ráfagas instantáneas de la vida que fue y que no volvería a ser nunca jamás.

—Ésos son los terrenos que le vendieron a papá con el cuento de que había oro—dijo.

descarté *I ruled out*
repliegue *withdrawal*

Reading Check
¿A qué tema volvió la madre?

ceiba *type of tree*
esponjosa *spongy*

¿Qué le fascinaba al joven Gabriel?

retrete *toilet*

despavorido *aghast, horrified*
entrañas *innards*
pavor *dread*

Reading Check
¿Por qué había comprado el abuelo de Gabriel terreno en Aracataca?

TEACH
Core Instruction

Have students read lines 247–248 and then ask them the following question. **¿Cuál es el verdadero significado en este intercambio entre madre e hijo?**

PRACTICE

Después de leer

A–K Students can be preparing the activities as they read the selection. All activities can be gone over in class.

Answers

I

A

1. Sabemos que hace mucho tiempo que la madre no ve a su hijo porque dice que ella no tenía la menor idea de cómo encontrarlo. Al encontrarlo la primera cosa que dijo ella fue «Soy tu madre». También el autor dice que algo ha cambiado en su madre que le impidió reconocerla a primera vista.
2. Ella había encanecido por completo, los ojos se le veían más grande y atónitos porque tenía lentes bifocales, y era bella como antes y dignificada por un aura otoñal.
3. Sabía enseguida a qué casa se refería ella porque solo tenían una casa.
4. García Márquez pasaba su tiempo leyendo y recitando la poesía del Siglo de Oro español.
5. García Márquez recordaba el lugar donde se encontraba la casa como un lugar bueno para vivir, donde se conocía todo el mundo, a la orilla de un río de aguas claras.

B

1. d
2. a
3. b
4. e
5. c

C *Answers will vary.*

Después de leer

I

A Explicando Explica.

1. como sabemos que hace mucho tiempo que la madre no ve a su hijo
2. como ha cambiado su madre
3. como es que Gabriel sabía enseguida a qué casa se refería su madre
4. como pasaba su tiempo García Márquez
5. como recordaba García Márquez el lugar donde se encontraba la casa

B Parafraseando ¿Cómo expresa García Márquez lo siguiente? Parea.

1. después de dar a luz a muchos niños
2. seguía sufriendo en silencio momentos tristes
3. disfrutar de leer cualquier tipo de libro
4. no había servido en el ejército como debía
5. la total desorganización de mi existencia

a. guardaba un luto cerrado y serio
b. leer lo que me cayera en las manos
c. el caos de mi vida
d. sumando sus once partos
e. era infractor del servicio militar

Santa Marta, Colombia ▼

Answers

II

D

1. La lancha en que viajaban García Márquez y su madre era destartalada.
2. La madre encontró a su hijo en una condición mala; cuando lo vio pensó que era un limosnero porque llevaba sandalias gastadas y no llevaba medias.
3. El tren en que viajaban la madre y su hijo era ordinario.
4. De la ventanillas del tren Gabriel veía las marismas de la ciénaga, un corredor de rocas bermejas y las plantaciones bananeras; también veía que los pueblos de la zona estaban en ruinas. Más tarde veía a los hombres sentados en la puerta de sus casas, las lavanderas en las playas de caliche, una multitud en una plaza, una banda de músicos y muchos otros pueblos que le parecieron iguales.

C **Interpretando** Interpreta lo que está diciendo el autor.
«Hasta la adolescencia la memoria tiene más interés en el futuro que en el pasado, así que mis recuerdos del pueblo no estaban todavía idealizados por la nostalgia.»

II

D **Describiendo** Describe.
1. la lancha en que viajaban la madre y su hijo
2. la condición en la cual la madre encontró a su hijo
3. el tren en que viajaban la madre y su hijo
4. lo que veía Gabriel de las ventanillas del tren

E **Determinando causas** Contesta.
¿Cuál fue la verdadera razón o causa por la cual la madre le pidió a su hijo que la acompañara a vender la casa?

F **Interpretando** Contesta.
Composición
¿Qué opinión tienes del abuelo de Gabriel después de leer como viajaba en el tren? ¿Por qué tienes tal opinión?

G **Explicando** Explica todas las referencias a la compañía bananera o sea la United Fruit Company.

III

H **Resumiendo** Da un resumen.
Composición
1. En tus propias palabras resume la conversación que continuaba entre la madre y el hijo sobre lo que ella le iba a decir al papá. ¿Por qué le habría dicho el hijo a su madre: «Porque usted y yo somos iguales»?
2. Relata lo que dice García Márquez de Macondo.

I **Interpretando** Describe los sentimientos del hijo y de la madre cuando salieron del tren.

J **Personalizando** Piensa en las conversaciones que tenían García Márquez y su madre sobre sus ambiciones y los deseos de su padre—y también los de su madre. ¿Puedes relacionar estas discusiones con algunos conflictos que quizás tengas con tus padres?
Composición

K **Resumiendo unos datos biográficos** Escribe un resumen sobre todo lo que sabes de la juventud de García Márquez.
Composición

Answers

E *Answers will vary but may include:*
La verdadera razón por la cual la madre le pidió a su hijo que la acompañara a vender la casa fue que ella quería hablarle de sus estudios universitarios.

F *Answers will vary.*

G *Answers will vary but may include:*
la madre recibió su educación durante los días de la compañía bananera; los altos empleados de la compañía bananera viajaron en primera clase en el tren; se refiere a la región como «el reino hermético de la zona bananera»; la compañía ha dejado la zona en ruinas; un cura subió al tren y dijo que era posible que la compañía regresara; en la opinión del cura la compañía deja la ruina donde pasa; dice que en todo encuentro surgía la frase «Dicen que la compañía vuelve»; la madre de Gabriel añoraba la zona bananera; pensaba que podría cobrar cuatro veces más por la casa de sus abuelos si volviera la compañía

Answers

III

H *Answers will vary but may include:*
1. Cuando la madre le pregunta otra vez lo que le debe decir a su papá, Gabriel responde tranquilamente que le diga que él quiere ser escritor y que va a hacerlo. La madre le dice que ellos solo quieren que él se gradúe antes, pero Gabriel dice que no va a hacerlo. El hijo se lo habría dicho a su madre porque los dos son tercos.
2. Dice que la palabra Macondo tiene una resonancia poética que le gustaba aunque no sabía lo que significaba. Supo que es un árbol del trópico cuya madera sirve para hacer canoas y esculpir trastos de cocina; además los makondos son un grupo étnico de Tanganyika.

I *Answers will vary but may include:*
Gabriel estaba nervioso y su mamá estaba tranquila.

J *Answers will vary.*

K *Answers will vary.*

The Video Program for Chapter 7 includes three documentary segments of some interesting aspects of life in Venezuela. You may wish to have students answer the **Antes de mirar** questions orally or in writing.

Episodio 1: Simón Bolívar, el Libertador, es el héroe de la independencia no solamente de su nativa Venezuela pero de otros países de la América del Sur. Su sueño era crear una confederación de países sudamericanos. En 1810 declaró la independencia de Venezuela y luchó contra los españoles. Hoy en casi todos los pueblos de Venezuela hay una Plaza Bolívar y hasta el dinero lleva su nombre. La moneda nacional es el «bolívar».

Episodio 2: En la chocolatería San Moritz se prepara el chocolate, ricos dulces de chocolate, chocolate de excelentísima calidad. Se prepara a base de recetas europeas y de cacao venezolano. El cacao es el ingrediente más importante y no hay mejor cacao que el venezolano. En el siglo XIX el chocolate venezolano gozaba de fama mundial. Venezuela dominaba el mercado de chocolate. Se ha dicho que el chocolate hasta hace que la gente se enamore. Por algo lo llaman **comida de los dioses.**

Episodio 3: Este joven, Romel Junior, es locutor de radio. Trabaja en la emisora Radio Chuspa, 99.9 casi 100, la estación del pueblecito de Chuspa en la costa caribeña de Venezuela. Radio Chuspa emite las veinticuatro horas todos los días. Es la voz del pueblo para esta comunidad de mil personas. Hay programas de música, noticias locales, programas educativos y deportes, sobre todo el béisbol que es el deporte favorito de todo Chuspa.

Videopaseo

¡Un viaje virtual a Venezuela!

Antes de mirar el episodio, completen las actividades que siguen.

Episodio 1: El Libertador

Antes de mirar Con unos compañeros de clase, contesten las siguientes preguntas para prepararse para lo que van a ver en el video.

1. Según el título del episodio, ¿de qué se tratará?
2. ¿Qué significa «libertador»?
3. Piensen en lo que han aprendido en la lección de Cultura de este capítulo. ¿Qué saben ustedes de Venezuela? ¿Dónde está? ¿Cuál es su capital? Compartan todo lo que pueden recordar de Venezuela.
4. ¿Cuáles fueron algunos eventos y personajes importantes en la historia de Venezuela? Compartan sus ideas.
5. Miren la foto del video. ¿Reconocen ustedes al hombre en la valla publicitaria?

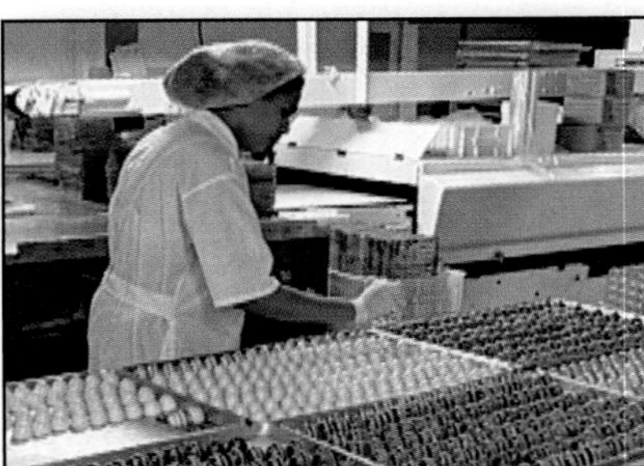

Episodio 2: La fábrica de chocolate

Antes de mirar Con unos compañeros de clase, contesten las siguientes preguntas para prepararse para lo que van a ver en el video.

1. Según el título del episodio, ¿de qué se tratará?
2. ¿Les gusta el chocolate? ¿Lo comen ustedes mucho?
3. ¿Qué saben ustedes del chocolate? ¿Saben de dónde viene? ¿Saben cómo se fabrica?
4. ¿Han visitado alguna vez una fábrica de chocolate? ¿Les gustaría trabajar en una fábrica de chocolate?

Episodio 3: Radio Chuspa

Antes de mirar Con unos compañeros de clase, contesten las siguientes preguntas para prepararse para lo que van a ver en el video.

1. Según el título del episodio, ¿de qué se tratará?
2. ¿Saben qué es «Chuspa»? ¿Será una persona, un pueblo, o el nombre de un programa (una emisión)?
3. ¿Escuchan ustedes la radio? ¿Qué estaciones escuchan?
4. ¿Prefieren ustedes escuchar música, noticias o programas de entrevistas en la radio?

CAPÍTULO 7 Repaso de vocabulario

Cultura

un bohío
una caleta
la desembocadura
la deuda
la empresa
un salto

la sequía
espeso(a)
fluvial
imperante
inolvidable
lacustre

asemejarse a
enriquecerse
oprimir
sellar
surgir

Periodismo

Un tren en honor de Macondo
Una multitud celebró el regreso de Gabo *a Aracataca*

el apodo
la comitiva
el presupuesto
los rieles
el trimestre

el rostro
ardiente

Literatura

Poesía

el desengaño
mudo(a)
yerto(a)

Prosa

el bigote
el bulto
los calzoncillos
la facultad
el forastero
la incertidumbre

el limosnero
las medias
el ocio
una poltrona
al cabo de

Resources

Tests, pages 7.59–7.71

Vocabulary Review

The words and phrases from Lessons 1, 3, and 4 have been taught for productive use in this chapter. They are summarized here as a resource for both student and teacher.

Teaching Options

This vocabulary reference list has not been translated into English. If it is your preference to give students the English translations, please refer to Vocabulary Transparency V7.1.

Chapter Overview

Estados Unidos

Scope and Sequence

Topics
- Latinos in the United States, past and present
- Your own ethnicity

Culture
- Various street festivals and parades celebrating Latinos in the U.S.
- History of the term **hispano**
- Hispanic celebrities in the U.S.
- Hispanic cuisine in the U.S.
- Latin and Spanish architectural influences
- Mariachi music
- **Cinco de mayo**
- *Desde la nieve* by Eugenio Florit
- *El caballo mago* by Sabine Ulibarrí

Functions
- How to form the pluperfect subjunctive
- How to discuss contrary-to-fact situations
- How to use definite and indefinite articles

Structure
- Pluperfect subjunctive
- Clauses with **si**
- Subjunctive in adverbial clauses
- Shortened forms of adjectives
- Definite and indefinite articles

Leveling

The activities within each chapter are marked in the Wraparound section of the Teacher Edition according to level of difficulty.

E indicates easy
A indicates average
CH indicates challenging

The readings in **Lección 3: Periodismo** and **Lección 4: Literatura** are also leveled to help you individualize instruction to best meet your students' needs. Please note that the material does not become progressively more difficult. Within each chapter there are easy and challenging sections.

Correlations to National Foreign Language Standards

Page numbers in light print refer to the Student Edition. Page numbers in bold print refer to the Teacher Edition.	
Communication Standard 1.1 Interpersonal	pp. **368,** 371, **371, 372, 373, 375,** 383, **383, 384, 386,** 389, **389, 392, 393,** 400
Communication Standard 1.2 Interpretive	pp. **368, 369, 370,** 371, 372, 373, 374, 375, **375,** 377, **377,** 380, 383, 384, **386,** 387, 388, 389, **390,** 391, **391, 392, 393,** 394, **394,** 395, **395, 396, 397, 398,** 399
Communication Standard 1.3 Presentational	pp. **371,** 373, **373, 380, 381, 383,** 389, **389,** 391, 399, **399**
Cultures Standard 2.1	pp. 369–370, **370,** 371, **371,** 372, 384, 385, **385, 386,** 386–387, 387, 388, 389, **393, 396,** 400
Cultures Standard 2.2	pp. 374, 385, **385, 386,** 386–387, 387, 388, **393, 395, 396,** 400
Connections Standard 3.1	pp. **368, 369, 370,** 380, 385, 386–387, 389, 394, 400
Connections Standard 3.2	pp. **371,** 375, 377, **385,** 391, **391, 395,** 395–398, **396, 397, 398**
Comparisons Standard 4.1	pp. **369, 370, 371,** 374, 375, 377, 378, 379
Comparisons Standard 4.2	pp. 368, **368, 369,** 369–370, **370,** 371, **371,** 373, 386–387, 389, 400
Communities Standard 5.1	pp. **368, 371, 373, 374, 383, 384, 385, 386,** 389, **389, 399**
Communities Standard 5.2	pp. 375, **375,** 377, **377, 391, 395**, 400
To read the ACTFL Standards in their entirety, see the front of the Teacher Edition.	

Student Resources

Print

Workbook *(pp. 8.3–8.12)*
Audio Activities *(pp. 8.13–8.15)*

Technology

- StudentWorks™ Plus
- ¡Así se dice! Gramática en vivo
- ¡Así se dice! Cultura en vivo
- Vocabulary PuzzleMaker
- QuickPass glencoe.com

Teacher Resources

Print

TeacherTools, Chapter 8
- Workbook TE *(pp. 8.3–8.12)*
- Audio Activities TE *(pp. 8.15–8.28)*
- Quizzes 1–6 *(pp. 8.31–8.37)*
- Tests *(pp. 8.40–8.63)*

Technology

- Vocabulary Transparencies V8.1–V8.4
- Audio CDs 8A and 8B
- *ExamView® Assessment Suite*
- TeacherWorks™ Plus
- ¡Así se dice! Video Program
- Vocabulary PuzzleMaker
- QuickPass glencoe.com

50-Minute Lesson Plans

	Objective	Present	Practice	Assess/Homework
Day 1	Learn about Latinos (Hispanics) in the United States	Chapter Opener, pp. 366–367 Core Instruction/Vocabulario, p. 368 Core Instruction/Latinos en Estados Unidos, pp. 369–370	Activities 1–3, p. 368 Activities A–D, p. 371 Audio Activities A–D, pp. 8.15–8.18	Student Workbook Activities A–E, pp. 8.3–8.4 QuickPass Culture Practice
Day 2	Review Lección 1: Cultura	Videopaseo, p. 400 Episodio 1: Justo Lamas en concierto	Prepárate para el examen, Self-check for achievement, p. 372 Prepárate para el examen, Practice for proficiency, p. 373	Quizzes 1–2, pp. 8.31–8.32 Review for lesson test
Day 3	Reading and Writing Test for Lección 1: Cultura, pp. 8.43–8.44			
Day 4	Pluperfect subjunctive Clauses with **si**	Core Instruction/Pluscuamperfecto del subjuntivo, p. 374 Core Instruction/Cláusulas con **si,** p. 375 Video, Gramática en vivo	Activities 1–3, p. 374 Activities 4–6, pp. 375–376 Audio Activities A–D, pp. 8.19–8.21	Student Workbook Activity A, p. 8.5 Student Workbook Activities A–B, p. 8.6 QuickPass Grammar Practice
Day 5	Subjunctive in adverbial clauses Apocopated adjectives	Core Instruction/Subjuntivo en cláusulas adverbiales, p. 377 Video, Gramática en vivo Core Instruction/Adjetivos apocopados, p. 378	Activities 7–8, p. 377 Activity 9, p. 378 Audio Activity E, p. 8.21	Quizzes 3–4, pp. 8.33–8.34 Student Workbook Activities A–B, p. 8.7 Student Workbook Activity A, p. 8.7 QuickPass Grammar Practice
Day 6	Definite and indefinite articles	Core Instruction/Usos especiales de los artículos, p. 379	Activities 10–16, pp. 380–381 Audio Activity F, p. 8.21	Quiz 5, p. 8.35 Student Workbook Activities A–F, pp. 8.8–8.10 QuickPass Grammar Practice
Day 7	Review Lección 2: Gramática	Videopaseo, p. 400 Episodio 2: Arte e identidad	Prepárate para el examen, Self-check for achievement, p. 382 Prepárate para el examen, Practice for proficiency, p. 383	Quiz 6, p. 8.36 Review for lesson test
Day 8	Reading and Writing Test for Lección 2: Gramática, pp. 8.45–8.46			
Day 9	Read and discuss a newspaper article about mariachis in the United States	Core Instruction/Vocabulario, p. 384 Core Instruction/*Mariachis de alma y corazón,* p. 385	Activities 1–3, p. 384 Audio Activities A–C, p. 8.22	Student Workbook Activities A–B, p. 8.11 QuickPass Journalism Practice
Day 10	Read and discuss a newspaper article about mariachis in the United States	Core Instruction/*Charros de corazón,* pp. 386–387	Activities A–D, p. 387	Student Workbook Activities C–D, pp. 8.11–8.12 QuickPass Journalism Practice
Day 11	Review Lección 3: Periodismo	Videopaseo, p. 400 Episodio 3: Espíritu salsero	Prepárate para el examen, Self-check for achievement, p. 388 Prepárate para el examen, Practice for proficiency, p. 389	Review for lesson test
Day 12	Reading and Writing Test for Lección 3: Periodismo, p. 8.47			
Day 13	Read a poem by Eugenio Florit	Core Instruction/*Desde la nieve,* pp. 390–391	Activities A–D, p. 391 Audio Activities A–B, pp. 8.23–8.24	QuickPass Literature Practice

	Objective	Present	Practice	Assess/Homework
Day 14	Read a short story by Sabine Ulibarrí	Core Instruction/Vocabulario, p. 392 Core Instruction/*El caballo mago,* pp. 394–396	Activities 1–2, p. 393 Audio Activities C–D, pp. 8.24–8.25	QuickPass Literature Practice
Day 15	Read a short story by Sabine Ulibarrí	Core Instruction/*El caballo mago,* pp. 397–398	Activities A–F, p. 399 Audio Activity E, pp. 8.25–8.28	Review for lesson test QuickPass Literature Practice
Day 16	Reading and Writing Test for Lección 4: Literatura, pp. 8.48–8.50			
Day 17	Chapter 8 Tests Chapter Reading and Writing Test, pp. 8.53–8.57 Listening Comprehension Test, pp. 8.58–8.60		Test for Oral Proficiency, p. 8.61 Test for Writing Proficiency, pp. 8.62–8.63	

Note: You may want to use the rubrics below to help students prepare their speaking activities and their writing task.

Scoring Rubric for Speaking

	4	3	2	1
vocabulary	extensive use of vocabulary, including idiomatic expressions	adequate use of vocabulary and idiomatic expressions	limited vocabulary marked with some anglicisms	limited vocabulary marked by frequent anglicisms that force interpretation by the listener
grammar	few or no grammatical errors	minor grammatical errors	some serious grammatical errors	serious grammatical errors
pronunciation	good intonation and largely accurate pronunciation with slight accent	acceptable intonation and pronunciation with distinctive accent	errors in intonation and pronunciation with heavy accent	errors in intonation and pronunciation that interfere with listener's comprehension
content	thorough response with interesting and pertinent detail	thorough response with sufficient detail	some detail, but not sufficient	general, insufficient response

Scoring Rubric for Writing

	4	3	2	1
vocabulary	precise, varied	functional, fails to communicate complete meaning	limited to basic words, often inaccurate	inadequate
grammar	excellent, very few or no errors	some errors, but do not hinder communication	numerous errors interfere with communication	many errors, little sentence structure
content	thorough response to the topic	generally thorough response to the topic	partial response to the topic	insufficient response to the topic
organization	well organized, ideas presented clearly and logically	loosely organized, but main ideas present	some attempts at organization, but with confused sequencing	lack of organization

90-Minute Lesson Plans

	Objective	Present	Practice	Assess/Homework
Block 1	Learn about Latinos (Hispanics) in the United States	Chapter Opener, pp. 366–367 Core Instruction/Vocabulario, p. 368 Core Instruction/Latinos en Estados Unidos, pp. 369–370	Activities 1–3, p. 368 Activities A–D, p. 371 Audio Activities A–D, pp. 8.15–8.18	Student Workbook Activities A–E, pp. 8.3–8.4 QuickPass Culture Practice
Block 2	Review Lección 1: Cultura	Videopaseo, p. 400 Episodio 1: Justo Lamas en concierto	Prepárate para el examen, Self-check for achievement, p. 372 Prepárate para el examen, Practice for proficiency, p. 373	Quizzes 1–2, pp. 8.31–8.32 Review for lesson test
Block 3	Pluperfect subjunctive Clauses with **si**	Core Instruction/Pluscuamperfecto del subjuntivo, p. 374 Core Instruction/Cláusulas con **si,** p. 375 Video, Gramática en vivo	Activities 1–3, p. 374 Activities 4–6, pp. 375–376 Audio Activities A–D, pp. 8.19–8.21	Reading and Writing Test for Lección 1: Cultura, pp. 8.43–8.44 Student Workbook Activity A, p. 8.5 Student Workbook Activities A–B, p. 8.6 QuickPass Grammar Practice
Block 4	Subjunctive in adverbial clauses Apocopated adjectives Definite and indefinite articles	Core Instruction/Subjuntivo en cláusulas adverbiales, p. 377 Video, Gramática en vivo Core Instruction/ Adjetivos apocopados, p. 378 Core Instruction/Usos especiales de los artículos, p. 379	Activities 7–8, p. 377 Activity 9, p. 378 Activities 10–16, pp. 380–381 Audio Activities E–F, p. 8.21	Quizzes 3–4, pp. 8.33–8.34 Student Workbook Activities A–B, p. 8.7 Student Workbook Activity A, p. 8.7 Student Workbook Activities A–F, pp. 8.8–8.10 QuickPass Grammar Practice
Block 5	Review Lección 2: Gramática	Videopaseo, p. 400 Episodio 2: Arte e identidad	Prepárate para el examen, Self-check for achievement, p. 382 Prepárate para el examen, Practice for proficiency, p. 383	Quizzes 5–6, pp. 8.35–8.36 Review for lesson test
Block 6	Read and discuss a newspaper article about mariachis in the United States	Core Instruction/Vocabulario, p. 384 Core Instruction/*Mariachis de alma y corazón*, p. 385	Activities 1–3, p. 384 Audio Activities A–C, p. 8.22	Reading and Writing Test for Lección 2: Gramática, pp. 8.45–8.46 Student Workbook Activities A–B, p. 8.11 QuickPass Journalism Practice
Block 7	Read and discuss a newspaper article about mariachis in the United States	Core Instruction/*Charros de corazón,* pp. 386–387	Activities A–D, p. 387 Prepárate para el examen, Self-check for achievement, p. 388 Prepárate para el examen, Practice for proficiency, p. 389	Student Workbook Activities C–D, pp. 8.11–8.12 Review for lesson test QuickPass Journalism Practice
Block 8	Read a poem by Eugenio Florit	Core Instruction/*Desde la nieve,* pp. 390–391	Activities A–D, p. 391 Audio Activities A–B, pp. 8.23–8.24	Reading and Writing Test for Lección 3: Periodismo, p. 8.47 QuickPass Literature Practice

	Objective	Present	Practice	Assess/Homework
Block 9	Read a short story by Sabine Ulibarrí	Core Instruction/Vocabulario, p. 392 Core Instruction/*El caballo mago,* pp. 394–398 Videopaseo, p. 400 Episodio 3: Espíritu salsero	Activities 1–2, p. 393 Activities A–F, p. 399 Audio Activities C–E, pp. 8.24–8.28	Review for lesson and chapter tests QuickPass Literature Practice
Block 10	Reading and Writing Test for Lección 4: Literatura, pp. 8.48–8.50 Chapter 8 Tests Chapter Reading and Writing Test, pp. 8.53–8.57 Listening Comprehension Test, pp. 8.58–8.60		Test for Oral Proficiency, p. 8.61 Test for Writing Proficiency, pp. 8.62–8.63	

Note: You may want to use the rubrics below to help students prepare their speaking activities and their writing task.

Scoring Rubric for Speaking

	4	3	2	1
vocabulary	extensive use of vocabulary, including idiomatic expressions	adequate use of vocabulary and idiomatic expressions	limited vocabulary marked with some anglicisms	limited vocabulary marked by frequent anglicisms that force interpretation by the listener
grammar	few or no grammatical errors	minor grammatical errors	some serious grammatical errors	serious grammatical errors
pronunciation	good intonation and largely accurate pronunciation with slight accent	acceptable intonation and pronunciation with distinctive accent	errors in intonation and pronunciation with heavy accent	errors in intonation and pronunciation that interfere with listener's comprehension
content	thorough response with interesting and pertinent detail	thorough response with sufficient detail	some detail, but not sufficient	general, insufficient response

Scoring Rubric for Writing

	4	3	2	1
vocabulary	precise, varied	functional, fails to communicate complete meaning	limited to basic words, often inaccurate	inadequate
grammar	excellent, very few or no errors	some errors, but do not hinder communication	numerous errors interfere with communication	many errors, little sentence structure
content	thorough response to the topic	generally thorough response to the topic	partial response to the topic	insufficient response to the topic
organization	well organized, ideas presented clearly and logically	loosely organized, but main ideas present	some attempts at organization, but with confused sequencing	lack of organization

Preview

In this chapter, students will learn about the Latino population in the United States. They will read an article translated into Spanish about Latino history, which focuses on the terms Hispanic and Latino. Students will read newspaper articles about the popularity of mariachi and charros in the United States. They will read a poem by the Cuban Eugenio Florit, who spent most of his life in New York City. They will also read a short story by the New Mexican writer Sabine Ulibarrí. In this chapter students will complete their review of Spanish grammar.

Pacing

Cultura	4–5 days
Gramática	4–5 days
Periodismo	4–5 days
Literatura	4–5 days
Videopaseo	2 days

TeacherWorks Plus

The **¡Así se dice!** TeacherWorks™ Plus CD-ROM is an all-in-one planner and resource center. You may wish to use several of the following features as you plan and present the Chapter 8 material: Interactive Teacher Edition, Interactive Lesson Planner with Calendar, and Point and Click Access to Teaching Resources including Hotlinks to the Internet and Correlations to the National Standards.

◀ Hay mucha gente caminando por la calle Olvera en Los Ángeles.

Objetivos

You will:

- learn about Latinos (Hispanics) in the United States
- discuss your own ethnicity
- read and discuss a newspaper article about mariachis in the United States
- read a poem by Eugenio Florit and a short story by Sabine Ulibarrí

You will review:

- pluperfect subjunctive
- clauses with **si**
- subjunctive in adverbial clauses
- shortened forms of adjectives
- definite and indefinite articles

Contenido

QuickPass

Go to glencoe.com
For: **Online book**
Web code: **ASD7851c8**

Cultural Snapshot

(pages 366–367) La calle Olvera está ubicada en el monumento histórico del Pueblo de Los Ángeles. Se abrió al público en 1930 y cada año hay celebraciones, fiestas y eventos culturales. Es también un mercado con muchas tiendas y restaurantes.

Quia Interactive Online Student Edition found at quia.com allows students to complete activities online and submit them for computer grading for instant feedback or teacher grading with suggestions for what to review. Students can also record speaking activities, listen to chapter audio, and watch the videos that correspond with each chapter. As a teacher you are able to create rosters, set grading parameters, and post assignments for each class. After students complete activities, you can view the results and recommend remediation or review. You can also add your own customized activities for additional student practice.

Resources

- Vocabulary Transparency V8.2
- Audio Activities TE, page 8.15
- Audio CD 8A, Tracks 1–2
- Workbook, page 8.3
- Quiz 1, page 8.31
- *ExamView® Assessment Suite*

TEACH

Core Instruction

Step 1 You may wish to have students repeat the new words after Audio CD 8A.

Step 2 You may wish to ask the following questions to have students use their new words. **¿Con cuánta frecuencia toma el gobierno el censo? ¿Hay que indicar la etnia de uno en un documento del censo? ¿Hay ilustres autores latinos que escriben en Estados Unidos? ¿Quiénes son algunos? ¿Alberga Estados Unidos gente de muchos países del mundo? Cuando uno cocina con ajo, ¿huele todo a ajo por unos momentos?**

Differentiation

Advanced Learners

Call on more advanced learners to make up original sentences using **albergar, proveer, apoderarse de,** and **oler a.**

Comunicación

Interpersonal

You may wish to have students discuss in class the meaning of the word **etnia.**

Lección 1 Cultura

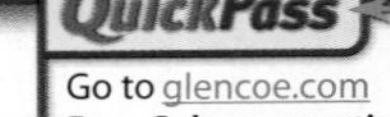

Go to glencoe.com
For: **Culture practice**
Web code: **ASD7851c8**

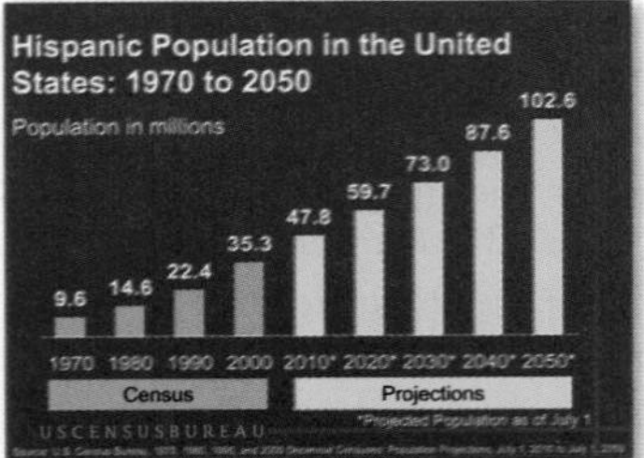

Vocabulario

Estudia las siguientes palabras para ayudarte a entender la lectura.

el censo lista de la población de un país, estado o municipio

la etnia comunidad humana definida por afinidades raciales, lingüísticas, culturales, etc.

autóctono(a) se dice de los pueblos originarios del mismo país en que viven

ilustre famoso, renombrado

albergar alojar, hospedar, servir de vivienda

proveer dar lo que se necesita, dar provisiones

oler a (huele) tener (el) olor de

apoderarse de tomar el control y poder por fuerza

Más de 2.8 millones de latinos viven en la Ciudad de Nueva York. ▼

Práctica

HABLAR

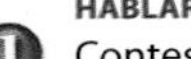

1 Contesta.

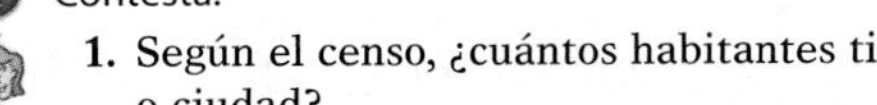

1. Según el censo, ¿cuántos habitantes tiene tu pueblo o ciudad?
2. ¿Hay algunos graduados ilustres de tu escuela? ¿Quiénes?
3. ¿Alberga Estados Unidos a gente de diversas etnias?
4. ¿Huele a pescado el salmón?

LEER • ESCRIBIR

2 Completa con una palabra apropiada.

1. Los invasores querían ____ de todo el país.
2. Es necesario ____ lo que los trabajadores necesitan.
3. Un hotel grande puede ____ a muchos clientes.
4. El náhuatl y el quechua son dos lenguas ____ de las Américas.
5. Todos nosotros tenemos nuestra propia ____.

HABLAR • ESCRIBIR

3 Da una palabra relacionada.

1. el olor
2. la provisión
3. étnico
4. el poder
5. el albergue

◀ El Hotel del Coronado en San Diego, California, alberga a muchos huéspedes.

Answers

1. Según el censo, mi pueblo o ciudad tiene ____ habitantes.
2. Sí, hay algunos graduados ilustres de mi escuela. (No, no hay ningún graduado ilustre de mi escuela.)
3. Sí, Estados Unidos alberga a gente de diversas etnias.
4. Si, el salmón huele a pescado.

1. apoderarse
2. proveer
3. albergar
4. autóctonas
5. etnia

1. oler a
2. proveer
3. la etnia
4. apoderarse de
5. albergar

Latinos en Estados Unidos

Actualmente hay más de cuarenta y cuatro millones de latinos o hispanos en Estados Unidos. Viven en todas partes del país y ejercen todas las profesiones y oficios—en zonas urbanas y rurales. Están tomando una parte activa en la política de la nación. Hay muchos alcaldes, gobernadores, congresistas, senadores y jueces hispanos.

El grupo mayoritario son los mexicanoamericanos. Hay también muchos cubanoamericanos, puertorriqueños y dominicanos. El número de centroamericanos y sudamericanos—sobre todo colombianos, venezolanos, ecuatorianos y peruanos—está en aumento.

La lectura que sigue es una traducción de unos párrafos del libro *Everything You Need to Know About Latino History* de Himilce Novas.

¿Qué significa el término «hispano»? Pues, significa muchas cosas. La palabra se deriva de «Hispania», nombre que los romanos dieron a lo que es hoy «España», el nombre del país que conquistó y colonizó una gran parte de las Américas. Muchos de los indígenas que encontraron los españoles en las Américas se adaptaron a la lengua, cultura y religión que los españoles les impusieron, a veces por la fuerza. Los indígenas se mezclaron con los conquistadores y los colonos. Y a fines del siglo XV empezaron a llegar los africanos esclavizados a las orillas de las Américas y ellos también se mezclaron con los indígenas, conquistadores y colonos añadiendo otra dimensión importante a lo que se define por «hispano».

▲ Se venden banderas cubanas, mexicanas y puertorriqueñas durante esta fiesta en la Calle Ocho. La influencia latina es enorme y diversificada.

Dentro de la población estadounidense ningún grupo es tan diverso en su cultura, apariencia y tradiciones como los «hispanos». Los otros grupos que forman la población estadounidense son categorizados por el lugar geográfico de su origen—los irlandeses de Irlanda, los italianos de Italia, los afroamericanos de África. Pero los hispanos son clasificados no por su lugar de origen sino por su lengua materna o la de sus antecedentes. Por consiguiente, el término «hispano» incluye a gente de España y unas veintiuna repúblicas, cada una con su propia historia y cultura, sus propias tradiciones, costumbres y comidas y sus propias etnias e influencias raciales.

◀ Estas jóvenes cubanoamericanas van a celebrar el Día de los Reyes en la Calle Ocho de la Pequeña Habana en Miami.

GLENCOE Technology

Online Learning in the Classroom

You may wish to have students use QuickPass code ASD7851c8 for additional vocabulary and comprehension practice. Students will be able to download audio files to their computer and/or MP3 player and access eFlashcards, eGames, a self-check quiz, and a review worksheet.

PRACTICE

Leveling EACH Activity

Easy Activities 1, 3
Average Activity 2

ASSESS

Students are now ready to take Quiz 1 on page 8.31 of the TeacherTools booklet. If you prefer to create your own quiz, use the *ExamView®* *Assessment Suite.*

Resources

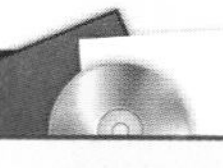

- Audio Activities TE, pages 8.16–8.18
- Audio CD 8A, Tracks 3–4
- Quiz 2, page 8.32
- *ExamView® Assessment Suite*

TEACH

Core Instruction

This reading selection contains some important information. It is suggested that it be read by all students. You may wish to ask the following comprehension questions. **¿De dónde se deriva el término «hispano»? ¿Cuál es un factor histórico de mucha importancia que uno tiene que tomar en cuenta cuando se define «hispano»? ¿Por qué no son clasificados los hispanos por su lugar de origen?**

Cultural Snapshot

(page 369) La Calle Ocho es la calle principal de La Pequeña Habana en Miami.

▶ TEACH

Core Instruction

You may wish to ask the following comprehension questions. **¿Qué tienen en común los latinoamericanos con los estadounidenses? ¿De qué se dan cuenta los hispanohablantes que viven en Estados Unidos? ¿Cómo consideran muchos hispanohablantes en Estados Unidos la palabra «hispano»? ¿Por qué? ¿Quiénes en su mayoría rechazan el término «hispano»? ¿Qué término prefieren?**

Note that both terms **hispanohablantes** and **hispanoparlantes** are used. According to Manuel Seco in his *Diccionario de Dudas y Dificultades de la Lengua Española,* **hispanohablante** is the preferred word since **hispanoparlante** comes from the French verb **parler.**

▲ Una charreada en Phoenix, Arizona

Latinoamérica es la tierra natal de la mayoría de la gente conocida como «hispanos» en Estados Unidos. Pero cuando están en México se llaman «mexicanos», en Cuba «cubanos», en Puerto Rico «puertorriqueños» y en Colombia «colombianos».

Los latinoamericanos, igual que los estadounidenses, lucharon valientemente para liberarse y ganar su independencia de un poder europeo—en el caso de Latinoamérica, del Imperio español. La identidad de la gente se deriva de su tierra natal y de las culturas heterogéneas que viven allí. Como cada país latinoamericano alberga diversas culturas multiétnicas una sola palabra como «hispano» ni cualquier otra podría proveer una descripción adecuada. En muchos países latinoamericanos hay gente que habla una lengua autóctona y para ellos el español es solo la lengua oficial del país.

Los hispanohablantes o hispanoparlantes que viven en Estados Unidos se dan cuenta de que no son solo nicaragüenses, mexicanos o dominicanos. Pertenecen también a un grupo mucho más grande y más heterogéneo—al grupo «hispano».

Pero en Estados Unidos muchos hispanohablantes consideran la palabra «hispano» solo un término burocrático usado por el gobierno para el censo. Prefieren llamarse «latinos» o «mexicanoamericanos», «cubanoamericanos», etc. Muchos latinos, sobre todo escritores y artistas, se oponen firmemente al uso de «hispano» y prefieren el término «latino».

La ilustre novelista mexicanoamericana Sandra Cisneros dice que el término «hispano» huele a colonización. John Leguizamo, el escritor y actor colombiano-puertorriqueño, también prefiere «latino» pero no considera «hispano» ofensivo. Raúl Yzaguirre, ex-presidente del Consejo Nacional de la Raza, y el ex-congresista de Nueva York Herman Badillo creen que «hispano» promueve la unidad. Enrique Fernández, el ex-editor de la revista latina, o hispana, *Más* prefiere «hispano» a «latino». Dice el señor Fernández, que hoy es periodista con el *Miami Herald,* que al tomar en cuenta la raíz de la palabra «latino», el término se refiere a un Imperio más antiguo—un Imperio que conquistó un enorme territorio y que se apoderó de España.

El desfile del Día de los Puertorriqueños en la Quinta Avenida de Manhattan en Nueva York atrae a muchos espectadores. ▼

Answers

A

1. no
2. sí
3. no
4. no
5. sí

B

1. La palabra «hispano» se deriva de «Hispania», nombre que los romanos dieron a lo que es hoy «España».
2. Unas de las diversas influencias en el término «hispano» son los indígenas (que se mezclaron con los conquistadores y los colonos), los africanos esclavizados (que también mezclaron con los indígenas, los conquistadores y los colonos) y a toda la gente de España y veintiuna otras repúblicas de habla español.

A Confirmando información Indica si la información es correcta o no.

1. El término «hispano» tiene solo un significado.
2. Muchos indígenas de las Américas se adaptaron a la lengua, cultura y religión que los españoles les impusieron, frecuentemente por la fuerza.
3. Hay muy poca diversidad cultural entre los diferentes grupos hispanohablantes en Estados Unidos.
4. España es la tierra natal de la mayoría de la gente conocida como «hispanos» en Estados Unidos.
5. Los latinoamericanos igual que los estadounidenses tuvieron que luchar por su independencia de un poder europeo.

B Explicando Explica.

1. la derivación de la palabra «hispano»
2. las diversas influencias en el término «hispano»
3. a quienes incluye el término «hispano» en Estados Unidos
4. lo que alberga cada país de Latinoamérica
5. el significado que tiene el término «hispano» para muchos hispanohablantes

C Analizando Contesta.

1. ¿Por qué existe un término como «hispano» o «latino» en Estados Unidos y no existe en los países hispanohablantes?
2. ¿Cuáles son las diferentes opiniones de los hispanohablantes en cuanto a los términos «hispano» y «latino»?

▲ Festival para celebrar el Cinco de Mayo en la Plaza del Centro Cívico en San Francisco

Comunidades

D Si hay alumnos hispanos o latinos en tu escuela, entrevístalos para determinar si la mayoría prefiere el término «hispano» o «latino». Pregúntales las razones por su preferencia.

◀ La iglesia de la Misión de San Diego de Alcalá en San Diego

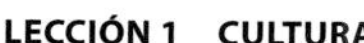

▶ PRACTICE

A and B These activities can be done as factual recall activities or you may permit students to look up answers.

B This activity can be oral or written.

C This activity can be done as an entire class discussion.

Heritage Speakers

D If you have any heritage speakers in class, have them give their opinions about the topic. You may even wish to have them prepare a debate if opinions seem divided.

Differentiation

Advanced Learners

Have advanced learners correct the false information in Activity A.

Cultural Snapshot

(page 371 bottom) La Misión de San Diego de Alcalá fue fundada el 16 de julio de 1769. Fue la primera de las veintiuna misiones establecidas por el padre Junípero Serra.

ASSESS

Students are now ready to take Quiz 2 on page 8.32 of the TeacherTools booklet. If you prefer to create your own quiz, use the *ExamView® Assessment Suite.*

Answers

3. En Estados Unidos el término «hispano» incluye a todos los hispanohablantes o hispanoparlantes.
4. Cada país de Latinoamérica alberga diversas culturas multiétnicas.
5. Para muchos hispanohablantes el término «hispano» es un término burocrático usado para el censo.

C *Answers will vary but may include:*

1. El término «hispano» o «latino» no existe en los países hispanohablantes porque este término ni cualquier otro puede proveer una descripción adecuada de toda la diversidad que hay en el país. Tal vez exista en Estados Unidos porque unifica a los hispanohablantes o tal vez porque sea más simple que usar un término diferente para cada grupo de hispanohablantes.
2. Algunos creen que el término «hispano» huele a colonización y lo consideran ofensivo. Otros creen que este término promueve la unidad. Hay muchas personas (sobre todo los escritores y artistas) que prefieren el término «latino» al término «hispano».

D *Answers will vary.*

Resources

- Tests, pages 8.43–8.44
- *ExamView® Assessment Suite*

Self-check for achievement

This is a pre-test for students to take before you administer the lesson test. Note that each section is cross-referenced so students can easily find the material they feel they need to review. You may wish to use Self-Check Worksheet Transparency SC8.1 to have students complete this assessment in class or at home. You can correct the assessment yourself, or you may prefer to project the answers on the overhead in class using Self-Check Answers Transparency SC8.1A.

Differentiation

Slower Paced Learners

Encourage students who need extra help to refer to the book icons and review any section before answering the questions.

Comunicación

Interpersonal

Have students recall what they learned about el Día de San Juan in Chapter 5, **¡Así se dice!** Level 2 and tell about it.

Prepárate para el examen

Self-check for achievement

Vocabulario

Para repasar este vocabulario, mira la página 368.

1 Da la palabra cuya definición sigue.

1. indígena, originario
2. que tiene fama
3. tiene (el) olor de
4. lista que da el número de habitantes
5. grupo que comparte los mismos rasgos raciales, lingüísticos y culturales
6. tomar algo por fuerza
7. servir de residencia
8. dar lo que se necesita

▲ Los puertorriqueños celebran el Día de San Juan en la playa de Jacksonville igual que en la de San Juan.

▲ La actriz América Ferrera acepta el premio de Mujer Hispana del Año del *Hollywood Reporter and Billboard.*

Lectura y cultura

Para repasar esta información cultural, mira las páginas 369–371.

2 ¿Sí o no?

9. La mayoría de los hispanohablantes en Estados Unidos son puertorriqueños.
10. Los hispanos o latinos en grandes números viven solamente en el nordeste y el sudoeste.
11. Hoy en día está llegando gente de muchos países sudamericanos.
12. El término «Hispania» originó con los romanos.
13. Todos los latinoamericanos son de la misma etnia.
14. España es la tierra natal de la mayoría de la gente conocida como «hispanos» en Estados Unidos.
15. Los latinoamericanos igual que los estadounidenses tuvieron que luchar por su independencia de un poder extranjero.
16. En partes de Latinoamérica hay gente que no habla mucho español.

3 Contesta.

17. ¿Con quiénes se mezclaron los indígenas en Latinoamérica?
18. Dentro de Estados Unidos, ¿por qué es el grupo «latino» o «hispano» el grupo más diverso en su cultura, apariencia y tradiciones?
19. ¿Por qué a muchos hispanohablantes en Estados Unidos no les gusta el término «hispano»?
20. Para el señor Enrique Fernández, ¿a qué se refiere el término «latino»?

▲ Celebrando el mes de herencia hispana en Hialeah, Florida

Answers

1

1. autóctono
2. ilustre
3. huele a
4. el censo
5. la etnia
6. apoderarse de
7. albergar
8. proveer

2

9. no
10. no
11. sí
12. sí
13. no
14. no
15. sí
16. sí

3

17. Los indígenas de Latinoamérica se mezclaron con los conquistadores, los colonos y los africanos esclavizados.
18. Dentro de Estados Unidos el grupo «latino» o «hispano» es el grupo más diverso en su cultura, apariencia y tradiciones porque son clasificados no por su lugar de origen sino por su lengua materna o la de sus antecedentes. Estos términos incluyen a gente de España y unas veintiuna repúblicas, cada una con su propia historia y cultura y sus propias tradiciones, costumbres, comidas, etnias e influencias raciales.
19. A muchos hispanohablantes en Estados Unidos no les gusta el término «hispano» porque huele a colonización y lo consideran ofensivo.
20. Para el señor Enrique Fernández, el término «latino» se refiere al Imperio que conquistó un enorme territorio y que se apoderó de España.

Prepárate para el examen

Practice for proficiency

1 Mi etnia

Di todo lo que sabes de tu ascendencia étnica.

2 Los latinoamericanos de hoy

Basado en lo que has aprendido en tus cursos de español, explica todo lo que sabes de las diversas etnias en Latinoamérica. ¿Por qué es la población latinoamericana una población tan heterogénea?

3 Donde vivo yo

Describe a los grupos hispanohablantes que viven en tu región. Si no hay muchos hispanohablantes, ¿cuáles son otros grupos étnicos que alberga la región donde vives?

Un escrito personal

La etnia de una persona puede tener una gran influencia en su vida porque la etnia consiste en tradiciones, costumbres, creencias, comportamiento, etc. Muchos estadounidenses no son de una sola etnia. Tienen antepasados que vienen de muchas partes del mundo.

Vas a preparar un escrito personal sobre tu etnia. Un escrito personal no tiene que ser formal. Puedes reflexionar y escribir lo que te dé la gana en forma abierta y sincera.

Reflexiona sobre el origen de tus abuelos, de tus padres y de otros miembros de tu familia. ¿Cuáles son unas costumbres o tradiciones de su lugar de origen que han tenido una influencia en tu vida y en la de tu familia? ¿Hay un(a) pariente que haya tenido más influencia que otro(a)? ¿Quién?

Consulta la tabla de al lado para ayudarte a puntualizar los temas sobre los cuales quieres escribir.

Después de revisar y corregir tu borrador, escribe de nuevo tu escrito en forma final.

▲ Univisión es una emisora televisiva cuya administración general se ubica en Los Ángeles, California.

TODOS LOS DÍAS ES HOY
Hoy
¿Ya tienes el tuyo?

Tips for Success

Encourage students to say as much as possible when they do these open-ended activities. Tell them not to be afraid to make mistakes, since the goal of the activities is real-life communication. If someone in the group makes an error, allow the others to politely correct him or her. Let students choose the activities they would like to do.

Tell students to feel free to elaborate on the basic theme and to be creative. They may use props, pictures, or posters if they wish.

Pre-AP These oral and written activities will give students the opportunity to develop and improve their speaking and writing skills so that they may succeed on the speaking and writing portions of the AP exam.

Note: You may wish to use the rubrics on page 366D or 366F to help students prepare their speaking activities and their writing task.

Resources

- Audio Activities TE, page 8.19
- Audio CD 8A, Tracks 5–6
- Workbook, page 8.5
- Quiz 3, page 8.33
- *ExamView® Assessment Suite*

TEACH

Core Instruction

Step 1 The important thing students should know is that the first verb is either in the past or conditional. The action of the verb in the second clause took place prior to action of the first verb—that is to say if it ever did take place, which is the reason for the subjunctive.

Step 2 Have students analyze the model sentences in Item 2. I doubted (Friday) that they would have done it (before Friday) and it's not known if they did it or not. It would surprise me (at any time) if he (previously, before my being surprised) would have said such a thing and there's no indication he said it, therefore the use of the subjunctive.

PRACTICE

Leveling EACH Activity

Easy Activity 1
Average Activities 2, 3

ASSESS

Students are now ready to take Quiz 3 on page 8.33 of the TeacherTools booklet. If you prefer to create your own quiz, use the *ExamView® Assessment Suite.*

Go to glencoe.com
For: **Grammar practice**
Web code: **ASD7851c8**

▲ ¿Te sorprende que haya un restaurante mexicano tan bueno como la Cantina de Rosie en Huntsville, Alabama?

Pluscuamperfecto del subjuntivo

1. The pluperfect subjunctive is formed with the imperfect subjunctive of the auxiliary verb **haber** and the past participle.

que hubiera comido	**que hubiéramos comido**
que hubieras comido	***que hubierais comido***
que hubiera comido	**que hubieran comido**
que hubiera vuelto	**que hubiéramos vuelto**
que hubieras vuelto	***que hubierais vuelto***
que hubiera vuelto	**que hubieran vuelto**

2. The pluperfect subjunctive is used after a verb in a past tense or in the conditional that requires the subjunctive when the action of the verb in the dependent clause precedes that of the verb in the main clause.

Dudé que ellos lo hubieran hecho.
I doubted that they had (would have) done it.

Me sorprendería qué él hubiera dicho tal cosa.
It would surprise me that he (would have) said such a thing.

Práctica

1 ESCUCHAR • HABLAR

Forma una frase según el modelo.

MODELO **hacerlo →**
Dudé que él lo hubiera hecho.

1. terminarlo
2. leerlo
3. venderlo
4. decirlo
5. enviarlo
6. devolverlo
7. abrirlo
8. escribirlo

2 LEER • ESCRIBIR

Cambia *Me sorprende* a *Me sorprendería* y haz los cambios necesarios.

1. Me sorprende que tú hayas hecho tal cosa.
2. Me sorprende que ellos no hayan llegado.
3. Me sorprende que ustedes no hayan recibido una invitación.
4. Me soprende que ella no te haya dicho nada.

3 LEER • ESCRIBIR

Completa con el pluscuamperfecto del subjuntivo.

1. Temíamos que ellos no ____ a tiempo. (llegar)
2. Preferiría que ella no ____ nada del asunto. (saber)
3. Ellos no creían que tú me lo ____. (decir)
4. Me sorprendería que ellos ____ antes de que saliéramos. (volver)

Answers

1. Dudé que él lo hubiera terminado.
2. Dudé que él lo hubiera leído.
3. Dudé que él lo hubiera vendido.
4. Dudé que él lo hubiera dicho.
5. Dudé que él lo hubiera enviado.
6. Dudé que él lo hubiera devuelto.
7. Dudé que él lo hubiera abierto.
8. Dudé que él lo hubiera escrito.

2

1. Me sorprendería que tú hubieras hecho tal cosa.
2. Me sorprendería que ellos no hubieran llegado.
3. Me sorprendería que ustedes no hubieran recibido una invitación.
4. Me sorprendería que ella no te hubiera dicho nada.

1. hubieran llegado
2. hubiera sabido
3. hubieras dicho
4. hubieran vuelto

Cláusulas con si

1. **Si** clauses are used to express contrary-to-fact conditions—what would or could happen if it were not for something else. **Si** clauses conform to a specific sequence of tenses.

   Si tengo bastante dinero, lo haré.
   If I have enough money, I'll do it.

   Si tuviera bastante dinero, lo haría.
   If I had enough money, I would do it.

   Si hubiera tenido bastante dinero, lo habría hecho.
   If I had had enough money, I would have done it.

2. The sequence of tenses for **si** clauses is as follows:

MAIN CLAUSE	SI CLAUSE
future	**present indicative**
conditional	**imperfect subjunctive**
conditional perfect	**pluperfect subjunctive**

VIDEO Want help with the pluperfect subjunctive and **si** clauses? Watch **Gramática en vivo.**

Si tuvieras la oportunidad de visitar la Florida, tendrías que ir a San Augustín, la ciudad más antigua de Estados Unidos. ▼

Práctica

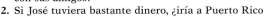

ESCUCHAR • HABLAR

4 Contesta.

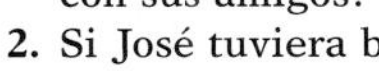

1. Si José tiene bastante dinero, ¿irá a Puerto Rico con sus amigos?
2. Si José tuviera bastante dinero, ¿iría a Puerto Rico con sus amigos?
3. Si José hubiera tenido bastante dinero, ¿habría ido a Puerto Rico con sus amigos?
4. Si vas a Puerto Rico, ¿viajarás por toda la isla?
5. Si fueras a Puerto Rico, ¿viajarías por toda la isla?
6. Si hubieras ido a Puerto Rico, ¿habrías viajado por toda la isla?

Si fueras a Puerto Rico, ¿te gustaría alojarte en este hotel en San Juan que tiene renombre de tener la forma de un barco? ▼

Answers

1. Sí (No), si José tiene bastante dinero, (no) irá a Puerto Rico con sus amigos.
2. Sí (No), si José tuviera bastante dinero, (no) iría a Puerto Rico con sus amigos.
3. Sí (No), si José hubiera tenido bastante dinero, (no) habría ido a Puerto Rico con sus amigos.
4. Sí (No), si voy a Puerto Rico, (no) viajaré por toda la isla.
5. Sí (No), si fuera a Puerto Rico, (no) viajaría por toda la isla.
6. Sí (No), si hubiera ido a Puerto Rico, (no) habría viajado por toda la isla.

GLENCOE Technology

Online Learning in the Classroom

Have students use QuickPass code ASD7851c8 for additional grammar practice. They can review verb conjugations with eFlashcards. They can also review all grammar points by doing a self-check quiz and a review worksheet.

Resources

- Audio Activities TE, pages 8.20–8.21
- Audio CD 8A, Tracks 7–8
- Workbook, page 8.6
- Quiz 4, page 8.34
- *ExamView® Assessment Suite*

TEACH

Core Instruction

Step 1 Write the sequence of tenses on the board.

Step 2 Call on students to make up as many sentences as possible as they look at the sequence of tenses.

PRACTICE

Leveling EACH Activity

Average Activity 4

GLENCOE Technology

Video in the Classroom

Gramática en vivo: *The pluperfect subjunctive and **si** clauses* Enliven learning with the animated world of Professor Cruz! **Gramática en vivo** is a fun and effective tool for additional instruction and/or review.

PRACTICE

Leveling EACH Activity

Average Activities 5, 6

ASSESS

Students are now ready to take Quiz 4 on page 8.34 of the TeacherTools booklet. If you prefer to create your own quiz, use the *ExamView® Assessment Suite.*

▲ Rebecca Lobo, un ancla latina con ESPN, le da una entrevista a Cathrine Kraayeveld durante un partido de básquetbol en el Madison Square Garden en Nueva York.

HABLAR

5 Da respuestas personales.

1. Si cierran la escuela la semana que viene, ¿qué harás?
2. Si te dieran un carro nuevo, ¿adónde irías?
3. Si tú fueras un(a) gran atleta, ¿con qué equipo jugarías?
4. Si tú no hubieras decidido estudiar español, ¿qué otra asignatura habrías escogido?
5. Si cualquier persona aceptara tu invitación a un baile, ¿a quién invitarías?
6. Si encuentras un millón de dólares en la calle, ¿que harás?

LEER • ESCRIBIR

6 Completa.

1. **tener**
   Yo iré si ____ tiempo.
   Yo iría si ____ tiempo.
   Yo habría ido si ____ tiempo.
2. **ir**
   Ellos ____ si los invitas.
   Ellos ____ si los invitaras.
   Ellos ____ si los hubieras invitado.
3. **dar**
   Yo podré asistir si tú me ____ una entrada.
   Yo podría asistir si tú me ____ una entrada.
   Yo habría podido asistir si tú me ____ una entrada.

◀ Hay ciertas cosas que no se puede hacer sin tener número o pase.

Answers

1. Si cierran la escuela la semana que viene, yo ____.
2. Si me dieran un carro nuevo, iría a ____.
3. Si yo fuera un(a) gran atleta, jugaría con ____.
4. Si yo no hubiera decidido estudiar el español, habría escogido ____.
5. Si cualquier persona aceptara mi invitación a un baile, invitaría a ____.
6. Si encuentro un millón de dólares en la calle, ____.

1. tengo, tuviera, hubiera tenido
2. irán, irían, habrían ido
3. das, dieras, hubieras dado

1. Sí, los estudiantes estudian mucho para que salgan bien en sus exámenes.
2. Sí, los estudiantes estudiaron mucho para que salieran bien en sus exámenes.
3. Sí, la profesora explica la lección de manera que sus estudiantes la comprendan.

(continued on page 377)

VIDEO Want help with the subjunctive in adverbial clauses? Watch **Gramática en vivo.**

Subjuntivo en cláusulas adverbiales

1. The subjunctive is used after the following conjunctions because the information that follows is not necessarily real.

para que		**con tal de que**	*provided that*
de modo que	*so that*	**sin que**	*unless, without*
de manera que		**a menos que**	*unless*

2. If the verb in the main clause is in the present or future, the present subjunctive is used in the adverbial clause. The imperfect subjunctive is used if the main verb is in the past or conditional.

Él no va a menos que tú lo acompañes.
Él no irá a menos que tú lo acompañes.
Él no iría a menos que tú lo acompañaras.

Ellos no hacen nada sin que lo sepamos.
Ellos no harán nada sin que lo sepamos.
Ellos no harían nada sin que lo supiéramos.

Práctica

ESCUCHAR • HABLAR

7 Contesta.

1. ¿Estudian mucho los estudiantes para que salgan bien en sus exámenes?
2. ¿Estudiaron mucho los estudiantes para que salieran bien en sus exámenes?
3. ¿Explica la profesora la lección de manera que sus estudiantes la comprendan?
4. ¿Explicó la profesora la lección de manera que sus estudiantes la comprendieran?
5. ¿No irá Roberto a estudiar en México a menos que vaya su hermano también?
6. ¿No iría Roberto a estudiar en México a menos que fuera su hermano también?

Esta profesora ayuda a sus estudiantes en su clase de inglés como segundo idioma para que lleguen a dominar el idioma.

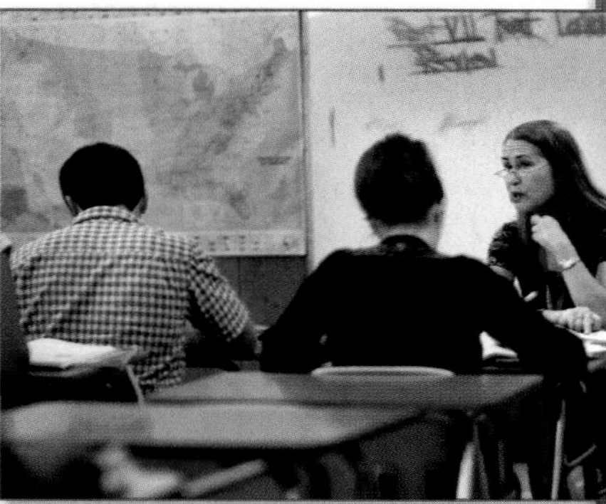

LEER • ESCRIBIR

8 Completa.

1. La doctora Ramírez siempre presenta la lección de modo que todos nosotros ____. (comprender)
2. Nadie entiende a menos que ella la ____ claramente. (presentar)
3. Ella siempre nos explica todo de manera que ____ bien claro. (estar)
4. Ella nos enseña de manera que (nosotros) ____ aprender más. (querer)
5. Ella ayudaría a sus alumnos con tal de que le ____ atención. (prestar)
6. Ella te ayudaría a menos que no ____. (estudiar)
7. Nuestros padres trabajan para que nosotros ____ éxito. (tener)
8. Nuestros padres trabajarán para que nosotros ____ éxito. (tener)

377

Answers

4. Sí, la profesora explicó la lección de manera que sus estudiantes la comprendieran.
5. Sí, Roberto no irá a estudiar en México a menos que vaya su hermano también.
6. Sí, Roberto no iría a estudiar en México a menos que fuera su hermano también.

8

1. comprendamos
2. presente
3. esté
4. queramos
5. prestaran
6. estudiaras
7. tengamos
8. tengamos

Gramática

Resources

- Audio Activities TE, page 8.21
- Audio CD 8A, Track 9
- Workbook, page 8.7
- *ExamView® Assessment Suite*

TEACH

Core Instruction

Step 1 Once again, explain to students that the use of the subjunctive after these expressions is logical because one does not know if the action or information expressed in the subjunctive verb is an actual fact.

Step 2 Explain to students that the sequence of tenses is quite fixed. When the present or future is used in the main clause, the present subjunctive is used in the adverbial clause. When the past or conditional is used in the main clause, the imperfect subjunctive is used.

PRACTICE

Leveling EACH Activity

Average Activities 7, 8

GLENCOE Technology

Video in the Classroom

Gramática en vivo: *The subjunctive in adverbial clauses* Enliven learning with the animated world of Professor Cruz! **Gramática en vivo** is a fun and effective tool for additional instruction and/or review.

Resources

- Workbook, page 8.7
- Quiz 5, page 8.35
- *ExamView® Assessment Suite*

TEACH

Core Instruction

Step 1 Students should be quite familiar with this point since they have been using shortened adjective forms for quite a while. It is, nonetheless, a point that needs constant reinforcement.

Step 2 Read the explanation to students and have the entire class say the model expressions and adjective forms aloud.

Differentiation

Slower Paced Learners

You may wish to have slower paced learners give additional nouns and use the shortened adjectives with them.

Teaching Options

To avoid doing large segments of grammar at one time, you may wish to intersperse the grammar points as you are doing other lessons. If you prefer, however, you can spend four or five class periods in succession doing the review grammar.

▲ El río de San Antonio, Texas

Adjetivos apocopados

1. Several adjectives in Spanish have a shortened form when they precede a masculine singular noun. The **o** of the ending is dropped.

bueno	**La expedición tenía un buen jefe.**
malo	**Esa zona tenía muy mal aspecto.**
primero	**Pero allí establecieron el primer pueblo.**
tercero	**Fue el tercer intento de establecer un pueblo.**

2. The adjective **grande** becomes **gran** when it precedes a singular masculine or feminine noun. The form **gran** conveys the meaning of *great* or *famous* rather than *big* or *large.*

una gran mujer	*a great woman*	**una mujer grande**	*a big woman*
un gran hombre	*a great man*	**un hombre grande**	*a big man*

3. **Alguno** and **ninguno** also drop the **o** before a masculine singular noun.

   Algún día serán independientes. Ningún dictador tendrá el poder.

   Note that when **alguno** follows the noun it has a negative meaning.

   No tiene idea alguna.
   No tiene ninguna idea.

4. The word **Santo** becomes **San** before a masculine saint's name unless the name begins with **To-** or **Do-**.

San Pedro	**Santo Domingo**	**Santa Marta**
San Diego	**Santo Tomás**	**Santa Teresa**

Nota

The number **ciento** is shortened before a masculine or feminine noun.
El rascacielos tiene más de cien pisos.
Y más de cien compañías tienen oficinas allí.

Este rascacielos en Chicago tiene más de cien pisos. ▼

Práctica

LEER • ESCRIBIR

9 Completa con la forma apropiada del adjetivo.

1. Bolívar no es solo un _____ general, es también un _____ héroe. (bueno, grande)
2. Pero el _____ héroe de la Independencia es Francisco de Miranda. (primero)
3. La Revolución francesa fue la _____ revolución del siglo diecinueve. (primero)
4. Entre sus tropas había _____ traidor. (alguno)
5. Pero no tuvo _____ oportunidad para hacer daño. (ninguno)
6. En el _____ día de la batalla lo descubrieron. (tercero)
7. Y aunque fue un hombre _____ y fuerte, lo tomaron preso. (grande)
8. Lo llevaron a _____ Fernando. (Santo)
9. Él era un _____ hombre y tuvo muy _____ suerte. (malo, malo)
10. Lástima, porque él era de una familia _____. (bueno)

PRACTICE

Leveling EACH Activity

Average Activity 9

ASSESS

Students are now ready to take Quiz 5 on page 8.35 of the TeacherTools booklet. If you prefer to create your own quiz, use the *ExamView® Assessment Suite.*

Answers

1. buen, gran
2. primer
3. primera
4. algún
5. nunguna
6. tercer
7. grande
8. San
9. mal, mala
10. buena

Usos especiales de los artículos

Artículos definidos

1. In English the article is not used with an abstract noun or a noun used in a general sense. In Spanish, however, the definite article is used.

Me gusta el café.	*I like coffee.*
El café colombiano es delicioso.	*Colombian coffee is delicious.*
El valor es una virtud.	*Bravery is a virtue.*

2. The definite article must be used with titles in Spanish when speaking about someone. The article is not used when addressing the person.

El señor (doctor) Salas salió victorioso.
—Buenos días, señor (doctor) Salas.

▲ El café colombiano está aumentando en precio aun en este café en Bogotá.

3. In Spanish the definite article is used with days of the week to convey *on.*

Lunes es el primer día de la semana.	*Monday is the first day of the week.*
Tengo clases los lunes.	*I have classes on Mondays.*
Así no te puedo ver el lunes.	*So, I can't see you on Monday.*

4. You have already learned that the definite article replaces the possessive adjective with parts of the body and articles of clothing with a reflexive verb.

Me lavo la cara.
Nos ponemos el casco cuando andamos en bicicleta.

5. In Spanish the definite article rather than the indefinite article is used with quantities, weights, and measures.

El biftec está a cien pesos el kilo.
La tela cuesta doscientos pesos el metro.

◀ Las papas están a 4.50 el kilo y la lechuga a 2.90 la pieza.

Artículos indefinidos

6. In Spanish, unlike English, the indefinite article is omitted after the verb **ser** when the verb is followed by an unmodified noun. The indefinite article is used when the noun is modified.

El doctor López es cirujano.	**El doctor López es un cirujano conocido.**
Doña Elvira es profesora.	**Doña Elvira es una profesora buena.**

Gramática

Resources

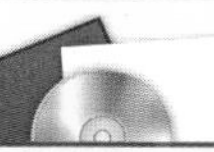

- Audio Activities TE, page 8.21
- Audio CD 8A, Track 10
- Workbook, pages 8.8–8.9
- Quiz 6, page 8.36
- *ExamView® Assessment Suite*

▶ TEACH

Core Instruction

Step 1 Read each explanation to the class. Have students read model sentences aloud.

Step 2 Some of these points are easy for the students, but they do need constant reinforcement. Students may need to pay particular attention to articles replacing possessive adjectives and the use of the definite article with quantities.

379

PRACTICE

Leveling EACH Activity

Easy Activities 10, 11, 13
Average Activities 12, 14, 15, 16

Differentiation

Multiple Intelligences

Have **verbal-linguistic** learners present Activity 12 orally using as much expression as possible.

Práctica

10 ESCUCHAR • HABLAR

Contesta.

1. ¿Te gusta el café?
2. ¿Es buena para la salud la sopa?
3. ¿Tienen las frutas muchas vitaminas?
4. ¿Te interesa la filosofía?
5. ¿Es el verano tu estación favorita? Si no, ¿cuál es tu estación favorita?

▲ Este joven está participando en un curso de ciencias e ingeniería para estudiantes sobresalientes en un programa patrocinado por Rutgers University en New Brunswick, New Jersey.

11 LEER • ESCRIBIR

Completa el párrafo sobre las ciencias.

En __1__ clases de ciencias aprendemos mucho. En __2__ clase de biología, por ejemplo, estudiamos __3__ amebas y __4__ paramecios. En la clase de química aprendemos algo sobre __5__ sustancias químicas y como afectan a __6__ seres humanos. Por ejemplo, __7__ hidrógeno y __8__ oxígeno son necesarios para la vida humana. En la clase de física estudiamos __9__ materia y __10__ energía.

12 HABLAR • LEER

Completa con el artículo cuando necesario.

—Buenos días, __1__ señor Guzmán.
—Buenos días, __2__ señorita Álvarez.
—¿Cómo se siente usted hoy?
—Bastante bien, gracias. ¿Está __3__ doctora Olivera?
—Lo siento. En este momento __4__ doctora Olivera no está. Tuvo que ir a la clínica para una reunión con __5__ doctor Centeno.
—¿Sabe usted a qué hora va a volver?
—Por lo general, __6__ doctora Olivera vuelve de la reunión a las dos y media. Voy a llamarla por teléfono.
—¡Aló! __7__ señorita Valdés, ¿me puede hacer un favor? Cuando salga __8__ doctora Olivera, dígale que me llame. Ah, está. Le hablaré. Soy yo, Marta Álvarez, __9__ doctora Olivera. Estoy con __10__ señor Guzmán. Quiere saber si usted vuelve... Bien. Se lo diré. Lo siento, __11__ señor Guzmán, pero __12__ doctora Olivera no vuelve esta tarde. Pero lo puede atender mañana a las dos.
—Entonces vuelvo mañana. Muchas gracias, __13__ señorita Álvarez.
—Hasta mañana, __14__ señor Guzmán.

Estos jóvenes pasan un rato libre tomando un café, usando sus computadoras y hablando en su móvil en un cibercafé. ▶

Answers

10

1. Sí, (No, no) me gusta el café.
2. Sí, la sopa es buena para la salud.
3. Sí, las frutas tienen muchas vitaminas.
4. Sí, (No, no) me interesa la filosofía.
5. Sí (No), el verano (no) es mi estación favorita. (Mi estación favorita es el [la] ____.)

11

1. las
2. la
3. las
4. los
5. las
6. los
7. el
8. el
9. la
10. la

12

1. –
2. –
3. la
4. la
5. el
6. la
7. –
8. la
9. –
10. el
11. –
12. la
13. –
14. –

13

1. Tengo clase de español los ____ y los ____.
2. No tengo clase los ____.
3. Los sábados yo ____.
4. Los domingos voy a ____.
5. Esta semana, ____ el sábado.
6. El domingo voy a ____.
7. Creo que debemos tener clases los sábados. (No creo que debamos tener clases los sábados.)

HABLAR

13 Da respuestas personales.

1. ¿Qué días tienes clase de español?
2. ¿Y qué días no tienes clases?
3. ¿Qué haces los sábados?
4. ¿Adónde vas los domingos?
5. Y esta semana, ¿qué haces el sábado?
6. Y, ¿adónde vas el domingo?
7. Algunas personas dicen que debemos tener clases los sábados. Y tú, ¿qué crees?

LEER • ESCRIBIR

14 Completa.

1. Cuando me levanto, me lavo _____.
2. Y me cepillo _____.
3. Cuando hace frío, todos nos ponemos _____ para salir.
4. Cuando llegamos a la escuela, mi hermano y yo nos quitamos _____.
5. El profesor Pérez no ve muy bien y tiene que ponerse _____.

HABLAR • ESCRIBIR

15 Sigue el modelo.

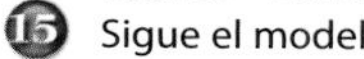

MODELO **una lata de atún / un euro →**
—¿Cuál es el precio del atún?
—Un euro la lata.

1. una docena de huevos / dos mil bolívares
2. un kilo de chuletas de cerdo / cien pesos
3. una botella de agua mineral / ochenta centavos
4. un rollo de toallas de papel / un quetzal

HABLAR

16 Con un(a) compañero(a), haz una conversación según el modelo.

MODELO **doctora Rosas / médica →**
—¿Qué es la doctora Rosas?
—¿La doctora Rosas? Es médica. Y es una médica excelente.

1. señor García / arquitecto
2. señorita Valdés / bióloga
3. señor Martín / contable
4. licenciada Morales / periodista
5. doctor Ruíz / profesor

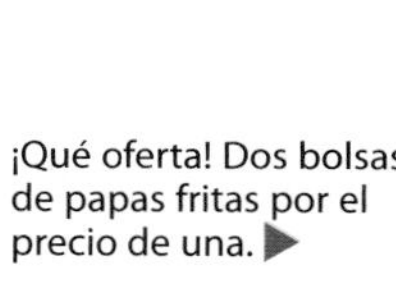
¡Qué oferta! Dos bolsas de papas fritas por el precio de una. ▶

Gramática

Activities 13, 15, and 16 These activities can be gone over orally in class with books closed.

Activities 15 and 16 These activities can be done as very short skits by pairs of students.

ASSESS

Students are now ready to take Quiz 6 on page 8.36 of the TeacherTools booklet. If you prefer to create your own quiz, use the *ExamView® Assessment Suite.*

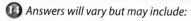

Answers

14 *Answers will vary but may include:*

1. las manos (la cara)
2. los dientes (el pelo, el cabello)
3. el abrigo (la chaqueta, los guantes)
4. el abrigo (la chaqueta, las botas, los guantes)
5. los anteojos (las gafas, los lentes)

15

1. —¿Cuál es el precio de los huevos? / —Dos mil bolívares la docena.
2. —¿Cuál es el precio de las chuletas de cerdo? / —Cien pesos el kilo.
3. —¿Cuál es el precio del agua mineral? / —Ochenta centavos la botella.
4. —¿Cuál es el precio de las toallas de papel? / —Un quetzal el rollo.

16

1. —¿Qué es el señor García? / —¿El señor García? Es arquitecto. Y es un arquitecto excelente.
2. —¿Qué es la señorita Valdés? / —¿La señorita Valdés? Es bióloga. Y es una bióloga excelente.
3. —¿Qué es el señor Martín? / —¿El señor Martín? Es contable. Y es un contable excelente.
4. —¿Qué es la licenciada Morales? / —¿La licenciada Morales? Es periodista. Y es una periodista excelente.
5. —¿Qué es el doctor Ruíz? / —¿El doctor Ruíz? Es profesor. Y es un profesor excelente.

Resources

- Tests, pages 8.45–8.46
- *ExamView® Assessment Suite*

Self-check for achievement

This is a pre-test for students to take before you administer the lesson test. Note that each section is cross-referenced so students can easily find the material they feel they need to review. You may wish to use Self-Check Worksheet Transparency SC8.2 to have students complete this assessment in class or at home. You can correct the assessment yourself, or you may prefer to project the answers on the overhead in class using Self-Check Answers Transparency SC8.2A.

Differentiation

Slower Paced Learners

Encourage students who need extra help to refer to the book icons and review any section before answering the questions.

Prepárate para el examen

Self-check for achievement

Gramática

1 Escoge.

Para repasar **las cláusulas con si,** mira la página 375.

1. Nosotros iremos si ellos nos _____.
   a. acompañan **b.** acompañaran **c.** hubieran acompañado
2. Pero Eloísa habría ido solamente si Paco la _____.
   a. acompaña **b.** acompañara **c.** hubiera acompañado
3. Y tú, ¿volverías temprano si yo _____ contigo?
   a. vuelvo **b.** volviera **c.** hubiera vuelto
4. Él me _____ el dinero si me hiciera falta.
   a. dará **b.** daría **c.** diera
5. Yo sé que tú me lo _____ si lo hubieras sabido.
   a. dirás **b.** dirías **c.** habrías dicho

2 Completa.

Para repasar **el subjuntivo en cláusulas adverbiales,** mira la página 377.

6. Él te lo explicará para que (tú) lo _____. (entender)
7. Él te lo explicaría para que lo _____. (entender)
8. Ellos no irán a menos que _____ yo. (ir)
9. Ellos no irían a menos que _____ yo. (ir)
10. Él lo hacía con tal de que nosotros lo _____. (ayudar)
11. Él lo haría con tal de que nosotros lo _____. (ayudar)

3 Completa con la forma apropiada del adjetivo.

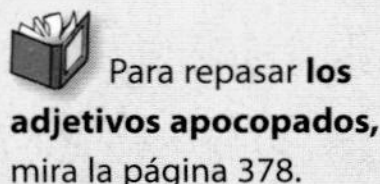

Para repasar **los adjetivos apocopados,** mira la página 378.

12–13. Él es un _____ señor y su esposa es una _____ señora. (grande)
14–15. La novela tiene más de _____ páginas pero no tiene más de _____ capítulos. (ciento)
16–17. No hay _____ diferencia porque no tiene _____ valor. (ninguno)
18–20. _____ José, _____ Bárbara y _____ Domingo son nombres de ciudades. (Santo)

4 Completa con el artículo apropiado cuando necesario.

Para repasar **los usos especiales de los artículos,** mira la página 379.

21–22. Los tomates hoy están a cincuenta pesos _____ kilo y los huevos a veinte pesos _____ docena.
23–24. _____ domingo es un día de descanso y mucha gente va a la iglesia _____ domingos.
25. _____ petróleo es un producto importante de Venezuela.
26–27. —Hola, _____ señor González. ¿Está _____ doctora Menéndez, por favor?
28. Quítate _____ chaqueta. Está haciendo calor.
29–30. Él es _____ banquero pero francamente no sé si es _____ banquero bueno.
31. _____ leche es buena para los niños.
32. _____ estrés es la causa de muchas enfermedades.
33. En _____ guerra no gana nadie.

Answers

1
1. a
2. c
3. b
4. b
5. c

2
6. entiendas
7. entendieras
8. vaya
9. fuera
10. ayudáramos
11. ayudáramos

3
12–13. gran, gran
14–15. cien, cien
16–17. ninguna, ningún
18–20. San, Santa, Santo

4
21–22. el, la
23–24. –, los
25. El
26–27. –, la
28. la
29–30. –, un
31. La
32. El
33. la

Prepárate para el examen

Practice for proficiency

1 **Un millón de dólares**

Di todo lo que harías si tuvieras un millón de dólares. Piensa en todas las posibilidades.

2 **Lo habría hecho si no...**

Di unas cosas que te habría gustado hacer o que habrías hecho si no hubiera sido por otra cosa. Explica lo que había ocurrido.

3 **Me sorprende o me sorprendió**

Di algunas cosas que hacen tus amigos que te sorprenden. Luego di unas cosas que hizo cierto(a) amigo(a) que te sorprendieron y luego di unas cosas que te sorprenderían que hubieran hecho tus amigos. Empieza con:

Me sorprende que...
Me sorprendió que...
Me sorprendería que...

Me sorprendería que no nos diera miedo practicar el parasail. ▼

Tips for Success

Encourage students to say as much as possible when they do these open-ended activities. Tell them not to be afraid to make mistakes, since the goal of the activities is real-life communication. If someone in the group makes an error, allow the others to politely correct him or her. Let students choose the activities they would like to do.

Tell students to feel free to elaborate on the basic theme and to be creative. They may use props, pictures, or posters if they wish.

Pre-AP These oral and written activities will give students the opportunity to develop and improve their speaking and writing skills so that they may succeed on the speaking and writing portions of the AP exam.

Note: You may wish to use the rubrics on page 366D or 366F to help students prepare their speaking activities and their writing task.

Resources

- Vocabulary Transparency V8.3
- Audio Activities TE, page 8.22
- Audio CD 8B, Tracks 1–3
- Workbook, pages 8.11–8.12
- *ExamView® Assessment Suite*

TEACH

Core Instruction

Step 1 You may wish to follow some previous suggestions for the presentation of the new vocabulary.

Step 2 You may wish to call on students to make up original sentences using **el rincón, el charro, afamado, aclarar,** and **acaso.**

Differentiation

Advanced Learners

Call on more advanced learners to make up original sentences using **una broma, rememorar, fundir, enorgullecerse,** and **ostentar.**

PRACTICE

Leveling EACH Activity

Easy Activity 1
Average Activities 2, 3

Lección 3 Periodismo

Mariachis de alma y corazón

Charros de corazón

Vocabulario

Estudia las siguientes palabras para ayudarte a entender los artículos.

una broma algo que se dice que es chistoso, divertido; burla sin mala intención

el rincón ángulo donde se enlazan dos paredes en un cuarto; lugar pequeño y oculto

el charro jinete o vaquero mexicano que toma parte en un rodeo

afamado(a) famoso, muy conocido

aclarar hacer más claro, explicar, clarificar

rememorar traer a la memoria

fundir unir conceptos o intereses

enorgullecerse llenarse de orgullo o satisfacción

ostentar mostrar, exhibir

acaso quizás

▲ La muy renombrada actriz latina Salma Hayek

Práctica

ESCUCHAR • HABLAR

1 Contesta.

1. ¿Es una broma algo serio o cómico?
2. ¿Cuántos rincones hay en la mayoría de los cuartos?
3. Si alguien hace algo que sale muy bien, ¿debe enorgullecerse?
4. ¿Es importante rememorar eventos especiales?
5. Si nadie entiende lo que estás diciendo, ¿lo tienes que aclarar?

LEER • ESCRIBIR

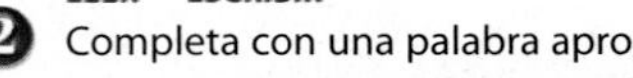

2 Completa con una palabra apropiada.

1. Sale bien en todo. Para un niño tan jóven, ____ gran inteligencia.
2. Los ____ llevan un traje especial cuando toman parte en un rodeo.
3. Es un músico que tiene mucha fama. Es muy ____.
4. Cuando el niño hace algo malo los padres le dicen que se ponga en ____.
5. No está hablando en serio. Es una ____.

LEER • ESCRIBIR

3 Expresa de otra manera.

1. Ella *muestra* gran talento musical.
2. Tenemos que *clarificar* el asunto.
3. Cada año hay un festejo para *recordar* la victoria.
4. *Quizás* vendrán.
5. Es un autor *renombrado.*

Un charro durante una charreada ▶

Answers

1

1. Una broma es algo cómico.
2. En la mayoría de los cuartos hay cuatro rincones.
3. Sí, si alguien hace algo que sale muy bien, debe enorgullecerse.
4. Sí, es importante rememorar eventos especiales.
5. Sí, si nadie entiende lo que estoy (estás) diciendo, lo tengo (tienes) que aclarar.

2

1. ostenta
2. charros
3. afamado
4. el rincón
5. broma

3

1. ostenta
2. aclarar
3. rememorar
4. Acaso
5. afamado

Antes de leer

No se puede hablar de la cultura mexicana sin tomar en cuenta la música de los mariachis. Por lo general la orquesta mariachi tiene dos violines, una guitarra, un guitarrón, un arpa y una trompeta. Como destaca este artículo de un periódico de la Florida, la música de los mariachis hoy en día ha sido difundida por el mundo entero.

Mariachis de alma y corazón

Alguien dijo que a los americanos les gusta celebrar el Cinco de Mayo porque les resulta fácil pronunciar la fecha en español.

Pero bromas aparte, la celebración es favorita entre los latinoamericanos que admiran la cultura mexicana como símbolo de lo hispano.

Pregúnteselo a los numerosos mariachis que se mantienen trabajando todo el año en el sur de la Florida, pero que hacen gala del Cinco de Mayo para botar la casa por la ventana.

Son grupos integrados, en su mayoría, por músicos de casi todos los rincones de Latinoamérica y Europa. Desde venezolanos, cubanos y colombianos, hasta nicaragüenses y suecos.

La música de los mariachis es *lingua franca* más allá de México lindo y querido.

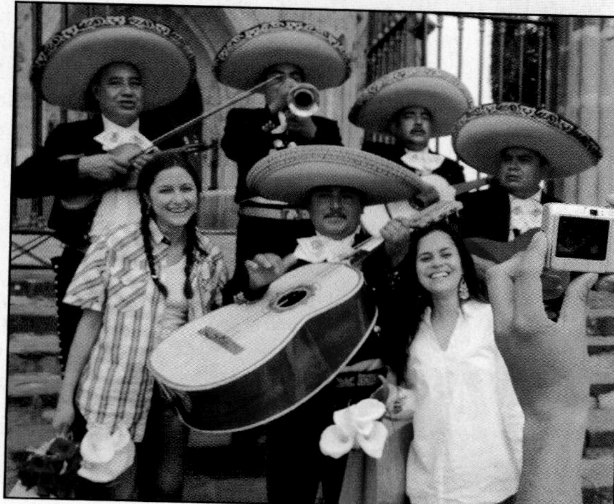

▲ A muchos grupos latinos y no latinos les gusta la música mariachi.

Leveling EACH Activity

Reading Level **Easy**

▶ TEACH

Core Instruction

This reading selection is quite easy. You may wish to have students read it silently and go over the activities that follow.

Heritage Speakers

Have Mexican American students tell as much as they can about **los mariachis, los charros,** and **las charreadas.** Ask other students to share whether or not they are familiar with these components of Mexican culture. If they are, ask them to share their experience.

ABOUT THE SPANISH LANGUAGE

Note the use of **le** instead of **les** in the sentence **«le dijeron a los franceses *au revoir*». Le** instead of **les** is used frequently these days in both Spain and Latin America.

Comunidades

Have students discuss any celebration that takes place for **el Cinco de Mayo** in your area.

GLENCOE Technology

Online Learning in the Classroom

You may wish to have students use QuickPass code ASD7851c8 for additional practice. Students can download audio files to their computer and/or MP3 player. They can also access a self-check quiz and a review worksheet.

QuickPass
Go to glencoe.com
For: **Journalism practice**
Web code: **ASD7851c8**

Charros de corazón

Mariachis de todas las nacionalidades este Cinco de Mayo

▲ Mariachis en Los Ángeles

En la celebración del Cinco de Mayo, cabe aclarar varias cosas: no es el día nacional de México, no todos los mariachis son mexicanos y en el sur de la Florida esos grupos musicales tienen mucho en común con las orquestas de música clásica.

Si bien en México la celebración de la independencia es el 16 de septiembre, fecha en que el país declaró su deseo de ser independiente de España, en Estados Unidos el festejo se ha centrado en el mes de mayo, cuando se rememora la fecha en que los mexicanos ganaron la batalla de Puebla, con la cual le dijeron a los franceses: *au revoir.*

Y los mariachis—típicos representantes del folclore mexicano—se han convertido en un símbolo universal de la hispanidad. De hecho, cada país tiene sus propias agrupaciones locales y en Estados Unidos, concretamente en el sur de la Florida los conjuntos mariachis están integrados por venezolanos, nicaragüenses, colombianos y, acaso, por casualidad, por uno que otro mexicano.

Es más, el crisol[1] hispano en que se ha convertido el sur de la Florida ha fundido en una sola la cultura folclórica mexicana con la formación académica de los músicos de conservatorio. Es por ello que un buen número de los integrantes de conjuntos mariachis tienen en su haber un historial musical que incluye orquestas sinfónicas, filarmónicas y grupos de cámara[2].

Como Israel Aragón, un colombiano que por muchos años vivió en Venezuela, se contó entre los violines de la Orquesta Filarmónica Nacional de ese país y ganó una beca para terminar sus estudios musicales en la Universidad de la Florida, en Tallahassee.

«El mariachi me dio para vivir y comer», dice Aragón. «La beca cubría el estudio y los libros. Pero buscando un ingreso extra para mantenerme llegué al mariachi. Esa era la mejor manera de trabajar sin abandonar la música», explica este violinista que llegó a Estados Unidos hace más de 10 años, por cuatro formó parte del *Mariachi Sí Señor* y actualmente trabaja con el *Mariachi Fiesta Grande,* ambos de Miami.

Receta Latinoamericana

Darwin Araújo, venezolano, hijo de un mariachi de corazón, es el fundador del *Mariachi Sí Señor,* el cual se ha convertido en acompañante de afamados artistas mexicanos como Juan Gabriel, Ana Gabriel, Pepe Aguilar y Alejandro Fernández. Y sólo uno de sus miembros es mexicano.

«Este mariachi tiene integrantes de muchas nacionalidades. Hemos tratado de mantenerlo así y nos sentimos muy orgullosos de que aún sin ser mexicanos estamos muy cercanos al folclor de ese país», indica Araújo, quien cuenta entre sus compañeros de acordes[3] a colombianos, nicaragüenses, cubanos, y mexicanos.

«Musicalmente todos los integrantes están muy bien preparados, y por el hecho de tener esa chispa[4] latina, podemos hacer que la gente disfrute mucho con nuestra música», señala Araújo, quien con su grupo canta serenatas en todo el sur de la Florida y canta en el restaurante El Mariachi, de Weston.

Y los mexicanos mismos no sólo la disfrutan sino que se enorgullecen, como lo afirma el cónsul de México en Miami, Jorge Lomonaco. «Me llena de orgullo que se celebre a México y el hecho de que músicos de otras nacionalidades hayan elegido convertirse en expertos

(a continuación)

[1] crisol *melting pot*
[2] de cámara *chamber*
[3] acordes *harmonious sounds*
[4] chispa *spark, flair*

de los acordes mariachis», señala el cónsul.

«Los grupos mariachis en esta parte del estado son un buen reflejo de lo que es el sur de la Florida: una deliciosa receta latinoamericana a la que le han puesto el chilito[5] mexicano», agrega.

Si bien los mariachis tienen alta demanda entre la población hispana en los condados de Miami-Dade, Broward y Palm Beach, los estadounidenses han aprendido a disfrutar de la alegría de su música.

La única diferencia, explica Araújo, es que a ellos les gusta «la música suavecita con la trompeta porque son muy delicados con el ruido y el mariachi es ruidoso. A ellos les cantamos en inglés y suave para entrar en su ambiente».

Y para mantenerse en el ambiente en el cual fueron formados, varios de esos charros internacionales alternan la alegría mariachi con las melodías clásicas.

Juan Arauz, por ejemplo, nacido en Nicaragua y quien ostenta títulos del Conservatorio Nacional de su país y del Instituto Montes de Oca de Costa Rica, además de dedicar serenatas, cantar en restaurantes y grabar[6] discos con reconocidos artistas, trabaja en un proyecto musical que pretende otorgar a la música mariachi una orquestación clásica. Ese compendio musical estará disponible para los aficionados a mediados de este año, e incluirá a siete grupos mariachis del sur de la Florida.

Aragón mientras tanto, distribuye su tiempo entre la música mariachi y las clases privadas de violín. Él, junto a su esposa Fabiola quien interpreta el violonchelo, tiene una empresa que imparte clases privadas a niños y adultos en los tres condados.

Pero cuando el mariachi llama, él como los demás «charros» de corazón, se envuelven en los acordes de la trompeta, el violín y el guitarrón.

De esa manera, entre las notas de *La Ley del Monte,* cantando *Las Mañanitas,* dedicando amores ajenos a una *Señora Bonita,* pidiendo *Perdón,* y confiando que *Aunque Mal Paguen Ellas,* con *La Mano de Dios* tendrán música para rato.

[5] chilito *referring to a chile*

[6] grabar *to record*

Después de leer

A Confirmando información ¿Sí o no?

1. El Cinco de Mayo es la celebración que rememora el Día de la Independencia en México.
2. Los músicos en los conjuntos mariachi en Estados Unidos se dedican solo a la música mariachi.
3. Los estadounidenses han aprendido a disfrutar de la alegría de la música mariachi.

B Interpretando Explica el significado.

1. Es para «botar la casa por la ventana».
2. Son grupos integrados por músicos de «casi todos los rincones» de Latinoamérica y Europa.
3. Los mariachis se han convertido en «un símbolo universal de la hispanidad».
4. «El mariachi me dio para vivir y comer».

▲ Una banda mariachi toca durante un partido de fútbol en el estadio RFK en Washington, D.C.

C Recordando hechos Contesta.

1. ¿Qué rememora el Cinco de Mayo?
2. ¿Qué es el *Mariachi Sí Señor*?
3. ¿Cuáles son los instrumentos musicales citados en los dos artículos?

D Describiendo Describe algunas características de la música mariachi.

Answers

A

1. no
2. no
3. sí

B *Answers will vary but may include:*

1. Es para celebrar y divertirse mucho.
2. Son grupos integrados por músicos de casi todos los países de Latinoamérica y Europa.
3. Los mariachis se han convertido en una representación importante de la cultura latina o hispana.
4. Gané la vida por ser músico mariachi.

C

1. El Cinco de Mayo rememora la fecha en que los mexicanos ganaron la batalla de Puebla.
2. El *Mariachi Sí Señor* es un grupo mariachi.
3. Los instrumentos musicales citados son el violín, el violonchelo, la trompeta y el guitarrón.

D *Answers will vary but may include:* La música mariachi es alegre y ruidosa.

Resources

- Tests, page 8.47
- *ExamView® Assessment Suite*

Self-check for achievement

This is a pre-test for students to take before you administer the lesson test. Note that each section is cross-referenced so students can easily find the material they feel they need to review. You may wish to use Self-Check Worksheet Transparency SC8.3 to have students complete this assessment in class or at home. You can correct the assessment yourself, or you may prefer to project the answers on the overhead in class using Self-Check Answers Transparency SC8.3A.

Differentiation

Slower Paced Learners

Encourage students who need extra help to refer to the book icons and review any section before answering the questions.

Prepárate para el examen

Self-check for achievement

Vocabulario

Para repasar este vocabulario, mira la página 384.

1 Expresa de otra manera.

1. Los *vaqueros o jinetes mexicanos* son muy conocidos.
2. ¡*Quizás!*
3. Ella siempre *exhibe* sus muchos talentos.
4. Es difícil *unir* conceptos contrarios.
5. Es un episodio *famoso.*
6. Fue *una acción divertida sin mala intención.*
7. No entiendo. Tienes que *explicarme* lo que estás diciendo.
8. Lo puse en *algún lugar oculto* y ahora no lo puedo encontrar.

Lectura

Para repasar estos artículos, mira las páginas 385–387.

2 ¿Sí o no? Indica si la información es correcta o no.

9. La música mariachi tuvo su origen en México.
10. Hoy en día hay muchos mariachis en Estados Unidos y todos son de ascendencia mexicana.
11. El Cinco de Mayo es el Día de la Independencia en México.
12. Según el artículo, la música mariachi es una música alegre.
13. Todos los miembros del grupo *Mariachi Sí Señor* son mexicanos.

3 Contesta.

14. ¿Qué rememora la celebración del Cinco de Mayo?
15. ¿Qué significa «botar la casa por la ventana»?

▲ Una banda mariachi durante una celebración para el Cinco de Mayo en Austin, Texas

Answers

1

1. Los charros son muy conocidos.
2. ¡Acaso!
3. Ella siempre ostenta muchos talentos.
4. Es difícil fundir conceptos contrarios.
5. Es un episodio afamado.
6. Fue una broma.
7. No entiendo. Tienes que aclarar lo que estás diciendo.
8. Lo puse en un rincón y ahora no lo puede encontrar.

2

9. sí
10. no
11. no
12. sí
13. no

3

14. El Cinco de Mayo rememora la fecha en que los mexicanos ganaron la batalla de Puebla.
15. Significa que celebran mucho y se divierten mucho.

Prepárate para el examen

Practice for proficiency

1 La historia de México

Relata todo lo que aprendiste sobre México en estos artículos.

2 Comunidades

En muchos restaurantes en Estados Unidos hay bandas mariachis. En tu vida, ¿has oído o visto un grupo de mariachis? Si contestas que sí, descríbelo. Si contestas que no, escucha la música mariachi en línea. Da tus opiniones. ¿Te gusta o no? ¿Por qué?

3 La hispanidad

Este artículo indica lo que podríamos llamar la universalidad o la globalización de lo hispano o latino en Estados Unidos. Explica cómo.

▲ ¿Qué significará «cómo México no hay dos»?

Entrevista y artículo

Vas a entrevistar a un miembro de la comunidad latina. Antes tienes que tomar en consideración lo que le será de interés al público porque después de dar la entrevista vas a preparar un reportaje sobre los resultados.

Escoge el tema o temas que quieres cubrir. Prepara una serie de preguntas. Evita preguntas que se puedan contestar sencillamente con **sí** o **no.** Recuerda que necesitas más detalles. Algunos ejemplos son:

¿De dónde es usted y cómo llegó a Estados Unidos?
¿Cómo era su vida en su país de origen?
¿Qué le sorprendió más de Estados Unidos?
¿Cómo ha cambiado su vida aquí en Estados Unidos?

Al terminar la entrevista toma tus apuntes y prepara una versión escrita de tu entrevista. En tu escrito incluye:

Prepara un borrador del escrito. Léelo y haz correcciones antes de preparar tu versión final.

Periodismo

Tips for Success

Encourage students to say as much as possible when they do these open-ended activities. Tell them not to be afraid to make mistakes, since the goal of the activities is real-life communication. If someone in the group makes an error, allow the others to politely correct him or her. Let students choose the activities they would like to do.

Tell students to feel free to elaborate on the basic theme and to be creative. They may use props, pictures, or posters if they wish.

Pre-AP These oral and written activities will give students the opportunity to develop and improve their speaking and writing skills so that they may succeed on the speaking and writing portions of the AP exam.

Note: You may wish to use the rubrics on page 366D or 366F to help students prepare their speaking activities and their writing task.

Resources

- Audio Activities TE, pages 8.23–8.24
- Audio CD 8B, Tracks 4–5
- Tests, page 8.48
- *ExamView® Assessment Suite*

Introducción

You may wish to ask the following comprehension questions. **¿Dónde nació Eugenio Florit? ¿Dónde se doctoró? ¿Cuándo fue a Nueva York? ¿A qué profesión se dedicó? ¿Dónde enseñó? ¿Cuándo murió y dónde? ¿Con qué acento habló español? ¿Dónde vivió más de la mitad de su vida? ¿Qué se consideraba? De esta introducción corta, ¿qué te hace pensar que Florit era una persona muy religiosa?**

Lección 4
Literatura

▲ Nueva York en invierno

Desde la nieve

de Eugenio Florit

Introducción

Eugenio Florit nació en España en 1908 de madre cubana y padre español. Pasó su niñez en España pero a los catorce años fue a Cuba donde se doctoró en derecho en la Universidad de la Habana. En 1940 se trasladó a Nueva York donde ejerció la carrera diplomática durante unos años antes de abandonarla definitivamente para dedicarse a enseñar literatura hispana en Columbia University y Barnard en la Ciudad de Nueva York. Enseñaba también en la Escuela Española de Verano de Middlebury College en Vermont. Florit murió en Nueva York en el año 2000. Pese a que nunca perdió su acento español y vivió más de la mitad de su vida en Estados Unidos aseguró que se consideraba cubano.

Florit es un poeta sereno, meditativo y humano. Un hombre religioso, hay en unas de sus poesías monólogos íntimos con su soledad y con Dios.

QuickPass

Go to glencoe.com
For: **Literature practice**
Web code: **ASD7851c8**

Desde la nieve 

Desde la nieve convertida en agua,
desde el sucio periódico sin dueño,
desde la niebla, desde el tren hundido[1]
con sus cientos de manos que buscan asidero[2];
desde la fantasía de los anuncios luminosos
y el ruido sin piedad de las bombas de incendio[3];
desde la noche que nos cae encima
—losa[4] de cielo sin estrellas—;
desde cada momento perdido entre las calles
donde todos los solos del mundo pasan desconocidos;
desde el árbol sin hojas y el camino sin gente,
otra vez, como ayer, como mañana,
acaso ya como todos los días que vendrán, si es que vienen,
entro al silencio.

[1] tren hundido *metro*
[2] asidero *handle*
[3] bombas de incendio *fire engines*
[4] losa *covering*

Antes de leer

Antes de leer este poema reflexiona sobre una noche invernal (de invierno) en una gran ciudad norteamericana. Reflexiona también sobre la anonimidad de la vida urbana.

Después de leer

A Buscando información Contesta.

1. ¿En qué se convierte la nieve?
2. ¿Qué botó alguien?
3. ¿Qué buscan los usuarios del metro?
4. ¿Es una noche nublada?
5. ¿Se conoce la gente que pasa por las calles?

B Interpretando ¿Cómo nos lo dice el poeta?

1. Alguién botó (tiró) el periódico que había leído en la calle.
2. Mucha gente toma el metro.
3. Siempre se oyen las sirenas de los bomberos.
4. La ciudad de Nueva York puede ser muy anónima.
5. El tiempo va y viene.
6. Nunca se sabe si mañana vendrá.

C Describiendo ¿Cuáles son las alusiones que hace el poeta al tiempo en Nueva York? (Composición)

D Interpretando ¿Cómo interpretas los siguientes versos? (Composición)

otra vez, como ayer, como mañana
acaso ya como todos los días que vendrán,
si es que vienen
entro al silencio

▲ Una escena callejera típica de la Ciudad de Nueva York

Leveling EACH Activity
Reading Level **A**verage

TEACH

Core Instruction

Step 1 Have students listen to the poem on Audio CD 8B.

Step 2 Tell students to concentrate on what they see and hear as they read the poem.

Step 3 Have students look at Activities A and B before they read the poem on their own. These activities will help students understand the poem.

GLENCOE Technology

Online Learning in the Classroom

You may wish to have students use QuickPass code ASD7851c8 for additional practice. Students can download audio files to their computer and/or MP3 player. They can also access eFlashcards and a review worksheet.

Answers

A

1. La nieve se convierte en agua.
2. Alguien botó un periódico.
3. Los usuarios del metro buscan asidero.
4. Sí, es una noche nublada.
5. No, la gente que pasa por las calles no se conoce.

B

1. el sucio periódico sin dueño
2. el tren hundido con sus cientos de manos (que buscan asidero)
3. el ruido sin piedad de las bombas de incendio
4. todos los solos del mundo pasan desconocidos
5. otra vez, como ayer, como mañana, acaso ya como todos los días que vendrán
6. si es que vienen

C *Answers will vary but may include:* la nieve, la niebla, cielo sin estrellas

D *Answers will vary.*

Resources

- Vocabulary Transparency V8.4
- Audio Activities TE, pages 8.24–8.25
- Audio CD 8B, Tracks 6–7

Vocabulario

Core Instruction

Step 1 Have students repeat the new words after Audio CD 8B.

Step 2 Call on students to read the new words and their definitions.

Teaching Options

You may wish to have students use the new words in original sentences. The following is a guide to the difficulty of using each word in a new sentence.

Easy la fogata, la charla, la trampa, las reses, la hoguera, la manada, un manojo, turbio(a)

Average el regocijo, la yegua, la huella, el rastro, brujo(a), detenerse, dar con, estropear

CHallenging el paradero, enmudecerse, soñar, desatar

Parte 2: Prosa

El caballo mago de Sabine Ulibarrí

▲ Vista cerca de Tres Piedras, Nuevo México

Vocabulario 

Estudia las siguientes palabras para ayudarte a entender la lectura.

la fogata fuego

la charla conversación, plática

el regocijo la alegría

la trampa cualquier cosa que se usa para atrapar a los animales

las reses ganado

la hoguera fogata grande

la manada grupo de animales de una misma especie

el paradero sitio donde alguien está o donde se va a parar

la yegua hembra de caballo

un manojo cantidad que le cabe en la mano

la huella señal que deja el pie del hombre o del animal

el rastro indicio o pista que se deja en un sitio

turbio(a) revuelto, turbulento; confuso, poco claro

brujo(a) mágico

enmudecer(se) hacer callar, silenciar

detenerse (ie) pararse

soñar (ue) imaginar escenas o sucesos mientras duermes

dar con encontrar de manera abrupta

desatar soltarle las cuerdas a algo

estropear echar a perder, dañar, arruinar

de diestra a siniestra de la derecha a la izquierda

Práctica

HABLAR

1 Contesta.

1. Si has ido de camping, ¿has hecho una fogata o una hoguera para cocinar la comida?
2. Si has ido al campo, ¿has visto una manada de reses o caballos que pacen en el campo?
3. ¿Pueden las huellas de un animal servir de rastro para determinar su paradero?
4. A veces, ¿tienen que poner una trampa los vaqueros para atrapar un animal?
5. ¿Sueñas de vez en cuando mientras duermes? ¿Con qué sueñas? ¿Te gustan los sueños o no?

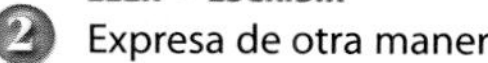

LEER • ESCRIBIR

2 Expresa de otra manera.

1. Ellos miraron de *la derecha a la izquierda.*
2. ¡Cuidado! Lo vas a *dañar.*
3. Tienes que *quitarle la soga* al caballo.
4. Es un caballo *mágico.*
5. Ella *encontró a* su perro perdido *por casualidad.*
6. No sabíamos *dónde estaba.*
7. Ellos *se pararon* en el corral.
8. *No dijeron nada.*
9. ¡Qué *alegría*!
10. Tenían una *conversación* sentados alrededor de una *hoguera.*

Dos vaqueros y dos yeguas alrededor de una fogata

PRACTICE

Leveling EACH Activity

Easy Activity 1
Average Activity 2

Comunicación

Have students discuss and describe the photo on page 393.

GLENCOE Technology

Online Learning in the Classroom

You may wish to have students use QuickPass code ASD7851c8 for additional practice. Students can download audio files to their computer and/or MP3 player. They can also access eFlashcards and a review worksheet.

Answers

1

1. Sí, (No, no) he hecho una fogata o una hoguera para cocinar la comida.
2. Sí, (No, no) he visto una manada de reses o caballos que pacen en el campo.
3. Sí, las huellas de un animal pueden servir de rastro para determinar su paradero.
4. Sí, a veces los vaqueros tienen que poner una trampa para atrapar un animal.
5. Sí, sueño de vez en cuando mientras duermo. Sueño con ____. Sí, (No, no) me gustan los sueños. (No, no sueño nunca mientras duermo.)

2

1. Ellos miraron de diestra a siniestra.
2. ¡Cuidado! Lo vas a estropear.
3. Tienes que desatar al caballo.
4. Es un caballo brujo.
5. Ella dio con su perro perdido.
6. No sabíamos su paradero.
7. Ellos se detuvieron en el corral.
8. Se enmudecieron.
9. ¡Qué regocijo!
10. Tenían una charla sentados alrededor de una fogata grande.

Resources

- Audio Activities TE, pages 8.25–8.28
- Audio CD 8B, Track 8
- Tests, pages 8.49–8.50
- *ExamView® Assessment Suite*

Introducción

Have students read the **Introducción** silently. Then call on one or two students to give a brief review of the author's life.

Leveling EACH Activity

Reading Level **CHallenging**

Note: This short story contains a great deal of relatively low frequency vocabulary which has been sidenoted. The Spanish is not difficult, but for some students the imagery can complicate comprehension.

Antes de leer

You may wish to go over this orally. Emphasize with students how important it will be to follow the short sentences closely and to identify the tone and sentiments.

El caballo mago

de Sabine Ulibarrí

Introducción

Sabine Ulibarrí nació en Nuevo México en 1919. Es allí donde cultivó un gran interés en la cultura de los mexicanoamericanos y rancheros que poblaban el estado.

Ulibarrí sirvió en la Segunda Guerra Mundial y ganó la Cruz de Servicio Distinguido por haber completado treinta y cinco misiones sobre Europa. Al terminar su servicio militar volvió a su estado natal e ingresó en la Universidad de Nuevo México donde estudió literatura inglesa y española. Más tarde recibió su doctorado de la Universidad de California en Los Ángeles. Pasó la mayoría de su vida dictando cursos de español en varias universidades incluyendo la de Nuevo México. Durante los años sesenta vivió en Quito, Ecuador, donde estableció el centro para estudios andinos de la Universidad de Nuevo México. Sabine Ulibarrí murió en 2003.

Su producción literaria incluye cuentos, novelas y poemas.

Antes de leer

Al leer el cuento *El caballo mago* fíjate en el estilo del autor quien utiliza muchas frases cortas. Identifícate con el tono y los sentimientos que crean estas frases cortas.

Imagina que vives en las llanuras y serranías de Nuevo México. Trata de visualizar al caballo de quien hablan todos. ¿Por qué tendría el protagonista adolescente la obsesión de darse con este caballo?

Paisaje montañoso, Nuevo México ▼

El caballo mago 

▲ ¡Qué belleza! ¿En qué estará pensando?

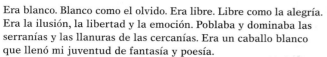

Era blanco. Blanco como el olvido. Era libre. Libre como la alegría. Era la ilusión, la libertad y la emoción. Poblaba y dominaba las serranías y las llanuras de las cercanías. Era un caballo blanco que llenó mi juventud de fantasía y poesía.

Alrededor de las fogatas del campo y en las resolanas° del pueblo los vaqueros de esas tierras hablaban de él con entusiasmo y admiración. Y la mirada se volvía turbia y borrosa de ensueño. La animada charla se apagaba. Todos atentos a la visión evocada. Mito del reino animal. Poema del mundo viril.

Blanco y arcano°. Paseaba su harén por el bosque de verano en regocijo imperial. El invierno decretaba el llano y la ladera° para sus hembras. Veraneaba como rey de oriente en su jardín silvestre. Invernaba como guerrero ilustre que celebra la victoria ganada.

Era leyenda. Eran sin fin las historias que se contaban del caballo brujo. Unas verdad, otras invención. Tantas trampas, tantas redes°, tantas expediciones. Todas venidas a menos. El caballo siempre se escapaba, siempre se burlaba, siempre se alzaba por encima del dominio de los hombres. ¡Cuánto valedor° no juró ponerle su jáquima° y su marca para confesar después que el brujo había sido más hombre que él!

Yo tenía quince años. Y sin haberlo visto nunca el brujo me llenaba ya la imaginación y la esperanza. Escuchaba embobado° a mi padre y a sus vaqueros hablar del caballo fantasma que al atraparlo se volvía espuma° y aire y nada. Participaba de la obsesión de todos, ambición de lotería, de algún día ponerle yo mi lazo°, de hacerlo mío, y lucirlo° los domingos por la tarde cuando las muchachas salen a paseo por la calle.

Pleno el verano. Los bosques verdes, frescos y alegres. Las reses lentas, gordas y luminosas en la sombra y en el sol de agosto. Dormitaba yo en un caballo brioso°, lánguido y sutil en el sopor del atardecer. Era hora ya de acercarse a la majada°, al buen pan y al rancho del rodeo. Ya los compañeros estarían alrededor de la hoguera agitando la guitarra, contando cuentos del pasado o de hoy o entregándose al cansancio de la tarde. El sol se ponía ya, detrás de mí, en escándalos de rayo y color. Silencio orgánico y denso.

Sigo insensible a las reses al abra°. De pronto el bosque se calla. El silencio enmudece. La tarde se detiene. La brisa deja de respirar, pero tiembla. El sol se excita. El planeta, la vida y el tiempo se han detenido de una manera inexplicable. Por un instante no sé lo que pasa.

Luego mis ojos aciertan. ¡Allí está! ¡El caballo mago! Al extremo del abra, en un promontorio, rodeado de verde. Hecho estatua, hecho estampa. Línea y forma y mancha blanca en fondo verde. Orgullo, fama y arte en carne animal. Cuadro de belleza encendida y libertad varonil. Ideal invicto° y limpio de la eterna ilusión humana. Hoy palpito todo aún al recordarlo.

resolanas *places*
arcano *secret, hidden*
ladera *slope, hillside*
redes *nets, snares*
valedor *friend, companion (Mexico)*
jáquima *rope*
embobado *enthralled*

espuma *foam*

lazo *lasso*
lucirlo *show him off*

brioso *spirited*
majada *flock*

abra *dale, valley*

invicto *unbeaten*

Pre-AP This short story is on the AP reading list.

▶ TEACH

Core Instruction

Step 1 Have students listen to the recording in segments.

Step 2 Tell them to pay close attention to each short sentence.

Step 3 Select certain sections that you consider important to be read aloud in class.

Step 4 Have students read the story silently. Tell them to do so slowly so they can reflect on the true meaning of each sentence.

Note: Because of the need for a great deal of sidenoted vocabulary, this selection has no Reading Checks. Alternatively, the Reading Checks appear in this Teacher Wraparound Edition.

Line 20 **¿Que dice el autor sobre la vida del caballo?**

Line 35 **¿Cuál es el gran deseo del joven?**

Line 46 **¿Qué crees? ¿Ve el joven al caballo?**

Reading Check

Line 51 Have students discuss their interpretation of **«El momento es eterno. La eternidad momentánea. Ya no está, pero siempre estará.»** What is the concept of time?

Line 68 **¿Qué significa «Iba en busca de la blanca luz que galopaba en mis sueños.»?**

Line 78 **¿Cuáles son unas características del caballo? ¿Qué hace?**

Reto *challenge, dare*
Orejas lanzas *Ears like spears*
desafío *challenge*
Pezuña tersa *smooth, shining hoof*
cañadas *ravines*
indagaba *investigated*
alforjas *saddle bags*
grieta *crevice, split*
cana *snow-white*
jadeante *panting*
fuga *flight*
cebado a sus anchas *well-fed*
zanja *ditch, gully*

Silbido. Reto° trascendental que sube y rompe la tela virginal de las nubes rojas. Orejas lanzas°. Ojos rayos. Cola viva y ondulante, desafío° movedizo. Pezuña tersa° y destructiva. Arrogante majestad de los campos.

El momento es eterno. La eternidad momentánea. Ya no está, pero siempre estará. Debió de haber yeguas. Yo no las vi. Las reses siguen indiferentes. Mi caballo las sigue y yo vuelvo lentamente del mundo del sueño a la tierra del sudor. Pero ya la vida no volverá a ser lo que antes fue.

Aquella noche bajo las estrellas no dormí. Soñé. Cuánto soñé despierto y cuánto soñé dormido yo no sé. Sólo sé que un caballo blanco pobló mis sueños y los llenó de resonancia y de luz y de violencia.

Pasó el verano y entró el invierno. El verde pasto dio lugar a la blanca nieve. Las manadas bajaron de las sierras a los valles y cañadas°. Y en el pueblo se comentaba que el brujo andaba por este o aquel rincón. Yo indagaba° por todas partes su paradero. Cada día se me hacía más ideal, más imagen, más misterio.

Domingo. Apenas rayaba el sol de la sierra nevada. Aliento vaporoso. Caballo tembloroso de frío y de ansias. Como yo. Salí sin ir a misa. Sin desayunarme siquiera. Sin pan y sardinas en las alforjas°. Había dormido mal y velado bien. Iba en busca de la blanca luz que galopaba en mis sueños.

Al salir del pueblo al campo libre desaparecen los caminos. No hay rastro humano o animal. Silencio blanco, hondo y rutilante. Mi caballo corta el camino con el pecho y deja estela eterna, grieta° abierta, en la mar cana°. La mirada diestra y atenta puebla el paisaje hasta cada horizonte buscando el noble perfil del caballo místico.

Sería mediodía. No sé. El tiempo había perdido su rigor. Di con él. En una ladera contaminada de sol. Nos vimos al mismo tiempo. Juntos nos hicimos piedra. Inmóvil, absorto y jadeante° contemplé su belleza, su arrogancia, su nobleza. Esculpido en mármol, se dejó admirar.

Silbido violento que rompe el silencio. Guante arrojado a la cara. Desafío y decreto a la vez. Asombro nuevo. El caballo que en verano se coloca entre la amenaza y la manada, oscilando a distancia de diestra a siniestra, ahora se lanza a la nieve. Más fuerte que ellas, abre la vereda a las yeguas y ellas lo siguen. Su fuga° es lenta para conservar sus fuerzas.

Sigo. Despacio. Palpitante. Pensando en su inteligencia. Admirando su valentía. Apreciando su cortesía. La tarde se alarga. Mi caballo cebado a sus anchas°.

Una a una las yeguas se van cansando. Una a una se van quedando a un lado. ¡Solos! Él y yo. La agitación interna reboza a los labios. Le hablo. Me escucha y calla.

Él abre el camino y yo sigo por la vereda que me deja. Detrás de nosotros una larga y honda zanja° blanca que cruza la llanura. El caballo que ha comido grano y buen pasto sigue fuerte. A él, mal nutrido, se la han agotado las fuerzas. Pero sigue porque es él y porque no sabe ceder.

Literatura

Encuentro negro y manchas negras por el cuerpo. La nieve y el sudor han revelado la piel negra bajo el pelo. Mecheros° violentos de vapor rompen el aire. Espumarajos° blancos sobre la blanca nieve. Sudor, espuma y vapor. Ansia.

Me sentí verdugo°. Pero ya no había retorno. La distancia entre nosotros se acortaba implacablemente. Dios y la naturaleza indiferentes.

Me siento seguro. Desato el cabestro°. Abro el lazo. Las riendas° tirantes. Cada nervio, cada músculo alerta y el alma en la boca. Espuelas° tensas en ijares° temblorosos. Arranca el caballo. Remolineo° el cabestro y lanzo el lazo obediente.

Vértigo de furia y rabia. Remolinos de luz y abanicos de transparente nieve. Cabestro que silba y quema en la teja° de la silla. Guantes violentos que humean. Ojos ardientes en sus pozos. Boca seca. Frente caliente. Y el mundo se sacude° y se estremece. Y se acaba la larga zanja blanca en un ancho charco° blanco.

Sosiego jadeante y denso. El caballo mago es mío. Temblorosos ambos, nos miramos de hito en hito° por un largo rato. Inteligente y realista, deja de forcejar y hasta toma un paso hacia mí. Yo le hablo. Hablándole me acerco. Primero recula°. Luego me espera. Hasta que los dos caballos se saludan a la manera suya. Y por fin llego a alisarle la crin°. Le digo muchas cosas, y parece que me entiende.

Por delante y por las huellas de antes lo dirigí hacia el pueblo. Triunfante. Exaltado. Una risa infantil me brotaba. Yo, varonil, la dominaba. Quería cantar y pronto me olvidaba. Quería gritar pero callaba. Era un manojo de alegría. Era el orgullo del hombre adolescente. Me sentí conquistador.

El Mago ensayaba la libertad una y otra vez, arrancándome° de mis meditaciones abruptamente. Por unos instantes se armaba la lucha otra vez. Luego seguíamos.

Fue necesario pasar por el pueblo. No había remedio. Sol poniente. Calles de hielo y gente en los portales. El Mago lleno de terror y pánico por la primera vez. Huía y mi caballo herrado° lo detenía. Se resbalaba° y caía de costalazo°. Yo lloré por él. La indignidad. La humillación. La alteza venida a menos. Le rogaba que no forcejara°, que se dejara llevar. ¡Cómo me dolió que lo vieran así los otros!

Por fin llegamos a la casa. «¿Qué hacer contigo, Mago? Si te meto en el establo o en el corral, de seguro te haces daño. Además sería un insulto. No eres esclavo. No eres criado. Ni siquiera eres animal». Decidí soltarlo en el potrero°. Allí podría el Mago irse acostumbrando poco a poco a mi amistad y compañía. De ese potrero no se había escapado nunca un animal.

Mi padre me vio llegar y me esperó sin hablar. En la cara le jugaba una sonrisa y en los ojos le bailaba una chispa. Me vio quitarle el cabestro al Mago y los dos lo vimos alejarse, pensativos. Me estrechó la mano un poco más fuerte que de

Mecheros *burners*
Espumarajos *froth*
verdugo *executioner*
cabestro *halter, lead*
riendas *reins*
Espuelas *spurs*
ijares *flanks*
Remolineo *I whirl*
teja *part of a saddle*
se sacude *jolts, jars*
charco *puddle*
hito en hito *fixedly*
recula *it recoils*
alisarle la crin *to smooth its mane*
arrancándome *jolting me*
herrado *shoed*
Se resbalaba *It slipped*
de costalazo *on its side*
forcejara *struggle*
potrero *type of corral or pasture*

▲ ¡No me quites la libertad!

Reading Check

Line 100 **¿Por qué dice el joven «Me sentí verdugo.»?**

Line 120 **¿Cómo se sentía el joven al dirigirse hacia el pueblo?**

Line 134 **¿Por qué lloró el joven por el caballo? ¿Qué le pasó? ¿Por qué?**

Reading Check

Line 148 **¿Cómo reaccionó el padre cuando vio a su hijo con el caballo?**

Line 163 **¿Cómo había pasado la noche el caballo?**

Line 170 **¿Qué le hizo llorar tanto al joven?**

Line 176 **¿Por qué dice el joven «A mí me había enriquecido la vida para siempre.»?**

ordinario y me dijo: «Esos son hombres». Nada más. Ni hacía falta. Nos entendíamos mi padre y yo muy bien. Yo hacía el papel de *muy hombre* pero aquella risa infantil y aquel grito que me andaban por dentro por poco estropean la impresión que yo quería dar.

Aquella noche casi no dormí y cuando dormí no supe que dormía. Pues el soñar es igual, cuando se sueña de veras, dormido o despierto. Al amanecer yo ya estaba de pie. Tenía que ir a ver al Mago. En cuanto aclaró salí al frío a buscarlo.

El potrero era grande. Tenía un bosque y una cañada. No se veía el Mago en ninguna parte pero yo me sentía seguro. Caminaba despacio, la cabeza toda llena de los acontecimientos de ayer y de los proyectos de mañana. De pronto me di cuenta que había andado mucho. Aprieto el paso. Miro aprensivo a todos lados. Empieza a entrarme el miedo. Sin saber voy corriendo. Cada vez más rápido.

No está. El Mago se ha escapado. Recorro cada rincón donde pudiera haberse agazapado°. Sigo la huella. Veo que durante toda la noche el Mago anduvo sin cesar buscando, olfateando, una salida. No la encontró. La inventó.

Seguí la huella que se dirigía directamente a la cerca. Y vi como el rastro no se detenía sino continuaba del otro lado. El alambre era de púa°. Y había pelos blancos en el alambre. Había sangre en las púas. Había manchas rojas en la nieve y gotitas rojas en las huellas del otro lado de la cerca.

Allí me detuve. No fui más allá. Sol rayante en la cara. Ojos nublados y llenos de luz. Lágrimas infantiles en mejillas varoniles. Grito hecho nudo° en la garganta. Sollozos° despacios y silenciosos.

Allí me quedé y me olvidé de mí y del mundo y del tiempo. No sé cómo estuvo, pero mi tristeza era gusto. Lloraba de alegría. Estaba celebrando, por mucho que me dolía, la fuga y la libertad del Mago, la transcendencia de ese espíritu indomable. Ahora seguiría siendo el ideal, la ilusión y la emoción. El Mago era un absoluto. A mí me había enriquecido la vida para siempre.

Allí me halló mi padre. Se acercó sin decir nada y me puso el brazo sobre el hombro. Nos quedamos mirando la zanja blanca con flecos° de rojo que se dirigía al sol rayante.

agazapado *crouched*

alambre… de púa *barbed wire*

nudo *knot*

Sollozos *sighs*

flecos *specks*

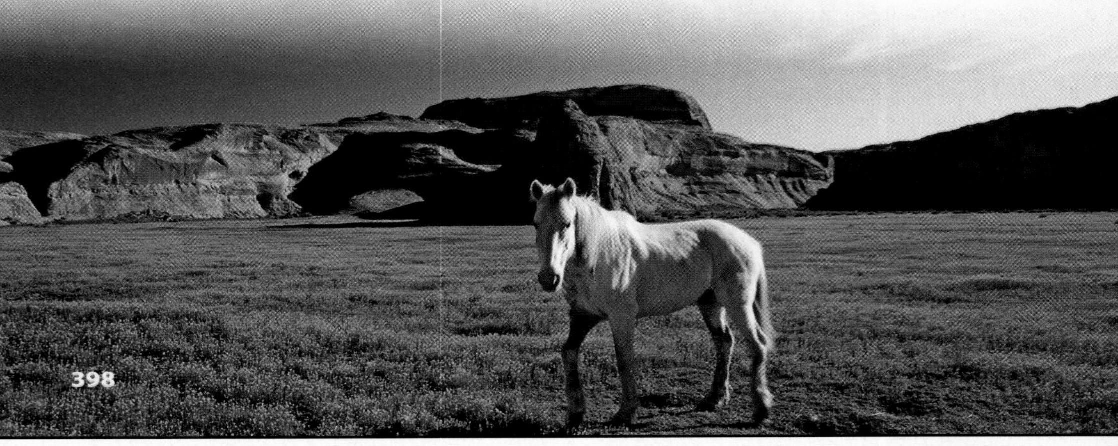

Answers

A *Answers will vary but may include:*
El mito es de un caballo blanco y libre que paseaba con alegría imperial; nadie pudo atraparlo.

B *Answers will vary but may include:*

1. El autor indica la tranquilidad del lugar por palabras como «los bosques verdes, frescos y alegres... el sopor del atardecer... el sol se ponía ya... en escándolos de rayo y color... silencio orgánico y denso... el bosque se calla... el silencio enmudece... desaparecen los caminos... no hay rastro humano o animal... silencio blanco, hondo y rutilante».
2. Expresa el paso del tiempo por decir que «pasó el verano y entró el invierno».

Después de leer

A Resumiendo Resume el mito del caballo mago que surge siempre en las charlas de los rancheros de Nuevo México.

B Interpretando Contesta.

1. ¿Cómo indica el autor la tranquilidad del lugar?
2. ¿Cómo expresa el paso del tiempo?

C Describiendo Describe.

1. Describe unas escenas que presenta Ulibarrí de las costumbres y folclore de la región.
2. Describe el clímax del cuento.

D Analizando Contesta.
Por fin el joven protagonista se da con el caballo. ¿Por qué se convierte tan pronto la alegría inicial en una tristeza profunda? Por fin, ¿cómo y por qué se convierte esta tristeza una vez más en alegría y regocijo?

E Explicando En tus propias palabras explica el significado de lo siguiente.
«El protagonista funciona como el punto central de la obra y todo el relato está cargado de una sensibilidad de las descripciones».

F Interpretando Contesta.
En un nivel (plano) Ulibarrí nos presenta en su cuento el folclore y las costumbres de los rancheros de Nuevo México. ¿Cómo? En otro nivel más amplio nos presenta con un tema mucho más universal—la conducta humana. ¿Cómo?

Un rancho en Eagle Nest, Nuevo México ▼

▶ PRACTICE

Después de leer

A–F These activities can be done orally, in writing, or both. All of these activities can be used for entire class discussions or they can be prepared by individual students.

Answers

C *Answers will vary but may include:*

1. las reuniones de los vaqueros alrededor de las fogatas del campo y en las resolanas del pueblo; los compañeros alrededor de la hoguera agitando la guitarra, contando cuentos del pasado o de hoy; la gente en las portales
2. El clímax del cuento es cuando el joven va al potrero el día después de haber capturado al caballo mago y descubre que se había escapado.

D *Answers will vary but may include:*
La alegría se convierte tan pronto en una tristeza profunda porque el caballo se escapó. Esta tristeza se convierte una vez más en alegría y regocijo pensando en la fuga y la libertad del Mago, la transcendencia de su espíritu indomable. Así el Mago puede seguir siendo el ideal, la ilusión y la emoción.

E *Answers will vary.*

F *Answers will vary.*

The Video Program for Chapter 8 includes three documentary segments of some interesting aspects of life in the United States. You may wish to have students answer the **Antes de mirar** questions orally or in writing.

Episodio 1: Justo Lamas es argentino. Él viaja por todo Estados Unidos dando conciertos de su música en escuelas a través del continente. Los muchachos aprenden las canciones en las clases de español. En los conciertos los chicos participan y cantan con Justo, son parte del espectáculo. Justo cree que estudiar otros idiomas es maravilloso, nos ayuda a conocer a otra gente y otras culturas.

Episodio 2: Poli da clases en *Self-help Graphics*, una organización que fomenta las artes en la comunidad en Los Ángeles Este. Ellos tienen talleres para artistas establecidos y clases para principiantes. *Self-help Graphics* se fundó en 1973 cuando solo tenían un camión. Hoy presentan exposiciones en todo el país y hasta en Europa y Japón. Ellos creen que las artes son importantes para dar una voz a los jóvenes latinos.

Episodio 3: Este señor es Alberto Torres. Él se crió en Puerto Rico y Nueva York. Su pasión es salsa, un tipo de música y baile que viene del Caribe, con raíces en Cuba, Puerto Rico y África. Salsa es cada día más y más popular en Estados Unidos. Hay diferentes estilos de salsa, estilo Nueva York, Los Ángeles y hasta un estilo que incorpora el *Hip Hop* y *R & B*. Pero sobre todo, ¡salsa es para bailar!

Videopaseo

¡Un viaje virtual en Estados Unidos!

Antes de mirar el episodio, completen las actividades que siguen.

Episodio 1: Justo Lamas en concierto

Antes de mirar Con unos compañeros de clase, contesten las siguientes preguntas para prepararse para lo que van a ver en el video.

1. Según el título del episodio, ¿de qué se tratará?
2. ¿Saben ustedes quién es Justo Lamas?
3. ¿Han asistido ustedes alguna vez a un concierto? Compartan los detalles.
4. ¿Conocen a algunos músicos latinoamericanos? ¿Cuáles? ¿De dónde son?

Episodio 2: Arte e identidad

Antes de mirar Con unos compañeros de clase, contesten las siguientes preguntas para prepararse para lo que van a ver en el video.

1. Según el título del episodio, ¿de qué se tratará?
2. ¿Les gusta el arte? ¿Siguen tomando ustedes cursos de arte en la escuela?
3. Ya han aprendido vocabulario relacionado con el arte en sus estudios del español. ¿Cuáles son algunos términos que conocen que tienen que ver con el arte?
4. ¿Se ofrecen en su ciudad cursos de arte?
5. ¿Han tomado alguna vez un(os) curso(s) fuera de la escuela? ¿Qué curso(s)?

Episodio 3: Espíritu salsero

Antes de mirar Con unos compañeros de clase, contesten las siguientes preguntas para prepararse para lo que van a ver en el video.

1. Según el título del episodio, ¿de qué se tratará?
2. ¿Qué significará «Espíritu salsero»?
3. ¿Es popular el baile latino en Estados Unidos?
4. ¿Saben ustedes bailar salsa? ¿Les gusta bailar? Y si no saben bailar, ¿les gustaría aprender?

CAPÍTULO 8 Repaso de vocabulario

Cultura

el censo
la etnia
autóctono(a)
ilustre
albergar
apoderarse de
oler a (huele)
proveer

Periodismo

Mariachis de alma y corazón

una broma
el rincón

Charros de corazón

el charro
afamado(a)
aclarar
enorgullecerse
fundir
ostentar
rememorar
acaso

Literatura

Prosa

El caballo mago

la charla
la fogata
la hoguera
la huella
la manada
un manojo
el paradero
el rastro
el regocijo
las reses
la trampa
la yegua
brujo(a)
turbio(a)
dar con
desatar
detenerse (ie)
enmudecer(se)
estropear
soñar (ue)
de diestra a siniestra

Resources

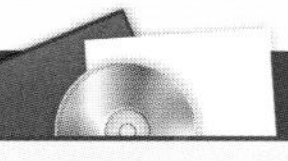

Tests, pages 8.53–8.63

Vocabulary Review

The words and phrases from Lessons 1, 3, and 4 have been taught for productive use in this chapter. They are summarized here as a resource for both student and teacher.

Teaching Options

This vocabulary reference list has not been translated into English. If it is your preference to give students the English translations, please refer to Vocabulary Transparency V8.1.

Student Resources

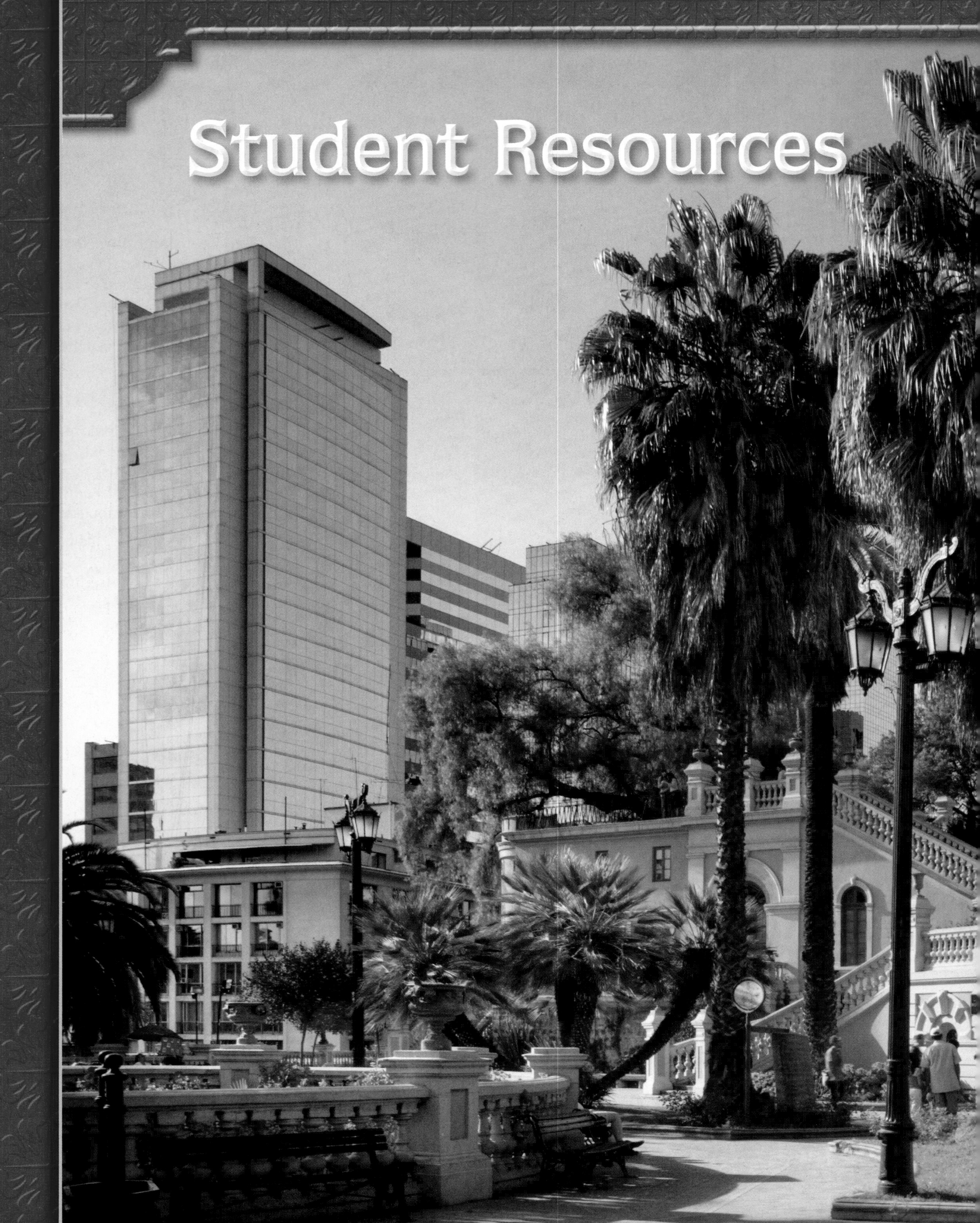

El cerro Santa Lucía en Santiago de Chile

Contents

Vocabulario temático

Comida (Comestibles)

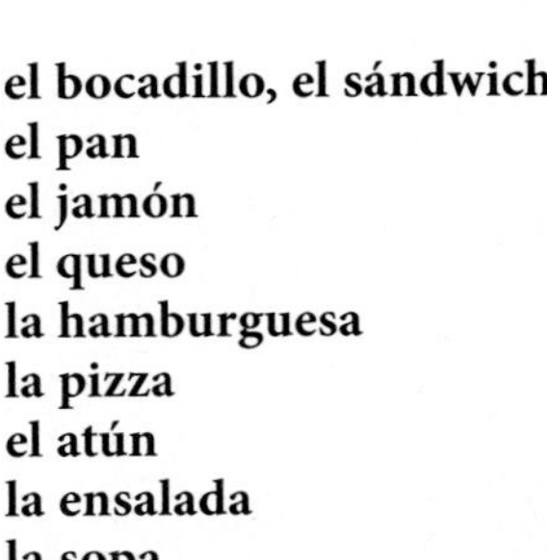

la carne
la carne de res (vaca)
el bife
el biftec
el cerdo
  la chuleta de cerdo
el cordero
  la chuleta de cordero
la ternera
  el filete de
el pollo
  el muslo de pollo
  la alita de pollo
el jamón serrano
el chorizo

el pescado
la trucha
los mariscos
las almejas
los mejillones
los camarones
las gambas
la langosta
el langostino
el cangrejo de río

la legumbre, el vegetal
la verdura
las judías verdes
el guisante
el pimentón
el pimiento
el chipotle (jalapeño)
el chile

el morrón
el ají
la cebolla
el aguacate
la alcachofa
la berenjena
la col
el repollo
la zanahoria
la lechuga
las habichuelas
el maíz
la mazorca de maíz
los frijoles
la papa
la patata
el arroz

la fruta
la manzana
la naranja
la banana
el plátano
el coco
la guayaba
el mango
el melón
el limón
la papaya
la piña
la uva
el tomate

el huevo
el bacón, el tocino, el lacón
el pan dulce
el pan tostado
la tostada, el pan tostado
el cereal
el churro
el panecillo

el bocadillo, el sándwich
el pan
el jamón
el queso
la hamburguesa
la pizza
el atún
la ensalada
la sopa

las galletas
el cacahuate (cacahuete), el maní
la almendra
los vegetales crudos

el aceite (de oliva)
el vinagre
la mantequilla
la sal
la pimienta
el orégano
el ajo
la mermelada
la miel

el postre
el bizcocho
el pastel
la torta
los bombones
el dulce
el flan
el chocolate
el helado

Comprando comida

el mercado
el puesto, el tenderete
el/la vendedor(a)
el supermercado
el carrito
el hipermercado
la bodega, el colmado

los productos congelados
un bote, una lata
un paquete

una botella
un frasco
una tajada
un kilo
gramos

la carnicería
la pescadería
la marisquería
la panadería
la pastelería

la lechería
la verdulería
la frutería

¿Cuál es el precio?
¿A cuánto está(n)?
¿Algo más?
Sí, ____ por favor.
No, nada más, gracias.

Preparando comida

la cocina
el/la cocinero(a)
el refrigerador, la nevera
el congelador
la estufa, la cocina
el horno de microondas
la parrilla
el lavaplatos

el/la sartén
la olla
la cacerola
la cazuela
la tapa

la receta
la elaboración
la cocción
el sabor
los condimentos
las especias
una pizca de sal

pelar
picar
en pedacitos
cortar
en rebanadas
en tajadas
en tiras

añadir, agregar
cocinar, cocer
a fuego lento
hervir
llevar a la ebullición
freír
asar
en el horno
a la parrilla
revolver
rellenar
rebozar
empanar

El restaurante y el café

el restaurante
el café
la mesa
libre
ocupada
el/la mesero(a)
el/la camarero(a)
el menú
el menú del día
los entremeses
las tapas
el plato combinado
el plato principal
fuerte
la especialidad de la casa
la cuenta
la propina

casi crudo
a término medio
bien hecho
caliente
frío
salado

la taza
el platillo
el plato
el tenedor
el cuchillo
la cucharita
la cuchara
la servilleta
el mantel
limpio
sucio

tener hambre
tener sed
comer algo
tomar algo
una merienda
un refresco

¿Qué desean tomar?
¿Está incluido el servicio?
dejar una propina
¿Te (Le) apetece... ?
¡Buen provecho!

Vocabulario temático

Ropa (Prendas de vestir)

el traje
la corbata
el pantalón
  corto
  largo
la camisa
la blusa
la falda
el vestido

el blue jean
el T-shirt
la camiseta
el buzo

los calcetines
las medias
el par de zapatos
los tenis
las zapatillas
los zapatos

el abrigo
la chaqueta, el saco
el impermeable
el anorak
el suéter
el sombrero
el/la gorro(a)

el bañador
el traje de baño

Comprando ropa

la tienda de ropa
  para señores, caballeros
  para señoras, damas
  para niños
el escaparate
el mostrador
el/la empleado(a), el/la dependiente(a)
la caja
el/la cajero(a)
pagar
  con tarjeta de crédito

el saldo
la liquidación
el descuento
  Se rebajan los precios.
  Todo te sale más barato.

¿Qué talla usa usted?
¿Qué número calza usted?
¿Qué color quiere usted?
¿Cuánto es?
¿Cuánto cuesta?
probarse
Te queda bien.
  pequeño
  grande
una camisa de manga
  larga
  corta

barato
caro

corto
largo
estrecho
ancho

blanco
negro
gris
azul
rojo
rosado
anaranjado
verde
marrón
beige
crema
violeta

Computadoras y tecnología

la computadora, el ordenador
la pantalla
  de escritorio
la alfombrilla
el ratón
el teclado
el icono
la barra de herramientas
un sito Web
la página de inicio
  inicial
  frontal
  de hogar
el botón
  regresar, retroceder
  borrador
el archivo
la carpeta
la impresora
una copia dura

el correo electrónico, el e-mail
el/la destinatario(a)
la dirección
la libreta de direcciones
la bandeja
  de entradas
  de enviados
el documento adjunto
arroba
punto

prender la computadora
apagar
entrar en línea
hacer clic
oprimir, pulsar
guardar
borrar
navegar la red (el Internet)

bajar, descargar
imprimir

el móvil, el celular
el timbre, el sonoro
una llamada
  perdida
  caída
la cámara digital
el MP3

sonar
asignar

Estás cortando.
Se nos cortó la línea.
¿Me escuchas?

El tren y la estación de ferrocarril

la estación de ferrocarril (tren)
el hall
la sala de espera
el horario
la llegada
la salida
la ventanilla, la boletería
el billete, el boleto
sencillo, de ida solamente
de ida y vuelta
de ida y regreso
retorno
en segunda (primera) clase

la tarifa
escolar, estudiantil
la tarjeta de identidad
el distribuidor automático
el tren
de cercanías
de largo recorrido, de larga distancia
el destino
la parada
próxima
subir(se) al tren
bajar(se) del tren
transbordar, cambiar de tren

comprar un boleto, sacar un billete
el asiento, la plaza
libre
ocupado(a)
el pasillo
el revisor
el coche comedor, la cafetería
revisar los billetes (boletos)

a tiempo
tarde
con una demora de

El avión y el aeropuerto

el aeropuerto
el avión
el/la agente
el mostrador
la línea aérea
el vuelo
el boleto (el billete) electrónico
el distribuidor automático
la pantalla
de salidas
de llegadas
la tarjeta de embarque, el pasabordo
el nombre
el/la pasajero(a)
el número del vuelo
la hora de embarque
la hora de salida
la puerta de salida
el vuelo
directo
sin escala
internacional
nacional, doméstico

el control de seguridad
la forma de identidad
la inmigración
la aduana

la maleta
la mochila
el equipaje
de mano
el/la maletero(a)
el talón
la etiqueta
el peso
el límite de peso

esperar
hacer fila
estar en cola
embarcar, abordar
desembarcar, bajar(se)
confirmar un vuelo
anular un vuelo
perder el vuelo
reclamar (recoger) el equipaje en la correa
abordo
con destino a
procedente de

el/la asistente(a) de vuelo
el asiento, la plaza
la ventanilla
el pasillo
el compartimiento superior
debajo del asiento
la máscara de oxígeno
el cinturón de seguridad
abrochado
la señal de no fumar
el servicio
un retraso, una demora
el despegue
el aterrizaje
la pista

abrocharse el cinturón de seguridad
despegar
aterrizar

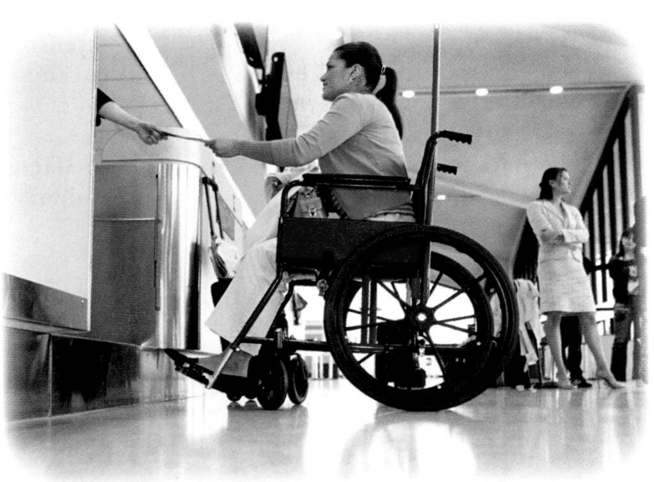

El carro y la carretera

el carro, el coche
  deportivo
  descapotable
  sedán
el camión
el/la conductor(a)
el permiso de conducir, la licencia, el carnet
conducir, manejar

el capó
la puerta
la guantera, la secreta
el volante
las frenos
la maletera, el baúl
el parabrisas
el limpiaparabrisas
las luces, los faros
las direccionales, las intermitentes
el retrovisor
un rayón
una abolladura
la llanta, la goma, el neumático
  de repuesto, de recambio
la transmisión
  manual
  automática

la agencia de alquiler
el/la agente
el contrato
la póliza
los seguros
  contra todo riesgo
la tarifa
el kilometraje
  limitado, incluido
el mapa
el plano de la ciudad

alquilar, rentar
firmar
aceptar
verificar, inspeccionar
la estación de servicio, la gasolinera
el tanque
  vacío
  lleno
Llene el tanque, por favor.
Verifique la presión del aire.

la carretera, la autopista
el carril
el sentido
el peaje, la cuota
la garita (cabina) de peaje
el arcén, el acotamiento
el rótulo

la velocidad máxima
una línea continua
la salida de la autopista

la calle
  de sentido único
  peatonal
la avenida
el paseo
la cuadra
el cruce, la bocacalle
el estacionamiento, el parking
el parquímetro
la luz de tránsito
la luz roja
prender el motor
ir en reverso
  en retro
seguir derecho
doblar
  a la derecha
  a la izquierda
dar la vuelta
adelantar, pasar, repasar
quedarse en el carril
reducir la velocidad
pararse
estacionar(se), aparcar, parquear
cambiar la llanta

El hotel

el hotel
el albergue
  juvenil
el hostal
la pensión
una reservación, una reserva
un cuarto, una habitación
  sencillo(a)
  doble
la recepción
el/la recepcionista

el mozo
la llave
  magnética
el mozo, el botones
el ascensor, el elevador
el/la camarero(a)

reservar
hospedarse
abandonar el cuarto

Necesitamos...
  más
  otro(a)
¿Nos podría limpiar (arreglar) el cuarto, por favor?
¿Está(n) incluido(s)...
  el desayuno?
  los impuestos?

Vocabulario temático

La escuela

la escuela
  primaria
  elemental
  intermedia
  secundario
  superior
el colegio
la preparatoria
el instituto
la academia
la universidad
el/la maestro(a)
el/la profesor(a)
el curso
la sala de clase, el aula
el gimnasio
el auditorio
la biblioteca, el centro de recursos
la cafetería
el pupitre
el horario escolar

los materiales escolares
el libro
el cuaderno
la carpeta
el lápiz
el bolígrafo, el lapicero
una hoja de papel
una calculadora

las lenguas
la matemáticas
  el álgebra
  la geometría
  la trigonometría
  el cálculo
las ciencias
  la ciencia física
  la biología
  la química
  la física
la historia
la geografía
la música
el arte
la educación física
las ciencias domésticas

estudiar
aprender
hablar
comprender, entender
leer
escribir
prestar atención
escuchar
tomar, sacar
  notas, apuntes
levantar la mano
hacer una pregunta
contestar
tomar un examen
  una prueba
salir
  bien
  mal
sacar (recibir) notas
  buenas, altas
  malas, bajas
tomar un curso
dar una conferencia
enseñar
hacer tareas
matricularse
especializarse
graduarse
recibir un título (diploma)

Vocabulario temático

La casa

la casa
  privada (particular)
el apartamento, el departamento, el piso
la terraza

los cuartos
la sala, el salón
la cocina
el comedor
el cuarto de dormir, el dormitorio, la recámara, la alcoba
el cuarto de baño
el jardín
las plantas
las flores
los árboles
el garaje
el carro, el coche

en las afueras
en los suburbios
en el centro

al lado de
delante de
detrás de
alrededor de

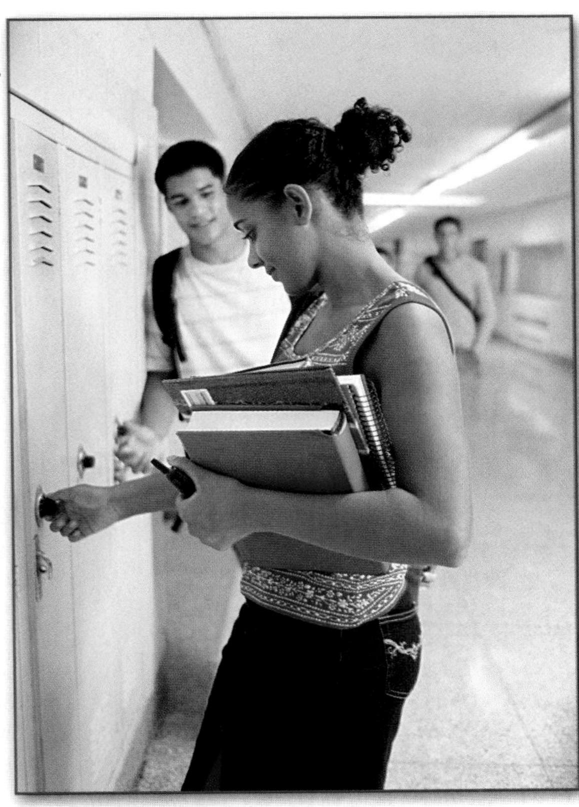

La familia

el miembro
los parientes
el/la abuelo(a)
el padre
la madre
los padres
el marido, el esposo
la mujer, la esposa
el/la hijo(a)
  único(a)
el/la hermano(a)
el/la tío(a)
el/la primo(a)
el/la nieto(a)
el/la sobrino(a)
el/la gemelo(a)
la madrastra
el padrastro
el/la hermanastro(a)

el nacimiento
el bautizo
el recién nacido
el padrino
la madrina
la pila

la comunión
el bar mitzvah
  bat mitzvah
la confirmación
el matrimonio, el casamiento
la boda
la ceremonia
  religiosa
  civil
el/la novio(a)
la pareja
la dama de honor
el padrino
el paje

el/la recién casado(a)
la esquela, el obituario
la muerte, el fallecimiento
el velorio
el ataúd
el cementerio, el camposanto
el entierro, el sepelio

nacer
bautizar
cumplir... años
celebrar el cumpleaños
comprometerse
casarse
divorciarse
morir, fallecer

Los deportes y otras actividades físicas

el fútbol
el béisbol
el básquetbol, el baloncesto
el voleibol
el tenis
el golf

el partido, el juego
el equipo
el/la jugador(a)
el/la aficionado(a) a
el/la espectador(a)

el campo de fútbol
el tiempo
el balón
el/la portero(a)
la portería
el gol

el campo de béisbol
el/la beisbolista
el/la bateador(a)
el/la lanzador(a), el/la pícher
el/la cátcher, el/la receptor(a)
el/la jardinero(a)
la pelota
el bate
el guante

el platillo
la base
el jonrón

la cancha de básquetbol
el cesto, la canasta
el balón

la cancha de tenis
la raqueta
la pelota
la red
individuales
dobles

la cancha de voleibol
la red
el balón

jugar
ganar
perder
lanzar
guardar
bloquear
parar
meter (un gol)
batear
correr

atrapar
tirar
driblar (en)
encestar
golpear
devolver

por encima de la red
El tanto queda empatado en...

el gimnasio
los ejercicios
las pesas
el monopatín
el patinaje en línea
el jogging
una carrera
una vuelta
un maratón
levantar pesas
hacer planchas
  jogging
correr
estirarse
hacer calentamiento
patinar en línea
andar en bicicleta

Actividades de verano

el verano
el balneario
la arena
el mar
el océano
la ola
el sol
el surfing

la plancha de vela
la tabla hawaiana
el buceo
el esquí acuático (náutico)
la piscina, la alberca

nadar
tirarse el agua

hacer surfing
correr las olas
esquiar en el agua
alquilar (rentar) un barquito
remar

Actividades de invierno

el invierno
el esquí
el/la alpinista
el/la andinista
una estación de esquí
la montaña
el pico
la pista
el telesquí, el telesilla
el/la esquiador(a)

el/la snowboarder
el hielo
el patinaje sobre el hielo
la pista de patinaje
  al aire libre
  cubierta
el/la patinador(a)
el/la principiante
el/la experto(a)

esquiar
hacer slalom
subir
bajar
patinar
hacer snowboarding

Verb Charts

REGULAR VERBS			
INFINITIVO	**hablar** *to speak*	**comer** *to eat*	**vivir** *to live*
PARTICIPIO PRESENTE	hablando	comiendo	viviendo
PARTICIPIO PASADO	hablado	comido	vivido
Simple Tenses			
INDICATIVO			
PRESENTE	hablo hablas habla hablamos *habláis* hablan	como comes come comemos *coméis* comen	vivo vives vive vivimos *vivís* viven
IMPERFECTO	hablaba hablabas hablaba hablábamos *hablabais* hablaban	comía comías comía comíamos *comíais* comían	vivía vivías vivía vivíamos *vivíais* vivían
PRETÉRITO	hablé hablaste habló hablamos *hablasteis* hablaron	comí comiste comió comimos *comisteis* comieron	viví viviste vivió vivimos *vivisteis* vivieron
FUTURO	hablaré hablarás hablará hablaremos *hablaréis* hablarán	comeré comerás comerá comeremos *comeréis* comerán	viviré vivirás vivirá viviremos *viviréis* vivirán
CONDICIONAL	hablaría hablarías hablaría hablaríamos *hablaríais* hablarían	comería comerías comería comeríamos *comeríais* comerían	viviría vivirías viviría viviríamos *viviríais* vivirían

REGULAR VERBS *(continued)*			
SUBJUNTIVO	**hablar** *to speak*	**comer** *to eat*	**vivir** *to live*
PRESENTE	hable hables hable hablemos *habléis* hablen	coma comas coma comamos *comáis* coman	viva vivas viva vivamos *viváis* vivan
IMPERFECTO	hablara hablaras hablara habláramos *hablarais* hablaran	comiera comieras comiera comiéramos *comierais* comieran	viviera vivieras viviera viviéramos *vivierais* vivieran
Compound Tenses			
INDICATIVO			
PRESENTE PERFECTO	he hablado has hablado ha hablado hemos hablado *habéis hablado* han hablado	he comido has comido ha comido hemos comido *habéis comido* han comido	he vivido has vivido ha vivido hemos vivido *habéis vivido* han vivido
PLUSCUAM-PERFECTO	había hablado habías hablado había hablado habíamos hablado *habíais hablado* habían hablado	había comido habías comido había comido habíamos comido *habíais comido* habían comido	había vivido habías vivido había vivido habíamos vivido *habíais vivido* habían vivido
FUTURO PERFECTO	habré hablado habrás hablado habrá hablado habremos hablado *habréis hablado* habrán hablado	habré comido habrás comido habrá comido habremos comido *habréis comido* habrán comido	habré vivido habrás vivido habrá vivido habremos vivido *habréis vivido* habrán vivido
CONDICIONAL PERFECTO	habría hablado habrías hablado habría hablado habríamos hablado *habríais hablado* habrían hablado	habría comido habrías comido habría comido habríamos comido *habríais comido* habrían comido	habría vivido habrías vivido habría vivido habríamos vivido *habríais vivido* habrían vivido

Verb Charts

REGULAR VERBS *(continued)*

SUBJUNTIVO			
PRESENTE PERFECTO	**haya hablado** **hayas hablado** **haya hablado** **hayamos hablado** ***hayáis hablado*** **hayan hablado**	**haya comido** **hayas comido** **haya comido** **hayamos comido** ***hayáis comido*** **hayan comido**	**haya vivido** **hayas vivido** **haya vivido** **hayamos vivido** ***hayáis vivido*** **hayan vivido**
PLUSCUAM-PERFECTO	**hubiera hablado** **hubieras hablado** **hubiera hablado** **hubiéramos hablado** ***hubierais hablado*** **hubieran hablado**	**hubiera comido** **hubieras comido** **hubiera comido** **hubiéramos comido** ***hubierais comido*** **hubieran comido**	**hubiera vivido** **hubieras vivido** **hubiera vivido** **hubiéramos vivido** ***hubierais vivido*** **hubieran vivido**

Stem-changing verbs (-ar and -er verbs)

INFINITIVO	**empezar (e→ie)** *to begin*	**perder (e→ie)** *to lose*	**recordar (o→ue)** *to remember*	**volver (o→ue)** *to return*
INDICATIVO				
PRESENTE	**empiezo** **empiezas** **empieza** **empezamos** ***empezáis*** **empiezan**	**pierdo** **pierdes** **pierde** **perdemos** ***perdéis*** **pierden**	**recuerdo** **recuerdas** **recuerda** **recordamos** ***recordáis*** **recuerdan**	**vuelvo** **vuelves** **vuelve** **volvemos** ***volvéis*** **vuelven**
SUBJUNTIVO				
PRESENTE	**empiece** **empieces** **empiece** **empecemos** ***empecéis*** **empiecen**	**pierda** **pierdas** **pierda** **perdamos** ***perdáis*** **pierdan**	**recuerde** **recuerdes** **recuerde** **recordemos** ***recordéis*** **recuerden**	**vuelva** **vuelvas** **vuelva** **volvamos** ***volváis*** **vuelvan**

e→ie

Other verbs conjugated like **empezar** and **perder** are: **cerrar, comenzar, sentar(se), despertar(se), recomendar, pensar, defender, entender, querer, encender.**

o→ue

Other verbs conjugated like **recordar** and **volver** are: **acordar, almorzar, contar, costar, probar, encontrar, mostrar, soñar, acostar(se), devolver, mover, poder, jugar (u→ue).**

Stem-changing verbs (-ir verbs)			
INFINITIVO	**preferir (e→ie, i)** *to prefer*	**dormir (o→ue, u)** *to sleep*	**pedir (e→i, i)** *to ask for*
PARTICIPIO PRESENTE	**prefiriendo**	**durmiendo**	**pidiendo**
INDICATIVO			
PRESENTE	**prefiero** **prefieres** **prefiere** **preferimos** ***preferís*** **prefieren**	**duermo** **duermes** **duerme** **dormimos** ***dormís*** **duermen**	**pido** **pides** **pide** **pedimos** ***pedís*** **piden**
PRETÉRITO	**preferí** **preferiste** **prefirió** **preferimos** ***preferisteis*** **prefirieron**	**dormí** **dormiste** **durmió** **dormimos** ***dormisteis*** **durmieron**	**pedí** **pediste** **pidió** **pedimos** ***pedisteis*** **pidieron**
SUBJUNTIVO			
PRESENTE	**prefiera** **prefieras** **prefiera** **prefiramos** ***prefiráis*** **prefieran**	**duerma** **duermas** **duerma** **durmamos** ***durmáis*** **duerman**	**pida** **pidas** **pida** **pidamos** ***pidáis*** **pidan**

e→ie, i

Other verbs conjugated like **preferir** are: **sentir(se), sugerir, mentir, divertir(se), advertir, invertir.**

o→ue

Another verb conjugated like **dormir** is **morir.**

e→i, i

Other verbs conjugated like **pedir** are: **repetir, servir, seguir, vestirse, freír, reír, sonreír, despedir(se).**

Verb Charts

IRREGULAR VERBS

	abrir *to open*					
PARTICIPIO PASADO	abierto					
	andar *to walk*					
PRETÉRITO	anduve	anduviste	anduvo	anduvimos	*anduvisteis*	anduvieron
	conocer *to know, to be familiar with*					
PRESENTE	conozco	conoces	conoce	conocemos	*conocéis*	conocen
	cubrir *to cover*					
PARTICIPIO PASADO	cubierto					
	dar *to give*					
PRESENTE	doy	das	da	damos	*dais*	dan
PRETÉRITO	di	diste	dio	dimos	*disteis*	dieron
SUBJUNTIVO: PRESENTE	dé	des	dé	demos	*deis*	den
	decir *to say*					
PARTICIPIO PRESENTE	diciendo					
PARTICIPIO PASADO	dicho					
PRESENTE	digo	dices	dice	decimos	*decís*	dicen
PRETÉRITO	dije	dijiste	dijo	dijimos	*dijisteis*	dijeron
FUTURO	diré	dirás	dirá	diremos	*diréis*	dirán
CONDICIONAL	diría	dirías	diría	diríamos	*diríais*	dirían
IMPERATIVO FAMILIAR	di					
	devolver *to return (bring back)*					
PARTICIPIO PASADO	devuelto					
	escribir *to write*					
PARTICIPIO PASADO	escrito					
	estar *to be*					
PRESENTE	estoy	estás	está	estamos	*estáis*	están
PRETÉRITO	estuve	estuviste	estuvo	estuvimos	*estuvisteis*	estuvieron
SUBJUNTIVO: PRESENTE	esté	estés	esté	estemos	*estéis*	estén
	freír *to fry*					
PARTICIPIO PASADO	frito					

IRREGULAR VERBS *(continued)*						
	haber *to have (in compound tenses)*					
PRESENTE	he	has	ha	hemos	*habéis*	han
PRETÉRITO	hube	hubiste	hubo	hubimos	*hubisteis*	hubieron
IMPERFECTO	había	habías	había	habíamos	*habíais*	habían
FUTURO	habré	habrás	habrá	habremos	*habréis*	habrán
CONDICIONAL	habría	habrías	habría	habríamos	*habríais*	habrían
SUBJUNTIVO: PRESENTE	haya	hayas	haya	hayamos	*hayáis*	hayan
	hacer *to do, to make*					
PARTICIPIO PASADO	hecho					
PRESENTE	hago	haces	hace	hacemos	*hacéis*	hacen
PRETÉRITO	hice	hiciste	hizo	hicimos	*hicisteis*	hicieron
FUTURO	haré	harás	hará	haremos	*haréis*	harán
CONDICIONAL	haría	harías	haría	haríamos	*haríais*	harían
IMPERATIVO FAMILIAR	haz					
	ir *to go*					
PARTICIPIO PRESENTE	yendo					
PRESENTE	voy	vas	va	vamos	*vais*	van
PRETÉRITO	fui	fuiste	fue	fuimos	*fuisteis*	fueron
IMPERFECTO	iba	ibas	iba	íbamos	*ibais*	iban
SUBJUNTIVO: PRESENTE	vaya	vayas	vaya	vayamos	*vayáis*	vayan
IMPERATIVO FAMILIAR	ve					
	morir *to die*					
PARTICIPIO PASADO	muerto					
	oír *to hear*					
PRESENTE	oigo	oyes	oye	oímos	*oís*	oyen
	poder *to be able to*					
PARTICIPIO PRESENTE	pudiendo					
PRETÉRITO	pude	pudiste	pudo	pudimos	*pudisteis*	pudieron
FUTURO	podré	podrás	podrá	podremos	*podréis*	podrán
CONDICIONAL	podría	podrías	podría	podríamos	*podríais*	podrían
	poner *to put*					
PARTICIPIO PASADO	puesto					
PRESENTE	pongo	pones	pone	ponemos	*ponéis*	ponen
PRETÉRITO	puse	pusiste	puso	pusimos	*pusisteis*	pusieron
FUTURO	pondré	pondrás	pondrá	pondremos	*pondréis*	pondrán

IRREGULAR VERBS *(continued)*

	querer *to want*					
PRETÉRITO	quise	quisiste	quiso	quisimos	*quisisteis*	quisieron
FUTURO	querré	querrás	querrá	querremos	*querréis*	querrán
CONDICIONAL	querría	querrías	querría	querríamos	*querríais*	querrían
	romper *to break*					
PARTICIPIO PASADO	roto					
	saber *to know (how)*					
PRESENTE	sé	sabes	sabe	sabemos	*sabéis*	saben
PRETÉRITO	supe	supiste	supo	supimos	*supisteis*	supieron
FUTURO	sabré	sabrás	sabrá	sabremos	*sabréis*	sabrán
CONDICIONAL	sabría	sabrías	sabría	sabríamos	*sabríais*	sabrían
SUBJUNTIVO: PRESENTE	sepa	sepas	sepa	sepamos	*sepáis*	sepan
	ser *to be*					
PRESENTE	soy	eres	es	somos	*sois*	son
PRETÉRITO	fui	fuiste	fue	fuimos	*fuisteis*	fueron
IMPERFECTO	era	eras	era	éramos	*erais*	eran
SUBJUNTIVO: PRESENTE	sea	seas	sea	seamos	*seáis*	sean
IMPERATIVO FAMILIAR	sé					
	tener *to have*					
PRESENTE	tengo	tienes	tiene	tenemos	*tenéis*	tienen
PRETÉRITO	tuve	tuviste	tuvo	tuvimos	*tuvisteis*	tuvieron
FUTURO	tendré	tendrás	tendrá	tendremos	*tendréis*	tendrán
CONDICIONAL	tendría	tendrías	tendría	tendríamos	*tendríais*	tendrían
IMPERATIVO FAMILIAR	ten					
	traer *to bring*					
PRESENTE	traigo	traes	trae	traemos	*traéis*	traen
PRETÉRITO	traje	trajiste	trajo	trajimos	*trajisteis*	trajeron

IRREGULAR VERBS *(continued)*						
	venir *to come*					
PARTICIPIO PRESENTE	**viniendo**					
PRETÉRITO	**vine**	**viniste**	**vino**	**vinimos**	***vinisteis***	**vinieron**
FUTURO	**vendré**	**vendrás**	**vendrá**	**vendremos**	***vendréis***	**vendrán**
CONDICIONAL	**vendría**	**vendrías**	**vendría**	**vendríamos**	***vendríais***	**vendrían**
IMPERATIVO FAMILIAR	**ven**					
	ver *to see*					
PARTICIPIO PASADO	**visto**					
PRESENTE	**veo**	**ves**	**ve**	**vemos**	***veis***	**ven**
PRETÉRITO	**vi**	**viste**	**vio**	**vimos**	***visteis***	**vieron**
IMPERFECTO	**veía**	**veías**	**veía**	**veíamos**	***veíais***	**veían**
	volver *to return*					
PARTICIPIO PASADO	**vuelto**					

Spanish-English Dictionary

a at; to
a cargo de in charge of, responsible for
a eso de las tres (cuatro, diez, etc.) at around three (four, ten, etc.) o'clock
a fin de cuentas in the end
a fines de at the end of
al cabo de after, finally
a la una (a las dos, a las tres, etc.) at one o'clock (two o'clock, three o'clock, etc.)
a la vez at the same time
a lo lejos in the distance
a lo menos at least
a menos que unless
a menudo often
a pesar de in spite of
a pie on foot
¡A propósito! By the way!
¿a qué hora? at what time?
a solas alone
a tiempo on time
a través de across, over, through
a veces at times, sometimes
a ver let's see
abajo down; below
de abajo below
(ir) para abajo (to go) down
abandonar el cuarto to check out *(hotel)*
el **abanico** fan *(handheld)*
abarcar to contain, to comprise, to cover
abdicar to abdicate, to give up power
el **abismo** abyss
el/la **abogado(a)** lawyer
la **abolladura** dent
el **abono** fertilizer
abordar to board
a bordo (de) aboard, on board
abotonarse to button
abrazarse to hug (someone)
el **abrazo** hug
abreviado(a) abbreviated, shortened
abrigado(a) wrapped up
el **abrigo** coat
abril April
abrir to open
abrochado(a) fastened
absorber to absorb
absorto(a) absorbed, engrossed
el/la **abuelo(a)** grandfather, grandmother
los **abuelos** grandparents
abundar to abound, to be plentiful
abundoso(a) abundant
aburrido(a) boring
aburrir to bore
acá here
acabar de to have just (done something)
la **academia** school
acaso perhaps
por si acaso just in case
acceder to access
el **accidente** accident
el **aceite** oil
el aceite de oliva olive oil
la **aceituna** olive
el **acento** accent
la **aceptación** acceptance, success
aceptar to accept
la **acera** sidewalk
acercarse to approach
acertar (ie) to get (be) right
aclarar to clarify, to explain
acomodado(a) wealthy, well-off
acomodar to set *(bone)*
acompañar to accompany
aconsejable advisable
aconsejar to advise
acontecer to happen
el **acontecimiento** event, happening
acordarse (ue) to remember
¿Te acuerdas? Do you remember?
acostarse (ue) to go to bed
acostumbrarse to get used to
el **acotamiento** shoulder *(road)*
la **actitud** attitude
la **actividad** activity
actual present-day, current
la **actualidad** present time, here and now
en la actualidad nowadays
actualmente nowadays, currently
actuar to act, to take action
la **acuarela** watercolor
acudir to go to
el **acuerdo** agreement *(treaty, etc.)*
acuerdo: de acuerdo okay, agreed; **estar de acuerdo con** to agree with, to be in agreement
adecuado(a) appropriate, suitable
adelantar(se) to pass *(car)*
adelante ahead
ir hacia adelante to move forward, ahead
además furthermore, what's more; besides
además de in addition to, besides
adinerado(a) wealthy, well-off
¡Adiós! Good-bye.
adivinar to guess
adjunto: el documento adjunto attached file
admitir to admit
la **adolescencia** adolescence
¿adónde? (to) where?
los **adoquines** cobblestones
adornado(a) adorned, decorated
adquirir (ie, i) to acquire
la **aduana** customs
la **advertencia** warning
advertir (ie, i) to warn
aérea: la línea aérea airline
aeróbico(a) aerobic
el **aerodeslizador** hovercraft, hydrofoil
el **aeropuerto** airport
afamado(a) famous, well-known
el **afán** strong wish, desire
afeitarse to shave
afición: tener (mucha) afición a to be (very) fond of
aficionado(a): ser aficionado(a) a to like, to be a fan of
el/la **aficionado(a)** fan
el/la **afiliado(a)** member, affiliate
afine: la palabra afine cognate
la **afinidad** affinity, kinship
afirmar to dig in
el **afluente** tributary

Spanish-English

afortunados: los menos afortunados the less fortunate, the needy
las **afueras** suburbs; outskirts
agarrar velocidad to pick up speed
la **agencia** agency
la agencia de alquiler car rental agency
el/la **agente** agent
ágil agile, quick
la **aglomeración** big city
agosto August
agotar to exhaust, to wear out, to use up
agradable pleasant, friendly, agreeable
agradar to please, to be pleasing to
agradecido(a) grateful
agrario(a) agrarian
agregar to add
agresivo(a) aggressive
agrícola agricultural
agrio(a) sour
el **agua** *(f.)* water
el agua corriente running water
el agua mineral (con gas) (sparkling) mineral water
el **aguacate** avocado
el **aguacero** shower, downpour
el **águila** *(f.)* eagle
el **aguinaldo** Christmas gift
el/la **ahijado(a)** godchild
ahora now
el **aire** air
al aire libre open-air, outdoor
el **aire acondicionado** air conditioning
aislado(a) isolated
ajeno(a) different, strange
el **ají** chili pepper
el **ajo** garlic
al to the, on the, in the
al aire libre open-air, outdoor
al borde mismo de right on the edge of
al contrario on the contrary
al lado de beside, next to
la **alacena** cupboard
el **alambre** wire
la **alameda** poplar grove; tree-lined avenue, boulevard
alargar to lengthen, to stretch
el **albañil** mason
la **alberca** swimming pool
albergar to house, to accommodate
el **albergue juvenil** youth hostel
la **albóndiga** meatball
el **álbum** album
la **alcachofa** artichoke
las alcachofas salteadas sautéed artichokes
el/la **alcalde(sa)** mayor
el **alcance** reach
al alcance within reach
alcanzar to reach; to achieve
el **alcázar** fortress, castle
la **alcoba** bedroom
la **aldea** small village
alegrarse to rejoice
alegre happy
la **alegría** happiness, joy
alejarse de to go away from
alemán(ana) German
los **alemanes** Germans
la **alfombra** carpet, rug
la **alfombrilla** mouse pad
el **álgebra** *(f.)* algebra
algo something; anything
¿Algo más? Anything else?
alguien someone, somebody
algunos(as) some
el/la **aliado(a)** ally
el **aliento** breath
el **alimento** food
alisios: vientos alisios trade winds
las **alitas** wings
aliviado(a) relieved
el **alivio** relief
allá over there
allí there
el **alma** *(f.)* soul
almacenar to store
las **almejas** clams
las **almendras** almonds
la **almohada** pillow
el **almuerzo** lunch
tomar el almuerzo to have lunch
¡Alo! Hello! *(on the phone)*
alojar to lodge, to accommodate
alpino: el esquí alpino downhill skiing
alquilar to rent
alrededor de around
los **alrededores** outskirts, surroundings
el **altiplanicie** high plateau
el **altiplano** high plateau
altivo(a) arrogant
alto(a) tall; high; upper
la clase alta upper class
la nota alta high grade
la **altura** altitude; height
el/la **alumno(a)** student
los **alzados** rebels, insurgents
alzarse to rise
amanecer to dawn
el **amanecer** dawn, daybreak
amargo(a) bitter
la **amargura** bitterness
amarillo(a) yellow
la **ambición** ambition
ambicioso(a) hardworking
el **ambiente** atmosphere, environment
el medio ambiente environment *(ecology)*
la **ambulancia** ambulance
la **amenaza** threat
la **América del Sur** South America
americano(a) American
el/la **amigo(a)** friend
la **amistad** friendship
el **amo** owner
el **amor** love
amurallado(a) walled
anaranjado(a) orange *(color)*
ancho(a) wide, broad
el **ancla** anchor *(television)*
andar to go, to walk; to ride
andar a caballo to ride a horse
andar en bicicleta to ride a bike
el **andén** *(railway)* platform
andino(a) Andean, of the Andes
la **anécdota** anecdote, story
angosto(a) narrow
la **angustia** distress, anguish
el **anillo de boda** wedding ring
animado(a) lively
el **animal** animal
animar to cheer (somebody, something) on; to liven up
ánimo: estado de ánimo frame of mind
anoche last night
anochecer to grow dark *(night)*
el **anochecer** nightfall, dusk
anónimo(a) anonymous
el **anorak** anorak, ski jacket
anotar to note
ansioso(a) anxious, worried
ante before, in the presence of
los **anteojos de sol** sunglasses
el/la **antepasado(a)** ancestor
el **antepecho** parapet
anterior previous
antes de before
antes de que before (doing something)

Spanish-English

Spanish-English Dictionary

los **antibióticos** antibiotics
antiguo(a) ancient, old; former
el casco (barrio) antiguo the old city
la **antipatía** antipathy, hatred
antipático(a) unpleasant, not nice
los **antojitos** snacks, nibbles
la **antorcha** torch
anular to cancel
anunciar to announce
el **anuncio** announcement
el anuncio clasificado classified ad
añadir to add
el **año** year
el Año Nuevo New Year
el año pasado last year
¿Cuántos años tiene? How old is he (she)?
cumplir... años to be (turn) . . . years old
apacible mild, calm
apagado(a) put out, extinguished
apagar to turn off *(lights, power)*; to put out *(fire)*
el **aparato** device
aparcar to park
aparentado(a) related
la **apariencia** appearance, looks
¿Qué apariencia tiene? What does he (she) look like?
apartado(a) isolated, remote
el **apartamento** apartment
la casa de apartamentos apartment house
el **apartamiento** apartment
aparte apart, on the side
apenas scarcely, hardly
apetecer to feel like, to crave
apetito: ¡Buen apetito! Bon appétit! Enjoy your meal!
aplastante overwhelming, crushing
aplaudir to applaud, to clap
el **aplauso** applause
recibir aplausos to be applauded
la **aplicación de empleo** job application
aplicar to apply
apoderarse de to take by force
el **apodo** nickname
el **apogeo** apogee, height, peak
apoyar to lean, to support
el **apoyo** support, help
apreciado(a) appreciated, liked
aprender to learn
el **aprendizaje** learning
apresado(a) captured, imprisoned
apresurado(a) hurried
apresurarse to be in a hurry
apretar (ie) to clench
el **apretón de manos** handshake
apropiado(a) appropriate
aprovechar to make the most of; to take advantage of (an opportunity, etc.)
aproximadamente approximately
aquel(la) that
aquí here
Aquí (lo, la, etc.) tienes. Here it (they) is (are).
árabe Arabic
aragonés(esa) from Aragon *(Spain)*
el **árbol** tree
el árbol de Navidad Christmas tree
la **arboleda** grove
arcaico(a) archaic, ancient
el **arcén** shoulder *(road)*
el **archivo** file
ardiente burning
el **área** *(f.)* area
la **arena** sand
el **arete** earring *(round)*
argentino(a) Argentine
el **argumento** plot
árido(a) dry, arid
la **aritmética** arithmetic
el **arma** *(f.)* weapon
armar to put up *(tent)*
el **armario** closet
la **arqueología** archeology
el/la **arquitecto(a)** architect
arrancar to uproot, to pull up; to start *(car)*
arrastrar to pull (along), to drag (along)
arreglar to fix, to repair
arrendamiento: la agencia de arrendamiento car rental agency
arrendar (ie) to rent
arriba above, overhead
arriesgado(a) risky
arriesgar to risk
la **arroba** the @ sign
arrojar to throw, to fling
el **arroyo** brook, stream
el **arroz** rice
arrugado(a) wrinkled
el **arte** art
arterial: la tensión arterial blood pressure
la **artesanía** crafts
el **artículo** article
el/la **artista** artist
asar to grill, to roast
la **ascendencia** heritage, background
el **ascensor** elevator
asegurar to assure
asegurarse to make sure
asemejarse a to be alike, to be similar (to something, someone)
así thus, so, in this way
asiduo(a) assiduous, regular, habitual
el **asiento** seat
el número del asiento seat number
asignar to assign
la **asistencia médica** medical care
el/la **asistente(a) ejecutivo(a)** executive assistant
el/la **asistente(a) de vuelo** flight attendant
asistir a to attend
el **asno** donkey
asomar to come up, to appear
asombrado(a) amazed, astonished
el **aspa** *(f.)* sail *(windmill)*
áspero(a) rough, harsh
el/la **aspirante** (job) candidate
astuto(a) astute, smart
asumir to assume
el **asunto** business, affair
asustar to frighten, to scare
atacar to attack
atado(a) tied
atar to tie
atardecer to grow dark *(evening)*
el **atardecer** late afternoon, dusk, evening
el **ataúd** coffin
la **atención** attention
¡Atención! Careful!
llamar la atención to attract attention
prestar atención to pay attention

Spanish-English

el **aterrizaje** landing
aterrizar to land
el/la **atleta** athlete
atónito(a) amazed, astonished
las **atracciones** rides *(amusement park)*
el parque de atracciones amusement park
el **atractivo** attraction, appeal
atraer to attract
atraído(a) attracted
atrapar to catch; to trap
atrás at the back *(place)*, behind
hacia atrás backwards
atreverse to dare
el **atributo** attribute, positive feature
el **atún** tuna
aturdido(a) stunned, dazed
audaz audacious, bold
el **auge** peak; boom *(economic)*
aumentar to grow, to increase, to enlarge
aun even
aún still
aunque although, even though
el **auricular** (phone) receiver
ausente absent
el/la **ausente** absent, missing person
austral southern
auténtico(a) authentic, real
el **autobús** bus
perder el autobús to miss the bus
autóctono(a) indigenous, native
automático(a) automatic
el distribuidor automático boarding pass kiosk; automatic dispenser
autónomo(a) autonomous, independent
la **autopista** highway
el/la **autor(a)** author
autoservicio self-serve
la **autovía** highway
avanzado(a) difficult; advanced
avaro(a) stingy
el **ave** *(f.)* bird
la **avenida** avenue
la **aventura** adventure
la **avería** breakdown
averiado(a) broken-down
averiguar to ascertain, to find out
el **avión** airplane
la **avioneta** small plane, light aircraft
avisar to advise; to warn
avisar de to notify, to announce
el **aviso** notice, warning
ayer yesterday
ayer por la tarde yesterday afternoon
el **ayllu** community of families in Incan society
la **ayuda** help, assistance
ayudar to help
el **ayuntamiento** city hall
el **azafrán** saffron
el **azúcar** sugar
azul blue
el **azulejo** glazed tile, floor tile

B

el **bache** pothole
el **bacón** bacon
el/la **bailador(a)** dancer
bailar to dance
bajar to go down; to download
bajar(se) to get off *(train)*
la **bajeza** baseness
bajo(a) short; low; poor, lower-class
la nota baja low grade
el **balcón** balcony
el **balneario** seaside resort, beach resort
el **balón** ball
el **baloncesto** basketball
el **banco** bank
la **banda** band; lane *(highway)*
la banda municipal municipal band
la **bandeja de entradas** inbox *(e-mail)*
la **bandeja de enviados** sent mailbox *(e-mail)*
la **bandera** flag
el/la **banquero(a)** banker
el **banquete** banquet
el **bañador** swimsuit
bañarse to take a bath, to bathe oneself; to go for a swim
la **bañera** bathtub
el **baño** bath; bathroom
el cuarto de baño bathroom
el **bar (bas/bat) mitzvah** bar (bas/bat) mitzvah
la **baraja** deck (pack) of cards
barato(a) inexpensive, cheap
Todo te sale más barato. It's all a lot cheaper (less expensive).
la **barba** beard
la **barbacoa** barbecue
barbaridad: ¡Qué barbaridad! That's awful!
¡Bárbaro! Great!, Awesome!
el **barbero** barber
el **barco** boat
el **barquito** small boat
la **barra** bar *(soap);* counter, bar *(restaurant)*
la barra de jabón bar of soap
la **barra de herramientas** toolbar
el **barril** barrel
el **barrio** neighborhood, area, quarter, district
basado(a) en based on
base: a base de composed of
la **base** base *(baseball);* basis, foundation
el **básquetbol** basketball
la cancha de básquetbol basketball court
¡Basta! That's enough!
bastante rather, quite; enough
bastar to be enough
la **bastión** bastion, stronghold
el **bastón** ski pole
la **batalla** battle
el **bate** bat
el/la **bateador(a)** batter
batear to hit, to bat
batear un jonrón to hit a home run
el **batido** shake, smoothie
el huevo batido scrambled egg
batir to beat
el **baúl** trunk *(car)*
bautizar to baptize
el **bautizo** baptism
el **bebé** baby
beber to drink
la **bebida** beverage, drink
la **beca** scholarship, grant
el **béisbol** baseball
el/la beisbolista baseball player
el campo de béisbol baseball field
el/la jugador(a) de béisbol baseball player

Spanish-English

Spanish-English Dictionary

bélico(a) related to war
belicoso(a) warlike; bellicose
la **belleza** beauty
bello(a) beautiful
bendecir to bless
la **benzina** gas(oline)
la **berenjena** eggplant
besar to kiss
el **besito** little kiss (usually on the cheek)
el **beso** kiss
la **bestia** beast, animal
los **biafranos** people from Biafra
la **biblioteca** library
la **bicicleta** bicycle
  andar en bicicleta to ride a bike
bien well, fine
  bien educado(a) polite, well-mannered
  bien hecho(a) well-done *(meat)*
  estar bien to be (feel) well, fine
  Muy bien. Very well.
el **bienestar** well-being
la **bienvenida: dar la bienvenida** to greet, to welcome
bienvenido(a) welcome
el **bife** beef
el **biftec** steak
el **bigote** mustache
el **billete** ticket; bill
  el billete de ida y vuelta round-trip ticket
  el billete electrónico e-ticket
  el billete sencillo one-way ticket
la **biología** biology
el/la **biólogo(a)** biologist
el **bizcocho** cake
blanco(a) white
la **blancura** whiteness
blando(a) soft
bloquear to block
el **blue jean** jeans
la **blusa** blouse
la **boca** mouth
la **boca del metro** subway entrance
la **bocacalle** intersection
el **bocadillo** sandwich
los **bocaditos** snacks
la **boda** wedding
la **bodega** grocery store
el **bohío** hut
la **boleadora** lasso with balls used by gauchos
la **boletería** ticket window
el **boleto** ticket
  el boleto de ida y regreso round-trip ticket
  el boleto electrónico e-ticket
  el boleto sencillo one-way ticket
el **bolígrafo** pen
el **bolívar** bolivar *(currency of Venezuela)*
la **bolsa** bag; handbag
la **bolsa de dormir** sleeping bag
el **bolsillo** pocket
bolsillo: el libro de bolsillo paperback
las **bombachas** baggy trousers worn by gauchos
el **bombardeo** bombing
la **bombilla** *(drinking)* container
los **bombones** candy
bondadoso(a) kind-hearted, good-natured
bonito(a) pretty
el **borde** side *(of a street, sidewalk)*; edge
  al borde mismo de right on the edge of
bordear to go along (round) the edge of; to border, to line
el **borrador** rough (first) draft
borrador: el botón borrador delete key
borrar to delete
borroso(a) blurred, fuzzy *(image)*
el **bosque** woods; forest
  el bosque (la selva) tropical rain forest
el **bosquejo** sketch; outline, draft
la **bota** boot
botar to throw out
  botar la casa por la ventana to splurge
el **bote** can
la **botella** bottle
el **botón** button, key *(computer)*
  el botón borrador delete key
  el botón regresar (retroceder) back button
Brasil Brazil
brasileño(a) Brazilian
bravo(a) rough, stormy
el/la **bravucón(ona)** braggart
el **brazo** arm
breve brief
la **brevedad** brevity
brillar to shine
el **brillo** brightness, shine
brincar to jump, to bounce
la **brisa** breeze
la **broma** joke *(hoax, etc.)*
bronce: de bronce bronze *(adj.)*
bronceador(a): la loción bronceadora suntan lotion
brotar to sprout, bud
brujo(a) magic
bucear to go snorkeling; to scuba dive
el **buceo** snorkeling; scuba diving
buen good
  estar de buen humor to be in a good mood
  Hace buen tiempo. The weather is nice.
  tener un buen sentido de humor to have a good sense of humor
bueno(a) good; Hello! *(on the phone)*
  Buenas noches. Good evening.
  Buenas tardes. Good afternoon.
  Buenos días. Good morning., Hello.
  sacar notas buenas to get good grades
el **buey** ox
el **bufé** buffet
el **bufete del abogado** lawyer's office
la **bufetería** dining car
el **bulto** size, bulk, volume
la **burla** mockery, joke
burlar: burlarse de to mock, to make fun of
el **burrito** burrito
el **bus** bus
  el bus escolar school bus
  perder el autobus to miss the bus
  tomar el autobus to take the bus
busca: en busca de seeking, in search of
buscar to look for, to seek
el **buzo** sweat suit, warm-ups
el **buzón** mailbox

el **caballero** gentleman
el caballero andante knight errant
el **caballete** easel
el **caballo** horse
andar a caballo to ride a horse
montar a caballo to go horseback riding
la **cabaña** cabin
caber to fit
la **cabeza** head
tener dolor de cabeza to have a headache
el **cabezal** headrest
la **cabina** cabin
la **cabina de mando** cockpit *(airplane)*
la **cabina de peaje** tollbooth
cabo: al cabo de after, finally
el **cacahuate** peanut
el **cacahuete** peanut
la **cacerola** saucepan
el **cachorro** pup, puppy
el **cacique** leader, chief
el **cacto** cactus
cada each, every
la **cadena** chain
una cadena de montañas mountain range
caer to fall
caerse to fall
el **café** café; coffee
el **cafetal** coffee tree; coffee plantation
la **cafetería** cafeteria
el coche cafetería dining car
la **caída** drop
la llamada caída dropped call *(cell phone)*
la **caja** cash register; box
el/la **cajero(a)** cashier, teller
el **cajero automático** ATM
el **cajón** box
la **calabaza** pumpkin, gourd
la **calavera** skull; sweet cake made for the Day of the Dead
los **calcetines** socks
la **calculadora** calculator
el **caldo** broth
la **calefacción** heat, heating
el **calentamiento** warm-up
calentar (ie) to heat
la **caleta** cove, small inlet
cálido(a) warm
caliente hot
el chocolate caliente hot chocolate
la **calle** street
la calle de sentido único one-way street
la **callejuela** narrow street
la callejuela de adoquines cobblestone street
calmo(a) calm
el **calor** heat
Hace calor. It's hot.
tener calor to be hot
caluroso(a) hot
calzar to wear, to take *(shoe size)*
¿Qué número calzas? What size shoe do you wear (take)?
los **calzoncillos** men's underwear
la **cama** bed
guardar cama to stay in bed *(illness)*
hacer la cama to make the bed
quedarse en la cama to stay in bed
la **cámara digital** digital camera
el/la **camarero(a)** server, waiter (waitress); *(hotel)* housekeeper
los **camarones** shrimp
cambiar to change
el **cambio** change
cambio: en cambio on the other hand
el **camello** camel
la **camilla** stretcher
caminar to walk
la **caminata: dar una caminata** to take a hike
el **camino** road
ponerse en camino to set off
tomar el camino to set out for
el **camión** bus *(Mexico);* truck
la **camisa** shirt
la camisa de manga corta (larga) short- (long-) sleeved shirt
la **camiseta** T-shirt
el **camisón** nightgown
el **campamento** camp
la **campana** bell *(church, town, school)*
la **campanada** peal of the bell
el **campanario** bell tower, belfry
la **campaña** campaign
el/la **campeón(ona)** champion
el/la **campesino(a)** farmer, peasant
el **camping** camping; campsite
ir de camping to go camping
el **campo** field; country, countryside
el campo de béisbol baseball field
el campo de fútbol soccer field
la carrera a campo traviesa cross-country race
la casa de campo country house
el **camposanto** cemetery
canadiense Canadian
el **canal** lane *(highway)*
la **canasta** basket
la **cancha** court
la cancha de básquetbol (tenis) basketball *(tennis)* court
la cancha de voleibol volleyball court
la **candela** candle
el **cangrejo de río** crayfish
la **canoa** canoe
cansado(a) tired
el **cansancio** tiredness, weariness
cansar to tire
cansarse to get (be) tired
el/la **cantante** singer
cantar to sing
la **cantera** (rock) quarry
la **cantidad** quantity, amount, number of
la **cantina** cafeteria
el **canto** singing, chanting; song *(bird)*
la **caña** reed, cane
la **cañada** gully, ravine
el **cañón** canyon
capaz capable
la **capital** capital
el **capítulo** chapter
el **capó** hood *(car)*
la **cara** face
la **carabela** caravel, sailing ship
el **carácter** character *(nature of something; moral)*
la **característica** feature, trait
¡Caramba! Good heavens!
el **carbón** coal
el/la **candidato(a)** candidate
la **cárcel** prison, jail
el **cardo** thorn
cargado(a) thrown (over one's shoulders); loaded
cargado de full of
el **Caribe** Caribbean
el mar Caribe Caribbean Sea

Spanish-English

Spanish-English Dictionary

el **cariño** affection
cariñoso(a) adorable, affectionate
caritativo(a) charitable
la **carne** meat
  la carne picada ground meat
la **carne de res** beef
el **carnero** ram
el **carnet** driver's license
el **carnet de identidad** ID card
la **carnicería** butcher shop
caro(a) expensive
la **carpa** tent
  armar (montar) una carpa to put up a tent
la **carpeta** folder
la **carrera** race; career
  la carrera a campo traviesa cross-country race
  la carrera de larga distancia long-distance race
  la carrera de relevos relay race
la **carretera** highway
el **carril** lane *(highway);* rail, track *(train)*
el **carrito** shopping cart
el **carro** car
  en carro by car
la **carroza** coach, carriage; float *(parade)*
la **carta** letter
la **casa** house
  la casa de apartamentos apartment building
  la casa de campo country house
  en casa at home
  regresar a casa to go home
el **casamiento** marriage
casarse to get married
el **cascabel** (little) bell; rattle
el **casco** helmet
el **casco antiguo** the old city
el **caserío** country house
casero(a) homemade
casi almost, practically
  casi crudo rare *(meat)*
el **caso** case
  hacer caso pay attention
castaño(a) brown, chestnut *(eyes, hair)*
castellano(a) Castilian, Spanish

el **castellano** Spanish spoken in Spain
castigar to punish
el **castillo** castle
la **casucha** shack
catarro: tener catarro to have a cold
el/la **cátcher** catcher
la **catedral** cathedral
la **categoría** category
catorce fourteen
el **caucho** tire
el **caudal** flow *(of a river, etc.);* plenty, abundance, wealth
causa: a causa de because of, on account of
cautivar to captivate, to charm
el **cayo** islet, key
la **caza** hunting, hunt
el/la **cazador(a)** hunter
cazarto hunt
la **cazuela** saucepan, pot
el **CD** CD
la **cebolla** onion
ceder to cede, to hand over
la **cédula** ID chip; identity card
celebrar to celebrate
el **celular** cell phone
el **cementerio** cemetery
la **cena** dinner
cenar to have dinner
la **ceniza** ash
el **cenote** natural water well
el **censo** census
el **centenario** centenary, hundredth anniversary
el **centro** downtown; center
el **centro comercial** shopping center, mall
cepillarse to brush
  cepillarse los dientes to brush one's teeth
el **cepillo** brush
  el cepillo de dientes toothbrush
las **cerámicas** ceramics
la **cerca** fence, wall
cerca (de) near
cercanías: el tren de cercanías suburban train
cercano(a) near, nearby, close
el **cerdo** pig; pork
la chuleta de cerdo pork chop
el **cereal** cereal
la **ceremonia** ceremony
  la ceremonia civil civil ceremony (wedding)

cero zero
cerrar (ie) to close
el **cerro** hill
la **cesación** cessation, stoppage
cesar to stop, to cease
la **cesta** basket
el **cesto** basket
la **chacra** farm
el **champán** champagne
el **champú** shampoo
¡Chao! Good-bye!, Bye!
el **chaparrón** downpour, heavy shower
la **chaqueta** jacket
  la chaqueta de esquí ski jacket, anorak
la **charla** conversation, chat
charlar to converse, to chat
el **charqui** jerky; dried (cured) meat
el **charro** Mexican cowboy *(rodeo)*
el **chasqui** messenger, courier
las **chauchas** green beans
chico(a) little
  A chico pajarillo, chico nidillo. Little bird, little nest.
el/la **chico(a)** boy, girl
chileno(a) Chilean
la **chimenea** fireplace
el **chipotle** jalapeño pepper
el **chiringuito** refreshment stand
el **chisme** rumor, gossip
la **chispa** spark
el **chiste** joke *(story, etc.)*
chistoso(a) funny
chocar to crash, to collide
el **choclo** corn
el **chocolate** chocolate
  el chocolate caliente hot chocolate
el **chorizo** Spanish sausage
la **choza** hut, shack
el **chubasco** heavy shower, squall
la **chuleta de cerdo** pork chop
el **chuño** potato starch
el **churro** (type of) doughnut
ciego(a) blind
el/la **ciego(a)** blind man (woman)
el **cielo** sky; heaven
cien(to) one hundred
la **ciencia** science
cierto(a) true, certain
la **cifra** number

el **cilantro** cilantro
los **cimientos** foundations *(architecture)*
el **cincel** chisel
cinco five
cincuenta fifty
el **cine** movie theater, movies
ir al cine to go to the movies
el **cinturón** belt
el cinturón de seguridad seat belt
la **circunstancia** circumstance
el/la **cirujano(a) ortopédico(a)** orthopedic surgeon
la **ciudad** city
la **ciudadanía** citizenship
civil: por (el, lo) civil civil
la **civilización** civilization
clamar to cry out for, to clamor for
claro(a) clear
claro que of course
la **clase** class *(school);* class *(ticket)*
en primera (segunda) clase first-class (second-class)
la sala de clase classroom
clavar to hammer, to nail; to drive in
clavar con una multa to give (someone) a ticket
la **clave de área** area code
el **clero** clergy
clic: hacer clic to click *(computer)*
el/la **cliente** customer
el **clima** climate
la **clínica** clinic
el **coatí** type of raccoon common to Central and South America
el **cobarde** coward
la **cobertura** cover, covering *(top)*
cobrar to cash; to charge *(price);* to collect *(payment)*
la **cocción** cooking
cocer (ue) to cook
el **coche** car; train car
el coche deportivo sports car
el coche comedor (cafetería) dining car
el **cochinillo asado** roast suckling pig
la **cocina** kitchen; stove; cooking, cuisine
cocinar to cook
el/la **cocinero(a)** cook

el **cocodrilo** crocodile
la **codicia** greed
el **código** code
el **codo** elbow
cogido(a) picked up, taken
la **col** cabbage
la **cola** cola (soda); line *(of people);* tail
hacer cola to wait in line
el **colegio** secondary school, high school
el **colgador** hanger
colgar (ue) to hang up
la **colina** hill
la **colocación** placement
colocar to place, to put
colombiano(a) Colombian
la **colonia** colony
colonial colonial
el **colonizador** colonizer
colonizar to colonize
los **colonos** settlers
el **color** color
de color marrón brown
¿De qué color es? What color is it?
el **comando** command
combinado: el plato combinado combination plate
el **comedor** dining room
el coche comedor dining car
el/la **comensal** diner
comenzar (ie) to begin
comer to eat
dar de comer a to feed
el/la **comerciante** businessperson
los **comestibles** food
cometer to make (mistake); to commit
cómico(a) funny, comical
la **comida** meal; food
la **comitiva** procession, escort, suite
como like, as; since
¿cómo? How?; What?
¿Cómo es él? What's he like? What does he look like?
¿Cómo está... ? How is . . . ?
¡Cómo no! Sure! Of course!
las **comodidades** comforts, amenities
cómodo(a) comfortable
comoquiera however
el/la **compañero(a)** companion
los compañeros de clase classmates
la **compañía** company
comparar to compare

el **compartimiento superior** overhead bin
compartir to share
completar to complete, to fill in
completo(a) full
componer to compose, to make up
el **comportamiento** behavior, conduct
comportarse to behave
la **composición** composition
la **compra** purchase
el/la **comprador(a)** shopper, customer
comprar to buy
compras: ir de compras to shop, to go shopping
comprender to understand; to include
la **comprensión** understanding
comprobar (ue) to check, to verify
compuesto(a) composed
la **computadora** computer
comunicarse to communicate with each other
la **comunión** communion
con with
con frecuencia often
con retraso (una demora) late, delayed
concertado(a) methodical, sytematic
el **concierto** concert
concordar (ue) to agree
concurrido(a) crowded, busy
el **conde** count
condenar to condemn
el **condimento** condiment
el **condominio** condominium
conducir to drive; to lead
la **conducta** conduct, behavior
tener buena conducta to be well-behaved
el/la **conductor(a)** driver
conectado(a) on-line, connected
conectar to connect
la **conexión** connection
confeccionar to make, to prepare
la **conferencia** lecture
confesar (ie) to confess, to tell the truth
confiabilidad reliability
confiable reliable, trustworthy
confiar to entrust
el **confín** limit, boundary, horizon
la **confirmación** confirmation

Spanish-English

Spanish-English Dictionary

confirmar to confirm (seat on a flight)
conforme: estar conforme to agree, to be in agreement
confortar to soothe
confundir to mix in, to confuse
congelado(a) frozen
los productos congelados frozen food
el **congelador** freezer
el **conjunto** band, musical group; group or set
conmovedor(a) moving
conmoverse (ue) to be moved, to be touched *(emotion)*
conocer to know, to be familiar with; to meet
conocido(a) known
el/la **conocido(a)** acquaintance
el **conocimiento** knowledge
el **conquistador** conqueror
conquistar to conquer
consciente conscious, aware
consecuencia: por consecuencia as a result, consequently
conseguir (i, i) to get; to achieve; to manage (to do something)
el/la **consejero(a)** counselor
el **consejo** advice
conservador(a) conservative
considerar to consider
consiguiente: por consiguiente consequently
el **consomé** bouillon, consommé
la **consonante** consonant
constar (de) to consist of, to be made up of
la **consulta del médico** doctor's office
consultar to consult
el **consultorio** doctor's office
el/la **consumidor(a)** consumer
el/la **contable** accountant
contagioso(a) contagious
la **contaminación del aire** air pollution
contaminar to pollute
contar (ue) to tell, to count
contemporáneo(a) contemporary
contener (ie) to contain
el **contenido** contents
contento(a) happy
contestar to answer

continental: el desayuno continental Continental breakfast
el **continente** continent
continua: la línea continua solid line *(road)*
continuar to continue
contra against
contraer matrimonio to get married
contrario(a) opposite; opposing
al contrario on the contrary
el equipo contrario opposing team
contrastar to contrast
el **contrato** contract
contribuir to contribute
el **control de pasaportes** passport inspection
el **control de seguridad** security (checkpoint)
pasar por el control de seguridad to go through security
controvertido(a) controversial
convencer to convince
convenir (ie) to admit
la **conversación** conversation
conversar to converse
converso(a) converted
el **convertible** convertible
convertir (ie, i) to convert, to transform
la **copa: la Copa Mundial** World Cup
la **copia** copy
la copia dura hard copy
el **corazón** heart
la **corbata** tie
el **cordero** lamb
la **cordillera** mountain chain, range
la **corona** wreath; crown
el **coronel** colonel
el **corral** corral
la **correa** conveyor belt
el/la **corredor(a)** runner
el **correo** mail
el **correo electrónico** e-mail
correr to run
corresponder to respond
corrido(a) opened
la **corriente** current *(water);* trend

cortar to cut off; to cut, to chop
cortar en pedacitos to cut in small pieces, to dice
cortar en rebanadas to slice
Estás cortando. You're breaking up. *(telephone)*
Se nos cortó la línea. We've been cut off. *(telephone)*
cortarse to cut oneself
el **corte de pelo** haircut
el **cortejo fúnebre** funeral procession
cortés polite
la **cortesía** courtesy, politeness
cortesano(a) of the court, courtly
la **cortesía** courtesy
corto(a) short
a corto plazo short-term
de manga corta short-sleeved
el pantalón corto shorts
la **corvina** corbina, drumfish
la **cosa** thing
la **cosecha** harvest
cosechar to harvest
cosmopolita cosmopolitan
la **costa** coast
costar (ue) to cost
¿Cuánto cuesta? How much does it cost?
costero(a) coastal
costarricense Costa Rican
la **costumbre** custom
costumbrista related to local customs and manners
cotidiano(a) daily, everyday
el **cráneo** skull
crear to create
crecer to grow; to increase
el **crecimiento** growth
la **creencia** belief
creer to believe, to think
creo que sí (que no) I (don't) think so
la **crema dental** toothpaste
la **crema solar** suntan lotion
el **crepúsculo** twilight, dusk
el/la **criado(a)** housekeeper; maid
la **criatura** creature; baby, child
el/la **criollo(a)** person of Spanish origin born in the Americas
cristalino(a) crystalline, crystal clear
cristiano(a) Christian
la **crítica** criticism; critique, review

Spanish-English

criticar to criticize
el **cruce** crosswalk, pedestrian crossing; intersection
el **crucero** cruise; cruise ship
crudo(a) raw
casi crudo rare *(meat)*
los vegetales crudos raw vegetables, crudités
cruzar to cross; to intersect
el **cuaderno** notebook
la **cuadra** *(city)* block
el **cuadro** painting
¿cuál? which?; what?
¿Cuál es la fecha de hoy? What is today's date?
¿cuáles? which ones?; what?
cualquier(a) any
cualquier otro(a) any other
cualquiera whichever, whatever
cuando when
¿cuándo? when?
cuanto: en cuanto as soon as; **en cuanto a** in terms of, as far as . . . is concerned
¿cuánto? how much?
¿A cuánto está(n)... ? How much is (are) . . . ?
¿Cuánto es? How much is it (does it cost)?
¿cuántos(as)? how many?
¿Cuántos años tiene? How old is he (she)?
cuarenta forty
el **cuarto** room; quarter
el cuarto de baño bathroom
el cuarto de dormir bedroom
el cuarto sencillo (doble) single (double) room
y cuarto quarter-past (the hour)
cuatro four
cuatrocientos(as) four hundred
el/la **cubano(a)** Cuban
el/la **cubanoamericano(a)** Cuban American
cubierto(a) covered; indoor
cubrir to cover
la **cuchara** tablespoon
la **cucharada** tablespoonful
la **cucharadita** teaspoonful
la **cucharita** teaspoon
el **cuchillo** knife
el **cuello** neck; collar
la **cuenca** basin *(river)*
la **cuenta** check *(restaurant);* account
la cuenta corriente checking account
darse cuenta de to realize
por su cuenta on its (one's) own
tomar en cuenta to take into account
a fin de cuentas in the end
el **cuento** story
el cuento de hadas fairy tale
la **cuerda** rope, string
el **cuerdo** string
el **cuero** leather
el **cuerpo** body
la **cuesta** slope, incline, hill
la **cueva** cave
¡Cuidado Look out! Watch out!
con (mucho) cuidado (very) carefully
tener cuidado to be careful
cuidadoso(a) careful
cuidar to take care of, to care for
¡Cuídate! Take care of yourself!
la **culebra** snake
la **culpa** blame, guilt
culpable guilty
cultivar to work *(land);* to grow
el **cultivo** crop
culto(a) cultured
la **cultura** culture
la **cumbre** summit, peak, pinnacle
el **cumpleaños** birthday
cumplir... años to be (turn) . . . years old
cumplir un sueño to fulfill a wish, to make a wish come true
la **cuota** toll
la **cúpula** dome
el **cura** priest
curarse to get better, to recover
el **currículo** curriculum vitae
el **currículum vitae** résumé, curriculum vitae
el **curso** class, course
cuyo(a) whose

D

la **dama de honor** maid of honor
dañar to damage, to harm
el **daño** harm
hacerse daño to harm oneself, to get hurt
dar to give
dar con to find, to come (run) across (something)
dar de comer a to feed
dar la vuelta to turn around
dar un examen (una prueba) to give a test
dar una caminata to take a hike
dar una fiesta to throw a party
darse con to bump (crash) into someone (something)
darse cuenta de to realize
darse la mano to shake hands
datar to date *(time)*
los **datos** data, facts
de of, from
de diestra a siniestra from right to left
¿de dónde? from where?
de manera que so that, in such a way that
de modo que so that, in such a way that
De nada. You're welcome.
de palabra orally, by word of mouth
¿De parte de quién, por favor? Who's calling, please?
¿de qué nacionalidad? what nationality?
de veras really, truly
de vez en cuando from time to time
No hay de qué. You're welcome.
debajo de below, underneath
deber should; to owe
el **deber** duty
debido a owing to
débil weak
la **debilidad** weakness
debilitar to weaken
la **década** decade
decidir to decide
decir (i) to say, to tell
la **decisión** decision
tomar una decisión to make a decision
declinar to decline
decorar to decorate
decretar to decree, to order, to declare
dedicado(a) devoted
el **dedo** finger

Spanish-English

Spanish-English Dictionary

el **dedo del pie** toe
deducirse to deduct
el **defecto** defect
defender (ie) to defend
el/la **defensor(a)** defender
definido(a) definite
dejar to leave (something); to let, to allow
dejar con to put an end to
dejar de to stop, to give up
dejar un mensaje to leave a message
dejar una propina to leave a tip
del of the, from the
delante de in front of
delantero(a) front *(adj.)*
delgado(a) thin
el **delito** crime, offense
demás (the) rest
los demás other people
demasiado too *(adv.),* too much
la **demora** delay
con una demora late
denominado(a) named, designated
la **densidad** density
dental: el tubo de crema dental tube of toothpaste
dentífrica: la pasta dentífrica toothpaste
dentro de within
dentro de poco soon, shortly thereafter
la **denuncia** condemnation, denunciation
el **departamento** apartment *(Latin America);* department *(school, territory, etc.)*
el departamento de orientación guidance office
el departamento de personal human resources (personnel) department
el departamento de recursos humanos human resources department
el/la **dependiente(a)** salesperson, employee
el **deporte** sport
el deporte de equipo team sport
el deporte individual individual sport

deportivo(a) *(related to)* sports
el coche deportivo sports car
depositar to deposit
deprimido(a) sad, depressed
derecho straight (ahead)
derecho(a) right
a la derecha on the right
el **derecho** right, privilege; law, justice
los derechos rights
derribar to knock down, to destroy
derrocar to bring down
la **derrota** defeat
derrotar to defeat
desafortunadamente unfortunately
desagradable unpleasant, not nice
desaparecer to disappear
la **desaparición** disappearance
desarrollarse to develop
el **desastre** disaster
desastroso(a) disastrous, catastrophic
desatar to untie
el **desayuno** breakfast
el desayuno americano American breakfast
el desayuno continental Continental breakfast
tomar el desayuno to have breakfast
desbodado(a) runaway
descalzo(a) barefoot
descansar to rest
el **descanso** rest, break
el **descapotable** convertible
descargar to download; to unload
descargado(a) carrying no load
el **descenso** descent; fall, drop; decline
descolgar (ue) (el auricular) to unhook (the telephone receiver)
desconocido(a) unknown
desconsolado(a) very sad
descortés(esa) discourteous, rude
describir to describe
la **descripción** description
el **descubrimiento** discovery
el **descuento** discount
desde since; from

desear to want, to wish
¿Qué desean tomar? What would you like *(to eat, drink)?*
desembarcar to deplane, disembark
la **desembocadura** mouth *(of a river)*
desembocar to lead, to go (from one street into another), to come out onto
el **desencanto** disillusionment, disenchantment
el **desengaño** disappointment, disillusionment
el **desenlace** result, outcome; ending *(literature, cinema)*
el **deseo** wish, desire
desesperado(a) desperate
la **desesperanza** despair
desfilar to walk (in a parade or procession)
el **desfile** parade
la **desgracia** disgrace
desgraciadamente unfortunately
deshidratar dehydrate
deshuesado(a) deboned
el **desierto** desert
desinflada: la llanta desinflada flat tire
desinteresado(a) unselfish
desnudar to strip, to lay bare
desnudo(a) naked
el **despacho** office
despacio slow, slowly
despedirse (i, i) to say good-bye to, to take leave
despegar to take off *(plane)*
el **despegue** takeoff *(plane)*
despeinar to ruffle
despejado(a) clear, cloudless
desperdiciar to waste
despertarse (ie) to wake up
despiadado(a) merciless, ruthless
después (de) after; later
después de que after (doing something)
destacar to emphasize, to stress
destemplado(a) sharp, unpleasant
el/la **destinatario(a)** addressee, recipient
el **destino** destination
con destino a (going) to; for

destrozar to destroy, to demolish
desvanecer to dissipate, to evaporate
las **desventajas** disadvantages
desvestir (i, i) to undress
desviarse to go (stray) off course
el **detalle** detail
detenerse (ie) to stop, to halt
detenidamente thoroughly
el **detergente** detergent
detrás de in back of, behind
la **deuda** debt
devisar to make out, to distinguish
devolver (ue) to return (something)
el **día** day
Buenos días. Good morning.
el Día de los Muertos Day of the Dead
el Día de los Reyes Epiphany (January 6)
hoy en día nowadays
¿Qué día es hoy? What day is it today?
el **diablo** devil
el **diagnóstico** diagnosis
el **diálogo** dialogue
diario(a) daily
a diario on a daily basis
la rutina diaria daily routine
el **diario** daily newspaper
dibujar to draw, to illustrate
el **dibujo** drawing, illustration
el **dicho** saying
dichoso(a) fortunate, lucky
diciembre December
el **dictado** dictation
dictar to dictate
dictar cursos to give (teach) classes *(school)*
diecinueve nineteen
dieciocho eighteen
dieciséis sixteen
diecisiete seventeen
el **diente** clove (of garlic)
los **dientes** teeth
cepillarse (lavarse) los dientes to brush one's teeth
diestro(a) skillful
la **dieta** diet
diez ten
de diez en diez by tens
la **diferencia** difference
diferente different
difícil difficult
la **dificultad** difficulty
sin dificultad easily
difunto(a) dead, deceased
el/la **difunto(a)** deceased, dead person
¡Diga! Hello! *(on the phone)*
¡Dígame! Hello! *(on the phone)*
digno(a) honorable, dignified
diluvial torrential
dinámico(a) dynamic
el **dinero** money
el dinero en efectivo cash
el/la **diputado(a)** delegate, representative
dirán: el «lo que dirán» what people might say
la **dirección** address; direction
la dirección de correo electrónico (e-mail) e-mail address
las **direccionales** turn signals
dirigirse to head toward
el **disco** record
discreto(a) discrete
el **discurso** speech *(to an audience);* discourse
discutir to argue
diseñar to design
el **disfraz** disguise, costume
disfrutar (de) to enjoy
disimular to hide, to conceal *(emotion)*
disminuir to reduce, diminish
displicente indifferent
disponderse to prepare (to do something)
disponible available
dispuesto(a) disposed, laid out; ready
distancia: de larga distancia long-distance *(race)*
distinguir to distinguish
distinto(a) different
distraer to distract
el **distribuidor automático** boarding pass kiosk; ticket dispenser
el **distrito** district, area, section
divertido(a) fun, funny, amusing
divertir (ie, i) to amuse
divertirse (ie, i) to have a good time, to have fun
dividirse to divide, to separate
divino(a) divine, heavenly
doblar to turn
doble: el cuarto doble double *(hotel room)*
dobles doubles *(tennis)*
doce twelve
la **docena** dozen
el **documento adjunto** attached file
el **dólar** dollar
doler (ue) to ache, to hurt
Le (me, etc.) duele mucho. It hurts him (me, etc.) a lot.
Me duele(n)... My . . . ache(s).
el **dolor** pain, ache
tener dolor de cabeza to have a headache
tener dolor de estómago to have a stomachache
tener dolor de garganta to have a sore throat
doloroso(a) painful
el **domenical** Sunday newspaper
domesticado(a) domesticated
dominar to speak very well
el **domingo** Sunday
dominicano(a) Dominican
la República Dominicana Dominican Republic
el **dominio** rule
el **dominó** dominos
el **don** gift, talent *(ability)*
donde where
¿dónde? Where?
¿de dónde? from where?
dondequiera wherever
dorado(a) golden, (made of) gold
dormir (ue, u) to sleep
la bolsa de dormir sleeping bag
el cuarto de dormir bedroom
el saco de dormir sleeping bag
dormirse (ue, u) to fall asleep
el **dormitorio** bedroom
dos two
doscientos(as) two hundred
el **drama** drama
el/la **dramaturgo(a)** playwright
driblar to dribble
la **ducha** shower
tomar una ducha to take a shower
la **duda** doubt
sin duda without a doubt, doubtless
duele(n): Me duele(n)... My . . . hurts (aches).

Spanish-English

Spanish-English Dictionary

Me duele que... It hurts me that . . .
el **duelo** duel
el/la **dueño(a)** owner
dulce sweet
el pan dulce pastry
el **dulce** sweet
durante during
durar to last
duro(a) hard, difficult
la copia dura hard copy
el **DVD** DVD

la **ebullición** boiling
echar to throw, to expel
echar a to start to (do something)
echar abajo to demolish
echar de menos to miss, to long for
echar raíces to put down roots
echar una carta to mail a letter
económico(a) inexpensive
ecuatoriano(a) Ecuadoran
la **edad** age
la Edad Media Middle Ages
el **edificio** building
la **educación** education
la educación física physical education
educado(a) mannered
estar bien (mal) educado(a) to be polite (rude)
efectuarse to take place
egoísta selfish, egotistical
el/la **egresado(a)** graduate
ejecutar to execute
el/la **ejecutivo(a)** executive
ejemplar exemplary
elejemplo example
por ejemplo for example
ejercer to practice *(profession);* to exert *(influence);* to wield *(power)*
los **ejercicios** exercises
ejercicios de respiración breathing exercises
hacer ejercicios to exercise
el **ejército** army
los **ejotes** green beans
el the *(m. sing.)*
él he
elaborar to make, to produce
electrónico electronic
el boleto (billete) electrónico e-ticket
el correo electrónico e-mail
el **elefante** elephant
elegante elegant, fancy
elegir (i, i) to elect, to pick
elemental elementary
la **élite** elite social class
ella she
ellos(as) they
el **elote** corn
el **e-mail** e-mail
la **embajada** embassy
el/la **embajador(a)** ambassador
la **embarcación** boat, craft
embarcar to board
embargo: sin embargo however, nevertheless
el **embarque** boarding
el **embotellamiento** traffic jam
emergencia: la sala de emergencia emergency room
la **emisión televisiva** television program
la **emisora de televisión** television station
emitir to broadcast
emocionante moving; exciting
emotivo(a) emotional, sensitive
la **empanada** meat pie
empeñarse (en) to insist (on)
empeorar to make worse, to worsen
empezar (ie) to begin
el/la **empleado(a)** salesperson, employee
emprender to undertake; to embark, set out
la **empresa** company; undertaking, task
empujar to push
en in; on; at
en casa at home
en directo live (broadcast, concert, etc.)
en vivo live (broadcast, concert, etc.)
enamorado(a) in love
el/la **enamorado(a)** sweetheart
enamorado(a) de in love with
enamorarse to fall in love
el **encabezamiento** heading *(letter)*
encaminarse to head toward
encantador(a) enchanting, charming, lovely
encantar to love, to adore
el **encanto** enchantment
encarcelado(a) imprisoned, jailed
encargar to put in charge
encargarse to take it upon oneself
encender (ie) to light *(fire);* to turn on *(lights)*
encerrar (ie) to enclose; to lock up
encestar to make a basket *(basketball)*
la **enchilada** enchilada
encima: por encima de above, over
encomendar (ie) to entrust
la **encomienda** land and inhabitants granted to a conquistador
encontrar (ue) to find, to encounter
encontrarse (ue) to be found; to meet
el **encuentro** encounter, meeting
la **encuesta** survey
endosar endorse
el/la **enemigo(a)** enemy
energético(a) energetic
la **energía** energy
enero January
enfadado(a) angry, mad
enfadar to make angry
enfadarse to get angry
la **enfermedad** illness
el/la **enfermero(a)** nurse
enfermizo(a) sickly
enfermo(a) ill, sick
el/la **enfermo(a)** sick person, patient
enfocar to focus
el **enfrentamiento** confrontation
enfrentar to face (up to), to confront
enfrente de in front of
enganchar to hook, to hitch
el **engaño** deception, trick
¡Enhorabuena! Congratulations!
el **enjambre** swarm

Spanish-English

enjuto(a) thin, skinny
enlatado(a) canned
enlazar to connect
enloquecer to go (drive) mad
enmudecer(se) to make silent, to silence
enojado(a) angry, mad, annoyed
enojar to make angry, to annoy
enorgullecerse to be filled with pride
enorme enormous
enredarse to be entangled
enriquecerse to get (become) rich, to prosper
la **ensalada** salad
ensayar to test, to try out, to rehearse
el **ensayo** essay; rehearsal
enseguida right away
enseñar to teach
ensordecedor(a) deafening
el **ensueño** dream, fantasy
entender (ie) to understand
enterarse to find out; to understand *(Spain)*
entero(a) entire, whole
enterrado(a) buried
enterrar (ie) to bury
el **entierro** burial
entonces then
en aquel entonces at that time
la **entrada** ticket; entrée *(meal);* entrance
entradas: la bandeja de entradas e-mail inbox
entrar to enter, to go into
entrar en línea to go online
entre between, among
entregar to hand over, to deliver
el/la **entrenador(a)** coach, manager
el **entrenamiento** training
entretanto meanwhile
la **entrevista** interview
el/la **entrevistador(a)** interviewer
entusiasmado(a) enthusiastic
el **entusiasmo** enthusiasm
enviados: la bandeja de enviados sent mailbox
enviar to send
la **envidia** envy
envidiar to envy
enviudar to be widowed
la **epidemia** epidemic
el **episodio** episode
la **época** times, period
el **equilibrio** balance
el **equipaje** luggage, baggage
el equipaje de mano hand luggage, carry-on bags
el **equipo** team; equipment
el deporte de equipo team sport
la **equitación** horseback riding
equivocado(a) mistaken, wrong
errante wandering, nomadic
erróneo(a) mistaken, wrong
escala: hacer escala to stop over, to make a stop
la **escalera** stairs, staircase
la escalera mecánica escalator
el **escalofrío** shiver
el **escalón** step, stair
el **escalope de ternera** veal cutlet
el **escaño** bench
el **escaparate** store window
escaso(a) scarce, scant
la **escena** scene
esclavizar to enslave
el/la **esclavo(a)** slave
escoger to choose
escolar *(adj.)* school
el bus escolar school bus
los materiales escolares school supplies
la tarifa escolar student fare
esconder(se) to hide (oneself)
escribir to write
el **escrito** document, paper
escrito(a) written
el/la **escritor(a)** writer
escritorio: la pantalla de escritorio *(computer)* screen
la **escritura** writing; handwriting
escuchar to listen (to)
¿Me escuchas? Can you hear me? *(telephone)*
el **escudero** squire
la **escuela** school
la escuela primaria elementary school
la escuela secundaria secondary school, high school
esculpir to sculpt, to carve
el/la **escultor(a)** sculptor
la **escultura** sculpture
ese(a) that, that one
esforzarse (ue) to exert oneself, to make an effort
la **esmeralda** emerald
eso: a eso de at about *(time)*
por eso for this reason, that is why
esos(as) those
la **espada** sword
la **espalda** back
espantable horrendous
el **espanto** terror, fright
curado(a) de espantos to grow accustomed to something
España Spain
el **español** Spanish *(language)*
el/la **español(a)** Spaniard
español(a) Spanish *(adj.)*
la **especia** spice
la **especialidad** specialty
especialmente especially
la **especie** species
específico(a) specific
espectacular spectacular
el **espectáculo** show, spectacle
el/la **espectador(a)** spectator
el **espejo** mirror
espera: la sala de espera waiting room
esperar to wait (for); to hope; to expect
la **esperanza** hope
espeso(a) dense, thick
el **espíritu** mind, spirit
la **esplendidez** splendor
espontáneo(a) spontaneous
la **esposa** wife
el **esposo** husband
la **espuma** foam, surf
la **esquela** obituary
el **esqueleto** skeleton
el **esquí** ski; skiing
el esquí acuático (náutico) waterskiing
el esquí alpino downhill skiing
el esquí nórdico cross-country skiing
el/la **esquiador(a)** skier
esquiar to ski
esquiar en el agua to water-ski
la **esquina** corner *(street)*
¿Está… , por favor? Is . . . there, please?
establecer(se) to establish; to settle
el **establecimiento** establish, settling
el **establo** stable; manger
la **estación** season; resort; station

Spanish-English Dictionary

la estación de esquí ski resort
la estación de ferrocarril (tren) railroad (train) station
la estación de metro subway (metro) station
la estación de servicio gas station
¿Qué estación es? What season is it?
estacionar to park
la **estadía** stay
el **estadio** stadium
el **estado financiero** financial statement
Estados Unidos United States
estadounidense from the United States
estallar to break out, to burst, to explode
la **estampilla** stamp
la **estancia** ranch; stay
estar to be
¿Está... ? Is . . . there?
estar a cargo de to be in charge of, to be responsible for
estar al tanto to be up-to-date, informed
estar bien to feel fine
estar cansado(a) to be tired
estar contento(a) (triste, nervioso[a], etc.) to be happy (sad, nervous, etc.)
estar de buen (mal) humor to be in a good (bad) mood
estar enfermo(a) to be sick
estar para (+ infinitivo) to be about to (do something)
la **estatua** statue
la **estatura** stature, height
este(a) this, this one
el **este** east
la **estela** commemorative pedestal; wake *(sea);* trail *(sky)*
estereofónico(a) stereo
el **estilo** style
estimado(a) esteemed
estirarse to stretch
el **estómago** stomach
el dolor de estómago stomachache
estos(as) these
la **estrategía** strategy
estrechamente closely
estrecho(a) narrow
el **estrecho** strait *(geography)*
la **estrella** star
estremecerse to shake
estrenar to premiere *(cinema)*
el **estrépito** noise, racket
el **estrés** stress
la **estrofa** stanza
estropear to damage, to ruin
la **estructura** structure
el **estruendo** din, roar, racket
el/la **estudiante** student
el/la estudiante universitario(a) university student
estudiantil: la tarifa estudiantil student fare
estudiar to study
el **estudio** study
los estudios sociales social studies
la **estufa** stove
estupendo(a) terrific, stupendous
la **etiqueta** luggage identification tag
la **etnia** ethnicity, ethnic group
étnico(a) ethnic
el **euro** euro *(currency of most of the countries of the European Union)*
Europa Europe
el **evento** event
evitar to avoid
el **examen** test, exam
el examen físico physical
examinar to examine
exceder to go over *(speed limit)*
excelente excellent
la **excepción** exception
la **excursión** excursion, outing
el/la **excursionista** hiker
la **exigencia** demand
exigente demanding
exigir to demand, to require
existir exist
el **éxito** success
tener éxito to succeed, to be successful
exótico(a) exotic
experimentar to try, to try out; to experience
el/la **experto(a)** expert
la **explicación** explanation
explicar to explain
el/la **explorador(a)** explorer
la **explotación** exploitation
la **exposición de arte** art show, exhibition
el/la **expositor(a)** exhibitor *(art);* exponent
la **expresión** expression
expulsar to expel
extenderse (ie) to extend
extraer to extract
extranjero(a) foreign
al extranjero abroad
extrañar to miss, to long for
extraño(a) strange
extraordinario(a) extraordinary
extraviarse to become lost
el **extravío** loss, misplacement

F

la **fábrica** factory
fabuloso(a) fabulous
fácil easy
la **facilidad** easiness, facility
facilitar to facilitate, to make easy
el **facón** long knife used by gauchos
la **factura** bill
facturar el equipaje to check luggage
la **facultad** faculty, department *(school)*
la **falda** skirt
fallar to fail *(stop working)*
el **fallecimiento** death, demise
fallido(a) unsuccessful, vain *(attempt)*
falso(a) false
la **falta** lack
faltar to lack, not to have
Le falta paciencia. He (She) has no patience.
la **familia** family
familiar *(related to)* family
los **familiares** family members
famoso(a) famous
la **fantasía** fantasy
el **fantasma** ghost
fantástico(a) fantastic
el/la **farmacéutico(a)** druggist, pharmacist
la **farmacia** pharmacy, drugstore
el **faro** lighthouse; beacon
el **favor** favor
Favor de (+ infinitivo). Please (do something).

por favor please
favorito(a) favorite
la **faz** face, surface
la **fe** faith
febrero February
la **fecha** date
¿Cuál es la fecha de hoy? What is today's date?
fecundo(a) prolific
la **felicidad** happiness
feliz happy
¡Felices Pascuas! Happy Easter!
¡Feliz Hanuka! Happy Hanukkah!
¡Feliz Navidad! Merry Christmas!
feo(a) unattractive, ugly
la **feria** festival, fair; fairground
feroz ferocious, fierce
ferrocarril: la estación de ferrocarril train station, railroad station
ferroviario(a) related to trains
festejar to celebrate
el **festejo** celebration, party
festivo: el día festivo holiday
la **fiebre** fever
tener fiebre to have a fever
fiel loyal, faithful
el **fierro** iron *(metal)*
la **fiesta** party; holiday
dar una fiesta to throw a party
la fiesta de las luces festival of lights (Hanukkah)
fijarse to pay attention to, to concentrate on
fijo(a) fixed, unchanging
la **fila** line *(of people)*; row *(of seats)*
estar en fila to wait in line
el **film** film, movie
el **filme** film, movie
el **fin** end; death
en fin in short
el fin de semana weekend
por fin finally
final: al final de at the end of
financiero(a) financial
la **finca** farm
fines: a fines de at the end of
fingir to pretend
fingido(a) feigned, false
firmar to sign
físico(a) physical
la apariencia física physical appearance, looks
la educación física physical education
flaco(a) thin
flamante brand-new; fabulous, luxurious
el **flan** flan, custard
la **flauta** flute
la **flecha** arrow
flexible open-minded, flexible
la **flor** flower
florecer to flourish; to bloom
fluvial related to a river
el **foco** center, focal point
la **fogata** bonfire, campfire
el **fondo** background
al fondo to the bottom
los **fondos** funds, money
el/la **fontanero(a)** plumber
forastero(a) alien, strange, exotic
el/la **forastero(a)** outsider, stranger
forjar to forge
la **forma** form, piece; shape
la forma de identidad piece of ID
formal formal
formar to form, to make up; to put together
el **formulario** form
forrado(a) lined
la **fortaleza** fort, fortress
el **fortín** small fort
forzado(a) forced
la **foto(grafía)** photo
el/la **fotógrafo(a)** photographer
fracasar to fail, to be unsuccessful
el **fracaso** failure
la **fractura** fracture
el **francés** French
el **franciscano** Franciscan
franco(a) frank, sincere, candid
el **frasco** jar
la **frase** sentence
la **frazada** blanket
frecuencia: con frecuencia often, frequently
frecuentemente frequently
freír (i, i) to fry
los **frenos** brakes
el **frente** front
la **frente** forehead
frente a in front of
fresco(a) cool; fresh
Hace fresco. It's cool *(weather)*.
los **frijoles** beans
el **frío** cold
frío(a) cold
Hace frío. It's cold *(weather)*.
tener frío to be cold
frito(a) fried
las patatas (papas) fritas french fries
frontal: la página frontal home page
la **frontera** border
la **fruta** fruit
el puesto de frutas fruit stand
la **frutería** fruit stand
el **fruto** benefit; result; fruit
el **fuego** flame, heat
a fuego lento on low heat
los **fuegos artificiales** fireworks
la **fuente** fountain; source
fuera de outside
fuerte strong; substantial
el **fuerte** fort
la **fuerza** force, strength
las **fuerzas** (armed) forces
la **fuga** escape, flight
la **fugacidad** fleetingness
fugarse to escape
fugaz fleeting, brief
fumar: la señal de no fumar no-smoking sign
el/la **funcionario(a) gubernamental (de gobierno)** government official
fundar to found
fundir to unite, to join
el **fútbol** soccer
el campo de fútbol soccer field
el fútbol americano football
el/la **futbolista** soccer player
el **futuro** future

G

el **gabinete del dentista** dentist's office
las **gafas para el sol** sunglasses
el **galán** elegant man, heartthrob
gallardo(a) brave, dashing
las **galletas** crackers, cookies
la **gallina** hen
el **gallinero** henhouse, chicken coop
el **gallo** rooster
galope: a galope galloping
la **gamba** shrimp, prawn
la **ganadería** cattle farming

Spanish-English

Spanish-English Dictionary

el **ganado** cattle, livestock
ganar to win; to earn
ganas: tener ganas de to feel like
el **garaje** garage
la **garganta** throat
el dolor de garganta sore throat
la **garita de peaje** tollbooth
el **gas: el agua mineral con gas** carbonated (sparkling) mineral water
la **gaseosa** soda, carbonated drink
la **gasolina** gas
la **gasolinera** gas station
gastar to spend; to waste
el **gasto** expense
el/la **gato(a)** cat; jack *(car)*
la **gaveta** drawer
el/la **gemelo(a)** twin
general general
en general in general
por lo general usually, as a rule
generalmente usually, generally
el **género** genre
generoso(a) generous
la **gente** people
la **geografía** geography
la **geometría** geometry
la **gesticulación** gesture
el **gesto** gesture
el **gigante** giant
el **gimnasio** gym(nasium)
girar to turn, to swivel
la **gitanilla** little gypsy
glacial glacial *(era);* icy, bitter *(wind)*
el **globo** balloon
el/la **gobernador(a)** governor
el **gobierno** government
el **gol** goal
meter un gol to score a goal
el **golpe** blow; pat (on the back)
golpear to hit *(ball)*
la **goma** tire; rubber
gordo(a) fat
el **gorro** ski hat
la **gota** drop *(rain)*
gozar de to enjoy
grabar to record
Gracias. Thank you.
dar gracias a to thank
Mil gracias. Thanks a million.

gracioso(a) funny
el **grado** degree (level); rank; grade
la **gramática** grammar
gran, grande big, large
la **grandeza** greatness, grandeur
grandote huge
el **granero** barn
la **granja** farm
el **grano** grain; bean *(coffee)*
gratis for free
gratuito(a) free
grave serious
gris gray
gritar to yell, to shout
el **grito** scream, shout
gritos: a gritos at the top of one's voice
el **grosor** thickness
grueso(a) thick, stout
el **grupo** group
la **guagua** bus *(Puerto Rico, Cuba)*
el **guante** glove
la **guantera** glove compartment
guapetón(ona) good-looking, dashing
guapo(a) attractive, good-looking
guardar to guard; to save, to keep
guardar cama to stay in bed *(illness)*
la **guardería** shelter
guatemalteco(a) Guatemalan
la **guerra** war
guerrero(a) warlike
el **guerrero** warrior
la **guía** guidebook
la guía telefónica phone book
guiar to guide
el **guisado** stew
el **guisante** pea
la **guitarra** guitar
gustar to like, to be pleasing to
el **gusto** pleasure; like; taste
Mucho gusto. Nice *(It's a pleasure)* to meet you.

H

haber to have *(in compound tenses)*
en su haber in his/her/their/your favor
haber de (+ infinitivo) to have to (do something)
las **habichuelas** beans
las habichuelas tiernas green beans, string beans
la **habitación** bedroom; hotel room
el/la **habitante** inhabitant
habitar to inhabit
el/la **hablante** speaker
hablar to speak, to talk
hablar en el móvil to talk on the cell phone
hablar por teléfono to talk on the phone
¿Hablas en serio? Are you serious?
habría de (+ infinitivo) I was supposed to (do something)
hace: Hace... años . . . years ago
Hace buen tiempo. The weather is nice.
¿Hace cuánto tiempo... ? How long . . . ?
Hace fresco. It's cool *(weather)*.
Hace frío. It's cold *(weather)*.
Hace mal tiempo. The weather is bad.
Hace (mucho) calor. It's (very) hot *(weather)*.
Hace sol. It's sunny.
Hace viento. It's windy.
hacer to do, to make
hacer clic to click *(computer)*
hacer cola to stand (wait) in line
hacer ejercicios to exercise
hacer jogging to go jogging
hacer la cama to make the bed
hacer la maleta to pack
hacer planchas to do push-ups
hacer un viaje to take a trip
hacerle caso to pay attention
hacerse to become
hacerse daño to hurt oneself
el **hacha** *(f.)* ax
hacia toward
hacia atrás backwards
la **hacienda** ranch
el **hall** concourse *(train station)*
hallar to find

Spanish-English

el **hambre** *(f.)* hunger
Me muero de hambre. I'm starving.
tener hambre to be hungry
la **hamburguesa** hamburger
el **Hanuka** Hanukkah
¡Feliz Hanuka! Happy Hanukkah!
la **harina** flour
hasta until; up to; as far as; even
¡Hasta luego! See you later!
¡Hasta mañana! See you tomorrow!
¡Hasta pronto! See you soon!
hasta que until
hay there is, there are
hay que it's necessary to (do something), one must
Hay sol. It's sunny.
No hay de qué. You're welcome.
¿Qué hay? What's new (up)?
la **hazaña** achievement
hebreo(a) Jewish, Hebrew
el **hecho** fact
hecho(a): bien hecho(a) well-done *(meat)*
de hecho in fact
hecho(a) a mano handmade
la **helada** frost
el **helado** ice cream
la **hembra** female
el **heno** hay
la **herencia** heritage, heredity; inheritance
la **herida** wound, injury
herido(a) wounded
el/la **herido(a)** injured person
herir (ie, i) to injure, to wound
el/la **hermanastro(a)** stepbrother, stepsister
el/la **hermano(a)** brother, sister
hermoso(a) beautiful
el **héroe** hero
la **heroína** heroine
la **herramienta** tool
herramientas: la barra de herramientas toolbar
hervir (ie, i) to boil
la **hiel** bitterness, resentment
el **hielo** ice
el patinaje sobre el hielo ice-skating
la **hierba** grass
las **hierbas** herbs
el **hierro** iron *(metal)*
el **hígado** liver
higiénico: el rollo de papel higiénico roll of toilet paper
el/la **hijo(a)** son, daughter, child
el/la hijo(a) único(a) only child
los **hijos** children
hinchado(a) swollen
hincharse to get swollen, to swell
hispano(a) Hispanic
hispanohablante Spanish-speaking
el/la **hispanohablante** Spanish speaker
hispanoparlante Spanish-speaking
el/la **hispanoparlante** Spanish speaker
la **historia** history
el/la **historiador(a)** historian
el **hocico** snout
el **hogar** home
la **hoguera** bonfire
la **hoja** sheet (of paper); leaf (of lettuce, tree)
la **hojalata** tin
hojear to skim, to scan
¡Hola! Hello!
el **hombre** man
el **hombro** shoulder
el **homenaje** homage, tribute
hondo(a) deep
honesto(a) honest
el **hongo** mushroom
honor: en honor de in honor of
honrado honest, upright
honroso(a) honorable
la **hora** hour; time
¿a qué hora? at what time?
la hora de embarque boarding time
la hora de salida departure time
¿Qué hora es? What time is it?
el **horario** *(train)* schedule, timetable
el **horizante** horizon
el **horno** oven
el **horno de microondas** microwave oven
la **hortaliza** vegetable
hospedarse to stay in a hotel
el **hospital** hospital
el **hostal** hostel, small (inexpensive) hotel
el **hotel** hotel
hoy today
¿Cuál es la fecha de hoy? What's today's date?
hoy en día nowadays
¿Qué día es hoy? What day is it today?
la **huella** footprint, track; trace, sign
la **huerta** large vegetable garden
el **huerto** small vegetable garden; orchard
el **hueso** bone
el/la **huésped(a)** guest
el **huevo** egg
el huevo batido scrambled egg
los huevos pasados por agua soft-boiled eggs
los huevos revueltos scrambled eggs
poner huevos to lay eggs
huir to flee
humanitario(a) humanitarian
humano(a) human
el ser humano human being
la **humedad** humidity
húmedo(a) humid
humilde humble
el **humo** smoke
el **humor** mood; humor
estar de buen (mal) humor to be in a good (bad) mood
tener un buen sentido de humor to have a good sense of humor
hundir(se) to sink
hurtadillas: a hurtadillas stealthily, on the sly
el **huso horario** time zone

I

el **icono** icon
ida y vuelta (regreso): un boleto (billete) de ida y vuelta (regreso) round-trip ticket
la **idea** idea
idear to devise, invent
la **identidad** identification
el carnet de identidad ID card
identificar to identify
el **idioma** language
la **iglesia** church
igual que as well as; like; just as
iluminar to light up, to illuminate

Spanish-English Dictionary

ilustre illustrious, distinguished
la **imagen** picture, image
impaciente impatient
impar odd *(numeric)*
impedir (i, i) to prevent, to stop, to impede
imperante ruling, prevailing
impermeable waterproof
el **impermeable** raincoat
la **implicación** involvement *(crime)*
imponente imposing
imponer to impose
importa: No importa. It doesn't matter.
la **importancia** importance
importante important
imposible impossible
la **impresora** printer
imprimir to print
el **impuesto** tax
incaico(a) related to the Incas
incapaz incapable
el **incendio** fire
la **incertidumbre** uncertainty, doubt
la **inclemencia** inclemency, harshness
incluir to include
¿Está incluido el servicio? Is the tip included?
incluso even
incomodar to inconvenience
increíble incredible
indagar to investigate, to inquire into; to find out
indicar to indicate
indígena native, indigenous
el/la **indígena** indigenous person
individual: el deporte individual individual sport
individuales singles *(tennis)*
la **índole** character, nature
indomable untameable
la **indumentaria** clothing, clothes
industrializado(a) industrialized
inesperado(a) unexpected
la **inestabilidad** instability
inestable unstable
inexplicable unexplainable
la **infancia** infancy
infantil childlike
inferior bottom
el **infierno** hell
la **infinidad** infinity
la **influencia** influence
la **información** information
la **informática** information technology
el **informe** report
infundir to instill
ingeniar: ingeniárselas para hacer algo to manage to do something
el/la **ingeniero(a)** engineer
ingenioso(a) ingenious, clever
ingerir (ie, i) to ingest, to consume
el **inglés** English
la **Inglaterra** England
ingrato(a) ungrateful *(person);* unpleasant *(situation)*
el **ingrediente** ingredient
ingresar to deposit *(bank);* to enter *(school, army)*
inhóspito(a) inhospitable, desolate
inicial: la página inicial home page
la **iniciativa** initiative
inicio: la página de inicio home page
inmenso(a) immense
inmerecido(a) undeserved, unmerited
la **inmigración** immigration
el **inodoro** toilet
inolvidable unforgettable
la **inquietud** restlessness, agitation
la **insensatez** foolishness, folly
insertar to insert
insoportable unbearable, intolerable
inspeccionar to inspect
inteligente intelligent
intercambiar to exchange
el **interés** interest
interesado(a) interested; selfish
interesante interesting
interesar to interest
interminable endless, never-ending
intermitente intermittent, sporadic
internacional international
el **Internet** Internet
navegar el Internet to surf the Net
interurbano(a) city-to-city
intervenir (ie) to intervene
íntimo(a) close
la **introducción** introduction
introducir to insert
inútil useless
los **invasores** invaders
invertir (ie, i) to invest
la **investigación** research
invicto(a) unconquered, unbeaten
el **invierno** winter
la **invitación** invitation
el/la **invitado(a)** guest
invitar to invite
involucrar to involve
ir to go
ir a (+ infinitivo) to be going to (do something)
ir a casa to go home
ir a pie to go on foot
ir al cine to go to the movies
ir de camping to go camping
ir de compras to go shopping
irlandés(esa) Irish
la **isla** island
el **islote** islet
el **istmo** isthmus
italiano(a) Italian
izquierdo(a) left
a la izquierda to the left

J

el **jabón** soap
la barra (pastilla) de jabón bar of soap
el jabón en polvo powdered detergent
jadeante panting, gasping
un **jalón de orejas** reprimand, scolding *(informal)*
jamás never
el **jamón** ham
el sándwich de jamón y queso ham and cheese sandwich
el **jardín** garden
el/la **jardinero(a)** outfielder
la **jaula** cage
el **jinete** horse rider
jogging: hacer jogging to go jogging

el **jonrón** home run
batear un jonrón to hit a home run
joven young
el/la **joven** young person
la **joya** jewel, piece of jewelry
el **júbilo** joy, jubilation
las **judías verdes** green beans
judío(a) Jewish
los **judíos** Jews
el **juego** game
el **jueves** Thursday
el/la **juez** judge
la **jugada** play, move *(in cards, chess, soccer, etc.)*
el/la **jugador(a)** player
jugar (ue) to play
jugar (al) fútbol (béisbol, básquetbol) to play soccer (baseball, basketball)
el **jugo** juice
el jugo de naranja orange juice
el **juguete** toy
juguetón(ona) playful
juicio: a tu juicio in your opinion
a juicio de in the opinion of
julio July
la **jungla** jungle
junio June
junto a next to
juntos(as) together
la **juventud** youth
juzgar to judge

el **kilo** kilo(gram) (2.2 lbs.)
el **kilometraje** mileage
el **kilómetro** kilometer

la the *(f. sing.)*; it, her *(pron.)*
el **labio** lip
la **labor** job, task
laborable: el día laborable working day
el **laboratorio** laboratory
laborioso(a) hardworking
el/la **labrador(a)** farm worker
labrar to work *(land)*
labrar la tierra to work the land
el **lacón** bacon
lácteo(a): productos lácteos dairy products
lacustre related to lakes; marshy
la **ladera** hillside
el/la **ladino(a)** indigenous person who speaks Spanish and is accustomed to city life
el **lado** side
al lado de beside, next to
ladrar to bark
el/la **ladrón(ona)** thief
el **lago** lake
la **lágrima** tear
lamentar to lament, to regret
la **lámpara** lamp
la **lana** wool
la **lancha** small boat
la **langosta** lobster
la **lanza** lance
el/la **lanzador(a)** pitcher
lanzar to kick, to throw
el **lapicero** ballpoint pen
el **lápiz** pencil
largo(a) long
a largo plazo long-term
a lo largo de along
el tren de largo recorrido long-distance train
las the *(f. pl.)*; them *(pron.)*
lástima: ser una lástima to be a shame
lastimado(a) injured, hurt
lastimarse to harm oneself, to get hurt
la **lata** can
latino(a) Latino
Latinoamérica Latin America
el/la **latinoamericano(a)** Latin American
latir to beat *(heart)*
el **lavabo** washbasin, sink
el **lavado** laundry
la **lavadora** washing machine
la **lavandería** laundromat
el **lavaplatos** dishwasher
lavar to wash
lavarse to wash oneself
lavarse el pelo (la cara, las manos) to wash one's hair (face, hands)
lavarse los dientes to clean *(brush)* one's teeth
le to him, to her; to you *(formal) (pron.)*
leal loyal
la **lección** lesson
la **leche** milk
el café con leche coffee with milk, café au lait
el **lecho** bed
el **lechón asado** roast suckling pig
la **lechuga** lettuce
la hoja de lechuga leaf of lettuce
el/la **lector(a)** reader
la **lectura** reading
leer to read
la **legumbre** vegetable
la **lejanía** (far-off) distance
lejano(a) distant *(from)*; far-off
lejos (de) far *(from)*
a lo lejos in the distance
la **lengua** tongue; language
lentamente slowly
lento(a) slow; low *(heat)*
a fuego lento on low heat
el **leño** log
el **león** lion
les to them; to you *(formal) (pron.)*
la **letra** letter *(of alphabet)*
las **letras** literature
el **levantamiento** uprising, insurrection
levantar to raise; to clear; to lift
levantar la mano to raise one's hand
levantar la mesa to clear the table
levantar pesas to lift weights
levantarse to get up; to rise up against, to rebel *(political)*
la **ley** law, rule
la **leyenda** legend
liberar to free, to rid
la **libertad** freedom
la **libra** pound *(weight)*
libre free, unoccupied
al aire libre outdoor, open-air
el tiempo libre spare time
la **librería** bookstore
la **libreta de direcciones** (e-mail) address book
el **libro** book
el libro de bolsillo paperback
la **licencia** driver's license
el **líder** leader
el **liderazgo** leadership
el **lienzo** canvas
la **liga** league
las Grandes Ligas Major Leagues
ligeramente lightly
ligero(a) light
el **límite de velocidad** speed limit

Spanish-English

Spanish-English Dictionary

el **limón** lemon
la **limonada** lemonade
el/la **limosnero(a)** beggar
los **limpiaparabrisas** windshield wipers
limpiar to clean
limpio(a) clean
lindo(a) beautiful
línea *(telephone)* line; *(road)* line
línea continua solid line
Se nos cortó la línea. We've been cut off. *(phone)*
línea: en línea online
entrar en línea to go online
la **línea aérea** airline
lío: ¡Qué lío! What a mess!
la **liquidación** sale
listo(a) ready
la **litera** bunk
la **literatura** literature
el **litoral** coast
la **llama** llama
la **llamada** *(telephone)* call
la llamada perdida (caída) dropped call *(cell phone)*
llamar to call
llamar la atención to attract attention
llamarse to call oneself, to be called, named
Me llamo… My name is . . .
las **llamas** flames
los **llaneros** people of the plains
llano(a) flat
el **llano** plains
la llanta tire
la llanta de repuesto (recambio) spare tire
las **llanuras** plains
la **llave** key
la llave magnética magnetic key
la **llegada** arrival
llegar to arrive
llegar a ser to become
llenar to fill
lleno(a) de full of
llevar to carry; to wear; to take; to bear; to have
llorar to cry
llover (ue) to rain
Llueve. It's raining.
la **lluvia** rain
lluvioso(a) rainy
lo it, him, you *(formal) (pron.)*
lo que what, that which

la **loción bronceadora** suntan lotion, sunblock
loco(a) crazy
locuaz talkative, loquacious
el **lodo** mud
lógico(a) logical
lograr to achieve, to get
el **lomo** back, loin
la **loncha** slice *(ham)*
la **lonja** slice *(ham)*
el **loro** parrot
los them *(m. pl.) (pron.)*
el **lote** lot
las **lozanías** times of vigor, liveliness, strength
las **luces** lights; headlights
la fiesta de las luces festival of lights (Hanukkah)
la **lucha** battle, fight
luchar to fight
lucir to shine
luego later; then
¡Hasta luego! See you later!
el **lugar** place; setting
en lugar de instead of
tener lugar to take place
el **lujo** luxury
lujoso(a) luxurious
la **luna** moon
la luna de miel honeymoon
el **lunes** Monday
la **luz** light
la luz roja red light

M

la **madera** wood
de madera wooden
la **madrastra** stepmother
la **madre** mother
los **madrileños** citizens of Madrid
la **madrina** godmother
el/la **madrugador(a)** early riser
madurar to ripen *(fruit);* to mature *(person)*
la **madurez** ripeness *(fruit);* maturity *(person)*
maduro(a) ripe *(fruit);* mature *(person)*
los **maduros** ripe bananas
el/la **maestro(a)** teacher; master
magnético(a) magnetic
magnífico(a) magnificent, splendid

Magos: los Reyes Magos the Three Wise Men
magrebí Maghribian, related to North Africa
el **maíz** corn
la mazorca de maíz ear of corn
mal bad
estar de mal humor to be in a bad mood
Hace mal tiempo. The weather is bad.
mal educado(a) ill-mannered, rude
la **malabarista** juggler
la **maldad** evil, wickedness
maldecir (i) to curse, speak ill of, disparage
el **malecón** boardwalk (seafront)
malentender (ie) to misunderstand
el **malentendido** misunderstanding
los **males** the evil (things), the ills
la **maleta** suitcase
hacer la maleta to pack
la **maletera** trunk *(of a car)*
el **maletín** briefcase
malicioso(a) malicious
malo(a) bad
sacar notas malas to get bad grades
malquerer (ie) to dislike
el **maltrato** mistreatment
mamá mom, mommy
el **mamífero** mammal
la **manada** herd
mandar to send
el **mandato** command
la **mandíbula** jaw
el **mando** command, charge
la cabina de mando cockpit
manejar to drive
el **manejo** handling, use
la **manera** manner, way
de ninguna manera in no way, by no means
manga: de manga corta (larga) short- *(long-)* sleeved
el **maní** peanut
la **manía** habit, obsession
la **manifestación** demonstration, protest
manifestar (ie) to show, to demonstrate; to declare
el **manjar** especially tasty dish

Spanish-English

la **mano** hand
  el equipaje de mano carry-on luggage
  levantar la mano to raise one's hand
el **manojo** handful, bunch
manso(a) gentle
la **manta** blanket
el **mantel** tablecloth
mantener (ie) to maintain
  mantenerse en forma to stay in shape
el **mantenimiento** maintenance, upkeep
la **mantequilla** butter
la **manzana** apple; (city) block
mañana tomorrow
  ¡Hasta mañana! See you tomorrow!
la **mañana** morning
  de la mañana A.M.
  por la mañana in the morning
el **mapa** map
la **máquina** machine
la **maquinaría** machinery, equipment
el **mar** sea, ocean
  el mar Caribe Caribbean Sea
el **maratón** marathon
maravilloso(a) wonderful, marvelous
marcar to score; to dial
  marcar el número to dial the number
  marcar un tanto to score a point
la **marcha** march
  en marcha working
marchar to march
marchito(a) withered, shriveled
marginado(a) marginalized
el **marido** husband
el **marinero** sailor
la **mariposa** butterfly
el **mariscal** marshal
los **mariscos** shellfish, seafood
marrón: de color marrón brown
el **martes** Tuesday
marzo March
mas but
más more
  ¡Qué… más…! What a . . . !
la **masa** dough; mass
  las masas the masses
la **máscara** mask
  la máscara de oxígeno oxygen mask

la **mascota** pet
matar to kill
las **matemáticas** mathematics, math
la **materia prima** raw material
los **materiales escolares** school supplies
la **matrícula universitaria** university degree
el **matrimonio** marriage
el **mausoleo** mausoleum
máximo(a) highest, top
  la velocidad máxima speed limit, top speed
mayo May
la **mayonesa** mayonnaise
mayor older
  hacerse mayor to grow older
el/la **mayor** the oldest; the greatest
el **mayordomo** butler
la **mayoría** majority
mayoritario(a) *(related to)* majority
la **mayúscula** capital letter, uppercase letter
mazorca: la mazorca de maíz ear of corn
me me *(pron.)*
mediados: a mediados de in the middle (of the month, year, etc.)
mediano(a) medium, medium-size
la **medianoche** midnight
las **medias** stockings; socks *(Latin America)*
el **medicamento** medicine
la **medicina** medicine
el/la **médico(a)** doctor
la **medida** measurement
las **medidas** measures
el **medio** means; ways; middle
  a término medio medium *(meat)*
  el medio de transporte means of transport
medio(a) half; middle
  la clase media middle class
  y media half-past (the hour)
el **mediodía** noon
el **Medio Oriente** Middle East
medios: los medios de comunicación media
la **mejilla** cheek
los **mejillones** mussels
mejor better
el/la **mejor** the best
la **mejora** improvement
el **mejoramiento** improvement

mejorar to make better, to improve
melancólico(a) sad, gloomy
menester: ser menester to be necessary
menor younger; lesser
el/la **menor** the youngest; the least
la **menora** menorah
menos less
  a lo menos at least
  menos cuarto a quarter to (the hour)
el **mensaje** message
  el mensaje de texto text message
  el mensaje instantáneo instant message
el/la **mensajero(a)** messenger
mentir (ie, i) to lie
la **mentira** deceit, lie
el **mentón** chin
el **menú** menu
menudo: a menudo often
el **mercado** market
la **mercancía** merchandise
merecer to deserve
la **merienda** snack
la **mermelada** jam, marmalade
el **mes** month
la **mesa** table
  levantar la mesa to clear the table
  poner la mesa to set the table
  quitar la mesa to clear the table
la **mesada** monthly allowance
el/la **mesero(a)** waiter (waitress), server
la **meseta** meseta, plateau
la **mesita** table
el **mesón** old-style bar, tavern
mestizo(a) of mixed race
la **meta** goal, aim, objective
la **metáfora** metaphor
meter to put, to place
  meter un gol to score a goal
el **metro** subway, metro; meter
  la boca del metro subway station entrance
  la estación de metro subway station
el **metrópoli** metropolis, big city
mexicano(a) Mexican
la **mezcla** mixture
mezclado(a) mixed *(blended)*
mezclar to mix
la **mezquita** mosque
mi my
mí me

Spanish-English

Spanish-English Dictionary

el **miedo** fear
tener miedo to be afraid
la **miel** honey
el/la **miembro(a)** member
mientras while
el **miércoles** Wednesday
la **migración** migration
mil (one) thousand
el **milagro** miracle
milagroso(a) miraculous
la **milla** mile
el **millón** million
el/la **millonario(a)** millionaire
la **milpa** cornfield
mimado(a) spoiled *(person)*
el/la **mimbre** willow *(tree);* wicker *(material)*
el **mimo** mime
la **mina** mine
minero(a) mining *(adj.)*
el/la **minero(a)** miner
la **minoría** minority
minuciosamente thoroughly, meticulously
la **minúscula** small letter, lowercase letter
el **minuto** minute
¡Mira! Look!
la **mirada** gaze, look
tener la mirada fijada to keep one's eyes fixed on
mirar to look at
mirarse to look at oneself
la **misa** mass
la **miseria** poverty
la **misión** mission
mismo(a) same; own; very
misterioso(a) mysterious
la **mitad** half
el **mito** myth
mixto(a) co-ed
la **mochila** backpack, knapsack
el/la **mochilero(a)** backpacker, hiker
viajar de mochilero to go backpacking, hiking
la **moda** fashion
los **modales** manners
tener buenos (malos) modales to have good (bad) manners, to be well-behaved (rude)
moderno(a) modern
modesto(a) inexpensive
el/la **modista** fashion designer
el **modoa** way
la **mola** decorative blouse worn by indigenous women of San Blas, Panama
moler (ue) to grind
molestar to bother, to annoy
la **molestia** nuisance, trouble, bother
el **molino de viento** windmill
el **monasterio** monastery
la **moneda** coin
la **monja** nun
el **mono** monkey
el **monopatín** skateboard
el **monstruo** monster
la **montaña** mountain
la montaña rusa roller coaster
una cadena de montañas mountain range
montañoso(a) mountainous
montar to put up *(tent);* to ride
montar a caballo to go horseback riding
el **monte** mountain
el **montón** bunch, heap
el **monumento** monument
la **moraleja** moral
mórbido(a) morbid
morder (ue) to bite
la **mordida** bite
el **mordisco** bite
deshacer algo a mordiscosa to bite something to pieces
moreno(a) dark-haired, brunette
morir (ue, u) to die
los **moros** Moors
el **morrón** sweet red pepper
el **mostrador** (ticket) counter
mostrar (ue) to show
el **motivo** theme; reason, motive
el **móvil** cell phone
el **movimiento** movement
el **mozo** bellhop; young boy, lad
el **MP3** MP3 player
la **muchacha** girl
el **muchacho** boy
mucho a lot, many, much; very
Hace mucho calor (frío). It's very hot (cold).
Mucho gusto. Nice to meet you.
¡Mucho ojo! Careful!
mudarse to move
mudo(a) mute
los **muebles** furniture
la **muela** molar
la **muerte** death
muerto(a) dead
el/la **muerto(a)** dead person, deceased
el Día de los Muertos the Day of the Dead
la **mujer** wife
la **mula** mule
las **muletas** crutches
andar con muletas to walk on crutches
la **multa** fine
mundial: la Copa Mundial World Cup
el **mundo** world
todo el mundo everyone
la **muñeca** wrist
el **mural** mural
el/la **muralista** muralist
la **muralla** wall; city walls
el **muro** wall
el **museo** museum
la **música** music
el/la **músico(a)** musician
musitar to murmur, whisper
el **muslo** thigh
musulmán(a) Muslim
los **musulmanes** Muslims
muy very
muy bien very well

nacer to be born
el **nacimiento** birth
nacional national
la **nacionalidad** nationality
¿de qué nacionalidad? what nationality?
nada nothing, not anything
De nada. You're welcome.
Nada más. Nothing else.
Por nada. You're welcome.; for no reason
nadar to swim
nadie nobody, not anybody
la **nafta** gasoline
la **naranja** orange *(fruit)*
la **narrativa** narrative
natal pertaining to where someone was born

la **naturaleza** nature
la naturaleza muerta still life
naufragar to sink, be shipwrecked
el **naufragio** shipwreck
el/la **navegador(a)** navigator
navegar la red (el Internet) to surf the Web (the Internet)
la **Navidad** Christmas
el árbol de Navidad Christmas tree
¡Feliz Navidad! Merry Christmas!
el **navío** large sailing ship
la **neblina** mist, thin fog
necesario: Es necesario. It's necessary.
necesitar to need
negar (ie) to deny
negativo(a) negative
el **negocio** store, business
el hombre (la mujer) de negocios businessman (woman)
negro(a) black
negroide negroid
nervioso(a) nervous
nervudo(a) tough, sinewy
el **neumático** tire
nevado(a) snowy, snow covered
nevar (ie) to snow
Nieva. It's snowing.
la **nevera** refrigerator
ni neither, nor
Ni idea. No idea.
nicaragüense Nicaraguan
el **nido** nest
la **niebla** fog
el/la **nieto(a)** grandson, granddaughter, grandchild
la **nieve** snow
ninguno(a) none, not any
de ninguna manera in no way, by no means
la **niñez** childhood
el/la **niño(a)** boy, girl, child
el **nivel** level
no no
No hay de qué. You're welcome.
no obstante nevertheless
la **nobleza** nobility, aristocracy
la **noche** night, evening
Buenas noches. Good evening.
esta noche tonight
por la noche in the evening
la **Nochebuena** Christmas Eve
la **Nochevieja** New Year's Eve
nombrar to name
el **nombre** name
la **noria** Ferris wheel
la **norma** norm, standard
normal normal
el **norte** north
norteamericano(a) American, North American
norteño(a) northern
nos us *(pron.)*
nosotros(as) we
la **nota** grade, mark
sacar notas buenas (malas) to get good (bad) grades
las **noticias** news, piece of news
el **noticiero** news report, program
el/la **noticiero(a)** newscaster
novecientos(as) nine hundred
la **novela** novel
el/la **novelista** novelist
noventa ninety
la **novia** bride; girlfriend
noviembre November
el **novio** groom; boyfriend
los **novios** sweethearts
la **nube** cloud
nublado(a) cloudy
la **nubosidad** cloudiness
el **nudo** knot
nuestro(a) our
las **nuevas** news, piece of news
nueve nine
nuevo(a) new
de nuevo again
el **número** shoe size; number
el número del asiento seat number
el número de teléfono telephone number
el número del vuelo flight number
¿Qué número calzas? What size shoe do you wear (take)?
nunca never, not ever
nupcial nuptial, wedding

O

o or
oaxaqueño(a) from Oaxaca, Mexico
el **obituario** obituary
el **objetivo** objective
obligatorio(a) required, obligatory
la **obra** work; work of art
la obra abstracta abstract work (of art)
la obra figurativa figurative work (of art)
obrero(a) related to work, labor
el/la **obrero(a)** worker
observar to observe, to notice
el **obstáculo** obstacle
obstinado(a) obstinate, stubborn
el **ocaso** sunset, twilight; *(fig.)* toward the end of one's life
occidental western
el **océano** ocean
ochenta eighty
ocho eight
ochocientos(as) eight hundred
el **ocio** free time, leisure
octubre October
ocultar to conceal, to hide from
oculto(a) hidden
ocupado(a) occupied
ocurrir to happen
la **oda** ode
odiar to hate
el **odio** hatred
el **oeste** west
la **oficina** office
ofrecer to offer
la **ofrenda** offering
el **oído** ear
oír to hear
Ojalá que... Would that . . . , I hope . . .
la **ojeada** glance
dar una ojeada to take a look at
¡Ojo! Watch out! Be careful!
¡Mucho ojo! Careful!
el **ojo** eye
tener mucho ojo to be very careful
tener ojos azules (castaños, verdes) to have blue (brown, green) eyes
la **ola** wave
el **óleo** oil paint
oler a (huele) to smell of, like
olfatear to sniff, to smell
el **olfato** smell *(sense)*
oliva: el aceite de oliva olive oil
el **olivar** olive grove
la **olla** pot

Spanish-English Dictionary

el **olor** smell *(odor, aroma)*
olvidar to forget
el **olvido** oblivion; forgetfulness
once eleven
la **onza** ounce
opinar to think, to have an opinion
la **opinión** opinion
oponerse to be opposed
la **oportunidad** opportunity
oportuno(a) appropriate
el/la **opresor(a)** oppressor
oprimir to press, to push *(button, key);* to oppress
optar to choose; to decide
opuesto(a) opposite
la **oración** sentence; prayer
el **orden** order
la **orden** order *(restaurant)*
el **ordenador** computer
ordenar to order; to arrange
el **orégano** oregano
la **orfebrería** craftsmanship in precious metals
organizar to organize, to set up
el **órgano** organ
el **orgullo** pride
orgulloso(a) proud
oriental eastern
el **origen** origin, background
originarse to come from
las **orillas** banks, shores
a orillas de on the shores of
el **oro** gold
la **orquesta** orchestra, band
la **orquídea** orchid
la **ortografía** spelling
ortopédico(a): el/la cirujano(a) ortopédico(a) orthopedic surgeon
oscilar to vary, to fluctuate
la **oscuridad** darkness
oscuro(a) dark
óseo(a) bony; bone-related
ostentar to flaunt; to exhibit
el **otoño** autumn, fall
otorgar to give, to grant
otro(a) other, another
otros(as) others
la **oveja** sheep
el **oxígeno** oxygen
la máscara de oxígeno oxygen mask
¡Oye! Listen!

P

paceño(a) of, from La Paz
pacer to graze
la **paciencia** patience
paciente patient *(adj.)*
el/la **paciente** patient
pacífico(a) calm, peaceful
padecer to suffer from; to endure
el **padrastro** stepfather
el **padre** father
los **padres** parents
el **padrino** best man; godfather
pagar to pay
la **página** page
la página de inicio (inicial, frontal) home page
el **pago** pay, wages
el **país** country
el **paisaje** landscape
la **paja** straw
el **pájaro** bird
el **paje** page
la **palabra** word
de palabra orally, by word of mouth
la palabra afine cognate
el **palacio** palace
pálido(a) pale
la **palma** palm tree
el **palo** stick
la **paloma** pigeon
palpitante palpitating, throbbing
la **palta** avocado
la **pampa** pampa, prairie
el **pan** bread
el pan dulce pastry
el pan rallado bread crumbs
el pan tostado toast
la **panadería** bakery
el **panecillo** roll
el **panqueque** pancake
la **pantalla** screen
la pantalla de escritorio (computer) screen, monitor
el **pantalón** pants
el pantalón corto shorts
el pantalón largo long pants
la **panza** belly
el **pañuelo** handkerchief

la **papa** potato
las papas fritas french fries
el **papel** paper; role
la hoja de papel sheet of paper
el rollo de papel higiénico roll of toilet paper
el **paquete** package
par even *(numeric)*
el **par** pair
el par de zapatos pair of shoes
para for; in order to
el **parabrisas** windshield
la **parada** stop, station
la parada de autobús bus stop
el **paradero** whereabouts
el **parador** inn
el **paraguas** umbrella
el **paraíso** paradise
parar(se) to stop
parear to match
parecer to seem, to look like
a mi (tu, su) parecer in my (your, his) opinion
parecerse a to look alike, to resemble
¿Qué te parece? What do you think?
parecido(a) similar
la **pared** wall
la **pareja** couple
parentesco(a): una relación parentesca a relationship of kinship
el/la **pariente** relative
el **parking** parking lot
el **parque** park
el parque de atracciones amusement park
parquear to park
el **parqueo** parking lot
el **parquímetro** parking meter
el **párrafo** paragraph
la **parrilla** grill
la **parte** part; place
¿De parte de quién, por favor? Who's calling, please?
en muchas partes in many places
la mayor parte the greatest part, the most
participar to participate, to take part in
el **partido** game

el **pasabordo** boarding pass
pasado(a) last
el año pasado last year
la semana pasada last week
el **pasaje de la vida** life passage
el/la **pasajero(a)** passenger
el **pasaporte** passport
pasar to pass, to go; to spend *(time);* to pass *(car)*
pasar un rato to spend some time
pasar de largo to pass by, to go by (without stopping)
pasarlo bien to have a good time, to have fun
pasar por el control de seguridad to go through security
¿Qué pasa? What's going on? What's happening?
¿Qué te pasa? What's the matter (with you)?
la **Pascua (Florida)** Easter
pascual *(related to)* Easter
el **paseo** avenue, walk
dar un paseo to take a walk
dar un paseo en bicicleta to take a (bike) ride
el **pasillo** aisle
la **pasta dentífrica** toothpaste
el **pastel** cake
la **pastilla** bar *(soap)*
el **pasto** pasture; grazing
el/la **pastor(a)** shepherd, shepherdess
la **pata** foot, leg, or paw of an animal
los **patacones** slices of fried plantain
patada: dar una patada to stamp
la **patata** potato
las patatas fritas french fries
el **patín** ice skate
el/la **patinador(a)** ice-skater
el **patinaje** skating
el patinaje en línea in-line skating
el patinaje sobre hielo ice-skating
patinar to skate, to go skating
patinar en línea to go in-line skating
patinar sobre el hielo to ice-skate
la **patria** country, fatherland
el **patrimonio** heritage; inheritance
patrón patron
el/la santo(a) patrón(ona) patron saint
patronal pertaining to a patron saint
la **patrulla** patrol
pausado(a) slow, deliberate
pavimentado(a) paved
el **pavimento** pavement
el **pavor** dread, terror
el **peaje** toll
la cabina (garita) de peaje tollbooth
el/la **peatón(ona)** pedestrian
peatonal *(related to)* pedestrians
el **pecho** chest
la **pechuga (de pollo)** (chicken) breast
el **pedacito** little piece
pedalear to pedal
el **pedazo** piece
pedir (i, i) to ask for, to request
peinarse to comb one's hair
el **peine** comb
pelar to peel
la **pelea** fight
pelear to fight
la **película** movie, film
el **peligro** danger
peligroso(a) dangerous
pelirrojo(a) redheaded
el **pelo** hair
tener el pelo rubio (castaño, negro) to have blond (brown, black) hair
la **pelota** ball *(baseball, tennis)*
la pelota vasca jai alai
la **peluquería** hair salon
el/la **peluquero(a)** hair stylist
la **pena** pain, sorrow; pity
¡Qué pena! What a shame!
pendiente steep
el **pendiente** incline, slope *(geology);* earring (long)
el **pendón** banner, flag
el **pensamiento** thought
pensar (ie) to think
pensar en to think about
¿Qué piensas? What do you think?
la **penumbra** half-light, semidarkness
la **peña** large rock
el **peón** peasant, farm laborer
el **peonaje** group of laborers
peor worse
el/la **peor** worst
el **pepino** cucumber
pequeño(a) small, little
la **percha** hanger
percibir to perceive
perder (ie) to lose; to miss
perder el vuelo to miss the flight
perdida: la llamada perdida dropped call *(cell phone)*
la **pérdida** loss
perdón pardon me, excuse me
perdurar to last, to endure
la **peregrinación** pilgrimage
perezoso(a) lazy
el **perfil** profile
el **periódico** newspaper
el/la **periodista** journalist
permanecer to remain
permiso: Con permiso. Excuse me.
el **permiso de conducir** driver's license
permitir to permit
pero but
el/la **perro(a)** dog
perseguir (i, i) to pursue, to chase; to persecute
la **persona** person
el **personaje** character *(in a novel, play)*
la **personalidad** personality
la **perspectiva** perspective
pertenecer to belong
peruano(a) Peruvian
la **pesa** weight
levantar pesas to lift weights
pesar to weigh
a pesar de in spite of
la **pescadería** fish market
el **pescado** fish
pescar to fish
pésimo(a) dreadful, terrible
el **peso** peso *(monetary unit of several Latin American countries);* weight
picada: la carne picada ground meat
el **picadillo** ground meat
picante spicy
picar to nibble on; to chop; to mince; to bite *(insect)*
picaresco(a) picaresque
pícaro(a) sly, crafty, mischievous
el/la **pícher** pitcher
el **pico** mountain top, peak; beak *(bird)*
el **pie** foot
a pie on foot
de pie standing
piedad: sin piedad mercilessly

Spanish-English Dictionary

la **piedra** stone
la **pierna** leg
la **pieza** bedroom; piece; part
la **pila** swimming pool; baptismal font
el **pimentón** pepper *(vegetable)*
la **pimienta** pepper *(spice)*
el **pimiento** bell pepper
el **pin** PIN
el **pincel** paintbrush
el **pinchazo** flat tire
los **pinchitos** kebabs
pinta: tener buena pinta to look good
pintado(a) painted
pintar to paint
el/la **pintor(a)** painter, artist
pintoresco(a) picturesque
la **pintura** paint
las **pinzas** tongs
la **piña** pineapple
pisar to step on
la **piscina** swimming pool
el **piso** floor; apartment *(Spain)*
la **pista** ski slope; runway; lane *(highway)*
  la pista de patinaje ice-skating rink
la **pizca** pinch
la **pizza** pizza
placentero(a) pleasant
el **placer** pleasure
el **plan** structure, layout
la **plancha de vela** windsurfing; sailboard
  practicar la plancha de vela to windsurf, to go windsurfing
planchar to iron
planchas: hacer planchas to do push-ups
planear to plan
el **planeta** planet
plano: el primer plano foreground
el **plano** map
plano(a) flat
la **planta** plant
la **plata** silver
el **plátano** banana
el **platillo** home plate; saucer
el **plato** dish *(food)*; plate; course *(meal)*
la **playa** beach
la **plaza** square, plaza; seat *(train, plane)*
la **plazuela** small square or plaza

pleno(a) full, complete
el/la **plomero(a)** plumber
la **pluma** (fountain) pen
la **población** population
el/la **poblador(a)** inhabitant
poblar (ue) to populate; to inhabit
pobre poor
el/la **pobre** poor boy (girl)
la **pobreza** poverty
poco(a) a little; few
  dentro de poco soon; shortly thereafter
  un poco más a little more
poder (ue) to be able
el **poder** power
poderoso(a) powerful
el **poema** poem
la **poesía** poetry, poem
  la poesía lírica lyric poetry
el/la **poeta** poet
la **polémica** controversy
el/la **policía** police officer
policíacas: novelas policíacas mysteries, detective fiction
la **política** politics
el/la **político(a)** politician
la **póliza** policy
el **pollo** chicken
la **poltrona** easy chair
el **polvo** dust
polvoriente dusty
poner to put, to place, to set; to make (someone, something)
  poner al día (al corriente, al tanto) to inform, to keep up-to-date
  poner al fuego to heat
  poner fin a to put an end to (something)
  poner la mesa to set the table
  poner unos puntos (unas suturas) to give (someone) stitches
ponerse to put on *(clothes)*; to become, to turn
  ponerse a to begin (to do something)
  ponerse de acuerdo to agree (on something)
  ponerse de pie to stand up
  ponerse en marcha to start moving
la **popa** stern *(boat)*
popular popular

por for, by
  por consiguiente therefore, consequently
  por ejemplo for example
  por encima de over
  por eso that's why, for this reason
  por favor please
  por fin finally
  por hora per hour
  por la mañana in the morning
  por la noche at night, in the evening
  por la tarde in the afternoon
  por lo general in general
  Por nada. You're welcome.; for no reason
  ¿por qué? why?
  ¡Por supuesto! Of course!
el **poro** pore *(skin)*
los **porotos** green beans
porque because
el/la **porrista** cheerleader
el/la **portador(a)** bearer
el **portal** main door; gateway
portátil: la computadora portátil laptop computer
el/la **porteño(a)** person from Buenos Aires
la **portería** goal line
el/la **portero(a)** goalie
portugués(esa) Portuguese
poseer to possess
posible possible
positivo(a) positive
el **pósito** granary
el **postre** dessert
el **potrero** pasture; cattle ranch
practicar to practice *(sport)*
  practicar la plancha de vela (la tabla hawaiana) to go windsurfing *(surfing)*
  practicar yoga to do yoga
precario(a) precarious, unstable
el **precio** price
la **precipitación** precipitation, rain
precolombino(a) pre-Columbian
precoz precocious
la **preferencia** preference
preferir (ie, i) to prefer
el **prefijo del país** country code
la **pregunta** question
preguntar to ask (a question)

Spanish-English

el **premio** prize, award
la **prenda interior** undergarment
prender to turn on
la **prensa** press
preparar to prepare; to get ready
la **prepa(ratoria)** high school
presenciar to witness, to attend
presentar to introduce
los **presentes** those present, the attendees
la **presión** pressure
presionar to press, to put pressure on
el/la **preso(a)** prisoner
el **préstamo** loan
el préstamo a corto (largo) plazo short- (long-) term loan
prestar to lend, to loan
pedir prestado (a) to borrow (from)
prestar: prestar atención to pay attention
presumir to predict
el **presupuesto** estimate, quote *(cost);* budget
pretender (ie) to expect, to try to
el **pretendiente** suitor
prevenir (ie) to prevent; to foresee
previo(a) previous, prior
previsto(a) predicted, anticipated, foreseen
primario(a): la escuela primaria elementary school
la **primavera** spring
primero(a) first
el primer plano foreground
el primero de enero (febrero, etc.) January (February, etc.) 1
en primera clase first class
el/la **primo(a)** cousin
primordial essential, fundamental, very important
la **princesa** princess
principal main
el/la **principiante** beginner
el **principio** beginning
a principios de in (at) the beginning of *(year, decade, century, etc.)*
prisa: de prisa fast, hurriedly
a toda prisa with full speed
privado(a) private
probable probable, likely
probarse (ue) to try on
el **problema** problem
No hay problema. No problem.
procedente de coming, arriving from
el **procedimiento** step *(recipe)*
la **procesión** procession, parade
producir to produce
el **producto** product; food
los productos congelados frozen food
la **profesión** profession, occupation
profesional professional
el/la **profesor(a)** teacher
profundo(a) deep
el **programa de televisión** television program
el/la **programador(a) de computadoras** computer programmer
prohibido(a) forbidden
prometer to promise
la **promoción** (sales) promotion
promover (ue) to promote; to instigate or stir up
la **promulgación** enactment (constitution, law, etc.)
el **pronombre** pronoun
el **pronóstico** forecast, prediction
el pronóstico meteorológico weather forecast
pronto: ¡Hasta pronto! See you soon!
la **propaganda** advertising
propenso(a) prone to
propicio(a) favorable
el/la **propietario(a)** owner
la **propina** tip *(restaurant)*
propio(a) own
proporcionar to provide with, to supply
el **propósito** purpose, intention
propósito: ¡A propósito! By the way . . .
propósito benévelo charitable purpose
la **propuesta** proposal, offer
la **prosa** prose
el/la **protagonista** protagonist
protectora: la loción protectora sunblock
el **provecho** benefit
provechoso(a) beneficial, useful
proveer to supply, to provide
próximo(a) next
la **prudencia** care, caution; wisdom, prudence
la **prueba** test, exam
publicar to publish
la **publicidad** advertising
el **público** audience
el **pueblo** town
el **puente** bridge
la **puerta** gate *(airport);* door
la puerta de salida gate *(airport)*
la puerta delantera (trasera) front (back) door (bus)
el **puerto** port
puertorriqueño(a) Puerto Rican
pues well
el **puesto** market stall; position
puesto que since
el **pulgar** thumb
pulido(a) polished
los **pulmones** lungs
la **pulpería** general store, food store
pulsar to press *(button, key)*
la **pulsera** bracelet
el **pulso: tomar el pulso** to take (someone's) pulse
la **punta de los dedos** fingertips
el **punto** point; dot *(Internet);* stitch
poner puntos (a alguien) to give (somebody) stitches
puntual punctual
el **puñado** handful
el **puñal** dagger
las **pupilas** pupils *(eye)*
el **pupitre** desk
el **puré** purée, thick soup

Q

que that; who
¿qué? what?; how?
¿a qué hora? at what time?
¿de qué nacionalidad? what nationality?
No hay de qué. You're welcome.
¿Qué desean tomar? What would you like (to eat)?
¿Qué día es hoy? What day is it today?
¿Qué hay? What's new (up)?
¿Qué hora es? What time is it?
¡Qué lío! What a mess!

Spanish-English Dictionary

¿Qué... más... ! What a . . . !
¿Qué pasa? What's going on? What's happening?
¡Qué pena! What a shame!
¿Qué tal? How are things? How are you?
¿Qué tal le gustó? How did you like it? *(formal)*
¿Qué tiempo hace? What's the weather like?
quebrarse (ie) to break
quedar (bien) to fit, to look good on
Esta chaqueta no te queda bien. This jacket doesn't fit you.
quedar(se) to remain, to stay
la **queja** complaint
quejarse (de) to complain (about)
quemarse to burn
querer (ie) to want, to wish; to love
querido(a) dear, beloved
el **queso** cheese
el sándwich de jamón y queso ham and cheese sandwich
el **quetzal** quetzal *(currency of Guatemala)*
el **quicio** doorjamb
¿quién? who?
¿De parte de quién, por favor? Who's calling, please?
¿quiénes? who? *(pl.)*
quince fifteen
la **quinceañera** fifteen-year-old girl
quinientos(as) five hundred
el **quiosco** kiosk, newsstand
el **quipu** series of strings with knots used by Incas to count
quisiera I'd like
quitar to take away, to remove
quitar la mesa to clear the table
quitarse to take off *(clothes)*
quizá(s) maybe, perhaps

R

la **rabia** fury, anger
rabiosamente furiously, in a rage
el **racimo** bunch *(grapes, flowers)*
la **ración** portion *(food)*
radicar (en) to be situated (in)
el/la **radio** radio
la **radiografía** X ray
Le toman (hacen) una radiografía. They're taking an X ray of him (her).
la **ráfaga** gust *(wind)*
las **raíces** roots
raído(a) frayed, shabby
la **raja** slice *(melon)*
la **rama** branch
el **ramo** bunch, bouquet
el **rancho** ranch
el **rango** rank, status
la **ranura** slot
rápidamente quickly
rápido(a) fast
la **raqueta** (tennis) racket
raro(a) rare
el **rascacielos** skyscraper
el **rastro** trace, sign; trail, track *(animal)*
el **rato** time, while
pasar un rato to spend some time
el **ratón** mouse
rayas: a rayas striped
el **rayón** scratch
la **raza** breed
la **razón** reason
tener razón to be right
el/la **realista** realist
realista royalist
realizar to carry out, to make happen
realizarse to happen, to come to pass
reanudar to resume
rebajar to lower *(prices)*
la **rebanada** slice *(bread)*
cortar en rebanadas to slice
el **rebaño** flock, herd
rebasar to pass *(car)*
rebelarse to rebel
rebelde rebellious
el/la **rebelde** rebel
la **rebeldía** rebelliousness
rebotar to bounce (a ball)
rebozar to coat (with batter)
el **recado** message
la **recámara** bedroom
recambio: la rueda (llanta) de recambio spare tire
recaudar to collect, to take in (money)
recaudar fondos to raise funds
el **recaudo** message *(archaic form of* recado*)*
la **recepción** front desk *(hotel);* reception
el/la **recepcionista** hotel clerk
el/la **receptor(a)** catcher
la **receta** prescription; recipe
recetar to prescribe
rechazar to reject
recibir to receive; to catch
recibir aplausos to be applauded
recién recently, newly
los recién casados newlyweds
el/la recién llegado(a) person who has just arrived
el/la recién nacido(a) newborn
reciente recent
reclamar to claim
el **reclamo de equipaje** baggage claim
recoger to collect, to gather, pick up
la **recolección** harvesting, collection
recolocar to relocate
recomendar (ie) to recommend
reconocer to recognize
el **reconocimiento** recognition
recordar (ue) to remember
recorrer to cover, to travel *(distance)*
el **recorrido** trip, route
el tren de largo recorrido long-distance train
el **recorte** trim
los **recuerdos** memories
recuperar to claim, to get back
la **red** the Web; net; network
navegar la red to surf the Web
pasar por encima de la red to go over the net
reducido(a) reduced
reducir to reduce; to set *(bone)*
reducir la velocidad to reduce speed
reemplazar to replace

Spanish-English

refacción: la rueda (llanta) de refacción spare tire
reflejar to reflect
reflexionar to think about, to reflect on
reforzar (ue) to reinforce, to strengthen
el **refrán** proverb, saying
el **refresco** soft drink
el **refrigerador** refrigerator
refrito(a) refried
refugiarse to take refuge
el **refugio** refuge
regalar to give *(gift)*
el **regalo** gift, present
regatear to bargain
el **régimen** diet; regime *(political)*
la **región** region
el **registro de matrimonio** wedding register
la **regla** rule
el **regocijo** delight, joy
regresar to go back, to return
el botón regresar back button, back key
regresar a casa to go home
el **regreso** return
regreso: el boleto de ida y regreso round-trip ticket
regular regular, average
rehusar to refuse
la **reina** queen
el **reinado** reign
reinar to rule, reign; to prevail
reír (i, i) to laugh
relacionado(a) related
relacionar to relate, to connect
relacionarse to mix with, to have contact with
relatar to relate, to recount, to tell (a story)
el **relato** story, tale
relevos: la carrera de relevos relay race
religioso(a) religious
rellenar to fill, to put filling in
el **reloj** watch
relucir to shine; to glitter, to sparkle
el **remedio** choice, alternative; remedy, cure
rememorar to remember, to recall
el **remolino** whirlpool; whirlwind
el **renacimiento** rebirth, revival
el **rencor** resentment
rendido(a) exhausted, worn out
rendir (i, i) honor to honor
rendir culto to worship
renombrado(a) famous, renowned
el **renombre** renown, fame
renovar (ue) to renew; to renovate
rentar to rent
repartido(a) distributed, split up among
repasar to review
el **repaso** review
repente: de repente suddenly, all of a sudden
repentino(a) sudden
repetir (i, i) to repeat; to have seconds *(meal)*
repleto(a) replete, full
replicar to answer back, to retort
el **repliegue** withdrawal, retreat *(military);* fold, crease
el **repollo** cabbage
el **reportaje** report
el **reposo** rest, repose, break
el/la **representante** representative
la **república** republic
la República Dominicana Dominican Republic
repuesto: la rueda (llanta) de repuesto spare tire
requerir (ie, i) to require
rescatar to rescue
el **rescate** rescue
la **reserva** reservation
la **reservación** reservation
reservar to reserve
las **reses** cattle, livestock
resfriado(a) stuffed up *(cold)*
la **resolución** decision; resolution *(ending);* solution; determination
resonar (ue) to resonate, to echo, to resound
el **resorte** spring *(mechanical)*
el **respaldo** back (of a chair)
respetado(a) respected
respetar to respect
respetuoso(a) respectful
la **respiración** breathing
respirar to breathe
responsable responsible
la **respuesta** answer
el **restaurante** restaurant
el **resto** rest, remainder
los restos remains
resuelto(a) resolute, determined
el **resultado** result
resultar to turn out to be
el **resumen** summary
resumirse to be summed up
retirar to withdraw
el **retorno** return
el **retraso** delay
con retraso late
el **retrato** portrait
retroceder: el botón retrodecer back button, back key
el **retrovisor** rearview mirror
reubicar to move, to relocate
la **reunión** meeting, get-together
reunirse to meet, to get together
revisar to check *(ticket)*
el/la **revisor(a)** conductor
la **revista** magazine
revolver (ue) to stir
revueltos: los huevos revueltos scrambled eggs
el **rey** king
el Día de los Reyes Epiphany (January 6)
los Reyes Magos the Three Wise Men
rezar to pray
rico(a) rich; delicious
¡Qué rico! How delicious!
los **rieles** rails *(train)*
el **riesgo** risk
rígido(a) stiff
el **rigor** severity, toughness; rigor
la **rima** rhyme
el **rincón** corner *(interior)*
los **riñones** kidneys
el **río** river
la **riqueza** wealth; richness
las riquezas riches
el **risco** cliff
el **ritmo** rhythm
el **rito** rite
robar to steal
la **roca** rock, stone
rocoso(a) rocky
el **rocín** donkey; nag
la **rodaja** slice *(lemon, cucumber)*
rodar (ue) to roll
rodeado(a) surrounded
rodear to surround
rodear con los brazos to put one's arms around
la **rodilla** knee
la **rodillera** kneepad
rogar (ue) to beg
rojo(a) red
la luz roja red light

Spanish-English Dictionary

el **rol** role
el **rollo de papel higiénico** roll of toilet paper
el **rompecabezas** puzzle
romperse to break
Se rompió la pierna. He (She) broke his (her) leg.
la **ropa** clothing
la ropa para lavar dirty clothes
la ropa sucia dirty clothes
la **ropaje** wardrobe
la **rosa** rose
rosado(a) pink
el **rosal** rosebush
el **rostro** face
roto(a) broken
el **rótulo** sign
rubio(a) blonde
rudo(a) rough, coarse *(person, material);* tough, rigorous *(job, journey, etc.)*
la **rueda** tire
la rueda de repuesto (recambio) spare tire
la silla de ruedas wheelchair
el **ruego** request
rugir to roar
el **ruido** noise
las **ruinas** ruins
el **rumbo** direction, course
la **ruta** route
rutilante shining, sparkling, gleaming
la **rutina diaria** daily routine

el **sábado** Saturday
la **sabana** savannah
la **sábana** sheet
saber to know
sabio(a) wise
el **sabor** flavor; taste
sabroso(a) tasty, flavorful
sacar to get; to take
sacar fotos to take pictures
sacar notas buenas (malas) to get good (bad) grades
el **sacerdote** priest
el **saco de dormir** sleeping bag
el **sacrificio** sacrifice
sacudir to shake
sagrado(a) sacred
la **sal** salt
la **sala** living room
la sala de clase classroom
la sala de emergencia emergency room
la sala de espera waiting room
salado(a) salty
el **salchichón** salami-like sausage
el **saldo** sale; balance (bank)
la **salida** departure; exit
la hora de salida time of departure
la puerta de salida gate *(airport)*
salir to leave; to go out; to turn out, to result
Todo te sale más barato. Everything costs a lot less.; It's all a lot less expensive.
el **salón** room *(museum)*
la **salsa** sauce, gravy; dressing
saltar to jump (over)
salteado(a) sautéed
el **salto** fall *(water);* jump, leap
la **salud** health
saludar to greet
el **saludo** greeting
salvar to save
la **sandalia** sandal
el **sándwich** sandwich
el sándwich de jamón y queso ham and cheese sandwich
la **sangre** blood
sangriento(a) bloody
sano(a) healthy
el/la **santo(a)** saint
el/la santo patrón(ona) patron saint
saquear to sack, to plunder, to loot
el **sarape** blanket
el/la **sartén** skillet, frying pan
satisfacer to satisfy
el **sato** a type of dog from Puerto Rico
sea: o sea or, in other words
la **secadora** dryer
secarse to dry oneself
seco(a) dry
secundario(a): la escuela secundaria high school
la **sed** thirst
tener sed to be thirsty
el **sedán** sedan
sedante soothing, calming
seguir (i, i) to follow; to continue
según according to
segundo(a) second
en segunda clase second class *(ticket)*
el segundo tiempo second half *(soccer)*
seguramente surely, certainly
la **seguridad: el control de seguridad** security *(airport)*
el cinturón de seguridad seat belt
seguro que certainly
seguro(a) sure; safe
los **seguros contra todo riesgo** comprehensive insurance
seis six
seiscientos(as) six hundred
seleccionar to choose
sellar to stamp, to seal; to put an end to
el **sello** stamp
la **selva** jungle, forest
la selva (el bosque) tropical rain forest
el **semáforo** traffic light
la **semana** week; weekly allowance
el fin de semana weekend
la semana pasada last week
sembrar (ie) to plant, to sow
semejante similar
seminómada seminomad
el/la **senador(a)** senator
sencillo(a) one-way; single *(hotel room);* simple
el billete (boleto) sencillo one-way ticket
el cuarto sencillo single room
la **senda** path
el **sendero** path
sentado(a) seated
sentarse (ie) to sit down
el **sentido** direction; sense
la calle de sentido único one-way street
sentir (ie, i) to be sorry; to feel
Lo siento mucho. I'm very sorry.
sentirse (ie, i) to feel
la **señal** sign
la señal de no fumar no-smoking sign
señalar to point out
el **señor** sir, Mr., gentleman

la **señora** Ms., Mrs., madam
los **señores** Mr. and Mrs.
el **señorío** majesty, stateliness
la **señorita** Miss, Ms.
el **sepelio** burial
septiembre September
la **sequía** drought
ser to be
el **ser** being
los seres humanos human beings
los seres vivientes living beings
la **serie** series
serio(a) serious
¿Hablas en serio? Are you serious?
la **serpiente** snake, serpent
la **serranía** mountainous region
el **servicio** tip; restroom; service
¿Está incluido el servicio? Is the tip included?
la estación de servicio gas station, service station
la **servilleta** napkin
servir (i, i) to serve
servir de to serve as
servirse (i, i) de to use
sesenta sixty
setecientos(as) seven hundred
setenta seventy
severo(a) harsh, strict
si if
sí yes
el/la **sicólogo(a)** psychologist
siempre always
la **sien** temple *(anatomy)*
siento: Lo siento mucho. I'm sorry. (That's too bad.)
la **sierra** mountain range
el/la **siervo(a)** slave, serf
la **siesta** nap
siete seven
la **sigla** abbreviation; acronym
el **siglo** century
el **significado** meaning
significar to mean
siguiente following
el **silbido** whistle, hiss
la **silla** chair
la silla de ruedas wheelchair
el **sillón** armchair
silvestre wild
el **símbolo** symbol
el **símil** simile
similar similar
simpático(a) nice
simpatizar con to sympathize with

sin without
la **sinagoga** synagogue
sincero(a) sincere
siniestro(a) sinister, evil
sino but rather
el **síntoma** symptom
el **sistema** system
el **sitio** space *(parking)*
el **sitio Web** Web site
el/la **snowboarder** snowboarder
el/la **soberano(a)** sovereign (ruler)
soberbio(a) superb, splendid
las **sobras** leftovers
sobre on, on top of; about
sobre las cuatro around four o'clock
sobre todo above all, especially
el **sobre** envelope
la **sobremesa** dessert; after-dinner conversation
sobrepasar to surpass
la **sobrepoblación** overpopulation
sobrevivir to survive
sobrevolar (ue) to fly over
el/la **sobrino(a)** nephew, niece
sobrio(a) sober, plain
social social
los estudios sociales social studies
la **sociedad** society; company, corporation
el/la **socio(a)** member, partner
socorrer to help
el/la **socorrista** paramedic
el **sofá** sofa
la **soga** rope
el **sol** sun
Hace (Hay) sol. It's sunny.
tomar el sol to sunbathe
solamente only
solar: la crema solar suntan lotion
solar solar
solas: a solas alone
el **soldado** soldier
soleado(a) sunny
soler (ue) to be used to, to do something usually
solicitar to apply for; to request
la **solicitud de empleo** job application
solo only
solo(a) single; alone; lonely
soltar (ue) to release
el/la **soltero(a)** single, unmarried person
la **sombra** shadow
el **sombrero** hat

someter to conquer, to subdue
el **son** sound
sonar (ue) to ring
el **sonido** sound
la **sonrisa** smile
soñar to dream
la **sopa** soup
soplar to blow *(wind)*
el **sopor** drowsiness, lethargy
sordo(a) deaf
sorprender to surprise
la **sorpresa** surprise
el **sosiego** calmness, tranquility
la **sospecha** suspicion
sospechar to suspect
sospechas: tener sospechas to be suspicious
sostener (ie) to support; to hold up
su his, her, their, your *(formal)*
suavemente softly
suavizar to smooth out, to make soft; to mellow
el/la **súbdito(a)** subject *(person);* citizen
subir to go up; to get on *(train, etc.)*
sublevarse to revolt, to rebel
el **subsuelo** subsoil
subterráneo(a) underground
los **suburbios** suburbs
subyugar to subjugate, to subdue
suceder to happen
el **suceso** event
sucio(a) dirty
Sudamérica South America
sudamericano(a) South American
sudar to sweat
el **sudor** sweat
el **suegro** father-in-law
el **sueldo** pay, wages; salary
suele(n): *see* **soler**
el **suelo** ground, floor
suelto(a) free, loose
el **suelto** change
el **sueño** dream
tener sueño to be sleepy
la **suerte** luck
¡Buena suerte! Good luck!
¡Qué suerte tengo! How lucky I am!
el **suéter** sweater
el **sufrimiento** suffering
sufrir to suffer
la **sugerencia** suggestion
sugerir (ie, i) to suggest
sujetar to subject, to subdue

Spanish-English Dictionary

sumergir to submerge, to immerse
sumergirse en to immerse oneself in
sumiso(a) submissive, docile
superar to overcome *(illness, obstacle, etc.)*
la **superficie** surface
superior upper, top
el compartimiento superior overhead bin *(airplane)*
el **supermercado** supermarket
suprimir to remove, to eliminate
suspirar to sigh
el **suspiro** breath, sigh
el **sur** south
la América del Sur South America
sureño(a) southern
el **surfing** surfing
surgir to come up, to arise; to rise up from
el **surtido** assortment
sus their, your *(pl.)*
suspender to fail *(school)*
el **suspenso** failure *(school);* suspense
sustentar to support, maintain
el **sustento** sustenance *(food)*
sustituir to substitute for
el **susto** fear
sutil subtle
la **sutura** stitch
suturar to give (someone) stitches
el **SUV** SUV

el **tabaquero** cigar maker
la **tabla** chart, table; plank, board
la **tabla hawaiana** surfboard
practicar la tabla hawaiana to surf, to go surfing
el **tablero** board, plank
tacaño(a) stingy, cheap
tácito(a) tacit, unspoken, unwritten
taciturno(a) melancholic, gloomy
el **taco** taco
la **tajada** slice *(ham, meat)*
el **tajo** cut, slash

tal such
¿Qué tal? How are things? How are you?
¿Qué tal tu clase de español? How's your Spanish class?
tal como such as
tal vez maybe, perhaps
el **talento** talent
la **talla** size
¿Qué talla usas? What size do you take?
tallar to carve; to sculpt
el **taller** workshop
el **talón** heel (of a shoe); luggage claim ticket
el **tamaño** size
también also, too
el **tambor** drum
el **tamborín** small drum
tampoco either, neither
tan so
tan... como as . . . as
tan pronto como as soon as
el **tanque** gas tank
el **tanto** score, point; clue, picture
estar al tanto to be up-to-date, informed
marcar un tanto to score a point
tanto(a) so much
tanto(a)... como as much . . . as
tantos(as)... como as many . . . as
la **tapa** lid
tapar to cover *(pot)*
las **tapas** snacks, nibbles
el **tapón** traffic jam
la **taquilla** box office, ticket window
tardar: no tardar en not to take long (to do something)
tarde late
la **tarde** afternoon
ayer por la tarde yesterday afternoon
Buenas tardes. Good afternoon.
la **tarea** homework; task
la **tarifa** fare; price
la **tarjeta** card; pass
la tarjeta de abordar boarding pass
la tarjeta de crédito credit card

la tarjeta de embarque boarding pass
la tarjeta postal postcard
la tarjeta telefónica telephone card
la **tarta** cake
la **tasa de interés** interest rate
el **taxi** taxi
el/la **taxista** taxi driver
la **taza** cup
te you *(fam. pron.)*
el **té** tea
el **techo** roof
el **teclado** keyboard
el/la **técnico(a)** technician
la **tecnología** technology
tejano(a) Texan
el/la **tejedor(a)** weaver
tejer to weave, to knit
los **tejidos** fabrics
la **tela** cloth, fabric
la **tele** TV
telefónico(a) *(related to)* phone
la guía telefónica phone book
la tarjeta telefónica phone card
el **teléfono** telephone
hablar por teléfono to speak on the phone
el número de teléfono phone number
el teléfono celular cell phone
el teléfono público pay phone
la **telenovela** serial, soap opera
el **telesilla** chairlift, ski lift
el **telesquí** ski lift
la **televisión** television
el **tema** theme
temblar (ie) to tremble, to shake
el **temblor** trembling, shaking
tembloroso(a) trembling
temer to fear
temible fearsome, frightful
temido(a) feared
el **temor** fear
la **temperatura** temperature
la **tempestad** tempest, storm
tempestuoso(a) stormy
templado(a) mild, temperate
temprano(a) early
tenaz tenacious, persistent
el **tenderete** market stall
el **tenedor** fork

Spanish-English

tener (ie) to have
tener... años to be . . . years old
tener calor (frío) to be hot (cold)
tener catarro to have a cold
tener cuidado to be careful
tener dolor de... to have a(n) . . . -ache
tener el pelo rubio (castaño, negro) to have blond (brown, black) hair
tener éxito to be successful
tener fiebre to have a fever
tener ganas de to feel like
tener hambre to be hungry
tener lugar to take place
tener miedo to be afraid
tener ojos azules (castaños, verdes) to have blue (brown, green) eyes
tener que to have to (do something)
tener sed to be thirsty
el/la **teniente** deputy mayor
el **tenis** tennis
la cancha de tenis tennis court
jugar (al) tenis to play tennis
los **tenis** sneakers, tennis shoes
el/la **tenista** tennis player
la **tensión** tension, stress
la tensión arterial blood pressure
la **tentación** temptation
tentar (ie) to tempt
la **tentativa** attempt, try
tercer(o)(a) third
el **terciopelo** velvet
terco(a) stubborn
terminar to end, to finish
término: a término medio medium *(meat)*
el **término** term
la **ternera** veal
el escalope de ternera veal cutlet
la **ternura** tenderness
el/la **terrateniente** landowner
la **terraza** terrace, balcony
el **terremoto** earthquake
el **terreno** terrain; (piece of) land
el **tesoro** treasure
el **testigo** witness
ti you
tibio(a) lukewarm
el **ticket** ticket
el **tiempo** weather; half *(soccer)*
a tiempo on time
a tiempo completo full-time
a tiempo parcial part-time
Hace buen (mal) tiempo. The weather is nice (bad).
¿Qué tiempo hace? What's the weather like?
el segundo tiempo second half *(soccer)*
la **tienda** store
la tienda de ropa clothing store
la **tienda de campaña** tent
tierno(a) tender; affectionate
la **tierra** land
el **tigre** tiger
los **timbales** small drums, kettledrums
el **timbre (sonoro)** ringtone
tímido(a) shy
el/la **tío(a)** uncle, aunt
los **tíos** aunt and uncle
el **tiovivo** merry-go-round
típico(a) typical
el **tipo** type
el **tiquete** ticket
tirante tight, taut, tense
tirar to throw
el **titular** headline
el **título** title; degree
la **toalla** towel
el **tobillo** ankle
el **tocadiscos** record player
tocar to touch; to play *(musical instrument)*
¡Te toca a ti! It's your turn!
el **tocino** bacon
todavía still; yet
todo(a) everything; all
sobre todo above all, especially
todo el mundo everyone
todos(as) everyone; everything; all
en todas partes everywhere
el **todoterreno** all-terrain vehicle
tomar to take; to have *(meal)*
tomar el almuerzo (el desayuno) to have lunch (breakfast)
tomar el bus to take the bus
tomar el pulso a alguien to take someone's pulse
tomar el sol to sunbathe
tomar en cuenta to take into account
tomar fotos to take pictures
tomar la tensión arterial a alguien to take someone's blood pressure
tomar un examen to take a test
tomar una ducha to take a shower
tomar una radiografía to take an X ray of someone
el **tomate** tomato
el **tomo** volume *(book)*
la **tonelada** ton
el **tono** dial tone
tontería: ¡Qué tontería! How silly! What nonsense!
las **tonterías** foolish things
tonto(a) foolish, crazy
torcerse (ue) to sprain, to twist
Se torció el tobillo. He (She) sprained his (her) ankle.
torcido(a) sprained, twisted
la **tormenta** storm
tormentoso(a) stormy
torno: en torno a around, near
la **torre** tower
el **torrente** torrent, rush, stream
la **torta** cake; sandwich
la **tortilla** tortilla
la **tos** cough
tener tos to have a cough
toser to cough
la **tostada** tostada
las **tostadas** toast
tostado(a) toasted
el pan tostado toast
los **tostones** slices of fried plantain
trabajar to work
el **trabajo** work
tradicional traditional
traducir to translate
traer to carry, to bring, to take
el **tráfico** traffic
tragar to swallow
traicionar to betray
el **traje** suit
el **traje de baño** swimsuit
el **traje de novia** wedding dress
la **trama** plot
la **trampa** trap
tranquilo(a) calm
transbordar to transfer *(trains)*
el **transcurso** passing, lapse
la **transmisión manual** manual transmission
el **tránsito** traffic

Spanish-English Dictionary

transpirar to perspire
transporte: los medios de transporte means of transportation
el **tranvía** tram, streetcar
tras behind; after
trasero(a) back
trasladar to move (something), to transfer
el **trasto** piece of junk, rubbish
el **tratamiento** treatment
tratar to treat
tratar de to try to (do something)
tratar de desviar to try to dissuade
través: a través de through; over
la **travesía** crossing
traviesa: a campo traviesa cross-country *(race)*
el **trayecto** stretch (of road)
el **trazado** route, course
trece thirteen
el **trecho** stretch *(distance)*
la **tregua** truce
sin tregua non-stop, without a break
treinta thirty
treinta y uno thirty-one
trémulo(a) trembling, shaking
el **tren** train
el tren de cercanías suburban train
el tren de largo recorrido long-distance train
tres three
trescientos(as) three hundred
el **trigo** wheat
el **trimestre** period of three months
triste sad
la **tristeza** sadness, sorrow
el **triunfo** triumph, win, victory
el **trocito** little piece
la **trompeta** trumpet
el **tronco** trunk (of a tree)
las **tropas** troops
tropical tropical
el **trotamundos** globe-trotter
el **trozo** piece
la **trucha** trout
el **T-shirt** T-shirt
tu your *(sing. fam.)*
tú you *(sing. fam.)*
el **tubo de crema** dental tube of toothpaste
la **tumba** grave, tomb
el **tumbo** shake, jolt
turbarse to be disturbed, to be altered
turbio(a) cloudy, muddy, unclear
el **turismo** tourism
el/la **turista** tourist
tutear to use **«tú»** when addressing someone

u or *(used instead of* ***o*** *before words beginning with* ***o*** *or* ***ho****)*
ubicar to place, to locate, to situate
ubicarse to be located
Ud., usted you *(sing.) (formal)*
Uds., ustedes you *(pl.) (formal)*
último(a) last; final
un(a) a, an
la **una** one o'clock
único(a) only; one-way
la calle de sentido único one-way street
el/la hijo(a) único(a) only child
la **unidad** unit
el **uniforme** uniform
unir to join, to unite
la **universidad** university
universitario(a) *(related to)* the university, college; college student
uno one
unos(as) some
urbano(a) urban
la **urbe** major city
usar to use; to wear *(size)*
¿Qué talla usas? What size do you wear (take)?
el **uso** use
el/la **usuario(a)** user
útil useful
la **uva** grape

la **vaca** cow
las **vacaciones** vacation
estar de vacaciones to be on vacation
vacante vacant
vacilar to hesitate
el **vacío** void, empty space
vacío(a) empty
vagar to wander, to roam
el **vagón** train car
la **vainilla** vanilla
las **vainitas** green beans
Vale. It's a good idea.
más vale que... it is better that . . .
No vale. It's not worth it.
valer to cost, to be worth
valerse de to use
valeroso(a) brave
valiente brave, courageous, valiant
la **valla** fence, wall
el **valle** valley
el **valor** bravery, valor; value
¡Vamos! Let's go!
el **vapor** steam, vapor
varios(as) several
el **varón** man, boy
los **vasallos** vassals
vasco(a) Basque
la pelota vasca jai-alai
la **vasija** vessel, pot
el **vaso** glass
el **váter** toilet
veces: a veces at times, sometimes
el/la **vecino(a)** neighbor
el **vegetal** vegetable
los vegetales crudos raw vegetables, crudités
vegetariano(a) vegetarian
veinte twenty
veinticinco twenty-five
veinticuatro twenty-four
veintidós twenty-two
veintinueve twenty-nine
veintiocho twenty-eight
veintiséis twenty-six
veintisiete twenty-seven
veintitrés twenty-three
veintiuno twenty-one
la **vejez** old age
la **vela** candle; sail *(boat)*
vela: la plancha de vela windsurfing; sailboard
velar to keep watch
el **velero** sailboat
el **velo** veil
la **velocidad** speed
la velocidad máxima speed limit

el **velorio** wake
las **venas** veins
vencer to conquer, to defeat
la **venda** bandage
el/la **vendedor(a)** merchant
vender to sell
el **veneno** poison, venom
venenoso(a) poisonous, venomous
venezolano(a) Venezuelan
venir (ie) to come
  el verano (año, mes) que viene next summer (year, month)
la **venta** small hotel
las **ventajas** advantages
la **ventana** window
el **ventanal** large window
la **ventanilla** ticket window; window *(plane)*
ventoso(a) windy
ver to see
  no tener nada que ver con not to have anything to do with
veraniego(a) related to summer, summery
el **verano** summer
veras: de veras really, truly
el **verbo** verb
la **verdad** truth
  Es verdad. That's true (right).
  ¿Verdad? Right?
verdadero(a) real, true
verde green
  las judías verdes green beans
la **verdulería** greengrocer (vegetable) store
la **verdura** vegetable
la **vereda** lane, path
verificar to check
verosímil true-to-life
el **verso** verse
el **vestido** dress
  el vestido de novia wedding dress
el **vestigio** trace, vestige
la **vestimenta** clothes, clothing
vestirse (i, i) to get dressed, to dress
la **vez** time
  a veces at times, sometimes
  cada vez each time, every time
  de vez en cuando from time to time, occasionally
  en vez de instead of
  una vez más (once) again, one more time
la **vía** track; lane *(highway)*
viajar to travel
  viajar en avión (tren) to travel by plane (train)
el **viaje** trip, voyage
  hacer un viaje to take a trip
la **víbora** viper
la **víctima** victim
la **vid** grapevine
la **vida** life
el **video** video
el **vidrio** glass *(substance)*
viejo(a) old
el **viento** wind
  Hace viento. It's windy.
el **viernes** Friday
vigilar to keep watch, to guard
la **villa** small town
el **vinagre** vinegar
el **vínculo** link, bond, tie
el **vino** wine
la **viña** vineyard
el **viñedo** vineyard
el **violín** violin
el **virreinato** viceroyalty
la **virtud** virtue
visitar to visit
la **víspera de Año Nuevo** New Year's Eve
la **vista** view; sight
  perder la vista to lose sight of
la **viuda (del difunto)** widow
la **vivacidad** vivacity, liveliness
vivaz lively; keen, sharp
la **vivienda** housing, dwelling
vivir to live
vivo(a) lively
los **vivos** the living
la **vocal** vowel
el **volante** steering wheel
volar (ue) to fly
el **volcán** volcano
volcar to flip over
el **voleibol** volleyball
  la cancha de voleibol volleyball court
voluble fickle, changeable
la **voluntad** will, volition
volver (ue) to return
  volver a casa to go back (return) home
volver (ue) a (+ infinitivo) to (do something) again
volverse (ue) to turn around; to become, to turn
vosotros(as) you *(pl.)*
la **vozd** voice
  en voz alta aloud
el **vuelo** flight
  el número del vuelo flight number
  el vuelo directo direct flight
  el vuelo sin escala non-stop flight
vuelta: un boleto (billete) de ida y vuelta round-trip ticket
la **vuelta** lap; return
Vuestra Merced Your Highness

y and
  y cuarto a quarter past (the hour)
  y media half past (the hour)
ya already
  ¡Ya voy! I'm coming!
la **yegua** mare
la **yerba** grass
yerto(a) stiff, rigid, dead
el **yeso** cast *(medical)*; plaster
yo I; me
el **yoga** yoga

la **zanahoria** carrot
las **zapatillas** (sports) shoes, sneakers
los **zapatos** shoes
la **zona** area, zone
el **zoológico** zoo
el **zumo** juice *(Spain)*

English-Spanish Dictionary

@ la arroba
a, an un(a)
able: to be able poder (ue)
aboard abordo (de)
to **abound** abundar
about sobre; ***(time)*** a eso de
above por encima de
above all sobre todo
abroad al extranjero
to **absorb** absorber
abstract work (of art) la obra abstracta
to **accept** aceptar
to **access** acceder
accident el accidente
accompanied by acompañado(a) de
according to según
accountant el/la contable
ache el dolor
to **ache** doler (ue)
My . . . ache(s). Me duele(n)...
to **achieve** lograr; alcanzar; conseguir (i, i)
acquaintance el/la conocido(a)
to **acquire** adquirir (ie, i)
acronym la sigla
activity la actividad
to **add** añadir, agregar; ***(math)*** sumar
addition: in addition to además de
address la dirección
address book la libreta de direcciones
e-mail address la dirección de correo electrónico (e-mail)
addressee el/la destinatario(a)
adolescence la adolescencia
adorable cariñoso(a); adorable
advanced avanzado(a)
advantage la ventaja
advertising la propaganda, la publicidad
advice el consejo
advisable aconsejable
to **advise** aconsejar; avisar
afraid: to be afraid tener miedo
after después (de), al cabo de, después de que; ***(time)*** y
It's ten after one. Es la una y diez.
afternoon la tarde
Good afternoon. Buenas tardes.
this afternoon esta tarde
yesterday afternoon ayer por la tarde
again de nuevo
against contra
age la edad
agency la agencia
agent el/la agente
agile ágil
ago: . . . years (months, etc.) ago hace... años (meses, etc.)
to **agree (on something)** ponerse de acuerdo
agreement ***(treaty, etc.)*** el acuerdo; ***(harmony)*** la concordancia
agricultural agrícola
air el aire
open-air (outdoor) café (market) el café (mercado) al aire libre
air conditioning el aire acondicionado
airline la línea aérea
airplane el avión
airport el aeropuerto
aisle el pasillo
album el álbum
algebra el álgebra (*f.*)
all todo(a); todos(as)
above all sobre todo
to **allow** dejar
ally el/la aliado(a)
almonds las almendras
almost casi
alone solo(a); a solas
already ya
also también
although aunque
always siempre
A.M. de la mañana
amazed asombrado(a); sorprendido(a); atónito(a)
ambassador el/la embajador(a)
ambulance la ambulancia
American americano(a)
among entre
to **amuse** divertir (ie, i)
amusement park el parque de atracciones
amusement park ride la atracción
amusing divertido(a)
ancestor el/la antepasado(a)
anchor (television) el ancla
ancient antiguo(a)
and y
Andean andino(a)
anger el enfado, la ira
angry enfadado(a), enojado(a)
to get angry enfadarse
to make angry enfadar
animal el animal
ankle el tobillo
announcement el anuncio
to **annoy** molestar, enojar
another otro(a)
answer la respuesta
to **answer** contestar
any cualquier
any other cualquier otro(a)
anybody alguien
anything algo
Anything else? ¿Algo más?
apartment el apartamento, el apartamiento, el departamento; el piso
apartment building la casa de apartamentos
appearance la apariencia
to **applaud** aplaudir
to be applauded recibir aplausos
applause el aplauso
apple la manzana
appreciated apreciado(a)
to **approach** acercarse de
appropriate apropiado(a), adecuado(a); ***(convenient)*** oportuno(a)
April abril
archeology la arqueología

architect el/la arquitecto(a)
area la zona; el área *(f.)*
area code la clave de área
Argentine argentino(a)
to **argue** discutir
arithmetic la aritmética
arm el brazo
army el ejército
around alrededor de; ***(time)*** a eso de
arrival la llegada
to **arrive** llegar
arriving from procedente de
art el arte
art show (exhibition) la exposición de arte
artichoke la alcachofa
sautéed artichoke alcachofa salteada
article el artículo
artist el/la artista; el/la pintor(a)
as como
as . . . as tan... como
as many . . . as tantos(as)... como
as much . . . as tanto(a)... como
as soon . . . as en cuanto, tan pronto como
ash la ceniza
to **ask (a question)** preguntar
to **ask for** pedir (i, i)
assign asignar
assistance la ayuda
assistant: executive assistant el/la asistente(a) ejecutivo(a)
to **assume** asumir
at a, en
at *(@)* sign la arroba
at around ***(time)*** a eso de
at home en casa
at night por la noche; de noche
at one o'clock (two o'clock, three o'clock . . .) a la una (a las dos, a las tres...)
at times a veces
at what time? ¿a qué hora?
athlete el/la atleta
atmosphere el ambiente
attached file el documento adjunto
attempt el intento, la tentativa
to **attend** asistir a
attention: to pay attention prestar atención
attitude la actitud
attracted atraído(a)
attraction ***(feeling)*** la atracción; ***(interesting thing or place)*** el atractivo
attractive guapo(a)
August agosto
aunt la tía
aunt and uncle los tíos
author el/la autor(a)
automatic automático(a)
automatic dispenser el distribuidor automático
autonomous autónomo(a)
autumn el otoño
ATM el cajero automático
available disponible
avenue la avenida
average regular
avocado el aguacate; la palta
to **avoid** evitar
Awesome! ¡Bárbaro!
ax el hacha *(f.)*

B

back la espalda
back *(adj.)* trasero(a)
back button ***(key)*** el botón regresar (retroceder)
back door la puerta trasera
back: in back of detrás de
background la ascendencia; el fondo
backpack la mochila
backpacker el/la mochilero(a)
backwards hacia atrás
bacon el tocino, el bacón, el lacón
bad malo(a); mal
The weather is bad. Hace mal tiempo.
to be in a bad mood estar de mal humor
to get bad grades sacar notas malas
baggage el equipaje
baggage claim el reclamo de equipaje
baggage claim ticket el talón
carry-on baggage el equipaje de mano
bakery la panadería
balance el saldo
balcony el balcón
ball ***(soccer, basketball)*** el balón; ***(volleyball)*** el voleibol; ***(baseball, tennis)*** la pelota
to hit the ball batear; golpear
to kick (throw) the ball lanzar el balón
balloon el globo
ballpoint pen el bolígrafo, el lapicero, la pluma
banana el plátano
ripe bananas los maduros
band ***(music)*** la banda; el conjunto
city band la banda municipal
bandage la venda
bank el banco
banker el/la banquero(a)
banner el pendón; la pancarta
banquet el banquete
baptism el bautizo
baptismal font la pila
to **baptize** bautizar
bar: bar of soap la barra de jabón, la pastilla de jabón
barefoot descalzo(a)
to **bargain** regatear
to **bark** ladrar
barn el granero
base ***(baseball)*** la base
baseball el béisbol
baseball field el campo de béisbol
baseball game el juego (partido) de béisbol
baseball player el/la jugador(a) de béisbol, el/la beisbolista
basis la base
basket ***(basketball)*** el cesto, la cesta, la canasta
to make a basket encestar, meter el balón en la cesta
basketball el básquetbol, el baloncesto
basketball court la cancha de básquetbol
bat el bate
to **bat** batear
bath el baño
to **bathe (oneself)** bañar(se)
bathing suit el bañador, el traje de baño
bathroom el cuarto de baño
bathtub la bañera
batter el/la bateador(a)

English-Spanish Dictionary

battle la lucha, la batalla
to **be** ser; estar
to be able (to) poder (ue)
to be about to (do something) estar para + infinitivo
to be afraid tener miedo
to be alike (similar to) asemejarse a
to be applauded recibir aplausos
to be born nacer
to be called (named) llamarse
to be careful tener cuidado
to be cold (hot) tener frío (calor)
to be cut off cortar la linea (a alguien)
to be familiar with conocer
to be fine (well) estar bien
to be going to (do something) ir a + infinitivo
to be happy estar contento(a), alegre
to be hungry tener hambre
to be in a good (bad) mood estar de buen (mal) humor
to be in a hurry apresurarse
to be informed (up-to-date) estar al tanto
to be in the mood for estar por
to be necessary ser necesario, ser menester
to be pleasing (to someone) gustar
to be ready to (do something) estar para + infinitivo
to be sad estar triste, deprimido(a)
to be sick estar enfermo(a)
to be sorry sentir (ie, i)
to be successful tener éxito
to be thirsty tener sed
to be tired estar cansado(a)
to be (turn) . . . years old cumplir... años
to be . . . years old tener... años
beach la playa
beach resort el balneario
beak ***(bird)*** el pico
beans los frijoles
green beans (string beans) las judías verdes; las vainitas
beard la barba
bearer el/la portador(a)
to **beat** batir; ***(heart)*** latir
beautiful bello(a), hermoso(a), lindo(a)
because porque
to **become** hacerse; llegar a ser; ponerse; volverse
bed la cama; el lecho
to go to bed acostarse (ue)
to make the bed hacer la cama
to stay in bed guardar cama; quedarse en la cama
bedroom el cuarto de dormir, la recámara; la habitación; el dormitorio, la alcoba, la pieza
beef la carne de res; el bife
before antes de
beforehand antes
to **beg** rogar (ue)
beggar el/la mendigo(a), el/la limosnero(a)
to **begin** empezar (ie); comenzar (ie)
beginner el/la principiante
beginning el principio; el comienzo
in (at) the beginning of *(year, decade, century, etc.)* a principios de
to **behave** comportarse
behaved: to be well-behaved tener buena conducta
behavior la conducta, el comportamiento
behind detrás de
belief la creencia
to **believe** creer
bell ***(church, town, school)*** la campana
bell pepper el pimiento
bell tower el campanario
bellhop el mozo
to **belong** pertenecer
below debajo de
belt el cinturón
beneficial beneficioso(a), provechoso(a)
benefit el provecho
beside al lado de
besides además
best el/la mejor
best man el padrino
better mejor
between entre
beverage la bebida, el refresco
bicycle la bicicleta
to ride a bicycle andar en bicicleta
big gran, grande
bike ride: to go for a bike ride dar un paseo en bicicleta
bike riding: to go bike riding andar en bicicleta
bill la factura; el billete
biologist el/la biólogo(a)
biology la biología
bird el pájaro; el ave *(f.)*
birthday el cumpleaños
bite el mordisco, la mordida; ***(insect)*** la picadura
to **bite** morder (ue); ***(insect)*** picar
bitter amargo(a)
bitterness la armargura
black negro(a)
blanket la manta, la frazada
block ***(city)*** la cuadra, la manzana
to **block** bloquear
blond(e) rubio(a)
to have blond hair tener el pelo rubio
blood la sangre
blood pressure la tensión arterial
bloody sangriento(a)
blouse la blusa
to **blow** ***(wind)*** soplar
blue azul
blue jeans el blue jean
board ***(plank)*** el tablero, la tabla
to **board** embarcar, abordar
on board abordo (de)
boarding el embarque
boarding pass la tarjeta de embarque; el pasabordo, la tarjeta de abordar
boarding pass kiosk el distribuidor automático

boarding time la hora de embarque
boat *(small)* el barquito, la lancha, la embarcación; *(large)* el buque, el navío
body *(human)* el cuerpo (humano)
to **boil** hervir (ie, i)
boiling la ebullición
bold *(character)* valiente; audaz
to **bomb** bombardear
bombing el bombardeo
bone el hueso
to set the bone reducir, acomodar el hueso
bonfire la fogata; la hoguera
book el libro
boot la bota
border la frontera
to **bore** aburrir
boring aburrido(a)
born: to be born nacer
to **borrow (from)** pedir prestado (a)
to **bother** molestar, enfadar, enojar
bottle la botella
to **bounce (a ball)** rebotar
bouquet el ramo; el racimo
box office la taquilla
boy el muchacho, el niño, el chico, el mozo
boyfriend el novio
brakes los frenos
to put on (apply) the brakes poner los frenos
branch la rama
brave valeroso(a)
Brazilian brasileño(a)
bread el pan
bread crumbs el pan rallado
break *(vacation)* el descanso
to **break** romper; romperse, quebrarse (ie)
He (She) broke his (her) leg. Se rompió (se quebró) la pierna.
breakdown *(car)* la avería
breakfast el desayuno
Continental breakfast el desayuno continental
to have breakfast tomar el desayuno; desayunarse
breaking: You're breaking up. *(telephone)* Estás cortando.
breast *(chicken)* la pechuga
breath el aliento
breathing la respiración
breathing exercises los ejercicios de respiración
breed la raza
breeze la brisa
bride la novia
brief breve
briefcase el maletín, la cartera
to **bring** traer
to **bring down** derrocar
broad ancho(a)
to **broadcast** emitir
broken roto(a); quebrado(a)
bronze *(adj.)* de bronce
brook el arroyo
brother el hermano
brown castaño(a); de color marrón
to have brown eyes tener ojos castaños
to have brown hair tener el pelo castaño
brunette moreno(a)
brush el cepillo
toothbrush el cepillo de dientes
to **brush** cepillar
to brush one's hair cepillarse
to brush one's teeth cepillarse (lavarse) los dientes
buffet el bufé
building el edificio
bunch *(flowers)* el ramo; el racimo
bunk la litera
burial el entierro, el sepelio
buried enterrado(a)
to **burn** quemarse
burrito el burrito
to **bury** enterrar (ie)
bus el autobús, el camión, la guagua; el bus
bus stop la parada de autobús (de camiones, de guaguas)
school bus el bus escolar
to miss the bus perder el autobús
businessman el hombre de negocios
businessperson el/la comerciante
businesswoman la mujer de negocios
but pero
butcher shop la carnicería
butter la mantequilla
butterfly la mariposa
button el botón
back button el botón regresar (retroceder)
delete button el botón borrador
to **buy** comprar
by por; en
by plane (car, bus) en avión (carro, autobús)
by tens de diez en diez
By the way! ¡A propósito!
Bye! ¡Chao!

C

cabbage el repollo, la col
cabin la cabaña, la cabina
cactus el cacto
café el café
outdoor café el café al aire libre
cafeteria la cafetería
cage la jaula
cake la torta; el bizcocho; el pastel, la tarta
calculator la calculadora
call *(phone)* la llamada
dropped call la llamada perdida (caída)
to **call** llamar
Who's calling, please? ¿De parte de quién, por favor?
calm calmo(a), tranquilo(a)
camel el camello
camera la cámara
digital camera la cámara digital
campaign la campaña
camping el camping
to go camping ir de camping
can el bote, la lata
Canadian canadiense
candidate el/la aspirante, el/la candidato(a)
candle la vela
canned enlatado(a)
canoe la canoa
canvas el lienzo
canyon el cañón
cap el gorro
capable capaz
capital la capital

English-Spanish

English-Spanish Dictionary

capital letter la mayúscula
captured capturado(a), apresado(a)
car el carro; el coche; ***(train)*** el coche, el vagón
  dining car el coche comedor (cafetería), la bufetería
  sports car el coche deportivo
car rental agency la agencia de alquiler
carbonated drink la gaseosa
card la tarjeta; el carnet
  credit card la tarjeta de crédito
  ID card el carnet de identidad
  phone card la tarjeta telefónica
career la carrera
careful: to be careful tener cuidado
  Careful! ¡Cuidado!, ¡Mucho ojo!
carefully con cuidado
Caribbean Sea el mar Caribe
carpet la alfombra
carrot la zanahoria
to **carry** llevar; traer
carry-on luggage el equipaje de mano
cart el carrito
to **carve** tallar
case: in case en caso de; por si acaso
cash register la caja
cash el dinero en efectivo
to **cash** cobrar
cashier el/la cajero(a)
cast ***(medical)*** el yeso
castle el castillo; el alcázar
cat el/la gato(a)
to **catch** atrapar
catcher el/la cátcher, el/la receptor(a)
Catholic católico(a)
cattle el ganado
to **cause** causar
to **celebrate** celebrar; festejar
celebration la celebración; el festejo
cell phone el móvil; el celular
cemetery el cementerio, el camposanto
census el censo
century el siglo
ceramics las cerámicas
cereal el cereal
ceremony la ceremonia
  civil ceremony (wedding) la ceremonia civil
certain cierto(a)
chair la silla
chairlift el telesilla, el telesquí
change ***(monetary)*** el suelto; el cambio
to **change** cambiar
  to change trains (transfer) transbordar
chapter el capítulo
character ***(literature)*** el personaje; ***(moral)*** el carácter
charitable purpose el propósito benévolo
charming encantador(a)
to **chase** perseguir (i, i)
chat la charla; la plática
to **chat** charlar; platicar
cheap barato(a)
  It's all a lot cheaper. Todo te sale más barato.
check ***(restaurant)*** la cuenta
to **check** ***(ticket)*** revisar; ***(facts)*** verificar; comprobar (ue)
to **check luggage** facturar el equipaje
to **check out** ***(hotel room)*** abandonar el cuarto
checking account la cuenta corriente
cheek la mejilla
cheese el queso
  ham and cheese sandwich el sándwich de jamón y queso
chemistry la química
chest el pecho
chicken el pollo
  chicken breast la pechuga de pollo
  chicken thigh el muslo de pollo
  chicken wings las alitas de pollo
child el/la niño(a)
childhood la niñez
children los hijos
Chilean chileno(a)
chili pepper el ají
chin el mentón
chisel el cincel
chocolate el chocolate
  hot chocolate el chocolate caliente
to **choose** escoger, seleccionar, elegir (i, i); optar
chop: pork chop la chuleta de cerdo
to **chop** picar
Christian cristiano(a)
Christmas la Navidad, las Navidades
  Christmas Eve la Nochebuena
  Christmas gift el aguinaldo
  Christmas tree el árbol de Navidad
  Merry Christmas! ¡Feliz Navidad!
church la iglesia
cilantro el cilantro
citizenship la ciudadanía
city la ciudad; ***(major city)*** la urbe
city hall el ayuntamiento
civil civil
  civil ceremony (wedding) la ceremonia civil
civilization la civilización
to **claim** reclamar
clams las almejas
to **clap** aplaudir
to **clarify** aclarar, clarificar
clarinet el clarinete
class ***(school)*** la clase; el curso; ***(ticket)*** la clase
  first (second) class en primera (segunda) clase
classified ad anuncio clasificado
classmates los compañeros de clase
classroom la sala de clase
clean limpio(a)
to **clean** limpiar
clear ***(sky)*** despejado(a)
to **clear the table** levantar, quitar la mesa
clergy el clero

clerk el/la empleado(a); el/la dependiente(a)
to **click** ***(computer)*** hacer clic
cliff el risco
climate el clima
close (to) cerca de
to **close** cerrar (ie)
closet el armario
clothes la ropa
dirty clothes la ropa para lavar, la ropa sucia
clothes hanger la percha, el colgador
clothing la ropa; la indumentaria; la vestimenta
clothing store la tienda de ropa
cloud la nube
cloudiness la nubosidad
cloudy nublado(a)
clove (of garlic) el diente
coach el/la entrenador(a)
coast la costa; el litoral
coastal costero(a), litoral
to **coat (with batter)** rebozar
cobblestones los adoquines
code: area code la clave de área
country code el prefijo del país
co-ed mixto(a)
coffee el café
coffin el ataúd
cognate la palabra afine
coin la moneda
cola la cola
cold el frío; frío(a); ***(illness)*** el catarro
It's cold (weather). Hace frío.
to be cold tener frío
to have a cold tener catarro
to **collect** recoger
college la universidad
to **collide** chocar
Colombian el/la colombiano(a)
colonel el coronel
colonial colonial
to **colonize** colonizar
colonizer el colonizador
colony la colonia
color el color
comb el peine
to **comb one's hair** peinarse
to **come** venir (ie)
I'm coming ¡Ya voy!

to **come out onto** desembocar
comical cómico(a), gracioso(a)
coming from procedente de
companion el/la compañero(a)
company la compañía, la empresa, la sociedad
to **complain (about)** quejarse (de)
complaint la queja
to **complete** completar
completely totalmente
composition la composición
to **comprise** abarcar
computer la computadora, el ordenador
computer programmer el/la programador(a) de computadoras
concert el concierto
concourse ***(train station)*** el hall
to **condemn** condenar
condiment el condimento
condo(minium) el condominio
conduct la conducta, el comportamiento
conductor ***(train)*** el revisor
to **confirm (seat on a flight)** confirmar
confrontation el enfrentamiento
Congratulations! ¡Enhorabuena!
to **connect** enlazar
connected conectado(a)
connection la conexión
to **conquer** conquistar, vencer, someter
conscious consciente
conservative conservador(a)
consonant la consonante
to **consult** consultar
to **contain** contener (ie); abarcar
contemporary contemporáneo
continent el continente
Continental breakfast el desayuno continental
to **continue** continuar; seguir (i, i)
contract el contrato
contrary: on the contrary al contrario
control ***(power, rule)*** el dominio, el control
controversial controvertido(a)

controversy la controversia, la polémica
conversation la conversación
convert el/la converso(a)
convertible el descapotable, el convertible
conveyor belt la correa
to **convince** convencer
cook el/la cocinero(a)
to **cook** cocinar, cocer (ue)
cookies las galletas
cooking la cocción
cool fresco(a)
It's cool (weather). Hace fresco.
copy la copia
hard copy la copia dura
corn el maíz; el elote, el choclo
ear of corn la mazorca de maíz
corner ***(street)*** la esquina; ***(interior)*** el rincón
to **conquer** conquistar
corporation la sociedad
corral el corral
to **cost** costar (ue); ***(to be worth)*** valer
How much does it cost? ¿Cuánto cuesta?
Costa Rican costarricense
costume el disfraz
cough la tos
to have a cough tener tos
to **cough** toser
counselor el/la consejero(a)
to **count** contar (ue)
counter ***(airline)*** el mostrador
country el país; el campo
country code el prefijo del país
country house la casa de campo; el caserío
Spanish-speaking countries los países hispanohablantes
countryside el campo
couple la pareja
course el curso
court la cancha
basketball (tennis) court la cancha de básquetbol (tenis)
volleyball court la cancha de voleibol
courtesy la cortesía
cousin el/la primo(a)

English-Spanish Dictionary

to **cover** cubrir, tapar
cow la vaca
cowboy el vaquero; ***(Argentina)*** el gaucho; ***(Mexico)*** el charro
crackers las galletas
crafts la artesanía
to **crash** chocar
crazy loco(a)
credit card la tarjeta de crédito
crime el crimen, el delito
crop el cultivo
to **cross** cruzar
cross-country ***(skiing)*** el esquí nórdico; ***(race)*** la carrera a campo traviesa
crosswalk el cruce
crowded ***(busy)*** concurrido(a)
crown la corona
cruise (cruise ship) el crucero
crutches las muletas
to walk on crutches andar con muletas
to **cry** llorar
crystal clear cristalino(a)
Cuban el/la cubano(a)
Cuban American el/la cubanoamericano(a)
cucumber el pepino
cuisine la cocina
culture la cultura
cup la taza
current ***(water)*** la corriente
curriculum vitae el currículum vitae
to **curse** maldecir (i)
custard el flan
custom la costumbre
customer el/la cliente
customs la aduana
to **cut** cortar
to cut (up) in small pieces cortar en pedacitos
to **cut off: We've been cut off.** ***(telephone)*** Se nos cortó la línea.
to **cut oneself** cortarse
cutlet: veal cutlet el escalope de ternera

D

dagger el puñal
daily diario(a); cotidiano(a)
daily routine la rutina diaria
dairy products los productos lácteos
to **damage** dañar, estropear
to **dance** bailar
danger el peligro
dangerous peligroso(a)
to **dare** atreverse
dark oscuro(a)
dark-haired moreno(a)
darkness la oscuridad
data los datos
date la fecha
What's today's date? ¿Cuál es la fecha de hoy?
daughter la hija
to **dawn** amanecer
day el día; la fiesta
the Day of the Dead el Día de los Muertos
patron saint's day la fiesta patronal
What day is it (today)? ¿Qué día es hoy?
dazed aturdido(a)
dead muerto(a), difunto(a)
dead person, deceased person el/la muerto(a), el/la difunto(a)
deaf sordo(a)
dear querido(a)
death la muerte
deboned deshuesado(a)
debt la deuda
decade la década
December diciembre
to **decide** decidir
decline ***(drop, fall)*** el descenso
to **decline** declinar
to **decorate** decorar
deep profundo(a), hondo(a)
defeat la derrota
to **defeat** derrotar, vencer
defender el/la defensor(a)
definition la definición
to **dehydrate** deshidratar
delay el retraso, la demora
delegate el/la diputado(a)
to **delete** borrar
delete key ***(computer)*** el botón borrador
delicious delicioso(a); rico(a)
to **deliver** entregar
demand la exigencia
to **demand** exigir
dense denso(a), espeso(a)
dent la abolladura
dentist's office la gabinete del dentista
departure la salida
departure gate la puerta de salida
departure time la hora de salida
to **depend** depender (ie) (de)
to **deplane** desembarcar
to **deposit** depositar
to **describe** describir
description la descripción
desert el desierto
to **deserve** merecer
to **design** diseñar
desk el pupitre
desolate inhóspito(a)
despair la desesperanza, la desesperación
dessert el postre
destination el destino
to **destroy** destruir, destrozar; ***(knock down)*** derribar
detail el detalle
detergent el detergente
powdered detergent el jabón en polvo
to **develop** desarrollarse
device el aparato
to **devise** idear
diagnosis el diagnóstico
to **dial** marcar el número
dial tone el tono
to **dice** cortar en pedacitos
dictation el dictado
to **die** morir (ue, u)
diet la dieta; ***(dieting)*** el régimen
difference la diferencia
different diferente
difficult difícil; duro(a); avanzado(a)
difficulty la dificultad

digital camera la cámara digital
to **diminish** disminuir
diner el/la comensal
dining car el coche comedor (cafetería), la bufetería
dining room el comedor
dinner la cena
to have dinner cenar
direction ***(road)*** sentido; ***(course)*** rumbo
in each direction en cada sentido
directions las direcciones
dirty sucio(a)
disadvantage la desventaja
disagreeable desagradable
to **disappear** desaparecer
disappearance la desaparición
disappointment el desengaño
to **discover** descubrir
to **disembark** desembarcar
disguise el disfraz
dish el plato
dishwasher el lavaplatos
disillusion(ment) la desilusión, el desencanto
dispenser: automatic boarding pass dispenser el distribuidor automático
distance ***(measurement)*** la distancia; ***(place)*** la lejanía
long distance de larga distancia
distant ***(far-off)*** lejano(a)
distinguished ilustre
district el casco, el barrio
to **dive** bucear
to **divide** dividirse
divine divino(a)
to **do** hacer
to do homework hacer las tareas
to do push-ups hacer planchas
to do yoga practicar yoga
doctor el/la médico(a)
doctor's office el consultorio, la consulta del médico
document el documento
attached document el documento adjunto
dog el/la perro(a)
dollar el dólar
Dominican dominicano(a)
Dominican Republic la República Dominicana
door la puerta
front *(back)* door la puerta delantera (trasera)
dot ***(Internet)*** el punto
double ***(room)*** un cuarto doble
doubles ***(tennis)*** dobles
doubt la duda
to **doubt** dudar
dough la masa
doughnut (type of) el churro
down: to go down bajar
downhill skiing el esquí alpino
to **download** bajar, descargar
downpour el aguacero, el chaparrón
downtown el centro
dozen la docena
draft ***(rough draft)*** el borrador
to **drag (along)** arrastrar
drama el drama
to **draw** dibujar
drawing el dibujo
dream el sueño; ***(fantasy)*** el ensueño
dress el vestido
to **dress** vestirse (i, i)
to **dribble** driblar (con el balón)
drink ***(beverage)*** la bebida; el refresco
to **drink** beber
to **drive** conducir, manejar
driver el/la conductor(a)
driver's license el permiso de conducir, la licencia, el carnet
drop ***(rain)*** la gota
dropped call una llamada caída (perdida)
drought la sequía
drugstore la farmacia
drum el tambor
drum set la batería
dry seco(a)
dryer la secadora
during durante
dusk el crepúsculo, el atardecer; ***(nightfall)*** el anochecer
dust el polvo
DVD el DVD
dynamic dinámico(a)

E

e-mail el correo electrónico; el e-mail
e-mail address la dirección de correo electrónico (e-mail)
e-mail inbox la bandeja de entradas
e-ticket el boleto (billete) electrónico
each cada
eagle el águila *(f.)*
ear el oído
early temprano
early riser el/la madrugador(a)
to **earn** ganar
earring ***(long)*** el pendiente; ***(round)*** el arete
earthquake el terremoto
easel el caballete
easily sin dificultad
easiness la facilidad
east el este
eastern oriental
easy fácil
to **eat** comer
to eat breakfast (lunch) tomar el desayuno (el almuerzo)
to eat dinner cenar
to **echo** resonar (ue), hacer eco
Ecuadoran ecuatoriano(a)
education la educación
physical education la educación física
egg el huevo
scrambled eggs los huevos revueltos; los huevos batidos
to lay eggs poner huevos
eggplant la berenjena
eight ocho
eight hundred ochocientos(as)
eighteen dieciocho
eighty ochenta
either tampoco
elbow el codo
electronic electrónico(a)
elementary school la escuela primaria
elevator el ascensor
eleven once
to **eliminate** eliminar; suprimir

English-Spanish Dictionary

else: Anything else? ¿Algo más?; **Nothing else.** Nada más.
to **embark** embarcar; emprender (un viaje)
embassy la embajada
emerald la esmeralda
emergency room la sala de emergencia
to **emphasize** ***(to stress)*** destacar
employee el/la empleado(a); el/la dependiente(a)
empty vacío(a)
enchilada la enchilada
end el fin
at the end (of) al final (de); a fines de
to **end** terminar
endless interminable
to **endorse** endosar
enemy el/la enemigo(a)
energetic enérgico(a)
energy la energía
engine el motor
engineer el/la ingeniero(a)
English ***(language)*** el inglés
to **enjoy** disfrutar; gozar
to **enjoy oneself** divertirse (ie, i)
enormous enorme
enough bastante; suficiente
to **enslave** esclavizar
to **enter** entrar
enthusiasm el entusiasmo
enthusiastic lleno(a) de entusiasmo; entusiasmado(a)
entire entero(a)
entrance la entrada; ***(subway)*** la boca del metro
envelope el sobre
environment el ambiente, el entorno; ***(ecology)*** el medio ambiente
envy la envidia
to **envy** envidiar
epidemic la epidemia
Epiphany el Día de los Reyes
equal igual
escalator la escalera mecánica
to **escape** escaparse; fugarse
especially especialmente; sobre todo
essay el ensayo
to **establish** establecer(se)
estimate el cálculo, el presupuesto
ethnic étnico(a)
ethnicity la etnia
euro el euro
European europeo(a)
even aun; hasta
even ***(numeric)*** par
evening la noche
Good evening. Buenas noches.
in the evening por la noche
yesterday evening anoche
event el evento, el suceso, el acontecimiento
every cada; todos(as)
every day (year) todos los días (años)
everybody todo el mundo, todos(as)
everyone todo el mundo, todos(as)
everything todo
everywhere en todas partes
evil el mal, la maldad
exactly exactamente
exam el examen, la prueba
physical exam el examen físico
to take an exam tomar un examen
to **examine** examinar
example: for example por ejemplo
to **exceed** exceder
excellent excelente
exception la excepción
to **exchange** intercambiar
Excuse me. Con permiso.
to **execute** ejecutar
executive el/la ejecutivo(a)
executive assistant el/la asistente(a) ejecutivo(a)
exemplary ejemplar
exercise los ejercicios
to **exercise** hacer ejercicios
to **exhaust** agotar
exhausted agotado(a), rendido(a)
exhibition la exposición (de arte)
to **exist** existir
exit la salida
exotic exótico(a)
to **expect** esperar
to **expel** expulsar
expensive caro(a)
less expensive más barato
to **experience** experimentar
expert el/la experto(a)
to **explain** explicar; aclarar
explanation la explicación
to **explode** estallar, explotar
exploitation la explotación
expressway la autopista, la autovía
extraordinary extraordinario(a)
eye el ojo
to have blue (green, brown) eyes tener ojos azules (verdes, castaños)

F

fabrics los tejidos
fabulous fabuloso(a)
face la cara; el rostro
fact el hecho
to **fail** ***(school)*** suspender; ***(to be unsuccessful)*** fracasar; ***(stop functioning)*** fallar
failure ***(school)*** el suspenso; ***(unsuccessful attempt)*** el fracaso
fair la feria
fairy tale el cuento de hadas
faith la fe
faithful fiel
fall el otoño
to **fall** caerse
to **fall asleep** dormirse (ue, u)
to **fall in love** enamorarse
false falso(a)
fame la fama, el renombre
family la familia
family *(adj.)* familiar
famous famoso(a), renombrado(a), célebre, ilustre, afamado(a)
fan ***(sports, artist, etc.)*** el/la aficionado(a), el/la admirador(a); ***(air) (handheld)*** el abanico; ***(machine)*** el ventilador
fantastic fantástico(a)

English-Spanish

far lejos (de)
fare la tarifa
farm la finca, la granja, la chacra
farmer el/la campesino(a), el peón
farmhand el peón
to **fascinate** fascinar
fast rápido(a)
fastened abrochado(a)
fat gordo(a)
father el padre
favor el favor
favorite favorito(a)
fear el miedo, el temor
to **fear** temer, tener miedo (de)
feature la característica
February febrero
to **feel** sentirse (ie, i)
to **feel like (doing something)** tener ganas de + infinitivo
female la hembra
fence la cerca, la valla
ferocious feroz
Ferris wheel la noria
fertilizer el abono
festival la feria
festival of lights (Hanukkah) la fiesta de las luces
fever la fiebre
to have a fever tener fiebre
few poco(a), pocos(as)
a few unos(as)
fewer menos
field el campo
baseball field el campo de béisbol
soccer field el campo de fútbol
fifteen quince
fifteen-year-old girl la quinceañera
fifty cincuenta
fight la lucha, la pelea
to **fight** luchar, pelear
figurative work (of art) la obra figurativa
file el archivo; el documento
attached file el documento adjunto
to **fill** llenar; ***(put filling in)*** rellenar
to fill up ***(gas tank)*** llenar el tanque
film el filme, la película; el film
finally por fin
financial financiero(a)
financial statement el estado financiero
to **find** encontrar (ue); hallar
fine la multa
fine *(adj.)* bien
to be fine estar bien
finger el dedo
to **finish** terminar
fire el fuego; el incendio; ***(bonfire)*** la fogata; la hoguera
fireplace la chimenea
fireworks los fuegos artificiales
first primero(a)
first-class primera clase
first of January el primero de enero
fish el pescado
fish market la pescadería
to **fit** quedar
This jacket doesn't fit you. Esta chaqueta no te queda bien.
five cinco
five hundred quinientos(as)
to **fix** ***(repair)*** arreglar, reparar
flame el fuego
on a low flame (heat) a fuego lento
flames las llamas
flan el flan
flat plano(a); llano(a); **(tire)** el pinchazo
flavor el sabor
to **flee** huir
fleeting fugaz
flight el vuelo
direct flight el vuelo directo
flight attendant el/la asistente(a) de vuelo
flight number el número del vuelo
nonstop flight el vuelo sin escala
to **flip over** volcar (ue)
floor el piso
flower la flor
flute la flauta
to **fly** volar (ue)
to **focus** enfocar
fog la niebla
folder la carpeta
to **follow** seguir (i, i)
following siguiente
food la comida; los comestibles; el alimento
frozen food los productos congelados
foolishness la insensatez
foot el pie
on foot a pie
football el fútbol americano
footprint la huella
for por, para; con destino a
for example por ejemplo
forbidden prohibido(a)
force la fuerza
forecast el pronóstico
weather forecast el pronóstico meteorológico
foreground el primer plano
forehead la frente
foreign extranjero(a)
foreigner el/la extranjero(a)
forest el bosque, la selva
to **forget** olvidar
fork el tenedor
form una forma
formal formal
former antiguo(a)
fort la fortaleza, el fuerte; ***(small)*** el fortín
fortress el alcázar; la fortaleza
fortunate afortunado(a); dichoso(a)
forty cuarenta
fountain la fuente
fountain pen la pluma
four cuatro
four hundred cuatrocientos(as)
fourteen catorce
fracture la fractura
free libre
to **free** liberar
freezer el congelador
French el francés; *(adj.)* francés(esa)
french fries las papas (patatas) fritas
frequently con frecuencia, frecuentemente
fresh fresco(a)
Friday el viernes
fried frito(a)
friend el/la amigo(a); el/la compañero(a)
friendly agradable
friendship la amistad
to **frighten** asustar, espantar

English-Spanish Dictionary

from de; desde
from time to time de vez en cuando
from where? ¿de dónde?
front *(adj.)* delantero(a)
in front of delante de
front desk ***(hotel)*** la recepción
front door ***(car, bus)*** la puerta delantera
frost la helada
frozen congelado(a)
frozen food los productos congelados
fruit la fruta
fruit stand la frutería, el puesto de frutas
to **fry** freír (i, i)
frying pan el/la sartén
full completo(a)
full of lleno(a) de; cargado(a) de
full-time a tiempo completo
fun: to have fun divertirse (ie, i), pasarlo bien
funds los fondos
to raise funds recaudar fondos
funeral procession el cortejo fúnebre
funny cómico(a); gracioso(a); divertido(a); chistoso(a)
furious furioso(a)
furiously furiosamente, rabiosamente
fury la furia, la rabia
furniture los muebles
future el futuro

game el juego; ***(match)*** el partido
garage el garaje
garden ***(flower, park)*** el jardín; ***(small vegetable)*** el huerto; ***(large vegetable)*** la huerta
garlic el ajo
gasoline la gasolina, la nafta, la benzina
gas station la estación de servicio, la gasolinera
gas tank el tanque
gate ***(airport)*** la puerta de salida
to **gather** recoger
general general
generally, in general en general, por lo general
generous generoso(a)
genre el género
gentle manso(a)
gentleman el señor
geography la geografía
geometry la geometría
German alemán(ana)
gesture la gesticulación, el gesto, el ademán
to **get** sacar; lograr; conseguir (i, i)
to get angry enfadarse
to get good (bad) grades sacar notas buenas (malas)
to **get dressed** ponerse la ropa; vestirse (i, i)
to **get off** ***(train, bus)*** bajar(se)
to **get on** ***(train, bus)*** subir; ***(plane)*** abordar
to **get together** reunirse
to **get up** levantarse
ghost el fantasma
gift el regalo; **Christmas gift** el aguinaldo
girl la muchacha, la niña, la chica
fifteen-year-old girl la quinceañera
girlfriend la novia
to **give** dar; otorgar
to give an exam dar un examen (una prueba)
to give back devolver (ue)
to give (someone) stitches poner unos puntos (unas suturas) (a alguien)
to give (throw) a party dar una fiesta
to give up renunciar
glance la ojeada
glass ***(drinking)*** el vaso
glass ***(substance)*** el vidrio
glove el guante
glove compartment la guantera
to **go** ir; pasar; andar
Let's go! ¡Vamos!
to be going (to do something) ir a + infinitivo
to go back regresar; volver (ue)
to go bike riding andar en bicicleta
to go camping ir de camping
to go down bajar
to go for a hike dar una caminata
to go home regresar a casa, ir a casa; volver a casa
to go horseback riding andar a caballo; montar a caballo
to go ice-skating patinar sobre el hielo
to go in-line skating patinar en línea
to go jogging hacer jogging
to go on a trip hacer un viaje
to go online entrar en línea
to go out salir
to go over the net pasar por encima de la red
to go rollerblading (inline skating) patinar en línea
to go scuba diving bucear
to go shopping ir de compras
to go skiing esquiar
to go snorkeling bucear
to go surfing practicar la tabla hawaiana
to go swimming nadar
to go through pasar por
to go to bed acostarse (ue)
to go to the movies ir al cine
to go up subir
to go waterskiing esquiar en el agua
to go windsurfing practicar la plancha de vela
goal el gol; ***(objective, aim)*** la meta
to score a goal meter un gol
goal line la portería
goalie el/la portero(a)
godchild el/la ahijado(a)

godfather el padrino
godmother la madrina
going to con destino a
gold el oro
good buen; bueno(a)
to be in a good mood estar de buen humor
to get good grades sacar notas buenas
Good afternoon. Buenas tardes.
Good evening. Buenas noches.
Good morning. Buenos días.
Good-bye. ¡Adiós!; ¡Chao!
to say good-bye despedirse (i, i)
good-looking guapo(a), bonito(a)
government el gobierno
government official el/la funcionario(a) gubernamental (de gobierno)
grade la nota
high grade la nota alta
low grade la nota baja
to get good (bad) grades sacar notas buenas (malas)
graduate el/la egresado(a)
grandchildren los nietos
granddaughter la nieta
grandfather el abuelo
grandmother la abuela
grandparents los abuelos
grandson el nieto
to **grant** otorgar
grape la uva
grapevine la vid
grass la hierba
grave la tumba
gravy la salsa
gray gris
to **graze** pacer
great gran, grande
Great! ¡Bárbaro!
greater (greatest) part (la) mayor parte
greed la avaricia, la codicia
green verde
green beans las judías verdes; las vainitas
green pepper el pimiento
greengrocer (vegetable) store la verdulería
to **greet** saludar
greeting el saludo
grill la parrilla
to **grill** asar
groom el novio
ground el suelo
group ***(musical)*** el grupo, el conjunto
grove la arboleda
to **grow** ***(agriculture)*** cultivar; ***(age, size)*** crecer
growth el crecimiento
to **guard** guardar, vigilar
Guatemalan guatemalteco(a)
to **guess** adivinar
guest el/la invitado(a); ***(hotel)*** el/la cliente, el/la huésped(a)
guilt la culpa
guilty culpable
guitar la guitarra
gust ***(wind)*** la ráfaga
guy el tipo
gymnasium el gimnasio

H

habit la manía
hair el pelo
to brush one's hair cepillarse
to comb one's hair peinarse
to have blond (brown, black) hair tener el pelo rubio (castaño, negro)
haircut el corte de pelo
hair salon la peluquería
hair stylist el/la peluquero(a)
half ***(soccer)*** el tiempo; ***(amount)*** la mitad
second half ***(soccer)*** el segundo tiempo
half past ***(hour)*** y media
ham el jamón
ham and cheese sandwich el sándwich de jamón y queso
hamburger la hamburguesa
hand la mano
to raise one's hand levantar la mano
handful el puñado; el manojo
handmade hecho(a) a mano
to **hand over** entregar
handsome guapo(a)
hanger la percha, el colgador
Hanukkah el Hanuka
to **happen** pasar; ocurrir; suceder
What's happening? ¿Qué pasa?
happiness la alegría; la felicidad; el regocijo
happy alegre; contento(a); feliz
Happy Hanukkah! ¡Feliz Hanuka!
hard difícil, duro(a)
hard copy la copia dura
hardworking ambicioso(a)
harvest la cosecha
to **harvest** cosechar
hat el sombrero; ***(ski)*** el gorro
to **hate** odiar
hatred el odio, la antipatía
to **have** tener (ie); haber *(in compound tenses)*
to have a cold tener catarro
to have a cough tener tos
to have a fever tener fiebre
to have a good time pasarlo bien, divertirse (ie, i)
to have a headache tener dolor de cabeza
to have a party dar una fiesta
to have a snack tomar una merienda
to have a sore throat tener dolor de garganta
to have a stomachache tener dolor de estómago
to have blond (brown, black) hair tener el pelo rubio (castaño, negro)
to have blue (brown, green) eyes tener ojos azules (castaños, verdes)
to have breakfast (lunch) tomar el desayuno (el almuerzo)
to have dinner cenar
to have fun pasarlo bien, divertirse (ie, i)
to have just (done something) acabar de + infinitivo
to have to (do something) tener que
hay el heno
he él
head la cabeza
headache: to have a headache tener dolor de cabeza
heading ***(letter)*** el encabezamiento
headlights las luces

English-Spanish

English-Spanish Dictionary

headline el titular
health la salud
to **hear** oír
  ¿Can you hear me? ***(telephone)*** **¿Me escuchas?**
heart el corazón
heat el calor; el fuego; ***(heating)*** la calefacción
  on low heat a fuego lento
to **heat** poner en el fuego; calentar (ie)
heaven el cielo
heavy pesado(a)
heel (of a shoe) el talón
height la altura
hell el infierno
Hello! ¡Hola!; ***(on the phone)*** ¡Diga!, ¡Dígame!, ¡Aló!, ¡Bueno!
helmet el casco
help la ayuda
to **help** ayudar
hen la gallina
her *(f. sing.) (pron.)* la
  to her *(pron.)* le
her su(s)
herd la manada
here aquí; acá
  Here it (they) is (are). Aquí lo (la, los, etc.) tienes.
heritage la herencia; el patrimonio
hero el héroe
heroine la heroína
Hi! ¡Hola!
hidden escondido(a), oculto(a), secreto(a)
to **hide** esconder(se), ocultar(se); ***(emotion)*** disimular
high alto(a)
high school la escuela secundaria; el colegio
highway la autopista, la autovía, la carretera
hike: to take (go for) a hike dar una caminata
hiker el/la mochilero(a)
hill el cerro, la colina; ***(slope)*** la cuesta
hillside la ladera
him *(m. sing.) (pron.)* lo
  to him *(pron.)* le
his su(s)
Hispanic hispano(a)
hiss el silbido
history la historia
to **hit** ***(baseball)*** batear; ***(tennis, volleyball)*** golpear
  to hit a home run batear un jonrón
holiday la fiesta
home la casa; a casa; el hogar
  at home en casa
  to go home regresar a casa; volver a casa
homemade casero(a)
home page la página de inicio (inicial, frontal)
home plate el platillo
home run el jonrón
  to hit a home run batear un jonrón
homework las tareas
honest honesto(a)
honey la miel
honeymoon la luna de miel
honor: in honor of en honor de
hood ***(car)*** el capó
hope la esperanza
to **hope** esperar
  I hope . . . Ojalá...
horizon el horizonte
horse el caballo
horseback riding la equitación
  to go horseback riding andar a caballo; montar a caballo
hospital el hospital
hostel: youth hostel el albergue juvenil, el hostal
hot: to be hot tener calor
  It's (very) hot *(weather)*. Hace (mucho) calor.
hot caliente; caluroso(a)
hotel el hotel
  small (inexpensive) hotel el hostal
hotel clerk el/la recepcionista
hour la hora
house la casa
  apartment house la casa de apartamentos
  private house la casa privada
to **house** albergar, alojar, hospedar
housekeeper la camarera; el/la criado(a)
how? ¿cómo?; ¿qué?
  How are things going? ¿Qué tal?
  How are you? ¿Qué tal?; ¿Cómo estás?
  How much does it cost? ¿Cuánto cuesta?
  How much is (are) . . . ? ¿A cuánto está(n)... ?
  How much is it? ¿Cuánto es?
  How old is he (she)? ¿Cuántos años tiene?
how long . . . ? ¿Hace cuánto tiempo... ?
how many? ¿cuántos(as)?
how much? ¿cuánto?
however comoquiera
hug el abrazo
to **hug (someone)** abrazarse
huge grandote, enorme, inmenso(a)
human humano(a)
human being el ser humano
human resources department el departamento de personal (de recursos humanos)
humble humilde
humid húmedo(a)
humidity la humedad
humor: to have a good sense of humor tener un buen sentido de humor
hundred cien(to, ta)
hunger el hambre *(f.)*
hungry: to be hungry tener hambre
hunt ***(hunting)*** la caza
to **hunt** cazar
hunter el/la cazador(a)
hurried apresurado(a)
hurry: to be in a hurry apresurarse
to **hurt** doler (ue)
  It hurts him (me, etc.) a lot. Le (Me, etc.) duele mucho.
  My head (stomach, etc.) hurts. Me duele la cabeza (el estómago, etc.)

to **hurt (oneself)** hacerse daño
husband el esposo, el marido
hut el bohío, la choza

I yo
ice el hielo
ice cream el helado
ice skate el patín
to **ice-skate** patinar sobre el hielo
ice-skater el/la patinador(a)
ice-skating el patinaje sobre (el) hielo
ice-skating rink la pista de patinaje
icon el icono
ID card el carnet de identidad
idea la idea
idealist el/la idealista
identification la identidad
piece of identification la forma de identidad
to **identify** identificar
if si
ill enfermo(a)
ill-mannered mal educado(a)
illness la enfermedad
illustrious ilustre
to **imagine** imaginar
immediately enseguida; inmediatamente
immense inmenso
immigration la inmigración
impatient impaciente
important importante
impossible imposible
imprisoned aprisionado(a), encarcelado(a); apresado(a), capturado(a)
to **improve** mejorar
improvement la mejora, el mejoramiento
in en
in back of detrás de
in front of delante de
in general por lo general
inbox ***(e-mail)*** la bandeja de entradas
incapable incapaz
incline el pendiente, la cuesta
to **include** incluir
Is the tip included? ¿Está incluido el servicio?
to **increase** aumentar; crecer
incredible increíble
independent independiente; autónomo(a)
to **indicate** indicar
indigenous indígena
individual: individual sport el deporte individual
inexpensive barato(a)
infancy la infancia
influence la influencia
to **inform** informar
information la información
ingenious ingenioso(a)
to **ingest** ingerir (ie, i)
ingredient el ingrediente
to **inhabit** habitar; poblar (ue)
inhabitant el/la habitante; el/la poblador(a)
inhospitable inhóspito(a)
initiative la iniciativa
to **injure** herir (ie, i)
injured herido(a)
injury la herida
in-line skating el patinaje en línea
to go in-line skating patinar en línea
inn el parador
to **insert** insertar; introducir
to **insist (on)** insistir (en), empeñarse (en)
instead of en vez de
to **instill** infundir
instrument el instrumento
insurance: comprehensive insurance los seguros contra todo riesgo
intelligent inteligente
interest el interés
to **interest** interesar
interesting interesante
intermittent intermitente
international internacional
interest rate la tasa de interés
Internet el Internet
to surf the Net navegar el Internet
to **interrupt** interrumpir
to **intersect** cruzarse
intersection la bocacalle, el cruce
interview la entrevista
to **interview** entrevistar
interviewer el/la entrevistador(a)
to **invade** invadir
invaders los invasores
to **invest** invertir (ie, i)
to **invite** invitar
involvement ***(activity)*** la participación; ***(crime)*** la implicación; ***(emotional)*** la relación
Irish irlandés(esa)
iron ***(metal)*** el hierro, el fierro
to **iron** planchar
Is . . . there, please? ¿Está... , por favor?
island la isla
isolated aislado(a); apartado(a)
isthmus el istmo
it lo, la
Italian italiano(a)

jack ***(car)*** el/la gato(a)
jacket la chaqueta
ski jacket la chaqueta de esquí, el anorak
jail la cárcel, la prisión
jam la mermelada
January enero
Japonese japonés(esa)
jar el frasco
jeans el blue jean
Jewish judío(a), hebreo(a)
Jews los judíos
job el trabajo, el empleo, la labor
job application la aplicación (la solicitud) de empleo
jogging: to go jogging hacer jogging
to **join** juntar, unir, fundir
joke ***(story, etc.)*** el chiste; ***(hoax, etc.)*** la broma, la burla
journalist el/la periodista
joy la alegría, el júbilo, el regocijo
judge el/la juez
to **judge** juzgar
juice el jugo, el zumo
orange juice el jugo de naranja
July julio
June junio
jungle la selva, la jungla
just: to have just (done something) acabar de + infinitivo

English-Spanish Dictionary

just as (like) igual que

kebabs los pinchitos
to **keep** guardar
to keep watch vigilar
key la llave; ***(computer)*** el botón
back key el botón de regresar (retroceder)
delete key el botón borrador
magnetic key la llave magnética
keyboard el teclado
to **kick** lanzar
kilogram el kilo
kilometer el kilómetro
kind la clase
king el rey
the Three Kings (Wise Men) los Reyes Magos
kiosk ***(newsstand)*** el quiosco; ***(ticket dispenser)*** el distribuidor automático
kiss el beso; ***(little, often on cheek)*** el besito
to **kiss** besar
kitchen la cocina
knapsack la mochila
knee la rodilla
kneepad la rodillera
knife el cuchillo
to **knit** tejer
to **knock down** derribar
knot el nudo
to **know** saber; conocer
to know how (to do something) saber

lack la falta
to **lack** faltar
He/She lacks . . . Le falta...
lamb el cordero
lamp la lámpara
land la tierra
to **land** aterrizar
landing el aterrizaje
landowner el/la terrateniente
landscape el paisaje
lane ***(highway)*** el carril; la pista, la vía, la banda, el canal
language la lengua; el idioma
lap ***(track)*** la vuelta
laptop computer la computadora portátil
large gran, grande
last pasado(a); último(a)
last night anoche
last week la semana pasada
last year el año pasado
to **last** durar
late tarde; con retraso (una demora)
later luego; más tarde; después
See you later! ¡Hasta luego!
Latin America Latinoamérica
Latin American latinoamericano(a)
Latino latino(a)
to **laugh** reír
laundromat la lavandería
laundry el lavado
law ***(rule)*** la ley; ***(justice)*** el derecho
lawyer el/la abogado(a)
lawyer's office el bufete del abogado
lazy perezoso(a)
to **lead (from one street into another)** desembocar
leader el líder
leadership el liderazgo
leaf (of lettuce, tree) la hoja
league la liga
to **learn** aprender
learning el aprendizaje
least: at least a lo menos
leather el cuero
to **leave** salir
to **leave (something)** dejar
to leave a message dejar un mensaje
to leave a tip dejar una propina
left izquierdo(a)
to the left a la izquierda
leftovers las sobras
leg la pierna
leisure el ocio
lemon el limón
lemonade la limonada
to **lend** prestar
less menos
lesson la lección
to **let** dejar; permitir
letter la carta
letter (of alphabet) la letra
lettuce la lechuga
la hoja de lechuga leaf of lettuce
lid la tapa
to **lie** mentir (ie, i)
life la vida
life passage el pasaje de la vida
to **lift** levantar
to lift weights levantar pesas
light la luz
red light la luz roja
traffic light el semáforo
to **light** encender (ie)
lighthouse el faro
to **light up** iluminar
lightly ligeramente
lights las luces; ***(headlights)*** las luces
festival of lights (Hanukkah) la fiesta de las luces
like como
to **like** gustar; encantar
What would you like *(to eat)?* ¿Qué desean tomar?
limit el límite; ***(boundary)*** el confín
line ***(of people)*** la cola; la fila
to wait in line hacer cola; estar en fila
line la línea
solid line ***(road)*** la línea continua
to **line up** hacer cola
lion el león
lip el labio
to **listen** escuchar
Listen! ¡Oye!
literary literario(a)
literature la literatura; las letras
little pequeño(a)
a little poco(a)

English-Spanish

live *(broadcast, concert, etc.)* en directo, en vivo
to **live** vivir
livestock el ganado
living room la sala
loan el préstamo
short- (long-) term loan el préstamo a corto (largo) plazo
to **loan** prestar
lobster la langosta
to **locate** localizar, situar, ubicar
log el leño
logical lógico(a)
loin el lomo
long largo(a)
long-distance *(race)* de larga distancia
long-sleeved de manga larga
long-term a largo plazo
Look! ¡Mira!
to **look at** mirar
to **look at oneself** mirarse
to **look for** buscar
Look out! ¡Cuidado!
to **lose** perder (ie)
lot: a lot mucho(a); muchos(as)
lotion: suntan lotion la crema solar, la loción bronceadora
low bajo(a)
low (heat) a fuego lento
to **lower** *(price)* rebajar
lowercase letter la minúscula
love el amor
in love with enamorado(a) de
loved one el/la amado(a)
to **love** encantar; querer (ie)
She loves the music. Le encanta la música.
loyal leal
luck: How lucky I am! ¡Qué suerte tengo!
luggage el equipaje
carry-on luggage el equipaje de mano
luggage cart el carrito
luggage claim ticket el talón
luggage identification tag la etiqueta
to check luggage facturar el equipaje
lunch el almuerzo
to have lunch tomar el almuerzo
luxurious lujoso(a)
luxury el lujo

mad enojado(a), enfadado(a)
Madam la señora
made hecho(a)
magazine la revista
magnetic magnético(a)
magnificent magnífico(a)
maid la camerera; el/la criado(a)
maid of honor la dama de honor
mail el correo
e-mail el correo electrónico, el e-mail
to **mail a letter** echar una carta
mailbox el buzón
main principal
to **maintain** mantener (ie); sustentar
maintenance el mantenimiento, la manutación
majority la mayoría; *(adj.)* mayoritario(a)
to **make** hacer; confeccionar, elaborar
to make a basket *(basketball)* encestar
to make a stopover hacer escala
to make better mejorar
to make the bed hacer la cama
mall el centro comercial
mammal el mamífero
man el hombre
to **manage (to do something)** conseguir (i, i)
manners los modales
to have good *(bad)* manners tener buenos (malos) modales
manual transmission la transmisión manual
many muchos(as)
as many . . . as tantos(as)... como
how many? ¿cuántos(as)?
map el plano; el mapa
marathon el maratón
March marzo
mare la yegua
mark la nota
bad (low) mark la nota mala (baja)
good (high) mark la nota buena (alta)
to get good (bad) marks sacar notas buenas (malas)
market el mercado
native market el mercado indígena
market stall el puesto, el tenderete
marmalade la mermelada
marriage el matrimonio, el casamiento
married: to get married (to) casarse (con)
marshal el mariscal
mask la máscara
mason el albañil
to **match** parear
mathematics las matemáticas
mature maduro(a)
to **mature** madurar
maturity la madurez
mausoleum el mausoleo
maximum máximo(a)
May mayo
maybe quizá, quizás, tal vez
mayonnaise la mayonesa
mayor el/la alcalde(sa)
me *(pron.)* me
to *(for)* me a (para) mí
meal la comida
to **mean** significar
means of transport el medio de transporte
meat la carne
ground meat la carne picada, el picadillo
meatball la albóndiga
meat pie la empanada
media los medios de comunicación
medicine el medicamento, la medicina
medium *(meat)* a término medio
medium-sized mediano(a)
to **meet** encontrarse (ue); conocer
melancholic melancólico(a); taciturno(a)
member el miembro; el/la socio(a)
menorah la menora
menu el menú
merchant el/la vendedor(a)

English-Spanish

English-Spanish Dictionary

Merry Christmas! ¡Feliz Navidad!
merry-go-round el tiovivo
mess: What a mess! ¡Qué lío!
message el mensaje, el recado
metaphor la metáfora
meter el metro
Mexican mexicano(a)
Mexican American mexicanoamericano(a)
microwave oven el horno de microondas
Middle Ages la Edad Media
midnight la medianoche
mile la milla
mileage el kilometraje
milk la leche
million el millón
  million dollars un millón de dólares
mime el mimo
to **mince** picar
mind el espíritu
mine *(silver, gold, coal, etc.)* la mina
miner el/la minero(a)
mineral water el agua mineral
minority la minoría
miracle el milagro
miraculous milagroso(a)
mirror el espejo
Miss (la) señorita
to **miss (the bus, the flight)** perder (ie) (el autobús, el vuelo); ***(to long for)*** extrañar, echar de menos
mist la neblina
mistaken equivocado(a); erróneo(a)
mistreatment el maltrato
misunderstand malentender (ie)
misunderstanding el malentendido
mixed ***(race)*** mestizo(a); ***(blended)*** mezclado(a)
mixture la mezcla
mobile phone el móvil, el celular
modern moderno(a)
mom mamá
moment el momento
monastery el monasterio
Monday el lunes
money el dinero
monitor ***(computer)*** la pantalla de escritorio
month el mes
monument el monumento
mood el humor
  to be in a good (bad) mood estar de buen (mal) humor
moon la luna
Moors los moros
more más
morning la mañana
  Good morning. Buenos días.
  in the morning por la mañana; de la mañana
mosque la mezquita
mother la madre
motive el motivo
mountain la montaña, el monte
  mountain range la cordillera, la sierra, una cadena de montañas
mountaintop el pico, la cima, la cumbre
mouse el ratón
mousepad la alfombrilla
mouth la boca
to **move** mover (ue)
movement el movimiento
movie la película, el filme; el film
movie theater el cine
movies: to go to the movies ir al cine
MP3 player el MP3
Mr. (el) señor
Mr. and Mrs. (los) señores
Mrs. (la) señora
Ms. (la) señorita, (la) señora
much mucho(a)
  as much . . . as tan... como
  How much is it (does it cost)? ¿Cuánto es?; ¿Cuánto cuesta?
mud el lodo
to **murmur** musitar
museum el museo
mushroom ***(botanical)*** el hongo, la seta; ***(culinary)*** el champiñón
music la música
musician el/la músico(a)
Muslim musulmán(ana)
Muslims los musulmanes
mussels los mejillones
must deber
mustache el bigote
mute mudo(a)
my mi
mysterious misterioso(a)
myth el mito

name el nombre
  My name is . . . Me llamo...
  What is your name? ¿Cómo te llamas?; ¿Cuál es su nombre?
napkin la servilleta
narrative la narrativa
narrow angosto(a), estrecho(a)
national nacional
nationality la nacionalidad
  what nationality? ¿de qué nacionalidad?
native indígena, autóctono(a)
native person el/la indígena
nature la naturaleza
navigator el/la navegador(a)
near cerca de; cercano(a)
necessary necesario(a)
  It's necessary. Es necesario.
  it's necesssary to (do something) hay que
neck el cuello
necktie la corbata
to **need** necesitar
negative negativo(a)
neighbor el/la vecino(a)
neighborhood el casco, el barrio
neither tampoco
nephew el sobrino
nervous nervioso(a)
nest el nido
net ***(World Wide Web)*** la red; ***(tennis)*** la red
  to surf the Net navegar el Internet
network la red
never nunca; jamás
new nuevo(a)

English-Spanish

New Year el Año Nuevo
New Year's Eve la Nochevieja, la víspera del Año Nuevo
newborn el/la recién nacido(a)
newlyweds los recién casados
news la(s) noticia(s)
newscaster el/la noticiero(a)
newspaper el periódico
newsstand el quiosco
next próximo(a); que viene
next stop la próxima parada
next summer (year, etc.) el verano (año, etc.) que viene
next to al lado de
Nicaraguan nicaragüense
nice simpático(a); ***(weather)*** buen (tiempo)
Nice to meet you. Mucho gusto.
The weather is nice. Hace buen tiempo.
nickname el apodo
niece la sobrina
night la noche
at night por la noche
Good night. Buenas noches.
last night anoche
nightgown el camisón
nine nueve
nine hundred novecientos(as)
nineteen diecinueve
ninety noventa
no no; ninguno(a)
by no means de ninguna manera
nobility la nobleza
nobody nadie
noise el ruido; ***(din)*** el estrépito, el estruendo
none ninguno(a)
noon el mediodía
no one nadie
no-smoking sign la señal de no fumar
normal normal
north el norte
North American norteamericano(a)
northern norteño(a); septentrional
not no
notebook el cuaderno
nothing nada
Nothing else. Nada más.
notice el aviso
novel la novela
novelist el/la novelista
November noviembre
now ahora
nowadays hoy en día; en la actualidad; actualmente
number el número; la cifra
flight number el número del vuelo
seat number el número del asiento
telephone number el número de teléfono
nun la monja
nuptial nupcial
nurse el/la enfermero(a)

obituary la esquela, el obituario
object el objeto
objective el objetivo
obligatory obligatorio(a)
to **observe** observar
obsession la manía
obstinate obstinado(a)
occasionally de vez en cuando
occupation la profesión
occupied ocupado(a)
ocean el océano
o'clock: It's two o'clock. Son las dos.
October octubre
odd ***(numeric)*** impar
of de
Of course! ¡Cómo no!; ¡Claro!
of the del, de la
offer la oferta, la propuesta
to **offer** ofrecer
offering la ofrenda
office la oficina; el despacho
doctor's office la consulta del médico
official: government official el/la funcionario(a) gubernamental (de gobierno)
often con frecuencia, a menudo
oil el aceite
olive oil el aceite de oliva
oil paint el óleo
okay de acuerdo
old viejo(a); antiguo(a)
How old is he (she)? ¿Cuántos años tiene?
old age la vejez
old city el casco (barrio) antiguo
older mayor
oldest el/la mayor
olive la aceituna; la oliva
on sobre; en
on board abordo
on foot a pie
on the edge of al borde mismo de
on time a tiempo
on top of sobre
one uno; uno(a)
one hundred cien(to)
one thousand mil
one-way **(ticket)** el boleto (billete) sencillo; **(street)** la calle de sentido único
onion la cebolla
online: to go online entrar en línea
only único(a); solo, solamente
to **open** abrir
open-air al aire libre
open-minded flexible
opinion la opinión
opponents el equipo contrario
opposite el contrario; *(adj.)* opuesto(a)
to **oppress** oprimir
or o, u *(used instead of* ***o*** *in front of words beginning with* ***o*** *or* ***ho****)*
orange ***(color)*** anaranjado(a)
orange ***(fruit)*** la naranja
orange juice el jugo (zumo) de naranja
orchard el huerto
order ***(restaurant)*** la orden
to **order** ***(restaurant)*** pedir (i, i)
oregano el orégano
to **organize** organizar
origin el origen
orthopedic surgeon el/la cirujano(a) ortopédico(a)
other otro(a)
any other cualquier otro(a)
other people los demás
our nuestro(a), nuestros(as)
outdoor *(adj.)* al aire libre
outfielder el/la jardinero(a)
outline ***(plan)*** el esbozo, el bosquejo

English-Spanish

English-Spanish Dictionary

outskirts los alrededores, las afueras
oven el horno
over por encima de
to **overcome** ***(illness, obstacle, etc.)*** superar
overhead bin el compartimiento superior
overpopulation la sobrepoblación
owing to debido a
own propio(a)
owner el amo; el/la dueño(a); el/la propietario(a)
ox el buey
oxygen mask la máscara de oxígeno

to **pack** hacer la maleta
package el paquete
page la página; el paje
  home page la página de inicio (inicial, frontal)
pain el dolor
painful doloroso(a)
paint la pintura
to **paint** pintar
paintbrush el pincel
painter el/la pintor(a)
painting el cuadro; la pintura
pair el par
  pair of shoes el par de zapatos
pale pálido(a)
pants el pantalón
  long pants el pantalón largo
paper el papel
  sheet of paper la hoja de papel
  toilet paper el papel higiénico
paperback (book) el libro de bolsillo
parade el desfile
  to walk in a parade desfilar
paramedic el/la socorrista
parents los padres
park el parque
to **park** aparcar; estacionar, parquear
parka el anorak
parking lot un parking, un parqueo
parking meter el parquímetro
part la parte
  the greatest part, the majority la mayor parte
part-time a tiempo parcial
party la fiesta
  to (have) throw a party dar una fiesta
to **pass** pasar; ***(car)*** adelantar(se), rebasar, pasar
passenger el/la pasajero(a)
passport el pasaporte
  passport inspection el control de pasaportes
past el pasado
pastry el pan dulce
path la senda, el sendero, la vereda
patience la paciencia
patient *(noun)* el/la paciente
patient *(adj.)* paciente
patrol la patrulla
patron saint el/la santo(a) patrón(ona)
  patron saint's day la fiesta patronal
pavement el pavimento
paw la pata
to **pay** pagar
  to pay attention prestar atención; hacerle caso
pay phone el teléfono público
pea el guisante
peaceful tranquilo(a); pacífico(a)
peak ***(mountain)*** el pico, la cima, la cumbre
peanut el cacahuate, el maní; el cacahuete
peasant el campesino, el peón
pedestrian el/la peatón(ona)
  pedestrian crossing el cruce peatonal
to **peel** pelar
pen el bolígrafo, el lapicero, la pluma
pencil el lápiz
people la gente
  other people los demás
pepper ***(spice)*** la pimienta; ***(bell pepper)*** el pimiento; el pimentón; el ají; el chipotle; el morrón
perhaps quizá, quizás, tal vez; acaso
to **permit** permitir
person la persona
  person who just arrived el/la recién llegado(a)
personality la personalidad
perspective la perspectiva
Peruvian el/la peruano(a)
peso el peso
pet la mascota
pharmacist el/la farmacéutico(a)
pharmacy la farmacia
phone el teléfono
  cell phone el móvil; el (teléfono) celular
  pay phone el teléfono público
  phone book la guía telefónica
  phone call la llamada telefónica
  phone card la tarjeta telefónica
  phone number el número de teléfono
  phone receiver el auricular
  public phone el teléfono público
  to pick up the phone descolgar (ue) el auricular
  to speak on the phone hablar por teléfono
photo(graph) la foto(grafía)
  to take photos sacar (tomar) fotos
photographer el/la fotógrafo(a)
physical ***(exam)*** el examen físico
  physical education la educación física
physics la física
piano el piano
to **pick up** recoger
to **pick up** ***(phone)*** descolgar el auricular; ***(speed)*** agarrar velocidad

English-Spanish

picture la foto(grafía); la imagen
to take pictures sacar (tomar) fotos
picturesque pintoresco(a)
piece el pedazo, el trozo (trocito)
little piece el pedacito
pig el cerdo; el cochinillo, el lechón, el chancho
pillow la almohada
pinch la pizca
pineapple la piña
pink rosado(a)
pitcher ***(baseball)*** el/la pícher, el/la lanzador(a)
pizza la pizza
place el lugar; el sitio
to **place** poner, colocar; localizar, situar, ubicar
plains las llanuras
to **plan** planear
plane el avión
planet el planeta
plant la planta
to **plant** sembrar (ie)
plantain: slices of fried plantain los tostones; los patacones
plaster el yeso
plate el plato
plateau la meseta; (high) el altiplano; el altiplanicie
platform ***(railway)*** el andén
play ***(theater)*** la obra de teatro, la pieza; ***(sports)*** la jugada
to **play** ***(sport)*** jugar (ue); ***(musical instrument)*** tocar
to **play soccer (baseball, etc.)** jugar (al) fútbol (béisbol, etc.)
player el/la jugador(a)
baseball player el/la jugador(a) de béisbol, el/la beisbolista
playful juguetón(ona)
playwright el/la dramaturgo(a)
plaza la plaza
pleasant agradable; placentero(a)
please por favor; favor de + infinitivo
pleasure el placer
It's a pleasure to meet you. Mucho gusto.
plot el argumento, la trama, la intriga
plumber el/la fontanero(a), el/la plomero(a)
P.M. de la tarde, de la noche
pocket el bolsillo
poem el poema, la poesía
poet el/la poeta
poetry la poesía
point el tanto; el punto
to score a point marcar un tanto
to **point out** señalar
poison el veneno
poisonous venenoso(a)
policy la póliza
polite bien educado(a); cortés
politician el/la político(a)
politics la política
polluted contaminado(a)
pollution la contaminación
pool la piscina, la alberca; la pila
poor pobre
popular popular
to **populate** poblar (ue)
population la población
porch el porche; la terraza
pore ***(skin)*** el poro
pork el cerdo
pork chop la chuleta de cerdo
portion ***(food)*** la ración
portrait el retrato
Portuguese portugués(esa)
position el puesto
to **possess** poseer
possibility la posibilidad
possible posible
postcard la tarjeta postal
pot la olla, la cacerola, la cazuela
potato la papa, la patata
french fried potatoes las papas (patatas) fritas
pothole el bache
poverty la pobreza
power el poder
powerful poderoso(a)
practically casi
to **practice** practicar
to **pray** rezar, orar
prayer la oración
precipitation la precipitación
to **prefer** preferir (ie, i)
to **prepare** preparar; confeccionar
to **prescribe** recetar
prescription la receta
present el regalo
Christmas present el aguinaldo
to **present** presentar
president el/la presidente(a)
press la prensa
to **press** ***(button)*** oprimir, pulsar; ***(to put pressure on)*** presionar
pressure la presión
pretty bonito(a); hermoso(a)
to **prevent** impedir (i, i); evitar; prevenir (ie)
previous anterior; previo(a)
price el precio; la tarifa
pride el orgullo
priest el cura; el sacerdote
primary primario(a)
to **print** imprimir
printer la impresora
prior anterior; previo(a)
prison la prisión, la cárcel
prisoner el/la prisionero(a), el/la preso(a)
private privado(a)
probable probable
problem el problema
procession la procesión
product el producto
profession la profesión
profile el perfil
promotion (sales) la promoción
proposal la propuesta
prose la prosa
protagonist el/la protagonista
proud orgulloso(a)
to **provide (with)** proporcionar, proveer
psychologist el/la sicólogo(a)
public público(a)
Puerto Rican puertorriqueño(a)
to **pull (along)** arrastrar
pulse el pulso
pumpkin la calabaza
to **punish** castigar
pupils ***(eye)*** las pupilas
puppy (pup) el cachorro
purchase la compra
purpose ***(intention)*** el propósito
to **pursue** perseguir (i, i), seguir (i, i)
to **push** ***(button)*** oprimir, pulsar; ***(person)*** empujar
push-ups: to do push-ups hacer planchas
to **put** poner; meter; colocar

English-Spanish

English-Spanish Dictionary

to **put in charge** encargar
to **put on** ***(clothes)*** ponerse; ***(brakes)*** poner los frenos
to **put up** ***(tent)*** armar, montar
puzzle el rompecabezas

quarry la cantera
quarter ***(city)*** el casco, el barrio; ***(time)*** el cuarto
a quarter past (the hour) y cuarto
question la pregunta
to ask a question preguntar
quickly rápidamente
quiet tranquilo(a), calmo(a)
quite bastante

race la carrera
cross-country race la carrera a campo traviesa
long-distance race la carrera de larga distancia
relay race la carrera de relevos
racket la raqueta
rails ***(train)*** los rieles, los carriles
railroad el ferrocarril
railroad platform el andén
railroad station la estación de ferrocarril
rain la lluvia; la precipitación
to **rain** llover (ue)
It's raining. Llueve.
raincoat impermeable
rain forest la selva (el bosque) tropical
rainy lluvioso(a)
to **raise** levantar
to raise one's hand levantar la mano
ranch la hacienda, la estancia, el rancho
rare ***(meat)*** casi crudo
rate la tarifa; la tasa
rather bastante
raw crudo(a)
raw material la materia prima
raw vegetables los vegetales crudos
reach el alcance
within reach al alcance
to **reach** alcanzar; ***(place)*** llegar a
reaction la reacción
to **read** leer
reader el/la lector(a)
reading la lectura
ready listo(a)
to **realize** darse cuenta de
really realmente
rearview mirror el retrovisor
reason la razón, el motivo
rebel el/la rebelde
to **rebel** rebelarse, sublevarse
rebellious rebelde
rebelliousness la rebeldía
to **receive** recibir
receiver ***(telephone)*** el auricular
reception la recepción
recipe la receta
recipient el/la destinatario(a)
recognition el reconocimiento
to **recognize** reconocer
to **recommend** recomendar (ie)
record el disco
red rojo(a)
red light la luz roja
redheaded pelirrojo(a)
to **reduce** ***(price)*** rebajar; disminuir, reducir
to **reduce** ***(speed)*** reducir la velocidad
reduced reducido(a)
to **reflect** ***(light)*** reflejar; ***(mental)*** reflexionar
refrigerator el refrigerador, la nevera
to **refuse** rehusar
region la región
rehearsal el ensayo
to **rehearse** ensayar
reign el reinado
to **reign** reinar
to **reinforce** reforzar (ue)
to **reject** rechazar
to **rejoice** alegrarse
relative el/la pariente
relay: relay race la carrera de relevos
reliability la confiabilidad
reliable confiable
relief el alivio; ***(art, geography)*** el relieve
relieved aliviado(a)
religious religioso(a)
to **remain** quedarse
to **remember** recordar (ue)
remote ***(island, etc.)*** remoto(a), apartado(a)
to **renew** renovar (ue)
renowned renombrado(a), célebre
to **rent** alquilar, rentar; arrendar (ie)
to **repeat** repetir (i, i)
to **replace** reemplazar
report el reportaje
to **represent** representar
representative ***(political)*** el/la diputado(a); el/la representante
republic la república
Dominican Republic la República Dominicana
request la petición, la solicitud, el ruego
to **request** pedir (i, i); solicitar
to **require** exigir
required obligatorio(a)
rescue el rescate
to **rescue** rescatar
research la investigación
to **resemble** parecerse
resentment el rencor, el resentimiento
reservation la reservación; la reserva
to **reserve** reservar
resort: seaside resort el balneario
ski resort la estación de esquí
rest ***(everything else)*** lo demás; ***(remainder)*** el resto
rest ***(break)*** el descanso, el reposo
to **rest** descansar; reposar

English-Spanish

restaurant el restaurante
restroom el servicio
result el resultado
to **resume** reanudar
résumé el currículum vitae
return el regreso, la vuelta; el retorno
to **return** regresar; volver (ue); **to return (something)** devolver (ue)
review el repaso
to **review** repasar
to **revolt** sublevar
rhyme la rima
rice el arroz
rich rico(a)
riches las riquezas
richness la riqueza
to **rid** liberar
ride: to go for a (bike) ride dar un paseo en bicicleta
to **ride** ***(horse)*** andar a caballo; montar a caballo; ***(bicycle)*** andar en bicicleta
rides ***(amusement park)*** las atracciones
right derecho(a)
right on the edge of al borde mismo de
That's right! ¡Verdad!
to the right a la derecha
right away enseguida
rights los derechos
to **ring** sonar (ue)
ringtone el timbre (sonoro)
rink ***(ice-skating)*** la pista de patinaje
ripe maduro(a)
to **ripen** madurar
to **rise** alzarse
risk el riesgo
to **risk** arriesgar
risky arriesgado(a)
rite el rito
river el río
to **roar** rugir
roast asado(a)
roast suckling pig el cochinillo asado, el lechón asado, el chancho asado
to **roast** asar
rocky rocoso(a)
roll ***(bread)*** el panecillo
roll of toilet paper el rollo de papel higiénico
rollerblading el patinaje en línea
rollerblading: to go rollerblading patinar en línea
roller coaster la montaña rusa
romantic romántico(a)
roof el techo
room el cuarto; ***(museum)*** el salón
bathroom el cuarto de baño
bedroom el cuarto de dormir, la recámara; el dormitorio, la habitación, la alcoba, la pieza
classroom la sala de clase
dining room el comedor
emergency room la sala de emergencia
living room la sala
restroom el servicio
single (double) room el cuarto sencillo (doble)
waiting room la sala de espera
rooster el gallo
roots las raíces
rope la cuerda, la soga
round-trip (ticket) el boleto (billete) de ida y vuelta (regreso)
route la ruta, el trazado
routine la rutina
daily routine la rutina diaria
row (of seats) la fila
rubber la goma
rude mal educado(a)
rug la alfombra
to **ruin** arruinar; estropear
ruins las ruinas
rule la regla
to **run** correr
runner el/la corredor(a)
running water el agua corriente
runway la pista
rural rural

sacred sagrado(a)
sad triste, deprimido(a)
saffron el azafrán
sail la vela
sailboard la plancha de vela
sailboat el velero
saint el/la santo(a)
patron saint el/la santo(a) patrón(ona)
salad la ensalada
sale el saldo, la liquidación
salesperson el/la empleado(a); el/la dependiente(a)
salt la sal
salty salado(a)
same mismo(a)
sand la arena
sandal la sandalia
sandwich el sándwich, el bocadillo; la torta
ham and cheese sandwich el sándwich de jamón y queso
satisfied satisfecho(a)
to **satisfy** satisfacer
Saturday el sábado
sauce la salsa
saucepan la cacerola, la cazuela, la olla
saucer el platillo
sausage el chorizo
savannah la sabana
to **save** guardar
saxophone el saxófono
to **say** decir (i)
to say good-bye despedirse (i, i)
saying el refrán, el dicho
scarce escaso(a)
to **scare** asustar, espantar
scenery el paisaje
schedule ***(train)*** el horario
scholarship la beca
school la escuela; el colegio; la academia
elementary school la escuela primaria
high school la escuela secundaria; el colegio
school *(adj.)* escolar
school bus el bus escolar
school supplies los materiales escolares
science la ciencia
score el tanto
to score a goal meter un gol
to score a point marcar un tanto

English-Spanish

English-Spanish Dictionary

scrambled: scrambled eggs los huevos revueltos, los huevos batidos
scratch el rayón
screen ***(computer)*** la pantalla de escritorio; la pantalla
scuba diving el buceo
to go scuba diving bucear
to **sculpt** esculpir; tallar
sculptor el/la escultor(a)
sculpture la escultura
sea el mar
Caribbean Sea el mar Caribe
seafood los mariscos
search: in search of en busca de
to **search** buscar
seaside resort el balneario
season la estación
What season is it? ¿Qué estación es?
seat el asiento; la plaza
seat number el número del asiento
seat belt el cinturón de seguridad
second segundo(a)
second-class segunda clase
second half ***(soccer)*** el segundo tiempo
secondary secundario(a)
security ***(checkpoint)*** el control de seguridad
to go through security pasar por el control de seguridad
sedan el sedán
four-door sedan el sedán a cuatro puertas
to **see** ver
let's see a ver
See you later. ¡Hasta luego!
See you soon! ¡Hasta pronto!
See you tomorrow! ¡Hasta mañana!
to **seem** parecer
It seems to me . . . Me parece...
to **select** seleccionar
selfish egoísta; interesado(a)
self-serve autoservicio
to **sell** vender
senator el/la senador(a)
to **send** enviar; mandar
sense: sense of humor el sentido de humor
to have a good sense of humor tener un buen sentido de humor
sent mailbox la bandeja de enviados
sentence la frase, la oración
September septiembre
series la serie
serious serio(a)
to **serve** servir (i, i)
to serve as servir de
server el/la mesero(a); el/la camarero(a)
service el servicio
to **set** ***(table)*** poner la mesa; ***(bone)*** reducir, acomodar el hueso
setting el lugar
to **settle** establecer(se)
settlers los colonos
seven siete
seven hundred setecientos(as)
seventeen diecisiete
seventy setenta
several varios(as)
shack la choza; la casucha
shadow la sombra
shake ***(drink)*** el batido
to **shake** sacudir; agitar; estremecer
to **shake hands** darse la mano
shame: What a shame! ¡Qué pena!; **to be a shame** ser una lástima
shampoo el champú
shape la forma
to **share** compartir
she ella
sheep la oveja
sheet la sábana
sheet of paper la hoja de papel
shellfish los mariscos
shepherd, shepherdess el/la pastor(a)
to **shine** brillar; lucir; relucir
ship el navío, el buque; ***(sailing)*** el velero
shipwreck el naufragio
shirt la camisa
short- (long-) sleeved shirt la camisa de manga corta (larga)
shoe size el número
What size shoe do you wear (take)? ¿Qué número calzas?
shoes las zapatillas; los zapatos
to **shop** ir de compras
shopping cart el carrito
shopping center el centro comercial
short ***(person)*** bajo(a); ***(length)*** corto(a)
short-sleeved de manga corta
short-term a corto plazo
shorts el pantalón corto
should deber
shoulder ***(road)*** el acotamiento, el arcén; ***(body)*** el hombro
to **show** mostrar (ue)
shower la ducha
to take a shower tomar una ducha
shrimp los camarones
shy tímido(a)
sick enfermo(a)
sick person el/la enfermo(a)
side el lado
sidewalk la acera
to **sigh** suspirar
sign la señal; ***(road)*** el rótulo
no-smoking sign la señal de no fumar
to **sign** firmar
silver la plata
similar similar; semejante
simile el símil
since desde; como
sincere sincero(a); franco(a)
to **sing** cantar
singer el/la cantante
single solo(a); **(room)** un cuarto sencillo
singles ***(tennis)*** individuales
sink el lavabo
to **sink** ***(ship)*** naufragar; hundir(se)
sir señor

English-Spanish

sister la hermana

to **sit down** sentarse (ie)

site ***(Web site)*** el sitio

to **situate** situar, localizar, ubicar

six seis

six hundred seiscientos(as)

sixteen dieciséis

sixty sesenta

size ***(clothing)*** la talla; ***(shoes)*** el número

What size *(clothing)* do you wear (take)? ¿Qué talla usas?

What size *(shoe)* do you wear (take)? ¿Qué número calzas?

to **skate** patinar

to ice-skate patinar sobre el hielo

to in-line skate (rollerblade) patinar en línea

skateboard el monopatín

skating el patinaje,

skeleton el esqueleto

ski el esquí

ski hat el gorro

ski jacket la chaqueta de esquí, el anorak

ski lift el telesilla, el telesquí

ski pole el bastón

ski resort la estación de esquí

ski slope la pista

to **ski** esquiar

to water-ski esquiar en el agua

skier el/la esquiador(a)

skiing el esquí

cross-country skiing el esquí nórdico

downhill skiing el esquí alpino

waterskiing el esquí acuático (náutico)

skillet el/la sartén

skillful diestro(a), hábil

skinny enjuto(a)

skirt la falda

skull el cráneo, la calavera

sky el cielo

skyscraper el rascacielos

slave el/la esclavo(a)

to **sleep** dormir (ue, u)

sleeping bag el saco (la bolsa) de dormir

sleeved: short- (long-) sleeved de manga corta (larga)

slice la tajada; la rebanada; ***(ham)*** la lonja, la loncha; ***(lemon, cucumber)*** la rodaja; ***(melon)*** la raja

to **slice** cortar en rebanadas

slope ***(ski)*** la pista; ***(incline)*** el pendiente, la cuesta

slot la ranura

slow lento(a)

slowly despacio

small pequeño(a)

smell ***(sense)*** el olfato; ***(odor, aroma)*** el olor

to smell olfatear; oler (huele)

to smell of (like) oler a

smile la sonrisa

smoke el humo

smoking: no-smoking sign la señal de no fumar

smoothie el batido

snack la merienda; las tapas, los antojitos; los bocaditos

snake la culebra, la serpiente, la víbora

sneakers las zapatillas; los tenis

to **sniff** olfatear

to **snorkel** bucear

snorkeling el buceo

snout el hocico

snow la nieve

to **snow** nevar (ie)

It's snowing. Nieva.

snowboarder el/la snowboarder

snowy (snow covered) nevado(a)

so tan; **(thus)** así

so that para que, de modo que, de manera que

soap el jabón

bar of soap la barra de jabón; la pastilla de jabón

soap opera la telenovela

sober sobrio(a)

soccer el fútbol

soccer field el campo de fútbol

social studies los estudios sociales

socks los calcetines; ***(Latin America)*** las medias

soda la cola, la gaseosa

sofa el sofá

soft blando(a)

soft drink el refresco

solar solar

soldier el soldado

some algunos(as); unos(as)

someone alguien

something algo

sometimes a veces; de vez en cuando

son el hijo

song la canción; ***(bird)*** el canto

soon pronto; dentro de poco

as soon as en cuanto

See you soon! ¡Hasta pronto!

sore throat: to have a sore throat tener dolor de garganta

sorry: to be sorry sentir (ie, i)

I'm sorry. Lo siento mucho.

soul el alma *(f.)*

soup la sopa

sour agrio(a)

source la fuente

south el sur

South America la América del Sur, la Sudamérica

southern sureño(a); austral; meridional

to **sow** sembrar (ie)

space el espacio; ***(parking)*** el sitio (para estacionar)

Spain España

Spanish (language) el español; **(person)** el/la español(a)

Spanish *(adj.)* español(a)

Spanish speaker el/la hispanohablante, el/la hispanoparlante

Spanish-speaking hispanohablante, hispanoparlante

spare time el tiempo libre

spare tire la rueda (llanta) de repuesto (recambio); de refacción

to **speak** hablar

to **speak on the phone** hablar por teléfono

special especial

specialty la especialidad

species la especie

spectator el/la espectador(a)

English-Spanish Dictionary

speech ***(to an audience)*** el discurso; ***(language)*** el habla
speed la velocidad
speed limit la velocidad máxima; el límite de velocidad
spelling la ortografía
to **spend** ***(time)*** pasar; ***(money)*** gastar
spice la especia
spicy picante
spirit el espíritu
to **splurge** botar la casa por la ventana
spoon ***(tablespoon)*** la cuchara; ***(teaspoon)*** la cucharita
sport el deporte
individual sport el deporte individual
team sport el deporte de equipo
sports ***(related to)*** deportivo(a)
sports car el coche deportivo
to **sprain** torcerse (ue)
He (She) sprained his (her) ankle. Se torció el tobillo.
spring la primavera
to **sprout** brotar
square ***(town)*** la plaza
stable el establo
stadium el estadio
stairs la escalera
stall ***(market)*** el puesto, el tenderete
stamp la estampilla, el sello
to **stand in line** hacer cola; estar en fila
to **stand up** ponerse de pie
standing de pie
stanza la estrofa
star la estrella
to **start to (do something)** echar a
starving: I'm starving. Me muero de hambre.
state el estado
station ***(train)*** la estación de ferrocarril (tren), ***(subway)*** la estación de metro; ***(gas)*** la estación de servicio, la gasolinera
statue la estatua
stay la estadía, la estancia; la visita
to **stay** quedarse
to stay in bed ***(illness)*** guardar cama; **to stay in bed** ***(idleness)*** quedarse en la cama
to **stay in a hotel** hospedarse
steak el biftec
steam el vapor
steep pendiente
steering wheel el volante
stepbrother el hermanastro
stepfather el padrastro
stepmother la madrastra
stepsister la hermanastra
stern ***(boat)*** la popa
stew el guisado
stick el palo
still todavía
still life la naturaleza muerta
stingy tacaño(a)
to **stir** revolver (ue)
stitch el punto, la sutura
to give (someone) stitches poner unos puntos (unas suturas) (a alguien)
stockings las medias
stomach el estómago
to have a stomachache tener dolor de estómago
stone la piedra
stop la parada
next stop la próxima parada
to make a stopover hacer escala
to **stop** parar(se); detenerse (ie); ***(to cease)*** cesar
store la tienda
to **store** guardar, almacenar
storm la tormenta, la tempestad
stormy tormentoso(a), tempestuoso(a)
story el cuento; la historia; el relato
stove la cocina, la estufa
straight (ahead) derecho
to go straight (ahead) seguir derecho
strait ***(geography)*** el estrecho
stranger el/la desconocido(a), el/la forastero(a)
straw la paja
stream el arroyo
street la calle
one-way street la calle de sentido único
strength la fuerza
to **strengthen** reforzar (ue)
stress el estrés; las tensiones
stretch ***(distance)*** el trecho
to **stretch** estirarse
stretcher la camilla
string la cuerda
string beans las judías verdes
strong fuerte
stronghold la bastión
stubborn obstinado(a), terco(a)
student el/la alumno(a); el/la estudiante; *(adj.)* estudiantil, escolar
university student el/la estudiante universitario(a)
study el estudio
social studies los estudios sociales
to **study** estudiar
stuffed up ***(head cold)*** resfriado(a)
stupendous estupendo(a)
style el estilo
to **subdue** someter; subyugar
to **subject** sujetar
subtle sutil
suburbs las afueras, los suburbios
subway el metro
subway entrance la boca del metro
subway station la estación de metro
to **succeed** tener éxito
success el éxito
successful: to be successful tener éxito
such tal
sudden repentino(a), imprevisto(a)
suddenly de repente

English-Spanish

to **suffer** sufrir
suffering el sufrimiento
sugar el azúcar
to **suggest** sugerir (ie, i)
suggestion la sugerencia
suitcase la maleta
to pack one's suitcase hacer la maleta
summary el resumen
summer el verano
summery veraniego(a)
summit la cima, la cumbre
sun el sol
to **sunbathe** tomar el sol
Sunday el domingo
sunglasses los anteojos de sol, las gafas para el sol
sunny soleado(a)
It's sunny. Hace (Hay) sol.
sunrise la salida del sol
at sunrise al amanecer
sunset la puesta del sol, el ocaso
at sunset al atardecer
suntan lotion la crema solar, la loción bronceadora
superb espléndido(a), magnífico(a), soberbio(a)
supermarket el supermercado
supplies: school supplies los materiales escolares
to **supply** proporcionar
support el apoyo
to **support** apoyar; sustentar; sostener (ie)
supposed to: I was supposed to (do something) habría de + infinitivo
sure seguro(a)
to **surf** practicar la tabla hawaiana
to **surf the Web (the Net)** navegar la red (el Internet)
surface la superficie
surfboard la tabla hawaiana
surfing la tabla hawaiana, el surfing
to go surfing practicar la tabla hawaiana, el surfing
surgeon: orthopedic surgeon el/la cirujano(a) ortopédico(a)
to **surpass** sobrepasar
surprise la sorpresa
to **surprise** sorprender
to **surround** rodear
survey la encuesta
to **suspect** sospechar
sustenance ***(food)*** el sustento
SUV el SUV
to **swallow** tragar
sweat el sudor
to **sweat** sudar; transpirar
sweat suit el buzo
sweater el suéter
sweet dulce
to **swim** nadar
swimming pool la piscina, la alberca; la pila
swimsuit el bañador, el traje de baño
swollen hinchado(a)
sword la espada
symbol el símbolo
symptom el síntoma
synagogue la sinagoga
system el sistema

T-shirt la camiseta; el T-shirt
table la mesa, la mesita
to clear the table levantar, quitar la mesa
to set the table poner la mesa
tablecloth el mantel
tablespoon la cuchara; ***(in recipe)*** la cucharada
taco el taco
tail la cola, el rabo
to **take** tomar; traer; sacar
to take (by force) apoderarse de
to take ***(size)*** usar, calzar
to take a bath bañarse
to take a flight tomar un vuelo
to take a hike dar una caminata
to take a second helping repetir
to take a shower tomar una ducha
to take a test tomar un examen
to take a trip hacer un viaje
to take an X ray of someone tomar una radiografía
to take into account tomar en cuenta
to take pictures (photos) sacar (tomar) fotos
to take place tener lugar
to take someone's blood pressure tomar la tensión arterial
to take someone's pulse tomar el pulso
to take the (school) bus tomar el bus (escolar)
to **take off** ***(airplane)*** despegar; ***(clothes)*** quitarse
to **take out** sacar
taken ocupado(a)
takeoff el despegue
talent el talento
to **talk** hablar
to talk on a cell phone hablar en el móvil
to talk on the phone hablar por teléfono
tall alto(a)
tank ***(car)*** el tanque
taste el gusto
tasty sabroso(a)
tax el impuesto
taxi el taxi
taxi driver el/la taxista
tea el té
to **teach** enseñar
teacher el/la profesor(a)
team el equipo
team sport el deporte de equipo
tear la lágrima
teaspoon la cucharita; ***(in recipe)*** la cucharadita
teeth los dientes
to brush one's teeth cepillarse (lavarse) los dientes
telegram el telegrama
telephone el teléfono
pay telephone el teléfono público
(related to) **telephone** telefónico(a)
telephone book la guía telefónica
telephone call la llamada telefónica
telephone card la tarjeta telefónica
telephone line la línea
telephone number el número de teléfono
telephone receiver el auricular

English-Spanish

English-Spanish Dictionary

to pick up the telephone descolgar (ue) el auricular
to speak on the telephone hablar por teléfono
television la televisión, la tele
television program la emisión televisiva, el programa de televisión
television station la emisora de televisión
to **tell (a story)** contar (ue); relatar
temperate templado(a)
temperature la temperatura
temple ***(religion)*** el templo; ***(anatomy)*** la sien
to **tempt** tentar (ie)
ten diez
tenacious tenaz
tender tierno(a)
tennis el tenis
tennis court la cancha de tenis
tennis player el/la tenista
tennis racket la raqueta
tennis shoes los tenis
to play tennis jugar (ue) (al) tenis
tension la tensión
tent la carpa, la tienda de campaña
to put up a tent armar, montar la carpa (la tienda de campaña)
terrace la terraza
terrain el terreno
terrible terrible; pésimo(a)
test el examen, la prueba
to give a test dar un examen (una prueba)
to take a test tomar un examen
Texan tejano(a)
text message el mensaje de texto
Thank you. Gracias.
that aquel, aquella; ese(a)
that ***(one)*** eso
the el, la
thief el/la ladrón(ona)
their su(s)
them las, los
to them *(form. pl.) (pron.)* les
theme el tema
then luego; entonces
there allí, allá
Is . . . there? ¿Está... ?
there is, there are hay
therefore por eso; ***(consequently)*** por consiguiente
these estos(as)
they ellos(as)
thick ***(solid)*** grueso(a); ***(liquid)*** espeso(a)
thickness el grosor
thigh el muslo
thin flaco(a); delgado(a); enjuto(a)
thing la cosa
to **think** pensar (ie)
What do you think? ¿Qué piensas?
thirsty: to be thirsty tener sed
thirteen trece
thirty treinta
thirty-one treinta y uno
this este(a)
those aquellos(as), esos(as)
thought el pensamiento
thousand mil
threat la amenaza
three tres
the Three Wise Men los Reyes Magos
three hundred trescientos(as)
throat la garganta
to have a sore throat tener dolor de garganta
to **throw** lanzar, tirar; ***(to fling)*** arrojar
to throw (give) a party dar una fiesta
thumb el pulgar
Thursday el jueves
thus así
ticket el boleto, el ticket; la entrada; el billete; el tiquet(e); ***(car)*** la multa
e-ticket el boleto (billete) electrónico
one-way ticket el boleto (billete) sencillo
round-trip ticket el boleto (billete) de ida y vuelta (regreso)
to give (someone) a ticket clavar con una multa
ticket counter ***(airport)*** el mostrador
ticket dispenser el distribuidor automático
ticket window la ventanilla, la boletería; la taquilla
tie la corbata
to **tie** atar
tiger el tigre
time la hora; el tiempo; la vez
at times (sometimes) a veces
at what time? ¿a qué hora?
boarding time la hora de embarque
departure time la hora de salida
from time to time de vez en cuando
full-time a tiempo completo
on time a tiempo
part-time a tiempo parcial
spare time el tiempo libre
What time is it? ¿Qué hora es?
timetable el horario
timid tímido(a)
tin la hojalata
tip el servicio; la propina
Is the tip included? ¿Está incluido el servicio?
tire la llanta, la goma, el neumático, la rueda; el caucho
flat tire el pinchazo
spare tire la rueda (llanta) de repuesto (recambio)
to **tire** cansar
to get (be) tired cansarse
tired cansado(a)
to a
toast las tostadas, el pan tostado
today hoy
What day is it today? ¿Qué día es hoy?
What is today's date? ¿Cuál es la fecha de hoy?
toe el dedo del pie
together juntos(as)
toilet el inodoro, el váter
toilet paper el papel higiénico

English-Spanish

roll of toilet paper el rollo de papel higiénico
toll el peaje; la cuota
tollbooth la cabina (garita) de peaje
tomato el tomate
tomb la tumba
tomorrow mañana
See you tomorrow! ¡Hasta mañana!
tonight esta noche
too también
tool la herramienta
toolbar la barra de herramientas
toothbrush el cepillo de dientes
toothpaste la crema dental; la pasta dentífrica
tube of toothpaste el tubo de crema dental
to **touch** tocar
tourist el/la turista
toward hacia
towel la toalla
town el pueblo; la villa
town square la plaza
toy el juguete
track ***(train)*** la vía
traffic el tráfico; el tránsito
traffic jam el tapón
traffic light el semáforo; la luz roja
trail el camino; la senda
train el tren
long-distance train el tren de largo recorrido
suburban train el tren de cercanías
train car el coche, el vagón
train conductor el/la revisora
train station la estación de ferrocarril (tren)
training el entrenamiento
to **transfer** ***(train)*** transbordar
to **translate** traducir
transmission: manual transmission la transmisión manual
transportation: means of transportation los medios de transporte
trap la trampa
to **trap** atrapar
to **travel** viajar; ***(distance)*** recorrer
treasure el tesoro
tree el árbol
trend la corriente
trim el recorte
trip el viaje
to take a trip hacer un viaje
trombone el trombono
truce la tregua
truck el camión
true *(adj.)* verdadero(a); cierto(a)
That's true. Es verdad.
trunk ***(car)*** el baúl, la maletera; ***(tree)*** el tronco
trustworthy confiable
truth la verdad
to **try** tratar de
tube el tubo
Tuesday el martes
tuna el atún
to **turn** doblar
to **turn around** dar la vuelta
to **turn off** ***(lights, power, etc.)*** apagar
to **turn on** ***(lights, power, etc.)*** prender; encender (ie)
to **turn . . . years old** cumplir... años
turn signals las direccionales
TV la tele
twelve doce
twenty veinte
twenty-eight veintiocho
twenty-five veinticinco
twenty-four veinticuatro
twenty-nine veintinueve
twenty-one veintiuno
twenty-seven veintisiete
twenty-six veintiséis
twenty-three veintitrés
twenty-two veintidós
twilight el crepúsculo
twin el/la gemelo(a)
to **twist** torcerse
two dos
two hundred doscientos(as)
type el tipo
typical típico(a)

ugly feo(a)
unattractive feo(a)
unbearable insoportable
uncertainty la incertidumbre
uncle el tío
under debajo de
underneath debajo de
to **understand** comprender, entender (ie)
to **undertake** emprender
undertaking ***(task)*** la empresa
unexplainable inexplicable
unforgettable inolvidable
unfortunately desgraciadamente, desafortunadamente
to **unhook** ***(telephone receiver)*** descolgar el auricular
uniform el uniforme
to **unite** unir, fundir
United States Estados Unidos
from the United States estadounidense
university la universidad
university degree la matrícula universitaria
unless a menos que
unoccupied libre
unpleasant antipático(a); desagradable
unselfish desinteresado(a)
unstable inestable
to **untie** desatar
until hasta; hasta que
up: to go up subir
upper superior
uprising el levantamiento
urban urbano(a)
us *(pron.)* nos
to **use** usar
useful útil
useless inútil

vacation las vacaciones
valley el valle
value el valor
vanilla *(adj.)* de vainilla
various varios(as)
to **vary** variar; oscilar
veal la ternera
veal cutlet el escalope de ternera
vegetable la legumbre, la verdura, el vegetal; la hortaliza
vegetable garden el huerto
vegetable store (greengrocer) la verdulería
vegetarian vegetariano(a)
veil el velo
veins las venas

English-Spanish Dictionary

Venezuelan venezolano(a)
verse el verso
very muy; mucho
 It's very hot (cold). Hace mucho calor (frío).
 Very well. Muy bien
vessel la vasija
view la vista
vinegar el vinagre
vineyard la viña, el viñedo
violin el violín
to **visit** visitar
voice la voz
volcano el volcán
volleyball el voleibol
 volleyball court la cancha de voleibol
volume el volumen; ***(book)*** el tomo
vowel la vocal

W

to **wait (for)** esperar
 to wait in line hacer cola; estar en fila
waiter (waitress) el/la mesero(a); el/la camarero(a)
waiting room la sala de espera
wake el velorio
to **wake up** despertarse (ie)
to **walk** caminar; andar
 to walk in a procession desfilar
wall ***(interior)*** la pared; ***(exterior)*** el muro, la muralla, la cerca
to **want** querer (ie); desear
war la guerra
warlike belicoso(a), guerrero(a)
warm cálido(a)
warm-ups ***(clothing)*** el buzo; ***(exercise)*** los calentamientos
to **warn** advertir (ie, i)
warning la advertencia; el aviso
to **wash** lavar
to **wash oneself** lavarse
 to wash one's hair (face, hands) lavarse el pelo (la cara, las manos)
washbasin el lavabo
washing machine la lavadora
watch el reloj
to **watch** mirar; ver
Watch out! ¡Cuidado!
water el agua *(f.)*
 running water el agua corriente
 (sparkling) mineral water el agua mineral (con gas)
watercolor la acuarela
waterskiing el esquí acuático (náutico)
 to water-ski esquiar en el agua
wave la ola
way la manera
 to lose one's way perder el camino
we nosotros(as)
weak débil
to **weaken** debilitar
weakness la debilidad
wealth la riqueza
wealthy acomodado(a), adinerado(a)
weapon el arma *(f.)*
to **wear** llevar; ***(shoe size)*** calzar; ***(clothing size)*** usar
weariness el cansancio, el desánimo
weather el tiempo
 It's cold (weather). Hace frío.
 It's cool (weather). Hace fresco.
 The weather is bad. Hace mal tiempo.
 The weather is nice. Hace buen tiempo.
 What's the weather like? ¿Qué tiempo hace?
to **weave** tejer
weaver el/la tejedor(a)
Web la red
 to surf the Web navegar la red
Web site el sitio Web
wedding la boda
wedding dress el traje de novia
wedding register el registro de matrimonio
wedding ring el anillo de boda
Wednesday el miércoles
week la semana
 last week la semana pasada
weekend el fin de semana
to **weigh** pesar
weight la pesa; ***(of something)*** el peso
weights: to lift weights levantar pesas
welcome: You're welcome. De nada., Por nada., No hay de qué.
well bien; pues
 Very well. Muy bien.
well-being el bienestar
well-done ***(meat)*** bien hecho(a)
well-known renombrado(a), afamado(a)
well-mannered bien educado(a)
west el oeste
western occidental
what ¿qué?, ¿cuál?, ¿cuáles?; ¿cómo?
 at what time? ¿a qué hora?
 What a mess! ¡Qué lío!
 What a shame! ¡Qué pena!
 What day is it (today)? ¿Qué día es hoy?
 What does he (she, it) look like? ¿Cómo es?
 What's happening? What's going on? ¿Qué pasa?
 What is he (she, it) like? ¿Cómo es?
 What is today's date? ¿Cuál es la fecha de hoy?
 what nationality? ¿de qué nacionalidad?
 What's new (up)? ¿Qué hay?
 What size *(clothing)* do you wear (take)? ¿Qué talla usas?
 What size *(shoe)* do you wear (take)? ¿Qué número calzas?
 What would you like (to eat)? ¿Qué desean tomar?
 What time is it? ¿Qué hora es?
whatever cualquiera
wheat el trigo
wheelchair la silla de ruedas

when cuando
when? ¿cuándo?
whenever cuandoquiera
where donde
where? ¿dónde?; ¿adónde?
  from where? ¿de dónde?
wherever dondequiera
which? ¿cuál?; ¿cuáles?
whichever cualquiera
while mientras
to **whisper** musitar
white blanco(a)
who? ¿quién?; ¿quiénes?
  Who's calling, please? ¿De parte de quién, por favor?
whoever quienquiera
whole entero(a)
whose cuyos(as)
why? ¿por qué?
wide ancho(a)
widow la viuda
wife la esposa, la mujer
to **win** ganar
wind el viento
window ***(house)*** la ventana; ***(store)*** el escaparate; ***(plane)*** la ventanilla
windshield el parabrisas
windshield wipers los limpiaparabrisas
windsurfing la plancha de vela
  to go windsurfing practicar la plancha de vela
windy: It's windy. Hace viento.
wings las alitas
winter el invierno
wise sabio(a)
  the Three Wise Men los Reyes Magos
wish el deseo, el afán
to **wish** desear
with con
to **withdraw** retirar
within dentro de
without sin
witness el testigo
woman la dama
wonderful maravilloso(a)
wood la madera
wooden de madera
wool la lana
word la palabra
work el trabajo; ***(art)*** la obra
  abstract work (of art) la obra abstracta
  figurative work (of art) la obra figurativa
to **work** trabajar; ***(land)*** cultivar, labrar
worker el/la trabajador(a), el/la obrero(a)
workshop el taller
world el mundo
  World Cup la Copa Mundial
worldwide mundial
worse peor
to **worship** rendir culto; adorar; venerar
worst el/la peor
worth: It's not worth it. No vale.
Would that . . . Ojalá que...
wound la herida
wounded herido(a)
wreath la corona
wrinkled arrugado(a)
wrist la muñeca
to **write** escribir
writing la escritura
written escrito(a)
wrong erróneo(a); equivocado(a)

X ray la radiografía
  They're taking an X ray (of him or her). Le toman (hacen) una radiografía.

Y

year el año
  last year el año pasado
  to be turning . . . years old cumplir... años
  to be . . . years old tener... años
yellow amarillo(a)
yes sí
yesterday ayer
  yesterday afternoon ayer por la tarde
  yesterday evening anoche
yet aún; todavía
yoga el yoga
  to do yoga practicar yoga
you tú; *(sing. form.)* usted; *(pl. form.)* ustedes; *(pl. fam.)* vosotros(as); *(fam. pron.)* ti; te; *(form. pron.)* le
  You're welcome. De (Por) nada.; No hay de qué.
young person el/la joven
younger menor
youngest el/la menor
your *(fam.)* tu(s); *(form.)* su(s)
  It's your turn! ¡Te toca a ti!
youth la juventud
youth hostel el albergue juvenil, el hostal

zero cero
zone la zona
zoo el zoológico

English-Spanish

Culture Index

*Numbers in light print indicate that the cultural reference was introduced in a prior level. Numbers in **bold print** indicate that the cultural reference is introduced in Level 4.*

Culture Index

Culture Index

Culture Index

Culture Index

Culture Index

Culture Index

Culture Index

Culture Index

Grammar Index

Grammar Index